Benno von Wiese

Untersuchungen
zur Literatur als Geschichte

Festschrift für Benno von Wiese

herausgegeben von

Vincent J. Günther · Helmut Koopmann
Peter Pütz · Hans Joachim Schrimpf

ERICH SCHMIDT VERLAG

ISBN 3 503 00755 5

Library of Congress Catalog Card Number 73-87946
© Erich Schmidt Verlag, Berlin 1973
Druck: A. W. Hayn's Erben
Printed in Germany. Nachdruck verboten.

INHALT

V

Inhalt

VI

Inhalt

VII

TABULA GRATULATORIA

BEDA ALLEMANN
Bonn

DOROTHEE ANDRES
Rom

ALFRED ANGER
New York

STUART ATKINS
Santa Barbara, California

ANDRÉ BANULS
Saarbrücken

ERIKA BARTH
Düsseldorf

ROGER BAUER
München

WOLFGANG BAUMGART
Berlin

EDUARD BEAUCAMP
Frankfurt

WOLFGANG BECK, C. H. BECK'SCHE
VERLAGSBUCHHANDLUNG
München

DIANA BEHLER
Seattle, Washington

ERNST BEHLER
Seattle, Washington

HANS BENDER
Freiburg

WILLY R. BERGER
Köln

CLIFFORD A. BERND
Davis, California

KURT BINNEBERG
Bonn

LIESELOTTE BLUMENTHAL
Weimar

PAUL BOCKELMANN
München

PAUL BÖCKMANN
Köln

PETER BOERNER
Bloomington, Indiana

KARL HEINZ BORCK
Hamburg

BOUVIER VERLAG,
HERBERT GRUNDMANN
Bonn

MAX BRAUBACH
Bonn

JOSEPH BREITBACH
Paris

RICHARD BRINKMANN
Tübingen

F. A. BROCKHAUS
Wiesbaden

W. H. BRUFORD
Cambridge

HEINZ OTTO BURGER
Hofheim

J. ANTHONY BURZLE
Lawrence, Kansas

VOLKER CANARIS
Köln

WOLFGANG CLEMEN
Endorf

AUGUST CLOSS
Bristol

MAURICE COLLEVILLE
Paris

WERNER CONZE
Heidelberg

FRANCESCO DELBONO
Rom

ERNST S. DICK
Lawrence, Kansas

WOLFGANG DINKELACKER
Göttingen

HILDE DOMIN
Heidelberg

ANDRÉ DRIJARD
Paris

MANFRED DURZAK
Kiel

HANS EICHNER
Toronto

SIGLINDE EICHNER
Alfter-Gielsdorf

HERBERT VON EINEM
Bonn

ERICH EMIGHOLZ
Lilienthal ü. Bremen

HELMUT ENDRULAT
Hannover

CARL H. ERKELENZ
Düsseldorf

GÜNTHER ERKEN
Köln

ARNO ESCH
Bonn

LOTTE FOERSTE
Münster

LEONARD FORSTER
Cambridge

GERHARD FRICKE
Köln

HUGO FRIEDRICH
Freiburg

HANS FROMM
München

ALBERT FUCHS
Strasbourg

JOE K. FUGATE
Kalamazoo, Michigan

ERICH FUNKE
Iowa City, Iowa

BERNHARD GAJEK
Regensburg

EBERHARD GALLEY
Düsseldorf

HUGO F. GARTEN
London

HELGA-MALEEN GERRESHEIM
Bonn

WILHELM GÖSSMANN
Düsseldorf

PIERRE GRAPPIN
Paris

WOLFGANG GREINER
Dornach

HEDWIG GREINER-VOGEL
Dornach

REINHOLD GRIMM
Madison, Wisconsin

ANDRÉ VON GRONICKA
Philadelphia

KARLFRIED GRÜNDER
Bochum

VINCENT J. GÜNTHER
Bonn

KARL S. GUTHKE
Cambridge, Massachusetts

DIETER GUTZEN
Bonn

WERNER HAGER
Oberhausen, Obb.

KÄTE HAMBURGER
Stuttgart

PETER HASUBEK
Göttingen

HANS HEGENER
Bochum

ERICH HELLER
Evanston, Illinois

WINFRIED HELLMANN
Göttingen

HILL HENDLER-HÜGELMANN
Berlin

HEINRICH HENEL
North Haven, Connecticut

INGEBORG HENEL
North Haven, Connecticut

OTTO HERDING
Freiburg

M. HERPERS
Bonn

GERHARD HERRMANN
München

HEINZ HILLMANN
Hamburg

INGEBORG HILLMANN
Hamburg

WALTER HINCK
Köln

RUDOLF HIRSCH
Frankfurt

FRANK D. HIRSCHBACH
Minneapolis, Minnesota

MICHAEL HOCHGESANG
Wiesbaden

ERICH HOCK
Würzburg

WALTER HÖLLERER
Berlin

WILHELM HOFFMANN
Stuttgart

HOFFMANN UND CAMPE VERLAG
Hamburg

WERNER HOLLMANN
Princeton, N. J.

GOTTFRIED HONNEFELDER
Bonn

PAUL EGON HÜBINGER
Bonn

MAX IMDAHL
Bochum

BRIGITTE JEREMIAS
Frankfurt

KLAUS W. JONAS
Pittsburgh, Pa.

ERNST JÜNGER
Wilflingen

FRIEDRICH GEORG JÜNGER
Überlingen

LIESELOTTE JÜNGER
Wilflingen

ELLINOR KAHLEYSS
Berlin

GERHARD KAISER
Freiburg

FRIEDRICH KIENECKER
Paderborn

EVA KIEPE-WILLMS
Göttingen

ADOLF D. KLARMANN
Philadelphia, Pa.

VITTORIO KLOSTERMANN
Frankfurt

PAUL GERHARD KLUSSMANN
Bochum

GERHARD KNOKE
Düsseldorf

LOTTE KÖHLER
New York

GUSTAV KONRAD
Wuppertal

HELMUT KOOPMANN
Bonn

ERWIN KOPPEN
Mainz

GUSTAV KORLÉN
Stockholm

ARNO KOSELLECK
Osterwald

HERBERT KRAFT
Münster

JOACHIM KRAUSE
Bonn

HELMUT KREUZER
Siegen

INGRID KREUZER
Freudenberg

PETER A. KRONER
Stevens Point, Wisconsin

THYRA KRONER
Stevens Point, Wisconsin

HANS-HENRIK KRUMMACHER
Mainz

ANNEMARIE KUCHER-STAMMINGER
Ansbach

HUGO KUHN
München

WOLFGANG KUTTENKEULER
Bonn

EBERHARD LÄMMERT
Heidelberg

GERTRUD LANDES
Nürnberg

HEDWIG LANDES
Nürnberg

VICTOR LANGE
Princeton, N. J.

HEINRICH LAUSBERG
Münster

MARGARETE LOHR
Kriftel

HERMANN LÜBBE
Einsiedeln

HEINRICH LÜTZELER
Bonn

DIETER LUTZ
München

MARTIN MACHATZKE
Berlin

HANS-JOACHIM MÄHL
Kiel

ODO MARQUARD
Gießen

EDGAR MARSCH
Fribourg

FRITZ MARTINI
Stuttgart

ALBERTO MARTINO
Pisa

FRIEDRICH MAURER
Merzhausen

FRANZ H. MAUTNER
Swarthmore, Pa.

HANS MAYER
Hannover

CHRISTOPH MECKEL
Remuzat

INGE MEIDINGER-GEISE
Erlangen

FRANZ NORBERT MENNEMEIER
Berlin

GUSTAV MENSCHING
Bonn

HERBERT MEYER
Mannheim

HERMAN MEYER
Amsterdam

PETER MICHELSEN Heidelberg	PETER OTTEN Münster
HEINZ MOENKEMEYER Philadelphia, Pa.	HEINZ PEHMÖLLER Hagen
HUGO MOSER Bonn	JÜRGEN H. PETERSEN Bonn
JOSEF MÜHLBERGER Eislingen	LEIVA PETERSEN Weimar
JOACHIM MÜLLER Jena	WINFRIED PIELOW Nienberge
KLAUS MÜLLER-SALGET Gießen	JOSEF PIEPER Münster
WALTER MÜLLER-SEIDEL München	RAINER POHL Tübingen
HELMUT MÜSSENER Uppsala	EDDA POLHEIM Bonn
WOLFGANG NEHRING Los Angeles, California	KARL KONRAD POLHEIM Bonn
EDGAR NEIS Detmold	HEINZ POLITZER Berkeley, California
GÜNTER NELLES Bochum	CLARENCE K. POTT Ann Arbor, Michigan
EBERHARD NELLMANN Bonn	ULRICH PRETZEL Hamburg
GÜNTHER NERJES Davis, California	ULRICH PROFITLICH Berlin
FRIEDRICH NEUMANN Göttingen	PETER PÜTZ Gießen
HEINZ-PETER NIEWERTH Linz	JOSEF QUINT Köln
KENNETH NORTHCOTT Chicago	WOLFDIETRICH RASCH Münster
GISELA OEHLERT-KNOOP Kirchzarten	A. E. RAUBITSCHEK Palo Alto, California
NORBERT OELLERS Bonn	BERTA RAUCH Nürnberg
WILLI OELMÜLLER Münster	GERHARD RAUSCHER Milwaukee, Wisconsin

XII

HELMUT REHDER
Austin, Texas

MARCEL REICH-RANICKI
Hamburg

HANS S. REISS
Bristol

HENRY H. H. REMAK
Bloomington, Indiana

KARL HEINRICH RENGSTORF
Münster

WILLIAM H. REY
Seattle, Washington

URSULA RICHTER
Bonn

JOACHIM RITTER
Münster

DIERK RODEWALD
Bonn

GERDA ROEDL
Nürnberg

AMALIE ROHRER
Werl

GÜNTER ROHRMOSER
Münster

ARNOLD ROTHE
Heidelberg

HORST RÜDIGER
Bonn

HAIDE RUSSEL
New York

RICHARD SAMUEL
Victoria, Australia

VERA SANDOMIRSKY-DUNHAM
Michigan

GÜNTHER SAWATZKI
Baldham b. München

WOLFGANG SCHADEWALDT
Tübingen

PAUL SCHALLÜCK
Köln

EVA SCHAPER
Glasgow

CORNELIA SCHEID
Göttingen

ELISABETH SCHEID
Köln

PETER SCHEID
Göttingen

WERNER SCHEID
Köln

THEODOR SCHIEDER
Köln

WALTER F. SCHIRMER
Bonn

OTTO SCHMIDT
Wuppertal

HELMUT J. SCHNEIDER
Bonn

KARL LUDWIG SCHNEIDER
Hamburg

ALBRECHT SCHÖNE
Göttingen

HANS JOACHIM SCHRIMPF
Bochum

ROLF SCHROERS
Gummersbach

WERNER SCHÜTZ
Düsseldorf

JOCHEN SCHULTE-SASSE
Bochum

H. STEFAN SCHULTZ
Chicago

GERHARD SCHULZ
Parkville, Vic. Australia

MANFRED SCHUNICHT
Bochum

HANS SCHWERTE Aachen	F. STOCK Bonn
WULF SEGEBRECHT Regensburg	PAUL STÖCKLEIN Frankfurt
HERBERT SEIDLER Wien	BIRGIT STOLT Uppsala
OSKAR SEIDLIN Bloomington, Indiana	GERHARD STORZ Leonberg
FRIEDRICH SENGLE München	INGRID STROHSCHNEIDER-KOHRS Bochum
MANFRED SERA Herzogenrath	SIEGFRIED SUDHOF Frankfurt
WALTER SILZ New York	WOLFGANG TARABA Minneapolis, Minnesota
LILI SIMON Wuppertal	TRAUDY TEPFENHARDT Scarborough, Canada
WALTER H. SOKEL Charlottesville, Virginia	PENTTI TILVIS Turku
OTTO SPIES Bonn	KARL TOBER Johannesburg
PETER SPYCHER Oberlin, Ohio	WILHELM TRÖGER Nürnberg
KARL STACKMANN Göttingen	ERICH TRUNZ Kiel
EMIL STAIGER Zürich	SIEGFRIED UNSELD Frankfurt
DIMITER STATKOV Bochum	JOHANNES VANDENRATH Mailand
HANS STEFFEN Groningen	RUDOLF VIERHAUS Göttingen
INGE STEGMANN Stuttgart	LAURI VILJANEN Helsinki
HARTMUT STEINECKE Bonn	ANNALISA VIVIANI München
JACOB STEINER Karlsruhe	HERMANN VOLK Mainz
DOLF STERNBERGER Darmstadt	HORST WAGNER Frankfurt

GERHARD H. WEISS
Minneapolis, Minnesota

HANS-JÖRG WEITBRECHT
Bonn

DIETER WELLERSHOFF
Köln

F. W. WENTZLAFF-EGGEBERT
Wasserburg

WILMA WERNER
Nürnberg

GÜNTHER WEYDT
Münster

OLGA WIEDEBURG
Peterstal ü. Heidelberg

PAUL WIEDEBURG
Peterstal ü. Heidelberg

ELIZABETH M. WILKINSON
London

L. A. WILLOUGHBY
London

GERDA WILMANNS
Wuppertal

KARL-HEINZ WORPENBERG
Osnabrück

BERNHARD ZELLER
Marbach

HARALD ZIELSKE
Berlin

THEODORE ZIOLKOWSKI
Princeton, N. J.

DEPARTMENT OF GERMAN, BROWN UNIVERSITY, PROVIDENCE, R. I.

DEPARTMENT OF GERMAN, UNIVERSITY OF CALIFORNIA, DAVIS

DEPARTMENT OF GERMAN, UNIVERSITY OF ILLINOIS AT CHICAGO CIRCLE

DEPARTMENT OF GERMANIC LANGUAGES AND LITERATURES, THE UNIVERSITY OF CHICAGO, ILLINOIS

DEPARTMENT OF GERMANIC LANGUAGES, THE UNIVERSITY OF TEXAS AT AUSTIN

DEPARTMENT OF GERMANIC LANGUAGES AND LITERATURE, UNIVERSITY OF WASHINGTON, SEATTLE

DEUTSCHES SEMINAR DER UNIVERSITÄT ZÜRICH

FACULTY OF MODERN LANGUAGES, CAMBRIDGE

GERMANISTISCHES INSTITUT DER RUHR-UNIVERSITÄT BOCHUM

GERMANISTISCHES INSTITUT DER UNIVERSITÄT WIEN

GERMANISTISCHES SEMINAR DER UNIVERSITÄT BONN

GERMANISTISCHES SEMINAR DER UNIVERSITÄT DÜSSELDORF

GESAMTHOCHSCHULE SIEGEN

LITERATURWISSENSCHAFTLICHES INSTITUT DER UNIVERSITÄT STUTTGART

RHEINISCH-WESTFÄLISCHE AKADEMIE DER WISSENSCHAFTEN, DÜSSELDORF

SEMINAR FÜR DEUTSCHE PHILOLOGIE, GÖTTINGEN

SWARTHMORE COLLEGE, SWARTHMORE, PA.

VORWORT DER HERAUSGEBER

Benno von Wiese wird siebzig Jahre alt. Seine Freunde, Schüler und Kollegen widmen ihm aus diesem Anlaß eine Festschrift. Sie ehren damit eine Persönlichkeit, einen Lehrer und ein wissenschaftliches Werk, an dem er mehr als 45 Jahre gearbeitet hat. Das Verzeichnis seiner Schriften gibt Auskunft über die Fülle und Vielfalt seiner Publikationen. Zu den Schwerpunkten seines Interesses gehören das Drama, die Novelle, Schiller und Immermann. Daneben hat er sich auch zahlreichen anderen Themen und Autoren zugewandt, oft in speziellen Werkanalysen. Manchmal war es nur eine einzelne Erzählung oder ein einzelnes Gedicht, was ihn festhielt und zur Erforschung reizte. Dabei verlor er umfassendere Projekte nie aus den Augen, und er kehrte nach erfolgreichen Exkursionen in Einzelheiten zu seinen weitgespannten Vorhaben zurück, zu den Editionen, Monographien und Gesamtdarstellungen. Sein Arbeitspensum ist bewundernswert.

Diese imposante Fähigkeit zur Arbeit verbindet sich mit einer erstaunlichen Mühelosigkeit. Benno von Wiese hat sehr viel gearbeitet, hat sich aber wohl nie geschunden. Er ist dauernd tätig, doch man merkt nicht den Schweiß der Anstrengung. Er hat auch keineswegs seine Jahre nur am Schreibtisch verbracht, sondern er war und ist ständig zu ausgiebigem Gespräch bereit. Als Lehrer war er ein großer Anreger und Förderer, besonders des eigentümlich Anderen. Er tritt in der Öffentlichkeit auf und wirkt außerhalb der Universität. Als Vortragsredner wird er hoch geschätzt, auch und besonders im Ausland. Im Jahre 1968 verlieh ihm die University of Chicago die Ehrendoktorwürde. Er war Präsident des Germanistenverbandes und in verschiedenen Gremien für Literaturpreise tätig. Er hat Germanistik nicht nur betrieben, sondern zugleich repräsentiert, und jeder, der ihn kennt, weiß, wie er schon durch bloße présence zu repräsentieren vermag.

Wie kommt es, daß er trotz aller Arbeit immer Zeit zu haben scheint? Das liegt offenbar an seinem untrüglichen Blick für das Wichtige und Unwichtige. Wo andere tausend Versuche benötigen, um nach mühseligem Sammeln und Sieben ein paar Körner zu finden, da greift er mit sicherem Sinn für das Wesentliche zu. Er hat sich nie bei Nebensächlichem und Beiläufigem aufgehalten; alles Kleinliche ist ihm, wenn nicht verhaßt, so doch verachtenswert. So hat er seine Arbeitszeit auf ökonomische Weise genutzt, und so hat er viel Zeit gespart.

Sein Blick für das Wichtige richtet sich fast ausschließlich auf große Gestalten. Mit Kotzebue hat er sich zwar kürzlich einmal befaßt, doch mehr aus spielerischer Laune. Sein eigentliches Interesse gehört den Autoren von Rang: Lessing, Herder, Goethe, Schiller, Kleist und Hebbel. Bei diesen sind es wiederum die großen Themen, die weitgesteckten Ziele. Er hat sich selten fesseln lassen von Problemen der Metrik oder der poetischen Technik. Er intendiert immer gleich die Idee, die zentrale Frage. Es geht ihm — und das sind bei ihm nicht nur große Worte — um Nihilismus und Theodizee, Freiheit und Natur, Individuum und Gesellschaft, Utopie und Wirklichkeit. Zu derart umfassenden Themen passen die Kategorien des Erhabenen und Pathetischen, und so war es das Drama, das ihn besonders anzog, und zwar die Tragödie mehr als das Lustspiel.

Dichtwerke betrachtet er als ästhetische Gebilde, in denen große Gedanken kontinuierlich weitergedacht und weitergestaltet werden. Für ihn ist Literaturgeschichte eine fortschreitende „Phänomenologie des Geistes". In ihrem Verlauf tritt menschliches Bewußtsein in seine verschiedenen Erscheinungsformen. In den Kunstwerken stellen sich ihm immer neue Gestalten von Wahrheit dar, nicht als Begriffe, sondern als Bilder. Diese gilt es interpretierend wiederum auf Begriffe zu bringen, eine fast unlösbare Aufgabe; denn die Bilder bergen und verbergen Wahrheit, die sie vermitteln, auch wenn der Begriff sie nur schwer begreift. Sind die Bilder Fortsetzungen des Begreifens mit ganz anderen Mitteln, wie erreichen dann Begriffe das, was Bilder darstellen? Um dieser Aporie zu entgehen, bedient sich Benno von Wiese eines hermeneutischen Verfahrens, in dem die Begriffe von Antinomie u n d Versöhnung dominieren. Dabei zeigt sich seine Affinität zur Philosophie und zu Autoren mit philosophischem Einschlag.

Bei aller Suche nach Kontinuität betont er immer wieder die Verschiedenartigkeit der Erscheinungsformen, in denen menschliches Bewußtsein sich darstellt. Daher spielt der Begriff der Geschichte in seinen Schriften eine bevorzugte Rolle. Wer Benno von Wiese persönlich kennt, weiß darüber hinaus, mit welchem Nachdruck er das Wort „Geschichte" ausspricht und wieviel lebendige Variabilität er ihr einräumt. Er bemüht sich ständig darum, literarische Phänomene in ihrer historischen Besonderheit zu sehen und zu würdigen. Durch solche Standortbestimmungen, die das geschichtlich Einmalige und Individuelle festhalten, gewinnt er zugleich ein vertieftes Verständnis der Tradition. Benno von Wiese ist nicht nur bei Herder und Fr. Schlegel, sondern auch bei Hegel und Jaspers in die Schule gegangen.

Den Respekt vor der Geschichte und vor der Bedingtheit des Geschichtlichen bringt auch diese Festschrift zum Ausdruck. Keiner der Beiträge sagt „Letztgültiges" über „d a s Leben" oder „d e n Menschen" oder „d i e Kunst", sondern alle Mitarbeiter untersuchen historische Erscheinungen mit dem Bewußtsein ihrer Historizität. Auch in der Wahl ihrer Themen haben sich die Gratulanten auf den Jubilar eingestellt, indem sie sich auf seine wichtigsten Arbeitsgebiete begaben, auf das der Klassik und die des 19. und 20. Jahrhunderts. Daß allein sieben Beiträge Schiller behandeln, ist nicht ohne ehrende Absicht geschehen.

Die Verfasser verleugnen nicht ihr historisches Bewußtsein und zugleich nicht das ihres eigenen geschichtlichen Standortes. Manches von dem, was wir „unsere

Zeit" nennen, ist in den Band miteingeflossen. Daß Heine drei Aufsätze gewidmet sind, wäre noch um 1960 — zumindest in diesem Lande — schwer denkbar gewesen. Noch unschicklicher aber hätte man es gefunden, wenn Goethe nur vier Interessenten gefunden hätte — wie hier geschehen. Daß sich mit Schiller so zahlreiche Autoren beschäftigen, nämlich fast doppelt so viele wie mit Goethe, hängt nicht allein mit dem Vorzugsgebiet Benno von Wieses zusammen. Ein anderer Grund liegt wohl darin, daß heute der Begriff der Geschichte den der Natur in den Hintergrund drängt und daß somit Schiller vor Goethe in den Vordergrund tritt.

In Benno von Wieses wissenschaftlichem Werk sind zwei Tendenzen erkennbar: die Suche nach Kontinuität und die Rücksichtnahme auf das Historisch-Individuelle. Sein Forschungsgebiet reicht von der Klassik bis zur Moderne. Tradition und Veränderung sind ihm gleichermaßen wichtig, ebenso wie der notwendige Zusammenhang von Idee und Erscheinungen. Beides will auch die Festschrift zum Ausdruck bringen.

Zum 25. September 1973

Vincent J. Günther · Helmut Koopmann
Peter Pütz · Hans Joachim Schrimpf

HUGO MOSER

ZU DEN TYPEN DER TRANSLATION MITTELALTERLICHER DEUTSCHER DICHTUNG

I

Es ist hier nicht der Ort, der Grundfrage nachzugehen, ob überhaupt ein Text aus einer Sprache in eine andere übertragen werden kann — wir benennen den Vorgang mit dem allgemeinen Terminus Translation, das Ergebnis heißen wir Translat[1] —, in eine Zielsprache, die eine von der Ausgangssprache verschiedene Lautung, eine von dieser verschiedene Lexik, eine von dieser verschiedene Grammatik aufweist. Auch bei einer Reduzierung unserer Eingangsfrage auf die, inwieweit eine Translation möglich ist, ist eine Antwort schwierig genug.

Das Problem stellt sich auch für die Übertragung älterer Stufen in eine neuere ein und derselben Sprache, etwa vom Mittelhochdeutschen ins Neuhochdeutsche. Auch hier entsteht zunächst das Problem des Gemeinten, des tertium comparationis wie bei einer Konfrontation zweier Sprachen. Das Problem ist schwer, nicht selten nicht oder nur mit Wahrscheinlichkeit zu lösen, auch bei der Translation anderer Sprachen und Sprachstufen ins Neuhochdeutsche. Es gibt Inhalte, die von der sprachlichen Form nicht zu trennen sind, „Unübersetzbares". Einmal treten in jeder Sprache Sätze auf, deren syntaktische Konstruktion sich dem Übertrager inhaltlich verschließt, oder die zumindest verschiedene inhaltliche Deutungen offen läßt, und es begegnen Lexeme, die noch andere semantische Komponenten haben als die entsprechenden der Vergleichssprache, wobei in den altdeutschen Sprachstufen die Inhalte meist umfassender, allgemeiner sind als in der neuhochdeutschen Zielsprache[3], der oft die bestimmte, im Kontext des Ausgangswerks intendierte Komponente fehlt. Manche Lexeme stehen wortfeldmäßig wie bei verschiedenen Sprachen in verschiedenen inhaltlichen Gruppen und werden von dort semantisch mitbestimmt. So ist, um beim Verhältnis mittelhochdeutsch — neuhochdeutsch zu bleiben, ja z.B. mhd. *liebe* = nhd. Freude u n d Liebe; *minne* = Liebe u n d Erinnerung. Dem nhd. *Liebe* fehlt die explizite Komponente der Freude, dem im 18. Jahrhundert wiederbelebten *Minne* die der Erinnerung; sie reichen also im Mittelhochdeutschen auch in die Sinnbereiche „Freude" bzw. „Erinnerung" hinein. Auch das Begriffsfeld der Farben hat sich seit dem Mittelalter gewandelt, und ganz anders als im Neuhochdeutschen ist bekanntlich das Feld der Tiere gegliedert: mhd. *vogel* meint jedes fliegende Tier (auch den Schmetterling und die Fledermaus),

4

wurm jedes kriechende (auch die Schlange), *visch* jedes schwimmende Tier (auch den Wal und den Biber), *tier* selbst alle Vierfüßler, *vihe* die gezähmten Tiere, *wilt* dagegen das Wild. Es ist klar, daß die „Verständnisschwierigkeiten" groß sein können: ist *liep unde leit* an einer Textstelle als *Freud und Leid* oder als *Liebe und Leid* aufzufassen, *wîz* als *weiß* oder *glänzend*, *swarz* als *schwarz* oder *dunkel*, *vogel* im Kontext als *Vogel* oder als *Schmetterling* oder ist beides gemeint? Es ist nicht möglich, die semantische Ambivalenz von mittelhochdeutschen Lexemen — und die Fälle sind Legion —, etwa von *liebe*, im Neuhochdeutschen adäquat wiederzugeben, sei es denn mit dem Hilfsmittel der Umschreibung oder des Kommentars.[3]

Damit sind wir aber schon mitten im Problemkreis, wie das Gemeinte, falls wir es mit Sicherheit erfassen, im Neuhochdeutschen wiederzugeben ist. Alle Übertragungen, auch diejenigen, welche uns hier zu beschäftigen haben, sind angewandte Sprachvergleichungen, sprachliche Komparatistik, und jeder Übertrager hat sich mit den verschiedenen Systemen der Ausgangs- und Zielsprache und deren Verwirklichung in geltenden Normen auseinanderzusetzen, gleichgültig, ob er versucht — und das sind die beiden möglichen Grundintentionen einer Translation —, originalnahe zu bleiben oder die Sprache des Originals zu verheutigen. Eine vollkommene Lösung des Problems ist, zumal bei Übertragungen künstlerischer Art, von der Sache her nicht möglich. Es ist eben immer doch etwas Neues, Anderes, das geschaffen wird, und der fremde Inhalt kann nur annäherungsweise im Translat in Erscheinung treten.

Ist das Ausgangswerk Dichtung in gebundener Rede, stellt sich ein weiteres Problem: Kann — und soll — die Vers- und Strophenform des Originals im Neuhochdeutschen nachgebildet werden oder soll — oder muß — eine andere metrische Gestalt oder Prosa an ihre Stelle treten?

II

Bei einer Überschau über die Übertragungen altdeutscher Texte ins Neuhochdeutsche ist zunächst auf verschiedene Grundformen und Typen des Translats überhaupt hinzuweisen. Halten wir uns zunächst an bekannte Typisierungen, so unterscheidet bekanntlich Goethe drei Arten von Übertragungen: „eine schlicht-prosaische", die „alle Eigentümlichkeiten einer jeden Dichtkunst völlig aufhebt" und „für den Anfang den größten Dienst" leistet, „weil sie uns mit dem fremden Vortrefflichen, mitten (...) in unserem gemeinen Leben überrascht". Er bedauert, daß man die „Nibelungen" (wie auch den Homer) nicht „gleich in tüchtige Prosa gesetzt" — wir haben uns heute dieser Auffassung Goethes wieder sehr genähert — „und sie zu einem Volksbuch gestempelt" habe.[4]

Neben das Prosatranslat stellt Goethe zwei andere Arten: einmal die, die er die „parodistische" nennt — den Terminus nicht im modernen Wortsinn, sondern im Sinn von griech. *párodos* „Übergang" neutral genommen; er versteht darunter die Art der Übertragung, bei der man „fremden Sinn anzueignen und mit eignem Sinne wieder darzustellen bemüht ist".[5] Er meint also das Streben nach inhaltlicher und gehaltlicher Aneignung des Fremden in der Form der eigenen Sprache und mit deren Stil- und sonstigen künstlerischen Mitteln, ohne Rücksicht auf die fremde Form. Anders gesagt: diese Art der Übertragung, für die Goethe als Beispiel die Übersetzungen Wielands nennt, „verlangt, daß der Autor einer fremden Nation zu uns herüber gebracht werde, dergestalt, daß wir ihn als den Unsrigen ansehen können".[6]

Die dritte und höchste Weise des Übertragens ist die, „wo man die Übersetzung dem Original identisch machen möchte, so daß eins nicht anstatt des andern, sondern an der Stelle des andern gelten solle".[7] Diese identifizierende Art des Translats „macht an uns die Forderung, daß wir uns zu dem Fremden hinüber begeben und uns in seine Zustände, seine Sprachweise, seine Eigenheiten finden sollen".[8] Es ist die Art, die dann Karl Simrock bei seinen Übertragungen aus dem Altnordischen, Altenglischen, Altsächsischen, Althochdeutschen und Mittelhochdeutschen zu verwirklichen suchte und die auch Schleiermacher als Ideal vorschwebte[9]: beim Leser das Gefühl zu wecken, in der eigenen Sprache und zugleich in der Ursprache zu lesen, es also doch mit einem fremden Erzeugnis zu tun zu haben. Dieser Idealübertragung, die ihm eine Kunst war, stellte Schleiermacher die Paraphrase und die Nachbildung als Behelfe gegenüber. Wie hoch die Romantiker im übrigen die Übertragung einschätzten, dafür ist eine am Schluß zitierte Äußerung des Novalis typisch.

Die neuere Linguistik hat manche Einsichten in die Vorgänge der literarischen Übertragungen gewonnen.[10] Es zeigt sich, daß sich der Übertrager (sofern er nicht seine Arbeit von vornherein subjektiv als Äußerung seiner Individualität auffaßt), wenn er identifizierend übersetzen will, entscheiden muß zwischen dem Streben nach einer möglichst großen Nähe zur Gestalt des Originals — in der Wortwahl, in den morphologischen und syntaktischen Formen, im phonologischen Bereich — und dem Gesichtspunkt der Bewahrung der sprachlichen Funktionen, wobei z. B. syntaktische Mittel der Ausgangssprache durch lexikalische der Zielsprache wiedergegeben werden können (oder müssen) und umgekehrt, d. h. er muß eine Wahl treffen, ob ihm die Identität oder Ähnlichkeit der sprachlichen Mittel wichtiger ist oder die künstlerische Wirkung. Dies gilt, vom Gesichtspunkt der vergleichenden Poetik und Stilistik aus, auch für die Wahl der metrischen Formen (Versmaß, Versfüllung, Reim). Besteht für den Übertrager hier ein Raum der Freiheit, so ist er nicht oder nur in geringem Maße frei, insofern er an die Grenzen seiner Individualität gebunden ist und insofern er, meist mehr unbewußt als bewußt, der Eigenart der Gruppen, denen er angehört (wozu auch die Nation zählt), verpflichtet ist; wenn Autor und Übertrager Menschen verschiedener Perioden sind, ist auch von großer Bedeutung, daß der letztere auch dem geistigen Habitus seiner Zeit (samt den Konventionen der Poetik der Zeit) verhaftet ist.

Dies alles und zumal das letztere trifft weithin auch für die neuhochdeutschen Translate aus dem Altdeutschen zu. Zitieren wir noch einmal Goethe: „Die alte Literatur der eigenen Nation ist immer als eine fremde anzusehen"[11] — hier irrt Goethe, auch wenn er es pointiert ausdrückt, zweifellos nicht. Der Abstand zwischen der Sprachform des Originals und derjenigen des Translats ist hier zwar quantitativ geringer als zwischen zwei Vollsprachen (die Problematik der Abgrenzung von Einzelsprachen bleibe beiseite), aber ein qualitativer Unterschied anderer und für die Übertragung zum Teil schwierigerer Art ist deutlich. Es handelt sich zwar weithin um verwandte bedeutungstragende Lautgruppen („Vokabeln") und morphologische Formen — sie ähneln sich zwar in ihrer Lautform, aber sie unterscheiden sich oft hinsichtlich ihrer Inhalte. Daß die Verlockung, etwa eine mittelhochdeutsche Vokabel durch ihr lautliches neuhochdeutsches Äquivalent wiederzugeben, groß ist, zeigt das Beispiel vieler Übertragungen, namentlich formgetreuer.

III

Aber damit berühren wir schon die Problematik der Typik der Translate und die der Terminologie. Wir wollen E r n e u e r u n g den Sonderfall der Translation und des Translats heißen, bei dem ein Text aus einer früheren in eine spätere Entwicklungsstufe derselben Sprache übertragen wird. Bei den Übertragungen altnordischer und altenglischer, altsächsischer, bis zu einem gewissen Grad auch althochdeutscher Dichtungen ins Neuhochdeutsche, kann man Zweifel anmelden, ob die Entfernung zwischen Ausgangs- und der neuhochdeutschen Zielsprache nicht zu groß ist, ob nicht zu viele Zwischenphasen fehlen, als daß man unter unserem Aspekt noch von der Entfaltung derselben Sprache reden könnte. Diese Frage sei hier ausgeklammert; das im folgenden zu Sagende gilt grundsätzlich aber auch für diese Übertragungen.

Wir gehen aus von zwei Haupttypen, dem der Ü b e r t r a g u n g und dem der U m s c h ö p f u n g , denen wir jeweils ältere Beispiele der Erneuerung mittelhochdeutscher Werke zuordnen.[11a] Im einzelnen unterscheiden wir die Typen der U m s e t z u n g , der Ü b e r s e t z u n g und der U m b i l d u n g , wobei formale wie inhaltliche Kriterien von Bedeutung sind. Ihnen steht der Haupttypus der U m s c h ö p f u n g gegenüber, welche die Typen der N a c h d i c h t u n g , der U m d i c h t u n g und der N e u d i c h t u n g einschließt.

In allen Fällen kann es sich um Prosa- oder Verserneuerung handeln, wobei bei beiden Formen der Ausgangspunkt die Prosa- oder die Versgestalt sein kann; es gibt also, so gesehen, vier Wege der Erneuerung: die V e r s - V e r s - , die P r o s a - P r o s a - , die V e r s - P r o s a - und die bei altdeutscher Dichtung kaum auftretende P r o s a - V e r s - E r n e u e r u n g . Dabei bietet die V e r s - V e r s - E r n e u e r u n g besondere Probleme.

Festzuhalten ist, daß Prosa in diesem Zusammenhang, wenn nicht anders gekennzeichnet, im Sinne stilistisch gehobener Kunstprosa gemeint ist; eine beson-

dere Erscheinung ist die textnahe schlichte Prosaübertragung als bloße Über-
setzungshilfe ohne künstlerische Ansprüche (s. u.). Ein eigener Vorgang ist der
der dichterischen Translation aufgrund von Prosa, oft einfacher Berichtsprosa
(man denke etwa an Sagen- und Legendenballaden Kerners, Uhlands, Simrocks u. a.). Freilich kann der Ausgangspunkt auch künstlerische Prosa sein (so
etwa in Simrocks, in den IV. Gesang, 15. Abenteuer, des *Amelungenlieds* einge-
gangenem *Dietleib und Walther,* dem eine stilistisch erhöhte Prosaübertragung
aus dem Nordischen der *Thidrekssaga* zugrundeliegt).

IV

Beim Haupttypus der Ü b e r t r a g u n g bleibt der Typus der U m s e t z u n g
dem Original am nächsten und trifft nur für die Vers-Vers- und die Prosa-
Prosa-Übertragung zu. Die Umsetzung, die nicht selten in der Nähe der T r a n -
s k r i p t i o n steht, will den Leser zur Form des Originals hinführen. Sie stellt in
unserem Zusammenhang eine im wesentlichen nur die mittelhochdeutsche Lautung ins Neuhochdeutsche transferierende, formgetreue Erneuerung dar, die der
Laut- und Klangäquivalenz durchaus den Vorrang vor der Sinnäquivalenz
gibt. Beispiele sind etwa von der Hagens und Büschings Erneuerungen des
Nibelungenlieds, Tiecks *Minnelieder,* die *Altdeutschen Volks- und Meisterlieder*
von Görres und Eschenburgs Ausgabe der gereimten Fabeln von Boners *Edelstein.*
Tiecks bruchstückhafte Erneuerung des *Nibelungenlieds* stellt, da er neue, kommentierende Strophen einflicht, einen Mischtypus von Umsetzung und Nachdichtung (s. u.) dar.

Unter Ü b e r s e t z u n g verstehen wir die textnahe Übertragung der jeweili-
gen Sinneinheiten des Originals in die neuhochdeutsche Zielsprache. Bei der
V e r s - V e r s - Ü b e r s e t z u n g ergeben sich im Verhältnis zu der metrischen
Form des Originals unter Gesichtspunkten des Metrums, des Rhythmus, des
Strophenbaus, der Reimbehandlung drei Untertypen: die f o r m g e t r e u e, die
f o r m n a h e und die f o r m f r e i e V e r s - V e r s - Ü b e r s e t z u n g. Dabei
meint formgetreu Übernahme von Metrum, Strophenbau und Reimschema der
Vorlage wie etwa in Uhlands Liedern Walthers von der Vogelweide und Simrocks Erneuerungen des *Nibelungenlieds, des Armen Heinrich* in Versen, Walthers usw.; formnah den — neueren und selteneren — reimlosen Untertypus
der Erneuerung, der nur die Strophenform und das Metrum bewahrt; formfrei
eine formale Versgestaltung aus dem Zeithorizont des Übertragers ohne Rücksicht auf die metrische Gestalt des Originals (was für gewöhnlich dann auch
für die Reimanordnung gilt). Diese dreifache Differenzierung gilt auch für die
folgenden Typen der Verserneuerung.

Die Betrachtung der Vers-Prosa-Übersetzung bedarf noch einer Ergänzung:
die Zielprosa kann auftreten ohne künstlerische Ansprüche, zusammen mit dem
Original, also als bloßes Hilfsmittel, oder aber selbständig mit höheren Ansprüchen, wobei sie sich dann in der Regel dem Typus der Umbildung annähert.

Dies trifft etwa zu für die Prosa-Erneuerung von Hartmanns *Armem Heinrich* durch die Brüder Grimm (in ihrer Ausgabe des Originals) oder durch Simrock, Schwab, Schönhuth.[12]

Wenn die Sinneinheiten des Originals zwar erhalten bleiben, aber im einzelnen in freier Weise überführt werden, kann man von U m b i l d u n g sprechen. Hier könnte man die Prosa-Prosa-Übertragungen der *Volksbücher* durch Simrock u. a. und der Volksmärchen der Brüder Grimm nennen. Die Abgrenzung zwischen diesem Typus und dem der Übersetzung ist allerdings nicht immer scharf zu treffen, zumal bei der formgetreuen mit deren Bindung an Strophenbau, Metrum und Reim. Wir mögen, wie gesagt, alle diese Formen der Erneuerung unter der Bezeichnung Ü b e r t r a g u n g zusammenfassen. Gemeinsam ist den ihr zugehörigen Typen, daß sie den Leser in eine größere oder geringere Nähe zum Original führen wollen.

V

Von ihnen unterscheidet sich wesentlich die andere Gruppe von Erneuerungen, die wir dem Haupttypus der U m s c h ö p f u n g zuordnen können. In den zu ihm zu rechnenden Typen der U m -, der N a c h - und der N e u d i c h t u n g soll das Original zu dem modernen Leser herübergeholt werden. Das schließt nicht aus, daß auf ältere formale Mittel zurückgegriffen wird, z. B. bei Epen auf das alte klassische epische Versmaß des Hexameters (so etwa in der Erneuerung des *Kudrunlieds* durch Gervinus). Diese drei Typen gelten für alle vier oben aufgeführten Wege der Erneuerung, Vers-Vers- und Prosa-Prosa- wie Prosa-Vers- und Vers-Prosa-Erneuerung. Allerdings muß gesagt werden, daß dabei der Weg Vers-Prosa im allgemeinen für die Typen der Umschöpfung von geringerer Bedeutung geworden ist, obwohl das Prosatranslat eine große künstlerische Höhe erreichen kann.

Die Umschöpfung kann auch eine formale Besonderheit aufweisen: die Transferierung von einer Gattung in eine andere, vor allem von der epischen in die dramatische oder umgekehrt; dies bedeutet in der Regel, daß das Ergebnis zum Typus der Um-, Nach- oder Neudichtung zu stellen ist.

Bei der V e r s - U m s c h ö p f u n g ergeben sich wieder von der Versgestaltung her formgetreue, formennahe und formfreie Untertypen der einzelnen angeführten Typen.

Bei dem Typus U m d i c h t u n g fehlen Sinneinheiten des Originals, oder es werden Einschübe des Übertragers beigefügt, jeweils in kleinerem Umfang, oder es kommt auch beides zusammen. Die Einfügungen können einmal aus anderen Fassungen der Textüberlieferung stammen; verschiedene Fassungen der Vorlage können zu einer Einheit zusammengefügt werden (wie etwa im *Rosengarten* Simrocks). Freilich kann dies schon bei dem kritischen Ausgangstext der Fall sein, bei den älteren mittelhochdeutschen Editionen ist dies sogar die Regel; aber die Vermischung bezieht sich hier gewöhnlich auf Varianten einzelner

Stellen, während es sich bei der Umdichtung um die Verknüpfung von Sinneinheiten verschiedener Textfassungen, vor allem im epischen Bereich, handelt. Die neuen Sinneinheiten können aber auch aus anderen Dichtungen übernommen werden oder Erfindungen des Erneuerers — etwa interpretierender Art — sein, die dem „Stil" des Werks gemäß sind. Die Umdichtung will den Originaltext nach Form und Inhalt dem eigenen Zeithorizont und seinen Bedingtheiten geistiger und sprachlicher Art einverleiben. Als Beispiel einer Vers-Vers-Umdichtung sei genannt K. Simrocks *Salomon und Morolf*, als das einer Prosa-Vers-Umdichtung nochmals Simrocks *Dietleib und Walther*.

Eine Erneuerung, die mit den Vorlagen noch freier verfährt, mag als Typus der N a c h d i c h t u n g gelten. Die freiere Gestaltung kann wie bei der Umdichtung wieder inhaltlicher Art sein, wobei die Auslassungen bzw. Einfügungen einen größeren Umfang haben. Es ist zuzugeben, daß unter inhaltlichen Gesichtspunkten die Unterscheidung zwischen den Typen der Umdichtung und der Nachdichtung im konkreten Fall nicht immer präzise getroffen werden kann. Die Nachdichtung, soweit sie Vers-Vers-Übertragung ist, ist durch Formfreiheit gekennzeichnet. Eine Vers-Vers-Nachdichtung kann man die Hinsbergsche Erneuerung des *Nibelungenlieds* (weithin in Stanzen) nennen, ebenso die *Gudrun* in Hexametern von Gervinus, Sophie von Knorrings *Flore und Blanscheflur* und eine ganze Anzahl von Simrocks Erneuerungen: *Den guten Gerhard, Otto im Barte, St. Silvester, Heinrich den Löwen, Die Mär vom Türsen, Kater Freier*, die Fortführung von Gottfrieds *Tristan*. Als Beispiele für Prosa-Vers-Umdichtung seien nochmals die Sagen- und Legendenballaden der Romantiker und Simrocks genannt.

Der Typus der N e u d i c h t u n g umfaßt Werke, die sich zwar stofflich und, beim Untertypus der f o r m n a h e n N e u d i c h t u n g, auch metrisch an ältere Muster anlehnen, aber sich im Aufbau nur wenig oder nicht an die als Vorstufe dienende(n) D i c h t u n g (en) halten, etwa auch auf Prosaüberlieferung berichtender Art zurückgreifen. Als typisches Beispiel dafür kann Simrocks *Amelungenlied* in Nibelungenstrophen gelten, bei dem allerdings viele Partien als Vers-Vers-, einige auch als Prosa-Vers-Umdichtung zu bezeichnen sind. Besondere Formen der Neudichtung liegen bei der Überführung von einer Gattung in die andere vor, besonders von der epischen in die dramatische, wie etwa in Tiecks Dramen nach Märchen, Legenden, Volksbüchern (z. B. *Rotkäppchen, Genoveva, Fortunat, Kaiser Oktavianus*), in Fouqués *Der Held des Nordens* nach der *Edda* und *Eginhard und Emma* aus dem Kreis der Karlssagen, in Uhlands *Herzog Ernst*, später dann in Nibelungendramen wie bei Hebbel oder in Erneuerungen mittelhochdeutscher höfischer Romane wie in Richard Wagners Opern.

VI

Bei den erarbeiteten Typen von Übertragung ergibt sich ein entscheidender Unterschied für die Bereiche der Lyrik und der Epik: die Prosaübersetzung hat bei lyrischen Texten in der Regel nur eine unterstützende, zum Original hinführende Funktion und wird zusammen mit dem Originaltext veröffentlicht, da Lyrik — nach der herkömmlichen Auffassung — an gewisse, vor allem metrisch bestimmte Formen gebunden ist (und z. B. die höfische Liebeslyrik des Mittelalters in besonders hohem Maße Formkunst ist). Freilich ist auch in diesem Bereich eine freiere Prosaübersetzung denkbar, die neueren, von solchen formalen Bindungen absehenden Auffassungen von lyrischer Dichtung entgegenkommt und selbständigen Charakter hat. Prosaerneuerungen von Epen können dagegen leichter eine selbständige Existenzform haben. Dies gilt auch für die Formen der Prosaumdichtung, der Prosanachdichtung und der Prosaneudichtung.

Es ergeben sich also die folgenden Typen von Translaten altdeutscher Dichtung ins Neuhochdeutsche, wobei eine scharfe Unterscheidung, das sei noch einmal betont, häufig in praxi nicht möglich ist (das gilt vor allem auch für die Untertypen zum I. Haupttypus der Übertragung):

1. Typen der Erneuerung (des Translats)

1.1. Übertragung	1.2. Umschöpfung
1.1.1. Umsetzung	1.2.1. Umdichtung
1.1.2. Übersetzung	1.2.2. Nachdichtung
1.1.3. Umbildung	1.2.3. Neudichtung

2. Wege der Translation

2.1. Vers > Vers	2.3. Vers > Prosa
2.2. Prosa > Prosa	2.4. Prosa > Vers

3. Untertypen der Verserneuerung

3.1. formgetreu	3.3. formfrei[13]
3.2. formnahe	

Die für die Erneuerung aufgestellten Typen dürften von allgemeiner Geltung für das Translat überhaupt sein. Ist es nötig zu betonen, daß das, was hier vorgelegt wird, nur den Charakter des Versuchs und des Vorläufigen trägt? Überall haben sich für unsere Typen nur unscharfe Grenzen ergeben — kein Wunder bei der Fülle der Möglichkeiten und Schwierigkeiten der Translation, nach Inhalt, sprachlicher Gestalt und künstlerischer Form. Novalis schrieb: „Übersetzen ist so gut dichten, als eigne Werke zustande bringen — und schwerer, seltner."[14] Fast möchte man auch meinen, es sei noch schwerer, Typen des Translats aufzustellen als solche der Dichtung.

Anmerkungen

1 Nach Abschluß des Manuskripts kam mir der Aufsatz von G. Jäger in die Hand: *Konfrontation und Translation*. In: Deutsch als Fremdsprache. Leipzig, 9. Jg., 1972, S. 233—244. Auch dort werden die Bezeichnungen Translation und Translat in dem hier gemeinten Sinn gebraucht.

2 Vgl. dazu E. Coseriu: *Über Leistung und Grenzen der kontrastiven Grammatik*. In: Jahrbuch des Instituts für dt. Sprache 1969 (Sprache der Gegenwart 8), 1970, S. 10 ff. Ein von ihm zitiertes Beispiel ist lat. *niger* und *ater*; die deutsche Übertragung muß *schwarz mit Glanz* und *schwarz ohne Glanz* heißen.

3 Vgl. dazu auch Verf.: *Karl Simrock als Erneuerer mittelhochdeutscher Dichtung*. In: Festschrift für H. Eggers zum 65. Geburtstag, 1972, S. 458 ff.

4 Vgl. Goethe: *Noten und Abhandlungen zu besserem Verständniß des West-östlichen Divans*. W. A. Abt. I, Bd. 7, 1888, S. 235.

5 Ebd., S. 236.

6 Vgl. Goethe: *Zu brüderlichem Andenken Wielands*. W. A. Abt. I, Bd. 36, 1893, S. 329.

7 Goethe: *Noten und Abhandlungen . . .*, S. 237.

8 Goethe: *Zu brüderlichem Andenken Wielands*, S. 329 f.

9 Schleiermacher: *Über die verschiedenen Methoden des Übersetzens*.

10 Vgl. J. Levý: *Die literarische Übersetzung. Theorie einer Kunstgattung*. Frankfurt/M./Bonn 1969.

11 Goethe: *Ungedruckte Vorrede zum 3. Teil von ,Dichtung und Wahrheit'*. W. A. Abt. I, Bd. 28, 1890, S. 359.

11a Die Beispiele reichen bis zu Simrocks Erneuerungen.

12 Vgl. H. Moser: *K. Simrock*. In: *Bonner Gelehrte*. Beitr. zur Geschichte der Wissenschaften in Bonn, Sprachwissenschaften. Bonn 1970, S. 79.

13 M. Kaempfert (*Quantifizierende Verfahren zur Beurteilung neuhochdeutscher Übersetzungen aus dem Mittelhochdeutschen*. In: ZfdPh. 90, 1971, S. 498) unterscheidet für die Lyrik:

    a) die wort- und versgetreue Übersetzung (Extremfall: die lautlich-orthographische Transkription);

    b) die umbildende Übertragung (Extremfall: die freie Nachdichtung);

    c) die interpretierende Prosa (Extremfälle: die kommentierende Paraphrase, die zusammenfassende Nacherzählung).

14 Novalis an A. W. Schlegel, 30. XI. 1797. In: Novalis: *Schriften*. Bd. 4: *Briefe und Tagebücher, Charakteristiken von Zeitgenossen*. Im Verein mit R. Samuel hrsg. von P. Kluckhohn. Leipzig o. J., S. 213.

FRIEDRICH MAURER

ZWEI BEOBACHTUNGEN ZUR DEUTUNG DER SPRACHLICHEN FORM IN LITERARISCHER ÜBERLIEFERUNG

In Erinnerung an die gemeinsamen Erlanger Jahre wäre es mir schmerzlich gewesen, lieber Herr von Wiese, wenn ich nichts zu Ihrer Festschrift hätte beisteuern können — wie es beim Blick auf das gesetzte Thema, 18. und 19. Jahrhundert, zunächst schien. Aber nun habe ich doch wenigstens zwei kleine Beiträge zur Dichtung jener Zeit vorzubringen, beide auf die richtige Deutung der literarischen Überlieferung zielend und beide schon in jenen Jahren konzipiert, in denen wir näher verbunden waren.

I

Sie erinnern sich gewiß: Damals las ich von 8 bis 9 Uhr und Sie von 9 bis 10 Uhr; in der Pause dazwischen trafen wir uns vor dem Hörsaal und besprachen im Flur wandelnd Mancherlei, auch sprachliche Probleme, bei denen der Altgermanist dem neueren Literarhistoriker behilflich sein konnte. Eines davon betraf den *Urfaust,* mit dem Sie sich damals, glaube ich, beschäftigten. Es waren die *Gretgen, Mädgen, Liebgen, Kästgen, Kettgen* usw., die in der Göchhausenschen Handschrift und in Erich Schmidts Ausgabe stehen. Sie werden oft, auch auf der Bühne, nicht als *Gretchen, Mädchen, Liebchen, Kästchen, Kettchen* usw. aufgefaßt, sondern mit einem g wie in *gut* und *ganz* ausgesprochen, also als Verschlüsse und nicht als Reibelaute. In Wirklichkeit sind sie aber nur andere Schreibungen jener Handschrift und wohl auch Goethes selbst für das, was wir heute in unserer geregelten Orthographie mit *ch,* als *-chen* schreiben. Niemals, weder vor noch nach Goethe und erst recht nicht von ihm selbst, sind diese *Gretchen, Mädchen* und *Liebchen* mit *-gen* als Verschlußlaut gesprochen worden. Nur weil Goethe sein *Regen* und *Segen,* sein *legen, liegen* und *zeigen* mit Reibelaut, also etwa wie das *ch* in *Zeichen* gesprochen hat, konnte er umgekehrt seine *Gretchen, Mädchen* usw. als *Gretgen, Mädgen* usw. schreiben. Es verdirbt Goethes Werk, wenn aus dieser Schreibung eine neue, Goethe fremde und überhaupt nirgends geltende Aussprache abgeleitet, also die Handschrift falsch gedeutet wird. Diese Tatsache, die vielleicht nicht allen, die sich mit dem *Urfaust* beschäftigen, bekannt ist, sollte doch besonders auch von Darstellern und Regisseuren beachtet werden; Goethes Werk würde dann in einem wesentlichen Punkt nicht verfälscht.

II

Die zweite Beobachtung führt in ein Stück Dichtung der Zeit bald nach Goethes Tod und auch ins Rhein-Main-Gebiet, und es handelt sich noch einmal um die richtige Deutung der literarischen Überlieferung als Voraussetzung für das rechte Verständnis.

Es geht um Ernst Elias Niebergalls Darmstädter Mundartlustspiele, besonders seinen *Datterich*. Auch hier haben die sprachlichen Formen, diesmal in den alten Drucken, die Herausgeber und ihre Kritiker beunruhigt. Es ist aufgefallen, daß die Mundart der Texte mitunter durch eingestreute hochsprachliche Formen verändert ist, daß also z. B. gelegentlich *bezahle* statt *bezohle, ich hatt* statt *ich hott, sonst* statt *sunst* gedruckt ist. Man hat auch eine Erklärung zur Hand oder sogar gleich zwei Möglichkeiten, mit deren Annahme man sich für berechtigt hält, die „hochdeutschen" Formen zu entfernen und durch die „echten" Mundartformen zu ersetzen. Entweder, so meinte man, beruhen diese mundartfremden Formen auf Versehen des Druckers oder „eher auf einer Flüchtigkeit des Verfassers" (so Esselborn in seiner schönen Ausgabe der *Dramatischen Werke Niebergalls* von 1925, S. 50).

Ich glaube aber, daß weder das eine noch das andere der Fall ist, daß hier vielmehr eine besondere Feinheit zu erkennen ist, mit der Niebergall die verschiedenen Schattierungen der lebendigen Rede beherrscht und anwendet; die soziale Staffelung in der Mundart wird hier sichtbar. Man hat auch bereits gesehen, daß besonders häufig dem Particulier Datterich und dem Studenten Fritz Knippelius diese hochsprachlichen Formen unterlaufen. Es sind die beiden, die auf einer höheren Stufe sprachlicher Bildung stehen und die die Beziehung zur höheren Sprachschicht in ihrer Rede erkennen lassen. Andere Beobachtungen zur „Nebeneinanderstellung von Mundart und Hochdeutsch" hat schon Esselborn (S. 51 ff.) vorgebracht, daß also etwa die Polizeidiener im *Datterich* hochdeutsch reden (was ein Darmstädter Polizist im 19. Jahrhundert sicher so wenig getan hat wie am Anfang des 20.), oder daß Datterich ins reine Hochdeutsch fällt, wenn er hochtrabende oder pathetische Erklärungen abgibt. All das sind Zeugnisse für die reiche Vielschichtigkeit vor allem auch einer städtischen Mundart, die Niebergall genau beobachtet und wiedergegeben hat.

Beide kleine Beobachtungen, die Sie, lieber Herr von Wiese, hoffentlich nicht zu sehr gelangweilt haben, scheinen mir zu zeigen, wie wichtig es ist, die literarische Überlieferung in Handschriften und Erstdrucken sorgfältig zu beachten und mit Kenntnis und Überlegung zu interpretieren, damit es nicht zu Fehldeutungen und zum Verlust reizvoller Besonderheiten kommt.

Über den ersten Punkt habe ich in einer Zuschrift an die alte Frankfurter Zeitung, kurz bevor sie eingestellt wurde, in der Nummer vom 18. Juni 1943, eine Notiz gebracht; über den zweiten habe ich Einiges in einer Anzeige der Esselbornschen Ausgabe von 1925 in den Hessischen Blättern für Volkskunde gesagt.

GERHARD KAISER

FRIEDRICH MAXIMILIAN KLINGERS SCHAUSPIEL
STURM UND DRANG

*Zur Typologie des Sturm-und-Drang-Dramas**

„O wenn ich ietzt nicht Dramas schriebe ich ging zu Grund", bekennt Goethe
1775[1], und Klinger begründet rückblickend zehn Jahre später sein dramatisches
Jugendwerk mit den Worten: „... mir ists bey allen Schreibereyen um nichts
anders zu thun, als in einer vorgestellten Welt zu leben, wenn ich's nicht thätig
in der würklichen kann ..."[2] Das Kennzeichen beider Aussagen besteht darin,
daß Klinger wie Goethe ihr dramatisches Schaffen ganz aus persönlichen Bedürfnissen rechtfertigen. Das ist etwas Neues. Lessing sieht das Drama von dem
Eindruck her, den es beim Publikum erwecken soll. Es ist ein Gedicht, welches
Furcht und Mitleid erregt und diese Leidenschaften mit Hilfe der Katharsis in
tugendhafte Fertigkeiten verwandelt. Die Frage nach Bedeutung und Leistung
des Dramas für den Dichter selbst ist nicht gestellt. Für die Sturm-und-Drang-
Genies aber ist das Drama in erster Linie Ausdruck einer eigenen Lebensproble-
matik und -stimmung. Sie suchen in der Dramenproduktion zunächst Selbstaus-
sprache und Selbstbestätigung. Und doch ist bei dieser Gemeinsamkeit der Jungen ein tiefgreifender Unterschied zwischen Goethe und Klinger nicht zu verkennen: Das dramatische Schaffen des jungen Goethe ist schöpferische Antwort
auf eine intensive Welterfahrung. Wie seine Stücke — mehr als die Shakespeares
— sich alle um den „geheimen Punckt" drehen, „in dem das Eigenthümliche
unsres Ich's, die prätendirte Freyheit unsres Wollens, mit dem nothwendigen
Gang des Ganzen zusammenstösst"[3], so ist auch seine Produktion Auseinandersetzung mit der Welt. Selbstbestimmung vollzieht sich als Weltbegegnung, das
dichterische Schaffen ist Behauptung gegen eine in ihrem vollen Recht wahr-
genommene Lebensrealität. Klinger dagegen, der Armenschüler und dürftige
Student, hat in seiner Dichtung wenig Realitätsgehalt. In *Dichtung und Wahrheit* bemerkt der alte Goethe, in Klingers Lage sei der Kampf mit dem Her-
kommen oft schwer und sauer gewesen, und „so fühlte er sich gewaltsamer in
sich zurückgetrieben, als daß er durchaus zu einer frohen und freudigen Ausbildung hätte gelangen können ..."[4] Kurt May weist hin „auf eine Weltferne
dieses Stürmers und Drängers, der ... noch gar nicht eingetreten ist in die Welt,
das Wort ‚Welt' dabei in dem damals geläufigen Wortsinn genommen, gleichbedeutend mit le monde, die Gesellschaft, und erweitert auf die Dinge."[5] Man

fühlt sich erinnert an eine andere leidenschaftliche Existenz der Zeit, die auch im Theater sich Luft machen wollte von der Enge und Dumpfheit ärmlichster Herkunft — an Karl Philipp Moritz und seinen Romanhelden Anton Reiser. „Sein höchstes Glück ... war ... der Schauplatz; denn das war der einzige Ort, wo sein ungenügsamer Wunsch, alle Szenen des Menschenlebens selbst zu durchleben, befriedigt werden konnte ..."[6] Diese Erklärung für die Theaterbesessenheit Reisers legt auch die Wurzel von Klingers Theatromanie bloß. Es ist kennzeichnend, daß Reiser sich gerade mit einem Klingerschen Helden, dem Guelfo der *Zwillinge,* am tiefsten identifiziert.[7] Wie Anton Reiser, der „von Kindheit auf zu wenig eigene Existenz gehabt hatte"[8], „dasjenige reelle Leben in sich" sucht, „was er nicht außer sich haben konnte"[9], so sucht auch der junge Klinger, bei aller Besonderheit seines Charakters und seiner Lage, im Theater Ersatz für die Welt, nicht Auseinandersetzung mit ihr. Seine Dichtung ist, wie schon Berendt in der Einleitung seiner Klinger-Ausgabe betont[10], nicht Erlebnisdichtung im Sinne Goethes, sie ist Phantasiedichtung. Während der junge Goethe in seinem dramatischen Schaffen Lebensgewißheit und Klärung findet, ist das Theater Klingers Traum und Vorwegnahme. Bei Goethe stoßen Ich und Welt zusammen, bei Klinger projiziert sich das Ich in die Welt.

Es ist klar, daß dieser besonderen Produktionsweise Klingers auch eine eigenartige Kunstform entsprechen muß. Sie soll im folgenden an Klingers Schauspiel *Sturm und Drang* von 1776 aufgezeigt werden, das von der Forschung vernachlässigt worden ist, obwohl dieses Werk der ganzen Epoche seinen Namen gegeben hat und Klinger selbst es für das Liebste, Wunderbarste erklärte, das aus seinem Herzen geflossen sei. „Mit Feuerströmen braust mein Genius in Sturm und Drang."[11]

Wenn man sich durch den Gefühlsüberschwang des Klingerschen Schauspiels hindurchgearbeitet hat, stellt sich zunächst eine gewisse Ernüchterung ein. Unter dem revolutionären Faltenwurf scheint sich ein ausgesprochenes Familien-Rührstück zu verbergen, das an Kühnheit der Fabel weit hinter Goethes *Götz* und Lessings *Emilia Galotti,* aber auch hinter Klingers früherer Dramatik — dem *Otto* oder den *Zwillingen* etwa — zurückbleibt: Zwei verfeindete Familien vereinigen sich wieder, zusammengeführt durch die Liebe zwischen Sohn und Tochter aus den sich befehdenden Häusern — das ist *Romeo und Julia,* zum Happy-End gewendet, eine Geschichte, wie man sie bei Kotzebue oder Iffland erwartet, nicht aber bei einem Originalgenie wie Klinger. Auch die Charaktere erscheinen konventionell. Der polternd-gutmütige Alte, die altjüngferlich-verliebte Tante, die empfindsame Tochter, die muntere Freundin, zwei komische Liebhaber sind bewährte Lustspieltypen. Sprechende Namen wie La Feu oder Blasius (von französisch blasé = abgestumpft, übersättigt) sowie der von Carl Bushy angenommene Name Wild deuten ebenfalls auf die Typenkomödie hin[12], und der Held Wild mit seinem Gegenspieler, dem Kapitän, erinnern von fern an den bramarbasierenden Miles gloriosus. Selbst die satirische Wendung des

Stücks ist auf den ersten Blick nicht eben neu: In La Feu ist der Galante und mit ihm die Schäfer- und Feenpoesie, in Blasius der Melancholiker mit der Tendenz zur Apathie als Zeittypus parodiert.[13]

Aus dem Rahmen des Gewohnten fällt zunächst der Schauplatz: Amerika. 1776, im Erscheinungsjahr des *Sturm und Drang,* beherrscht der nordamerikanische Unabhängigkeitskrieg die Weltpolitik, und dieses Ereignis einer revolutionären bürgerlichen Erhebung fand einen weiten Widerhall in Europa, der auf die Erregungen der Französischen Revolution vordeutete. Aber es wäre voreilig, die Sturm-und-Drang-Epoche im ganzen diesem politischen Zusammenhang zuzuordnen. Im Lenzschen Romanfragment *Der Waldbruder* denkt der Held daran, im Kriegsdienst gegen Amerika Rettung aus seinen persönlichen Verstrickungen zu finden, und Klinger selbst hat mit dem Plan gespielt, als Offizier in einer deutschen Miettruppe gegen die um ihre Freiheit kämpfenden Kolonien ins Feld zu ziehen.[14] Sein Stück zeigt kein ideelles politisches Engagement. Wild kämpft zwar auf der Seite der Kolonien, doch Begeisterung für die Sache der Revolutionäre fehlt ihm. In der Liebesszene am Balkon nennt Carl, zu Caroline gewandt, Amerika „d e i n neues Vaterland" (von mir gesperrt, G. K., 293)[15], nicht seines, und als dessen Feind erscheint ihm nicht England, sondern Carolines Vater, der ihre Liebe bedroht. Im Stück findet sich keine Spur einer Freiheitsidee, wie sie etwa Goethes *Götz* oder Schillers *Räubern* das Gepräge gibt. Wild will nichts als sich austoben, und dazu wäre ihm ein Krieg in Spanien genauso lieb wie einer in Amerika. „... wißt; daß ich euch aus Rußland nach Spanien führte, weil ich glaubte, der König fange mit dem Mogol Krieg an. Wie aber die Spanische Nation träge ist, so wars auch hier. Ich packte euch also wieder auf, und nun seyd ihr mitten im Krieg in Amerika", erklärt der junge Held seinen Freunden (267): „... die einzige Glückseligkeit die ich kenne, im Krieg zu seyn. Genießt der Scenen, thut was ihr wollt" (269). Man weiß kaum, worum der Kampf geht. Überhaupt bleibt die Lokalität der Neuen Welt völlig schemenhaft. Wild schleppt Blasius und La Feu, indem er sie für Irre ausgibt, in einer Kutsche festgebunden mit vorgehaltener Pistole durch die Lande — man könnte den Eindruck gewinnen, der Atlantik sei in der Pferdechaise überquert worden, so unwichtig ist Klinger die Außenwelt. Wirtshaus und Garten, wo das Stück spielt, sind handlungsneutral und könnten überall und nirgends gedacht werden. Das Meer scheint gleich hinter dem Haus zu sein, und in der Nachbarschaft findet eine Schlacht statt. Das alles bleibt beliebiger Hintergrund der Familiengeschichte und ist mit größter Nachlässigkeit behandelt.

Auch in der Gestaltung der Fabel waltet eine erstaunliche Sorglosigkeit. Die Handlung ruht auf einer komplizierten Vorgeschichte. Das Schloß des Edelmanns Berkley ist vor Jahren in einem nächtlichen Überfall zerstört worden. Die Lady hat dabei ihr Leben verloren, der junge Sohn Harry ist verschollen. Der Vater mit der damals dreizehnjährigen Tochter überlebte und tut nun als

Offizier im Heer der amerikanischen Aufständischen Dienst. Lord Berkley nimmt an, daß sein ehemaliger Freund, späterer Rivale Lord Bushy der Urheber des Überfalls war, was sich zuletzt als Irrtum aufklärt. Bushy seinerseits ist inzwischen wie Berkley aus England verbannt und irrt durch die Lande. Der dritte Heimatlose ist, unter dem angenommenen Namen Wild, Bushys Sohn Carl, der die Tochter Berkleys von Kind auf liebt und keine Ruhe hat, ehe er sie nicht wiederfindet. Bei einer solchen Verwicklung hätte sorgfältigste Exposition und Motivierung nahegelegen, aber Klinger denkt nicht daran, sie zu geben. Man erfährt nichts über die Gründe und Möglichkeiten einer derartig mittelalterlich anmutenden Familienfehde im 18. Jahrhundert, nichts über die Ursachen der Verbannung der beiden Väter, fast nichts über die wahren Zusammenhänge der einstigen Mordbrennerei. Ebenso oberflächlich wird die weitere Entwicklung der Geschichte unwahrscheinlichsten Zufällen anvertraut. Ganz von ungefähr treffen Bushys Sohn Wild und Berkleys verschollener Sohn Harry, der irgendwie Kapitän eines Kaperschiffes geworden ist, gleich dreimal zu verschiedenen Zeitpunkten und an ganz verschiedenen Orten zusammen und duellieren sich, ohne einander zu erkennen und ohne Motiv, nur weil dem Kapitän der Held Wild auf unerklärliche Weise zuwider ist. Zufällig kommt der alte Lord Bushy in die Hände des Kapitäns, der den Feind seines Vaters auf stürmischer See aussetzt oder wenigstens auszusetzen glaubt — denn von einem kleinen Negerjungen und einem Schiffsoffizier werden der alte Bushy und sein Begleiter vor dem Kapitän versteckt und so gerettet. Auf seltsamste Weise finden schließlich Vater Berkley und der verschollene Sohn, Wild und die Geliebte Caroline sowie dessen Vater einander wieder, und Klingers Selbstironie ist nicht zu überhören, wenn die ältliche Tante Kathrin in den Überschwang dieser Wiederbegegnungen mit der geistreichen Wendung hineinplatzt: „Ey sieh doch! Berg und Thal kommen nicht zusammen, aber die Menschen" (328). Sie treffen sich im Gasthaus — dem bewährten Schauplatz dramatischer Verlegenheitslösungen. Die komische Nebenhandlung — Wilds Freunde Blasius und La Feu machen Berkleys Schwester Kathrin und deren Nichte Louise den Hof — ist bei alledem überhaupt nicht mit dem Hauptgeschehen verknüpft; das Stück ist ohne eine Spur dramatischer Konzentration. Über viele Jahre und zwei Kontinente wird die Handlung hingezerrt, wobei nur die Auflösung des Konflikts auf der Bühne erscheint. Das einzige dramatische Mittel der Handlungsführung sind Erkennungen, die das Stück in allen möglichen Kombinationen bietet. Sie finden statt zwischen Berkley Vater und Sohn, Bushy Vater und Sohn, Wild und Berkleys Tochter Caroline, Wild und dem Kapitän, Kapitän und Caroline, Wild und Berkley. Trotz dieses Aufbaus auf Erkennnungsszenen aber fehlen *Sturm und Drang* alle Merkmale des analytischen Dramas, wie es etwa im *Ödipus* oder im *Zerbrochenen Krug* vorliegt, denn während das analytische Drama den Eindruck des unentrinnbaren Verhängnisses heraufbeschwört, indem es den zwingenden Zusammenhang alles Geschehens deutlich macht, entrollt Klingers Drama ein bloßes Durcheinander von Ereignissen, und die Erkennungen führen lediglich dazu, daß alle Erschütterungen, die sich in zehn Jahren in den Personen aufgestaut haben, mit einem Schlag losgelassen werden können. Statt einer Summe von Ereignissen wird eine Summe von Gefühlen gezogen.

Diese überschwemmt auch die Charaktertypik, die üblicherweise eine strenge Festlegung der Figuren auf prägnante und deutlich unterscheidende Züge ergibt; die Typenkomödie arbeitet mit scharf kontrastierenden Idealmodellen von Charakteren. Bei Klinger dagegen sind die Charakterdifferenzen der Hauptfiguren untereinander gering, und damit zerfallen auch die sonst so harten Umrisse des Typus. In einer gewaltigen Forcierung und Überhitzung der Leidenschaften, in witzigem Aufsprudeln oder elegischem Verdämmern fließen die habituellen Haltungen der Figuren ineinander über. Innere Charakterbedingungen der Figuren sind ebensowenig gestaltprägend wie die äußeren. Wild, La Feu oder Berkley zum Beispiel sind auf gleiche Art verzweifelt witzig. Blasius, dessen Programm es eigentlich ist, von der Welt keine Notiz zu nehmen, kann in holder Naturschwärmerei auftauchen, die eine ähnliche Stimmung Wilds aufnimmt und weiterklingen läßt. Wild, Berkley und der Kapitän drängen mit dem gleichen Ungestüm in den Krieg, der sie gar nichts angeht. So sind die Personen eng verwandt in ihren Verhaltensweisen, selbst kontrastierend angelegte wie Blasius und La Feu: La Feus phantastischer Entflammbarkeit liegt dieselbe Fühllosigkeit zugrunde, der Blasius sich übergeben hat (303); Blasius' Weltschmerz hat ihn, wie La Feu, die verschiedensten Haltungen annehmen lassen (268). Das entgegengesetzte Programm beider hat einen gemeinsamen Erfahrungshintergrund von Weltschmerz, den im Grunde sämtliche Personen teilen. Alle sind unberechenbar in ihren Reaktionen, fast ohne logischen und psychologischen Zusammenhang des Handelns, fast ohne jenes kontingente Muster von unausgesprochenen Vorentscheidungen, Hemmungen und individuellen Konstanten, das erst den empirischen Charakter ausmacht. Bei Klinger ist die ganze Figur Äußerung. Jede Gefühlsregung schlägt gleich durch bis auf den Grund. Es gibt keine Entwicklungen und allmählichen Übergänge. Die Leidenschaften sind im Wortsinne „unbedingt". Sie scheinen die Figuren nur als Vehikel zu benötigen, und ähnlich ist ihr Verhältnis zur Handlung. Die Szene bringt erstaunlich wenig an äußeren Ereignissen und Sensationen. Die pragmatische Turbulenz des Geschehens bleibt außerhalb der Bühne. Schon die Vielzahl der Erkennungsszenen ließ klar werden, was die gesamte Szenenführung bestätigt: Die Szenenfolge steht allein unter dem Gesichtspunkt höchstmöglicher seelischer Intensität, das Stück ist reines Seelendrama.

Allerdings Seelendrama des Sturm und Drang, und das heißt, das Stück zielt auf hochexplosive Situationen, auf Umschläge von einem Extrem ins andere, mit Vorliebe auf eine Gleichzeitigkeit gegensätzlicher Gefühle. „... fühle Grimm hier, fühle Liebe hier" (346). Solches Nebeneinander der äußersten Emotionen, wie es der Held Wild ausspricht, strebt das auf den ersten Blick so willkürliche

Szenarium konsequent an, für dieses Nebeneinander gibt die kolportagehafte Vorgeschichte ideale Voraussetzungen: Der alte Berkley und Bushy waren Freunde vor ihrem Kampf gegeneinander, und infolgedessen tritt im Haß immer wieder eine Spur der alten Zuneigung, in der Versöhnung immer noch ein Ton des Zornes zutage. Am Ende sagt Berkley zu Bushy: „Rede nicht! Bushy rede nicht! ich haß und hasse, lieb und liebe!" (353) Die gleiche Beziehung wie bei den Vätern findet sich bei den Kindern. Zwischen Wild und dem Kapitän herrscht Haßliebe bis zur wildesten Steigerung. „Ich kann Dir sagen, daß ich Dich leiden kann", entgegnet Wild, als er wieder einmal vom Kapitän zum Duell auf Leben und Tod gefordert wird. „Demohngeachtet — wenn mirs kein Ernst ist, um des Spasses halben. Ich hätt heute nicht nöthig mein Leben weg-zuwerfen, doch weil Du brav bist, und wir nun einmal nicht an einem Ort zusammen leben können, und ich jetzt hier, hier leben muß —" (310). So geht man in den Zweikampf. Noch bei der allgemeinen Versöhnung findet der Kapitän es „schändlich, sich vertragen wie Weibsleute am Ende" (354). Auch in die Liebe Wilds zu Caroline dringt immer wieder schrecklich der Familienhaß ein: „Ich fand dich, fand dich in Amerika, wo ich den Tod suchte, find Ruhe und Seligkeit in diesen süßen Augen", ruft Wild aus, indem er Caroline um-faßt:

> Und so habe ich dich, so habe ich dich, Miß Berkley! Und halte dich, und was Wild hält — ich kann deinen Vater erwürgen, dich zu besitzen. Aber so ists Wonne, so ists sanft. (küßt sie.)
> Caroline: (sich loswindend.) Erschrecklich! Wild! Carl! wo ist der Blick, der mir Leben giebt für dies Wort?
> Wild. Hier Miß! (küßt sie.) (295)

Noch in den Nebenfiguren wiederholt sich diese Konstellation. Blasius will sich mit seinem Freund Wild schießen und erklärt in der gleichen Szene: „Dich soll keiner todt schießen, edler Wild" (270). Der kleine Mohr, den der Kapitän mit sich führt, trägt als Liebeszeichen seines Herrn faustgroße Beulen auf dem Rücken (306). Vor allem an den Höhepunkten des Stücks sind alle diese Gegensätze gleichzeitig in den verschiedenen Personen auf der Bühne versam-melt, so daß ein Wirrwarr der Stimmen und Stimmungen entsteht. So etwa bei der Erzählung des Kapitäns von der Aussetzung des alten Bushy im Sturm auf hoher See. Wild, also Bushys Sohn, der alte Berkley, Vater des Kapitäns und Todfeind Bushys, und Caroline, Tochter Berkleys und Geliebte Wilds, hören die Erzählung mit an, naturgemäß mit entgegengesetzten Reaktionen. Die wider-sprechendsten Gefühle werden nicht nur überschichtet, sie bedingen einander. Was für Berkley und den Kapitän Gegenstand grimmiger Genugtuung ist, der vermeintliche Tod des alten Feindes, ist für Wild, Bushys Sohn, Anstoß zu unmenschlichem Schmerz und Haß, für Caroline, die nach dem Geliebten Wild eben im Kapitän ihren Bruder wiedergefunden hat, Anlaß der Verzweiflung. So entsteht eine Stimmungspolyphonie von äußerster expressiver Mächtigkeit.

Noch in anderer Beziehung erweist sich das emotionale Element als bestimmend für Klingers Stück. Zur Kontrapunktik der Gefühle tritt ein kontrastierendes Nacheinander in dem Sinne, daß im gesamten Verlauf des Stückes pathetische, elegische und komische Situationen einander abwechseln. So folgen im ersten Akt auf den pathetischen Auftritt des irrenden Ritters Wild mit seinen Kumpanen die elegische Szene zwischen Berkley, der Kartenhäuser baut, und seiner Tochter Caroline am Klavier, dann die komischen Auftritte mit den Nebenfiguren Louise und der Tante, Blasius und La Feu. Der zweite Akt beginnt mit einer Klage Wilds, bringt anschließend die komische Visite von Blasius und La Feu bei den Damen und endet mit der pathetischen Begegnung zwischen Wild und Caroline und Wild und Berkley. Der dritte Akt trägt burlesken Charakter, hat aber einen elegischen Einschub in der Gartenszene zwischen Wild und Caroline. Der vierte Akt ist pathetisch mit einer eingeblendeten stimmungsvollen Episode zwischen Blasius und La Feu, der fünfte Akt ist pathetisch mit einem komischen Mittelstück zwischen La Feu und der Tante, Blasius und Louise. Diese Kompositionsweise erinnert lebhaft an das Drama Klopstocks oder Gerstenbergs, wo auch Handlung und Charaktere nur als Anlaß für ein Gemälde wechselnder Leidenschaften dienen.[16] In Klopstocks Drama *Der Tod Adams* etwa, ebenso wie in Gerstenbergs *Ugolino*, ist der Handlungsaufbau bestimmt durch die Abfolge und Wechselbeziehung emotional gegensätzlicher Momente. Im *Tod Adams* macht Sulimas Hochzeit Adams Sterben bitterer, Kains Erscheinen erhöht die Verzweiflung, das Wiederfinden des verlorenen Sohns Sunim gibt einen Gefühlsgegensatz zur Angst Adams. Bei Gerstenberg findet ein fast musikalisch komponierter Wechsel der Stimmung bei den im Hungerturm Gefangenen zwischen Hoffnung und Verzweiflung, Leidenschaft und stoischer Haltung statt. Für Klopstock wie für Gerstenberg treten die kausale Verknüpfung der Ereignisse und die psychologische Feinstrukturierung der Charaktere, worauf Lessing so großen Wert legt, zurück gegenüber dem Streben nach Situationen und Konstellationen, die ein Maximum an Gefühl und Gefühlsumschlägen entfesseln, und so hat auch für Klopstock und Gerstenberg Gültigkeit, was Kurt May über Klingers Jugenddrama feststellt: „Mit solchen Kategorien wie Handlung, Charaktere, geistiger Gehalt, Idee kann man es gar nicht greifen“[17] — ich möchte einschränkend hinzufügen: jedenfalls dann nicht, wenn man diese Kategorien im Sinne einer klassisch-normativen Dramaturgie nimmt.

Eine andere Übereinstimmung Klingers mit älteren Vorbildern liegt in seiner Dramensprache, die durch häufige Wiederholung und Wiederaufnahme von Wörtern besonders ausgezeichnet ist. Berendt hat für diesen Stilzug Klingers auf Lessing hingewiesen, bei dem jedoch, wie auch Berendt sehr wohl sieht, die Wortrekapitulation zu völlig anderem Zweck auftritt.[18] Bei Lessing gibt die Wiederholung noch der Sprache der Leidenschaft einen begrifflichen Charakter. Jede Wiederaufnahme gewinnt dem Wort eine neue gedankliche Nuance ab. Der Gedankenablauf ist streng logisch. Ganz das Gegenteil bei Klinger! Die

Wortwiederholungen bezeichnen hier nicht Wendungen des Gedankens, sondern ein unersättliches Auskosten der Wörter auf ihren Gefühlsgehalt hin, ohne daß die Sprache gedanklich auch nur einen Schritt weiterrückte. In jeder Wortrekapitulation pressen und ballen sich die Empfindungen. Damit tritt auch hier wieder Klopstock ins Blickfeld, der die Wortwiederholung in gleicher Funktion in seinen Dramen braucht, wie schon ein flüchtiger Vergleich zeigt. So monologisiert Adams Sohn Seth am Ende des ersten Aktes vom *Tod Adams*:

> Zu bittrer, unaussprechlicher Schmerz! Du namenlosester unter den Schmerzen! Du wirst mein Leben zerreißen, bis ich mich auch bei seinen Gebeinen niederlege! Ach, du erster und bester der Väter! Vater der Unmündigen und Ungebornen! — (Meine Ungebornen werden seine grauen Haare nicht sehn!) Du Todestag! Ach, du Todestag meines Vaters! wie schnell bist du gekommen, mich laut zu fragen: ob ich Gott fürchte? — ich will hingehen und mich mit meinem Vater vor den Altar legen. Dieser bebende Arm soll ihm sein Grab mit aufgraben! O du Grab! du Grab meines Vaters! Und du erschreckliche Stimme: Eh die Sonne den Cedernwald hinunter gestiegen ist!

In Klingers *Sturm und Drang* heißt es:

> Caroline. Meinen Vater! Meinen Vater! Rette dich! Er haßt Bushy und seinen Sohn. Rette dich! fliehe! Ach mich verlassen! fliehen! und habe dich noch nicht gesehen. —
> Wild. Ich? Jenny! fliehen? und ich bin hier in deiner Gegenwart, hänge hier an deinen süßen Augen, und kehrt so eben die erste Freude meines Lebens zurück — fliehen? Wer reißt mich weg von hier? ... Wer reißt Carl Bushy von Miß Berkley? Laß deinen Vater kommen! bist du nicht mein, warst mein von den ersten Jahren der Kindheit? Wuchs mit dir auf, unser Herz, Seel und Wesen vereinigte sich. Warst meine Braut, eh du die Bedeutung des Worts verstundest. — (kalt.) Ich bleibe hier, Miß! ich bleibe hier. —[19]

Bei Klopstock wie bei Klinger ist die Wortwiederholung ein Kunstgriff, um das jeweilige Wort als Gefühlsträger voll zur Geltung zu bringen.

Dennoch zeigt gerade der Vergleich mit Verwandtem, daß Klingers Drama auch gegenüber Klopstock und Gerstenberg ein eigenes Gesetz hat. Bei Klopstock ist noch der Monolog Seths ganz in bezug auf den Nebenmenschen, den Vater Adam und die ungeborenen Söhne, gesprochen. Auf sie hin wird die Situation durchreflektiert oder besser: durchgefühlt. Das Aufmerken auf den Nächsten äußert sich stilistisch-syntaktisch bei Klopstock darin, daß mit Vorliebe die Befindlichkeit des Nebenmenschen als Bedingung, Vergleich oder nähere Bestimmung in die Aussagesätze hineingenommen wird. Es entstehen häufig komplizierte Satzverschränkungen.[19a] Die Dramensprache Klingers dagegen ist monologisch, auch im Dialog. Es ist charakteristisch, daß Wild noch im Liebesgespräch, in scheinbar vollster Hinwendung zum Partner, weniger das Beisammensein als seine Leidenschaft erlebt; weniger zu Caroline als (etwa mit der Wendung: „Alle Wildheit meines Sinnes ergreift mich!") zu sich selbst spricht.

Im Gegensatz zu Klopstock ist Klingers Sprache in seinem Jugenddrama arm an Konjunktionen und hypotaktischen Satzfügungen. Mit ungeheurem Ungestüm und ohne Seitenblicke drängt das Subjekt auf Ausdruck seiner selbst.[19b] Anders als Klopstock gestaltet Klinger in seinem Drama nicht menschliche Kommunikation im Feld des Gefühls, anders als Gerstenberg zeigt er nicht Gemälde der Leidenschaft schlechthin, sondern das Für-sich-Sein des einzelnen, der befangen ist in seinem Erleben. Hier liegt die Sturm-und-Drang-Thematik in ihrer spezifisch Klingerschen Wendung, hier ist in der Entfaltung der Emotionen das Genie gemeint.

Und so besteht auch die innere Verwandtschaft der Personen in *Sturm und Drang*, die wir feststellten, darin, daß sie fast alle Merkmale des Genies an sich tragen und mit ihnen die Charaktertypik sprengen; umgekehrt aber ergeben auch erst alle geniehaften Personen zusammengenommen das idealtypische Bild des Sturm-und-Drang-„Kerls", wenn auch im Helden Wild die Genie-Eigenschaften konzentriert sind wie in einem Brennpunkt. Als beherrschender Zug des Genies Klingerscher Färbung zeigt sich eine chaotisch wilde Hingabe ans Leben in seiner ganzen Fülle und Mannigfaltigkeit. „Bin alles gewesen", sagt Wild von sich. „Ward Handlanger um was zu seyn. Lebte auf den Alpen, weidete die Ziegen, lag Tag und Nacht unter dem unendlichen Gewölbe des Himmels, von den Winden gekühlt und von innerm Feuer gebrannt. Nirgends Ruh, nirgends Rast" (270). Der Wille zur Lebenserfüllung findet keine feste Form des Daseins. „Heyda! nun einmal in Tumult und Lermen, daß die Sinnen herumfahren wie Dach-Fahnen beym Sturm", ruft sich Wild bei seinem ersten Auftreten zu: „Labe dich im Wirrwar!" (265) Dieses Toben, dieser Trieb, der sich unbedingt und rastlos ausleben will, so wie Wild ohne Ruhe „weltauf, weltab" trabt (284), ist auf Übersteigung und Erweiterung des Ichs zum All gerichtet. Wild „fährt herum, reicht nach dem Himmel, als wollte er ihn herunterziehen" (302). „Ha! tobe und spanne dich dann aus", ermuntert er sein „tolles Herz" (265). Wild will sich „über eine Trommel spannen lassen, um eine neue Ausdehnung zu kriegen. . . .O könnte ich in dem Raum dieser Pistole existiren, bis mich eine Hand in die Luft knallte" (269).[20] Bis zum „Abgrund des menschlichen Beginnens", zum „Ende des menschlichen Gefühls" dringt Wild vor (346) — man fühlt sich an Faust erinnert. „Hat doch dieses Herz alles gefühlt, was Schöpfung schuf, was der Mensch fühlen kann" (318 f.). Verwandte Lebensstimmung findet sich beim alten Berkley. Auch er braucht die für das Genietum Klingers kennzeichnende Formel vom „Welt auf, Welt ab traben" (276). Noch der Alte will „zerschlagen und wiederaufbauen" (275) — ein Topos der Klingerschen Dramenhelden, der sich ebenso in der *Neuen Arria* wie im *Verbannten Göttersohn* findet[21]; auch von Wild sagt Caroline: „Du zerstörst so gewaltig" (347). In der Transponierung solcher Motive von einer Person auf die andere, von einem Stück in das andere bezeugt sich die Einheit der Klingerschen Geniethematik, die die klassische Einheit der Handlung und der Charaktere verdrängt. Sie bestimmt auch den Kapitän in seinem wüsten Treiben und den Mohren, Bushy, Blasius und La Feu. Dabei bringen Blasius und La Feu die Genieproblematik noch in einer besonderen satirischen Brechung und Überhöhung zum Ausdruck. La Feu verschreibt sich einer verabsolutierten, euphorischen Phantasie. „Mach dir Illusion Narr! sollt mir nicht fehlen, sie von meinem Nagel in mich zu schlürfen, wie einen Tropfen Wasser"(265). „Zauber, Zauber Phantasie!" (265) „... ich will mich in ein alt Weib verlieben, in einem alten, baufälligen Haus wohnen, meinen zarten Leib in stinkenden Mistlacken baden, bloß um meine Phantasie zu scheren" (266). Während des ganzen Stückes bewegt sich La Feu in einer „als-ob"-Welt; er nimmt Wirklichkeit nur auf, um sie sofort aus Kraft und Recht der Subjektivität zu verwandeln. Blasius ist das Gegenstück zu La Feu. La Feu befindet sich im Dauerzustand der Schwärmerei, Blasius in dem der Schläfrigkeit. Wie La Feu absoluter Phantasie, ist er absoluter Apathie verschrieben. „Ich habs so weit gebracht, nichts zu lieben, und im Augenblick alles zu lieben, und im Augenblick alles zu vergessen" (268). „Ich bin für nichts" (269). Ihr verschiedenartiges Naturverhältnis formuliert den Unterschied zwischen Blasius und La Feu weiter aus: Blasius will als Eremit in der Natur auf- und untergehen (341), La Feu will Schäfer in einer künstlichen Natur der Phantasie werden (338 ff.). Im Gespräch mit dem Kapitän ist der Gegensatz zwischen La Feu und Blasius in grotesker Zuspitzung herausgetrieben. Der Kapitän fragt:

> Meine Herren, ich wollte Bekanntschaft mit Ihnen machen. Sind Sie von der Armee?
> Blasius.　Nichts bin ich. (schläft ein.)
> Kapitain.　Das ist viel. Und Sie?
> La Feu.　Alles, alles.
> Kapitain.　Das ist wenig. Kommen Sie, Herr Alles! wir wollen uns ein wenig baksen ... usw. (307 f.)

Ist La Feu ganz nach außen gerichtet, so ist Blasius ganz in sich vergraben; beide aber streben auf ihre Weise Unabhängigkeit von der Welt an, ohne allerdings ihr Ziel voll erreichen zu können.

Die extrem ich-zentrierte Lebenshaltung ist konflikthaft. So zeichnet sich auch in Andeutungen ein Konflikt der Personen mit der Welt ab, vor allem in den Gestalten von Blasius und La Feu, deren Lebensweise das Ergebnis einer tiefen Verletzung durch die Welt ist. Beide drücken ihre Erfahrungen mit der Welt im gleichen Bild aus: „Sie haben mich geschunden und zusammen gedrückt, das Gott erbarm!" (268) „Mich haben sie lebendig geschunden, und mit Pfeffer eingepökelt. — Die Hunde!" (269) Das absolut gesetzte Ich muß mit der Welt zusammenstoßen, und die Absolutsetzung ist Antwort auf den Zusammenstoß mit der Welt. Charakteristischerweise aber tritt gerade in der Gestalt des Helden Wild der Konflikt mit der Welt, der beispielsweise Goethes *Götz* beherrscht, zurück vor dem Streit, in dem Wild mit sich selbst lebt und der seine Existenz erschüttert. Wenn Blasius von sich bekennt: „Ich bin zerrissen in mir, und kann die Fäden nicht wieder auffinden das Leben anzuknüpfen" (284 f.), ließe sich das noch auf die Einwirkungen der Welt zurückführen. Wild, das Genie, ist gleichfalls „zerrissen und tief" (291), und auch bei ihm möchte man seine Schicksale dafür verantwortlich machen, die Trennung von Caroline, von seinem Vater. Als innerlich Verletzter lebt er, wie Blasius und La Feu, aber auch Berkley, an der Welt vorbei, nimmt sie gar nicht voll wahr. „Ha! so will ich mich mit ganzer Seel nein verschließen, und denken und fühlen nichts anders, als wie herrlich es ist in dir zu weben und zu seyn", sagt Berkley, während er ein Kartenhaus baut (272). Mit „Centauren", die in seiner Einbildung herumtraben (284), nicht mit wirklichen Feinden liegt Wild im Kampf, wie ihm Blasius vorwirft. „Wild, es ist schändlich, was du dich ewig mit Gespenstern herum treibst." „. . . und daß du ewig nach Phantomen rennst — ich haß dich!" (284) Als Verletzter scheint Carl auf der Flucht vor sich selbst zu sein, um doch überall wieder auf sich zu stoßen:

> Ja ich bin elend, ganz in den Gedanken lebend, ich bin elend! o mir! ich glaubte in diesem andern Welttheil zu finden, was dort nicht war. Aber hier ists, wie dort, und dort wie hier. Gott sey Dank! daß die Einbildung die Ferne so herrlich sieht, und steht sie nun am sehnlich erwünschten Punkt, wie der herum streifende Vagabond weiter flüchtet, im sichern Glauben, dort werde der unruhige Geist alles finden. So Welt auf, Welt ab, in zauberhafter, drängender Phantasie, und ewig das einerley, hier wie dort. Wohl Geist! ich folge dir! (283 f.)

Doch ist Carl wirklich selbstbezogen, weil er verletzt ist, oder verletzt in seinem Selbstbezug? In einer entscheidenden Aussage Carls stellt er den Ursprung seiner Zerrissenheit klar: „Unser Unglück kommt aus unserer eigenen Stimmung des Herzens, die Welt hat dabei gethan, aber weniger als wir" (269). Das Genie Klingers ist in Wohl und Wehe von innen motiviert; es will sich aufreiben, weil es in sich keine Ruhe finden kann. „Seht, so strotze ich voll Kraft und Gesundheit, und kann mich nicht aufreiben" (270), beklagt Wild sein Los. Er ist ein ins Unendliche entworfenes Feld von Fragmenten. Man könnte noch diese Selbstdeutung Carls als Selbstmißverständnis des vom Leben Mißhandelten interpretieren, läge die Intention des Stückes in der Vergegenwärtigung psychischer Deformationen und ihrer Bedingungen. Doch umgekehrt muß argumentiert werden: Daß die Intention des Stückes hier nicht liegt, setzt die scheinbare Nachlässigkeit pragmatischer und psychologischer Motivationen in ein neues Licht. Der Zusammenhang des Stückes relativiert nicht Carls Selbstaussage, vielmehr begründet diese den Zusammenhang des Stückes. Im Zentrum des Klingerschen Werkes ist der Konflikt nicht Ausdruck und Folge einer Situation, sondern die Situation ist Ausdruck und Folge des Konflikts. Die Familienkatastrophe, die den Ausgang der Handlung bildet, ist Chiffre für eine Katastrophe des Genies; der Krieg, in den sich Wild, Bushy und Berkley stürzen, ist ein Ausleben des Kampfes, in dem sie mit sich selbst leben — deswegen ist ihnen auch in der Schlacht wohl; sie ist der Spiegel ihrer Lebenshaltung. Das

Herumfahren ist Ausdruck innerer Zerfahrenheit. Der Verlust Carolines, der Wilds Herumreisen motiviert, ist Selbstverlust. Carl muß in Caroline seine Ergänzung, seine Ganzheit finden. Die Söhne suchen in den Vätern ihren Ursprung und Grund; sie wollen „aus der gräßlichen Unbehaglichkeit und Unbestimmtheit" zur Bestimmung kommen (269). „O mein Vater! hab die Welt umfahren nach Ihnen, alle Inseln durchkrochen", sagt der Kapitän zum alten Berkley (321), und Wild zu seinem Vater: „Vater! an deinem Herzen wieder ich!" (348) Das Genie braucht Gegenwart und Vergangenheit. Mit der Erkenntnis dieser Beziehung zwischen Innen und Außen haben wir den Schlüssel zur strukturellen Eigenart des Klingerschen Dramas in der Hand. Wie der Held trotz oder gerade wegen der Fülle seines Erlebens keine Welterfahrung hat, ist auch das Stück weltlos. Die Umwelt, unwichtig für den Konflikt, tritt zurück, während sie in Goethes Jugenddrama, wo sich die Größe des Helden erst am Stoff der Welt erweist, mit voller Kraft und atmosphärischer Dichte gegenwärtig ist. Klingers Drama hat keinen wirklichen Schauplatz; es spielt nicht in Amerika, es spielt im Genie. Da dieses aber, im Wesen aufgespalten, in der Entfremdung von sich lebt, begegnet ihm auch seine eigene Seelenproblematik entfremdet, nicht als Innen, sondern als Außen. Umgekehrt begegnet ihm alles Äußere aus den Notwendigkeiten seines Inneren. Traben vor Wilds Einbildung Zentauren herum, ist auch sein Gegenspieler, der Kapitän, ‚wirklich' ein Zentaur (308). Wild ‚hat' Caroline bereits, ehe er sie wiederfindet, in der Besänftigung seines Gemüts beim Anblick der Gegenstände in ihrem Zimmer, von dem er doch noch nicht einmal weiß, daß es ihr Zimmer ist (283). Caroline empfindet im Augenblick, ehe Wild erstmals unerkannt bei ihr eintritt, begeistert: „Und seh ich ihn nicht? . . . Meine Augen sehen nach ihm, mein Herz schlägt nach ihm, und es haben ihn meine Augen, und es hat ihn mein Herz" (290).

In diesem Verhältnis von Innen und Außen liegt auch der Grund für die eigentümliche Symmetrie in der Zuordnung der Personen. Wild und der Kapitän, Berkley und Bushy stehen einander wie Spiegelbilder gegenüber. Das Sturm-und-Drang-Motiv der feindlichen Brüder, bei Klinger exemplarisch in den *Zwillingen* gestaltet, klingt in seiner geistigen Bedeutung als Bild der Zerrissenheit und Spaltung des Menschen an, wenn der alte Bushy den alten Berkley daran erinnert, daß sie sich einst Brüder nannten (353). Genie prallt mit Genie zusammen, in der Generation der Väter und in der Generation der Söhne, quasi mit Naturnotwendigkeit. „Unser Unglück war . . ., daß wir nach e i n e m (von mir gesperrt, G. K.) Ziel trieben", wie der alte Bushy am Schluß erklärt (354). Immer wieder muß das Ich mit dem Ich im Streit liegen, immer wieder müssen Erkennungen als Selbsterkennungen stattfinden: Das Genie erfährt in der Welt überall seine eigenen Projektionen, es bevölkert sie mit sich selbst, denn es kann und muß nur sich wahrnehmen unter einem Zwang, der alle äußeren Begründungen für diesen inneren Vorgang überflüssig macht. Zuletzt ergibt sich von hier aus auch die Verknüpfung der Nebenfiguren mit der Haupthandlung. Sie sind Manifestationen bestimmter Züge und Möglichkeiten des Genies, die mit der Technik der Veräußerung des Inneren neben die Hauptpersonen gestellt werden. So führt der Kapitän in der Gestaltung des Mohrenjungen nicht nur eine Miniaturausgabe seiner selbst mit sich, sondern, viel wichtiger noch, sein besseres Ich, das die Missetat, die der Kapitän plant, zunichte macht, indem es den alten Bushy rettet. Der kleine Mohr ist als guter Wilder die reine Natur, die der Kapitän in sich trägt, allein und ausgesetzt in der Welt (336). Seine Tat öffnet dem Kapitän die Möglichkeit der Liebe, wie sie Wild von der Gefahr des Hasses befreit. Wild aber schleppt La Feu und Blasius „wie Kuppelhunde" (268) mit sich herum als die zwei ins parodistische Extrem gewendeten Grenzmöglichkeiten des Genies, dem aus der Gewalt seines Ich die Welt zum bloßen Spiel der Phantasie oder zur Nichtigkeit zu werden droht. Beide Male ist es völlig mit sich allein.

Klingers *Sturm und Drang* lebt also weder aus dem Zusammenstoß von Ich und Welt noch aus einem Widerstreit des Ich mit überpersonalen Werten und Ordnungsvorstellungen. Zwar liegt dem Stück in dem Überfall Bushys auf Berkleys Schloß eine sittliche Problematik zugrunde, aber sie wird nicht dramatisch exponiert. Sie tritt vielmehr auch unter das Gesetz der Projektion, indem sich die Gewalttat Bushys gegen Berkley in der Untat des jungen Berkley — nämlich des Kapitäns — gegen den alten Bushy reproduziert. Max Riegers Vorwurf, Klingers Stück ende mit einem „sittlichen Mißklang"[22], geht deshalb an der Sache vorbei, weil ein sittliches Problem nicht aufgeworfen ist. Der eigentliche Urheber des Bösen, in dem alle Spaltung gründet, tritt im Stück nicht auf, ist aus der Handlung verschwunden: das Böse hat keine wirkliche Existenz. Überhaupt werden die im Stoff liegenden Konflikte nicht entfaltet und ausgetragen, sondern im Happy-End liquidiert. Im Mittelpunkt des Interesses von Klingers Drama steht die Frage, ob und wie das Genie mit sich selbst zu versöhnen ist.

Damit richtet sich die Aufmerksamkeit auf jene lyrischen Partien des Dramas, die bei der Würdigung Klingers meist vernachlässigt worden sind. In *Sturm und Drang* nehmen sie bedeutenden Raum ein und bilden Ruhepunkte in aller sonstigen Unrast. Zumindest eine Beschwichtigung der Zerrissenheit ist möglich in der Musik, die eine sehr wichtige Rolle in Klingers Dramatik spielt. Vor allem Caroline, Berkleys Tochter, findet in der Musik „Einklang" und „Wiederhall" (278). Wichtiger und tiefer noch ist die Befriedung, die der Mensch in der Natur finden kann, und so entfalten sich gegen Ende des dritten (315 ff.) und vierten Aktes (331 ff.) Naturszenen von fast romantischem Stimmungsgehalt, in denen das vereinzelte, verstörte Ich in einen harmonischen Allzusammenhang einschwingt. Die sonst so zerhackte und zerrissene Sprache entwickelt sich zu einer rhythmischen Prosa von nicht geringer lyrischer Qualität. So tritt Wild auf:

Die Nacht liegt so kühl, so gut um mich! Die Wolken ziehen so still dahin! Ach sonst wie das alles trüb und düster war! Wohl mein Herz! daß du dies schauerhafte wieder einmal rein fühlen kannst! daß die Nachtlüftchen dich umsäuseln und du die Liebe wehen fühlst in der ganzen stillen Natur. Glänzet nur Sterne! ach Freunde sind mir wieder worden! Ihr werdet getragen mit allmächtiger Liebe, wie mein Herz, und flimmt in reiner Liebe, wie meine Seele. ... Ach daß alles so zusammen gewebt, zusammen gebunden mit Liebe ist. Wohl dir! daß du wieder das Rauschen der Bäume, das Sprudeln der Quelle, das Gemurmel des Bachs verstehst! daß alle Sprache der Natur dir deutlich ist. — Nimm mich auf in deine liebliche Kühle, Freund meiner Liebe! (315 f.)

Die Nacht wird hier zur Seelenlandschaft; sie ist nicht an sich gesehen, sondern wird als Ausdruck der eigenen Gestimmtheit erfahren. Natur vermittelt das Erlebnis der All-Einheit des Lebens und einer Liebe, die in Klingers Dramatik immer stärker als Gegengewicht des Genietitanismus heraustritt. Als Herzstück dieser All-Liebe, nicht ablösbar von ihr, tritt schließlich die Liebe zwischen Mann und Frau ins Blickfeld, in der sich die Zerrissenheit des Lebens am tiefsten versöhnt und vermittelt — vor allem Klingers *Simone Grisaldo* bedürfte unter dem Gesichtspunkt der liebenden Verschwendung des Helden an die Welt, die seine amourösen Abenteuer durchzieht, der Neudeutung. In *Sturm und Drang* ist die Liebe verkörpert in der Gestalt der Caroline, die namensymbolisch auf Carl Wild verweist und kompositorisch betont wird, indem ihr, wie dem Helden Wild, zwei Nebenfiguren zugesellt sind. Bilden Blasius und La Feu Projektionen des Genies, so sind Tante und Louise Projektionen des Weiblichen ins Parodistische: Louise verlebendigt den weiblichen Spieltrieb, die Tante weibliche Eitelkeit. In der Begegnung mit Caroline wendet sich Carls Trauer zur Freude. „In der Liebe freut sich alles, ohne Liebe trauert alles", wie La Feu deklamiert (314). Wo die Liebe tot ist, ist das Band der Welt zerrissen. „Herrlichkeit der Welt!" stöhnt Blasius, „ich kann keine deiner Blumen mehr brechen. Ja wer diesen Sinn verlohren hat, wer dich verlohren hat ewige Liebe, die du in uns alles zusammen hältst!" (285) Caroline hält Wild am Leben, sie knüpft für ihn das Band der Welt wieder zusammen. „Ja Miß! nur die Liebe hat diese Maschine zusammen gehalten, die durch ewigen innern Krieg ihrer Zerstörung jede Stunde so nah war" (294), erklärt der Held beim ersten Wiedersehen, und noch im Augenblick der Verzweiflung kann er bekennen: „... nur das Theilnehmende deiner liebenden Augen löst die Starrheit auf, und läßt mich in dem erschrecklichen innern Zerreissen etwas fassen, woran ich halten kann" (347). Durch Caroline versöhnt sich am Ende Genie mit Genie, Bushy mit Berkley, der allstrebende Wild mit sich. Erst nachdem Caroline von Carl gefunden ist, können Väter und Söhne einander wiederfinden. Wild und Caroline, „in allem Gefühl der Liebe sich umarmend", wie die Bühnenanweisung sagt (355), bleiben zuletzt allein auf der Bühne. Was das Genie sonst vergeblich sucht: in der Liebe erfüllt und überschreitet das Ich wirklich und legitim sich selbst. In Caroline findet Carl, der sich überall als Schemen gegenübertritt, nicht nur sein wahres Ich, sondern auch das Andere, die Welt. Carl, der Liebende, erreicht in Caroline den Liebeszusammenhang des Lebens, der immer schon auf diesen Moment vorgegriffen hat; alles Leben bisher war Vorgriff: „wir wurden von einander gerissen, ich in diesen andern Welttheil, kam her, du warst da, ja du warst da, und wo ist der Ort in der Welt, den du nicht ausfülltest", bekennt Caroline (295). Sie ist, als Liebe, unter Irrenden und Umgetriebenen, die „Herrliche ..., die einzige, die da steht", wie Carl emphatisch sagt (270). Sie ist nicht von innen, lediglich von außen in der Unsicherheit: „Wohin denn ich?" (278) Wo sie ihren Ort findet, da ist die alte Welt des Hasses und der Verirrung verlassen, die neue Welt der Liebe und der Versöhnung betreten. Auf amerikanischem Boden ist „alles neu, alles bedeutend", ahnt Carl vor (267); auf dem Boden eines inneren Amerika. Caroline vereinigt sich mit Carl in der Neuen Welt, weil, wo sie sich vereinigen, die neue Welt ist.

Geschieht in der Vereinigung der Familien die Versöhnung des Genies mit sich, so ließe sich folgern, daß alles, was im Stück als Selbstausdruck des Genies erscheint, in Wirklichkeit Ausdruck eines Status menschlicher Bedürftigkeit ist, daß also, genau genommen, nicht das Genie mit sich versöhnt, sondern in dieser Versöhnung erst hergestellt wird. Das ist richtig und falsch. Richtig, sofern die handelnden Figuren als Ausfächerungen einer Dissonanz menschliche Möglichkeiten nur fragmentarisch realisieren. Ihre Reflexion reicht lediglich zum Protokoll ihrer emotionalen Gestimmtheit und personalen Zerrissenheit; sie reicht weder zur Analyse von Situationen noch zur Begründung von Ideen noch zur Austragung von Konflikten noch überhaupt zur Argumentation. Sie sind demgemäß unfähig zu planvollem Verhalten und Handeln. Falsch ist das Verständnis der Figuren lediglich aus einem Stand des Mangels, sofern eben die Zerrissenheit es ist, in der die ‚Tiefe' des Menschen erscheint: im Widerstreit der Kräfte, Strebungen, Gefühle, Gedanken; vor allem aber falsch, sofern der Weg zur Versöhnung ja nicht als reale Entwicklung von Dissonanz zur Harmonie gesehen werden kann, in der nun der Mensch vollendet wird und bei sich verharrt. Die Versöhnung ist eher ein Grenzwert als eine erreichbare Wirklichkeit: ein Licht, das auf die wirkliche Zerrissenheit des Menschen fällt. Wenn Carl nach dem Wiederfinden mit Caroline in den Krieg ziehen will, den er doch vorher nur aus Verzweiflung suchte, jetzt aber, um sie „zu verdienen" (318), dann geht es um die Bewährung der jetzt gewonnenen Erfahrung: Liebe ist stärker als der Tod und alle Trennung. Im Anklang an Psalm 23,4 sagt Carl: „Todt! und umgiebt mich die Liebe. Laß mich wandern in Todesthälern, hier führt die Liebe zurück" (318). Wenn aber die Endversöhnung aller, in der Bushys Suche nach Berkley, Berkleys Suche nach Harry, Carls Suche nach Caroline zur Ruhe kommt, im Zeichen vollendeter Pilgrimschaft steht (351), am Ende der Laufbahn der Väter (343), am Rand des Grabes (354), dann treten Liebeserfüllung und Lebenserfüllung in Todesnähe in

Korrespondenz. Der alte Bushy hat, wie er in deutlich christlich vorgeprägten Begriffen formuliert, als letztes Ziel „Anschläge des Friedens und der Liebe ... Reue meines vergangenen Lebens: Vergessen der wilden Leidenschaften! ... ich hab alle Sünden auf mich genommen, hab eine Pilgrimschaft vollendet hier, voll Kummer und Leiden, laß mich hier die Fahne der Ruhe aufstecken!" (351)[22a] Das Genie, das sich so gern — man denke an den jungen Goethe — unter dem Bild des Wanderers begreift, ist in der Liebe am Ende. *The Pilgrim's Progress,* um mit dem Titel eines jener großen Erbauungsbücher zu sprechen, die im 18. Jahrhundert noch häufig gedruckt und übersetzt wurden, transzendiert in eine nicht mehr christliche Seligkeit und Ewigkeit. Die Liebesvereinigung gewinnt hier einen vom Christentum tingierten eschatologischen Horizont, sie ist Grenze, nicht Anfang; die neue Welt ist utopische Verheißung im Tableau der Umarmung von Carl und Caroline.

In Klingers Konzentration des Dramas auf die anthropologische Explikation und Konstitution des Genies liegt seine eigentümliche Leistung, aber auch eine tiefgreifende Schwäche des Werks. Es gewinnt seine innere Kohärenz, die Logik der Form unter Vernachlässigung traditioneller dramatischer Elemente wie Argumentation, Handlung, Charakter, die sowohl Goethe wie Lenz, der andere große Dramatiker des Sturm und Drang, bei aller Umbildung des dramatischen Gefüges bewahren. Klinger verzichtet ferner auf die Darstellung der äußeren Bedingung der Selbstfremdheit sowohl wie der Selbstversöhnung des Genies. Ob und warum Trennung und Vereinigung notwendig sind — diese Frage ist nicht zu beantworten. Mit anderen Worten: Klinger verzichtet mit der Konzentration auf die anthropologische Explikation und Konstitution des Genies weitgehend auf die Darstellung der Gesellschaft im Drama, in der die eigentümliche Konfliktlage seiner Helden zu begründen wäre. Diese Konfliktlage ist historisch und sozial ableitbar und konkretisierbar, wie der Seitenblick auf das Drama Goethes, aber auch Lenz' lehrt: bei Klinger jedoch erscheint sie dem dramatischen Prozeß unbefragt vorgegeben. Seine Auseinandersetzung mit dem Genietum unter dem Aspekt des Wechselverhältnisses zu einer eigengewichtigen Realität spielt sich weniger im Inhalt von Klingers Drama ab als in dessen eigentümlicher Perspektivierung, im Vorkehren des Schwebenden und Fiktiven der dramatischen Konstellationen und Lösungen. Seit *Simsone Grisaldo* gewinnt Klinger vom Geniewesen immer größere Distanz und erkennt die Unangemessenheit des Genieanspruchs zum Eigengewicht der wirklichen Welt. Läßt Goethe Götz, den Helden seines Jugendwerkes, in Treue zu sich untergehen, so löst sich Klinger von der Unbedingtheit seiner Helden leise ab, indem er ihr Kämpfen und Streben auf seinen irrealen Grund hin durchsichtig macht. So treten auch in *Sturm und Drang,* das Klinger an Stelle der späteren Benennung „Schauspiel" brieflich „Comoedie" nennt[23], die komischen Effekte des Genietums, z. B. in der Kraftmeierei des Helden vor und nach der Schlacht, deutlich heraus. Ironie und Pathos, Distanz und Überschwang vereinigen sich zu einer wunderlichen und wunderbaren Mischung, die deutlich auf Büchner und Grabbe vorweist.[24] Auch das bei Büchner so wichtige Motiv der Langeweile, die aus dem Erlebnis der Wesenlosigkeit des eigenen Daseins entspringt, spielt bei Klinger schon eine Rolle.[25]

Trotz der Ironie, mit der das Genie in *Sturm und Drang* gezeichnet ist, und trotz der scheinbaren Unordnung des Aufbaus kann aber das Stück weder, wie bisher in der Forschung üblich, als Absage an das Genie-Ideal[26], noch als eine Art Rückfall in sturm-und-dranghafte Formlosigkeit hinlänglich verstanden werden.[27] Es hat sich ein inneres Baugesetz des Dramas gezeigt, das in Klingers Jugenddramatik von den *Zwillingen* (1776) bis zum *Derwisch* (1780) durchgehend waltet und alle diese Stücke in einen einheitlichen Entwicklungszusammenhang stellt: das Formprinzip der Projektion, das den Helden statt in der Auseinandersetzung mit der Welt in ihrer Überschreitung zeigt. Klingers Tragödie *Otto* lehnt sich noch an die dramatische Thematik des jungen Goethe an, indem sie ausgeht vom Widerspruch zwischen dem inneren Gesetz des großen Menschen und dem Gange des Ganzen der Welt. Das *Leidende Weib* ist an Lenz orientiert, dessen Dramen, paradox formuliert, den Nicht-Helden zum Helden haben, der sich an das Leben verliert, indem er entweder Objekt sozialer Konstellationen wird oder konturlos in eine Wahnwelt verfließt. Nicht der Held überschreitet die Welt, sondern die Welt den Helden. Seit den *Zwillingen* hat Klinger die eigene Dramenform, zu der sich die Erstlinge zögernd vortasten, endgültig gefunden, der dritte Typus des Sturm-und-Drang-Dramas neben dem Goetheschen und Lenzschen ist konstituiert. Bei Goethe prallt der Held mit der Welt zusammen. In Lenz' Dramen wird der Held — subjektiv oder objektiv — zum Gefangenen der Welt. Bei Klinger läßt der Held die Welt beiseite und kämpft mit seinem eigenen Ich. Kurt May hat darauf hingewiesen, daß in den *Zwillingen* „... nur der eine Mensch, der neue, wesenhafte, der sogenannte ‚große Kerl‘ volle Wirklichkeit und Wirksamkeit (hat), und in ihm nur sein wachsender Expansionsdrang im Gefühl. Die Gegenkräfte ... in den Figuren des Vaters, der Mutter und des Bruders ... entwickeln sich nicht über ihre Aufgabe hinaus, den wilden Mann zu reizen, seine Raserei zu steigern.“[28] Eine ähnliche Charakteristik ließe sich auf Klingers *Neue Arria* anwenden, während das *Pyrrhus*-Fragment und *Stilpo* am Übergang zum späteren mehr objektiven Dramenschaffen Klingers stehen. Es ist ein Programm, das der Held Julio in der *Neuen Arria* „Schicksal, Bestimmung, Verhängnis“ als kausale Kräfte im menschlichen Leben mit den hybriden Worten abtut: „Für was hältst du mich, mit deinem Schicksal? für eine Marionette am Draht geführt? Nein, Herr! Ich will alles thun, da soll nichts über mir, noch um mich dazu helfen, als ich!“[29] Auch hier ist die Welt kein Motivationszusammenhang, sondern ein bloßer Rohstoff der Selbstdarstellung. Wenn am Schluß des Stückes Julio und seine Geliebte Solina, im Kerker gefangen, gemeinsam in den Freitod gehen, bleibt die Welt mit ihrer Verworrenheit wesenlos hinter ihnen zurück, nicht, wie im Schillerschen Läuterungsdrama, überwunden im Gang durch die sittliche Entscheidung zur Idee, vielmehr unwesentlich geworden vor der im Untergang gefundenen Harmonie der Liebenden ineinander und in sich selbst. Alle vorhergehenden Dissonanzen konnten Bedeutung gewinnen nur in Korrespondenz mit der inneren Zerrissenheit des Helden; der Tod wird zum Fest der Selbstbestimmung in der Transzendierung der Welt, an der Guelfo in den *Zwillingen* noch scheitert. Die Kerkerwände, auf die Guelfo, der Held der *Zwillinge,* sich projiziert, brechen auseinander. Im Angesicht des Endes sagt Julio zu seiner Geliebten: „Bey der Hoheit des Menschen! wir sind die einzigen Geschöpfe auf Gottes Boden."[31]

Schon für die Tragödie des jungen Klinger seit den *Zwillingen* stellt sich die Frage, ob sie nicht in ihrer Verabsolutierung des Helden, in ihrer Aussparung der Welt einen leise parodistischen und zugleich märchenhaften Zug trägt. Wie in einer Traum- oder Märchenwelt ist alles Geschehen nur in bezug auf den Helden vorhanden, für den sich die Maschinerie der Handlung in Bewegung setzt. Klinger selbst nennt seine Jugendproduktion „individuelle Gemählde einer jugendlichen Phantasie, eines nach Thätigkeit und Bestimmung strebenden Genies, die in das Reich der Träume gehören, mit dem sie so nah verwandt zu seyn scheinen."[32] Die Sprache der ersten Dramen mit ihrer „inhaltarmen Wildheit", wie sie Beißner charakterisiert hat[33], bestätigt diesen Eindruck. „Es ist der Wille nur zu einem Hinaus, ohne gleichzeitig um das Wohin zu wissen. Ja, sehr häufig ist auch das Woher nicht klar, alles Gegenständliche überhaupt also."[34] Die Vorliebe für gefühlsstarke, aber inhaltlich verschwimmende Wörter, bei der die verbale Komponente wohl weniger bestimmend ist, als Beißner meint[35], läßt Ausdruck zum Selbstzweck werden und nimmt der Sprache ihre Richtung auf Mitteilung und Ordnung der Welt. Vom *Simsone Grisaldo* an über *Sturm und Drang, Der verbannte Göttersohn, Prinz Seidenwurm* bis hin zum *Derwisch* wird dann das Märchen- und Traumhafte in Klingers Dramatik immer stärker und verbindet sich mit einem Lustspielelement. Alle Konflikte verlieren an Gewicht, die Welt wird schwerelos, Handeln ist Spiel, alles Gefühl Einklang wie in den zauberhaften Natur- und Liebesszenen des *Simsone Grisaldo,* der als ein neuer und sehr irdischer ‚Heiland' die Welt in Liebe und Demut besiegt und erlöst.[36] Gleich ihm stehen auch die Helden der anderen lustspielhaften Dramen bis zum *Derwisch* „auf dem hohen Gipfel (ihrer) Selbstständigkeit"[37], ernsthaft nicht mehr gefährdet, der Derwisch sogar im Besitz des Lebenselixiers. Dafür sind diese Helden aber auch als Gestalten kaum noch von der Dichte, die Klingers frühere titanische Genies besitzen. In dem Maße, wie die Welt völlig als Widerstand verschwindet, werden auch die Dramenhelden märchenhafte Komödienfiguren. Es wäre zu einfach, darin nichts als eine Absage Klingers an das Genie-Ideal zu sehen. Vielmehr liegt die konsequent erreichte Endstufe in der dramatischen Konzeption des Klingerschen Jugendwerkes vor: Das Genie, als Gegenbild zur Wirklichkeit entworfen, taucht in das Licht der Utopie, des Wunschbildes menschlicher Vollkommenheit ein, während Klinger als Handelnder immer entschiedener der realen Welt begegnet.

Anmerkungen

* Druckfassung eines 1962 an der Universität Hamburg und 1973 im Rahmen der Association des Etudes Germaniques in Paris gehaltenen Vortrages.

1 An Auguste Gfn. zu Stolberg 7./10. März 1775. Max Morris: *Der junge Goethe.* Bd. 5, 1911, S. 16.

2 Vorrede zum ersten Band des *Theaters. F. M. Klingers dramatische Jugendwerke.* Hrsg. von Hans Berendt und Kurt Wolff, 3 Bde., 1912—1913, Bd. 3, S. 352 (im folgenden: *Werke*).

3 Goethe: *Zum Schäkespears Tag.* Morris, Bd. 2, 1910, S. 139.

4 *Goethes Werke.* Hamburger Ausgabe, Bd. 10, S. 13.

5 Kurt May: *Die Struktur des Dramas im Sturm und Drang, an Klingers „Zwillingen".* In: K. M.: *Form und Bedeutung. Interpretationen deutscher Dichtung des 18. und 19. Jahrhunderts.* 1957, S. 49. In seinem Aufsatz *F. M. Klingers „Sturm und Drang".* DVjs 11, 1933, S. 399 spricht May von „einer letzten beunruhigenden Substanzlosigkeit des Klingerschen Stürmens".

6 Karl Philipp Moritz: *Anton Reiser.* Mit einem Nachwort von Johanna Rudolph. Berlin 1952, S. 410.

7 Siehe ebd., S. 340.

8 Ebd., S. 410.

9 Ebd., S. 422.

10 *Werke.* Bd. 1, S. XXV. Im antizipierenden Charakter der Klingerschen Jugenddichtung dürfte auch die besondere Bedeutung literarischer Modelle für sein Schaffen begründet sein.

11 Ebd., Bd. 1, S. XLVI.

12 Berkley und Bushy, die Namen der feindlichen Familien, stammen aus Shakespeares *Richard II.* Siehe Max Rieger: *Klinger in der Sturm- und Drangperiode.* Darmstadt 1880, S. 189. Auch der Name Bushy (= buschig, von bush = Busch, Dickicht, Urwald) könnte als sprechender gemeint sein. Der Name La Feu ist aus Shakespeares *Ende gut, Alles gut* übernommen. Siehe Rieger, S. 195. Die Fensterszene zwischen Wild und Caroline (III, 8) ist *Romeo und Julia* nachgebildet. Siehe Rieger, S. 197.

13 Vgl. Gert Mattenklott: *Melancholie in der Dramatik des Sturm und Drang.* Stuttgart 1968.

14 Siehe Rieger, S. 155.

15 *Sturm und Drang* im folgenden zitiert nach *Werke.* Bd. 2, Ziffern in Klammern bezeichnen Seitenzahlen dieser Ausgabe.

16 Vgl. H. Dollinger: *Die dramatische Handlung in Klopstocks „Der Tod Adams"* *und Gerstenbergs „Ugolino".* Halle 1930, und G. Kaiser: *Klopstock. Religion und Dichtung.* Gütersloh 1963, S. 259—282.

17 May: *Die Struktur.* S. 45; vgl. ebd., S. 47, und Friedrich Beißner: *Studien zur Sprache des Sturms und Drangs. Eine stilistische Untersuchung der Klingerschen Jugenddramen.* In: GRM 22, 1934, S. 417—429, bes. S. 418.

18 *Werke.* Bd. 1, S. XXII ff. Auch Richard Philipp: *Beiträge zur Kenntnis von Klingers Sprache und Stil in seinen Jugend-Dramen.* Diss. Freiburg/Br. 1909, weist S. 9 ff. auf das Vorbild Lessings hin.

19 292 f. Auch bei Gerstenberg findet sich die Wortwiederholung. Beispiele bei Philipp: *Beiträge zur Kenntnis*. S. 14 f.

19a Zu Klopstock siehe das Kapitel „Drama" in: Gerhard Kaiser: *Klopstock*.

19b Beißner: *Studien zur Sprache*. S. 425 f.

20 Vgl. S. 270, wo Wild sagt: „Ich will die Kampagne hier mitmachen, als Volontair, da kann sich meine Seele ausrecken" . . .

21 In der *Neuen Arria* (*Werke*. Bd. 2, S. 105) heißt es über den Helden: „. . . hat er nicht die Mine als wollte er verstöhren und schaffen?" Der *Verbannte Göttersohn* Prometheus ist unruhig, „da er jetzo weder zu schaffen noch zu zernichten Macht hat." (*Werke*. Bd. 3, S. 127) Pandolfo im *Stilpo* sagt: „Der Mensch lebt nur in zwey Empfindungen glüklich, er muß schaffen oder zerstöhren . . ." (*Werke*. Bd. 3, S. 31) Am Ende des gleichen Stücks sagt Rinaldo: „Laßt mich zerstöhren und aufbauen!" (*Werke*. Bd. 3, S. 120) Im August 1777 schreibt Klinger an seinen Freund Schleiermacher: „Bruder! der Menschen Sache sind zwei: Schaffen und Zerstören . . ." zit. *Kürschners Deutsche National-Litteratur*, 79. Bd., *Stürmer und Dränger I*, S. 129.

22 Rieger, S. 195.

22a Auch Blasius träumt vom Ende seiner „Pilgrimschaft" (332).

23 *Werke*. Bd. 2, S. 443.

24 Klinger schreibt am 4. September 1776 an Schleiermacher über *Sturm und Drang*: „ich hab die tollsten Originalen zusammengetrieben. Und das tiefste tragische Gefühl wechselt immer mit Lachen und Wiehern." *Werke*. Bd. 2, S. 443.

25 *Werke*. Bd. 3, S. 125, Bd. 2, S. 47 (*Die neue Arria*, II, 3): „Prinz Galbino tritt auf. Hofmarschall Pasquino.

Pasquino.   Ich bitte, gnädiger Herr!

Galbino.   Ach die Langeweile! die Langeweile, die mich verfolgt! mir auf dem Naken hängt ohne Weichen. Leeres! unzulängliches Leben! das ich in allen Winklen, in der herrlichsten Gegend erblik! das ist Leben! seyd ihr denn alle aufgetroknet? Elend! Elend! welch dummes, kaltes Leben! weiß der Himmel, wie ich mich nach einer Stunde vollen Herzens und wallenden Bluts sehne!

Pasquino.   (Ich komm nicht zum Wort.) So arge Langeweile, mein Prinz? behüte Gott!

Galbino.   Wundert Sie's Pasquino? Sie sehen so ernsthaft, wenn ich sag, es ist ein dummes, schaales Leben, wenn all unsre Sinne und Begierden darnieder liegen — Wie nehmen Sies, mein ernster Pasquino?"

Der Anklang an *Leonce und Lena* ist unüberhörbar.

26 Berendt in: *Werke*. Bd. 1, S. XLVIII.

27 Siehe Kurt May: *F. M. Klingers „Sturm und Drang"*. S. 399.

28 Ders.: *Die Struktur des Dramas*. S. 45 f.

29 *Werke*. Bd. 2, S. 23. An anderer Stelle heißt es von Julio, daß er „neue Welten in sich schafft, und die Würklichen vergißt". *Werke*. Bd. 2, S. 65.

31 *Werke*. Bd. 2, S. 120.

32 Vorrede zu *Theater*. *Werke*. Bd. 3, S. 349, die im Ganzen schon aus deutlicher Distanz zu den Frühwerken geschrieben ist.

33 Beißner: *Studien zur Sprache*. S. 418.

34 Ebd., S. 418.

35 Ebd., S. 419 ff. Beißner scheint mir die Bedeutung nominaler Machtwörter bei Klinger, etwas zu unterschätzen. Es ist nicht ganz überzeugend, wenn Beißner den Ausfall des Pronomens im folgenden Satz mit der Tendenz zur Verstärkung des Verbs erklärt: „Lieber Karl, lehrst mich Standhaftigkeit, und ich folg dir." Unabhängig von der Setzung oder Weglassung des Pronomens ist hier ‚Standhaftigkeit' der Tonträger. Auch Klingers Vorliebe für Inversionen scheint nicht immer da, wo Beißner es sehen will, eine Intensivierung des Verbs zu bezwecken. In dem Satz: „Das Geschmeiß das; wird mir ganz heiß“, ist ,heiß‘ die Tonstelle, unabhängig von der Stellung des ,wird‘. Ebenso scheint die häufige Weglassung von Konjunktionen mehr einen allgemeinen Zug der Irrationalität und Spontaneität der Klingerschen Sprache als eine Schlüsselstellung des Verbs auszudrücken. So ist in Beißners Beispiel: „Prinz, ich fürcht, er überlebt es nicht, sieht er euch“, durch die Weglassung des ,wenn‘ der Ton des ,sieht‘ eher abgeschwächt. Auch Kurt May: *Die Struktur des Dramas.* S. 48, charakterisiert Klingers Sprache als verbal.

[36] „Heiland“ siehe *Werke.* Bd. 2, S. 136. Gott hat Simsone mit Stärke vor allen Menschen ausgerüstet, „die Seinen zu schüzzen“, ebd., Bd. 2, S. 154.

[37] Ebd., Bd. 2, S. 153.

Fritz Martini

ERZÄHLTE SZENE, STUMMES SPIEL

Zum Siebenten Brief des Baron von F... in Schillers ‚Geisterseher'

Benno von Wiese — füglich leitet sein Name diese ihm gewidmete kleine Studie ein — läßt in seiner voluminösen Schiller-Monographie einen knappen Satz fallen, der seit langem zum Widerspruch verlockte; er möge hier endlich, im Vertrauen auf eine wieder und wieder bewährte Liberalität der Diskussion, seinen Platz finden. „Gesetzt der Fall, man vergleiche Schillers Prosa mit seinen Dramen, ohne den Autor zu kennen, so dürfte es schwer sein, auf den gleichen Verfasser zu schließen."[1] Zwar verweist er auf Gemeinsamkeiten zwischen dem Dramatiker und dem Erzähler in dem Sinn für Spannung, kriminalistische Situationen, in dem beide auszeichnenden detektivischen Scharfsinn und in den virtuos-raffinierten Verkettungen von Verrätselung und Enträtselung; er erkennt weiterhin eine Verwandtschaft in Motiven und Figuren zwischen dem *Geisterseher* und dem fast gleichzeitig abgeschlossenen *Don Carlos* wie zu dem Plan des *Friedrich Imhof*, der später in den Plan *Die Polizei* einging.[2] Auch geht es ihm nicht um eine Abwertung des Erzählers zugunsten des Dramatikers; er hat vielmehr dazu beigetragen — wie andere neuere Schiller-Interpreten —, jene Mauer an Geringschätzung abzubrechen, die von dem Dichter selbst mit übertriebener Selbstkritik und Mißachtung erzählender Formen zuerst aufgebaut wurde und die durch mehr als ein Jahrhundert diesen Erzähler, vor allem aber den *Geisterseher* dem unbefangenen Blick entzog. Es bedurfte wohl auch einer Veränderung des Verständnisses der Formmöglichkeiten des Romans überhaupt, um mit neuer Schätzung und Wertung den *Geisterseher* in das Gesamtwerk Schillers einzufügen; es bedurfte einer Ablösung der Bindungen an den von Goethe geschaffenen symbolischen Roman, der lange kanonisch die Kriterien gesetzt hatte. Gerhard Storz hob angesichts des *Verbrecher aus verlorener Ehre* und des *Geisterseher* hervor, wie „durchaus schillerisch" sie in den Motiven und Erzählinteressen, in den Strukturen und in der Kunst der Gestaltung geprägt sind.[3] E. Staiger sah in der Figur des Armeniers in dem Roman eine Steigerung der Fiesko-Figur an „Undurchdringlichkeit und rätselhafter Verwandlungskunst".[4] Hans Mayer endlich zeigte, wie eng, was der Erzähler Schiller geleistet hat, mit dem großen Werkbereich des Historikers und des Philosophen zusammenhängt, so eng, daß sich der Epiker, der Historiker und der philosophische Essayist kaum voneinander scheiden lassen. Der Erzähler Schiller erscheint ihm mit gutem Recht als ein „authentischer" Schiller.[5]

Was also veranlaßte Benno von Wiese, eine so beträchtliche Fremdheit zwischen den Dramatiker und den Erzähler einzulegen? Offenbar geht es ihm, unabhängig von Motivverwandtschaften, um einige grundsätzliche Unterschiede; unter dem Aspekt eines verschiedenartigen Verhältnisses zum Gegenstande, eines verschiedenen Verhältnisses zum Rezipienten und eines unterschiedlichen Verfahrens der Darstellung. Hier möchte der Widerspruch einhaken; um ihn zu begründen, wurde ein Textausschnitt aus dem Zweiten Buch des *Geisterseher* gewählt, der den Vorteil hat, daß er sich in relativ in sich geschlossener Selbständigkeit aus dem ganzen Romangefüge herausschneiden läßt. Eine genaue Detailanalyse ist allerdings unerläßlich; der kritische Leser möge selbst entscheiden, ob sie sich in einer angemessenen Proportion zu den Resultaten verhält.

Für Benno von Wieses Bemerkung spricht, daß der junge Schiller selbst, den *Verbrecher aus verlorener Ehre* einleitend[6], sehr entschieden die Wirkungsfunktionen und damit die gesamte Anlage von Drama und Erzählung voneinander gesondert hat. Was Schiller seinem Drama einlegte, den „hinreißenden Vortrag", der den Rezipienten „warm" werden läßt wie es der „Held" ist, so daß er sich mit ihm zu identifizieren genötigt wird und der Autor ihn von der Bühne her fast gewaltsam in seinen Bann zwingt, dies eben spricht er um der Intensität einer anderen Wirkung willen dem Erzähler ab. Er will und soll das eigene und kritische Denken des Lesers erreichen, jene „republikanische Freiheit des lesenden Publikums, dem es zukömmt, selbst zu Gericht zu sitzen". Der Erzähler soll seinen Leser nicht überreden, wie es „dem Redner und Dichter" eigen ist, er soll ihn zu selbständiger Überlegung und Entscheidung dessen, was erzählt wird, veranlassen.[7] Damit ist eine deutliche Grenze zwischen einem dramatischen und einem erzählenden Verfahren, welch letzteres sich nicht nur in diesen Sätzen mit der Geschichtsschreibung gleichsetzte, zumindest programmatisch gezogen. Jedoch ist diese Grenze nicht so entschieden, daß nicht gleichwohl ein Austausch zwischen dramatischer und erzählerischer Gestaltung, zwischen der Bühne und dem Roman möglich und, mehr noch, statthaft würde. Entgegen diesem Programm, entgegen den späteren klassischen Kunstprinzipien ist der junge Schiller, bis in die Schaffenszeit am *Don Carlos* und am *Geisterseher* hinein, eher geneigt, die Gattungsgrenzen abzubauen. Er führte *Die Räuber* bekanntlich als eine „dramatische Geschichte" ein[8], mit gleichen Tendenzen im Sturm und Drang übereinstimmend; und auch im *Fiesko* und ganz gewiß in der Thaliafassung des *Don Carlos* erweitert sich das Dramatisch-Theatralische zu romanhaft breiter Form. „Die dramatische Einkleidung ist von einem weit allgemeineren Umfang als die theatralische Dichtkunst", heißt es zum *Don Carlos*.[9] Umgekehrt auf „Meisterstücke dichterischer Prosa" in den *Räubern* hat bereits Gerhard Storz verwiesen[10], ebenso darauf, daß in Kern- und Höhepunkten des *Geisterseher* im Erzählgang Raum für Vergegenwärtigungen dramatischer Art geschaffen wird.[11] Wenn derart das Drama am Erzählerischen — wie auch am Lyrischen — teilhatte, drängt sich umgekehrt die Aufmerksamkeit auf jene Abschnitte im Roman auf, in denen der Dramatiker am Werk war, die Erzählung zur erzählten Szene wurde — im vollen Sinn einer von Schiller gestalteten, seine ihm eigentümlichen Ausdrucksmittel darbietenden Bühne.

In dem Siebenten Brief des Baron von F... an den Grafen von O...[12] wird von einem durch den Marchese von Civitella erzählten Ereignis berichtet, das, wie so oft im *Geisterseher* geschieht, ein Aufhellen eines Geheimnisses verspricht, auch sehr nahe daran heranführt und dennoch das Unenträtselbare noch potenziert hinterläßt. Dies Ereignis — so läßt sich vermuten — stellt ein wesentliches Glied in der Kette der undurchschaubaren Begebenheiten und Planungen dar, die mit einer ständig zunehmenden Engführung den Prinzen umgarnen und endlich unter die Gewalt des geheimnisvollen Armeniers und die Macht der katholischen Kirche bringen sollen. Der Leser wird, in dreifacher Vermittlung, durch Civitellas Erzählung, den Bericht des Baron über diese Erzählung, endlich durch die Publikation dieses Berichtes in den Memoiren des Grafen von O... über einen Vorgang orientiert, der zumindest glauben macht, es handle sich in ihm um einen bedeutenden Schritt zu dem Resultat des Romans hin, ohne daß jedoch, was hier geschieht und zur Finalität des Romans beiträgt, auch nur annähernd deutlich würde. Vier für den Fortgang des Romans bedeutende Figuren sind anwesend: als Akteure auf der erzählten Bühne der Armenier und die unbekannte Schöne, als Zuschauer Civitella, der gegen Schluß der Szene zum verborgenen Mitspieler, derart zum Mitwisser eines auch für ihn wesentlichen Geheimnisses wird, endlich, als Empfänger des nachträglichen Berichts, der Prinz, der allerdings während Civitellas Erzählung verwunderlich passiv im Hintergrund bleibt. Angesichts seiner Leidenschaft für die bisher sich ihm verbergende ‚Griechin‘ sollte doch wohl ein Erkennen ihrer Person in dem von Civitella enthusiastisch gezeichneten Bilde und eine heftige Reaktion seinerseits zu erwarten sein, zumal sich ihm in dem Marchese ein vor nichts zurückscheuender Rivale ankündigt. Doch hätte dies wohl von der Szene auf der Gartenbühne abgelenkt; auf sie wollte der Erzähler die ungeteilte Aufmerksamkeit seiner Leser konzentrieren. Schiller hat es vermieden, neben sie noch, in zusätzlich zeitlichem Abstande, eine zweite erzählte Spielbühne zu stellen, die das „vor einiger Zeit" Erlebte mit dem Jetzt synchronisiert hätte, in dem Civitella von seinem Abenteuer erzählt. So muß der Prinz während dieses ganzen Abschnitts an der Peripherie des Interesses bleiben, offenbar nicht ahnend, daß wahrscheinlich er selbst der Zielpunkt dieses Vorganges ist, wie ihn denn auch der Marchese erzählt, als sei ihm irgendein Zusammenhang mit seinem Zuhörer unbekannt. Der aufmerksame Leser muß sich aber mit unbefriedigter Wißbegierde fragen, ob dies wirklich zutrifft. Sollte der Brief, den der Marchese dechiffriert und gelesen hat, wie er zumindest behauptet, keine Hinweise auf die Pläne und Absichten, die den Prinzen umspinnen, enthalten haben? Mit raffinierter

Pointe, die alles offen läßt, den Vorgang in dieser Szene wie den Fortgang des Romans, bricht der Brief des Baron dort ab, wo Civitella ansetzt, über den Inhalt des für einen kurzen Augenblick erbeuteten Briefes zu berichten. Das Geheimnis, das der Brief aufzudecken verspricht, ein Verräter wider die Absichten seines Senders, Überbringers und Empfängers, bleibt dem Leser verschlossen[13] und nichts vom Rätsel des Armeniers und seiner schönen Partnerin, nichts über ihr so ungewöhnliches wie vertrautes, wenn nicht inniges Verhältnis zueinander wird aufgedeckt.

Ist zuviel gesagt, wenn man meint, der Brief des Barons muß hier abbrechen? Denn die Enthüllung, so gespannt ihr der Leser entgegensieht, würde dieser kurzen Szenenfolge viel von ihrem erzählerischen Reiz nehmen: als eine in sich geheimnisvolle Szenenfolge, als Aufführung eines enigmatischen stummen Spiels, das, unabhängig von seiner nur vermutbaren Funktion innerhalb des Romans, eine künstlerische Eigenwirkung behaupten kann, die über das nur Stoffliche der Romanspannung hinausgeht. Es handelt sich hier um eines der darstellerischen Bravourstücke des Erzählers des *Geisterseher*, ebenbürtig der Szene beim Hochzeitsmahl am Finale der Geschichte von den feindlichen Brüdern im Ersten Buch, die bisher fast ausschließlich ein hohes Lob auf sich zog.[14] Die Behauptung der älteren Forschung ist heute obsolet: daß nämlich, was Civitella erzählt und der Baron treuherzig, wenn auch weniger sprachbegabt, seinem Freunde berichtet „gewiß ganz entbehrlich" und „in dieser Breite ... sicherlich mehr deshalb eingefügt worden" sei, „um die drängende Neugierde der Fortsetzung heischenden Leser wieder für eine Zeitlang zu befriedigen, als weil künstlerische Absichten sie notwendig erscheinen ließen".[15] Wir wissen kaum etwas über die Einbettung dieser Geschichte in das ganze Romangefüge; aber wir sind dessen gewiß, hier einem Hochpunkt der Erzählkunst Schillers zu begegnen. Zugleich aber ist der Dramatiker und Theatraliker Schiller in der Civitella-Erzählung am Werk: im Aufbau eines stummen Spiels, das, aus dem Bilderwechsel von Situationen und Pantomime zusammengesetzt, in variierenden Steigerungen eine erhebliche dramatische Beredsamkeit gewinnt und gleichwohl nichts von dem, was hier verhüllt ist und verhüllt bleiben soll, seinem Zuschauer und in ihm dem Leser preisgibt. Der Dramatiker und Theatraliker verbündet sich innigst mit dem Erzähler; beide tauschen zu beiderseitiger höherer Kunstfertigkeit ihre Mittel aus.

Zwar scheint die Einschaltung eines berichtenden Erzählers in dem seinerseits berichtenden Brief des Barons den Bedingungen, aus denen Schiller das Drama verstand, gänzlich zu widerstreben und durchaus auf das Erzählerische angelegt zu sein. „In Tragödien werden die einzelnen Begebenheiten im Augenblick ihres Geschehens, als gegenwärtig, vor die Einbildungskraft oder vor die Sinne gestellt, unmittelbar, ohne die Einmischung eines dritten. Die Epopoe, der Roman, die einfache Erzählung rücken die Handlung, schon ihrer Form nach, in die Ferne, weil sie zwischen den Leser und die handelnden Personen den Erzähler einschieben."[16] Zudem liegt, was Civitella erzählt, auch zeitlich zurück: „vor einiger Zeit", was einen beträchtlichen Unbestimmtheitsgrad zuläßt. Sollte das Ereignis nicht einige Folgen für ihn gehabt haben? Darüber fällt kein Wort, vielmehr wird das Beobachtete so gegenwärtig und ‚offen' erzählt, als habe es sich soeben vor seinen Augen und mit noch ungewissem Ausgang abgespielt. Der Erzähler verhält sich wie ein Beobachter eines präsenten Ablaufs, dessen Resultat er nicht kennt — oder verschweigt. Der Dramatiker verlangte nach unmittelbarer lebendiger Gegenwart und Versinnlichung[17]; derart, daß das bewegte Innere zum Außen wird und sich als eine bewegte Gegenstandswelt sinnlich darbietet. Nur so, durch diese Unmittelbarkeit zum ästhetischen Objekt werden die Empfindungen entzündet und wird jener Eindruck erzeugt, auf den das Drama angewiesen ist und dem die erzählende Form notwendig viel von seiner Stärke entzieht. Schiller suggeriert diese sinnliche Gegenwärtigkeit, indem er den Erzähler zum Zuschauer macht, zum geheimen Zeugen, der mit Neugierde, Spannung, Erstaunen und Rührung, schließlich auch mit erotischem Affekt auf die Szene schaut. Er bedarf seiner auch aus weiterem Grunde: der Zeuge bestätigt die Faktizität des Vorgangs, er bekräftigt dessen Authentizität, wie es der generellen Erzählintention Schillers entsprach. Er schaltet noch eine zweite Bestätigung ein; der Baron von F. bekräftigt den Wahrheitsanspruch dieser Geschichte, indem er sie dem Grafen von O. und damit dem Leser weitererzählt. Wie Civitella soll sich dieser Leser mit der Illusion der Unmittelbarkeit als Zuschauer und Zeuge am Fenster befinden, wie er mit Ungewißheit und Spannung den ungewöhnlichen Vorgang zu enträtseln suchen. Dies wird nicht aufgehoben durch eine andererseits potenzierte Distanzierung; der Leser wird ja nur durch den vermittelnden Bericht des Barons zum Zuhörer des Marchese. Zwar geht ihm damit „der muntre Geist, womit er alles, was er spricht, zu beleben weiß" verloren — doch nimmt er an jener Verwunderung teil, die die Zuhörer Civitellas, den Prinzen und seine Begleiter angesichts dieses merkwürdigen Ereignisses bewegen muß. Und weiterhin: die Pantomime auf der Gartenbühne bliebe dem Leser unverständlich, käme ihm nicht der kommentierende Beobachter Civitella zu Hilfe. Was nach Schillers Dramaturgie im Drama erkältend wirken muß, gewinnt derart im Erzählen eine zusätzlich spannungserweckende und -steigernde Funktion: daß nämlich der Erzähler in eigener Person sich vordrängt, die Handlung und damit auch den unmittelbar teilnehmenden Affekt des Lesers zum Stillstand bringt, und Betrachtungen eingeschaltet werden, die eben nur ein Zuschauer anstellen kann. Die Vergegenwärtigung ist sinnlich-unmittelbar genug, um die Affekte erregter Teilhabe und vorwärtsdrängender Spannung auszulösen; die Berichtsituation wirkt zugleich so distanzierend, daß eine „republikanische Freiheit" des Lesers gegenüber dem Vorgang gesichert ist. Indem der beobachtete Vorgang einerseits fast greifbar naherückt, wird er andererseits in eine um so spannendere Ungewißheit entrückt. Der Dramatiker scheint die beobachtete Szenenfolge, in Civitellas Munde, als dessen privates Erlebnis ganz auf ihre Eigenwirksamkeit zu isolieren; der Erzähler, durch den Mund des Baron von F...., flicht sie in die Geschichte des Prinzen ein und teilt ihr so eine Spannung mit, die dem Marchese nicht bewußt ist oder nicht bewußt zu sein scheint, soll er doch nichts von jener „Farce" gehört haben, die dem Prinzen mit dem Armenier begegnete — gegensätzlich zu dem Leser, diesem „ungeduldig schauenden und hörenden" Leser[18], der mehr als er über die Bedeutsamkeit dieser erzählten Szenenfolge vermutet. Der verdoppelten Fiktion der Authentizität durch die Rolle des Marchese und den Bericht des Barons steht die verdoppelte Distanzierung durch beider Einschaltungen gegenüber; was also dem Dramatiker dient, dient zugleich dem Erzähler, der, was er erzählt, nach dem bekannten Aufsatz „Über epische und dramatische Dichtung" von 1797, „gleichsam darstellend vor die Augen"[19] bringen muß. Was dem Marchese als eine ungewöhnliche Episode erscheint, legt der Briefbericht des Baron von F... in das Kontinuum der von dem Grafen mitgeteilten Geschichte des Prinzen ein. Die Spannung, in die den Leser die von Civitella beobachteten Szenen auf der Gartenbühne versetzen, verbinden sich für ihn mit der Spannung, in der ihn die bisherige Lektüre des ganzen Romans gehalten hat. Allerdings verzichtet der Dramatiker auf das bestimmende Medium seiner Kunst, den Dialog; er gibt seine Figuren als stumme Personen an den Erzähler ab, der seinem Beobachter auferlegt, alles an ihnen selbst zu enträtseln. Denn mit dem Dialog entziehen sich ihm jegliche Einsichten in die Charaktere dieser Personen, über die Voraussetzungen und Umstände wie über die Folgen dessen, was sich da vor ihm abspielt. Er weiß nur, was er sehen und vielleicht richtig, vielleicht unrichtig, erraten kann.

Eine Bühne bietet sich in der Tat dem zu früher Morgenstunde aus dem Fenster schauenden Civitella dar. Sie wird durch dessen Rahmen als ein genau abgegrenzter Ausschnitt bestimmt. Der Fensterblick faßt zusammen, er filtriert und verkürzt; er gliedert zu Binnen- und Außenraum, zu einem Hier und Dort.[20] Bühne und Gemälde kommen zu einer Deckung: als Formen der stilisierenden Wirklichkeitsspiegelung, die ein ästhetisches Anschauen bewirken. Die Faszination durch ein sie vorkündigendes Gemälde war, im Fünften Brief, der ersten Begegnung des Prinzen mit der schönen ‚Griechin' vorangegangen[21] und die Frage des Barons an den Prinzen: „Und diese Gestalt, gnädigster Herr — wissen Sie auch gewiß, daß sie etwas Lebendiges war, etwas Wirkliches, kein bloßes Gemälde, kein Gesicht Ihrer Phantasie?", klingt in Civitellas Überraschung und Faszination nach. Der Bühnenraum ist nach Osten weit zur Lagune, zum Golf hin ins Unbestimmte geöffnet, gegen Westen durch die Klostermauer begrenzt. Solche Kombination von Nah- und Fernsicht, Nahraum und Fernraum, begrenztem Vordergrund und weit offenem Hintergrund kehrt in den Szenenbildern des Dramatikers Schiller mehrfach wieder[22]; er entsprach, wohl unter Anregung durch die zeitgenössische Landschaftsmalerei, einer von ihm bevorzugten Bildvorstellung, wie sie auch in dem Aufsatz „An den Herausgeber der Propyläen" begegnet. Er bespricht da ebenfalls eine Abschiedsszene, ein Gemälde des Abschieds Hektors von Nahl:

> Der vorige Künstler hatte uns das trojanische Lager gezeigt und uns mit einem engen Raum umschränkt, indem er die Szene durch die Mauern von Troja begrenzte. Ein glücklicher Gedanke des gegenwärtigen hingegen war es, die griechischen Zelte und Schiffe in die Tiefe des Bildes zu setzen, aus dem wir dadurch gleichsam herausgetrieben werden. Er öffnet mit einem kühnen Griff seinen Schauplatz, und wir übersehen zugleich die Szene der Handlung und das Ziel der Flucht.[23]

Auch diese Abschiedsszene endet mit einer Flucht in die Weite des Meeres hinein. Ebenso ist der Garten ein von dem Dramatiker Schiller bevorzugter Schauplatz. Das Fenster erhält ihm gegenüber die Funktion des Gemälde- und Bühnenrahmens; es verbirgt zugleich den Beobachter und legt seinen perspektivischen Beobachtungspunkt, seinen „Standort" fest; es konzentriert den Blick auf das ausgeschnittene Beobachtungsfeld und zieht zwischen dem Beobachter und dem, was sich ihm darbietet, eine Grenze, die Abstand bewirkt. Allerdings sorgt Schiller für eine Variation der Perspektive: das Bild läßt sich bis zu einer Art von „Großaufnahme" verändern, wenn Civitella sich mit neugieriger Indiskretion des Tubus bedient und der Abstand wird aufgehoben, wenn er sich, mit nicht geringerer Indiskretion, für kurze Augenblicke vom Zuschauer zum Akteur verwandelt und selbst die Bühne betritt. Doch nicht nur der stille, nach außen abgeschirmte Garten — der toposhafte Ort der verborgen-intimen Begegnung — kann als die Bühne bezeichnet werden, hinter der sich das Meer als Hinterbühne öffnet.

Zur Bühne wird auch die morgendliche Frühe als Raum und Augenblick eines majestätischen „Schauspiels", das den Nachtschwärmer Civitella wieder und wieder zu empfindsamem Genuß des Sonnenaufgangs an das Fenster zieht. „Eine purpurne Nacht liegt über der Tiefe, und ein goldner Rauch verkündigt sie von fern am Saum der Lagune. Erwartungsvoll ruhen Himmel und Meer." Dieser stumme, die Zeit gleichsam zum Stillstehen bringende Augenblick vor dem Ausbruch des Geschehens ist ein oft eingesetztes Kunstmittel des Dramatikers Schiller. „Zwei Winke, so steht sie da, ganz und vollkommen, und alle Welten brennen — es ist ein entzückendes Schauspiel." Der Naturvorgang stellt sich als eine grandiose optische Inszenierung dar, die nicht allein dem Pathos des Sonnenaufgangs gilt, vielmehr bald zugleich als Hintergrund dem Auftritt und der Erscheinung der schönen Unbekannten dient. „Die Sonne ist nun ganz aufgegangen ... Welche himmlische Gestalt erblicke ich! War es das Spiel meiner Einbildung, war es die Magie der Beleuchtung? Ich glaubte ein überirdisches Wesen zu sehen, und mein Auge floh zurück, geschlagen von dem blendenden Licht." Eine ähnliche Illumination findet sich im *Geisterseher* schon an früherer Stelle, als der Prinz der gleichen Schönen zum erstenmal in der Kirche ansichtig wird. „Aber wo finde ich Worte, Ihnen das himmlisch schöne Angesicht zu beschreiben, wo eine Engelseele, wie auf ihrem Thronensitz, die ganze Fülle ihrer Reize ausbreitete? Die Abendsonne spielte darauf, und ihr luftiges Gold schien es mit einer künstlichen Glorie zu umgeben."[24] Hier, in dieser Szene, wird das Pathos der Lichtinszenierung zu Präludium und Spiegel der „Majestät" und „Anmut" der Schönen, deren Auftritt sich so unerwartet vollzieht wie der Wechsel von der purpurnen Nacht zum strahlenden Licht. Doch beläßt Schiller es nicht nur bei diesem optischen Effekt. Er inszeniert auch akustische Stimmungsreize hinzu. Der Beobachter am Fenster lauscht, während die von ihm soeben entdeckten beiden Figuren sich bei noch alles verschleiernder Dämmerung in den Laubgängen des Gartens verlieren, den Melodien singender Gondoliere, die eine Stimme mehr in der Nähe, die andere wie ein Echo aus der Ferne antwortend. „Es waren Stanzen aus dem Tasso." Es bedarf hier nicht einer Aufzählung der bekannten Licht- und Musikeinsätze auf den Szenen des Dramatikers Schiller. Auch diese musikalische Kulisse enthält einen Bezug auf die „romantische Erscheinung" der unbekannten Frau. War sie doch im Sechsten Brief dem von solcher Schönheit geblendeten Prinzen eher als eine im Ariost und Tasso gedichtete Figur denn als eine leibhafte Bewohnerin einer venezianischen Insel erschienen.[25] Indem Schiller ihre Gestalt lediglich in dem faszinierenden Eindruck „malt", den sie auf diese beiden jungen Männer gleichermaßen ausstrahlt, teilt er ihr eine idealische Erhöhung mit, hinter der sich, wer und wie sie wirklich ist, verbergen kann. Sie scheint sich in dem allegorisch-theatralischen Bezug ihres Erscheinens zu dem Aufgang der plötzlich erstrahlenden Sonne, in der Bezüglichkeit der zum Romantisch-Märchenhaften hinschwingenden melodischen Klangkulisse und endlich in der gesellschaftlichen Metaphorik von „Majestät" und „Adel" zu vergegenständlichen, die zusammen mit den ebenso allgemeinen Attributen „Anmut", „Geist", „blühende Jugend" ausreichen müssen, das Erscheinungs- und Wesensbild zu kennzeichnen. Die idealische Licht- und Klangbühne wird für es zum adäquaten und potenzierenden Rahmen.

Der Dramatiker Schiller akzentuiert und steigert präzise die einzelnen Spannungsphasen des stummen Spiels, das sich dem mehr und mehr gefesselten Civitella darbietet. Man kann von zwei Kurzakten sprechen; symmetrisch steht dem ersten am Morgen der zweite, nach einigen unfreundlichen Tagen, die dazwischen liegen, am Abend gegenüber. Sie wieder sind in Kurzszenen gegliedert; der erste Akt zählt sieben, markiert durch Positions- und Personenwechsel, der zweite Akt, der, nach der Flucht des Armeniers, rascher dem Ende zueilt, drei Szenen bzw. Auftritte, wenn man die Aktion Civitellas auf der Gartenbühne einbezieht. Die beiden Unbekannten in dem ersten Kurzakt verschwinden wiederholt aus dem Blickfeld ihres Beobachters. Schiller vermeidet damit die Schwierigkeiten einer breit ausgemalten Pantomime. Der knappe Ausschnitt zu transitorischen Momentbildern ermöglicht die spannungerhaltende Konzentration zu wesentlichen Augenblicken; die immer wieder eingelegten, retardierenden Unterbrechungen intensivieren das Rätselhafte des Vorgangs. Es erweist sich auch im kleinen Erzählgefüge, was Gerhard Storz als „kunstvolle, höchst bewundernswerte Gliederung" im ganzen *Geisterseher* gerühmt hat.[26] Wie nun läuft dies stumme Spiel ab?

Was Civitella „eines Morgens" entdeckt, sind, sonderbar genug in dem einsamen Garten auf der Insel Murano, zu nachmitternächtlicher Stunde, Menschenstimmen, zwei Menschen, die, im Dämmerlicht nur als „Mannsperson" und „Frauenzimmer" erkennbar, rasch wieder seinem Blick entschwinden. Diese simple Exposition, ausgestattet mit wenig Komparserie — die Gondel, der kleine Neger als gesellschaftliches Statussymbol — ist geeignet, die Erwartung ins banale Gleis zu schieben. Denn um was anderes kann es sich handeln als um ein in diesem Venedig übliches Rendezvous, einen heimlichen Liebesroman, wie ihn Civitella selbst schon mehr als oft durchgespielt hat? Schillers Kunstgriff liegt auf der Hand; er lenkt die Erwartung von Beobachter und Leser zunächst in die falsche Richtung, er akzentuiert durch deren Enttäuschung bzw. Korrektur das Ungewöhnlich-Rätselhafte dessen, was nun wirklich geschieht. Der sich selbst irreführende Marchese führt auch den Leser irre, und seine eigene Neugierde wird dessen Neugierde. Ihre Befriedigung erscheint als naheliegend: diese beiden Menschen wähnen, unbeobachtet mit sich allein zu sein, sie werden im Schutz des Gartens ihre Gefühle, ihr Verhältnis zueinander unverdeckt offenbaren, hier in der Natur jene Masken abtun, die Signale venezianischer Gesellschaftlichkeit sind. Doch auch bei ihrem zweiten Auftritt, „mittlerweile war der Tag angebrochen" und macht sie erkennbar in Gang und Wuchs, mit unterscheidbaren Stimmen, läßt sich wenig entnehmen. Im gleichen Augenblick, in dem die beiden Unbekannten sich deutlicher im Blickfeld ihres Beobachters abzeichnen, entziehen sie sich wieder. Ihr „Hand in Hand" ist immerhin das gestische Zeichen vertraulicher Nähe und Gemeinsamkeit. Typisch für Schillers dramaturgisches Verfahren ist der Auftritt zweier Personen im Gespräch[27], als typisch für seine Form der Personenbeschreibung kann auch die Aufmerksamkeit auf Wuchs und Gang gelten, die hier zunächst jedoch mehr etwas über die gesellschaftliche Zugehörigkeit der beiden Beobachteten als über ihr psychologisch Individuelles aussagen. Die Bewegung beider muß hier übernehmen, was im Drama der Dialog zu leisten hat: Situationen und Beziehungen anzudeuten, die zugleich aber im Ungewissen belassen werden und so die Spannung des Zuschauers zum noch unerkennbaren Verlauf hin provozieren. So kurz dieser zweite Auftritt ist, er deutet von der Banalität des amoureusen Rendezvous fort zu einem gewissen Ernst des Gesprächs, der beide gegenüber dem, was um sie herum geschieht, achtlos macht — selbst gegenüber der Pracht des Sonnenaufgangs, den sonst empfindungsvoll liebende Seelen — zumindest unter den Zeitgenossen Schillers — als Stimmungskulisse zu genießen pflegten. Das „Schauspiel" des Sonnenaufgangs, das der Erzähler so eng im folgenden mit der Erscheinung der schönen Dame verbindet, bleibt von ihnen unbeachtet.

Erst der dritte Auftritt nimmt mehr an erzählter Zeit und Erzählzeit ein. Denn im Licht der jetzt prachtvoll entfalteten Sonne, also im vollen Bühnenlicht, werden die beiden Menschen zur Gänze ihrem Zuschauer sichtbar, zudem dieser zu dem sie näher und größer heranführenden Tubus greift. „Die Sonne ist nun ganz aufgegangen, sie kommen dicht unter mir vor und sehen mir gerade entgegen." Man kann von einer gänzlichen en face Wendung auf der Vorderbühne sprechen. Die Geduld des Zuschauers — „und eine lange Zeit vergeht, ehe ich sie wieder erblicke" — macht sich bezahlt. Hatte in der Wartepause vor dem zweiten Auftritt der Gesang ihm die Zeit verkürzt, gleichsam als präludierende Zwischenszenenmusik — „Zeit und Ort stimmten harmonisch dazu, und die Melodie verklang lieblich in der allgemeinen Stille" — so war es nun der optische Genuß des Sonnenaufgangs gewesen. Das Verweilen beider Unbekannten ermöglicht jetzt ihrem Beobachter, sie mit Muße zu beschreiben, was jedoch, bei aller ersten überraschten Faszination durch die Schönheit der Frau — „ich kannte keine Schönheit vor diesem Augenblick" — gegensätzlich zu dem, was man von dem Frauenheld Civitella erwartet, weniger ihr als ihrem Begleiter zugute kommt. Der Eindruck, den er in dem Marchese erregt, ist so mächtig, daß dieser Mann jetzt, wie eine Heldenfigur, den ganzen erzählten Bühnenraum ausfüllt. Die Beschreibung heftet sich vornehmlich an die Statur, an Stirn, Auge und Blick. Sie sind, wie der Wuchs, die Haltung und der Gang, die von Schiller immer wieder eingesetzten physiognomischen Signale, von ihm bevorzugte Ausdruckszeichen bei der Schilderung und Charakterisierung seiner Personen.[28] Vor allem bezeichnet das sprechende, beseelte Auge den inneren Vorgang, also das, was sich auf der Innenbühne der dargestellten Person abspielt. Das konkret Individuelle tritt zurück[29] — in unserem Text um so mehr, da die individualisierende Dialogsprache ausfällt und die Personen, um ihrer Verrätselung willen unbestimmt, gleichsam nur „Möglichkeiten" bleiben sollen. Wesentlicher ist hingegen die Verdeutlichung einer ihnen innenliegenden Geistigkeit und der Intensität der von ihnen ausstrahlenden Wirkung. Denn wenn die Gestalt des bald als der Armenier erkannten Mannes in der Beschreibung des Civitella superlativisch zur ‚Größe' stilisiert wird — „aber von keiner Menschenstirne strahlte mir noch so viel Geist, so viel Hohes, so viel Göttliches entgegen" —, wird nicht mit analytischem psychologischem Realismus der immerhin fragwürdige Charakter dieses Betrügers angezielt, mit Abzug jener fast beiläufigen Bemerkung, „etwas Irres in seinem Blick konnte einen Schwärmer vermuten lassen", sondern soll vergegenwärtigt werden, welche übermächtige Wirkung dieser Mann einsetzen und ausüben kann. Er ist darin eine durch und durch Schillersche Gestalt, Beweis der Größe im Verbrechen, der willenskräftigen Hoheit im Betrugsspiel, nicht nur ein „Scharlatan", wie man gesagt hat[30], sondern ein Mann, der mit fast magischer Gewalt Menschen in seinen Bann zwingen kann. Was der Marchese an ihm erkennt, nötigt allerdings zu allgemeinen, ja abstrakten Kennzeichnungen und zu Überhöhungen, die akzentuiert auf Gegensätzliches angelegt sind und so bereits das Antlitz zu einem Felde verwirrender dramatischer Widersprüchlichkeiten machen. Und insbesondere Auge und Blick werden zu Brennpunkten, in denen sich das Innere physiognomisch manifestiert. Man ist versucht, von einer Montage antinomischer Charakterzüge zu sprechen; dies deutet eher auf ein konstruktives Verfahren der Persongestaltung, das weniger von einer psychologischen Einheit, mehr von den Rollen und Funktionen der Figur ausgeht, die ihr im Zusammenhang des Romans zuerteilt werden. Mit anderen Worten: in der erzählten Figur steckt eine dramatisch konzipierte Figur. Unter diesem Aspekt wird allerdings die Zeichnung der schönen ‚Griechin' fragwürdig. Denn wie Civitella sie schildert, entspricht sie jener Schönen, in der der Prinz das Modell des ihn faszinierenden Madonnabildes erkannte — als eine „himmlische Gestalt", als „ein überirdisches Wesen". Dies kann wohl nicht nur als eine subjektive Täuschung, als eine Irrung des Auges, „geschlagen von dem blendenden Licht", gemeint sein. Wie ließ sich dies „recht romantische Ideal von einer liebenswürdigen Schönheit" so damit vereinen, daß „es — eine eingelernte Rolle ist, denn meine liebenswürdige Griechin ist eine abgefeimte Betrügerin".[31] Und erliegt der Baron von F... und mit ihm die Liebesleidenschaft des Prinzen einem Betrug, wenn er, kurz vor dem Fragmentabbruch, dem Grafen von O... schreibt: „Wie eine Heilige schied sie dahin, und ihre letzte sterbende Beredsamkeit erschöpfte sich, ihren Geliebten auf den Weg zu leiten, den sie zum Himmel wandelte." Die in dieser Szenenfolge geschilderte, anmutig-seelenvolle Schöne, die „fromme Schwärmerin" nach den Worten des Barons, die „abgefeimte Betrügerin" nach Schillers brieflicher Bestimmung — wie stimmen sie zusammen? Oder gehört sie in die Reihe jener Schillerschen Frauengestalten, die wehrlos als schöne Seelen zum Opfer der bösen Welt, zu Verlassenen und Märtyrerinnen werden — in die Reihe also der Amalia, Leonore, Elisabeth von Spanien, Thekla, Agnes Sorel und anderer mehr? Bereits Lotte von Lengefeldt und ihre Schwester Karoline bezweifelten die Möglichkeit, solche Gegensätze auf glaubhafte Weise zu vereinigen. Sie gaben eine erotische Täuschbarkeit des Prinzen zu, nicht aber solchen Widerspruch in der Gestalt der schönen ‚Griechin' selbst, nicht eine solche Irreführung des ganzen Publikums, wie Lotte schreibt, also der Leser des Romans.[32] Karoline greift tiefer: „Ich kann mir eine liebenswürdigere Schönheit nicht recht denken ohn' alle moralische Grazie. Mich dünkt, die schlimmen Falten des Innern müßten auch der äußern Gestalt etwas Verschobenes geben, das mit der Liebenswürdigkeit streitet ... In Miene, Ton, Bewegung und Wendung der Gedanken nimmt man Freiheit und Zwang wahr, und Zwang und Grazie sind wohl streitende Dinge! Imposant, blendend durch ungewöhnliche Regelmäßigkeit der Gesichtszüge und der Figur kann ich mir die Griechin wohl denken. Einschmeichelnd durch überlegene Gewandtheit des Geistes, aber liebenswürdig nicht, ohn' innre Wahrheit und Güte."[33] Schiller wich in seiner Antwort auf jene im Zusammenhang mit dem *Geisterseher* wieder und wieder zitierten Sätze aus, die die von den beiden Schwestern zu Recht geltend gemachten Einwände großzügig beiseite schieben und lange für die literarische Geltung des Romans verhängnisvoll wurden.

> Übrigens ist davon gar keine Frage, daß Sie nicht recht haben sollten — ein andres aber ist das Interesse einer F a r c e , wie der Geisterseher doch eigentlich nur ist, ein anderes das Interesse eines Romans oder einer Erzählung, wo man jedem Schritt, den der Dichter im menschlichen Herzen tut, ruhig und aufmerksam nachgeht. Der Leser des Geistersehers muß gleichsam einen stillschweigenden Vertrag mit dem Verfasser machen, wodurch der letztere sich anheischig macht, seine Imagination wunderbar in Bewegung zu setzen, der Leser aber wechselseitig verspricht, es in der Delikatesse und Wahrheit nicht so genau zu nehmen.[34]

Dies hieß, hinter den Anspruch zurückzufallen, zu dem sich der deutsche Roman seit Gellert und Wieland entwickelt hatte. Es hieß aber auch, mit den Personen im Roman so zu verfahren, wie es der junge Schiller in seinem Drama getan hatte, bei dem der Akzent auf ihrer Aufladung mit dramatisch explosiver Widersprüchlichkeit, auf der Heftigkeit mitreißender Überwältigung des Zuschauers lag; nicht jedoch auf einer Einheit der Charaktergestaltung. G. Storz hat treffend von der „Diskontinuität der Figuren" beim jungen Schiller gesprochen. Die Imagination wunderbar in Bewegung zu setzen — dies war nicht das Ziel des Erzählers, das Schiller in der Einleitung zum *Verbrecher aus verlorener Ehre* programmiert hatte. Der Dramatiker kam hier im *Geisterseher* dem Erzähler in die Quere — vielleicht liegt auch darin ein Grund, daß der Roman zum Fragment verurteilt wurde.

In diesem Auftritt ist die Bühne zum „Gemälde" der Figuren geworden; sie sind aus dem Schatten ins volle Licht getreten, sie zeigen sich wie lebende Bilder. Die Neugierde scheint zunächst befriedigt zu sein; doch nur insoweit, als sich ihr sogleich eine noch größere Kette von Rätseln aufdrängt. Schiller läßt die Erzählung Civitellas für einen kurzen Augenblick, der aus der Beobachtungssituation des Marchese zu seiner späteren Erzählsituation vor seinen Zuhörern zurückführt, unterbrechen. Er nimmt dem Leser die eigene Entdeckung, die Überraschung des Erkennens bzw. Wiedererkennens des Armeniers ab. Sie fügt Civitellas Abenteuer in den größeren Zusammenhang der Geschichte des Prinzen ein. Zugleich spannt diese Unterbrechung als Retardation um so mehr dem Kommenden, dem Rätsel solcher Gemeinsamkeit zwischen dem geheimnisvollen Mann und dieser schönen Frau entgegen. Ein erster Abschluß in dem Gartengeschehen ist erreicht: der Identifizierung des Armeniers folgt jetzt der sich zwischen den beiden Figuren unvernehmbar vollziehende Vorgang. Der Marchese kehrt in seine Zuschauerposition zurück, die fragmentarisch ist, da er das Paar immer wieder aus den Augen verliert. Er weiß nur, was sie in den von ihm beobachtbaren Augenblicken ihm durch ihre Gruppierung und ihre Gestik anzeigen, die also nicht einen Dialog begleiten, sondern ihn gleichsam in sich enthalten müssen. Die bisher undeutlich zerstreuten Bruchstücke der von Schiller erzählten Pantomime fügen sich jetzt zu einem virtuos inszenierten ‚prägnanten

Moment' zusammen. Es ist bekannt genug, was dieser in Schillers dramaturgischer Terminologie so wesentliche Formbegriff bedeutet; es geht um jene Geschehensverdichtung, die einerseits auf eine Vorgeschichte zurückweist und aus der sich andererseits das Kommende, sein Ende bereits antizipierend, entwickelt. Das Fließen des Geschehens erscheint gestaut und alle Voraussetzungen für den Ablauf der Handlung sind zusammengeschlossen. Die stumme Szene an dem Bassin bildet derart die Gipfelsituation der erzählten Pantomime. Denn es setzt hier offenbar jener, von Schiller nicht mehr erzählte, nur in seinen Resultaten flüchtig und unklar skizzierte Vorgang ein, an dessen Ende die Schöne wie eine Heilige stirbt und der Armenier die Macht über den Prinzen gewonnen hat. Wenn dem so ist, läßt sich hier durchaus die Formulierung des prägnanten Moments einsetzen, die sich in den Überlegungen zum Plan der *Prinzessin von Celle* findet. „Vor allen Dingen muß die Handlung prägnant und so beschaffen sein, daß die Erwartung in hohem Grade gespannt und bis ans Ende immer in Atem gehalten wird. Es muß eine aufbrechende Knospe sein, und alles, was geschieht, muß sich aus dem Gegebenen notwendig und ungezwungen entwickeln."[35]

Wie oft in Schillers Drama leitet eine Pause — „ich wartete lange, lange, sie wieder hervorkommen zu sehen, aber vergebens" — mit verstärkter Erwartungserregung die neue Szene ein. Sie wird weiterhin dadurch markiert, daß der Zuschauer seinen Standort wechselt und sich damit auch das Bühnenbild des Gartens etwas verändert. Es erhält zusätzliche Requisiten — das Bassin, die Delphinfontäne — derart das Gepräge eines lebenden Bildes, eines Gemäldes, in dessen Mittelpunkt sich die erstarrte Gruppierung des Paares befindet. Sie lockert sich erst durch die Gebärde der ihren Partner umarmenden Frau. Es bleibt ein stummes Spiel; doch nicht nur, weil der Beobachter den Dialog nicht wahrnehmen kann, sondern vor allem, weil dieser Dialog offensichtlich zu einem Abschluß gelangt ist. Das entscheidende Wort scheint ausgesprochen zu sein, und es gilt jetzt für beide, dessen Folgen auf sich zu nehmen. „Vor einem Bassin standen sie, in einer gewissen Entfernung von einander, beide in tiefes Schweigen verloren." Es läßt sich eine Bemerkung Schillers gegenüber F. L. Schröder anläßlich der Einstudierung des *Don Carlos* in Hamburg aus dem Jahr 1787 einfügen: „Ich schließe mit einer Bemerkung, die ich in den Gesetzen unsrer Seele gegründet und durch die Erfahrung bestätigt finde. Stücke, worin große, heftige Affekte spielen, endigen sich schöner — ruhig und stille als rasch und hinreißend."[36] Eine innere Anspannung macht beide wortlos und äußert sich nur im Gestischen. Civitella erkannte im vorangegangenen Auftritt „Leidenschaft" im Blick des Mannes; er sieht jetzt, wie er ihrem offenen, seelenvollen Blick ausweicht, ihr Bild nur „verstohlen" im Spiegel des Wassers sucht. Entfernung und Bindung werden derart ineinander verschränkt. Von ihm scheint die Abwendung auszugehen, und er muß zugleich offenbar sie sich selbst aufzwingen. An die Stelle des deutlichen, situationsbestimmenden und -verändernden Wortes tritt hier eine Mehrbezüglichkeit des Gestischen, die wohl auch einen Hinweis auf die mehrdeutige Situation dieser beiden Menschen zwischen Zusammengehörigkeit und Trennung einschließt. Es entspricht der szenisch-mimischen Usance des Dramatikers Schiller, daß er das stumme Spiel zunächst in den Blick legt und erst dann in die Gebärdung überführt.[37] Die stumme innere Spannung zwischen beiden, deren lange Dauer zweimal betont wird, gelangt zu einem Grenzpunkt, an dem „das schöne Geschöpf" sie nicht mehr „aushalten" kann. Ihre liebevolle Gebärde, welche dies schweigende Gegenüber zu einer innigen Vereinigung aufzulösen sucht, bewirkt eine neue bildhafte Gruppierung. Deutlich ist eine Stilisierung der gestischen Bewegung; sie setzt sich in der sich anschließenden Bewegung des Mannes fort, der wiederum vornehmlich die Aufmerksamkeit des Marchese anzieht. „Der Mann war es, was mich rührte." Die Pantomime führt jetzt vom Bewegungsbild zu einer mehr auf den inneren Vorgang in diesen beiden Menschen gerichteten Visualität. Das schöne Bild vertieft sich zu einem „rührenden" Auftritt.

Diderot, mit dessen erzählender Prosa, wie mit Romanen anderer französischer Schriftsteller, Schiller sich in den Jahren der Niederschrift des *Geisterseher* intensiv beschäftigt hatte und von dem er, wie Roland Mortier[38] und vor ihm bereits Edmond Eggli[39] nachgewiesen haben, „ein gut Teil seines Erzählhandwerks" gelernt hat, wies in seinem „Traité de la poésie dramatique", den Schiller wahrscheinlich gekannt haben wird[40], nachdrücklich auf den Zusammenhang von Pantomime und malerischer Komposition. Die Pantomime, als ein Gemälde der Bewegung, verknüpfte ihm das Drama mit dem Roman, wie er es vor allem an den „häuslichen" Romanen von Richardson exemplifizierte. Das Bild gewann für ihn noch mehr an Ausdruckswirkung als die Rede. „Ich sehe die Person; ich sehe sie, sie mag reden oder schweigen: und ihre Aktion rührt mich mehr als ihre Reden."[41] Der Roman hat gegenüber dem Drama den Vorzug, daß er die Gebärden, die Pantomime, bis tief ins Kleine, ins nuancierte Detail zu zeichnen vermag, daß in ihm Bewegungen und Eindrücke gemalt werden können, während sie der Dramatiker nur flüchtig mit einem Wort berührt. Da weiterhin die Pantomime nur bestimmte Bewegungen wahrnehmen läßt, fesselt, beeindruckt und wühlt sie mehr die Einbildungskraft auf als eine vollständig dargestellte Handlung. Diderot hatte, geradezu dieser Szene in Schillers *Geisterseher* vorgreifend, eine besondere Wirksamkeit der Pantomime darin gefunden, daß „sie in einem feinen Spiele besteht, das sich noch nicht erraten läßt".[42] Auf diesem von Diderot bestimmten Hintergrund muß das stumme Spiel in dem Roman gesehen werden. Mit großer Wahrscheinlichkeit kann zudem die Bildvorstellung bezeichnet werden, die bei der Gruppierung der schönen ‚Griechin' mit dem Armenier als Vorbild Schiller vorgeschwebt hat. Es handelt sich um jene Beschreibung eines Bildes von Angelika Kauffmann, Hektors Abschied darstellend, die er in den *Briefen, im Jahre 1786 auf einer Reise im Gefolge des Königs von Dänemark geschrieben* von Helfrich Peter

Sturz, im Vierten Brief, London 15. Sept. 1768[43], gefunden hatte und die sich bereits in dem bekannten Lied in den *Räubern* auswirkte.[44] In dieser Abschiedsszene war wie in einem Modell der prägnante Moment, der Augenblick der noch offen auf der Waage schwebenden Entscheidung, ein Augenblick der Ungewißheit, wie die Würfel fallen werden, also ein eminent dramatischer Augenblick vorgezeichnet. Seine bildhafte Darstellung muß sich Schiller so eingeprägt haben, daß sich die Reminiszenzen an deren Wiedergabe durch Sturz bis ins Wörtliche wiederfinden lassen. Andromache bei Sturz: „... forschet furchtsam, mitleidfordernd, mit dem trüben keuschen Auge — ob sie nicht ahnden darf — daß er sich erbarme." Bei Schiller die ‚Griechin': „Ihr offnes seelenvolles Auge ruhte forschend auf ihm und schien jeden aufkeimenden Gedanken von seiner Stirne zu nehmen." Und kurz darauf Sturz: „... nach dem gebeugten Weibe, welches hinschmachtet auf seine Schulter, ihren rechten Arm um seinen Nacken schlingt, und die andere bebende Hand dem Gatten überläßt ...", daneben Schiller: „Mit der liebenswürdigsten Holdseligkeit ging das schöne Geschöpf auf ihn zu, faßte, den Arm um seinen Nacken flechtend, eine seiner Hände und führte sie zum Munde." Die Bildparallele ist offensichtlich, zugleich aber auch ein sprachlicher Unterschied. Sturz interpretiert, was er gesehen hat, in Stil und Ton der Empfindsamkeit — Schiller verfährt mehr deskriptiv, auf die Harmonie des „schönen" Bildes bedacht, er schaltet das sentimentale Pathos der Empfindsamkeit aus — eine Folge seiner Bildung des Erzählens an dem französischen Roman und vor allem an Diderot. Aber noch ein anderer Grund mag diese Veränderung mitbestimmt haben.

Der Dramatiker Schiller hatte, wie vorbereitend bereits Lessing, wie die Dramatiker des Sturm und Drang, in seinen Jugenddramen dem Pantomimischen einen breiten Spielraum gegönnt. Es ging mitunter aus der Spielanweisung in das Erzählerische, eine Innencharakteristik der Aktion oder der agierenden Figuren über.[45] Des jungen Schillers Leidenschaftspantomimik steigerte die expressiven Funktionen des Gestischen und Mimischen in einem höchst bewegten Spielstil; er vergegenwärtigte bildsinnlich die Dynamik und die Explosionen der Affekte durch eine heftige körperliche Beredsamkeit.[46] Damit verband sich, allgemein im Drama des Sturm und Drang[47] und angeregt durch Diderot, eine Analogie von Szenenbild und malerischer Komposition, der Anstoß zum „Tableau"[48] in hervorgehobenen Momenten der Spannung und der Rührung. Ging es in der Akzentuierung des Mimisch-Gestischen um die mitreißende Ausgestaltung der Affekte und psychischen Zustände der agierenden Figuren — im Tableau ging es um bildhafte Vergegenwärtigungen von Situationen, die sich für einen Augenblick gleichsam verselbständigt aus dem dramatischen Vorgang herauslösten und die Aktion stillstehen ließen. Dies bestimmte die Placierung im dramatischen Ablauf: vornehmlich als ein Ruhepunkt zwischen zwei Bewegungen, der zugleich zurück- und vorausweist. Darum geht es hier in dieser Szene: die Umarmung der schönen Frau, ihr Handkuß wollen noch etwas aufhalten, was gleichwohl bereits als entschieden erscheint. Ihre Gebärde gestaltet sich als ein beseelt-harmonisch schönes Bild. Es soll zugleich zu Auge, Empfindung und Einbildungskraft sprechen. Anders das Verhalten des Mannes; in seiner Erscheinung drückt sich die dramatische Angespanntheit eines Widerspruchs aus. Wir müssen Civitellas Worte wiederholen: „Der Mann war es, was mich rührte." Rührung — dies meint in der dramaturgischen Sprache Schillers mitleidende Affekte zu erwecken. Wenn also die Tragödie als die „poetische Nachahmung einer mitleidenswürdigen Handlung" definiert wird[49], so wird hier der Armenier zur tragischen Figur, zum tragischen Helden. Er muß es, als ein Entscheidender und zugleich offensichtlich unter dieser Entscheidung selbst Leidender, in der Situation der Abschiedsszene werden, die für den Dramatiker Schiller eine der tragischen Fundamentalsituationen gewesen ist.[50] Die Haltung dieses Mannes in kalter Gelassenheit gegenüber der Liebesgebärde der Schönen kontrastiert auffällig genug zu der „Leidenschaft" seines Blicks, von der Civitella eben gesprochen hatte. Ihm fällt, als der dramatischen Mittelpunktsfigur, der „Kampf", der „heftige Affekt" in dem stummen Spiel zu. Mißt man, wie Schiller diesen inneren Vorgang in dem Armenier hier ausgestaltet, an seinem Verfahren in den Jugenddramen, wird eine Veränderung erkennbar, die — vielleicht zugespitzt formuliert —, von der expressiven Affektdarstellung im Sturm und Drang zugleich zurück und voraus führt zu Winckelmanns Schönheitslehre. Was der junge Schiller mit Winckelmanns Augen und in Kenntnis der Schrift von Lessing am Laokoon ablas, wie sehr nämlich der Ausdruck des Affekts gemildert werde und der Geist des Leidenden den körperlichen Schmerz zu überwinden trachte, scheint ähnlich in dieser Szene wiederzukehren.[51] „Ein heftiger Affekt schien in seiner Brust zu arbeiten, eine unwiderstehliche Gewalt ihn zu ihr hinzuziehen, ein verborgener Arm ihn zurückzureißen. Still, aber schmerzhaft war dieser Kampf, und die Gefahr so schön an seiner Seite."[52] Es ist gewiß wohl auch ein Gebot der erzählenden Form, das, zum schönen und rührenden Bild konzentrierend, den bewegten mimisch-gestischen Stil des jungen Dramatikers zurückdrängt. Doch läßt sich diese Veränderung ebenso unter dem Aspekt einer Wandlung seiner Kunstauffassung während der Jahre der Abfassung des Romans verstehen, zumal die Ausgestaltung dieser Szene erst in den Anfang des Jahres 1789 fällt. Findet man in ihr schon Spuren der Entwicklung Schillers, die an dem Unterschied zwischen der ersten und der zweiten Fassung des *Don Carlos* deutlich wird? Die Leidenschaftspantomimik, die sich in der ersten Fassung analog den anderen Jugenddramen zeigt, ist in der zweiten Fassung, die 1787 gedruckt wurde, gemildert. Nahm die Zahl der Bühnenanweisungen von den *Räubern* bis zu *Kabale und Liebe* beständig zu, vom *Don Carlos* an bis zur *Braut von Messina* läßt sich eine beträchtliche Abnahme verzeichnen.[53] Gewiß bedeutet dies nicht, daß Schiller auf eine gestisch-mimische Ausstattung seiner dramatischen Szenen verzichtete; Julius Petersen hat nachgewiesen, daß in den Bühnenfassungen sich die szenisch-pantomimischen Anweisungen mehr erhalten haben als in den Druckfassungen, die zur stillen Lektüre bestimmt waren und in denen der Versfluß durch solche Unterbrechungen gestört worden wäre. Zur stillen Lektüre war natürlich auch der Roman bestimmt: so treffen hier denn verschiedene Tendenzen zusammen: einerseits die Einbettung der Pantomime in den Erzählduktus, weiterhin eine Tendenz zur Dämpfung des Expressiv-Dynamischen unter dem Einfluß jener Hinwendung zum klassizistischen Stil, die der zweiten Fassung des *Don Carlos* mehr Zurückhaltung und Würde einlegte, endlich die Bemühung um das schöne Bild, das nicht durch eine starke Darstellung der Affekte aufgerissen werden durfte. Das veräußerlicht Mimisch-Gestische, das die Bühne forderte, wird hier, im Erzählen, durch eine Verinnerlichung abgelöst, die der Stille entspricht, in welche diese beiden Menschen eingebettet sind. Die erzählte Pantomime führt die dramatische Szene in den Roman über; sie führt zugleich aber den Roman zu dramatischer Szenenwirkung, die, was der Erzähler von den Innenvorgängen der dargestellten Personen wissen müßte, nur optisch entziffern läßt. Der Stille entspricht die Rührung, von der sich Civitella angesichts dieses Auftritts und des Mannes bewegt fühlt. Gelassenheit ist dessen Gestus, aber der Ausdruck eines starken inneren Kampfes läßt sich nicht verbergen. Es schien — die Wiederholung sei erlaubt — „eine unwiderstehliche Gewalt ihn zu ihr hinzuziehen, ein verborgener Arm ihn zurückzureißen". Der Widerspruch zwischen einer Neigung und einer Notwendigkeit, die ihn zurückzwingt, geht mitten durch ihn hindurch — die tragische Grundsituation Schillers zeichnet sich hier ab; und mit ihr zugleich die Möglichkeit ihrer Überwindung. Es dürfte schwerlich eine Übertreibung sein, wenn wir hier die beiden von Schiller aufgestellten „Fundamentalgesetze aller tragischen Kunst" zu erkennen vermeinen: die „lebhafte Vorstellung des L e i d e n s, um den mitleidenden Affekt in der gehörigen Stärke zu erregen" und „eine Vorstellung des Widerstandes gegen das Leiden, um die innre Gemütsfreiheit ins Bewußtsein zu rufen". Neben die „Darstellung der leidenden Natur" tritt die „Darstellung der moralischen Selbständigkeit im Leiden".[54]

Es drängt sich auf, Schillers Traktat *Über Anmut und Würde* ins Spiel zu bringen, der, zwar erst vier Jahre später beendet, Bezüge zu dieser Szenenfolge nicht verkennen läßt. Um der Schlüssigkeit des Nachweises willen sei ein mehrfaches Zitieren aus ihm erlaubt. Der Traktat bestätigt in Fülle seines Autors blickscharfes Interesse an der Sprache des Physiognomisch-Gestischen; er bestätigt, daß er in ihr ein wesentliches Mittel sinnlicher Vergegenwärtigung menschlicher Typen und Charaktere und der Analyse ihrer inneren Zuständlichkeit ausgebildet hat. Das Gewicht verlagert sich von der Sprache zum Mimischen. „Indem eine Person spricht, sehen wir zugleich ihre Blicke, ihre Gesichtszüge, ihre Hände, ja oft den ganzen Körper m i t s p r e c h e n, und der m i m i s c h e Teil der Unterhaltung wird nicht selten für den beredsten geachtet."[55] Ja, Schiller schiebt überhaupt eine Aussageverbindlichkeit des Dialogs beiseite und rechtfertigt damit den Verzicht auf ihn zugunsten des stummen Spiels. Denn die

Sprache, „das konventionelle Sprachzeichen", Ausdruck des Gedankens, bleibt als „Darstellung des Geistes" nur in dem Bereich der „willkürlichen" Äußerungen des Menschen, die mit der „M a t e r i e d e s W i l l e n s (den Zweck)" zu tun haben.[56] Die Sprache wird derart zur Selbstdarstellung in willkürlich gewählten Rollen. Wenn wir unseren Text aus dem *Geisterseher* und die Ausführungen in *Anmut und Würde* aufeinander beziehen dürfen, so ist hier, in der von beiden Partnern unbeobachtet geglaubten Gartenszene, eine Wirklichkeit und Wahrhaftigkeit jenseits der Rollen, eine Wirklichkeit ihrer „F o r m d e s W i l l e n s (die Gesinnung)" erreicht. Diese beiden Menschen werden sich, vermeinend, in ihrem Geheimnis gegen Zuschauer abgeschirmt zu sein, als das darstellen, was sie wirklich in ihren Gesinnungen sind. „Daher wird man aus den Reden eines Menschen zwar abnehmen können, für w a s e r w i l l g e h a l t e n s e i n, aber das, was er wirklich ist, muß man aus dem mimischen Vortrag seiner Worte und aus seinen Gebärden, also Bewegungen, d i e e r n i c h t w i l l, zu erraten suchen."[57] Zwar räumt Schiller ein: „Nun mag zwar ein Mensch durch Kunst und Studium es zuletzt wirklich dahin bringen, daß er auch die begleitenden Bewegungen seinem Willen unterwirft und gleich einem geschickten Taschenspieler, welche Gestalt er will, auf den mimischen Spiegel seiner Seele fallen lassen kann. Aber an einem solchen Menschen ist dann auch alles Lüge, und alle Natur wird von der Kunst verschlungen."[58] Nichts spricht dafür, daß in der intimen Begegnung — ich erinnere an die Geste der engen, vertrauensvollen Zusammengehörigkeit in dem von Civitella bemerkten „Hand in Hand" — des Armeniers und der ‚Griechin' solche Situation angelegt ist. Es gibt keinen Grund für den Verdacht, daß beide voreinander in künstlich-willkürlicher Gebärdung betrügerische Rollen spielen. Was sich hier darstellt, erscheint vielmehr als eine geradezu modellhafte Paarung von Anmut und Würde, wie sie Schillers Traktat analysiert hat. Es treffen für beide die Attribute und Qualitäten zu, die er diesen beiden vornehmlich „sprechenden" Erscheinungsformen des Menschen, als dem „Ausdruck ihrer Seele" zugeschrieben hat. „Sprechend im e n g e r n Sinn ist nur die menschliche Bildung, und dies auch nur in denjenigen ihrer Erscheinungen, die seinen moralischen Empfindungszustand begleiten und demselben zum Ausdruck dienen."[59] In ihren Gebärden, ihrer „Schönheit der Bewegung" zeigt die ‚Griechin' die Merkmale der Anmut, der „schönen Seele". „Alle Bewegungen, die von ihr ausgehen, werden leicht, sanft und dennoch belebt sein. Heiter und frei wird das Auge strahlen, und Empfindung wird in demselben glänzen ... Keine Spannung wird in den Mienen, kein Zwang in den willkürlichen Bewegungen zu bemerken sein."[60] Man ist versucht, die Skala der Faszination Civitellas vom ersten Anblick der Schönen bis zu seinem ersten Versuch, ihr näher zu gelangen, in Schillers Satz wiederzufinden: „Die architektonische Schönheit kann Wohlgefallen, kann Bewunderung, kann Erstaunen erregen, aber nur die Anmut wird hinreißen." Ähnlich wie die zitierte Beschreibung spricht unser Text von dem offnen seelenvollen Auge der ‚Griechin'. Wie also Schiller die liebende weibliche Anmut schildert und von der männlichen Würde abhebt, läßt sich auf das sich Civitella darbietende Bild dieser beiden Menschen übertragen. Beide befinden sich in der schmerzhaften Situation eines Abschieds, so wenig auch über seine Gründe und Folgen erratbar wird. Die stoffliche Spannung wird in dieser Szenenfolge verdrängt; es geht in ihr vielmehr um eine innere, poetische Grundsituation, um die Darstellung von Menschen in einem einfachen, aber viel enthaltenden und somit prägnanten Moment. „Was in einem weiblichen Gesicht noch schöne Empfindsamkeit ist, würde in einem männlichen schon Leiden ausdrücken."[61] So ist es hier. Den heftigen Affekt, dies Leiden liest der Beobachter im Antlitz des Armeniers; er ist offenbar in einem Zustand, der „keine Zusammenstimmung zwischen Neigung und Pflicht, zwischen Vernunft und Sinnlichkeit" möglich macht[62], er muß diesen Konflikt durch Willen und Vernunft bewältigen und er erreicht so, was Schiller der „Würde" als moralische Größe, als Erhabenheit der Seele, als Heroisches zugeschrieben hat. Wie Civitella, selbst kaum zum Verständnis eines solchen Kampfes fähig und deshalb dessen Erliegen zugunsten der schönen Gefahr vorauserwartend, diesen Mann sieht, läßt sich durchaus, in der Umwendung, auf Schillers Satz beziehen: „Beherrschung der Triebe durch die moralische Kraft ist G e i s t e s f r e i h e i t, und W ü r d e heißt ihr Ausdruck in der Erscheinung."[63] Im Spiegel der falschen Erwartung des Marchese akzentuiert sich noch das Ungewöhnliche solcher Erscheinung, die ihr eingelegte Größe. Sie wird dadurch bestätigt, wie der Armenier seinen inneren Kampf austrägt: „still, aber schmerzhaft war dieser Kampf." Auch dies weist ihm die Personifikation der Würde zu. „Da aber Züge der Ruhe unter die Züge des Schmerzes gemischt sind, einerlei Ursache aber nicht entgegengesetzte Wirkungen haben kann, so beweist dieser Widerspruch der Züge das Dasein und den Einfluß einer Kraft, die von dem Leiden unabhängig und den Eindrücken überlegen ist, unter denen wir das Sinnliche erliegen sehen. Und auf diese Art nun wird die R u h e i m L e i d e n, als worin die Würde eigentlich besteht ... Darstellung der Intelligenz im Menschen und Ausdruck seiner moralischen Freiheit."[64]

Wir kommen auf eine schon aufgeworfene Frage zurück. Wie läßt sich solche Darstellung der schönen ‚Griechin' und des Armeniers in unserer Szenenfolge mit den Rollen und Funktionen vereinigen, die beiden in dem Roman zugeschrieben werden? Hat Schiller, als er sie schrieb, deren Einbettung, also Integration in die Gesamtkomposition aus den Augen verloren, nur in den Eigenreiz dieser Darstellung vertieft? Wie soll sich das Bild der Anmut mit dem Charakter der „abgefeimten Betrügerin" verbinden lassen? Die Schwestern Lengefeldt hatten mit ihrem Einwand, die Anmut sei untrennbar von moralischer Grazie, richtig getroffen, und sie hatten bereits einen Kernsatz von Schillers Traktat vorausgenommen: „die Anmut der Ausdruck einer schönen Seele."[65] Das Fragment verweigert die Aufhellung dieser Unstimmigkeit. Hingegen bietet der

Traktat selbst die Möglichkeit einer Auflösung des in den Armenier scheinbar gelegten Widerspruchs an, die nochmals daran erinnert, daß in Schillers Menschenbild Größe und Verbrechen einander nicht ausschließen, sie vielmehr eng zusammenhängen. „Die Würde bezieht sich auf die F o r m und nicht auf den I n h a l t des Affekts, daher es geschehen kann, daß oft dem Inhalt nach lobenswürdige Affekte, wenn der Mensch sich ihnen blindlings überläßt, aus Mangel der Würde ins Gemeine und Niedrige fallen; daß hingegen nicht selten verwerfliche Affekte sich sogar dem Erhabenen nähern, sobald sie nur in ihrer Form Herrschaft des Geistes über seine Empfindungen zeigen."[66]

Die Klimax der Szenenfolge ist erreicht; was folgt, ist nur der Vollzug der in ihr gefallenen Entscheidung: mit beschleunigtem Ablauf zum vorläufigen Ende hin. Die Erwartung des nur an die sinnlichen Triebe und ihre Macht glaubenden Civitella, jetzt endlich, nachdem der kleine Neger abgetreten ist, den er so wie der Leser längst aus den Augen verloren hatte, werde sich ein amourös-empfindsames Reue- und Verzeihungs-Abbitteritual vollziehen, ist fehlgegangen. Die Diskretion des völligen Miteinander-Alleinseins bezieht sich nicht auf die erotische Vereinigung, sondern auf die Besiegelung des Abschieds, dessen Signal die Übergabe des geheimnisvollen Pakets ist. Die Schöne hat vergeblich um den Mann geworben: „Trauer überzieht ihr Gesicht, da sie es ansieht, und eine Träne schimmert in ihrem Auge." Das jetzt folgende stumme Spiel, wiederum durch ein retardierendes und vorwärtsspannendes kurzes Stillschweigen eingeleitet, verkürzt sich in rasch wechselnden Auftritten. Sie werden markiert durch das Auftreten der bejahrten Dame, die jetzt die ,Griechin' von ihrem Partner trennt, und durch das Verschwinden des Armeniers, dem die Pantomime seines andauernden inneren Kampfes zwischen Bindung und Trennung vorangeht: „steht er und geht und steht wieder." Bis die jähe Flucht diese zögernde Ungewißheit beendet, in pfeilschneller Gondelfahrt auf der Hinterbühne des weiten Meeres. Dies rätselhafte, plötzliche Sich-Entziehen, Verschwinden — der Prinz hatte es in seinen Begegnungen mit dem Armenier schon mehrfach erlebt. Die ,Griechin' hatte offenbar noch immer nicht an so jähe Trennung geglaubt; so wird möglich, dem Abschluß des ersten Kurzaktes eine Steigerung der mimischen und derart dokumentierten inneren Bewegung einzulegen. Der Beobachter erhält für einen kurzen Augenblick eine orientierte Überlegenheit über die vergeblich suchende Frau, mit der er sich eben gleichsam identifiziert hat — „Sie schien zu ahnden, was ich wußte." Solche Überlegenheit gönnt oft auch Schillers Bühne dem Zuschauer; zugleich handelt es sich um einen Kunstgriff, um aus dem stummen Spiel zu seinem Erzähler zurückzuführen, zu dessen Erzählsituation. Der Vorgang scheint mit dem bis zum letzten Augenblick hingehaltenen Stichwort — „Es war eine Abschiedszene" — seine Aufklärung und seinen Abschluß gefunden zu haben; er scheint ins immerhin Verständliche eingeordnet zu sein, und er entläßt dennoch nur zu neuer Verrätselung, zu neuem Spannungseinsatz. Dem Erzähler verwirren sich, nachdem die Bühne leer wurde und der

Vorgang nur noch Erinnerung ist, da das Verständliche doch ganz ins Ungewöhnliche eingehüllt bleibt und sich mit seinen gesellschaftlich-erotischen Normerwartungen nicht übereinstimmen läßt, Wirklichkeit und Traum, Beobachtung und Phantasie. Er wiederholt damit, worauf der ganze Roman im bisherigen Verlauf angelegt war: Sein und Schein gehen ineinander über, Rolle, Maske, Täuschung einerseits, Wirklichkeit und Wahrheit andererseits werden austauschbar, beider Grenzen sind unentwirrbar geworden. Wie in dem ganzen Roman sich die Wirklichkeit immer wieder in das Phantastische verändert, so auch hier; und umgekehrt bestätigt die Wirklichkeit wiederum, was nur als eine „Komposition" der Phantasie, des Traums erscheinen möchte. Galt die erste kurze Unterbrechung der Erzählung Civitellas durch den Begleiter des Prinzen, der, wie so mancher vorwitzige Leser, „alles heraussagen muß, was er denkt", zu ungeduldig, die Lüftung des Geheimnisses abzuwarten, der partiellen Erhellung des Vorgangs — diese zweite Unterbrechung durch den Erzähler selbst hat die Funktion zum Leser hin, den Eindruck des rätselhaft Ungewöhnlichen noch zu potenzieren, die Spannung, die mit dem Stichwort „Abschiedsszene" befriedigt erscheint, von neuem aufzuladen.

Nach der Pause einiger unfreundlicher Tage setzt auf der gleichen Bühne das stumme Spiel von neuem ein — jetzt als eine Solopantomime der schönen Frau, begleitet von der Statisterie, die schon bekannt ist und zu der sich noch der Karmelitermönch in kurzem Auftritt gesellt. Es scheint sich für die Schöne um eine empfindsame Wiederkehr zu handeln; der Garten ist für sie zum beseelten Raum geworden, zum Ort einer vielleicht verlorenen Liebe, und das Bassin wird zum Denkmal, in dem „das geliebte Bild" gesucht wird. Wiederum wird das Auge zum sprechenden Zeichen, ebenso die Gruppierung, die sie als Hauptfigur von ihrer Begleitung isoliert. „Sie selbst aber ging in sich gekehrt und seitwärts." Aber Civitella sieht sie jetzt aus einer anderen Perspektive: nicht mehr in jener idealisch erhöhenden Vergeistigung, die sie zu einer „romantischen Erscheinung" machte, sondern mehr körperlich, als einen erotischen Reiz — „nichts mehr als das schönste aller Weiber, das meine Sinne in Glut setzt". Er holt sie gleichsam in die Wirklichkeit der Menschen zurück, zwischen denen der Roman spielt. Bereits im ersten Teil der Erzählung fällt ein wenn auch nur flüchtiger Übergang vom epischen Präteritum in die präsentische Verbverwendung auf — insbesondere, wo ein szenischer Auftritt einsetzt: der Aufgang der Sonne, die Entdeckung der Menschenstimmen im Garten, beim mehrfachen Auftritt der beiden Unbekannten. Aber, ohne erkennbaren Grund, kehrt der Erzähltext zum epischen Präteritum wiederum oft zurück. Man sträubt sich, darin nur eine zeitübliche Nachlässigkeit Schillers zu sehen; wahrscheinlicher ist, daß er derart darauf zielte, Vergegenwärtigung und Distanzierung, Szene und Bericht, also Drama und Roman ineinander zu fügen. Der Tempuswechsel wird im zweiten Teil unserer Szenenfolge noch auffälliger als im ersten.

Das Tempo der jetzt rasch vorüberlaufenden Bildszenen wird durch die wiederum retardierenden Unterbrechungen pointiert, besonders in der durch unliebsamen Besuch Civitella aufgenötigten Beobachtungspause, die zeigt, wie er, was ihm sein Guckkastenausschnitt zu sehen erlaubt, schon wie einen privaten Besitz hütet. Der „Roman" mit dem Armenier scheint abgeschlossen zu sein; ein neuer „Roman", durch Civitella geplant, scheint sich einzuleiten. Eben noch war er versucht, der Schönen den Fluchtweg dieses Mannes mitleidig zu verraten; jetzt ist er bereits seinerseits zu erotischem Besitzanspruch entschieden. Er lenkt in die Bahn ein, die, wenn man die flüchtigen Schlußworte des Romanfragments richtig deutet, ihn zum Zweikampf mit dem Prinzen, zu einer fast tödlichen Verwundung und den Prinzen ins Kloster führen wird. Schiller schaltet fast simultan mit dieser Absicht des Marchese die Übergabe des Briefes durch den Mönch. Die Reaktion der Unbekannten verrät, daß er von niemand als ihrem entschwundenen Partner sein kann, beider gegenseitige Bindung also noch nicht gelöst ist. Die sich neu ankündigende Phase des stummen Spiels — der Brief, der durch Überbringer und Inhalt neue Rätsel aufgibt, neue Verwicklungen einleitet, zumal er den Gartenbesuch in eine bisher unbekannte Beziehung zu dem nahen Kloster bringt — bricht rasch ab; es bleibt bei transitorischen Momentbildern, bei isolierten Spannungspunkten des Vorgangs, die, weil ihr Zusammenhang undurchschaubar ist, um so kräftiger auf den Beobachter wie auf den Leser wirken. Wieder und wieder wird er dem Wechselbad von Enttäuschung und Spannungserregung ausgesetzt. Das Erzählte zersplittert sich in dramatisierte Bildsituationen. Civitellas Neugier ist so erregt, daß er — wozu es auch wohl den Leser gelüsten würde — seine Rolle wechselt, zum detektivischen Mitakteur wird, der, indem er mit gewagter Tat sich des Briefes bemächtigt, unzweifelhaft läßt, wie er sich auch der Schönen bemächtigen will. Er ist ein glücklicher Detektiv; zu den Intrigenkünsten des venezianischen Weltmanns gehört auch die Kunst des Dechiffrierens. Der Streich gelingt. In der Freude der zurückgekehrt ängstlich Suchenden, die den Brief unberührt vermeint, zeichnet sich dessen Wichtigkeit für sie und indirekt der Gewinn ab, den Civitella durch seinen Raub geerntet hat. Denn sie, so muß es dem Leser erscheinen, ist jetzt ihres Geheimnisses beraubt und die Heimlichkeit des Gartens hat getrogen. Ironisch endet des Marcheses Beschreibung des letzten Auftritts der Schönen: „Sie ging, und ein zurückfallender Blick ihres Auges nahm einen dankbaren Abschied von den Schutzgöttern des Gartens, die das Geheimnis ihres Herzens so treu gehütet hatten." Zwar wäre zu hoch gegriffen, hier von „tragischer Ironie" zu sprechen. Der Garten hat getrogen, dies Geheimnis, handle es sich nun um eine Liebesverstrickung zwischen ihr und dem Armenier oder was sonst auch immer, ist in dem Besitz einer wenig zuverlässigen Hand. Aber es bleibt dem Leser vorenthalten; mit provokativer Knappheit bricht der Baron von F... seinen Brief an den Grafen ab, als handle es sich um irgendeine gleichgültige Geschichte, nicht aber um etwas, das auch für das Geschick des Prinzen, um das dieser Briefwechsel mit großer Sorge kreist, erheblich bedeutsam sein kann. Auch die Ahnungslosigkeit dieses Korrespondenten muß, als deren Bericht, in die scheinbar arglose Erzählung des Marchese, dieses scheinbar nur episodische stumme Spiel innerhalb des weitgreifenden rätselvollen Spiels, das den Prinzen einzufangen sucht, einbezogen werden. Diese Ahnungslosigkeit ist der zweite Rahmen, der um Civitellas Erzählung gezogen ist — nicht Rahmen- und Guckkastenstandort eines Beobachters, sondern eines Mannes, der weder zu beobachten noch gar zu erraten versteht; ist er doch nur ein wenig welterfahrener, braver Deutscher.

Der Bedeutungszusammenhang dieser Szenenfolge im Ganzen des Romans bleibt unterschlagen und dem Leser verweigert. Damit wird über diese mit künstlerischem Raffinement ausgearbeiteten Szenen hinaus die Spannung und Ungewißheit im vollen Umfang erhalten. Ihr funktionaler Sinn für das Romanfinale wird nicht aufgedeckt. Der Zufall machte Civitella zum Zeugen, er legte ihm die Chance zu einem Experiment der Enträtselung dieses „merkwürdigen", nicht nur für ihn, sondern vermutlich auch für den Prinzen merkwürdigen Vorgangs in die Hand. Der Zufall — „Ich werde unterbrochen" — verschließt sie wieder für den Leser. Das Labyrinth des Romans ist durch den Siebenten Brief des Baron von F... noch verwirrender geworden. Schiller hat es im rasch hingeworfenen Schluß des Fragments nur sehr summarisch und ungenau entwirrt. Mochte der *Geisterseher* ihm nur als eine „Farce" erschienen sein — es konnte mittels unserer Textanalyse gezeigt werden, wie diesen Roman, diese erzählten Szenen bis ins kleinste Detail die unverwechselbare Handschrift Schillers, nur sie, zu schreiben vermochte. Dies Ihnen zu bedenken zu geben, war schon lange mein Wunsch, verehrter Herr von Wiese — womit denn dieser Name wie zu Beginn auch am Schluß dieser kleinen Studie den gebührenden Platz erhalte.

Anmerkungen

[1] Benno von Wiese: *Friedrich Schiller*. Stuttgart 1959, S. 301.

[2] Wiese, S. 242.

[3] Gerhard Storz: *Der Dichter Friedrich Schiller*. Stuttgart 1959, S. 174 ff., weiterhin Fritz Martini: *Der Erzähler Friedrich Schiller*. In: *Schiller. Reden im Gedenkjahr 1959*. Stuttgart 1959, S. 124 ff.

[4] Emil Staiger: *Friedrich Schiller*. Zürich 1967, S. 135.

[5] Hans Mayer: *Schiller. Die Erzählungen*. In: *Zur deutschen Klassik und Romantik*. Pfullingen 1963, S. 147 ff.

[6] *Schillers Werke*. Nationalausgabe (künftig NA), Bd. 16. *Erzählungen*. Hrsg. von Hans Heinrich Borcherdt. Weimar 1954, S. 8.

[7] Dazu jetzt Klaus Oettinger: *Schillers Erzählung „Der Verbrecher aus Infamie"*. *Ein Beitrag zur Rechtsaufklärung der Zeit*. In: Jahrbuch d. Dt. Schillergesellschaft XVI, 1972, S. 266 ff.

[8] NA, Bd. 3. *Die Räuber*. Hrsg. von H. Stubenrauch. Weimar 1953, S. 5.

[9] Fußnote in der *Thalia* nach II, 16 des Thalia-Fragments des *Don Carlos*.

[10] G. Storz, S. 171.

[11] G. Storz, S. 184.

[12] NA, Bd. 16, S. 141 ff.

[13] Zur Bedeutung des Briefes in Schillers dramatischer Dichtung Oskar Seidlin: *Schillers „Trügerische Zeichen": Die Funktion der Briefe in seinen frühen Dramen.* In: *Von Goethe zu Thomas Mann.* Göttingen 1963, S. 94 ff. Ferner jetzt Volker Klotz, *Bühnen-Briefe.* Frankfurt a. M. 1972.

[14] Carl J. Burckhardt: *Schillers Mut.* In: *Schiller, Reden im Gedenkjahr 1955.* Stuttgart 1955, S. 32.

[15] Friedrich Varney: *Schiller als Erzähler.* Diss. Münster — Unna 1915, S. 63.

[16] NA *Philosophische Schriften.* Bd. 1. Hrsg. von B. v. Wiese und Helmut Koopmann. Weimar 1962, Bd. 20, S. 164.

[17] NA, Bd. 20. S. 159. „Ungleich stärker affizieren uns Leiden, von denen wir Zeugen sind, als solche, die wir erst durch Erzählung oder Beschreibung erfahren."

[18] NA, Bd. 21. *Philosophische Schriften.* Bd. 2. Hrsg. von B. v. Wiese und Helmut Koopmann. Weimar 1963, S. 57.

[19] NA, Bd. 21, S. 59.

[20] Dazu, allerdings ohne Erwähnung des *Geisterseher* August Langen, *Anschauungsformen in der deutschen Dichtung des 18. Jahrhunderts. Rahmenschau und Rationalismus.* Neudruck Darmstadt 1965, S. 45 ff.

[21] NA, Bd. 16, S. 130 f.

[22] Zum Beispiel *Fiesko* I, 1; III, 2; V, 1. *Wallensteins Tod* V, 3. *Maria Stuart* III, 1. *Jungfrau von Orleans* III, 9; V, 1. *Braut von Messina* V. 981 ff. *Wilhelm Tell* I, 1; I, 3; II, 2; V, 1. *Demetrius* II, 2.

[23] NA, Bd. 22. Vermischte Schriften. Hrsg. von H. Meyer. Weimar 1958, S. 301.

[24] NA, Bd. 16, S. 130 f.

[25] NA, Bd. 16, S. 137.

[26] G. Storz, S. 185.

[27] Zum Beispiel *Räuber* IV; *Fiesko* I und III; *Kabale und Liebe* III; *Don Carlos* I; *Piccolomini* I und V; *Maria Stuart* III u. a. m.

[28] Julius Petersen: *Schiller und die Bühne. Ein Beitrag zur Litteratur- und Theatergeschichte der klassischen Zeit.* Palästra 32. Berlin 1904, S. 293 ff.; 388 ff.

[29] Dazu auch Heinrich Keller: *Schillers Prosa.* Diss. Zürich — Winterthur 1965, S. 50.

[30] H. Mayer, S. 159.

[31] Schiller an Lotte 26. 1. 1789. In: *Schiller und Lotte. Ein Briefwechsel.* Hrsg. von A. von Gleichen-Rußwurm. Jena 1908, Bd. 1, S. 156 f.

[32] Ebd., Bd. I, S. 170.

[33] Ebd., Bd. I, S. 173.

[34] Ebd., Bd. I, S. 175.

[35] Lieselotte Blumenthal: *Schillers Dramenplan „Die Prinzessin von Zelle".* Abhandlungen der Sächs. Akademie d. Wiss. zu Leipzig. Philolog. hist. Klasse, Bd. 56, Heft 2. Berlin 1963, S. 9. Vgl. dort auch zum ‚prägnanten Moment', S. 53.

[36] Schiller an F. L. Schröder, 4. 7. 1787. Jonas: Schillers Briefe. Hrsg. von Fritz Jonas, Bd. 1, S. 349.

[37] J. Petersen, S. 406.

[38] Roland Mortier: *Diderot in Deutschland 1750—1850.* Stuttgart 1967, S. 196; 389.

[39] Edmond Eggli: *Diderot et Schiller.* In: Revue de Littérature Comparée, Bd. 1, 1921, S. 68 ff.; S. 86 f. Jetzt auch Gonthier Louis Fink, *Schiller et Jacques Le Fataliste de Diderot.* Institut M. Marache. Études Allemandes et Autrichiennes, Nice 1972, S. 231 bis 253.

[40] E. Eggli, S. 113.

[41] Denis Diderot: *Ästhetische Schriften*. 2 Bde. Hrsg. von H. Bassenge. Berlin — Weimar 1967, Bd. 1, S. 319 ff.

[42] Diderot, Bd. 1, S. 318.

[43] Helfrich Peter Sturz: *Schriften Erste Sammlung*. Leipzig 1786. Neue Verb. Auflage, S. 165 ff. Sturz fährt fort: „... für den Betrachter ist der gerührte Hektor nicht ganz entschloßen: wird er bleiben? oder reißt er sich los? Diese Ungewißheit erschüttert die Seele, und ist der Grundsaz aller Malerei für das Herz — Lessing hat ihn im Laokoon scharfsinnig ausgeführt."

[44] R. Ballof: *Zu Schillers Gedicht „Hektors Abschied"*. In: Euphorion, Bd. 21, 1914, S. 298, neuerdings Dieter Borchmeyer: *„Hektors Abschied". Schillers Aneignung einer homerischen Szene*. Jahrbuch d. Dt. Schillergesellschaft 16, 1972, S. 277 ff.

[45] Vgl. Jacob Steiner: *Die Bühnenanweisung*. Göttingen 1969, S. 27 ff.

[46] Dazu Gert Ueding: *Schillers Rhetorik. Idealistische Wirkungsästhetik und rhetorische Tradition*. Studien zur deutschen Literatur. Bd. 27, Tübingen 1971, S. 146.

[47] Vgl. Peter Küp: *Bühnenanweisungen im Drama des Sturm und Drang. Ein Beitrag zur speziellen Dramaturgie und Theatergeschichte*. Diss. (masch.) München 1956.

[48] August Langen: *Attitude und Tableau in der Goethezeit*. In: Jahrbuch d. Dt. Schillergesellschaft 12, 1968, S. 194 ff.; J. Petersen, S. 230 ff.

[49] *Über die tragische Kunst*. NA, Bd. 20, S. 166.

[50] Die Entwicklung der Abschiedszenen in Schillers Drama wäre einer eigenen Studie wert. Der Verf. wird sie demnächst in der Festschrift für Gerhard Storz vorlegen. Zum Typus der Gartenszene sei hier nachgetragen *Räuber* III, 1; IV, 4. *Don Carlos* I, 1/2; 3/9. *Maria Stuart* III, 1. *Braut von Messina* v. 981 ff. und v. 1706 ff. *Der versöhnte Menschenfeind* I, 1; I, 7.

[51] Oskar Walzel: *Schiller und die bildende Kunst*. In: *Vom Geistesleben alter und neuer Zeit*. Leipzig 1922, S. 316 ff.

[52] *Brief eines reisenden Dänen*. NA, Bd. 20, S. 103.

[53] J. Petersen, S. 326.

[54] *Vom Erhabenen*. NA, Bd. 20, S. 195.

[55] *Über Anmuth und Würde*. NA, Bd. 20, S. 266.

[56] NA, Bd. 20, S. 268.

[57] NA, Bd. 20, S. 268.

[58] NA, Bd. 20, S. 269.

[59] NA, Bd. 20, S. 272.

[60] NA, Bd. 20, S. 288.

[61] NA, Bd. 20, S. 288.

[62] NA, Bd. 20, S. 293.

[63] NA, Bd, 20, S. 294.

[64] NA, Bd. 20, S. 296.

[65] NA, Bd. 20, S. 289.

[66] NA, Bd. 20, S. 296.

WALTER MÜLLER-SEIDEL

NATURFORSCHUNG UND DEUTSCHE KLASSIK

Die Jenaer Gespräche im Juli 1794

Die Sprache der Wissenschaft ist vergänglich, und die Art, in der man noch vor kurzem über „unsere Klassiker" sprach, indem man ihnen Huldigungen darbrachte, mutet uns schon fremdartig an. Aber Fremdartigkeit, Verfremdung in jeder Hinsicht, ist der Erkenntnis nur förderlich. Über das „glückliche Ereignis" des Jahres 1794, über die *Erste Bekanntschaft mit Schiller*, wie Goethe eine autobiographische Aufzeichnung zunächst überschrieben hatte, führte Jakob Minor seinerzeit aus: „Nichts aber kann uns zu lauterem Preise des waltenden Glückssternes ermuntern, als die Betrachtung des steilen und mühevollen Weges, auf dem die Beiden durch Hindernisse, Verkennungen, Mißverständnisse der mannigfachsten Art endlich sich zusammenfanden."[1] In einem kuriosen Understatement nennt Minor seine Abhandlung ein „einfaches Gedenkblatt". Das hindert ihn nicht, sich einer hochfeierlichen Sprache zu bedienen, wie sie dem Stil der Zeit, der Kaiserzeit in Deutschland wie in Österreich, entsprach. Trotz gelegentlicher Differenzen auf dem Felde der Politik — die Klassik Goethes und Schillers war und blieb das großdeutsche Juwel und der Tag, an dem man sich in Jena zu gemeinsamer Wirksamkeit verband, ein „Segenstag für die deutsche Nation".[2] Dieser „Segenstag", das folgenreiche Zusammentreffen Goethes mit Schiller im Sommer 1794, wurde in der deutschen Bildungsgeschichte ein Gegenstand der Erbauung und der nationalen Andacht weit mehr als der Erkenntnis, die sich durch Forschung differenziert. Zugleich wurden und werden in solcher „Erbauung" Begriff und Kultur der deutschen Klassik eigentümlich personalisiert. Das Zusammenwirken Goethes und Schillers — als seien Begriff und Programm der deutschen Klassik mit diesen Namen schon identisch — wird zum höchstpersönlichen Freundschaftskult gesteigert. Ein historischer Vorgang von weitreichender Bedeutung, der von dem Ereignis des Jahres 1789 nicht ablösbar ist, wird vorwiegend biographisch gedeutet; er wird eigentlich einem unsachlichen Biographismus überlassen. Das Zusammentreffen Goethes mit Schiller im Juli 1794 ist aber ein Geflecht von Beziehungen der verschiedensten Art. Das „Überpersönliche" daran hat uns wichtiger zu sein als alles bloß Persönlich-Private. Wenn es sich in der Begründung der sogenannten Klassik um ein epochales Ereignis handelt, woran nicht zu zweifeln ist, dann hat man sie, entschiedener als bisher, aus einem bloß biographischen Denken zu lösen, damit das „Intersubjektive" desto deutlicher in Erscheinung tritt. Solche Kritik an Biographismus, nationalem Pathos und großen Worten ist nun freilich nicht unbesehen auf die Klassik selbst zu übertragen, als könne diese nur noch Gegenstand einer kritischen Literaturgeschichte sein. Aber kritisch sind noch einmal die Zeugnisse zu überprüfen, die uns Näheres über die Gespräche mitteilen, die damals in Jena geführt wurden.

Goethe selbst hat die Zusammenkunft mit Schiller in diesen Julitagen des Jahres 1794 als ein glückliches Ereignis bezeichnet. Damit ist zunächst die Veranstaltung der Naturforschenden Gesellschaft in Jena gemeint, die sie beide besucht hatten. Sie wird auf den 20. Juli datiert, so auch das Gespräch, das man anschließend auf dem Nachhauseweg führte und in Schillers Wohnung fortsetzte, in die sich Goethe, wie er selbst es ausgedrückt hat, hineinlocken ließ. Die Metamorphose der Pflanze, seit einigen Jahren schon der bevorzugte Gegenstand seines Nachdenkens, steht im Mittelpunkt, wenn man dem Bericht Goethes folgen darf. Auf dessen offensichtlich lebhaften Vortrag erwidert Schiller bekanntlich, und wie es scheint, etwas schroff: „Das ist keine Erfahrung, das ist eine Idee". So wörtlich lautet die Antwort, die Goethe mehr als zwei Jahrzehnte später aufgezeichnet und veröffentlicht hat.[3] Es scheint sich um eine lediglich persönliche Erinnerung, um eine seiner zahlreichen Niederschriften autobiographischen Charakters zu handeln. Aber mitgeteilt wird sie einem daran wie immer interessierten Publikum in einer naturwissenschaftlichen Zeitschrift. Unter dem Titel *Glückliches Ereignis* ist der Bericht über das folgenreiche Gespräch zuerst in der Zeitschrift *Zur Naturwissenschaft überhaupt, besonders zur Morphologie* 1817 erschienen. Schon damit ist das bekannte biographische Faktum einem naturwissenschaftlichen Kontext zugeordnet, einem solchen wissenschaftsgeschichtlicher Art. Aber nicht der naturwissenschaftliche Kontext hat sich unserem literarhistorischen Gedächtnis eingeprägt, sondern das biographische Ereignis selbst, das man üblicherweise auf e i n Gespräch reduziert. Als das „berühmte" oder als das „große" Gespräch — zumeist mit bestimmtem Artikel — ist es in die Geschichte eingegangen; und so auch wird es in den Ausgaben des Briefwechsels zwischen Goethe und Schiller kommentiert. „Kurz vor diesem Briefe [an Schiller vom 25. Juli], zwischen dem 20. und 23. Juli, während welcher Zeit Goethe ... in Jena war ..., fand das berühmte, von Goethe ... geschilderte Gespräch über die Urpflanze statt, das die Freundschaft beider Männer definitiv begründete."[4] Daß es e i n Gespräch gewesen sei, hat man solchen Aussagen zu entnehmen. Aber schon hier bedürfen einige Details der Klärung. War es tatsächlich nur e i n Gespräch, an das man zu denken hat, wenn man die Entstehung einer ohne Frage epochemachenden Freundschaft zu beschreiben übernimmt? Und wurde schon mit diesem Gespräch — von dem wir „zufällig" eine Aufzeichnung besitzen — die Freundschaft „definitiv" begründet, falls es überhaupt richtig ist, dieses von Zwecken mitbestimmte Bündnis eine Freundschaft zu nennen? Endlich: kommt es uns zu, dasjenige literarische Ereignis, das wir deutsche Klassik nennen, ausschließlich mit den Namen dieser beiden Dichter zu umschreiben? Da wir das in die Literaturgeschichte eingegangene Faktum einer bestimmten Quelle verdanken — der Aufzeichnung Goethes — ist zunächst eine noch genauere Quellenkritik unerläßlich. Über Goethes Gedächtnis muß da zunächst gesprochen werden; man muß prüfen, ob man ihm trauen darf. Goethe spricht sehr offen von dem Mißverhältnis, das ihn so lange von Schiller getrennt habe. Dieses Mißverhältnis wird durch die Briefzeugnisse beider Dichter bestätigt. Gut zwei von den fünf Seiten dieser Aufzeichnungen sind ihm vorbehalten. Das Erscheinen des *Don Carlos,* führt Goethe aus, habe daran nichts zu ändern vermocht, und die Schrift *Über Anmut und Würde* noch weniger. Im Gegenteil: gewisse harte Stellen sei er geneigt gewesen, direkt auf sich zu beziehen; und zusammenfassend wird festgestellt: „die ungeheuere Kluft zwischen unseren Denkweisen klaffte nur desto entschiedener".[5] Wobei zu beachten bleibt, daß es in Goethes Erinnerung Denkweisen waren, die sie trennten und daß aufgrund dieser Trennung an eine Vereinigung nicht zu denken war. Diese verhältnismäßig ausführlich erzählte Exposition der beiderseitigen Beziehungen läßt die Peripetie erwarten, die alles — womöglich definitiv — zum Guten wendet. Aber eine solche Peripetie sucht man in Goethes Bericht vergebens. Die „Mißverhältnisse" bestimmen sichtlich noch in hohem Maße den Verlauf auch dieses so „berühmten" wie „großen" Gesprächs; und mit Gewißheit ist dabei die Metamorphose der Pflanze nicht der Gegenstand, der eine Annäherung der getrennten Denkweisen bewirkt. Es bleibt alles beim Alten, wenn man nicht gar annehmen muß, daß sich die Fronten noch verhärtet haben. Schiller schüttelt den Kopf, und Goethe seinerseits ist verdrießlich. Das in der deutschen Bildungsgeschichte so gefeierte Gespräch ist offensichtlich nicht so verlaufen, wie sich das eine betont nationale Philologie wohl wünschte. An dieser Stelle seines Berichts erwähnt Goethe Schillers Schrift *Anmut und Würde*, indem er die Verstimmung betont, wie sie ihm in Erinnerung geblieben ist; „der alte Groll wollte sich regen", heißt es im Fortgang dieser Aufzeichnung.[6] Aber Goethe weiß sich zu beherrschen. In seiner Antwort kommt es zum Ausdruck: „Das kann mir sehr lieb sein, daß ich Ideen habe, ohne es zu wissen und sie sogar mit Augen sehe ..." Was Goethe beschreibt, ist im ersten Teil des Berichts die Geschichte eines Mißverhältnisses, das dem Gespräch vorausgeht, während der zweite den Verlauf einer Verstimmung schildert, die das bestehende Mißverhältnis bestätigt. Das geht mit Deutlichkeit aus dem folgenden Passus dieser Niederschrift hervor: Von Goethes „hartnäckigem Realismus", von „Anlaß zu lebhaftem Widerspruch" ist hier die Rede, und wenn man mit der Bezeichnung dieses Gesprächs als eines berühmten Gesprächs einen in jeder Hinsicht harmonischen Verlauf erwarten sollte, dann ist diese erste Zusammenkunft das berühmte Gespräch nicht gewesen, für das man es hält. Auf keinen Fall ist diesem autobiographischen Zeugnis zu entnehmen, daß damit schon „definitiv" eine große Freundschaft begründet worden wäre. Wie das Ergebnis dieser ersten

Zusammenkunft einzuschätzen sei, sagt Goethe selbst sehr präzis: „Der erste Schritt war jedoch getan . . .", was die Ergänzung nahelegt: und weitere Schritte konnten folgen. Von solch einem Schritt handelt der dritte Teil, in dem der „Verfolg eines zehnjährigen Umgangs" andeutend beschrieben wird — also das, was dem ersten Schritt als dem glücklichen Beginnen, trotz anfänglicher Verstimmung, folgte. Es gibt in dieser Quelle eigentlich nichts, das auf gravierende Gedächtnislücken Goethes hindeuten könnte.[7] Man hat allen Grund, dieser Aufzeichnung zu vertrauen.

Das gilt nun in gleicher Weise von der zweiten Quelle, dem Brief Schillers an Körner vom 1. September 1794. Aber damit kompliziert sich die Quellenlage beträchtlich. Denn Schiller stellt diese „erste Bekanntschaft" sehr anders dar, und gegenüber Goethe ist er dem Ereignis um vieles näher. Der Brief ist sechs Wochen nach den Jenaer Gesprächen geschrieben, wie im Brief selbst ausdrücklich gesagt wird. Einige bedeutende Zeugnisse gehen voraus: Schillers Brief an Goethe vom 23. August 1794, dem ein zweiter vom 31. August 1794 folgt. Im vorliegenden Bericht an Körner findet sich ein Satz, der für sich selber spricht; er lautet: „Bei meiner Zurückkunft fand ich einen sehr herzlichen Brief von Goethe, der mir nun endlich mit Vertrauen entgegenkommt."[8] Um genau zu sein: es darf angenommen werden, daß erst mit diesem Brief — also mit Goethes Brief an Schiller vom 30. August — der Freundschaftsbund „definitiv" begründet worden ist. Darauf deutet die Zeitangabe hin, daß dies nun „endlich" so sei. Zugleich übersendet Goethe mit diesem Brief einige hochinteressante „Blätter". Sie enthalten eine Stellungnahme seinerseits zu den in Jena Ende Juli erörterten Themen. Er begleitet sie mit dem Satz: „Beiliegende Blätter darf ich nur einem Freunde schicken, von dem ich hoffen kann, daß er mir entgegen kommt."[9] Wenn man das Zusammenwirken Goethes und Schillers als einen Freundschaftsbund verstehen will und wenn man nach Belegen für seine Begründung sucht, dann liegen sie hier. In diesem unauffälligen Satz ohne große Worte verbirgt sich eine Rückhaltlosigkeit, die vergessen läßt, was es an Mißverhältnissen und Verstimmungen gegeben hat; und welches Gewicht diesem Satz zukommt, kann nur derjenige ermessen, der auch den Inhalt dieser Blätter kennt, über die noch zu sprechen ist. Erst jetzt, mit der Übersendung dieser Blätter Ende August, kann die Verbindung als „definitiv" bezeichnet werden, und wie viel dabei von einem beiderseitigen Entgegenkommen abhing, bestätigt die Verwendung desselben Wortes in den Briefen beider. „Beiliegende Blätter darf ich nur einem Freunde schicken, von dem ich hoffen kann, daß er mir entgegen kommt . . .", heißt es in Goethes Brief; und entsprechend äußert sich Schiller gegenüber Körner: „Bei meiner Zurückkunft fand ich einen sehr herzlichen Brief von Goethe, der mir nun endlich mit Vertrauen entgegenkommt . . ." Hochbeglückt über diese Wendung der Dinge gedenkt Schiller nun seinerseits der Gespräche in Jena, die sie eingeleitet haben: „Wir hatten vor sechs Wochen über Kunst und Kunsttheorie ein langes und breites gesprochen . . ." Aber auch Schiller verschweigt nicht die „Verschiedenheit der Gesichtspunkte", die sie bis dahin trennte. Er teilt mit, daß ausgestreute Ideen bei Goethe Wurzel gefaßt hätten; und er gibt nirgends zu erkennen, daß mit jenem „berühmten" und „großen" Gespräch über die Metamorphose der Pflanze etwas auch nur annähernd Definitives erreicht worden war. Wenn dieser Bericht ganz auf Dur gestimmt ist und den Verstimmungen am Anfang dieser Zusammenkünfte keine Bedeutung einräumt, so hängt das zweifellos damit zusammen, daß die nunmehr unverhüllte Freude dem gilt, was sich im Laufe der Woche entwickelt hat.

Eine Differenz in den Berichten hat den Betrachtern seit je zu denken gegeben: daß nämlich Goethe in seiner Aufzeichnung ausschließlich von der Metamorphose der Pflanze spricht, während Schiller — sechs Wochen später — lediglich Kunst und Kunsttheorie in Erinnerung blieb. Dennoch hat man daraus keinen unüberbrückbaren Widerspruch abgeleitet. Man hat diese Differenz vielmehr in der Weise erklärt, wie sie zuerst von Otto Harnack erklärt worden ist:

> Daß Goethe über Naturbetrachtung, Schiller über Kunstbetrachtung zu berichten weiß, ist kein Hindernis. Beides war in Goethes morphologischer Anschauungsweise eng verbunden. Goethe blieb mehr der naturwissenschaftliche Ausgangspunkt des Gesprächs im Gedächtnis, Schiller mehr die Übertragung auf das Kunstgebiet.[10]

Mit dieser Deutung — denn eine solche ist es — ist ein literarhistorisches „Dogma" verbunden, das sich in unserem Bewußtsein eingeprägt hat: daß es e i n Gespräch gewesen sei, auf das sich alle diese Zeugnisse beziehen. Die Wendung in Schillers Brief an Körner — „Wir hatten vor sechs Wochen über Kunst- und Kunsttheorie ein langes und breites gesprochen" — stützt diese Version, daß es sich nur um e i n Gespräch gehandelt habe, keineswegs; denn „ein langes und breites" muß nicht heißen: „ein langes und breites Gespräch". Diese Wendung schließt mehrere Gespräche nicht aus. Schillers überaus glücklich gestimmter Brief vom 1. September erwähnt einen Aufsatz Goethes, „worin er die Erklärung der Schönheit: daß sie Vollkommenheit mit Freiheit sei, auf organische Naturen anwendet". Dieser Aufsatz galt lange Zeit als verschollen, bis ihn Günter Schulz vor nunmehr zwei Jahrzehnten entdeckte; und er entdeckte ihn dort, wo er am wenigsten vermutet worden wäre: im Goethe- und Schiller-Archiv in Weimar.[11] Bis dahin, bis zum Jahre 1953, in dem dieser Aufsatz Goethes zuerst veröffentlicht wurde, waren wir in der Rekonstruktion der Gespräche in erster Linie auf die unterschiedlich motivierten Aufzeichnungen Goethes und Schillers angewiesen, von denen schon die Rede war. Mit der Veröffentlichung dieser „Blätter" selbst und mit der Kenntnis ihres Inhalts wird unsere Kenntnis über den Verlauf der Jenaer Gespräche auf hochwillkommene Weise ergänzt. Die weitreichende Bedeutung, die dem Inhalt des Aufsatzes zukommt, macht es von vornherein unwahrscheinlich, daß das alles in einem einzigen großen Gespräch verhandelt worden ist. Worum aber geht es in dem glücklich entdeckten Aufsatz selbst?

Goethe wendet — wie Schiller in seinem Brief an Körner wörtlich übernimmt — die „Idee: Schönheit sey Vollkommenheit mit Freyheit, auf organische Naturen" an. Die Begriffe Schönheit in Verbindung mit Vollkommenheit und Freiheit sind solche des Schillerschen Denkens. Aber ihre Anwendung auf organische Naturen ist nicht Goethes Privileg. Das hatte Schiller seinerseits getan. Er selbst hatte damit Begriffe der Kantischen Philosophie auf organische Naturen übertragen. Das ist im *Kalliasbrief* geschehen, dessen Inhalt Körner am 23. Februar 1793 mitgeteilt worden war. Das Demonstrationsobjekt für die Anwendung solcher Begriffe auf organische Naturen sind im Falle Schillers die Vögel:

> Unter den Thiergattungen ist das Vögelgeschlecht der beßte Beleg meines Satzes. Ein Vogel im Flug ist die glücklichste Darstellung des durch die Form bezwungenen Stoffs, der durch die Kraft überwundenen Schwere. Es ist nicht unwichtig zu bemerken, daß die Fähigkeit über die Schwere zu siegen oft zum Symbol der Freiheit gebraucht wird. Wir drücken die Freiheit der Phantasie aus, indem wir ihm Flügel geben; wir lassen Psyche mit Schmetterlingsflügeln sich über das irdische erheben . . .[12]

Und Schiller fährt fort, seine philosophische Idee im Bild organischer Naturen zu erläutern:

> Offenbar ist die Schwerkraft eine Feßel für jedes Organische, und ein Sieg über dieselbe gibt daher kein unschickliches Sinnbild der Freiheit ab. Nun gibt es aber keine treffendere Darstellung der besiegten Schwere als ein geflügeltes Thier, daß (!) sich aus innerem Leben (Autonomie des Organischen) der Schwerkraft directe entgegen bestimmt. Die Schwerkraft verhält sich ohngefehr eben so gegen die lebendige Kraft des Vogels, wie sich — bei reinen Willensbestimmungen — die Neigung zu der gesetzgebenden Vernunft verhält.

Hier werden Gedanken ausgesprochen, die mit einigen Veränderungen in Kleists Aufsatz *Über das Marionettentheater* wiederkehren.[13] Aber das kann in diesem Zusammenhang außer Betracht bleiben. Nicht zu übersehen aber ist die Wiederkehr solcher Gedanken in Goethes Aufsatz, den er mit dem Brief vom 30. August an Schiller übersendet. Die Gemeinsamkeit der Themen ist so auffallend, daß man mit Recht geschlossen hat: Goethes Aufsatz über die Anwendung der Idee — Schönheit sei Vollkommenheit mit Freiheit — setze die Kenntnis der Kalliasbriefe oder wesentlicher Teile dieser Briefe voraus. Günter Schulz hat diese Folgerung in seinem Kommentar gezogen: „Da Goethe in seinem Aufsatz Inhalte dieses Kalliasbriefes bereits benutzt . . ., muß der Inhalt des Kalliasbriefes schon Thema des ‚großen Gesprächs' zwischen dem 20. und 23. Juli 1794 gewesen sein."[14] Mit dieser bemerkenswerten Erweiterung unserer bisherigen Kenntnis — daß schon Ende Juli in Jena über den Inhalt des Kalliasbriefes gesprochen worden sein muß — wird die Erklärung Harnacks nicht in Frage gestellt, wonach es ein Gespräch gewesen sei, in dem sowohl über die Metamorphose der Pflanze wie über Kunst und Kunsttheorie gesprochen wurde.

Auch nach der Entdeckung des Goetheschen Beitrags wird Harnacks Version ausdrücklich bestätigt: „Aus unserem wiedergefundenen Aufsatz läßt sich nunmehr zeigen, daß es sich in dem ‚großen Gespräch nach der folgenschweren Sitzung in der Naturforschenden Gesellschaft in Jena' wirklich um Natur u n d Kunst gehandelt hat."[15] Die seinerzeitige Erklärung Otto Harnacks — sie wurde bereits zitiert — wird damit übernommen. Ihr wird bescheinigt, daß sie überzeugend sei.[16] Diese Erklärung zur Differenz der Berichte wird im Gegenteil bestätigt: Das tradierte „Dogma", daß es sich um e i n Gespräch gehandelt habe, wird damit erhärtet. So hat man es gelernt; und so hat es offenbar zu bleiben.

Es ist aber festzustellen endlich an der Zeit, daß die Rede von dem e i n e n großen Gespräch eine ungenaue Rede ist und daß es zwischen dem 20. und 23. Juli wenigstens zwei Gespräche gegeben hat. Das ist völlig unwiderlegbar. Dafür bürgt das Tagebuch Wilhelm von Humboldts. Unter dem Datum vom 22. Juli ist vermerkt: „Abends aßen Schillers und Goethe bei uns."[17] Es ist völlig ausgeschlossen, daß man gelegentlich einer solchen Einladung nur ißt und trinkt. Wenn nicht schon während des Essens, so wird man wenigstens danach ins Gespräch miteinander gekommen sein; und mit Gewißheit wird man auch und gerade über das gesprochen haben, was einem auf den Nägeln brannte. Möglicherweise — aber hierüber gibt es keine Quellen und Belege — war der Gesprächston weniger dezidiert als zwei Tage zuvor. Denn man befand sich diesmal im geselligen Kreis, und daß man wußte, was man einer solchen Geselligkeit in den Formen höflicher Rede schuldig war, kann kaum zweifelhaft sein. Anders als zwei Tage zuvor auf dem Nachhauseweg und in Schillers Wohnung waren diesmal die Damen zugegen: Schillers Gattin und Karoline von Humboldt als die Dame des Hauses. Daß es Schillers Frau an der Fähigkeit nicht gefehlt hat, zu vermitteln und zu verknüpfen, hat Goethe in seinem Bericht über die erste Bekanntschaft ausdrücklich vermerkt: „seine Gattin, die ich, von ihrer Kindheit auf, zu lieben und zu schätzen gewohnt war, trug das Ihrige bei zu dauerndem Verständnis . . ." Goethe fährt fort: „und so besiegelten wir einen Bund, der ununterbrochen gedauert, und für uns und andere manches Gute gewirkt hat."[18] Von dieser „Besiegelung", wenn man darin eine Umschreibung für das „Definitive" des „klassischen" Freundschaftsbundes sehen darf, wird in Goethes Bericht gesprochen, nachdem vom ersten Schritt — dem Gespräch über die Metamorphose der Pflanze — gesprochen worden war; und dabei wird Schillers Gattin einbezogen. Die Besiegelung des Bundes als „glückliches Ereignis" war also mit Gewißheit nicht eine Sache zu zweit. Hier waren mehrere beteiligt; und neben Schillers Gattin ist Karoline von Dacheröden, seit einigen Jahren Humboldts Frau, nicht zu vergessen, von der man gesagt hat, daß ihr ein leiser Zug von Ritterlichkeit und Galanterie eigen war.[19] Die Gesprächsatmosphäre war diesmal von vornherein eine andere. Dies alles — Schillers Gattin, die beiderseitigen Freunde und das gemeinsame Frohsein — ist ganz unmöglich auf den ersten Gesprächsabend ausschließlich zu beziehen. Aber im Hause Humboldts, im geselligen Kreis und im Beisein der Damen, könnte wohl das Eis „definitiv" gebrochen worden sein. Dieses zweite Gespräch, das aufgrund der Tagebucheintragung Humboldts keine Erfindung des späteren Betrachters ist, erklärt nun auch mühelos die Differenz in den Berichten. Nichts spricht gegen die Annahme, daß am ersten Abend auf dem Heimweg und in Schillers Wohnung vornehmlich über Botanisches gesprochen worden ist, wie es von der Veranstaltung der Naturforschenden Gesellschaft her nahelag, während man allem Vermuten nach die Gespräche über Kunst und Kunsttheorie unter Einschluß der in den Kalliasbriefen entwickelten Theorie des Schönen im Hause Humboldts geführt hat. Es gibt jedenfalls in Goethes nachträglichem Bericht keinen Hinweis auf d a s große Gespräch, in dem alles schon zur Sprache gekommen sei, was dann Ende August — aber nicht eher — zur „definitiven" Begründung des Freundschaftsbundes führte. Und dem scheint das zweite Gespräch mehr als das erste förderlich gewesen zu sein.

Wilhelm von Humboldt wird in diesem Zusammenhang weder in Goethes Aufzeichnungen noch in Schillers Brief an Körner genannt. Aber indirekt ist er mitgemeint, wenn Goethe bemerkt, daß die beiderseitigen Freunde über das dauernde Verständnis froh waren; und auf eine ungewöhnliche Art war er selbst ein solcher Freund: er stand beiden nahe und war mit Goethe bereits bekannt, ehe dieser seine erste Bekanntschaft mit Schiller machte. Zu Schiller hatte sich ein reger Gedankenaustausch seit dem Frühjahr 1794 ergeben. Schon im Februar dieses Jahres war Humboldt nach Jena übergesiedelt; und als Schiller im Mai aus seiner Heimat zurückkehrte, wohnte er bereits hier. „Hier in Jena erhielt ich Deinen Einschluß von Humboldt", heißt es im ersten Brief Schillers an Körner nach der Rückkehr von der Reise; und an anderer Stelle desselben Briefes: „Humboldt ist mir eine unendlich angenehme und zugleich nützliche Bekanntschaft; denn im Gespräch mit ihm entwickeln sich alle meine Ideen glücklicher und schneller."[20] Vor allem aber war er von Anfang an wie kaum ein anderer in die *Horen*-Pläne eingeweiht. Daß er davon sehr eingenommen war, wird im Brief an Körner vom 12. Juni gesagt. Wie eingehend dieses repräsentative Programm der deutschen Klassik zumal mit Humboldt besprochen worden ist, kann nicht zweifelhaft sein. Das verrät derselbe Brief, in dem Körner zu baldigem Besuch gebeten wird, damit sich der Zirkel schließen kann: „Ich hoffe jetzt um so mehr, daß Ihr Euch zu der Hieherreise entschließen werdet, da Humboldts noch hier anzutreffen sind. Humboldt ist ein vortrefflicher dritter Mann in unserem Zirkel . . ."[21] Am 13. Juni wird sodann Goethe die Einladung zur Mitarbeit an der neuen Zeitschrift übersandt, und unter den Namen derer, die für eine solche Mitarbeit schon gewonnen sind, kann Humboldts Name nicht fehlen: „Hier in Jena haben sich die H. H. Fichte, Woltmann und von Humboldt zur Herausgabe dieser Zeitschrift mit mir vereinigt . . ."[22] Keiner war daher so wie Humboldt zur Vermittlung prädestiniert, wenn eine solche denn gefordert war. Seit Dezember 1789 war er mit Goethe bekannt. Ein Jahr danach war er in Erfurtische Dienste eingetreten, und man muß wohl annehmen, daß er Goethe in diesen Jahren kein Unbekannter geblieben ist. Dessen Interesse am Werdegang des naturwissenschaftlich hochgebildeten Bruders war nicht gering. Daß hier also nicht nur ein Freundschaftsbund zu zweit geschlossen wurde, liegt anzunehmen nahe. Bald danach beteiligt sich der „Geisteswissenschaftler" Wilhelm von Humboldt an Goethes anatomischen Studien. Um die gleiche Zeit setzt der Briefwechsel ein, der bis an Goethes Lebensende geführt wird. Einer der letzten Briefe Goethes ist an Humboldt gerichtet. Es ist — wohl nicht ganz zufällig — einer der denkwürdigsten der klassischen Literatur: „Verwirrende Lehre zu verwirrtem Handel waltet über die Welt, und ich habe nichts angelegentlicher zu tun als dasjenige was an mir ist und geblieben ist womöglich zu steigern ...“[23] Beide bewahren sie Schiller für ihr Leben lang ihre Freundschaft und ihr freundschaftliches Andenken, wie es sich in der Herausgabe ihrer Briefe bezeugt. Auch aus dieser Sicht ist der Bund der Klassik, der im Sommer 1794 begründet wird, nicht nur ein Bund zwischen Goethe und Schiller. Er ist wenigstens eine Freundschaft zu dritt. Fast gleichberechtigt gehört Wilhelm von Humboldt zu diesem Bund. Es gibt dafür keinen eindrucksvolleren Beleg als der an Humboldt gerichtete Brief Goethes vom 19. Oktober 1830:

> Wie trostreich, in solchen Augenblicken, mir Ihre unschätzbaren Blätter zuhanden kommen mußten, werden Sie selbst empfinden uns sich geneigtest aussprechen. Durch den entschiedensten Gegensatz ward ich in jene Zeiten zurückgeführt, wo wir uns zu einer ernsten gemeinsamen Bildung verpflichtet fühlten, wo wir, mit unserm großen edlen Freund verbunden, dem faßlich Wahren nachstrebten ...[24]

Mit dieser Erweiterung ist nicht beabsichtigt, die persönlichen Beziehungen im Sinne eines vorwiegend biographischen Denkens zu ergänzen. Solche Erweiterungen sind nicht auf Humboldt zu beschränken. Ehe persönliche Verärgerung dazwischentrat, gehörte Herder — neben dem Kunstexperten Heinrich Meyer — zum nächsten Freundeskreis. In der Vorgeschichte der deutschen Klassik hat er seinen festen Ort. Ihre Humanitätsidee ist ohne den Anteil Herders nicht zu denken. Daß er sich allmählich zurückzog, hatte vorwiegend persönliche Gründe. Schiller hatte seinen eigenen Freundeskreis, wie Goethe den seinen. Es sind nicht nur zwei Dichter, die sich im Juli 1794 die Hand zum Bunde reichen, um in steinernen Monumenten davon zu zeugen, was einzig deutsche Klassik sei. Goethe und Schiller sind von jetzt an allenfalls die Mitte, um die sich andere — Schriftsteller, Historiker und Philosophen — gruppieren; und die *Horen* sind das gemeinsame Organ solcher Bestrebungen. Daß die folgenreichen Gespräche im Juli 1794 geführt wurden und daß der Bund zustandekam, ist vom Projekt der neuen Zeitschrift nicht zu trennen. Insofern spielen in jeder Phase dieser Freundschaft Überlegungen hinein, die über die Motive einer nur persönlichen und privaten Freundschaft hinausgehen. Daß es darum gehen müsse, von der Freundschaftslegende Abschied zu nehmen, hat vor Jahren Hans Pyritz ausgesprochen: „Die Gemeinsamkeit reicht nicht in jene Region, wo das persönliche Leben seine eigensten Bestimmungen erfährt und empfängt ...“[25] Wenn mit einer solchen Feststellung einer falschen Feierlichkeit entgegen gearbeitet wird, ist es gut. Wenn damit das biographische Denken in seinem Anspruch noch gesteigert wird — „jene Region, wo das persönliche Leben seine eigensten Bestimmungen ... empfängt“! — sieht man sich gewarnt. Damit wird eine Freundschaft unter Schriftstellern nur abermals personalisiert und ins bloß Private verlagert. Was die Nachwelt aber an solchen Freundschaften interessiert, ist das, was jenseits des bloß Privaten sich begeben hat. Die Zeit des Freundschaftskults geht am Ende des 18. Jahrhunderts ohnehin zu Ende. Wieviel Kalkül also in der Herstellung dieser epochalen Verbindung im Spiele war und in welcher Weise sich dabei Schiller als der klug berechnende Diplomat erwies, ist eher ein Pseudoproblem als ein wirkliches Problem. Das Unternehmen der *Horen* — daran ist überhaupt nicht zu zweifeln — steht hinter der „Ersten Bekanntschaft“, wie sie Goethe beschreibt; sie steht mehr noch in seinem Bericht aus dem Jahre 1817: „Schiller, der viel mehr Lebensklugheit und Lebensart hatte als ich, und mich auch wegen der Horen, die er herauszugeben im Begriff stand, mehr anzuziehen als abzustoßen gedachte, erwiderte darauf als ein gebildeter Kantianer ...“[26]. Schließlich steht es so auch in Goethes erstem Brief, ehe man sich persönlich traf: „Ich hoffe bald mündlich hierüber zu sprechen ...“[27] Damit sind die *Horen* gemeint. Man hatte also allen Grund, nach dieser Einladung Schillers und nach der Antwort Goethes bei nächster passender Gelegenheit aufeinander zuzugehen, was am 20. Juli 1794 geschah. Auch insofern ist der „Freundschaftsbund“ von der Sache her motiviert, und das Zusammentreffen selbst ist weit entfernt, etwas bloß Zufälliges zu sein. Es ist im Gegenteil mit einem Wort Goethes eine geistige Notwendigkeit. Man muß daher das, was in den Jenaer Gesprächen des Jahres 1794 besprochen und beschlossen wurde, weder als reines Kalkül noch als reine Freundschaft interpretieren, weder als ein bloß geschäftliches Interesse, damit die *Horen* alsbald aufs beste florieren, noch als „interesseloses Wohlgefallen“, hinter dem nichts anderes zu suchen wäre, als daß man sich von nun an und gegenseitig über alles schätzt. Was sich in jenen Tagen abspielt, in Schillers Wohnung wie in Humboldts Haus, kann nicht besser umschrieben werden, als im Brief Goethes an Humboldt vom 19. Oktober 1830, in dem er rückblickend von der Verpflichtung „zu einer ernsten gemeinsamen Bildung“ spricht; und in der Sprache der Zeit ist Bildung nicht nur die beherrschende Idee des Zeitalters. Sie ist erst recht eine sie alle verbindende Realität.

Es war also kein Zufall, daß man sich im Juli 1794 traf. Aber es war noch weniger ein Zufall, daß man sich im Zeichen der Naturforschung traf. Sie scheint im Falle Humboldts ohne jede Bedeutung zu sein. Der Tradition unserer Bildungsgeschichte zufolge steht es unverrückbar fest, daß es in seinem Fall eine ausschließlich geisteswissenschaftliche Bildung war, die ihn auszeichnete. Er vor anderen ist der Philologe unter den Freunden, derjenige zugleich, der seinerseits zu dem Altertumsforscher Friedrich August Wolf in besten Beziehungen steht und die Verbindung zwischen diesem und Goethe einleitet. Wenn Klassik dem Wortsinn nach mit der Antike und ihrem Vorbildcharakter zusammenhängt, so kann Wilhelm von Humboldt mit einigem Recht als der vielleicht tätigste Vertreter einer solchen Klassik angesehen werden. Was Humboldt am Griechentum interessiert — aber dies ist durchaus Gemeinbesitz der Weimarer Klassik — ist der ganze Mensch gegenüber allen vereinzelten Kräften seiner Erscheinung. Der Brief an Friedrich August Wolf vom 1. Dezember 1792 bringt das programmatisch zum Ausdruck: „Es gibt außer allen einzelnen Studien und Ausbildungen des Menschen noch eine ganz eigne, welche gleichsam den ganzen Menschen zusammenknüpft ... Diese Ausbildung nimmt nach und nach mehr ab, und war in sehr hohem Grade unter den Griechen ..."[28] Dennoch ist der vielseitig interessierte Privatgelehrte, als der Humboldt damals in Jena lebte, nicht auf einen derart engen Begriff von Geisteswissenschaft festzulegen. Zur Naturforschung stand er in vielfältigem Kontakt, nicht zuletzt durch den jüngeren Bruder, der bald einer der angesehensten Naturforscher seines Zeitalters wurde. In diesem Zusammenhang ist auch daran zu erinnern, daß Bildung als Schlüsselbegriff der Zeit ein betont naturwissenschaftlicher Begriff war, ehe er zur „Allgemeinbildung" des 19. Jahrhunderts verflachte. Mit Bildung ist in der Gedankenwelt dieser Klassik vorzüglich die Bildung organischer Naturen gemeint — das, was sich gemäß dem innewohnenden Bildungstrieb vom Keim zur Frucht entwickelt. Es ist daher von der Zeitlage her in jeder Hinsicht einleuchtend, wenn sich der kundige Altphilologe und angesehene Sprachforscher in jenen Jahren nicht nur theoretisch mit organischen Naturen befaßt, sondern sich auch praktisch in die Grundfragen der Anatomie einführen läßt. Kaum daß der Jenaer Freundschaftsbund „besiegelt" wurde, werden Goethe wie Humboldt nach dieser Seite hin tätig. In das Jahr 1794 hat Goethe in den Tag- und Jahresheften solche gemeinsame Studien datiert:

> Alexander von Humboldt, längst erwartet, von Bayreuth ankommend, nötigte uns ins Allgemeine der Naturwissenschaft. Sein älterer Bruder, gleichfalls in Jena gegenwärtig, ein klares Interesse nach allen Seiten hin richtend, teilte Streben, Forschen und Unterricht.[29]

Justus Christian Loder las damals Bänderlehre — „den höchst wichtigen Teil der Anatomie" — und Goethe merkt an, daß dieses Gebiet im akademischen Unterricht arg vernachlässigt worden sei. Aber daß es sich dabei nicht einfach um singuläre Erkenntnisinteressen gehandelt hat, bestätigt eindrucksvoll der folgende Passus dieser Niederschrift: „Wir Genannten, mit Freund Meyern, wandelten des Morgens im tiefsten Schnee, um in einen fast leeren anatomischen Auditorium diese wichtige Verknüpfung aufs deutlichste nach den genannten

Präparaten vorgetragen zu sehen ..." So eng hat man sich in dieser Klassik die Verbindung von „Geisteswissenschaft" und Naturforschung, von Natur und Kunst zu denken! Das eine wie das andere geht alle an, Freund Meyer, den „Kunstmeyer", nicht ausgenommen. Und in welchem Maße sich der Bildungsbegriff mit der Naturforschung der Epoche im Einklang befindet, bestätigt Goethes beiläufige Erwähnung Loders in den Schriften zur Morphologie: „Später konnte ich mich, bei meinen öftern und längern Aufenthalt in Jena, durch die unermüdliche Belehrungsgabe Loders, gar bald einiger Einsicht in tierische und menschliche Bildung erfreuen ..."[30] Daß man sich in dieser Zeit Wilhelm von Humboldt nicht bloß als einen passiven Rezipienten von anatomischen Vorlesungen denken darf, geht aus einem Brief an Goethe hervor. So sehr nimmt die Anatomie ihn in jener Zeit in Anspruch, daß er erwägen kann, eine Monographie über das Keilbein zustande zu bringen. Er läßt dabei seinen Briefpartner nicht im Unklaren, was er diesem selbst verdankt: „ich kann es Ihnen nicht beschreiben, welche Freude Sie mir durch die Erlaubniß gemacht haben, Ihnen auf Ihrem Gange folgen zu dürfen ..."[31]

Solcher Studien bedurfte es im Falle Schillers nicht. Er hatte sie als Student der Medizin und als ehemaliger Regimentsmedicus längst hinter sich. Man darf annehmen, daß er mitreden konnte, wenn von Bildung organischer Naturen oder anderen Gegenständen der Naturforschung die Rede war, und Naturwissenschaft war in Hofkreisen beliebt. „Alles mineralogisierte, selbst die Damen fanden in den Steinen einen hohen Sinn und legten sich Cabinette an", weiß Karl August Böttiger zu berichten, der es ja wissen muß.[32] Naturforschung war ein allseits geschätztes Gesprächsthema, und so kann es leicht und mühelos mit anderen Themen verknüpft werden, wie es offensichtlich in den Jenaer Gesprächen geschehen ist. Das bestätigt auch Schillers Brief an Körner vom 1. September, der die organische Natur mit der Theorie des Schönen in Verbindung bringt. Doch hatte er solche Verknüpfungen von Kunst und Natur bereits in den Kalliasbriefen vorgenommen; und hier ist es, wie schon bemerkt, der Flug der Vögel, der zu besserer Anschaulichkeit von Thesen und Theorien herangezogen wird. Für seine von Kant beeinflußte Denkweise ist der Umstand bezeichnend, daß ihm Organisches als „Autonomie des Organischen" wichtig ist. Zweifellos ist Goethe in diesem Freundeskreis derjenige, dem die Naturforschung über alles geht. Aber sie ist nicht ausschließlich nur seine Sache, sondern ein integraler Bestandteil dessen, was man Klassik nennt.

Erhellend in diesem Zusammenhang sind auch die Motive, die zur Gründung der Naturforschenden Gesellschaft führten. Sie wurde am 14. Juli 1793 — am Jahrestag der Stürmung der Bastille — gegründet.[33] Das ist ohne Frage ein symbolisches Datum. Aber diese „Symbolik" ist ambivalent. Sie könnte auf ein Zusammengehen von Revolution und moderner Naturwissenschaft schließen lassen, wie es vielfach bezeugt ist, so unter anderem in der Person des Arztes Marat, der einer der führenden Revolutionäre war. Aber man kann auch anders interpretieren, und diese „Lesart" dürfte dem Selbstverständnis der Klassik näher sein: daß der Revolution eine Evolution entgegengesetzt wird; und mit Evolution — mit Entwicklung, Bildung und Umbildung — haben es vornehmlich die Naturwissenschaftler zu tun. Indem der Naturforschung unter dem Eindruck der Zeitereignisse ein solcher Wert zuerkannt wird, wird sie selbst ein Bildungswert, ehe die klassisch philologische Bildung ihr „Alleinvertretungsrecht" im 19. Jahrhundert geltend machte. Die eindringende Befassung mit dem klassischen Altertum war in der Zeit der deutschen Klassik ein Bildungswert kat'exochen. Aber die Beschäftigung mit Naturforschung stand dem nicht entgegen. Griechentum und Goethezeit, die man gern als unlösbare Einheit versteht, schließen — auch bei Humboldt — Naturforschung als einen Bestandteil dieser Bildung ein. Es zeugt von der Einsinnigkeit unseres Denkens, wie sie zur Tradition gehört, daß man diese Bindung nur als eine solche der „Geisteswissenschaften" untereinander auffaßt, gewissermaßen aus dem späteren Blickwinkel Wilhelm Diltheys. Das Kapitel über Wilhelm von Humboldt in Walther Rehms bekanntem Buch bestätigt eine solche, ausschließlich geisteswissenschaftliche Darstellung.[34] Es ist bei Hans Pyritz nicht anders: in der Beschreibung des Freundschaftsbundes wird der Anteil der Naturforschung nirgends erwähnt. Da die Bereiche aber nicht beziehungslos zueinander existieren, ist der Punkt ausfindig zu machen, an dem sich klassische Philologie und Naturforschung treffen. Der „Dilettantismus" des universal gebildeten Menschen, dem es an Muße nicht fehlt, sich möglichst mit allen Künsten und Wissenschaften zu befassen, erklärt das solcherart Zusammengehörende noch nicht. Es ist im Grunde ein verwandter Bildungswert, den man im Griechentum ebenso wie in der Naturforschung wahrnimmt, wobei man hoffen durfte, eben dadurch das Schrecknis dieses Ereignisses desto besser zu „gewältigen". Der humane Sinn in der Sicht der entstehenden Klassik verbindet beides. Man kann das der Rede des Botanikers August Carl Batsch entnehmen, die er 1793 anläßlich der Gründung der Naturforschenden Gesellschaft in Jena hielt. „Menschlichkeit" — wie in der *Iphigenie*, so scheint es — sei der Zweck dieser Gesellschaft. Damit wird an Fortschritt erinnert, wie er sich aus dem Geist der Aufklärung versteht. Von den Studierenden wird erwartet, heißt es im Fortgang dieser Rede, daß sie „künftig den Tempel der Wissenschaft, diesen unaufhörlichen Bau, erweitern ..."; und dies alles sollte geschehen, damit die „unverletztbarste Göttin, die Vernunft" verehrt werde.[35] Da scheint vom Wortschatz her kein Unterschied zur Gedankenwelt der Französischen Revolution zu bestehen. Deutlicher kann die Übereinstimmung kaum bezeichnet sein, als es hier geschieht; und es kann ja auch kaum zweifelhaft sein, wie viele Ideen der europäischen Aufklärung in das Ereignis von 1789 eingegangen sind und dieses erst ermöglicht haben. Dennoch trennen sich seit 1793 die bis dahin gemeinsamen Wege. Die entstehende Klassik ist der epochale Ausdruck einer solchen Trennung — um einer zu erneuernden Humanitas willen, die sich mit den Hinrichtungen nicht einverstanden zu erklären vermag, ohne deshalb das bestehende ancien régime zu sanktionieren. Die Enttäuschung an der Revolution, bei manchen Übereinstimmungen mit einigen ihrer Forderungen, wirkt stilbildend. Sie ist ein konstituierender Faktor desjenigen Stilwandels, den wir als deutsche Klassik bezeichnen. Auch die Naturforschung erhält dabei einen veränderten Sinn. Sie darf gerade nicht als ein isolierter Bereich verstanden werden; ebenso wenig ist sie als eine Tätigkeit der Geisteskräfte zu verstehen, die das Vereinzelte im Menschen fördern. Mit anderen Worten: sie soll verbinden, nicht trennen. Aus solcher Sicht hatten sich in Goethes Vorstellungen schon in Italien Natur, Kunst und Gesellschaft zu einer Einheit zusammengeschlossen, in der es über alle Gegensätze des Zeitalters hinweg um ein Drittes geht. An der italienischen Volkskomödie war es ihm aufgegangen, was zugleich verständlich macht, daß er die Auseinandersetzung mit der Revolution so lange im Umkreis dieser Gattung glaubte suchen zu sollen.

> Das dritte, was mich beschäftigte, waren die Sitten der Völker. An ihnen zu lernen, wie aus dem Zusammentreffen von Notwendigkeit und Willkür, von Antrieb und Wollen, von Bewegung und Widerstand ein Drittes hervorgeht, was weder Kunst noch Natur, sondern beides zugleich ist, notwendig und zufällig, absichtlich und blind. Ich verstehe die menschliche Gesellschaft . . .[36]

Die Richtung auf ein Drittes hin ist in den Denkformen der Zeit stets die Richtung auf ein Ganzes. Gefordert wird Synthese. Auf eigentlich allen Gebieten ist man der Zersplitterung und Vereinzelung entgegenzuarbeiten bestrebt. Totalität wird zum Schlüsselwort der Epoche; und die Naturforschung ist dabei in dem Maße geschätzt, als sie solcher Totalität förderlich ist. Das hört sich seltsam an, wenn man bedenkt, daß sich die moderne Naturwissenschaft in Richtung auf eine Exaktheit hin entwickelt, die sich im Prinzip der Analyse bezeugt. Aber gerade ihr wird im Umkreis der deutschen Klassik mißtraut. Fast ängstlich geht man ihr aus dem Weg, als sei sie etwas Schädliches und Verwerfliches. In einem autobiographischen Rückblick innerhalb der Geschichte seiner botanischen Studien führt Goethe aus: „. . . auch im Analysieren gewann ich etwas mehr Fertigkeit, doch ohne bedeutenden Erfolg; Trennen und Zählen lag nicht in meiner Natur . . ."[37] Der Widerspruch ist evident: ohne gewisse Fertigkeiten im Analysieren kommt man nicht aus, aber Analyse soll, wenn irgend möglich, nicht betrieben werden. Eine solche Denkweise ist vorzüglich Goethes Eigentum. Aber zunehmend erhält sie einen epochalen Sinn — den Sinn nämlich, daß man die Natur nicht auf eine zerstückelte Art behandeln dürfe.[38] Daß solche Erkenntnisinteressen und Denkformen den Verlauf der Jenaer Gespräche im Sommer 1794 bestimmt haben, hält Goethes nachträgliche Aufzeichnung aufs genaueste fest. Es müsse doch wohl noch eine andere Weise geben, will er damals erwidert haben, „die Natur nicht gesondert und vereinzelt vorzunehmen, sondern sie wirkend und lebendig, aus dem Ganzen in die Teile strebend darzustellen". Ähnlich hatte Goethe im Frühjahr 1794 an den Gründer der Naturforschenden

Gesellschaft geschrieben: „Wie können wir die Teile eines organisierten Wesens und ihre Wirkungen entwickeln und begreifen, wenn wir es nicht als ein durch sich und um sein selbstwillen bestehendes Ganzes beobachten."[39] Das sind Ausführungen aus der Zeit vor den entscheidenden Gesprächen mit Schiller. Aber bei diesem deutet sich Verwandtes um dieselbe Zeit an. Ein auf Autonomie gerichtetes Denken macht sich bemerkbar; und Autonomie meint dabei vor allem die Autonomie organischer Gebilde. Sie ist nur die andere Umschreibung eines solcherart auf die Totalität gerichteten Denkens; denn Autonomie ist nichts anderes als die Selbstbestimmung dessen, was sich als eine wie immer beschaffene Ganzheit darstellt. Hier zeichnet sich Entgegenkommen von vornherein ab, sofern Autonomie und Totalität aufeinander bezogen sind. Die Kalliasbriefe aber waren in diesem Punkt zur Vermittlung wie geschaffen. Als man sich am Abend nach der Veranstaltung der Naturforschenden Gesellschaft traf, erschien der Gegensatz zwischen Kantischer Philosophie und Goethescher Naturbetrachtung noch weithin unüberbrückt. An eben diesem Tage, wenn es berechtigt ist, am 20. Juli als dem Tag des ersten Zusammentreffens festzuhalten, hatte sich Schiller erneut in Kants Philosophie vertieft. Der Brief an Körner gibt darüber Auskunft: „Das Studium Kants ist noch immer das einzige, was ich anhaltend treibe, und ich merke doch endlich, daß es heller in mir wird . . ."[40] Die Bezeichnung der Metamorphose der Pflanze als einer bloßen Idee hatte Goethe ganz so — nämlich unvermittelt zu seinem eigenen Denken — aufgenommen. Die Kalliasbriefe konnten ihn nunmehr eines besseren belehren. Denn auch Schiller ging es mit der Autonomie um „Organisches" und mithin um Totalität. Auch ihm war das Zerstückelte der Stein des Anstoßes, der da zu beseitigen war. Er hatte sich in diesem Punkt schon deutlich erklärt; so vor allem in der Rezension der Gedichte Bürgers:

> Bei der Vereinzelung und getrennten Wirksamkeit unsrer Geisteskräfte . . . ist es die Dichtkunst beinahe allein, welche die getrennten Kräfte der Seele wieder in Vereinigung bringt . . . welche gleichsam den g a n z e n M e n s c h e n in uns wieder herstellt.[41]

Im großen Brief an den Herzog von Augustenburg vom 13. Juni 1793 nimmt Schiller diesen Gedanken wieder auf, aber nunmehr mit unmißverständlicher Wendung gegen den Verlauf der Revolution. Alle Reformen, die Bestand haben sollen, so wendet er ein, müssen von der Denkungsart ausgehen; und die damit gemeinte Denkungsart kann in seiner Auffassung nur eine solche sein, die dem Zerstückelten und Vereinzelten entgegenwirkt. Die einseitige Rede von Vernunft und ihrer Erhöhung zur Göttin ist einseitige Rationalität. Diese Kultur, als diejenige der Aufklärung, sei eine „bloß theoretische Kultur". Es leuchtet ein, daß zur Überwindung einer derart theoretischen Kultur diejenige Naturforschung willkommen ist, die sich nicht im Zergliedern erschöpft, sondern aufs Ganze hin denkt. Hier ist der Punkt des beiderseitigen Entgegenkommens zu sehen, den Schiller im Fortgang des nunmehr schriftlichen Gesprächs wiederholt berührt. Im Brief vom 23. August rühmt er an Goethe die „richtige Intuition" gegenüber der mühsamen Analyse. Auch für Schiller ist Wissen mit Scheiden verknüpft, über das man aber hinauszudenken habe: „Diese (die Philosophie) kann bloß zergliedern ... aber das Geben selbst ist nicht die Sache des Analytikers ..." An Goethe rühmt er dessen Blick für das Ganze. Aber zugleich nennt er damit auch das, was ihm selbst das Wichtigste ist: ein auf Totalität gerichtetes Denken. Man kann Goethes Blick, „der so klar auf den Dingen ruht", seinem ausgeprägten Sinn für Objektivität zuschreiben; und man kann Schillers Interesse an Freiheit und Selbstwillen subjektbetont nennen, so daß Goethe ihr Zusammenfinden als den „vielleicht nie ganz zu schlichtenden Wettkampf zwischen Objekt und Subjekt" interpretiert. Aber die Gemeinsamkeit, die das Entgegenkommen erlaubte, liegt in dem, was sich aller Trennung und Vereinzelung widersetzt. Weshalb es denn auch b e s t i m m t e Naturwissenschaften sind, die man vor anderen schätzt: es sind dies die Morphologie, die Botanik, die Anatomie und wo sonst noch organische Naturen in Frage stehen.

Die Abneigung gegenüber Analysen jeder Art nimmt im Fortgang des gemeinsamen Wirkens Formen an, die etwas Bedenkliches haben — als sei da eine „Ideologie" des Organischen und der Totalität im Verzug. An Alexander von Humboldt tadelt Schiller 1797 den nackten und schneidenden Verstand und plädiert für eine merkwürdig irrationale Einstellung zur Natur: sie müsse „angeschaut und empfunden" werden.[42] Hier ist denn wohl zu fragen, ob wir es an der Schwelle zum neuen Jahrhundert, die den exakten Naturwissenschaften gehören wird, nicht mit einem Anachronismus zu tun haben, der in Hinsicht auf den geistigen Rang dieser Kultur etwas eigentümlich Rückständiges zu haben scheint. In Frankreich kann sich die auf Messen, Zählen und Analyse angewiesene Naturwissenschaft ohne Rückschläge entfalten. Aus der Sicht einer vornehmlich am Erkenntnisprogreß orientierten Wissenschaftsgeschichte erscheint die Naturforschung der Weimarer Klassik dagegen eher überholt und regressiv. Dennoch haben sich unbeschadet des Siegeszuges, den die exakte Naturwissenschaft im 19. Jahrhundert antritt, die Probleme nicht erledigt, von denen sich die Dichter und Denker in der Zeit der Klassik unablässig bedrängt fühlten. Der Fortgang der Wissenschaft gibt denen recht, die auf Analyse, Empirie und mathematisierbare Beweise insistierten. Aber die „Dichter" unter den Naturforschern werden deshalb nicht eindeutig und ein für allemal ins Unrecht gesetzt. Analyse, Detail und Spezialistentum sind so unerläßlich wie das vielfach nicht beweisbare Denken auf Zusammenhänge und Synthesen hin. Ein Grund mehr, die Aporie einer jeden Wissenschaft ernst zu nehmen, daß das Wägbare und Unwägbare Bestandteile derselben Sache sind und daß sich die Probleme nicht erledigt haben, wenn alles „nur" bewiesen ist.

Anmerkungen

1 J. Minor: *Zum Jubiläum des Bundes zwischen Goethe und Schiller. Geschichte ihrer Beziehungen bis 1794.* In: Preußische Jahrbücher 37, Bd. 1894, S. 1. Zur biographischen Aufzeichnung Goethes vgl. *Hamburger Goethe-Ausgabe*, Bd. X, S. 758.

2 J. Minor; ebd.: „Einen ‚Segenstag für die deutsche Nation‘ hat man den Tag vor vierzig Jahren genannt, und er soll auch heute nicht ohne ein einfaches Gedenkblatt vorübergehen."

3 *HA*, Bd. X, S. 540.

4 *Der Briefwechsel zwischen Goethe und Schiller.* Hrsg. von Albert Leitzmann. Insel-Verlag 1955, Bd. III, S. 2.

5 *HA*, Bd. X, S. 540.

6 *HA*, Bd. X, S. 541.

7 Um einen solchen Nachweis hatte sich Heinrich Düntzer seinerzeit bemüht, dem es darum zu tun war, das Gespräch über die Metamorphose auf den 31. Oktober 1790 zu datieren. (Heinrich Düntzer: *Zu Goethe's Bericht über seine Anknüpfung mit Schiller.* In: Goethe-Jahrbuch. Hrsg. von L. Geiger, 2. Bd., 1881, S. 168.)

8 *Schillers Briefe.* Hrsg. von Fritz Jonas, o. J., Bd. IV, S. 2. — Jetzt auch: *Schillers Werke. NA*, Bd. 27. Hrsg. von Günter Schulz, 1958, S. 34.

9 *Der Briefwechsel.* Bd. I, S. 10.

10 Otto Harnack: *Der Zeitpunkt der entscheidenden Annäherung Goethes und Schillers.* In: O. H.: *Zur Schillerforschung.* In: Euphorion, Bd. VI, 1899, S. 542.

11 Günter Schulz: *In wiefern die Idee: Schönheit sey Vollkommheit mit Freyheit, auf organische Naturen angewendet werden könne.* In: Goethe. NF des Jahrbuchs der Goethe-Gesellschaft, 14./15. Bd., 1952/53, S. 143—157.

12 *Schillers Briefe.* Hrsg. von F. Jonas. Bd. III, S. 272.

13 Darauf hat Benno von Wiese aufmerksam gemacht: *Das verlorene und wieder zu findende Paradies. Eine Studie über den Begriff der Anmut bei Goethe, Kleist und Schiller.* In: *Kleists Aufsatz über das Marionettentheater. Studien und Interpretationen.* Hrsg. von H. Sembdner. Berlin 1967, S. 206.

14 Ebd., S. 150.

15 Ebd.

16 *Goethe.* NF 1952/53, S. 149: „Erst Otto H a r n a c k formuliert überzeugend . . ."

17 Auch Leitzmann teilt diese Notiz Humboldts in seinem Kommentar expressis verbis mit: ebd., S. 2.

18 *HA*, Bd. X, S. 541.

19 Otto Harnack: *Goethe und Wilhelm von Humboldt.* In: Vierteljahrsschrift für Literaturgeschichte. 1. Bd., 1888, S. 227.

20 *Jonas*, Bd. III, S. 438.

21 *HA*, Bd. XXVII, S. 10.

22 Ebd., S. 13.

23 An Wilhelm von Humboldt vom 17. März 1832. *Artemis-Gedenkausgabe.* 21. Bd., S. 1043.

24 *HA*, Bd. IV, S. 403—404.

25 Hans Pyritz: *Der Bund zwischen Goethe und Schiller. Zur Klärung des Problems der sogenannten Weimarer Klassik.* In: H. P.: *Goethe-Studien.* Hrsg. von Ilse Pyritz. Köln 1962, S. 40.

26 *HA*, Bd. X, S. 541.

27 *Der Briefwechsel . . .*, Bd. I, S. 4.

28 Zitiert von O. Harnack: *Goethe und Wilhelm von Humboldt*, S. 228.

29 *HA*, Bd. X, S. 441.

[30] *HA*, Bd. XIII, S. 62.

[31] Wilhelm von Humboldt an Goethe (Ende Januar 1795). In: Goethe-Jb., 8. Bd., 1887, S. 63.

[32] Zitiert in: *Alexander von Humboldt. Eine wissenschaftliche Biographie.* Hrsg. von Karl Bruhn, I, S. 188.

[33] Vgl. Heinrich Düntzer: *Zu Goethes Bericht . . .*, S. 180.

[34] Walther Rehm: *Griechentum und Goethezeit.* Leipzig 1936, S. 240.

[35] Zitiert bei J. Minor, a. a. O., S. 46.

[36] *HA*, Bd. XIII, S. 102.

[37] *HA*, Bd. XIII, S. 155.

[38] Ebd., Bd. X, S. 540.

[39] An Batsch; *HA*, Bd. II, S. 175.

[40] *Jonas*, Bd. III, S. 470.

[41] *Nationalausgabe*, Bd. XXII, S. 245.

[42] *Jonas*, Bd. V, S. 234.

BERNHARD ZELLER

SCHILLER UND BLANKENBURG

Zu einem unbekannten Schiller-Brief

„Bey mir ist ein Plan zu einem großen literarischen Journal im Werke, und wird auch schon mit einem Verleger deßwegen traktiert, zu welchem die besten Köpfe der Nation vereinigt mitwirken sollen", schrieb Schiller am 26. Mai 1794, kurz nach der Rückkehr von seiner Schwabenreise, an Johann Benjamin Erhard.[1] Zwei Tage später schon unterzeichnete er den Verlagskontrakt[2], und nach eingehender Beratung mit Fichte, Woltmann und Wilhelm von Humboldt kam vom 12. Juni ab eine gedruckte, zur Mitarbeit an der Zeitschrift auffordernde Einladung[3] zum Versand.

Nicht die von Cotta gewünschte und von Schiller zunächst ebenfalls akzeptierte *Allgemeine Europäische Staatenzeitung*, sondern die alte, früher schon einmal Göschen vorgetragene Idee einer literarischen Zeitschrift, an der „dreißig oder vierzig der besten Schriftsteller Deutschlands"[4] mitarbeiten sollten, fand Verwirklichung, und so wurden *Die Horen* zum ersten gemeinsamen Unternehmen mit dem schwäbischen Verleger, den Schiller während seines Aufenthalts in Württemberg persönlich kennengelernt hatte.

Große Hoffnungen beflügelten den Dichter. Ein „Epoche machendes Werk"[5] sollte entstehen, und mit stolzem Selbstbewußtsein schrieb er an Cotta „. . . wenn dieß die einzige Schrift wäre, die Sie verlegten, so müßte schon diese einzige Ihren Nahmen unter den deutschen Buchhändlern unsterblich machen."[6] Mit hohen Ansprüchen ins Große planend und des Erfolgs gewiß, ging Schiller mit der ihm eigenen Willenskraft ans Werk. Eine „auserlesene Societät . . ., dergleichen in Deutschland noch keine zusammen getreten ist"[7], für die Zeitschrift zu gewinnen und ihr durch das enge Zusammenwirken der besten Schriftsteller eine Bedeutung und einen Rang zu garantieren, der andere Organe dieser Art weit hinter sich lassen, ja überflüssig machen sollte, war sein Ziel.

Mit zahlreichen, den gedruckten Einladungen zur Mitarbeit beigefügten Briefen hat Schiller in den folgenden Wochen um Beiträger geworben. Am 13. Juni 1794 schickte er das Avertissement an Goethe, damit den Briefwechsel mit ihm eröffnend[8], und am Tage danach teilte er Cotta bereits mit, daß er außer Goethe auch Kant, Klopstock, Herder, Garve, Engel und Gotter angeschrieben habe.[9] Krankheitsanfälle unterbrachen zwar in den Sommermonaten die Intensität der Korrespondenz, aber am 1. September erklärte Schiller[10], der sich nach und nach an alle bedeutenden Schriftsteller seiner Zeit gewandt hatte, dem Verleger, nun einen Kreis von Autoren beisammen zu haben, wie ihn noch kein Journal aufzuweisen gehabt habe.

Nur ein geringer Teil des Briefwechsels über die Anfänge der *Horen* hat sich erhalten, aber in den überlieferten Schreiben, die vielfach ähnlichen Wortlaut haben, spiegeln sich die Anstrengungen und das taktische Geschick, mit denen sich Schiller um sein Werk mühte.

Dem Freund Körner nannte er am 12. Juni 1794[11] die Namen zahlreicher Autoren, die er schon zur Mitarbeit aufgefordert habe oder noch anzuschreiben gedenke. In dieser Liste findet sich auch der Name Christian Friedrich Blankenburg. Doch der Brief an Blankenburg wurde zunächst zurückgestellt. Schiller zog andere Schriftsteller, die ihm wichtiger waren, vor, wollte vermutlich auch das Echo auf seine ersten Schreiben abwarten, bevor er weitere Aufforderungen versandte. Jedenfalls vergingen Monate, bis er die Aufforderung zur Horenmitarbeit auch an den königlich preußischen Hauptmann nach Leipzig schickte. Der bisher unbekannte und verloren geglaubte Brief, datiert vom 7. November 1794, einem Posttag, an dem Schiller in gleichem Sinn auch an Archenholtz und Gleim schrieb, ist nunmehr im Autographenhandel aufgetaucht und vom Schiller-Nationalmuseum im November 1971 bei einer Auktion des Antiquariats J. A. Stargardt[12] in Marburg erworben worden. Er hat folgenden Wortlaut:

Jena den 7. Nov. 94.

Ich erfreue mich der Gelegenheit, welche beyliegendes Blatt mir darbietet, Ew. Hochwohlgeb. meine aufrichtige Hochachtung zu erkennen zu geben, und eine Bekanntschaft, die ich mir solange gewünscht, mit Ihnen zu eröfnen. Eine Unternehmung, welche Verbreitung des guten Geschmackes zu Ihrer vornehmsten Absicht hat, kann Ihnen nicht gleichgültig seyn, und ich weiß, daß ich auf Ihre Mitwirkung zählen darf, sobald unser neues Institut so glücklich ist, Ihr Zutrauen zu erhalten. Es sind demselben bereits 23 Mitarbeiter beygetreten, unter denen sehr geachtete Nahmen sind; denn, neben vielen andern, die bey dieser Gelegenheit sich dem Publikum zum erstenmal zeigen wollen, werden Göthe, Herder, Engel, Garve, Gentz, Frid. Jacobi, Frid. Schulz, Matthison, Pfeffel, v. Archenholz u. a. einen thätigen Antheil daran nehmen. Laßen Sie mich hoffen, daß Sie Sich von einer solchen Gesellschaft nicht ausschließen werden.

Die gedruckte Beylage überhebt mich, über die innere Einrichtung des Journals ein mehreres zu sagen. Philosophie (soweit sie popular werden kann) Geschichte, schöne Künste, auch Naturwißenschaften werden den HauptInnhalt ausmachen. Ein sehr wünschenswürdiger Beytrag würde eine Characteristik merkwürdiger Schriftsteller seyn, und vielleicht könnte eine Materie Reiz für Sie haben, die unter Ihrer Feder so entschieden gewinnen muß. Doch bitte ich sehr diese Idee, die ich hier nur zufällig hinwerfe, für keinen Eingriff in Ihre Wahl zu halten, welche, sie mag entscheiden wofür sie will, unsre Litteratur gewiß mit etwas vortrefflichem bereichern wird.

Hochachtungsvoll verharre ich

Ew. Hochwohlgeb.

gehorsamster Diener

Fr Schiller.[13]

Der Name des Empfängers geht aus dem Brieftext nicht unmittelbar hervor, doch ist in der Beilage, am Fuß der zweiten Seite, von Schillers Hand als Adresse vermerkt: „H. Hauptm. v. Blankenburg/Leipzig." Die gedruckte Aufforderung zur Mitarbeit trägt als weitere handschriftliche Zusätze die Überschrift *Die Horen*, geschrieben mit schwungvollem klarem Zug, dann in Abs. 6 die Verlagsangabe „Buchh. Cotta in Tübingen" und schließlich in Absatz 7 als Honorarangebot den Beitrag von „vier" Louisdors[14] pro Bogen.

Wie aus dem Schreiben hervorgeht, hat Schiller Blankenburg nicht persönlich gekannt und scheint demnach auch während seines Leipziger Sommers nicht mit ihm zusammengetroffen zu sein. Als Ästhetiker, Schriftsteller, Rezensent und vielwissender Kommentator war ihm jedoch der gelehrte preußische Offizier, der sich 1778 in Leipzig niedergelassen hatte, sicherlich kein Unbekannter, mögen sich auch direkte Äußerungen Schillers über ihn aus früherer Zeit nicht nachweisen lassen.

Christian Friedrich Blankenburg[15], 1744 in Moitzlin bei Kolberg als Sohn eines pommerschen Gutsherrn geboren, war nach dem Besuch der Berliner Militärschule 1759 als Kornett in das Dragonerregiment Anton von Krokow eingetreten, hatte noch an einigen Schlachten des Siebenjährigen Krieges teilgenommen und dann als Offizier, dessen besondere Fähigkeiten und Beliebtheit gerühmt wurden, nahezu zwei Jahrzehnte in niederschlesischen Garnisonen Dienste geleistet. Doch weniger zum Militärwesen als zu den schönen Wissenschaften fühlte sich Blankenburg hingezogen. Während seiner Dienstzeit erwarb er sich nicht nur eine erstaunlich große, rund 6000 Bände zählende Bibliothek, die dann allerdings einem Brand in Bunzlau zum Opfer fiel, sondern zugleich ganz ungewöhnliche Kenntnisse auf den verschiedensten Wissensgebieten. Er war von einer immensen Belesenheit, beherrschte die alten wie die neuen Sprachen, war ein kritischer, selbständig denkender Kopf. Ewald von Kleist, der Bruder seiner Mutter, galt ihm als das bewunderte Vorbild, dem er mit aller Kraft nachstrebte.

Als unbekannter Dragoneroffizier hatte Blankenburg seinen ersten dichterischen Versuch an Gellert geschickt und war von ihm an Christian Felix Weiße verwiesen worden. Weiße zeigte sich zwar weder von der römischen Tragödie noch dem bürgerlichen Trauerspiel, die ihm Blankenburg vorlegte, sonderlich angetan, doch durch den Briefwechsel, der sich entspann, kam es zu Blankenburgs Mitarbeit an der *Neuen Bibliothek der Wissenschaften und schönen Künste*. Bald entwickelte sich auch ein freundschaftliches Verhältnis, das wesentlich dazu beitrug, daß Blankenburg, nachdem er 1776 aus gesundheitlichen Gründen den Militärdienst quittiert hatte, nach Leipzig zog und sich dort in der Vorstadt niederließ. Seit dem Jahre 1778 gehörte der vielseitig gebildete und unablässig tätige, liebenswürdige, hilfsbereite und gesellige preußische Hauptmann a. D. zu dem literarischen Kreis um Weiße und den Prediger Zollikofer und war in deren heiteren Sonnabendgesellschaften ebenso anzutreffen wie bei den Zusammen-

künften an allen Montagen im Hause des Bankiers Dumont. Die außerordentliche
Begabung und das kompendienartige Wissen Blankenburgs fanden in zahlreichen
Werken, Dichtungen, Rezensionen, Kommentaren, militärgeschichtlichen Studien und Übersetzungen ihren Niederschlag. Eine der eindringlichsten zeitgenössischen Rezensionen von Goethes *Werther* stammt aus seiner Feder[16], die
*Literarischen Zusätze zu J. G. Sulzers allgemeiner Theorie der schönen Wissen-
schaften* geben bewunderswertes Zeugnis von dem Ausmaß seines universalen
Wissens, doch den stärksten Einfluß gewann er mit dem bedeutenden, auch von
den Zeitgenossen mit Achtung und Anerkennung aufgenommenen *Versuch über
den Roman*.[17] Das dem Geiste der Aufklärung verpflichtete, aber weitweisende
Buch, das der königlich preußische Premierleutnant zur Ostermesse 1774 vorlegte, bietet eine umfassende, breit fundierte Darlegung der Theorie des Romans
und analysiert in durchaus eigenständiger Weise Bedeutung und Stellung dieser
Gattung innerhalb der poetischen Literatur.

Der Brief, mit dem Schiller um Blankenburgs Mitarbeit an den *Horen* bat,
unterscheidet sich nicht wesentlich von den zahlreichen Schreiben, die mit demselben Zweck zum Versand kamen. Ebenso wie in den anderen Briefen wird
durch die Aufzählung bereits gewonnener Autoren das Niveau der Zeitschrift
betont und in geschickter Weise die gewünschte Thematik eventueller Beiträge
angedeutet. Eine gewisse Erweiterung der anfänglichen Konzeption bedeutet
die Erwähnung der Naturwissenschaften. Daß sie neben der Philosophie, der
Geschichte und den schönen Künsten nunmehr auch zu den „Hauptinhalten" des
Journals gerechnet wurden, dürfte auf Goethes Anregung zurückgehen.[18] Zwar
konnte diese Fächerausweitung nicht verwirklicht werden, aber daß sie erörtert
wurde, beweisen, abgesehen von der Bemerkung in diesem Brief an Blankenburg, sowohl Aufzeichnungen von Schiller[19] selbst wie ein Brief Alexander von
Humboldts[20], in dem dieser am 6. August 1794 die nicht überlieferte Anfrage
beantwortend an Schiller schrieb: „Es freut mich unendlich, daß Sie die Natur-
kunde aus Ihrem Plane nicht ausschließen."

Während Gleim und Archenholtz ohne Verzug, teils zusagend, teils mit höflicher Distanzierung antworteten, blieb eine Entgegnung Blankenburgs zunächst
aus. In der *Horenankündigung* vom 10. Dezember 1794[21] fehlt daher auch sein
Name, und Schiller, dem besonders daran lag, Biographien über Männer zu
erhalten, „die durch ihren Geist merkwürdig waren"[22], forderte aus diesem
Grunde wohl in einem Brief vom 19. Dezember[23] den Freund Körner erneut
auf, ihm Charakteristiken von „großen Genies" zu liefern.

Erst zu Beginn des nächsten Jahres gibt Blankenburg Antwort und schreibt
unter dem Datum vom 2. Januar 1795[24]:

> Verzeihen Sie, hochgeehrter Herr Rath, daß ich so späte erst auf Ihre freundschaft-
> liche Zuschrift antworte. Eine Menge kleiner Hindernisse, Unpäßlichkeit, u. d. m.
> haben mich abgehalten, Ihnen für die schmeichelhafte Einladung zur Theilnahme an
> Ihren Horen zu danken. Wenn irgend einmahl etwas aus meiner Feder, oder aus

meinem Gehirn kommt, das werth ist, unter Aufsätzen solcher Männer wie Sie und Ihre Mitarbeiter sind, zu stehen: so werde ich es gewis mit Vergnügen mittheilen ... Aber, so gewis ich auch wünsche, meine Theilnehmung balde thätig zeigen zu können: so bin ich doch genöthigt, hinzu zu setzen, daß ich zu keinen gewissen Beyträgen mich anheischig machen kann. Der Gott des Zufalls, der so vieles in dieser Welt regiert, mischt sich auch gewöhnlich in meine litterarischen Beschäftigungen, und treibt mich von den angenehmsten und anziehendsten Vorsätzen weg.

Ähnliche höfliche, aber unverbindliche Antworten hat Schiller von einer ganzen Reihe der Autoren erhalten, mit deren Mitarbeit er fest gerechnet hatte. Seine hochgespannten Erwartungen wurden so getäuscht, daß er noch vor Erscheinen der ersten Horennummer in Manuskriptnöte geriet und in seiner Bedrängnis an Körner schrieb: „Herr hilf mir, oder ich sinke."[25]

Blankenburg ist mit keinem Beitrag in den *Horen* vertreten. Er war zu dieser Zeit bereits ein kranker Mann. Seine alten, aus der Kriegs- und Militärdienstzeit stammenden Leiden hatten sich erneut quälend geltend gemacht. Er verließ Leipzig und zog sich in die Einsamkeit eines kleinen Dorfes zurück. In der Nacht vom 3./4. Mai 1796 ist er gestorben. Die letzten Bände seiner *Literarischen Zusätze zu J. G. Sulzers Allgemeiner Theorie der schönen Künste* erschienen erst nach seinem Tode. Als den „trefflichsten Menschen, den er je kennengelernt habe"[26], hat ihn Wieland gerühmt.

Anmerkungen

1 *Schillers Werke.* Nationalausgabe. Weimar 1943 ff. (künftig NA), Bd. 27, S. 5.

2 *Briefwechsel zwischen Schiller und Cotta.* Hrsg. von W. Vollmer. Stuttgart 1876, S. 9 ff. Vgl. Paul Raabe: *Die Horen.* Einführung und Kommentar. Stuttgart 1959, S. 8.

3 *NA,* Bd. 22, S. 103 ff.

4 Brief vom 14. X. 1792. Vgl. *Schillers Briefe.* Hrsg. von Fritz Jonas, Bd. 3. Stuttgart 1893, S. 220.

5 *NA,* Bd. 27, S. 11.

6 *NA,* Bd. 27, S. 15.

7 *NA,* Bd. 27, S. 19.

8 *NA,* Bd. 27, S. 13 f.

9 *NA,* Bd. 27, S. 15.

10 *NA,* Bd. 27, S. 36.

11 *NA,* Bd. 27, S. 10 ff.

12 Vgl. den *Auktionskatalog 597.* Marburg 1971, S. 91.

13 Zur Handschrift: Ein Doppelblatt 18,6 × 23,5 cm, 2 Seiten beschrieben. Weißes, leicht vergilbtes und leicht stockfleckiges, geripptes Papier. WZ: H.
Der Brief war zweimal gefaltet. Auf der v-Seite des 2. Blattes Spuren von Klebefalzen.

14 Die Höhe der Honorare, die Schiller anbot, schwankte zwischen 3 und 8 Louisdor, 4 war der übliche Satz. Goethe als einziger erhielt 9 Louisdor.

15 Vgl. *Neue Deutsche Biographie.* Bd. 2, Berlin (1955), S. 284 f. und die an dieser Stelle von Kurt Schreinert, dem Verfasser des Artikels, zusammengestellte Literatur.

16 In: *Neue Bibliothek der schönen Wissenschaften.* Bd. 18, Leipzig 1775, S. 49—95.

[17] Leipzig-Liegnitz 1774. Faksimiledruck der Originalausgabe mit einem Nachwort von Eberhard Lämmert. Stuttgart 1965.

[18] Vgl. Günter Schulz: *Zwei Schiller-Autographen.* In: Jahrbuch der Deutschen Schillergesellschaft 3, 1959, S. 27.

[19] Schulz, a. a. O., S. 18 ff. Vgl. von demselben Verfasser: *Schillers Horen. Politik und Erziehung.* (Deutsche Presseforschung, Bd. 2), Heidelberg 1960.

[20] *NA,* Bd. 35, S. 36.

[21] *NA,* Bd. 22, S. 106 ff.

[22] *NA,* Bd. 27, S. 20.

[23] *NA,* Bd. 27, S. 105.

[24] *NA,* Bd. 35, S. 121 f.

[25] *NA,* Bd. 27, S. 111.

[26] Vgl. Schreinert, a. a. O., S. 285.

H. Stefan Schultz

„MORALISCH UNMÖGLICH"

Am 3. September 1799 schrieb Schiller an Goethe:

> ... ich habe die Handlung bis zu der Scene geführt, wo die beiden Königinnen zusammen kommen. Die Situation ist an sich selbst moralisch unmöglich; ich bin sehr verlangend, wie es mir gelungen ist, sie möglich zu machen. Die Frage geht zugleich die Poesie überhaupt an und darum bin ich doppelt begierig sie mit Ihnen zu verhandeln.

Goethe antwortete am folgenden Tage:

> Über Marie wird es mir eine Freude sein mit Ihnen zu verhandeln. Was die Situation betrifft so gehört sie, wenn ich nicht irre, unter die romantischen. Da wir Modernen nun diesem Genius nicht entgehen können, so werden wir sie wohl passieren lassen, wenn die Wahrscheinlichkeit nur einigermaßen gerettet ist. Gewiß aber haben Sie noch mehr getan.

Zwei Arten von Erklärung finden sich in der gelehrten Literatur für Schillers Formel „moralisch unmöglich". Die eine stützt sich auf die menschliche Empfindung von anständigem Benehmen und wurde von Gerhard Storz vorsichtig so formuliert, daß „die Szene, nach ihrem menschlichen Gehalt gemessen, dem Empfinden des Zuschauers nicht zumutbar sei".[1] August Wilhelm Schlegel fühlte ähnlich, als er in der *37. Vorlesung über dramatische Kunst und Litteratur* schrieb: „man kann einzelne Theile als beleidigend tadeln, z.B. das Gezänk der beiden Königinnen."[2] Heutiges Empfinden sieht jedoch in dem Zusammentreffen der beiden Rivalinnen eher etwas menschlich recht Verständliches und konnte es, wie Bert Brecht[3], in die Sprache und Umwelt eines Augsburger Marktplatzes übertragen, ohne daß die dramatische Situation in eine burleske Fratze ausartete.

Die zweite Erklärung, der sich unter anderen Benno von Wiese anschloß, beruft sich auf die rechtlichen Folgen des Zusammentreffens und auf Burleighs Worte (II, 4):

> Das Urteil kann nicht mehr vollzogen werden,
> Wenn sich die Königin ihr genahet hat,
> Denn Gnade bringt die königliche Nähe —

Beide Erklärungen fragen nicht nach dem Sprachgebrauch im 18. Jahrhundert. Ein Blick in die Wörterbücher bestätigt, daß seit dem 17. Jahrhundert Ausdrücke wie „assurance morale", „certitude morale", „moral certainty", „moralische Gewißheit" ganz üblich waren, wenn man einen hohen Grad von Wahrscheinlichkeit ausdrücken wollte. Im Gegensatz zu dieser Art von Gewißheit wurde dann das Negativ „impossibilité morale" gebildet, um etwas Unwahrscheinliches zu bezeichnen.

Das *New English Dictionary (NED)* VI, 2, S. 654, Nr. 11 (Oxford 1908) sagt s. v. „moral":

> Used to designate that kind of probable evidence that rests on a knowledge of the general tendencies of human nature, or the character of particular individuals or classes of men; often in looser use, applied to all evidence which is merely probable and not demonstrative.
>
> Moral certainty: a practical certainty resulting from moral evidence; a degree of probability so great as to admit of no reasonable doubt; also something which is morally certain.

NED sagt nichts s. v. „impossibility". Dagegen verzeichnet Littré, *Dictionnaire de la Langue française* (Paris 1878) III, 36 unter „impossibilité":

> Impossibilité morale, se dit d'une chose qui est vraisemblablement impossible. Il y a impossibilité morale qu'un homme de bien fasse une mauvaise action.

Ebd. s. v. „moral, ale" III, 626 findet man:

> Terme de philosophie. Certitude morale, certitude fondée sur des témoignages ordinaires, tels que le récit d'autrui, l'expérience et les règles ordinaires de la sagesse. Il est opposé à certitude physique. || On dit, dans un sens analogue, impossibilité morale. Les marchands faisant leur déclaration d'un grand nombre de vaisseaux de différentes espèces, il se trouvera toujours dans une impossibilité morale de faire une réduction juste, Arrêt du conseil d'État, 25 sept. 1688.

Im Deutschen vergleiche man Johann Heinrich Zedler, *Großes vollständiges Universal-Lexicon* (Halle 1735) Bd. 10, S. 1393 s. v. „Gewißheit":

> man pfleget aber auch, wiewohl uneigentlich, von einer historischen und moralischen Gewißheit zu reden [...] wenn man indessen dasjenige hat, was am wahrscheinligsten, so nennet man es eine moralische Gewißheit.

Adelung 2, 671 (Wien 1808) sagt unter „Gewißheit":

> die moralische Gewißheit, derjenige Zustand der Erkenntniß, da man keine vernünftigen Ursachen hat, das Gegenteil für wahr zu halten.

Im Gegensatz dazu steht die mathematische oder geometrische Gewißheit, „wenn das Gegenteil als eine Unmöglichkeit erkannt wird". Das Grimmsche *Wörterbuch* zitiert aus Johann Georg Walch, *Philosophisches Lexicon,* 2. Aufl. 1733, 1, 1310:

> der höchste grad der wahrscheinlichkeit, wenn durch deren umständen das gemüth in einer bewegung gesetzt wird, pflegt certitudo moralis, oder die moralische gewißheit genennet zu werden.[4]

Die Praxis bestätigt, was die Lexikographen feststellten. Lessing z. B. gebraucht den Gegensatz von „physisch" und „moralisch" bei der Besprechung von Voltaires *Merope* (*Hamburgische Dramaturgie* 45. Sück, 2. Oktober 1767):

> Es ist an der physischen Einheit der Zeit nicht genug; es muß auch die moralische dazu kommen, deren Verletzung allen und jeden empfindlich ist, anstatt daß die Verletzung der ersteren, ob sie gleich meistens eine Unmöglichkeit involvieret, dennoch nicht immer so allgemein anstößig ist, weil diese Unmöglichkeit vielen unbekannt bleiben kann [...] Welcher Dichter also die physische Einheit der Zeit nicht anders als durch Verletzung der moralischen zu beobachten verstehet, und sich kein Bedenken macht, diese jener aufzuopfern, der verstehet sich sehr schlecht auf seinen Vorteil, und opfert das Wesentliche dem Zufälligen auf.

Lessing sieht in Voltaires Stück „zwar keine physikalischen Hindernisse, warum alle die Begebenheiten in diesem Zeitraum nicht hätten geschehen können; aber desto mehr moralische". Gewiß ist es in Lessings Augen „bloß physikalischer Weise möglich", daß man innerhalb zwölf Stunden um ein Frauenzimmer anhalten und mit ihr getraut sein kann, besonders wenn man eine solche Beschleunigung durch die allertriftigsten Ursachen rechtfertigt. „Findet sich hingegen auch kein Schatten von solchen Ursachen, wodurch soll uns, was bloß physikalischer Weise möglich ist, denn wahrscheinlich werden?" Hier ist deutlich, daß für Lessing „wahrscheinlich" und „moralisch möglich" gleichbedeutend sind.

„Moralisch unmöglich" heißt also bei Schiller nichts anderes als „höchst unwahrscheinlich". Genau so verstand es Goethe, denn er wird ja diese romantische Situation passieren lassen, „wenn die Wahrscheinlichkeit nur einigermaßen gerettet ist". Weshalb hielt Schiller das Treffen der beiden Königinnen für unwahrscheinlich und warum meinte er, daß die Frage, ob es ihm gelungen sei, die Situation wahrscheinlich zu machen, die Poesie überhaupt angehe? Beide Fragen gehören eng zusammen und Goethe sah sogleich, worauf es ankam. Denn die Situation gehört nicht unter die klassischen, sondern unter die romantischen, das heißt Situationen wie sie in der Gattung ‚romanzo' vorkommen. Goethe mochte vielleicht an den *Orlando Furioso* denken, wo im 36. Gesang, Stanzen 16—27 und 46—50, Bradamante und Marfisa gegeneinander kämpfen, wutentbrannte Heroinen, die im Beisein des von beiden geliebten Ruggiero schließlich ihre ritterlichen Waffen wegwerfen und Leib an Leib gegeneinander dringen. Oder er erinnerte sich an das Treffen von Kriemhild und Brunhild im 14. Abenteuer des *Nibelungenliedes* als eines anderen Beispiels für den romantischen „Genius".[5]

Wir sind hier noch in der Auseinandersetzung zwischen den Alten und den Modernen, ja genauer gesagt, zwischen der Praxis des französischen und englischen Dramas. John Dryden hatte im dritten Akt von *All for love* (1678) die beiden Rivalinnen Cleopatra und Octavia zusammengebracht, nachdem Octavia mit ihren Kindern Antonius beschämt hatte. Dryden hielt es für notwendig, den Wortwechsel der beiden Damen im Vorwort zu seinem Stück zu rechtfertigen:

> The French poets, I confess, are strict observers of these punctilios: they would not, for example, have suffered Cleopatra and Octavia to have met; or, if they had met, there must have only passed betwixt them some cold civilities, but no eagerness of repartee, for fear of offending against the greatness of their characters, and the modesty of their sex. This objection I foresaw, and at the same time contemned; for I judged it both natural and probable that Octavia, proud of her new-gained conquest, would search out Cleopatra to triumph over her; and that Cleopatra, thus attacked, was not of a spirit to shun the encounter: and 'tis not unlikely that two exasperated rivals should use such satire as I have put into their mouths; for, after all, though the one were a Roman, and the other a queen, they were both women.

Dryden berief sich auf die Natur und die Wahrscheinlichkeit, um seinen Verstoß gegen die Sitten der französischen Bühne zu verteidigen. In längeren Ausführungen macht er der französischen Dichtung den Vorwurf, daß ihre Vortrefflichkeit in der Artigkeit der Sitten bestehe. Ihre Helden seien die vortrefflichsten Leute der Welt, aber ihre gute Erziehung scheue sich vor einem Wort des gesunden Menschenverstands. Ihnen fehle der Genius, der die englische Bühne beseelt. Sie können nicht gefallen, deshalb wollen sie wenigstens keinen Anstoß erregen. Wie aber der best-erzogene Mensch in der Gesellschaft gewöhnlich auch der langweiligste ist, so versetzen uns die französischen Autoren aus lauter guten Manieren in Schlaf.

Schiller wußte natürlich, daß das Treffen der beiden Königinnen gegen die m o r e s oder m œ u r s des klassischen französischen Dramas verstieß; es ist fast ironisch, daß er in dem Stück, das am klassischsten gebaut ist, eine romantische Situation in den Mittelpunkt stellte. Wir haben keinerlei Belege, daß er sich der Drydenschen Tragödie erinnerte. Daß er sie gekannt hat, ist nicht unmöglich; denn im Jahre 1781 erschien die zweite deutsche, diesmal anonyme Übersetzung von *Alles für Liebe*.[6] Oft scheint das Stück nicht aufgeführt worden zu sein, jedenfalls ist Dryden nicht unter den Stücken verzeichnet, die zwischen 1799 und 1803 mehr als zwanzig Mannheimer Aufführungen erlebten.[7]

Zwei weitere Textstellen mit dem Ausdruck „moralisch unmöglich" kamen mir zufällig zu Gesicht. Sophie von La Roche berichtete in einem Mannheimer Brief von einer Gesellschaft, in der sie sich kritisch über die „drei berühmten Stücke unseres S." äußerte. Später reute sie der Tadel eines großen Mannes:

> Ich suchte es wieder in einen sanften Ton zu bringen, indem ich hinzusetzte: Herr S- könne als moralischer Hercules, in dem Reiche der Wissenschaften und Künste, ebenso große und nützliche Dinge leisten, als der Alten ihrer, und seine Thalia beweise, daß er auch Musagetes — Führer der Musen — genannt werden sollte. Aber es ging hier, wie immer bei Ersatz eines Unrechts geschieht.
> Es scheint gezwungen — und die Erinnerung der beiden Geschichten tut mir heute noch weh — aber ein philosophischer Kopf wird mit einem einzigen Blick auf den Gang meiner Seele sagen: Daß es eine moralische Unmöglichkeit ist — daß ich eine gewisse Art des Starken liebe, Herr S . . . . r wird das selbst glauben und heute bemerken, daß ich ohne Vorurteil von ihm denke — indem ich ihn in seiner Ge-

schichte der Niederlande bewundre, und wenn mein Lob gezählt zu werden verdiente, so gehört es mit zu der Summe des Beifalls, welchen er erhielt.

Diese Erinnerung ist frühestens 1788 niedergeschrieben.[8] Frau von La Roche gebraucht „moralische Unmöglichkeit" als objektiven Ausdruck zur Feststellung einer Tatsache, nicht als Werturteil über die *Räuber, Fiesco* und *Kabale und Liebe*. Dabei scheint sie sowohl „moralisch" wie „unmöglich" in einem frischeren und unmittelbareren Sinne zu nehmen als sonst üblich: für sie, die bis zu ihrem Lebensende in und aus den Sitten des ancien régime lebte, klingt in dem „moralisch" etwas von m o r e s mit, und die „Unmöglichkeit" ist wirklich unmöglich, nicht bloß unwahrscheinlich. Die andere Stelle steht in Wielands *Erklärung* im *Neuen Teutschen Merkur*, 4. Stück, April 1800, S. 244.[9] Wieland hatte im März 1798 den Franzosen General Bonaparte als Diktator empfohlen, ja ihn als „euer und der ganzen Welt Retter" gepriesen. Zwei Jahre später meinte er diese geniale Voraussage abschwächen zu müssen:

> Ich schreibe vor zwey Jahren in einer humoristischen Stunde, zwischen Scherz und Ernst, etwas, das zwar unter die unendliche Menge der zufälligen Dinge, die sich a priori d e n k e n lassen, gehört, dessen Realisierung aber unter allen damaligen Umständen in einem so hohen Grade unwahrscheinlich war, daß ich selbst sie für m o r a l i s c h u n m ö g l i c h hielt. Man lachte in ganz Teutschland über den Einfall, und kein Mensch ließ sich träumen, daß Ernst aus dem Spaß werden könnte.

Gerhard Storz' abschließende Bemerkung zu „moralisch unmöglich" lautet: „Es handelt sich um das Verhältnis der Dichtung zur Lebenswirklichkeit, genauer noch, um den eigentümlichen Seinscharakter des dichterischen Gebildes." Den ersten Teil dieses Satzes nehmen wir gern an, denn Lebenswirklichkeit ist der Mode, den Sitten und Gewohnheiten unterworfen und darum stets veränderlich. Der „enge Schnürleib", in den Schiller nach seinen eigenen Worten das Trauerspiel der *Maria Stuart* zwängen mußte[10], war die klassische Form der französischen Tragödie. Aber auch hier, im dritten Akt, verstand es Schiller, die Idee eines Trauerspiels „immer beweglich und werdend" zu halten und eine „moralisch unmögliche" Situation poetisch möglich zu machen. Wie Dryden hätte er sich auf die Natur der weiblichen Psyche berufen können, so wie er sie verstand. Im Gespräch zwischen Elisabeth und Leicester (II, 9) brachte er Neugier, Neid, Eifersucht und Hoffnung auf Triumph als Beweggründe für die Begegnung im Park von Fotheringhay ins Spiel. Ob er sich unter dem „eigentümlichen Seinscharakter des dichterischen Gebildes" etwas hätte vorstellen können, ist fraglich. Aber auf das dramatische Handwerk und die Bühnenwirksamkeit verstand er sich.

Anmerkungen

1 *Der Dichter Friedrich Schiller*. Stuttgart 1963, S. 338 f.

[2] *Sämmtliche Werke.* Hrsg. von E. Böcking. Leipzig 1846, Bd. 6, S. 421. Schärfer ist Grabbes Urteil, zitiert bei Benno von Wiese: *Friedrich Schiller.* Stuttgart 1959, S. 715.

[3] *Versuche* 11, S. 112—118. Frankfurt/M. 1951. Brecht war sich der Bühnenwirksamkeit des Zusammentreffens bewußt und wollte in diesem Übungsstück für Schauspieler gewiß nicht bloß die Königinnen als Fischweiber parodieren.

[4] *NED* führt mit Recht die Verbreitung des Ausdrucks auf die cartesianische Philosophie zurück. Descartes: *Discours de la Méthode.* 4. Abschnitt (Ausg. von Etienne Gilson. Paris 1925, S. 37 f.) schrieb: „Car, encore qu'on ait une assurance morale de ces choses, qui est telle, qu'il semble qu'à moins que d'être extravagant, on n'en peut douter, toutefois aussi, à moins que d'être déraissonnable, lorsqu'il est question d'une certitude métaphysique, on ne peut nier que ce ne soit assez du sujet, pour n'en être pas entièrement assuré, que d'avoir pris garde qu'on peut, en même façon, s'imaginer, étant endormi, qu'on a un autre corps, et qu'on voit d'autres astres, et une autre terre, sans qu'il y soit rien." Gilsons Kommentar S. 358 f. sagt: „C'est à dire: une assurance suffisante pour les besoins de la vie pratique. Le texte Latin ajoute: ... certitudo, ut loquuntur Philosophi, moralis..." Gilson zitiert auch aus *Principes de Philosophie* IV, 205—206 „Je distinguerai deux sortes de certitudes. La première est appelée morale, c'est-à-dire suffisante pour régler nos mœurs, ou aussi grande que celle des choses dont nous n'avons point coutume de douter touchant la conduite de la vie, bien que nous sachions qu'il se peut faire, absolument parlant, qu'elles soient fausses."

[5] Ariost, Cervantes, die *Nibelungen* werden alle dem „Romantischen" oder „Modernen" zugeordnet in dem von Riemer überlieferten Gespräch vom 28. August 1808. Damals zeigte Goethe schon eine gewisse Ungehaltenheit gegenüber dem Romantischen, die neun Jahre früher noch fehlte. Seine prinzipielle Ansicht vom Wesen des Romantischen jedoch bleibt unverändert: 1799 verlangte Goethe, daß die Wahrscheinlichkeit in romantischen Situationen einigermaßen gewahrt werde, 1808 charakterisierte er das Romantische als ein „Unwirkliches, Unmögliches", „täuschend wie die Bilder einer Zauberlaterne". Zur Zeit des *Torquato Tasso* sah Goethe Ariosts Werk noch als Natur im blühenden Gewand der Fabel; es gibt wohl kaum eine schönere und treffendere Zeichnung des Orlando Furioso als die Antonios, I, 4 vv. 711—733.

[6] Vgl. Milton D. Baumgartner: *On Dryden's Relation to Germany in the Eighteenth Century.* Diss. Chicago 1914, S. 52—54. Mir war keine Übersetzung des Drydenschen Stückes zugänglich. Außer den von Baumgartner aufgeführten muß es noch eine Reihe anderer geben, vielleicht Nachdrucke: z.B. *Brittisches Theater für die Mannheimer Schaubühne.* Hrsg. von v. Dalberg. Bd. 1, 4. Stück. Mannheim, Schwan und G., 1786. *Alles für Liebe* soll auch enthalten sein in Bd. 3, 7 von *Mannheimer Schaubühne.* Hrsg. von Trierweiler, 1785—1788.

[7] Vgl. Armas Sten Fühler: *Das Schauspielrepertoire des Mannheimer Hof- und Nationaltheaters im Geschmackswandel des 18. und 19. Jahrhunderts.* Diss. Heidelberg 1935, S. 69.

[8] Der Brief ist abgedruckt im *Schiller-Buch.* Dresden 1860, im II. Abschnitt *Beiträge zur Geschichte der Schillerperiode des Mannheimer Theaters,* von Arnold Schloenbach, S. 239—241.

[9] Vgl. Fritz Martini: *Wieland, Napoleon und die Illuminaten.* In: *Un Dialogue des Nations. Albert Fuchs zum 70. Geburtstag.* München — Paris 1967, S. 65—95, bes. S. 73. Der Gegensatz von ,physisch' und ,moralisch' findet sich noch in der zweiten Hälfte des 19. Jahrhunderts, vgl. Julian Schmidt, *Bilder aus dem geistigen Leben unserer Zeit. Neue Folge.* Leipzig 1871, S. 382 „Aber nicht der Verstand regiert die Welt, sondern die Leidenschaften. Daß ein Habsburger die Kaiserkrone seiner Vorfahren ver-

gessen, oder daß Wien einer Parvenu-Stadt erlauben könne, den Brennpunkt für die Deutschen zu bilden, das ist wohl physisch möglich, aber nicht moralisch."

10 Vgl. den Brief an Körner vom 28. 7. 1800. Goethe bemerkte ebenfalls in dem oben erwähnten Gespräch mit Riemer: „Das Drama macht bei den Franzosen einen viel stärkeren Gegensatz mit dem Leben, zum Zeichen, daß ihr gewöhnliches Leben ganz davon entfernt ist."

LIESELOTTE BLUMENTHAL

ZWEI ÜBERBLEIBSEL
VON SCHILLERS VORARBEITEN FÜR
WILHELM TELL

Aus der Arbeit der Schiller-Nationalausgabe

Überlegt man, wie groß der dramatische Nachlaß bei Schillers Tod gewesen ist, kommt man zu dem Ergebnis, daß die Zahl der Handschriften später zwar eine starke Verminderung erfahren hat, daß aber kein vollständiges Werkmanuskript, das ungedruckt war, verschenkt wurde und von den Vorarbeiten für künftige Theaterstücke nur so viel, daß nach Meinung der Verfügenden noch genug Zugehöriges zurückblieb. Der Vergeudung waren Grenzen gesetzt. Daß sie nach heutiger Ansicht überhaupt nicht geschehen durfte, bekundet die moderne Wertschätzung der Dichterautographen und darf der vergangenen anderen Zeit nicht angekreidet werden. Denn Schiller selbst hat von den *Räubern* bis zur *Braut von Messina* alles Handschriftliche vernichtet, soweit es sich in seinem Besitz befand. Das Hinterlassene betraf sein gegenwärtiges Drama und die geplanten Werke: Vorhanden waren die gewaltigen Papiermengen des *Demetrius*, an dem er bis zuletzt arbeitete, und die mehr oder weniger umfangreichen Niederschriften für andere dramatische Vorhaben. Eine Ausnahme bilden die Manuskripte der *Phädra*-Übersetzung und des *Wilhelm Tell*. Sie lagen noch unversehrt da und wurden, wie bekannt, von den Erben später zerschnipselt und als Andenken fortgegeben. Je nach Beliebtheit und Stand erhielt der Bittende zwei oder mehr Verse, in seltenen Ausnahmefällen sogar ein ganzes Blatt. Aber von *Wilhelm Tell* gab es auch noch Vorarbeiten. Gemessen an dem, was Schiller einmal niedergeschrieben hatte, muß nur noch ein kleiner Rest dagewesen sein, und was man davon heute als Überbleibsel ermitteln kann, läßt sich schnell aufzählen: Es sind einige Kollektaneen aus den gelesenen Büchern, wenige Notizen für die Gestaltung des künftigen Dramas, einzelne Bruchstücke älterer Fassungen der Ausarbeitung und mehrere Personenverzeichnisse und Bühnenanweisungen. Aus diesen Zufallsrelikten läßt sich keine Entstehungsgeschichte aufbauen, und die Arbeitsweise des Dichters tritt unvergleichlich klarer und eindringlicher aus den Handschriften des *Demetrius* hervor. Aber wo es nicht viel gibt, wird das einzelne genauer betrachtet, und man kann ihm vielleicht eine Erkenntnis abgewinnen, die bei einer Fülle der Zeugnisse nicht beachtet würde.

Schiller hat für *Wilhelm Tell* vermutlich mehr Literatur herbeigeschafft und gelesen als für jedes andere Drama. Sobald der Dichter die Eignung eines Stoffes für seine dramatische Gestaltung erkannt hatte und mit Bestimmtheit wußte, daß er sich nicht vergriff, mußte er sich bei einem historischen Gegenstand die Kenntnis der Vergangenheit genauestens aneignen. Zuerst ging es dabei um die Fakten, aber da Schiller in dem noch ungeschichtlich denkenden 18. Jahrhundert wurzelte, liebte er, sie durch Chronisten zu erfahren und von ihrer Beurteilung der Geschehnisse seine Begeisterung oder seinen Widerspruch entzünden zu lassen. Nie ist ihm der Gedanke gekommen, sich bis zu dem Ursprung der Berichte und Sagen zurückzutasten und in historischer Quellenforschung festzustellen, was denn eigentlich in der Zeit, die ihn interessierte, wirklich geschehen war. Aus der Geschichte der Eidgenossenschaft ist außer dem Bundesbrief von 1291 wohl kaum eine unbezweifelbare Einzelheit überliefert. Von dem *Weißen Buch von Sarnen*, um 1470 entstanden, bis zu Max Frischs *Wilhelm Tell für die Schule*, 500 Jahre später geschrieben, wurde jedes bedeutende Werk gegen die Geschichte und gegen ihre jeweils gültige Darstellung verfaßt. Wenn Schiller Chroniken verschiedener Jahrhunderte las, wurden die Fakten im Laufe der Lektüre weniger wichtig; dagegen stieg die Bedeutung der in der Darstellung der Vergangenheit latenten Aktualität, und aus diesem Widerspiel ließ sich der dramatische Konflikt entwickeln.

Die Mühe dieser Findung, die den Dichter mehr Not gekostet hat, als man gemeinhin annimmt, dürfte für alle späteren Dramen ungefähr gleich groß gewesen sein. Die historische Überlieferung war aber für ein Wilhelm-Tell-Drama kompliziert, da sie von zwei isolierten, parallel verlaufenden Aktionen berichtete: Der Tell-Handlung, die in der Apfelschußszene gipfelte, und der Freiheitsbewegung der Urkantone, die ihren Höhepunkt im Rütlischwur hatte. Der Dichter, der noch in der *Jungfrau von Orleans* Jeanne d'Arcs Tod gegen die Geschichte dargestellt hatte, scheint für das Schweizer Schauspiel nicht erwogen zu haben, die beiden Handlungen zu verschmelzen und Tell an der Rütliversammlung teilnehmen zu lassen. Erst zum Schluß fließen sie zusammen. Aber um der dramatischen Einheit willen mußte die Zweigleisigkeit in einer poetischen Synthese aufgehoben werden. Sie geschieht in der Allgegenwärtigkeit des Vierwaldstättersees und der ihn umgebenden Berge, der gewaltigen Natur, die die Menschen geformt hatte und ihre Handlungen beeinflußte. Der Schwierigkeit, diese Forderung, die er sich selbst gestellt hatte, mit den Möglichkeiten des Dramas zu erfüllen, war Schiller sich von Anfang an bewußt, und von den ersten Mitteilungen über den Plan bis zu den Niederschriften der Dichtung hörte sein Stöhnen nicht auf: daß er an „ein gewagtes Unternehmen"[1], „eine verteufelte Aufgabe"[2] herangehen wolle, daß der Stoff „sehr widerstrebend"[3] sei und daß er „wie eine arme Seele im Fegfeuer"[4] leide.

In den Monaten, in denen der Dramatiker sich mit der Ausarbeitung der *Braut von Messina* quälte, las er auch die Chroniken Schweizerischer Geschichte von Johannes Müller[5] und Aegidius Tschudi[6]. Durch diese Werke, die ihn begeisterten, gewann er nicht nur die notwendige Vertrautheit mit der Zeit um 1300, sondern auch die Erkenntnis der zu leistenden Aufgabe. In demselben Brief vom 9. September 1802, in dem er Körner berichtete, daß er „mit ziemlichem Ernst" — „ziemlich" bedeutete damals noch „geziemend", „angemessen" — an der *Braut von Messina* arbeite, die bis Ende des Jahres abgeschlossen sein müsse, erzählte er ausführlich, wie er auf den Plan des *Tell* gekommen sei, was ihn daran anziehe, und daß er ihm schon aus einem historischen zu einem poetischen Gegenstand geworden sei. Aber dann fuhr er fort:

> wenn ich auch von allen Erwartungen die das Publicum u: das Zeitalter gerade zu diesem Stoff mitbringt, wie billig abstrahiere, so bleibt mir doch eine sehr hohe poetische Foderung zu erfüllen, weil hier ein ganzes, local-bedingtes, Volk, ein ganzes und entferntes Zeitalter und, was die Hauptsache ist, ein ganz örtliches ja beinah individuelles und einziges Phänomen, mit dem Charakter der höchsten Nothwendigkeit und Wahrheit, soll zur Anschauung gebracht werden.

Wenn er gleich darauf aber verkündete: „Indeß stehen schon die Säulen des Gebäudes fest und ich hoffe einen soliden Bau zu Stande zu bringen"[7], war dies einer der herrlichen Ausbrüche von Schillers plötzlichem Optimismus, der kostbaren Gabe, die ihn das Leben trotz seiner Leiden aushalten ließ.

Wenn der Dichter von sich forderte, die einzigartige Bedeutung, die „das Locale und Individuelle"[8] in dem Schauspiel haben sollten, durch das Wort zur Anschauung zu bringen, war die unabdingbare Voraussetzung, daß er selbst den Vierwaldstättersee kannte und die „großen Naturscenen"[9] erlebt hatte — so hatte ihm Goethe früher geschrieben. Für Schiller war eine Reise dorthin nicht möglich, obwohl er mitten in der Arbeit die Absicht äußerte, sie doch noch vor der Drucklegung des Stückes zu unternehmen. Denn ihn bedrängten die „kleinen Besonderheiten, worauf viel ankommt, wenn gewisse Nationalrücksichten zu beachten sind"[10], und das Fehlen der eigenen Anschauung hat er als schwere Belastung empfunden. Er wußte genau, daß dieser Mangel durch nichts ausgeglichen werden konnte. So waren die unablässige Betrachtung von Landkarten und das gründliche Studium geographischer Werke nur ein unzulänglicher Ersatz.

I

Was Schiller alles für seinen *Wilhelm Tell* gelesen hat, läßt sich nicht mehr vollständig ermitteln. Landkarten und Bücher hat er sich von Cotta besorgen lassen; ob er außerdem noch welche kaufte, weiß man nicht. Vielleicht stellte Goethe ihm einiges aus seiner Bibliothek oder gar die *Acten einer Reise in die Schweiz* zur Verfügung, aber es fehlt jedes Zeugnis der Benutzung. Auch andere Freunde und Bekannte könnten Lektüre beigesteuert haben. Nachzuweisen sind Schillers Entleihungen aus der Weimarer Fürstlichen Bibliothek, da es hier Ausleihbücher gab, in denen Name des Benutzers, Verfasser und Titel des Buches, Datum der Entleihung und Rückgabe eingetragen werden mußten. Auch die Bücher, die er sich aus den Jenaer Bibliotheken beschaffte, können ziemlich alle festgestellt werden. Hier war das Ausleihverfahren weniger gründlich. Es gab mehrere Bibliotheken, aber Verzeichnisse der Entleihungen wurden nicht geführt. Der Leser schrieb einen Ausleihschein, der in der Bibliothek verblieb und ihm zurückgegeben wurde, wenn er das Buch wieder aushändigte. Die wertlosen Zettel wurden dann zerrissen. Schillers Jenaer Entleihungen lassen sich nach den noch vorhandenen Exzerpten, die er aus den Büchern gemacht hat, und durch den Nachweis erschließen, daß diese Werke damals nicht in Weimar, sondern nur in der Nachbarstadt vorhanden waren. Zwei Scheine, auf denen der Empfang von zwei Büchern für *Wilhelm Tell* quittiert war, scheinen dem Schicksal der Vernichtung entgangen zu sein. Der eine wurde 1922 versteigert, und sein Verbleib ist unbekannt. In dem Auktionskatalog steht nur, daß Schiller am 3. Oktober 1803 ein Buch entliehen habe.[11] Der andere Schein vom 6. Oktober konnte kürzlich wiederentdeckt werden.[12]

Vom 2. bis 7. Oktober 1803 hielt Schiller sich in Jena auf. Vielleicht war einer der Gründe dieser Reise die Beschaffung weiterer Literatur für die *Tell*-Arbeit. Am Tag nach seiner Ankunft gab er in der Universitätsbibliothek zwei Bände *Catalog der Schweizergeschichte*[13] ab, die er sich am 17. September durch Goethe bestellt hatte. Gleichzeitig entlieh er etwas Neues; ob nur das eine Werk, das bezeugt ist, oder mehrere, läßt sich nicht sagen. Am 6. Oktober holte er sich Bücher aus der Schloßbibliothek, und da er am folgenden Tag nach Weimar zurückfuhr, hat er wohl das gesamte Jenaer Arbeitsmaterial mitgenommen. Von diesen Büchern wurden später zwei versehentlich nicht zurückgegeben, und der Bibliothekar Görner hat sie und noch vier andere, deren Titel er nannte, 1807 von Schillers Frau erbeten. Diese bescheinigte zunächst, daß sie das Gewünschte in Weimar habe, aber da sie sich gerade in Rudolstadt aufhielt, konnte es erst nach ihrer Rückkehr abgeliefert werden. Das geschah am 13. Juli 1807; den von Görner und Eichstädt notierten Vorgang ordnete man in die Jenaer Universitätsakten ein. Die Ausleihscheine, die Schiller noch selbst geschrieben hatte, wurden zurückgegeben. Aber in den zwei Jahren nach seinem Tod war alles, was noch von ihm herrührte, zur Reliquie geworden, und darum wurden die Zettel jetzt nicht mehr weggeworfen, sondern aufbewahrt und später verschenkt. Vorhanden ist noch die Empfangsbescheinigung der Basler Epitaphien und Inschriften von Johannes Groß. Wenn für den andern Entleihungsschein, der 1922 versteigert wurde und dessen Buchtitel man nicht kennt, dasselbe Argument der Überlieferung zutrifft, hatte Schiller am 3. Oktober *Theatrum der vornehmsten Städte und Örther in der Schweitz*, Augsburg o. J., erhalten. Hoffen wir, daß auch dieser Schein wieder auftaucht. Beide Werke befinden sich übrigens heute noch in der Universitätsbibliothek Jena.

Schillers Entleihungsschein von der Schloßbibliothek hat folgenden Wortlaut:

Groß	Epitaphia & Inscriptiones
Basileenses.	
Jena	accepit
6. 8br. 1803	Frid v. Schiller

Der damalige Bibliothekar Georg Samuel Ersch fügte noch die Signatur der Buderischen Bibliothek hinzu: Helv. 8. 43.[14] Der genaue Titel des Werkes lautet: *Urbis Basil. Epitaphia et Inscriptiones omnium Templorum, Curiae, Academ. & aliar. ædium public.* [...] *Cura et labore M. Iohannis Grossi, Pastoris.* Basel 1624. In dem dicken Pergamentband sind nach einer Vorrede und einem Widmungsgedicht zuerst die *Baßler Chronick* von Johannes Groß und die Übersetzung einiger Seiten aus einer Epistel von Aeneas Silvius Piccolomini, der am Basler Konzil teilgenommen hatte, gedruckt. Dann folgen nach einer *Praefatio ad lectorem* die *Epitaphia et Inscriptiones* auf 502 Seiten. Die weitaus meisten Epitaphien sind in lateinischer Sprache verfaßt; die kurzen, häufig deutschen Texte der *Inschriften* wirken dagegen anspruchslos. Warum der Dichter glaubte, dies Werk für sein Hauptgeschäft nutzen zu können, hat er nicht mitgeteilt.

So kann nur eine Vermutung gewagt werden. Wenn Schiller sich während der Niederschrift des *Wilhelm Tell*, mit der er am 25. August begonnen hatte, noch ein Spezialwerk zur Lektüre verschaffte, verfolgte er damit einen Zweck: Er suchte bestimmte Informationen oder erhoffte sich Anregungen für ein gegenwärtiges Vorhaben. Der Wortlaut des Bibliotheksscheins beweist, daß den Leser in diesem Band nicht die *Basler Chronick* interessierte, sondern daß er von den *Epitaphia et Inscriptiones* etwas erwartete. Für wen brauchte Schiller ein Epitaph?

Im IV. Akt des *Wilhelm Tell* sterben auf der Bühne zwei Menschen: Attinghausen und Geßler. In der 2. Szene wird dem sterbenden Freiherrn die zuerst geheime, dann immer mehr sich verstärkende Freiheitsbewegung der Eidgenossen mitgeteilt. Er erfaßt noch die Bedeutung dieser vom Volk und nicht vom Adel ausgegangenen und geleiteten Rebellion, sieht im Geist den künftigen Kampf und Sieg voraus und stirbt mit der Mahnung zur Eintracht. Unmittelbar darauf stürzt Rudenz, der verlorene, nun zurückgekehrte Neffe, herein. Seine Enttäuschung über das zu späte Eintreffen und seine Trauerworte werden schnell von Handlung und Beschlüssen abgelöst: Versöhnung mit den anwesenden Vertretern der Urkantone, Beratung über den Fortgang der Verschwörung, Bitte um Hilfe für die gefangene Bertha, zuletzt die gemeinsame Entscheidung: nicht länger zu warten, sondern aktiv zu werden. In diesem Ablauf der Szenenhandlung ergibt sich der Entschluß zur Tat als Auswirkung von Attinghausens Vermächtnis. Seine letzten Worte an die Lebenden sind mächtiger, als ein Nachruf auf den Toten sein könnte. Für ihn brauchte Schiller kein Epitaph.

Genau entgegengesetzt ist die Situation am Ende der folgenden Szene und wirkt als beabsichtigte Gegenkomposition. Geßler verkündet seinen harten Willen, den „Geist der Freiheit" noch erbarmungsloser zu unterdrücken; da trifft ihn der tödliche Pfeil. Rudolph der Harras fängt seinen niedersinkenden Herrn auf. Tell erscheint und bekennt sich zu seiner Tat. Volk stürzt herein, erfährt, was geschehen, empfindet den Mord als Gottesurteil und wartet gefühllos ab. Geßlers letzte Worte werden nicht mehr verstanden. Schon knistert die Rebellion. Darum läßt Rudolph der Harras den toten Landvogt im Stich und eilt mit den Waffenknechten nach Küßnacht, um die Veste dem Kaiser zu retten. Die Bühne ist leerer geworden. Nur noch die gaffenden Neugierigen umgeben den Toten. Auch sie könnten sich nun entfernen, der Tyrann bliebe wie ein verendetes Tier liegen, und der Vorhang fiele. Doch nach den Regeln des klassischen Weimarer Theaterstils gab es am Ende eines Aktes kein stummes Spiel, kein Auslaufen der Handlung und keine leere Bühne. Man schloß mit einem „Tableau", einem wirkungsvollen Bild zum Publikum hin. Auf einen solchen Ausklang war auch Schiller bedacht. Im Hinblick auf seine Entleihung des Epitaphien-Werkes könnte man sich vorstellen, daß er erwog, einen Nachruf auf Geßler sprechen zu lassen, und hoffte, dort einen Hinweis oder sogar ein Vorbild zu finden. Was konnten ihm die Basler Epitaphien bieten?

Beim Lesen der vielen hundert Epitaphientexte, die Groß veröffentlicht hat, stellt man fest, daß sie nach einem Schema verfaßt wurden, das zwar Variationsmöglichkeiten besaß, sich aber im Laufe der Zeit als Kanon durchgesetzt hatte. Name und Beruf des Verstorbenen werden zuerst genannt. Manchmal folgt eine kurze Lebensbeschreibung, fast immer aber der Preis seiner Tugenden, von denen prudentia, diligentia, fides und pietas besonders beliebt sind. Die Laudatio ist das Kernstück des Epitaphs. Am Schluß werden Alter und Sterbetag angegeben, und gelegentlich wird noch die Mitteilung hinzugefügt, wer dies Monument stiftete: die Witwe, die Kinder oder Freunde. Es gibt auch gemeinsame Epitaphien für Eheleute; der Frau wird dann allerdings kaum mehr als eine Erwähnung zuteil. Einige Male wird der Betrachtende ermahnt, an den eigenen Tod zu denken:

> Huic tu, qui transis, pacem requiemque precare,
> Et vitæ numerans tempora, disce mori.[15]

Nur selten wird „mors rapida", der jähe Tod, der den Menschen plötzlich aus dem Leben reißt, genannt, merkwürdigerweise auch nicht bei den an der Pest Gestorbenen. Bei den wenigen Erwähnungen kann nicht entschieden werden, ob wirklich ein plötzlicher Tod den Menschen hinweggerafft hatte, oder ob nicht ein Topos gebraucht wurde, der nur ganz allgemein bedeutete, daß der Tod meistens zu früh kommt. In einem Fall ist „mors rapida" aber eindeutig der jähe, gewaltsame Tod. Auf einem Epitaph des Klosters Klingental wird berichtet, daß Cornelius Monsma am 23. Mai 1614 in der Nähe von Basel überfallen und ermordet, dann in den Rhein geworfen wurde; erst nach Monaten fand man seine Leiche. Der Jüngling hatte sein Vaterland verlassen, weil er die Wissenschaft liebte, „Minervam sacram". Dennoch hatte ihn der Tod geraubt: „mors tamen hunc rapuit." Was für ein Verbrechen, welch beklagenswerter Tod! Der Bericht schließt aber nicht mit dem Trost der himmlischen Freuden, wie man erwarten könnte, sondern mit der herben stoischen Resignation, daß Tränen nichts nützen und das Schicksal nicht rückgängig machen:

Sors hominum varia est: hæc tua Monsma fuit.[16]

Was die von Groß mitgeteilten Basler Epitaphien Schiller für seinen besonderen Zweck geben konnten, war, soweit wir es zu beurteilen vermögen, fast nichts. Er sah, daß alle Texte Namen, Todesdatum und eine Laudatio enthielten, und sie kam für einen Nachruf auf Geßler selbstverständlich nicht in Frage. Man kann darum wohl annehmen, daß der Suchende einige Seiten las, vielleicht sogar den Band durchblätterte, ihn aber schließlich unbefriedigt zuklappte. Was er brauchte, hatte er nicht gefunden. Die Epitaphien, in denen „mors rapida" beklagt wird, waren ihm anscheinend nicht aufgefallen; jedenfalls haben sie ihn damals nicht zu der Erfindung der Barmherzigen Brüder angeregt.

Welchen Schluß Schiller nun der Szene zudachte, ist unbekannt. Wenn in Goedekes kritischer Ausgabe von Schillers Werken als Variante der Hamburger Bühnenfassung vermerkt wird, daß das Volk nach dem Abgang von Rudolph dem Harras und seinen Begleitern stürmisch ausruft:

Jubelt! Jubelt! Das Land ist frei! Das Land ist frei![17]

liegt hier keinesfalls Schillers ursprüngliche Version vor. Es ist im Gegenteil ein Eingriff des Hamburger Regisseurs, der aus irgendeinem Grund auf den Gesang der Barmherzigen Brüder, der im Manuskript stand, verzichtete und statt dessen das Volk in Freiheitsbegeisterung ausbrechen ließ — eine Vorwegnahme der Stimmung des Schlußaktes, die sicher nicht der Intention des Dichters entsprach. Eher ist möglich, daß eine eigenhändige Korrektur des Autors im Hamburger Manuskript den ursprünglichen Schluß wiedergibt. Nach den letzten Worten von Rudolph dem Harras strich Schiller alles Folgende aus und änderte die Regieanweisung zu der lapidaren Mitteilung: „(indem er mit den Waffenknechten abgeht, fällt der Vorhang)". Während der Turbulenz dieses Aufbruchs blieb das Verhalten des Volkes unentschieden.

Sollte diese Vermutung auch nicht stimmen und Schiller einen ausführlicheren Schlußteil verfaßt haben, dürfte doch zutreffen, daß ihn der Ausgang seines IV. Aktes nicht völlig befriedigte. Ob er lange einer anderen Lösung nachsann, oder ob ihm die Notwendigkeit der Änderung erst ganz spät, nämlich am 9. März 1804 während der Bühnenprobe des III., IV. und V. Aktes, aufging, wissen wir nicht. Wir können nur feststellen, daß Schiller zwischen dem 9. und 12. März, also nur wenige Tage vor der Uraufführung, im Werk noch zwei Einfügungen vorgenommen hat, die ihm so wichtig waren, daß er sie schleunigst nach Berlin an Iffland schickte, damit dieser sie noch für seine Erstaufführung nutzen könnte. Die erste war das kleine Lied „Mit dem Pfeil, dem Bogen", das Tells Sohn zu Beginn des III. Aktes singt, die zweite der Gesang der Barmherzigen Brüder.

Der Dichter hatte sich nun doch zu einem letzten Wort über Geßler entschlossen, aber es wurde das Gegenteil eines Epitaphs: Statt Bewahrung der Persönlichkeit Versenkung in die Anonymität. Anstelle eines individuellen Nachrufs tragen die grauen Brüder einen Epilog vor, der zwar durch den vor ihnen liegenden Toten ausgelöst wird, sich aber an die Lebenden wendet und ihnen den Schrecken des plötzlichen Todes vor Augen führt. Im Gegensatz zu Monsmas Epitaph des 17. Jahrhunderts endet der Gesang nicht in ungewisser Resignation. Schiller steigert ihn im Sinne des 14. Jahrhunderts durch den Hinweis auf den letzten Richter, dem jeder Mensch sich stellen muß:

> Rasch tritt der Tod den Menschen an,
>   Es ist ihm keine Frist gegeben,
> Es stürzt ihn mitten in der Bahn,
>   Es reißt ihn fort vom vollen Leben,
> Bereitet oder nicht, zu gehen,
>   Er muß vor seinem Richter stehen! (V. 2833—2838)

Dieser neue Auftritt: Die Barmherzigen Brüder, die den Toten im Halbkreis umstehen und „in tiefem Ton" singen, dazu das Volk die übrige Bühne füllend, bot nach Schillers Meinung ein eindrucksvolles Schlußbild. Darum legte er Iffland die Änderung „besonders" ans Herz, weil sie, so begründete er, „dem 4ten Akt einen feierlichen Schluß giebt"[18]. Der ästhetische Eindruck hob die Furchtbarkeit des jähen Todes auf, und das Publikum wurde nicht erschüttert, was vielleicht zu einer Umwertung von Tells Tat führen konnte, sondern genoß das Tableau.

Von diesen letzten Versen führt keine sichtbare Spur zu den Epitaphien zurück, denn die Vorstellung des plötzlichen Todes war Schiller längst vertraut. Trotzdem ist möglich, daß die anscheinend ergebnislose Lektüre später in den weiterführenden Einfall umschlug, anstelle eines Epitaphs einen Epilog zu geben. Wer vermöchte zu sagen, nach welcher Gesetzmäßigkeit Schillers Denken und seine Phantasie arbeiteten! Aber es kam uns auch nicht darauf an, eine bisher unbekannte Abhängigkeit zu behaupten, sondern es schien reizvoll zu zeigen, wie der zufällig noch vorhandene Bibliotheksschein Aufschluß über des Dichters Arbeitsweise zu geben vermag.

II

Von den vermutlich zahlreichen Kollektaneen Schillers für *Wilhelm Tell* scheint nur wenig noch vorhanden zu sein, doch selbst von diesen Überbleibseln hat man keine genaue Kenntnis. Anscheinend befinden sich die meisten Handschriften der Exzerpte im Goethe- und Schiller-Archiv in Weimar und im Schiller-

Nationalmuseum in Marbach; aber wo außerdem welche in Privatbesitz aufbewahrt werden, ist weithin unbekannt. Glücklicherweise sind noch Überraschungen möglich; das beweist die Wiederentdeckung eines kleinen Bruchstücks in der Sammlung Robert Alther, St. Gallen[19].

Die Handschrift bietet sich heute in einem Zustand dar, den wohl jeder Handschriftensammler als Sakrileg empfindet. Schiller hatte ein Folioblatt grünlichen Konzeptpapiers auf der Vorderseite mit Notizen beschrieben. Jahrzehnte später schnitt seine jüngere Tochter, zu deren Erbteil die Handschrift gehörte, einen Streifen von etwa 8,5 cm unregelmäßig ab und verschenkte ihn. Dazu schrieb sie auf ein besonderes Blatt: „Von Schillers Hand geschrieben für Herrn Staatsrath von Grimm bestimmt von Emilie von Gleichen-Rußwurm geb. von Schiller." Noch später hat man die rechte Seite des Streifens nach der Zeilenlänge von Schillers Schrift beschnitten und den Torso oberhalb der Beglaubigung aufgeklebt. Veröffentlicht wurde der Notizzettel 1931 anläßlich seiner Versteigerung in dem Auktionskatalog von Hellmut Meyer & Ernst[20]; aber an dieser entlegenen Stelle blieb er anscheinend unbeachtet. Der gedruckte Text enthält schwerwiegende Fehler, z.B. „Freib(urg)" statt „Treib", so daß eine neue Textwiedergabe gerechtfertigt sein dürfte.

> Bei T r e i b ist eine Schifflände,
> unter Seelisberg.
> Isenthal oder Eisenthal,
> v o n B a u e n Edelknecht
> Wind- und Wetterlöcher bei Niederbauen
> R ü t l i eine runde Matte oder Wiese

Diese Stichwörter beziehen sich auf den auslaufenden Gebirgszug des Oberbauenstocks, der auf der Westseite des Vierwaldstättersees als Halbinsel in den See vorgetrieben scheint und durch das Rütli die berühmteste Stelle dieser geschichtträchtigen Gegend geworden ist. Wenn man von Brunnen geradeaus nach Uri schaut, sieht man auf einer hohen Terrasse über dem See die Häuser von „Seelisberg". Zu dem ehemaligen Pfarrdorf — heute ist es ein vielbegehrter Kurort — gehörten unter anderem auch Sonnenberg, das Rütli, die Burg Beroldingen und Treib. Von Seelisberg geht man etwa eine halbe Stunde zur Schifflände von „Treib", zu der einige Häuser gehören. Gegenüber Brunnen und an der Nordgrenze von Uri gelegen, war hier die beste Landestelle, um Waren von Schwyz über den See zu schaffen, und so spielte sich schon früh ein reger Verkehr ab. Für Menschen und Güter baute man 1658 ein Gasthaus mit Lagerhaus, und bei Sturm und Unwetter suchten die Schiffer hier eine Zuflucht. Das schöne Holzhaus mit den in den Urner Farben schwarz und gelb geflammten Fensterladen und dem Stierkopf, das man heute bewundert, wurde erst zu Beginn unseres Jahrhunderts errichtet und soll eine getreue Kopie des abgerissenen Sustenhauses sein.

Am Südostfuß des Oberbauenstocks, drei Kilometer südwestlich von Isleten, liegt „Isental"; Ort und Tal haben denselben Namen. Er verrät früheres Eisenvorkommen, das abgebaut wurde.

Nordöstlich des Oberbauenstocks ragt der Niederbauenstock, oder einfach „Niederbauen" genannt, ein berühmter Aussichtsberg, von dem man fast den ganzen Vierwaldstättersee überblicken kann. Nach Norden und Osten bricht er steil ab, nach Südwesten senkt sich dagegen ein Alpweidenrücken allmählich. Am Fuß des Niederbauenstocks liegt in einer geschützten Bucht des Sees das Dorf „Bauen". Wegen des Kontrastes der kahlen, steil abfallenden Felsen zu der üppigen, dunklen Vegetation glaubte Hermann Christ hier einen „Hauch transalpiner Schönheit"[21] zu spüren.

Das Wort Rütli, ursprünglich Grütli, ist gleichbedeutend mit Reute und Rüti und bezeichnet einen dem Wald abgewonnenen, urbar gemachten Ort. Das berühmte „Rütli" ist heute eine von Wald umrahmte Bergwiese (502 m) am Westufer des Vierwaldstättersees, zu der man von der Schifflände in etwa zehn Minuten aufsteigt. Der jetzige Zustand ist von dem Eindruck, den man nach einem Aquatintablatt Johann Hürlimanns von 1830 gewinnt, wesentlich verschieden; hier scheint die Rütliwiese in mehreren Stufungen zum See hin abzufallen. Nach Schillers Vorstellung lag das Rütli unmittelbar am See, denn er läßt die Urner aus großer Höhe herunterklettern, während man im Hintergrund die Schwyzer aus ihrem Kahn steigen sieht und die Gelandeten überraschend schnell auf der Bühne erscheinen.

Die fünf Stichwörter des Fragments, denen jeweils nur wenig mehr als ein erläuterndes Substantiv hinzugefügt ist, sind keine Notizen für eine bestimmte Szene des Schauspiels, sondern Auszüge aus einem Buch. Wenn der Dichter sich während seiner Arbeit die weitere Umgebung des Rütli — vielleicht mit dem Blick auf eine seiner Landkarten — vergegenwärtigen wollte, wäre er vermutlich von diesem Zentrum der Handlung ausgegangen und hätte die andern Örtlichkeiten dazu in Beziehung gesetzt. Aus der Reihenfolge der Erwähnungen möchte man schließen, daß das von Schiller gelesene Buch eine Darstellung des Kantons Uri enthielt, bei der der Verfasser seinen Bericht im äußersten Norden bei Treib begann. Trotz der Erwähnung des Edelknechts von Bauen dürfte es kein historisches, sondern ein geographisches Werk gewesen sein. Aber der Autor könnte seine Aufgabe auch so weit gefaßt haben, daß er die Beschreibung des Landes mit der Geschichte seines Volkes verquickte. Bei der Suche nach diesem Buch beschränkten wir uns darum zunächst auf die ausschließlich oder zur Hälfte erdkundlichen Werke, von denen bezeugt ist, daß Schiller sie gelesen hat. Der bruchstückhafte Charakter der Handschrift legte die Vermutung nahe, daß sie kein singuläres Exzerpt ist, sondern daß der Dichter mehr oder weniger ein ganzes Werk durchgearbeitet hat und darum noch zugehörige Handschriften überliefert sein können. Durch ein systematisches Auswahlverfahren blieben aus der Masse der von ihm gelesenen Bücher schließlich nur zwei übrig, denen die

Notizen möglicherweise entnommen waren: Johann Jacob Scheuchzer: *Beschreibung der Natur-Geschichten des Schweizerlands*. 3 Bde. Zürich 1706—1708, und Johann Conrad Fäsi: *Genaue und vollständige Staats- und Erd-Beschreibung der ganzen Helvetischen Eidgenoßschaft* [...]. 4 Bde. Zürich 1766—1768. Schillers Auszüge sind Zitate auf den Seiten 169 und 170 in Fäsis 2. Band.

Mit diesem Werk scheint Schiller sich gründlich beschäftigt zu haben, soweit es für sein Schauspiel Material liefern konnte. Seine Arbeitsökonomie gestattete ihm wohl nicht, die beiden ersten dicken Bände von Anfang bis Ende durchzulesen, und die beiden folgenden hat er vielleicht überhaupt nicht beachtet. Von den bisher bekannt gewordenen Exzerpten aus Fäsi befinden sich im Goethe- und Schiller-Archiv ein Foliobogen und ein Folioblatt; es ist jeweils nur eine Seite beschrieben. Begonnen hat Schiller mit der Lektüre des 1. Bandes, und unter der Überschrift „Fäsi. Excerpta." notierte er sich aus der Einleitung, die einen Überblick über die geographischen Verhältnisse der Schweiz und ihre Geschichte gibt, das ihm besonders charakteristisch Scheinende. Die Aufzeichnungen beziehen sich auf die Seiten 1—38; ob Schiller sie auf einem anderen Bogen fortgesetzt hat oder hier abbrach, läßt sich nicht sagen. Das Einzelblatt trägt die Überschrift „Unterwalden. Fæsi." und die Auszüge sind den Seiten 299—350 des 2. Bandes entnommen. Früher war noch eine dritte Handschrift bekannt, die Karl Goedeke 1872 im Vorwort von Band 14 seiner Ausgabe, in dem *Wilhelm Tell* gedruckt ist, veröffentlicht hat.[22] Die Exzerpte beginnen mit „Tells Blatten oder Tells Sprung", gehören also zu dem Kapitel über den Kanton Uri und sind den Seiten 174—176 von Fäsis 2. Band entnommen. Merkwürdigerweise ließ der Herausgeber das Bruchstück, dessen jetziger Verbleib unbekannt ist[23], unmittelbar auf die Exzerpte aus Fäsis 1. Band folgen, und Albert Leitzmann übernahm dieselbe Anordnung[24], obwohl er die Weimarer Handschriften neu verglichen hatte. In beiden Drucken schließen also die Aufzeichnungen der dritten Handschrift ohne irgendeine Kennzeichnung an die letzte aus Fäsis 1. Band an, so daß der Leser — falls er sich überhaupt Gedanken darüber macht — den Eindruck erhalten muß, daß beide Komplexe unmittelbar aufeinander folgen und ausschließen, daß Schiller sich aus den Seiten 38—918 des 1. Bandes und 1—173 des 2. Bandes irgendwelche Notizen gemacht hat.

Dem widerspricht aber der Handschriftenbefund. Es wurde schon erwähnt, daß sich die vorhandenen Auszüge aus Fäsis Einleitung nur auf der ersten Seite eines Foliobogens und die über Unterwalden nur auf der Vorderseite eines Folioblattes befinden. Die Angaben über die Lage der Tellplatte und die „Blümlis Alp" aus Fäsi 2, 174—176, muß Schiller auf ein anderes Blatt geschrieben haben, auf dem ebenfalls — so dürfen wir jetzt behaupten — unsere wiederentdeckten Exzerpte über die Seelisberger Gegend aus Fäsi 2, 169—170, standen. Beide Fragmente stammen von demselben, später zerschnittenen Folioblatt. Ob die von Goedeke gedruckten Notizen unmittelbar an die unseres Streifens anschlossen — Schiller also aus den dazwischen liegenden Seiten 171—174 über Seedorf mit der Erwähnung des Stammhauses der Freiherrn von Aettinghausen nichts vermerkt hat — und welche weiteren Exzerpte das Blatt ursprünglich noch enthielt, läßt sich nicht sagen. Daß das heile Folioblatt oben auf der Seite vielleicht die Überschrift „Uri" getragen hat, ist immerhin möglich.

Drei von Schiller beschriebene Folioseiten mit Auszügen aus Fäsis helvetischer *Staats- und Erd-Beschreibung* lassen sich also bisher nachweisen. Obwohl dies vielleicht nur die Überbleibsel sind, kann man doch wohl sagen, welche Teile Schiller in den umfangreichen Bänden gelesen hat. Wir vermuten, daß er sich im wesentlichen auf die Kapitel beschränkte, von denen er annahm, daß sie enthielten, was er brauchte: Eigentümlichkeiten der Schweiz und ihrer Bewohner und detaillierte Lokalkenntnisse der Gebiete um den Vierwaldstättersee. Im 1. Band interessierte ihn vor allem die lange Einleitung von 231 Seiten; die dann folgenden Kapitel über die Kantone Zürich und Bern kamen für sein Vorhaben kaum in Frage. Im 2. Band überflog er vielleicht den Kanton Luzern, beschäftigte sich aber eingehend mit Uri, Schwyz und Unterwalden (S. 127—359). In diesem Band werden außerdem noch die Kantone Zug, Glarus, Basel, Freiburg und Solothurn abgehandelt; davon dürfte er kaum etwas gelesen haben. Band 3 und 4 interessierten ihn wahrscheinlich noch weniger.

Von Schillers Arbeitsweise hat Goethe oft erzählt, und nicht zufällig führte er jedesmal *Wilhelm Tell* als Beispiel an, wie sich der Freund den Stoff durch Bücher aneignete. Dem Weimarer Legationsrat Conta soll er 1820 in Karlsbad erzählt haben:

> Er [Schiller] fing damit an, alle Wände seines Zimmers mit so viel Spezialkarten der Schweiz zu bekleben, als er auftreiben konnte. Nun las er Schweizer Reisebeschreibungen, bis er mit Weg und Stegen des Schauplatzes des Schweizer Aufstandes auf das genauste bekannt war. Dabei studierte er die Geschichte der Schweiz, und nachdem er alles Material zusammengebracht hatte, setzte er sich über die Arbeit, und — hier erhob sich Goethe und schlug mit geballter Faust auf den Tisch — buchstäblich genommen stand er nicht eher vom Platze auf, bis der Tell fertig war.[25]

Natürlich läßt sich gegen diesen Bericht einwenden, daß der ursprüngliche Vorgang mehrfach gespiegelt dargestellt wird: Goethes Erinnerung nach 17 Jahren, seine dramatisierte Geschichte dieser Erinnerung, Contas Erlebnis von Goethes Erzählung und seine spätere Wiedergabe als Goethes eigene Worte. Keine Einzelheit dürfte genau so gewesen sein, wie hier behauptet wird; das läßt sich leicht nachweisen. Aber Goethes Erinnerung hat trotzdem das Wesentliche bewahrt: Die staunenswerte Intensität von Schillers Vorarbeiten für sein Schauspiel, die Besessenheit des Dichters von seinem Werk.

Bei den Kollektaneen für *Wilhelm Tell* hat man sich in der Schillerforschung bisher darauf beschränkt, ihre literarische Herkunft ausfindig zu machen und festzustellen, ob, wo und wie sie im Schauspiel weitergewirkt haben. Das vollendete Werk war der ausschließliche Bezugspunkt, und es bedarf keiner Beteuerung, daß es selbstverständlich immer der wichtigste Gegenstand der Forschung ist. Aber da durch die kleinen Handschriftenfunde die Vorarbeiten des Dichters in das Blickfeld geraten sind, soll ihnen eine vorübergehende Eigenbedeutung zugestanden werden. Ihre spätere Verwendung rückt dadurch an die zweite Stelle, und das Interesse gilt zuerst der Frage, wie sich Schillers Aufzeichnungen zu dem Text verhalten, dem sie entnommen wurden. Nur einen geringen Beitrag zur Entstehungsgeschichte des *Tell* kann diese Untersuchung geben, da das kleine Fragment aus Fäsis großem Werk für solche vielschichtige Problematik zu wenig hergibt. Seine Analyse trägt vor allem zur Kenntnis von Schillers Schaffen bei.

Wie schon gesagt, behandelt Fäsi in der ersten Hälfte seines 2. Bandes die Kantone um den Vierwaldstättersee; über Uri, das in unserem Zusammenhang allein in Betracht kommt, wird auf den Seiten 127—224 berichtet. Wie bei jedem Kanton beginnt auch dies Kapitel mit einer allgemeinen geographischen und geschichtlichen Übersicht und einer Darstellung der gegenwärtigen Verfassung. Die Beschreibung der kleinen Einheiten — in Uri werden sie Genossamen genannt — setzt im Norden des Kantons mit den Genossamen Seelisberg, Isenthal und Bauwen ein, also den Örtlichkeiten unseres Bruchstücks.

Die Lage von Seelisberg wird von Brunnen aus gesehen und von Unterwalden abgegrenzt. An historischem Detail erfährt man, daß es in dem Ort zunächst nur eine Kapelle gab, die der Abtei zum Fraumünster in Zürich unterstand. 1418 wurden Besitz und Rechte an die Gemeinde verkauft und die Kapelle zur Pfarrei erhoben. Fäsi zählt auf, was zu seiner Zeit zu Seelisberg gehörte: Der Sonnenberg mit der Kapelle Maria zum Trost und die Burg Blumenfeld mit ihren Gütern, einst der Besitz des Geschlechts Imhof. Dann heißt es: „Die Treib ist eine Schifflände, Gasthaus und Güter, in der Ebne an dem See, unter dem Dorf Seelisberg. Hier sind von den IV. Waldstädten schon öfters besondere Tagsazungen gehalten worden" (S. 169). Außerdem waren der Genossame noch angegliedert: Grub, eine „abgegangene" Burg, das Stammhaus der Edlen von Gruba, und die Burg Beroldingen mit Kapelle und Häusern auf dem Seelisberg; über das freiherrliche Geschlecht von Beroldingen verbreitet der Verfasser sich ausführlich.

„Isenthal", so berichtet er dann weiter, ist ein Pfarrdorf in einem höheren Bergtal gegenüber dem Axenberg; seine Alpwiesen grenzen an Unterwalden und den Besitz des Klosters Engelberg. „Den Namen hat es von seinen ehemaligen, nunmehr eingegangenen Eisen=Gruben" (S. 170). Die frühere Burg war das Stammhaus der Edlen von Isenthal. Eine Kapelle, eine halbe Stunde entfernt, gehörte auch zu dem Dorf.

Auch von „Bauwen" werden zuerst die Lage und die Zugehörigkeit der Kirche zu Seedorf erwähnt; der Kaplan wohnte aber in Bauwen. „Die ehemaligen Edelknechte von B a u w e n, sind schon in dem 14ten Jahrhundert abgegangen. In den Alpen N i e d e r - B a u w e n sind sehr merkwürdige Wind= Wetter= und Luftlöcher. Aus denselben blasen zun Zeiten gar kalte Winde" (S. 170).

Hier schließt Fäsi seine Mitteilungen über das Rütli an: „D a s   G r ü t l i n, ist eine in der Eidgenößischen Geschichte sehr merkwürdige runde Matten oder Wiese an der linken Seite des Waldstädter=Sees. Hier haben die 3. oben gemeldten ersten Eidgenossen Ao. 1307. sich das erste mal eidlich mit einander verbunden, die Freyheit des Vaterlands zu beschirmen" (S. 170). Die drei Urkantone haben dann 1713 auf dem Rütli ihren ersten Bund feierlich erneuert; aus jedem Kanton nahmen 120 Männer daran teil.

Dies ist der Inhalt der beiden Seiten von Fäsis *Staats- und Erd-Beschreibung*, denen die Exzerpte entnommen wurden. Zuerst fällt auf, wie viel und vielerlei der Autor berichtet und wie wenig Schiller sich davon aufgeschrieben hat. Nichts Geschichtliches interessierte ihn: Weder Ereignisse — nicht einmal der Rütlischwur — noch Kirchen, Burgen, Dörfer und ihre Entstehung und Entwicklung oder ihr Untergang. Aus früherer Zeit schien ihm allein der Edelknecht „von Bauwen" merkenswert, dessen Geschlecht im 14. Jahrhundert ausgestorben war und dadurch einen echten historischen Namen anbot, der vielleicht verwendet werden konnte. Was der Dichter sonst von Fäsi abschrieb, waren geographische Einzelheiten der Rütligegend, deren Formulierung er entweder wörtlich übernahm oder auf das Verwendbare zusammenzog. Aus der Art der Notizen wird deutlich, daß es Schiller nicht darum ging, den Verfasser und sein Werk kennenzulernen oder Material über Land und Leute zu sammeln. Dies Stadium der Arbeit lag anscheinend längst hinter ihm, und schon getroffene Entscheidungen wurden nicht mehr angetastet. Das fällt in dem kleinen Fragment bei der Form der Namen auf, die im Schauspiel vorkommen. Schiller notierte „Bauen" und „Rütli", obwohl er bei Fäsi nur das altertümliche „Bauwen" und „Grütlin" las. Doch sonst kann man beobachten, daß er zwar bewußt einseitig auswählte, sich aber innerhalb dieser Beschränkung noch nicht festgelegt hatte.

Die Vermutung der späten Lektüre wird durch einige Zeugnisse bestätigt. Am 25. August 1803 hatte Schiller in seinen Kalender geschrieben: „Diesen Abend an den Tell gegangen".[26] Am 7. Dezember holte er sich nach dem Entleihungsbuch der Weimarer Bibliothek *Fæsi Erdbeschreib. der Helvetischen Eidgenossenschaft.* Er dürfte sich die beiden ersten Bände bald vorgenommen und die von uns vermuteten Kapitel gelesen und exzerpiert haben. Dann kehrte er wahrscheinlich zu den Teilen seiner Niederschrift zurück, in denen die Informationen aus Fäsi verwertet werden sollten. Sie betrafen die Szenen der eidgenössischen Befreiungsbewegung, die, genau wie die der Tell-Handlung, zunächst gesondert im ganzen Schauspiel ausgeführt wurden; erst am Schluß hat Schiller die isolierten Handlungen ineinander verzahnt. Am 13. Januar 1804 schickte er Goethe den abgeschlossenen 1. Akt, am 16. Januar den 2. Akt, und schon am 18. Februar konnte er in seinen Kalender eintragen: „D e n   T e l l   g e e n d i g t."[27]

Das Entleihungsdatum von Fäsis Werk beweist also, daß dem Dichter in einem vorgeschrittenen Stadium der Ausarbeitung die noch genauere Kenntnis der Örtlichkeiten seines Schauspiels bewußt wurde. Er verschaffte sich Fäsis Bände, um zu finden, was er suchte, und zu nehmen, was er nutzen konnte. Es war eine konzentrierte, zielbewußte Arbeit, aber doch nicht so eng begrenzt, daß das Hingeschriebene nur Antworten auf Fragen enthielt. Schiller wollte geographische Eigentümlichkeiten erfahren, aber welche er verwenden würde, stand noch offen. Er las zum Beispiel bei Fäsi, daß auch in „Treib" Zusammenkünfte der Eidgenossen stattgefunden hatten, doch wichtiger war ihm im Augenblick, daß es hier eine „Schifflände" gab; ob er die Schwyzer da landen lassen würde oder ob es eine andere Verwendung dafür gab, wußte er noch nicht. Ebenso schien ihm bedeutsam, daß um den „Niederbauen" sehr merkwürdige „Wind- und Wetterlöcher" auftraten, die sich gefährlich auswirken konnten; vielleicht dachte er daran, das bei einem der Unwetter, die sich im Schauspiel ereignen, zu verwerten. Was auf dem Rütli geschehen war, wußte er genau; wenn es hier trotzdem erwähnt wird, dürfte es wegen der Beschreibung „runde Matte oder Wiese" gewesen sein. Warum schließlich „Isenthal oder Eisenthal" notiert wurde, kann man nur erraten. Vielleicht sollte der Name die zweite Genossame bezeichnen; vielleicht fiel Schiller aber auch die sprachliche Identität von Isen und Eisen auf, die er sich merken wollte. Erwähnt wird Isenthal im Schauspiel nicht.

Was bei dem kleinen Fragment beobachtet wurde, läßt sich auch bei den andern noch vorhandenen Auszügen aus Fäsis Werk erkennen: Das Bedürfnis, das den Dichter zur Lektüre veranlaßte, die beabsichtigte Einseitigkeit der Notizen und die Unberechenbarkeit der einzelnen Aufzeichnungen. Das Prinzip der Auswahl ist deutlich, aber es wird, so will uns scheinen, nicht konsequent durchgeführt. Diese Mischung von bewußter Beschränkung im ganzen und inkommensurabler Entscheidung im einzelnen macht den Reiz der Exzerpte aus.

Fragen wir nun nach der Verwertung der Details unseres Bruchstücks im Schauspiel, werden wir nach dem Gesagten nur eine beiläufige Erwähnung einiger Stichwörter erwarten. Die Datierung der Lektüre macht von vornherein wahrscheinlich, daß der Text so gut wie fertig vorlag und der Dichter für sein poetisches Bild nur noch einige farbige Tupfen brauchte.

Schon in den ersten Versen des *Tell*, mit denen die Handlung nach dem lyrisch-musikalischen Vorspiel einsetzt, ist von einem drohenden Sturm die Rede, dessen Vorzeichen Fischer, Hirte und Jäger erkennen:

> Der Mytenstein zieht seine Haube an,
> Und kalt her bläßt es aus dem Wetterloch,
> Der Sturm, ich meyn', wird da seyn, eh' wirs denken.   (V. 39—41)

Trotzdem wird hier nicht auf die „Wind- und Wetterlöcher" des Niederbauen angespielt, von denen Fäsi berichtet, denn der Kontext beweist, daß Schiller für diese Einzelheit die Werke von Scheuchzer und Stumpff[28], zum Teil sogar wörtlich, genutzt hat.

Zu Beginn der Rütli-Szene wird Seelisberg erwähnt. Da heißt es:

Melchthal
Wie weit ist's in der Nacht?
Baumgarten
Der Feuerwächter
Vom Selisberg hat eben zwey gerufen.   (V. 964—965)

Ein Feuerwächter muß einen hohen Standort für einen weiten Überblick haben, und seine Stimme soll in der Ferne gehört werden können. Daß Schiller ihn auf den Seelisberg versetzte, bekundet seine genaue Kenntnis der Gegend, beweist aber noch nicht, daß er sie in diesem Fall Fäsi verdankte.

Der eindeutigen Beziehung zu unseren Notizen begegnet man nur in der 4. Szene des 1. Aufzugs. In Walther Fürsts Haus sind Stauffacher und Melchthal zusammengetroffen, und die gemeinsame Not hat sie das Bündnis der drei Kantone beschließen lassen. Danach wird überlegt, auf welche Weise die Verschworenen sich künftig Nachrichten zukommen lassen können; der Ort muß so verborgen sein, daß er dem „Argwohn der Tyrannen" (V. 719) entgeht. Stauffacher schlägt daraufhin vor:

Wir könnten uns zu Brunnen oder Treib
Versammeln, wo die Kaufmannsschiffe landen.

Aber Walther Fürst antwortet:

So offen dürfen wir das Werk nicht treiben.
— Hört meine Meinung. Links am See, wenn man
Nach Brunnen fährt, dem Mytenstein grad über,
Liegt eine Matte heimlich im Gehölz,
Das Rütli heißt sie bei dem Volk der Hirten,
Weil dort die Waldung ausgereutet ward.
Dort ist's wo uns're Landmark und die eure
(zu Melchthal)
Zusammengrenzen und in kurzer Fahrt
(zu Stauffacher)
Trägt Euch der leichte Kahn von Schwytz herüber.   (V. 721—731)

Die „Schifflände" von Treib, das auch ein Versammlungsort der Eidgenossen gewesen war, und die „Matte" des Rütli hat Schiller von Fäsi übernommen.

Aber in den heute noch vorhandenen Manuskripten der Bühnenfassung des *Wilhelm Tell* in Hamburg, Mannheim und Aschaffenburg fehlen die Verse 721 bis 723, in denen die Schiffländen Brunnen und Treib als mögliche Versammlungsorte genannt werden. In dem Weimarer Manuskript ist die Stelle verbrannt, von den Versen 719—726 ist nichts mehr vorhanden. Man kann aber eine kleine Rechnerei anstellen. Außer den genannten acht Versen fehlen auch die Namen Melchthal, Stauffacher und Walther Fürst, die in der Mitte über den von ihnen gesprochenen Versen gestanden haben. Im ganzen müßten also elf Zeilen verbrannt sein. Da das Blatt aber das Format der andern Blätter hatte und auch nicht stärker beschädigt wurde — die vom Brand herrührenden Ränder decken sich genau —, können dort nicht elf Zeilen vernichtet worden sein, sondern wie auf den benachbarten Blättern sechs oder sieben. Die uns interessierenden Verse waren daher in der Niederschrift des Weimarer Schreibers ebenfalls nicht vorhanden, sondern müssen eine eigenhändige Einfügung Schillers gewesen sein, um Walther Fürsts Vorschlag, sich künftig auf dem Rütli zu treffen, nicht gar so plötzlich erfolgen zu lassen. Goethe hat später im III. Akt den Einfall des Landvogts, Tell solle den Apfel vom Kopf seines Kindes schießen, als nicht gehörig motiviert getadelt. Schiller ließ daraufhin den Knaben mit der Kunst seines Vaters prahlen und als Beispiel rühmen, daß er einen Apfel vom Baum herunterschießen könne. Goethes Vorliebe für genaue, manchmal übergenaue, Motivierung hatte öfter Gelegenheit, an Schillers Unbekümmertheit Anstoß zu nehmen, und so scheint nicht ausgeschlossen, daß auch die Verse mit der Erwähnung Treibs ihre Entstehung seiner Kritik verdanken.

Nach der Lektüre des I. Aktes im Januar 1804 lobte Goethe Schillers „fürtreffliches" Stück und hatte wenig zu beanstanden: „Zwey Stellen nur habe ich eingebogen; bey der einen wünschte ich, wo mein Strich lauft, noch einen Vers, weil die Wendung gar zu schnell ist."[29] Seinen andern Einwand begründete er genauer: Der Schweizer fühle nicht Heimweh, weil er den Kuhreihen an einem fremden Ort höre, sondern weil er ihn nicht höre, denn nirgendwo sonst werde er geblasen. Diesen Hinweis zu identifizieren, war leicht und ist wohl schon bei der ersten Kommentierung dieses Briefes geschehen; es kann sich nur um die Verse 842—847 handeln. Geändert hat Schiller sie nicht, und für uns bleibt unentschieden, ob er es versehentlich unterlassen hat oder ob er durch Erkundigung bei Schweizern erfuhr, daß seine Darstellung richtig sei. Immerhin hatte Goethe sich vorsichtig abgeschirmt: „Doch will ich dieß nicht für ganz gewiß geben."

Über Goethes zuerst geäußerten Einwand sind meines Wissens Vermutungen nie geäußert worden. Geht man von der Reihenfolge der Erwähnungen in Goethes Brief aus, müßte er diese Stelle zuerst gelesen haben. So ist durchaus möglich, daß er die Nennung des Rütli in der ursprünglichen Fassung als unmotiviert empfunden hat. Denn Walther Fürst, Stauffacher und Melchthal verhandeln über ihr Vorgehen bei der Gewinnung von Freunden, und da möchte Melchthal wissen:

> Wie bringen wir uns sich're Kunde zu,
> Daß wir den Argwohn der Tyrannen täuschen? (V. 719—720)

Wenn Stauffacher darauf antwortet, daß es oberhalb des Mytensteins „eine Matte heimlich im Gehölz" (V. 726) gebe, Rütli genannt, wohin man aus allen drei Kantonen leicht kommen und sich „still berathen" (V. 733) könne, beantwortet sein Vorschlag die Frage nicht, sondern ist ein plötzlicher, unvorbereiteter Einfall. Goethes Begründung, daß „die Wendung gar zu schnell" sei, trifft auf diese Stelle zu. In den drei Versen, die Schiller hinzufügte, hat er Stauffacher zuerst Brunnen und Treib als Orte der Nachrichtenübermittlung nennen lassen, so daß das Rütli nun als dritte Möglichkeit und damit als Ergebnis von Walther Fürsts Überlegungen erscheint. Außerdem spricht Stauffacher das Wort „Versammeln" zuerst aus, so daß der andere den Vorschlag einer größeren Zusammenkunft nur noch zu präzisieren braucht. Nun entwickelt sich eins aus dem andern, und ein Bruch ist vermieden.

Warum Schiller die neuen Verse nicht auch in den andern Theaterhandschriften nachgetragen hat, könnte ein Versehen sein, aber er könnte auch gemeint haben, daß die fremden Bühnen sein Stück sowieso erbarmungslos kürzen würden und ihrem Interesse Feinheiten der Komposition nichts galten. Es gibt noch mehr Fälle, in denen eine Korrektur nur in dem Weimarer Manuskript ausgeführt wurde. Die Prachtausgabe für den Erzkanzler schließlich durfte durch keine Korrektur verunstaltet werden.

Sollte unsere Interpretation richtig sein, hat das kleine, scheinbar belanglose Exzerpt doch noch eine überraschende Erkenntnis zu Tage gefördert. Sie soll aber nicht überbewertet werden. Wie wenig bedeutet die Erwähnung der „Treib"-Verse im Ganzen des Werkes, wie unbegreiflich ist die Disproportion der Fülle der Kenntnisse, die Schiller sich erwarb, mit ihrer Verwertung! Man möchte meinen, daß ein Blick auf die Landkarte ihm dieselben Ergebnisse in wenigen Minuten verschafft hätte.

Offensichtlich war es nicht so. Unser zufälliges, aus dem Zusammenhang der andern Fäsi-Exzerpte gerissenes Bruchstück beweist für sich allein nichts und darf auf keinen Fall als pars pro toto gewertet werden. Es gibt andre Auszüge, von denen mehr in das Werk eingegangen ist, und wieviel Schiller überhaupt aus Büchern übernommen hat, bedarf einer anderen Untersuchung. Trotzdem kann man unserem Beispiel entnehmen, daß auch das Nebensächliche das Ergebnis eines mühsamen Filterungsprozesses war. Bei seinen Vorarbeiten legte Schiller es darauf an, sich einen größeren Reichtum an Einzelheiten zu erwerben, als er gebrauchen konnte, und die Meinungen vieler Autoren so zu amalgamieren, daß er ein eigenes Bild gewann. Im Schauspiel sollen die gegenständlichen Details die Einzigartigkeit und Unverwechselbarkeit von Land und Leuten charakterisieren; sie sind ein Mittel, des Dichters Forderung zu erfüllen, ein „local-bedingtes, Volk [...] und, was die Hauptsache ist, ein ganz örtliches ja beinah individuelles und einziges Phänomen"[30] zur Anschauung zu bringen. Indem die geographischen und historischen Fakten der poetischen Konzeption des Werkes und der Macht der dichterischen Sprache unterworfen wurden, gewannen sie eine ästhetische Funktion, und diese Wirkung hat überdauert. Eidgenössische Zeitgenossen haben Schillers ungenügende Lokalkenntnisse kritisiert — aus Büchern lernt man ein Land eben doch nicht kennen —, und wie oft ist sein Idealbild von diesem „Volk der Hirten" angegriffen und karikiert worden! Alles sicher zu Recht. Und doch kann man heute den Vierwaldstättersee zwar gegen Schiller erleben, aber ohne ihn noch nicht.

Anmerkungen

[1] Schiller an Körner vom 17. März 1802 (Jonas 6, 369).
[2] Schiller an Körner vom 9. September 1802 (Jonas 6, 414).
[3] Schiller an Wilhelm von Humboldt vom 18. August 1803 (Jonas 7, 65).
[4] Schiller an Körner vom 7. November 1803 (Jonas 7, 92).
[5] Johannes Müller: *Geschichten schweizerischer Eidgenossenschaft.* 2 Bde, Leipzig 1786.
[6] Aegidius Tschudi: *Chronicon Helveticum.* Basel 1734.
[7] Schiller an Körner vom 9. September 1802 (Jonas 6, 415. Wiedergabe nach der Handschrift).
[8] Schiller an Cotta vom 27. Juni 1804 (Jonas 7, 161).
[9] Goethe an Schiller vom 25. September 1797 (WA IV 12, 309).
[10] Schiller an Iffland vom 5. Dezember 1803 (Jonas 7, 98).
[11] Karl Ernst Henrici: *Auktionskatalog* 75. Berlin 13./15. März 1922, S. 149, Nr. 999: „Eigenhändiger Bücherbestellzettel für die Jenenser Universitätsbibliothek m. Dat. Jena, 3. Octobr. 1803. Mit dem eigenhändigen Vermerk: ‚accepit'. 4 Zeilen. Quer-4°. Der Name scheint weggeschnitten zu sein."
[12] Die Handschrift befindet sich in der Bibliotheca Bodmeriana, Cologny/Genève. — Herrn Dr. Daniel Bodmer danke ich herzlich für die großzügige Erlaubnis der Benutzung der Bibliothek und der Veröffentlichung dieses Entleihungsscheins.
[13] Schiller an Goethe vom [17. September 1803] (Jonas 7, 79). — Herr Dr. Georg Karpe, Universitätsbibliothek Jena, hat das genannte Werk identifiziert als *Helvetische Bibliothek, bestehend in historischen, politischen und critischen Beyträgen zu den Geschichten des Schweizerlands.* 2 Bde, Zürich 1735—1736.
[14] Beschreibung der Handschrift: 1 Blatt 20,3 × 15,2 cm, ¹/₃ Seite beschrieben. Vergilbtes geripptes, ziemlich zerknittertes Papier. Von dem oberen Teil des Wasserzeichens ist ein ornamentierter Rand mit einer Krone zu erkennen.
[15] Johannes Groß: *Urbis Basileensis Epitaphia et Inscriptiones.* Basel 1624, S. 76. — Übersetzung:
> Du, der du vorübergehst, bitte für ihn um Frieden und Ruhe,
> Und wenn du die Zeiten deines Lebens zählst, lerne zu sterben.
[16] Groß, S. 288. — Übersetzung:
> Das Los der Menschen ist verschieden; dies war deines, Monsma.
[17] *Schillers sämmtliche Schriften.* Historisch-kritische Ausgabe [. . .] von Karl Goedeke. Bd. 14. Hrsg. von Hermann Oesterley. Stuttgart 1872, S. 401.
[18] Schiller an Iffland vom 12. März 1804 (*Bühne und Welt. Zeitschrift für Theaterwesen, Literatur und Musik.* Jg. 8, Berlin 1906, S. 96 [Alfred Schmieden]).
[19] Herrn Dr. Robert Alther danke ich herzlich, daß ich aus der Sammlung seines Vaters die Handschriften aus Weimars klassischer Zeit einsehen und verwerten durfte.
[20] Hellmut Meyer & Ernst: *Auktions-Katalog* 18. Berlin 5./6. Oktober 1931, S. 101, Nr. 499.
[21] H[ermann] Christ: *Das Pflanzenleben der Schweiz.* Zürich 1879, S. 129.
[22] *Schillers sämmtliche Schriften.* Historisch-kritische Ausgabe [. . .] von Karl Goedeke. Bd. 14, Stuttgart 1872, S. XI, Z. 25—35.

23 Ernst Müller hat das Fragment noch nach Goedeke gesehen (*Vierteljahrschrift für Litteraturgeschichte.* Bd. 6, Weimar 1893, S. 461—462). Damals befand es sich im Besitz von J. G. Fischer in Tübingen, dem es der Freiherr von Gleichen-Russwurm geschenkt hatte. Es war ein Streifen von 21 × 7 cm.

24 *Die Quellen von Schillers Wilhelm Tell.* Zusammengestellt von Albert Leitzmann. (Kleine Texte für Vorlesungen und Übungen. Hrsg. von Hans Lietzmann, Heft 90.) Bonn 1912, S. 41. — Leitzmanns Bemerkung über seine eigene Kollation der Handschriften auf S. 46.

25 Späterer Bericht Carl Friedrich Anton von Contas über seinen Besuch bei Goethe am 26. Mai 1820 (*Goethes Gespräche. Eine Sammlung zeitgenössischer Berichte aus seinem Umgang auf Grund der Ausgabe und des Nachlasses von Flodoard Freiherr von Biedermann.* Ergänzt und herausgegeben von Wolfgang Herwig, Bd. 3I, Zürich 1971, S. 175).

26 *Schillers Calender.* Nach dem im Jahr 1865 erschienenen Text ergänzt und bearbeitet von Ernst Müller. Stuttgart 1893, S. 150.

27 *Schillers Calender,* S. 158.

28 Johann Jacob Scheuchzer: *Beschreibung der Natur-Geschichten des Schweizerlands.* 3 Bde, Zürich 1706—1708. — Johann Stumpff: *Gemeiner loblicher Eydtgnoschafft Stetten, Landen vnd Völckeren Chronick wirdiger thaaten beschreybung.* Zürich 1548. Es gibt noch mehrere andere Ausgaben dieses Werkes, aber Schiller dürfte wohl das in der Universitätsbibliothek Jena vorhandene Exemplar gelesen haben.

29 Goethe an Schiller vom 13. Januar 1804 (WA IV 17, 12).

30 Schiller an Körner vom 9. September 1802 (Jonas 6, 415). Vgl. das ausführliche Zitat S. 94.

OSKAR SEIDLIN

DAS VORSPIEL ZUM *WILHELM TELL*

„Mut zeiget auch der Mameluck". Sei's drum — ein Mameluck also! Denn obwohl es durchaus um alles andere geht als einen Kampf mit dem Drachen, Mut gehört schon dazu, sich mit einem Schiller-Beitrag in die Höhle des Schiller-Löwen Benno von Wiese zu wagen. Möge ich, da ich die Höhle doch betrete, um dem Löwen einen schuldigen und längst fälligen Tribut zu entrichten, ungeschunden wieder herauskommen! Vielleicht sogar mit dem Zugeständnis, daß es mir an Gehorsam, des Christen Schmuck, nicht ganz gebricht, Gehorsam in dem streng etymologischen Sinne, daß ich zu „hören" bereit bin, genau zu hören auf Worte des Dichters, die, obwohl zu seinen sehr bekannten gehörend, meines Dafürhaltens nie recht abgehört worden sind.

Es geht um die drei Lieder, mit denen das Drama vom Wilhelm Tell anhebt. Gewiß, man hat sie nicht ungehört verklingen lassen; und man mußte nicht ein so eingefleischter Wagnerianer wie Heinrich von Stein sein, um schon früh die opernhaften Züge zu erkennen[1], die, einem Festspiel zutiefst angemessen, Schiller seinem Freiheitspäan eingeformt hatte, verankert von Anfang an durch die drei Eröffnungsarien, bis dann am Ende der Rütli-Szene das Musikalische mit schwungvollem Orchester-Tusch die Grenzen der Sprechbühne sprengt.

Ebenso deutlich war auch schon den frühen *Tell*-Interpreten, daß die Aufgesänge des Fischerknaben, Hirten und Jägers thematisch dem Stoff und der Handlung eng verbunden sind, im oberflächlichen Sinne als Ausmalung Schweizerischen Lokalkolorits[2], oder in einem tieferen durch ihre Funktion und „Bedeutung im Plan des Ganzen". So vor mehr als einem Menschenalter Gerhard Storz[3], und kurz darauf hören wir, welcher Art diese Bedeutung ist: „was zeigt dieses Vorspiel anderes ... als eine Welt, in der alles an seinem Platz und im Einklang miteinander steht, geregelt von Jahreszeit und Dauer? Der Mensch hat Raum neben dem Menschen, der kühne Jäger neben dem bescheidenen Hirten, ja selbst zwischen Mensch und Tier besteht Vertrautheit und Band. Der Friede einer klaren, sich selbst tragenden Ordnung wird fühlbar, die lauter und gesegnet ist."[4]

Aber ist es wirklich so? Daß der Fischerknabe in diesem Gruppenbild völlig fehlt, sollte nachdenklich stimmen. Und wo wäre die Vertrautheit von Mensch zu Mensch, da die Figuren doch in völliger Isoliertheit nebeneinander gestellt sind, ganz zu schweigen davon, daß das „Band" zwischen Jäger und gejagtem Tier nicht gerade friedlichster Natur ist? Aber was diese Beschreibung vor allem problematisch macht, ist die Tatsache, daß das Bild, wie das Vorspiel es bietet, in dieser Wiedergabe als eine Totale gesehen wird, bestimmt von e i n e m Generalnenner, wobei dann überhört wird — und gerade darum soll es uns vor allem gehen — daß es drei sehr verschiedene Stimmen sind, die wir hier vernehmen, daß gerade ihre Unterschiedlichkeit uns etwas zu erzählen hat und daß durch sie vielleicht erst die „Bedeutung im Plan des Ganzen" in den Blick treten kann.

Schon vom Musikalischen her hat Schiller dafür gesorgt, daß sich uns kein einheitlich genereller Eindruck vermittelt. Es ist der Kuhreihen, der erklingt, aber eben nicht in parallel geführter Melodie. Denn die Begleitung des Hirtenliedes wird ausdrücklich als „Variation des Kuhreihens" bezeichnet, und über der Jäger-Strophe steht schlüssig „zweite Variation". Was sich uns darbietet ist also nicht Wiederholung, sondern Modulation und Entwicklung, Evolution in dem eigentlichen Wortsinne, daß sich aus einer Grundbase ein anderes und Neues entfaltet. Dieses Fortschreiten scheint dann durch die Altersstufen, denen die drei Prologfiguren angehören, noch unterstrichen; denn auch hier ist doch wohl eine Entwicklungslinie anzunehmen: vom Fischerknaben über den Hirten, der gewiß als Jüngling vorzustellen ist, bis zur reifen Männlichkeit des Alpenjägers. Und dieses Ansteigende übersetzt sich klar in die Bühnengliederung des Bildes. Die Progression verläuft von unten nach ganz oben, von der Wasserfläche, auf der der Kahn schaukelt, bis hinauf zur „Höhe des Felsen", auf dem der Jäger erscheint — mit der Zwischenstation „auf dem Berge", von dem der Hirte gerade Abschied nimmt, um ins Tal hinabzusteigen. Ohr und Auge also vermitteln, ehe wir noch den Text der drei Lieder aufnehmen, Ungleichartiges, ein Fortschreiten, das, wenn wir es in Raumvorstellungen vergegenwärtigen — und es wird von Schiller in Raumvorstellung vergegenwärtigt — vom Niederen zu Höherem führt.

Daß es um Progression, um „Aufstieg" geht und um welche Art der Progression und des Aufstiegs, das werden die Lieder selbst erweisen müssen. Aber festzuhalten bleibt, daß wir es nicht mit einem statischen lebenden Bild zu tun haben, sondern mit Bewegung, mit „Geschichte" also; nicht mit idyllischem Naturpanorama, aus dem die Zeit ausgeklammert ist, sondern mit Evolution, ganz angemessen dem Vorspiel zu einem Drama, das die Entstehung des Staates, die Entwicklung zum Idealstaat hin[5], als Hauptthema vorführen wird. Freilich, es ist Vor-Spiel, angesiedelt noch nicht in historischer Zeit, in der die Geschichte, und diese besondere Geschichte, geschieht — sie wird einsetzen, wenn der Kuhreihen verklungen und „ein dumpfes Krachen von den Bergen" zu hören ist —, sondern in Vor-Zeit, der das Element des Zeitlichen nicht mangelt, weil verschiedene, auf- und nacheinanderfolgende Stadien durchlaufen werden, der aber das Spezifische und Konkrete, Signum historischer Zeit, noch abgeht. Sprechen ließe sich von einer mythischen Zeit, in der menschliches Erwachen sich vollzieht, ausgeprägt in Bewußtseinszuständen, die einander ablösen, aber die ein Individuelles und Einmaliges noch nicht zulassen.

Es ist dieses Noch-nicht-Individuelle, das sich in der Anonymität der sprechenden Figuren ausdrückt. Sie nur „Typen" zu nennen, wäre nicht ausreichend; denn entscheidend ist nicht, daß sie d e r Fischer, d e r Hirte, d e r Jäger sind — und wir werden sehen, daß im ersten Bild, im Bild des Fischers, der Fall sehr problematisch und verwickelt liegt —, sondern wie sie sich und ihre Welt erleben. Sie sind namenlos und dies nicht, weil, wie im Falle von Typen, von ihrem Namen abgesehen wird und sie ins Allgemeine abstrahiert sind, sondern weil sie noch vor der Namensgebung und Individuierung stehen, vor dem Punkt, wo das Ich von sich als „ich" sprechen kann. Und keiner von den dreien wird es tun; er spricht von sich in der dritten Person. Wenn er von sich redet, dann redet er von „er". Daß wir wirklich in der Zeit vor der Namensgebung stehen, hat Schiller auf das schönste deutlich gemacht; denn wenn, nachdem der Prolog ausgesungen ist, das „Krachen von den Bergen" ertönt, wenn die Geschichte im Sinne von Historie anhebt, dann werden die drei wieder in dem Vorspiel zum eigentlichen Handlungsbeginn, der Baumgarten-Episode, zur Stelle sein, jetzt aber freilich mit eigenen Namen, mit Eigennamen, die ihnen in dem Moment verliehen werden, da sie in die „Geschichte" eintreten. Ja, Schillers Kunstgriff ist erstaunlich. In der ersten Zeile schon wird jetzt der Fischerknabe beim Namen genannt („Mach hurtig, Jenni"), obwohl er es ist, der im Gegensatz zu dem wiedererstandenen Hirten und Jäger in dieser ersten Szene kein Wort zu sprechen hat. Er, der doch das Schauspiel mit seiner Stimme eröffnete, bleibt stumm, aber er hat einen Namen bekommen, da er jetzt in der Geschichte steht.

Wo aber „steht" er im Prolog, der mit seinem Lied anhebt? Wenn wir uns seinen Text ansehen, erwartet uns eine seltsame Überraschung. Der Fischerknabe singt offenbar gar nicht von sich, noch nicht einmal in dem eingeschränkten Sinne des Er-statt-Ich-Sagens, den wir oben erwähnten. Er ist der einzige, der sich nicht als den kennt, der er ist — als Fischer nämlich; denn das Subjekt, von dem er spricht, ist nur ein „Knabe", ohne daß er zu wissen scheint, welcher Art Knabe er denn sei. Er hat sich nicht selbst, und der Text, der von dem mit seinem Tun unbekannten Knaben erzählt, wird uns zeigen, wie entfremdet er sich ist.

In jedem der anderen Fälle nämlich ist der Sänger bei sich selbst und in seiner konkret gesehenen und erfaßten Situation. Der Senne kennt sich als Sennen und tut Sennen-Arbeit; der Jäger weiß sich als Schütze und beschreibt seinen Standort als den eines Schützen. Mit dem Fischerknaben, der auf sein nur biologisch Kreatürliches, sein Alter, sein Knabentum, reduziert ist, verhält es sich anders. Der von ihm singt, der Fischerknabe, befindet sich, so wird uns gesagt, „im Kahn". Aber die Geschichte, die er von sich — oder eben nicht von sich — erzählt, löst ihn von dem Platz, der der seine ist und versetzt ihn in Gefilde, wo nicht er, sondern — ein anderer ist. „Der Knabe schlief ein am grünen Gestade", so hören wir, und schließlich „spülen die Wasser ihm um die Brust". Im Kahn also ist er nicht; und der, der von ihm singt, ist nicht er selber, nicht sein eignes Selbst.

Aber ist der uneigentliche Träger der Rolle, in der er sich erlebt, überhaupt ein Selbst? Was uns in dem Lied vorgeführt wird, ist ein unerwachter Mensch — und darum ist das Wort „Mensch" in einem sehr vagen Sinne zu verstehen —, angesiedelt in einem Schwebezustand, in dem von einem Bewußtsein seiner selbst noch nicht geredet werden kann. Das erste, was wir von ihm hören, ist, daß er einschläft, also in den Zustand der Bewußtlosigkeit versinkt, einen Zustand, in dem er überflutet wird von Unartikuliertem, von Musik wie von Flötenklang und Engelsstimmen — es ist bezeichnend, daß es nichts Spezifizierbares ist, sondern nur ein „Klingen w i e" —, die das Bild des Paradieses, der Weltentzogenheit und -entrücktheit, hervorrufen. Freilich, er erwacht; aber selbst in seiner Erwachtheit bleibt er „eingetaucht", jetzt in einem ganz konkreten Sinne, denn die Wasser haben die grünen Gestade überbordet und „spülen ihm um die Brust". Was er jetzt hört, ist zwar artikulierte Sprache, aber sie ist von allem Körperlichen, allem Gegenüber-Sein, losgelöst: „e s ruft aus den Tiefen", Anruf aus dem Unter-gründigen, dem es an lokaler Fixiertheit ebenso mangelt wie an figurativer.[6]

Was hier ruft — wir wissen es. Es ist das Naturelement, die elementare Natur selbst. Und ihr Anruf bestätigt, was das Erzählbild verriet: du bist nicht du, nicht dein eignes Selbst. „Lieb Knabe, bist m e i n", und daß Schiller das Pronomen im Sperrdruck setzen läßt, ist eine fast übertriebene Unterstreichung. Er wird zurückgeholt ins Element, dem er gehört und von dem er sich noch nicht gelöst hat, in die Tiefe, aus der er noch nicht erstanden ist. Zurückgeholt als Schläfer, der er ist, auch dann noch, wenn er erwacht, weil auch der Erwachende halb versunken ist im Element. Ja, der Text verrät noch mehr; denn wenn das „es" aus der Tiefe ihn ruft, dann nennt es ihn, bevor es ihn hinunter- und hineinzieht, den Schläfer („ich locke den Schläfer"), obwohl er doch im Rahmen des Erzählten der eben Erwachte ist.

Es wird wohl schon nach Betrachtung dieser ersten Strophe deutlich, wie unzureichend es ist, in den drei Stimmen des Prologs nichts anderes zu hören als den einheitlichen, nur verschiedenen Sprechern in den Mund gelegten Ausdruck und Preisgesang des idyllischen Einklangs zwischen Mensch und Natur, gegen den sich das Weltgeschichtliche des *Tell*-Dramas abheben wird. Denn was hier ertönt, ist ein viel Radikaleres: ein Zustand, in dem der Mensch, mit sich selbst unbekannt, zwischen Bewußtlosigkeit und Bewußtheit schwebt, passiv-bewegungslos und Klängen anheimgegeben, in denen Unartikuliertes und Sprachgewordenes durcheinandergehen, halb versunken im Element und wieder in die Urgründe hineingezogen, in das Es, in den Schoß, der ihn noch nicht aus sich entlassen hat.

Was sich nun in der zweiten Strophe ereignet, ist in der Tat nicht Wiederholung des Gleichen, sondern „Variation". So sehr der Knabe des Fischerliedes ein nur Lauschender war, so sehr ist der Hirte ein Sprechender, und kein Zufall, daß seine Erzählung mit An-sprache und An-ruf beginnt. („„Ihr Matten, lebt wohl! Ihr sonnigen Weiden!") Und wenn der Fischerknabe ein Fremdes erzählte, so erzählt er sein Eigenes, genau das, was hier und jetzt sein Tun und Geschäft ist. Er kann, im Bereich mythischer Vorzeit und Un-Individuiertheit, von sich ebensowenig „ich" sagen wie die anderen. Aber ein anderes Pronomen steht ihm schon zur Verfügung: wir. („Wir fahren zu Berg, wir kommen wieder.") Er kennt sich also als Gruppenwesen, eingefügt ins Kollektiv, das ihm, so sehr er sich als der erlebt, der er ist, noch kein Eigen-Gesicht zubilligt. Er steht in der Allgemeinheit, aber sehr im Gegensatz zum Knaben der ersten Strophe, ist es eine Allgemeinheit „seinesgleichen", wobei freilich — und das wird später Aus-zuführendes nur bekräftigen — im Dunkel bleibt, ob er unter dem „wir" nicht eigentlich sich und seine Herde versteht.

In jedem Falle aber: was in den Blick tritt, ist nicht Menschenwelt, sondern Kreatur und Natur, nicht Element, das ihn wieder zurücknimmt wie den ersten, sondern Raum, der ihn umgibt und in dem er sich bewegt — wir werden diese Feststellung später etwas qualifizieren müssen —: die Matten, die Wiesen, die Blumen, die Brünnlein, die Tiere, die er führt; und wenn ein Ruf ertönt, dann ist es nicht ein „es", das in die Urgründe lockt, sondern der Kuckuck, der ihn herausrufen wird — wieder hinauf in die Höh. Auch hier gibt es Musik, aber es ist nicht mehr ein Klingen wie von Flöten und Engelsstimmen, die ins Paradies entrücken, sondern „Lieder" sind es, die „erwachen" — Neubeginn, nicht Rück-verweisung in Versunkenes —, gesungenes Wort, so wie sein Leben, das s e i n Leben ist und nicht das eines anderen, gesungenes und an-sprechendes Wort ist.

Hier also ist wirklich, was man bisher immer als das Stichwort für die Prolog-strophen insgesamt ausgegeben hat: der harmonisch friedvolle Zusammenfall von Natur und Mensch. Nur ist auch jetzt nicht zu übersehen, daß gerade diese Einheit eine noch primitive Stufe des Menschseins markiert. Gewiß, der Hirte ist der Natur nicht verfallen wie der Knabe es war, er ist nicht mehr im Zustand der Halbbewußtheit und Passivität. Aber er ist noch nicht losgelöst, noch nicht „frei", und seine Bewegung ist nichts anderes als ein reaktives Mitschwingen im natürlichen Rhythmus, dem es am Bewußtsein des Anderssein und der Selbst-Ständigkeit mangelt. Er ist, wenn auch nicht mehr umspült von dem, was ihn wieder in sich verschlingen wird, umschlossen, als Teil eines Kollektivs ohne eigentliches Gegenüber, als Teil der Natur ohne Kenntnis seiner Abgesondertheit und seines Sonderseins.

Wie fest er in den Kreis der Natur eingespannt ist, zeigt das Zeitelement, das die ganze Strophe bestimmt, und das im Fischerknaben-Lied gänzlich fehlte. Was der Hirte erzählt, ist sein Lebenslauf in der Zeit, aber es ist nicht eigentlich Menschenzeit, sondern Jahres- und Naturzeit. Sein Leben ist Kreislauf, das immer sich Wiederholende, und darum ist das, was sein wird, dasselbe wie das, was ist. Es ist ewige lebendige Gegenwart, und wie dankbar müssen wir der deutschen Sprache sein, daß sie Präsens und Futur so mühelos zusammenfallen läßt. Nicht ganz mühelos —; denn ohne eine kleine Wirrung könnte uns der Zusammenfall nicht zum Bewußtsein kommen: daß in der Strophe das echte Präsens („der Sommer ist hin") so dicht an das „falsche" Präsens („wir fahren zu Berg") rückt, ist ein Kunstgriff ohnegleichen, weil erst der folgende Satzteil („wir kommen wieder") die Zu-Berg-Fahrt als eine künftige zu verstehen gibt, während doch die „präsente" Situation genau die umgekehrte ist: wir fahren v o m Berg.

Sommer und Herbst und Frühling — das ist der Kreis, der ausgeschritten wird und sich immer wieder erneut, ein Leben, das nicht anfängt und nicht endet und von dem dieser Mensch — aber ist er schon ein Mensch? — sich tragen läßt, ja mehr als dies, ein Leben so innig verbunden mit der blühenden, sich entfaltenden und fruchttragenden Natur, daß es mit ihr zusammenfällt. Was es darum in der Vision des Hirten nicht geben kann, ist der Winter, die Zeit, wo Menschenleben und Naturleben nicht koinzidieren, sondern auseinanderbrechen, weil das Geschöpf zu leben vermag, während die vegetative Natur nicht mehr lebensspendend ist und schläft.

Es ist der Moment des dritten, des Jägers; denn er erkennt sein Leben als das, was der Natur als das andere gegenübersteht, weit entfernt von dem Punkt, wo das „es" ihm zurufen kann: „bist m e i n" und ihn wieder reklamiert, entfernt aber auch von jenem Einklang, in dem Natur und Mensch zusammenschwingen, sein Sein und Tun nur Korrelat der zyklischen Generation und Regeneration des kreatürlich Vitalen. Der Jäger lebt im Gegen-satz, im Trotzdem, und darum ist seine Strophe überflutet von Negation. Bisher ist in den Prolog-Liedern das Attribut „nicht" ausgespart geblieben, nicht ein einziges Mal sind wir ihm begegnet. Jetzt erscheint es, als schwer betonter Einsatz, wenn der Jäger von sich zu sprechen beginnt: „Nicht grauet dem Schützen auf schwindlichtem Weg", und die Eisfelder, auf denen er schreitet, werden sofort gesehen als Verneintes: „kein Frühling, kein Reis." Vor allem aber: der Jäger ist ein Sehender, so wie der Knabe ein Hörender, der Hirte ein An-sprechender war. Er „erblickt", er „erkennt" — kein Zufall, daß die perfektiven Verben, die den bewußten Akt des Zur-Kenntnis-Nehmens unterstreichen, sich häufen und kein Zufall wohl, daß das einzig sogeartete Verb, dem wir in den vorangegangenen Strophen begegneten, „erwachen" lautete. Und was er erkennt und was er erblickt, ist die Welt, ist Menschenwelt. Denn jetzt, in diesem Lied erst, erscheint von Menschen Geschaffenes, von Menschen Gebautes. Ein „Steg" ist da und vor allem „die Städte der Menschen", die „ein neblichtes Meer" zwar dem sehenden Auge entzieht, aber deren Existenz in des Jägers Bewußtsein festgegründet steht. Ihm ist, auch wenn es im Text nicht erscheint, ein Pronomen verfügbar, von dem die anderen noch nichts ahnten: sie. Er weiß sich in weitester Distanz, allein und abgesondert, nicht zurückfallend ins Elementare, nicht zusammenfallend mit der Natur, die ihn umschließt; aber es gibt die gefügte und organisierte Menschenwelt, der er zugehört, ohne ihr zu gehören. Er ist das, was die anderen auch ahnungsweise nicht waren: der erkennende, der selbst-ständige und auf sich gestellte Mensch in einer Welt von Menschen.

Darum auch ist er, ehe er sein Lied, das Lied von sich selbst, zu singen beginnt, nicht einfach „da" wie die anderen; er gehört nicht von vornherein und fixiert zum Bilde, das sich uns auf dem Theater präsentiert. Der Fischerknabe war im Kahn, der Hirte auf dem Berge, als das Scheinwerferlicht die Szene sichtbar werden ließ. Vom Jäger aber heißt es in der Bühnenanweisung, daß er „auf der Höhe des Felsen erscheint" — und zwar „gegenüber" (gegenüber wovon eigentlich, vom Berge, vom See?, oder einfach als und im Gegenüber?) — und „auf der Höhe". Er kann und muß auftreten und eintreten, als einer, der nicht einfach Teil eines Da-Seienden und Gegebenen ist, sondern der durch einen Akt, durch seinen Akt, Teil w i r d. Und mit diesem Auf- und Eintreten stellt sich, bevor noch das Lied beginnt, die Strophe unter das Prinzip der Bewegung. Es gab sie nicht in der völlig statischen Welt des Knaben; es gab sie im Grunde auch noch nicht im Raum, der den Hirten umfängt. Denn die Bewegung, von der er sprach, das Zu-Berg-Fahren und das Wiederkommen, war nicht mehr als imaginierte Vorausnahme. Die Jäger-Strophe aber ist wirklich von Dynamik ergriffen: zitternder Steg und verwegenes Schreiten, die nun gerade mit der Todeserstarrung der Natur konfrontiert werden. Ja, an einem Punkt treibt Schiller dieses In-Bewegung-Sein zum Äußersten. „Durch den Riß nur der Wolken erblickt er die Welt." Wir könnten anderes erwarten, das beschreibende Bild einer gegebenen Situation: durch den Riß i n den Wolken erblickt er die Welt. Es würde eine viel leichter aufzunehmende Anschauung ergeben. Aber was dann verloren ginge, wäre das vehemente Bewegungselement, das die Wendung vom Riß der Wolken vermittelt.

Habe ich „gehorsam" gehört? Und erscheint jetzt der Prolog zum *Wilhelm Tell* in einem neuen und vielleicht beziehungsreicheren Licht? Nicht weniger als eine im höchsten klassischen Sinne symbolhafte Darstellung der Menschheitsgeschichte, der Geschichte des Menschen von seinem halb Versunkensein im Elementaren über den „naiven" Einklang mit der vegetativ kreatürlichen Natur bis zu seiner bewußten, erkennenden Selbstheit, und damit seinem Auf-tritt, seinem Erscheinen in der Weltgeschichte. Wenn der Jäger sein Lied gesungen hat, ist dieser Punkt erreicht. Und darum auch bindet Schiller die Jäger-Strophe eng an den Moment, da die „Geschichte", unsere Geschichte, anbricht. „Es donnern die Höhen", das sind des Schützen erste Worte; jetzt, da Historie, die konkrete und spezifische Geschichte beginnt, lesen wir in der Bühnenanweisung: „Die Landschaft verändert sich, man hört ein dumpfes Krachen von den Bergen." Das Vor-Spiel, die Vorzeit ist zu Ende, die Zeit und die in ihr abrollende Aktion kann anheben.

Hier noch eine weitere, erstaunliche Entdeckung! Der Jäger, und nur der Jäger, ist es, der ganz direkt den Übergang vom Prolog zur Handlung herstellt. Denn von ihm hören wir: „Werni der Jäger steigt vom Felsen", d. h. er schließt die Prologsituation und das Prologbild ungebrochen und unmittelbar an das jetzt Kommende an, ohne daß sich, wie beim Fischerknaben und beim Sennen, zwischen Vorspiel-Existenz und Spiel-Existenz Zeit und Begebenheit eingeschoben hätten. Damit sind wir zu dem Eingeständnis gezwungen, daß wir es uns zu leicht gemacht haben, wenn wir bisher, ohne Anführungsstriche, vom Prolog als Prolog sprachen. Er ist es gar nicht, und Schiller hat ihn darum auch nicht als solchen bezeichnet. Über dem Gesamten, d. h. über „Prolog“ und einsetzender Handlung, steht einheitsstiftend „Erste Szene“. Damit ist also, was doch so eindeutig abgelöst erscheint, integrierter Teil. Was das „Vor-Spiel“ vorführt, was wir aus seinen Texten als die symbolhafte Darstellung der Menschheitsgeschichte abgelesen haben, ist schon das Spiel, eingefangen in einer Nußschale gleichsam, Keim, in dem schon enthalten ist, was die „Geschichte“ entfalten wird, Hinführung, Aufstieg zu unserer Geschichte.

Die folgenden Beobachtungen werden es bekräftigen. Ein Aufstieg ist es, schon vom Bühnenbild her gesehen, der Weg von ganz unten nach ganz oben. Aber wir haben das innere Gesetz dieses Aufstiegs nicht verstanden, wenn wir dem Text nicht abzulesen vermögen, wie diese Phasen der Geschichte des Menschen im „Prolog“ schon ineinandergreifen. Und hier handelt es sich zuerst einmal um die formale Fügung der drei Lieder. Es sind in allen drei Fällen zwölfzeilige Gebilde, jeweils vier Langzeilen mit vier Hebungen und acht Kurzzeilen mit zwei Hebungen, wobei nicht übersehen werden sollte, daß das Hauptprinzip: Melodie und Variation, d. h. das Gleiche als ein anderes, sich auch in dem Zeilen-Arrangement spiegelt. Denn „eigentlich“ sind die acht Kurzzeilen natürlich auch vier Langzeilen. Sie ließen sich ohne Mühe so schreiben. Aber Schiller hat es nicht getan, um schon durch das Druckbild die Modulation deutlich zu machen. Es fällt sofort ins Auge, daß die Anordnung in der ersten, der Anfangsstrophe, und in der letzten, der Ziel- und Gipfelstrophe, sich als genaue Wiederholung erweist: zwei Langzeilen, vier Kurzzeilen, zwei Langzeilen, vier Kurzzeilen. Das End-lied nimmt also das Anfangs-lied wieder auf. Und das gleiche vollzieht sich im Syntaktischen. Der Satzbau der Langzeilen entspricht sich genau: „Es lächelt der See, er ladet zum Bade — Es donnern die Höhen, es zittert der Steg; Der Knabe schlief ein am grünen Gestade — Nicht grauet dem Schützen auf schwindlichtem Weg; Und wie er erwachet in seliger Lust — Und unter den Füßen ein neblichtes Meer; Da spielen die Wasser ihm um die Brust — Erkennt er die Städte der Menschen nicht mehr.“

Diese genaue Entsprechung oder besser: diese Wiederaufnahme wird uns dadurch so voll bewußt, daß das mittlere Lied, die Hirten-Strophe, ein ganz anderes Schema zeigt. Es beginnt mit den vier Kurzzeilen, läßt die vier Langzeilen folgen und kehrt zu den vier Kurzzeilen, und zwar zu denselben vier Kurzzeilen, zurück. Dadurch ergibt sich eine Form, die in ihrer Versanordnung genau das wiederholt, was wir über den Gehalt der Strophe ausgeführt haben. Sie führt ein zyklisches Gefüge vor, beschreibt einen vollen Kreis, weil das Ende wieder der Anfang ist (und der Anfang das Ende), jene Wiederkehr des immer Gleichen („wir kommen wieder"), die den Rhythmus der lebendigen Natur im Lauf der Jahreszeiten genau spiegelt, die Fahrt vom Berg, die Fahrt zu Berg, in dem das Dasein des Hirten sich vollzieht und in den es fugenlos eingespannt ist.

Durch den Einschub dieser völlig „stimmigen" Strophe hellhörig geworden für die genau parallele Führung von eins und drei, wird sich nun erweisen, daß diese Parallelführung sich nicht nur auf die Zeilenanordnung und syntaktische Gliederung erstreckt. Viel erstaunlicher und verräterischer ist: was uns als Bild in den ersten beiden Strophen begegnete, erscheint in der dritten am Schluß wieder, nur daß sich der Blickpunkt völlig verschoben hat. „Tief unter den Wassern das grünende Feld." Das Tief-unten ist wieder da, ein tief unter den Wassern[8], das Grün des Gestades, das freilich jetzt auch die Matten und Weiden der zweiten Strophe wieder aufleben läßt, nur daß das Aufgerufene jetzt nicht mehr die Tendenz zum Hinab und Hinunter hat, sondern von hoch oben erkannt wird als „Welt". Was die musikalische Angabe festlegte, Thema mit Variationen — es stimmt. Die Melodie des Kuhreihens bleibt erhalten, und doch verschwindet sie als das, was sie ursprünglich war, und sie bewegt sich nach oben. Das passendste Wort, das sich uns anbietet, ist „aufheben", in dem dreifachen Sinne, in dem Hegel es zum Kernstück der Dialektik gemacht hat: annullieren — aufbewahren — höhersteigen.

Die Lieder sind ausgesungen, der „Prolog" ist beendet. Aber wir wissen jetzt: er ist nicht beendet. Er ist, ganz in dem oben erwähnten Sinne, „aufgehoben", wobei eben das, was sich hier als Vorspiel präsentiert, das eigentliche Thema des Spiels symbolisch und im Keim bereits enthält. Es ist aufschlußreich zu beobachten, wie Schiller innerhalb der Struktur des Dramas an den Figuren des „Vorspiels" festhält — indem er sie preisgibt. Sie sind, wir wissen es, wenn die Handlung recht eigentlich beginnt, alle wieder zur Stelle, erhöht zu Individuen, die jetzt ihren eigenen Namen tragen, in der konkreten Situation, die mit ihren Arien-Erzählungen nichts gemein zu haben scheint. Aber auf untergründige Weise bleibt das, was das Thema der Lieder bildete, erhalten. Was Gedanken und Reaktion des Fischers, seine Weigerung, Baumgarten über den See zu retten, bestimmt, ist das Hinuntersinken ins Wasser. Was der Hirte vollzieht, ist „Heimkehr", das Wieder-Eingehen ins Häusliche, das ihn umfangen hält und — ich hoffe, dieser Hinweis ist nicht zu spitzfindig — die Insistenz auf dem „Wir", auf der Kollektivität, die Vereinzelung und Absonderung nicht zuläßt; denn seine Frage und Sorge kreisen darum, ob sich aus seiner Herde auch kein Tier verloren habe, ob „wir" auch alle noch zusammen sind. Das mag abenteuerlich klingen, wenn es sich eben nicht im dritten Falle, im Falle des Jägers, bestätigte. Er ist, hier wie in seinem Prolog-Lied, der betont Vereinzelte, denn den anderen beiden hat Schiller in der Eröffnungsszene einen zweiten beigesellt, dem Fischerknaben den Fischer, dem Sennen den Hirtenbub. Nur der Jäger ist allein. Und er ist, wie er es auf der Höhe des Felsens war, der Bewußte und der Erkennende. Oder sollte es nur Zufall sein, daß Schiller in dieser ersten Szene ihm so konsequent die Funktion überträgt, zu erkennen und zu benennen? Wenn Baumgarten auf die Bühne stürzt, dann ist es Werni, der Jäger, der ihn identifiziert: „Ich kenn' ihn, 's ist der Baumgart von Alzellen", während der Fischer Ruodi nicht mehr auszusagen wußte als: „Dort kommt ein Mann in voller Hast gelaufen." Und dasselbe ereignet sich, wenn Tell auf der Szene erscheint. „KUONI: Seht wer da kommt! WERNI: Es ist der Tell aus Bürglen." Er erkennt — und er kennt die „Städte", in denen die Menschen wohnen.

Aber wir müssen die Prolog-Figuren weiter durch unser Stück verfolgen. Sie bleiben erhalten, aber doch wieder in charakteristischer Modulation. Der Hirte Kuoni wird in der Szene am Hof Attinghausens wiedererscheinen, aber er umsteht jetzt, obwohl mit Namen genannt, den alten Freiherrn mit „noch sechs Knechten": er hat also sein Spezifikum als Hirt verloren. Was er zu sprechen hat — und er ist natürlich der einzige von den sieben Knechten, der redet — weist wieder auf das Herzstück seines Prolog-Liedes zurück. Wenn er Rudenz den Becher mit dem Frühtrunk als Willkommensgruß reicht, dann hören wir: „Trink frisch! Es geht aus e i n e m Becher und aus e i n e m Herzen", rückübersetzt in die Sprache des Liedes: Wir sind ein Wir, in unserer Welt gibt es kein Einzelnes und Abgesondertes.

Und wiedererscheinen wird der Fischer mit seinem Knaben zu Beginn des vierten Aktes, wenn der See geschüttelt wird vom Sturm, der Tell die Möglichkeit gab, von Geßlers Schiff auf die Felsplatte zu springen und sich aus der Gefangenschaft zu befreien. Sie sind natürlich dieselben, die wir in der ersten Szene des ersten Aktes getroffen haben (zum Schluß wird der Bub vom Vater auch als Jenni angesprochen), aber Schiller unterdrückt erstaunlicherweise die uns nun doch hinlänglich vertrauten Namen und läßt sie im Text nur mit ihrer Gattungsbezeichnung: „der Fischer" und „der Knabe", figurieren[9], eine genaue Umkehrung also der Hirtensituation in Attinghausens Schloß, wo der Name erhalten blieb, die Gattungsbezeichnung: Hirte aber verloren ging. Und was der Fischer nun als Kommentar zu der tobenden Natur zu sagen hat, ist, ins kosmisch Chaotische erhöht, das Thema des Fischerknaben-Liedes: Versinken im feuchten Element, Verschlungenwerden vom Wasser: „Ihr Wolken berstet, gießt herunter, Ströme / Des Himmels und ersäuft das Land", und später noch deutlicher: „O, mich soll's nicht wundern / Wenn sich die Felsen bücken in den See ... die alten Klüfte / Einstürzen, eine zweite Sündflut alle / Wohnstätten der Lebendigen verschlingt." Der ganze Kosmos wird, wie einst der Fischerknabe, hineingezogen in die Tiefen des gestaltlosen „Es".

Der Fischer, der das erste Wort des Dramas hatte, wird auch der letzte aus der Prologgruppe sein, der sprechen darf: am Anfang des fünften Aktes, wenn das Volk von Uri sich auf dem Platz in Altorf versammelt, um die Zwingburg einzureißen. Und wieder geht es, wie in der Fischer-Strophe, um Rückgängigmachen und Niederziehen: „Reißt die Mauern ein! Kein Stein bleib auf dem andern!"

Nur einer fehlt: der Jäger! Er kehrt als agierende und sprechende Person im Stück nicht wieder.[10] Und er darf es nicht, denn seine Rolle hat ein anderer übernommen; der wandelt durch das Drama als die Verkörperung der höchsten Phase, die auf dem Felsen von allem Anfang an proklamiert wurde, als der Tell. Als solcher ist er, der er von Anbeginn war: Alpenjäger und Schütze, abgesondert und erkennend-bewußt, ausgesetzt dem Un- und Widerlebendigen, der erfrorenen Welt, in der kein Frühling grünt und kein Reis blüht, unerschrocken auf zitterndem Steg die Tat tuend, die des Schützen todbringende Tat ist, aber gerade dadurch, daß er sie tut, den Ursprung des Menschlichen und die liebliche, bruchlose Harmonie des „Wir" „aufhebend".

Aber wir dürfen an diesem Punkte, wo die Prozession der Prologfiguren durch das Drama nachgezeichnet ist[11], noch nicht stehenbleiben. Denn die Bilder, die die Prologlieder hervorriefen, scheinen so „aufgehoben", daß wir ihnen an Stellen wiederbegegnen, wo man sie nicht vermuten würde, wo sie sich aber durch die Wiederaufnahme als tiefsinnig strukturstiftende Elemente erweisen. Sie hatten ursprünglich, so versuchten wir zu zeigen, dazu gedient, in einer Abbreviatur Bewußtseinsstufen zu bezeichnen, die die Menschheit auf ihrem Weg durch die Geschichte durchläuft. Aber Schiller greift sie wieder auf, wenn er die Gegenposition umreißt, jene Kräfte sichtbar macht, auf die die Menschheit in ihrem Kampf um das gott- und naturgewollte Menschentum als Feinde stößt, d. h. im Rahmen unseres Dramas die habsburgischen Vögte und ihre tyrannischen Maßnahmen. Wieder führt das Drama eine Dreiheit[12] solcher Greueltaten vor. Die erste ist der Schändungsversuch des Wolfenschießen an Baumgartens Frau. Er erfolgt — im Bade, und er führt zu Baumgartens blutiger Rache, die in den Worten seines Berichts gipfelt: „Und mit der Axt hab ich ihm's Bad gesegnet", eine grausig mörderische Umdrehung der ersten Fischerknaben-Zeile: „Es lächelt der See, er ladet zum Bade."

Die zweite Untat der Vögte ist des Landenbergers Brutalisierung der Melchthal-Familie. Sie beginnt mit dem Versuch des Vogtes, den Menschen von seinen Tieren zu trennen, das „Wir", von dem der Hirte sang, zu zerreißen, jene Lebensgemeinschaft („der Pflugstier ... der sanfte Hausgenoß / Des Menschen"), auf die er angewiesen ist, damit die Natur ihn nähre. In des jungen Melchthals Bericht wird es so heißen: „Dem frechen Buben, der die Ochsen mir / Das trefflichste Gespann, vor meinen Augen / Weg wollte treiben auf des Vogts Geheiß / Hab ich den Finger mit dem Stab gebrochen" — und daß Schiller hier das Wort „Stab" einsetzt, das unser Ohr so unwillkürlich mit Hirten- verbindet, mag nicht ganz zufällig sein.

Diese Verkehrung der ursprünglichen Liederpositionen ins Grausige und Feindselige, die sich vollzieht, wenn die Gegenseite in den Blick tritt — sie muß in der dritten Station, der Station des Jägers, wieder fehlen. Da er mit Tell zusammenfällt, wiederholt Geßlers Untat im Grunde nur, was als Vision „auf der Höhe" bereits festgelegt war. Seine unmenschliche Forderung an Tell ist, was sich im Bild als der starrende Gletscher darbietet, Auslöschung alles blühenden und sich entfaltenden Lebens („kein Frühling — kein Reis"), jener Zustand, in dem „Natur" sich als wider-natürlich erweist, weil sie, ein Feld von Eis, sich gegen sich selbst kehrt und das, was sie erschaffen, mit eigener Hand tötet. Es ist die Wider-Natur, zu der Geßler Tell zwingen wird: daß er das Leben, das er gezeugt, durch einen Schuß, durch den Akt also, der ihm als Jäger sein Dasein gewährt und sichert, vernichten soll. Gehen wir zu weit, wenn wir vermuten, daß sich dieses Widernatürliche bis aufs Sprachliche erstreckt, daß sich ein Paradox einschleicht, in dem das Gesetzte sich selbst aufhebt? Felder von Eis — kann es das „natürlicherweise" überhaupt geben, da doch der ursprüngliche Sinn von „Feld" Acker, Boden, Erde ist[13], also das Lebenspendende und Nährende? Hier aber ist es das, was sich gegen alles Lebendige kehrt. Ja, ist nicht alles, was sich im Lied darbietet, wenn selbstverständlich grammatikalisch auch völlig korrekt und ganz gebräuchlich, in seinem Vorstellungsgehalt paradox? „Da pranget kein Frühling, da grünet kein Reis." Kann denn aber k e i n Frühling prangen, kann k e i n Reis grünen?[14] Und ist dieses Landschaftsbild in seinen „paradoxen" Sprachprägungen nicht wirklich das Korrelat dessen, wozu Geßler mit seinem wider-natürlichen, unmenschlichen Befehl Tell zwingen wird — um so eindrucksvoller, weil sich in der letzten Zeile der Strophe das ungebrochene Bild wiederherstellt und die pervertierten Worte (pervertiert in seinem eigentlichen Sinne) wieder ins „Natürliche" zurechtgerückt werden: „das grünende Feld."

Wir haben die Gegenpositionen betrachtet und zu zeigen versucht, wie in ihnen die ursprünglichen Lieder-Bilder „verkehrt" fortleben. Aber sind sie denn nicht auch analogisch bewahrt in den sozialen und menschlichen Verhaltensweisen — und wieder sind es natürlich drei — in denen die Schweiz und der Schweizer sich darstellen? Die frühe Stufe des Fischer-Liedes erscheint auf der Ebene menschlicher Vergesellschaftung als die patriarchalische Welt des alten Attinghausen, die noch keine Differenzierung kennt und den Menschen einschließt in den „Schoß" der Familie, der ihn nicht freigeben will. Denn worum es in der Auseinandersetzung zwischen Attinghausen und Rudenz geht, ist ja gerade dies, den Neffen festzuhalten und zurückzuziehen in seinen „Ursprung", ihn nicht hinauszulassen in „die fremde, falsche Welt", die, so trumpft der junge Mann auf, sich glänzend jenseits der Berge bewegt und in der Taten geschehen, während hier nichts anderes zu vernehmen sei — und sollten wir dies wirklich überhören dürfen? — als der „Kuhreihen". Ein verräterisches Wort an dieser Stelle, und verräterischer noch, daß Schiller es für nötig befunden hat, es im Sperrdruck erscheinen zu lassen; warum wohl nur, da es ja gar keinen Sonderakzent im Vers zu tragen hat? Und dieses Wort, just dieses Wort, wird der Alte in seiner Erwiderung aufnehmen, wenn er dem Neffen prophezeit, daß dieser

Reihen ihn nie loslassen wird, diese „Melodie ... mit Schmerzenssehnsucht wird sie dich ergreifen / Wenn sie dir anklingt auf der fremden Erde".[15] Und nicht weniger verräterisch die Beschwörung des Alten, ja, es sind „Lock"rufe, gerichtet an einen, der sich weigert wie ein Schläfer „hier müßig still zu liegen": „Bleibe bei den Deinen ... schenke dich den Deinen" — ist es nicht, als spräche wieder die Stimme, jetzt freilich flehend, verzweifelnd und wissend, daß der Schoß nicht mehr festhalten kann: „Lieb Knabe[16], bist m e i n?"

Der Edelhof des Freiherrn ist wahrhaftig die Welt in „Abrahams Schoß". Schiller kann sich gar nicht genug damit tun, ihre „Urhaftigkeit" zu unterstreichen. Nicht weniger als 85 Jahre hat er dem Patriarchen zugemessen — die einzige Figur des Dramas übrigens, über deren Alter wir so genau informiert werden —, wobei dann die Generationsrechnung etwas kompliziert wird, da doch der Neffe als höchstens Fünfundzwanzigjähriger vorzustellen ist. Und in seinen Erinnerungen greift Attinghausen bis auf die Schlacht bei Faenza zurück[17], bis zum „Ursprung" also; denn zur Belohnung für ihre Beteiligung an dieser militärischen Unternehmung hatte Friedrich II. den Schweizern ihre „alten Freiheitsbriefe" gewährt.

Welche sozial-politische Vorstellung der zweiten, der Hirten-Strophe, entspricht — wir brauchten es jetzt eigentlich nicht mehr ausführlich darzulegen. Hier ist das „Wir", das Kollektiv als politische Lebensform und soziales Gefüge, betont und wiederholt mit einer fast monomanen Beharrlichkeit.[18] Alles was zur Rütli-Szene hinführt, alles was die Rütli-Szene einhämmert, ist der e i n e Gedanke: Wir sind ein Wir, umschlossen von der Gemeinschaft und festgehalten in ihr, freilich nicht in dem Sinne des Patriarchats, in dem nur einer, der Vater, seine Kinder[19] in sich trug. Jedes Privatinteresse hat zu schweigen, jede private, eigenständige Aktion ist untersagt, so ausdrücklich von Stauffacher, dem eigentlichen Sprecher und Richtungsweisenden der Landgemeinde, in seiner letzten Rede, in der die Szene gipfelt und mit der sie schließt. Er auch erzählt die Geschichte dieses einigen Volkes — „ein einig Volk von Brüdern" —, so wie der Hirte „Geschichte" erzählte, Lebenslauf und -verlauf, der sein Dasein ausmacht. Gewiß, es ist jetzt „Historie", die Stauffacher ausbreitet — und wenn man den Sinn der Rütli-Szene nicht verstanden hat, könnte man sich mit Recht daran stoßen, daß er sie mit solcher Ausführlichkeit ausbreitet —, und darum kann es, weil Historie, nicht die Immer-Wiederkehr sein, von der der Hirte sang. Aber an einer Stelle wird der historische Bericht unheimlich durchsichtig. Nicht nur, daß Stauffacher seine Chronik mit den Worten beginnt: „Hört, was die alten Hirten sich erzählen"; es kommt die Stelle, die zur Bekräftigung des: Wir alle sind eins („ja, wir sind eines Herzens, eines Blutes!") gar nicht nötig wäre. Da sind ihre Vorfahren nach langer Wanderung aus „der Väter Land" hierhergekommen in eine ferne neue Weltgegend. Und warum haben sie hier und gerade hier ihren Zug zum Stehen gebracht? „Da besahen sie das Land / Sich näher ... und meinten, sich im lieben Vaterland / Zu finden — da beschlossen sie zu bleiben." Sie sind also wiedergekommen („wir kommen wieder") — und ihre Fahrt über endlose Strecken endet im Grunde, wo sie begann.

Und ihr Weg durch die Geschichte ist nur Rück-kehr; er endet, wo ihre Geschichte begann. Denn was Stauffacher den Eidgenossen deutlich macht, ist dies: der neue Bund, den sie jetzt schließen, ist kein neuer Bund, das hier und im Gegenwärtigen Generierte ist nichts anderes als Re-Generation. „Wir stiften keinen neuen Bund, es ist / Ein uralt Bündnis nur von Väter Zeit, / Das wir erneuern", die Wiederkehr dessen, was einmal war; und es war einmal, weil es immer ist. Darum muß sich Stauffachers Rede schließlich zur Hymne auf die Ewigkeit ihrer Rechte, jedes Menschen Rechte, steigern. Denn „wenn unerträglich wird die Last, greift er / Hinauf getrosten Mutes in den Himmel / Und holt herunter seine ew'gen Rechte, / Die droben hangen unveräußerlich / Und unzerbrechlich wie die Sterne selbst". Der Menschheit Geschichte — sie ist nichts anderes als Natur-Geschichte, der unzerbrechliche Kreislauf der Gestirne, die Verwirklichung der kosmischen Bewegung — hier in der „geschichtlichen" Welt.

All das ist nur Erweiterung und Übertragung dessen, was der Hirte zu singen wußte. Und darum ist es der Hirte, der in der Rütli-Szene immer wieder beschworen wird. Wir erwähnten schon, daß die Geschichte dieses Volkes aufgehoben ist bei den „alten Hirten". Aber gleich zu Beginn der Szene, in der ersten großen Rede, die, nachdem man sich zusammengefunden und noch ehe man sich bekannt gemacht hat, auf dem Rütli gesprochen wird, ist von den Hirten die Rede, die oben „auf dem Berge" leben. Melchthal erzählt von ihnen und wie er sie auf seiner Kollektiv stiftenden Mission getroffen hat: „Denn so wie ihre Alpen fort und fort / Dieselben Kräuter nähren, ihre Brunnen / Gleichförmig fließen, Wolken selbst und Winde / Den gleichen Strich unwandelbar befolgen, / So hat die alte Sitte hier vom Ahn / Zum Enkel unverändert fortbestanden." Sie leben im und durch den Rhythmus der Natur, was ihr Gestern war, ist ihr Heute, sie sind — ewig, und ihre Menschen-Geschichte ist Natur-Geschehen.

Genau in der Mitte der Szene, genau im Zentrum — denn es i s t das Zentrum — erscheinen die Hirten wieder, jene Hirten, die Väter („so sprachen unsere Väter"), die dem Kaiser selbst Gehorsam aufkündigten, weil er sich an ihren Rechten vergriffen hatte. Es sind die Väter d i e s e r Söhne, die sich hier auf dem Rütli versammeln. Und ganz am Schluß, wenn Stauffacher die Landsgemeinde ermahnt, daß keine private, keine Ich-Aktion geduldet werden kann, beginnt er seine Rede so: „Jetzt gehe jeder seines Weges still / Zu seiner Freundschaft und Genoßsame. / Wer Hirt ist, wintre ruhig seine Herde!" Wie seltsam! Denn von den hier Versammelten ist kaum einer doch ein Hirte, und trotzdem wird von keinem anderen gesprochen als vom Hirten. Aber sein Bild muß beschworen werden, bevor die Szene zu Ende geht; denn das, was hier im Politischen ausgespielt wird — es ist die Strophe des Hirten. Denn sie alle sind, wenn sie es auch natürlich gar nicht sind, ein „Volk von Hirten", a l s Volk Hirten, die, die „Wir" sagen.

Nur einer ist es nicht, und darum kann und darf er nicht dabei sein — der Jäger, der Tell; denn er sagt „ich". Er ist der Abgesonderte[20], allein mit sich; der Tuende, der in der Agonie seines Selbst- und Bewußtseins, die unnatürliche Tat begehen muß, zuerst gezwungen vom Feind, wenn er das Leben seines Sohnes aufs Spiel setzt, und dann, aus eigener Entscheidung, den Mord. Er ist erwacht und erweckt zur Schrecklichkeit der Erkenntnis und des ganz auf sich selbst Zurückgeworfenseins. Das ist der Sinn seines Monologs, und er ist darum der einzige im ganzen Drama, der einen Monolog sprechen muß und darf, ein Selbst-Gespräch, in dem das Wort „Mord" (mit seinen Ableitungen) nicht weniger als fünfmal erscheint. Er weiß, was sein „Geschäft" ist: „meines ist der Mord", das Un-natürliche, die Widernatur. Aber nur weil er sein Geschäft erfüllt, ist er der „Retter". Denn durch seine Existenz und seine Tat wird der Mensch frei. Er schreitet auf den „Feldern von Eis", damit die Menschheit „auf der Höhe" (und auf die Höhe) „des Felsen" „aufgehoben" werde.

Als Goethe Schiller zum ersten Mal vom Tell-Stoff als von seinem eigenen erzählte, den er zu einem Epos verarbeiten wollte, und lange bevor er Schillers Stoff wurde, schrieb der „Sentimentalische" seinem „naiven" Freund: „Zugleich öffnet sich aus diesem schönen Stoffe wieder ein Blick in eine gewisse Weite des Menschengeschlechts, wie zwischen hohen Bergen eine Durchsicht in freie Fernen sich auftut."[21] Fünf Jahre später, als Goethes Stoff s e i n Stoff geworden war, öffnete sich, getreu dem klassischen Programm, die „Weite des Menschengeschlechts". Und sie öffnet sich in dem Moment, da die Bühne sich öffnet: in den drei Liedern des „Prologs".

Anmerkungen

[1] *Die Entstehung der neueren Aesthetik.* Stuttgart 1886, S. 333 f. und *Die Aesthetik der deutschen Klassiker.* Stuttgart 1887, S. 107 ff. — Auf dieses Opernhafte wird natürlich immer wieder hingewiesen, so auch in dem wichtigen Aufsatz von Fritz Martini: *Wilhelm Tell, der ästhetische Staat und der ästhetische Mensch.* Der Deutschunterricht 12, 1960, S. 109.

[2] Schiller hat sich ausführliche Exzerpte aus J. Scheuchzers Buch *Naturgeschichte des Schweizerlandes*, 1706/08, gemacht. Dort fand er auch eine Episode, die dem Bild des Fischerknaben-Liedes ähnelt, was die positivistischen Literarhistoriker des ausgehenden 19. Jahrhunderts freudig entdeckten, um es damit abgetan sein zu lassen, weil ja nun alles „erklärt" ist.

[3] *Das Drama Friedrich Schillers.* Frankfurt 1938, S. 187.

[4] Ebd., S. 198.

[5] In seinem oben erwähnten Aufsatz (Anm. 1) hat Fritz Martini *Wilhelm Tell* als Schillers Projektion des „ästhetischen Staates" gedeutet. Dem muß ich widersprechen, weil damit die Kategorie des Geschichtlichen, das eben nicht ein Ästhetisches ist, ausgeklammert wird, denn das Schöne ist das, was „die Zeit in der Zeit aufhebt". Martini rückt damit *Wilhelm Tell* zu nahe an ein früheres Denkstadium Schillers, das der *Aesthetischen Briefe,* worauf schon Helmut Koopmann hingewiesen hat (*Friedrich Schiller,*

Bd. 2. Stuttgart 1966, S. 81). In meinem Aufsatz *Wallenstein: Sein und Zeit* (jetzt in dem Sammelband *Von Goethe zu Thomas Mann*. Göttingen ²1969, S. 120 ff.) habe ich zu zeigen versucht, wie in Schillers größtem Drama Ästhetisches und Historisches als entgegengesetzte Mächte aufeinanderstoßen.

⁶ Heinrich Düntzer (*Schillers Wilhelm Tell*, Leipzig 1897) hat natürlich sofort wieder ein „Vorbild" entdeckt, neben Scheuchzer (Anm. 2) Goethes Ballade *Der Fischer*. „Eigentümlich schön" findet er es, „daß die Nixe nicht selbst erscheint" (S. 146) — warum eigentlich ist das „eigentümlich schön"? — womit man sich dann eben gründlich das Verständnis und den Sinn des hier Vorliegenden verstellt hat.

⁷ Auch hier haben es die Professoren und Schullehrer natürlich wieder besser gewußt als der Dichter, indem sie rügend darauf hinweisen, Schiller setze die Zeit der Herden-Rückkehr viel zu spät an. Der Tag nämlich ist aus dem Text genau zu erschließen: der 28. Oktober (Simons und Judä). Der Dichter hat also wieder einmal einen Bock geschossen, denn zu diesem Zeitpunkt sind die Herden längst zum Überwintern in die Ställe gebracht. Nun hat Schiller das freilich sehr genau gewußt, denn er hat sich aus Fäsi angemerkt: „um St. Bartholomä (den 25. August) ziehen sie ab" (vgl. Düntzer, a. a. O., S. 147). Er muß also einen guten Grund gehabt haben, das Datum des Herden-abzugs um volle zwei Monate zu verschieben. Der Grund ist der von mir angegebene. Was er für seine dichterische Vision brauchte, war: der Zeitpunkt, wo die Natur aufhört zu geben und Frucht zu tragen. Und das ist der späte Oktober. Der Dichter hat eben immer recht, wenn die „Kritiker" ihn auf einem Fehler zu ertappen glauben.

⁸ Düntzer (a. a. O., S. 149) und Bellermann sind sich schrecklich in die Haare darüber geraten, ob unter „Wassern" das „neblichte Meer", also Regenwolken, oder Wasserfälle zu verstehen seien, ein prächtig „positivistischer" Streit, wobei verfehlt wird, was ein Gedicht ist, in unserm Falle die „bedeutende" und sinnvolle Wiederaufnahme des „tief unter den Wassern" des Fischerknaben-Liedes.

⁹ Die „Verfremdung" geht bei Schiller noch weiter. Denn die Bühnenanweisung gibt als Ortsangabe: „Östliches Ufer des Vierwaldstättersees", also nicht genau das gleiche Lokal der ersten Szene des ersten Aktes. Auch dieser „Irrtum" hat den Düntzers schweres Kopfzerbrechen bereitet. Es sind doch offenkundig dieselben Fischer, warum in Gottes Namen plaziert Schiller sie f a l s c h? Ja, warum wohl? D a n a c h sollte ein Kritiker fragen.

¹⁰ Am erstaunlichsten aber und, wie mir scheint, schlüssigster Beweis für mein Argument: Nach dem Personenzettel ist der Jäger (und die anderen beiden) auf dem Rütli als Abgeordneter von Uri dabei, später dann auch in der ersten Szene des fünften Aktes auf dem Marktplatz in Altorf. Schiller läßt ihn aber kein Wort mehr sprechen — und dies auf dem Rütli, wo zahllose neue Figuren, die wir vorher nie getroffen haben und auch nie wieder treffen werden, als Sprecher auftreten.

¹¹ Es ist einer der großen strukturellen Meisterstreiche Schillers, daß die Prologfiguren (entweder alle oder vereinzelt) immer wieder in „Prologsituationen" erscheinen werden, d. h. immer am Anfang eines Aktes: nach dem ersten am Anfang des zweiten (Kuoni in Attinghausens Schloß), am Anfang des vierten (die beiden Fischer am Seeufer), am Anfang des fünften (alle drei auf dem Marktplatz zu Altorf). Nur einmal dürfen sie nicht da sein, wenn der Vorhang sich hebt: zu Beginn des dritten, denn das ist der eigentliche Tell-Akt, der Akt des „Abgesonderten".

¹² Es wäre lohnend, aber leider hier nicht möglich, dem magischen Spiel nachzugehen, das Schiller mit den Zahlen drei und sieben treibt. Drei Urkantone, drei Prologlieder, drei Handlungsstränge, drei Greueltaten der Vögte, drei, die den Ur-Eid schwören (Fürst-Stauffacher-Melchthal), drei Frauenfiguren, dreiunddreißig Volksvertreter auf dem Rütli. Dem steht die Zahl sieben gegenüber. Sieben Figuren in der ersten Szene des

ersten Aktes (2 Fischer, 2 Hirten, der Jäger, Baumgarten, Tell); sieben Figuren in der
Bauszene von Zwing-Uri (Fronvogt, Alter Mann, Steinmetz, 2 Gesellen plus Stauffacher
und Tell); sieben Knechte in der Burg Attinghausens; sieben Rütli-Abgeordnete, die von
jedem Kanton im Personenzettel mit Namen aufgeführt werden.

[13] Die Bedeutung Feld = Areal ist eine spätere und abgeleitete. Und auch dann noch
ist die Wendung „Felder von Eis" (statt Eisfelder) „schief". „Felder von Blumen", „Felder von Getreide" — das geht. „Felder von Schlachten" (Feld im Sinne von Areal) —
das geht eigentlich nicht.

[14] Für diese „Unnatürlichkeit" der deutschen Sprache wird ein Engländer oder Fran-
zose besonders empfänglich sein; denn im Englischen und Französischen wird, logisch
„natürlich", die Negation mit Vorzug dorthin gestellt, wo sie hingehört: nämlich zum
Verb und nicht zum Nomen. Im Deutschen: er hat mir kein Geld gegeben (logisch „unnatürlich"); im Englischen: he hasn't given me any money; im Französischen: il ne m'a
pas donné d'argent. Hier zeigt sich die Größe eines wahren Dichters: er gibt der Eigentümlichkeit seiner Sprache einen tiefen Sinn.

[15] Es ist amüsant festzustellen, daß Goethe (Brief vom 13. I. 04) gegen diese Zeile
protestiert hat, mit der ganz „vernünftigen" Bemerkung, das könne ja nicht sein, da der
Kuhreihen ein Schweizerisches Monopol sei und darum nirgends „auf der fremden Erde"
anklingen könne. Schiller hat auch auf diesen Einwand hin die Zeile nicht geändert. Ich
glaube, wir verstehen jetzt, warum.

[16] Sollte es wirklich nichts als Zufall sein, daß zu Beginn seiner letzten Beschwörung
(sie endet mit den Worten: „schenke dich den Deinen") der Alte den Neffen als „Knabe"
anreden wird („Lern' dieses Volk der Hirten kennen, Knabe!")? Ein etwas alter Knabe
doch wohl!

[17] Auch hier ergeben sich gewisse Schwierigkeiten in der Altersberechnung. Zur Zeit
der Schlacht bei Faenza (1241) war Attinghausen 18 Jahre alt, alt genug also, um als
junger Knappe daran teilzunehmen. Aber der vorangehende Text suggeriert eigentlich,
daß er schon ein Anführer gewesen sei, und das ist altersmäßig wohl unmöglich („ich
hab es angeführt in Schlachten / Ich hab es fechten sehen bei Favenz").

[18] Hier scheint mir Statistik sinnvoll. Das Pronomen „wir" erscheint in der Rütli-
Szene nicht weniger als 61mal. Und dabei sind nicht eingeschlossen die zahllosen de-
klinierten Formen (uns) und das besitzanzeigende Fürwort „unser".

[19] So auch spricht Attinghausen zu seinen Knechten: „Geht, Kinder, und wenn's
Feierabend ist..." Noch aufschlußreicher scheint mir die Tatsache, daß Schiller Rudenz
nicht zu Attinghausens Sohn, sondern zu seinem Neffen gemacht hat, erstaunlich bei
einem „Spezialisten" des Vater-Sohn-Konflikts. Aber Attinghausen darf wahrscheinlich
niemandes Spezifischen Vater sein, weil er d e r Vater (aller) ist.

[20] Martini (a. a. O., S. 112) glaubt in Tell eine Wandlung erkennen zu können: vom
„Naiven" über den „Sentimentalischen" zurück zum „Naiven". Damit kann ich mich
nicht einverstanden erklären, schon deswegen nicht, weil damit die anthropologische
„Aufwärtsbewegung", die ich als das eigentliche Thema des Dramas erkenne, überdeckt
wäre (in der Hauptfigur) durch eine Kreisbewegung. Und Tell ist doch von allem Anfang an der Abgesonderte und Abgetrennte, der Mensch in der Distanz (und das ist
im Schillerschen Sinne die „sentimentalische" Position): „Der Starke ist am mächtigsten
allein", und daran wird sich im Verlauf des Dramas nichts ändern. Gewiß, er ist naiv
in seiner Beurteilung der Situation, in seinem einfältigen Glauben, wenn man sich still
halte, dann werde die Gefahr schon vorübergehen. Aber das ist doch nicht das, was
Schiller unter „naiv" versteht.

[21] Brief vom 30. X. 97.

NORBERT OELLERS

SOUVERÄNITÄT UND ABHÄNGIGKEIT

*Vom Einfluß der privaten und öffentlichen Kritik auf
poetische Werke Schillers*

Der alte Goethe soll einmal bemerkt haben, daß Schiller „ein furchtbares Fortschreiten" gehabt habe: „wenn man ihn nach acht Tagen wiedersah, so fand man ihn anders und staunte und wußte nicht, wo man ihn anfassen könnte."[1] Da es verwandte schriftliche Äußerungen Goethes gibt[2], erscheint das als mündliche Bemerkung Überlieferte authentisch. ‚Furchtbar' — die Bezeichnung gilt für den Fortschreitenden wie für den Beobachtenden; jener strebte mit ungewöhnlicher Schnelligkeit seinem Ende zu, dieser sah sich — weil er nicht distanzierter Registrator, sondern unmittelbar Betroffener des bemerkenswerten Vorgangs war — auf geheimnisvolle, wie er selbst gelegentlich sagte[3]: dämonische Weise in eine Bahn gezogen, die zu verfolgen seiner Natur widerstehen mußte.

Schillers „furchtbares Fortschreiten" war die sichtbare Auswirkung seiner unablässigen geistigen Anstrengung, die Goethe im wörtlichen Sinne als tödlich erschien: Durch strenges Nachdenken, so fand er[4], habe sich Schiller überfordert. Sogar auf dem Felde der Dichtkunst sei er bemüht gewesen, durch Reflexion herbeizuzwingen, was er auf dem ‚natürlichen' Wege, d. h. dem der Empfänglichkeit und Imagination, nicht erreicht habe.[5] — Schiller hätte, so ist zu vermuten, dem Direktor gefallen, den Goethe sagen läßt: „Was hilft es, viel von Stimmung reden? / Dem Zaudernden erscheint sie nie. / Gebt ihr euch einmal für Poeten, / So kommandiert die Poesie!"[6]

Schiller, der die Poesie kommandiert, der energisch mit Gedanken wuchert und der in seiner eigenen Entwicklung keinen Stillstand duldet, — von ihm hat sich die Nachwelt, bis heute unermüdlich, Bild auf Bild gemacht. Zu diesen Bildern paßt, was Charlotte von Schiller, die Witwe, gesagt hat: „Immer thätig, strebte sein Geist rastlos nach Wahrheit."[7] Daraus folgt, daß an ein Verharren in Bezirken des Gewöhnlichen nicht zu denken war. Was, zum Beispiel, hätte Schiller mit zeitgenössischer Literatur zu schaffen gehabt? „Er las überhaupt nicht gern das Neuere, und die Stimme der deutschen Journale war ihm ein widriger Ton."[8] Etwa: „Er hat nichts gelesen von Allem was gegen die Xenien geschrieben."[9]

Der Vorstellung von Schiller als dem furchtbar Fortschreitenden korrespondiert eine andere, die ihn zum endgültig Fortgeschrittenen, zum Entschrittenen stilisiert: die Vorstellung von dem hehren Sänger ewiger Werte, dem Wahrsager und Götterliebling, der im Reich des Geistes herrscht und rein ist im Gemüte. „Indessen schritt sein Geist gewaltig fort / Ins Ewige des Wahren, Guten, Schönen, / Und hinter ihm, in weselosem Scheine, / Lag, was uns alle bändigt, das Gemeine."[10] Wie ernst es Goethe mit diesem verklärenden Bild war, ergibt sich aus späteren Äußerungen, durch die er den geistigen und sittlichen Rang Schillers in ähnlicher Weise als nahezu übermenschlich kennzeichnete; Schiller sei, heißt es sogar einmal[11], eine „echte Christus-Tendenz eingeboren" gewesen. Charlotte von Schiller fand: „Groß und schön wie ein höheres Wesen stand er da; sein Herz, seine Liebe umfing die Welt, die er erblickte; aber die Welt kam seinem Geist nicht nahe."[12] Die Nachwelt hatte, viele Jahrzehnte hindurch, an diesem Bild nichts auszusetzen. Und auch Charlottes apodiktische Versicherung: „Es gab keinen Menschen, der, ohne stolz zu sein, so erhaben über das Urtheil der Welt war [wie Schiller]"[13], galt nicht einmal als Übertreibung.

Es ist müßig, über die Heroen- und Heiligenbilder, die von Schiller in Umlauf waren (und sind?), lange Betrachtungen anzustellen und dann besseres Wissen auszubreiten; es muß genügen, diese Bilder mit ein paar Hinweisen zu konfrontieren: Es kann keinen Zweifel geben, daß ein starkes Bedürfnis, sich fortzuentwickeln, sich zu vervollkommnen, das Vergangene als Summe von einzelnen Stufen anzusehen, die zu einem in der Zukunft liegenden, vielleicht erreichbaren Ziel den Weg wiesen oder Teil dieses Weges waren, — daß ein solches Bedürfnis als charakteristische Eigenschaft Schillers bestand und manchem Zeitgenossen als solche auffiel. Zahlreiche Selbstzeugnisse Schillers ergänzen die entsprechenden Berichte über dieses Phänomen. Damit ist nun aber keineswegs gesagt, daß Schiller nicht in der Lage war, die Muße schöpferisch zu nutzen, oder daß er die Muße vorsätzlich floh, weil er vielleicht glaubte, sie entbehren zu können; damit ist auch nicht gesagt, daß er nur mit eisernem Willen in der Poesie schaltete und waltete, daß er mit Befehlen zwang, was sich nicht freiwillig fügte, und grundsätzlich allen Gattungen und Arten der Dichtkunst mit derselben Disposition gegenübertrat. Schiller benötigte für viele seiner Arbeiten, vor allem bei seiner lyrischen Produktion, sehr wohl jene ‚Stimmung', die sich nicht ohne weiteres kommandieren läßt: „[...] nach einem wohlgemeinten und dennoch vergeblichen Bemühen, mir eine lyrische Stimmung für den Almanach zu verschaffen, habe ich heute den dritten [Akt von *Maria Stuart*] angefangen", heißt es in einem Brief an Goethe vom 27. August 1799[14]; — ein Zeugnis von vielen. Allerdings verdient die Tatsache Beachtung, daß sich Schiller um die Stimmung bemühte, also nicht darauf vertraute, sie werde sich schon irgendwann von selbst einstellen. Auch diese Haltung läßt sich aufgrund weiterer Belege als für Schiller bezeichnend ansehen. W i e die Stimmung befördert werden sollte, kann sicher nicht bündig angegeben werden; ein Bündel von Angaben zu präsentieren, hat im Zusammenhang mit den hier zu erörternden Fragen keinen Sinn.

Das Bild von Schiller, der die poetische Stimmung sucht, ist nicht sehr geläufig. Ebenso selten ist das von dem Dichter, der sich unter die Irdischen mischt, sich mit ihnen beratschlägt, über Kunst diskutiert, Urteile ernst nimmt, Unsicherheit zeigt, Kritik akzeptiert und Selbstkritik äußert. Dieses Bild ist nicht fiktiv. Gewiß hat Schiller, der ,Erhabene', nicht nur vom Durchschnittspublikum seiner Zeit, sondern auch (und vielleicht besonders) von der zeitgenössischen Literaturkritik eine Meinung gehabt, die vornehmlich von Spott, Verachtung und Erbitterung bestimmt worden ist, aber das bedeutet nicht, daß er die Kritik ignoriert hat. Das Gegenteil ist richtig: seine Verachtung gründete auf genauen Kenntnissen, die er durch Lektüre gewonnen hatte. Was die — meistens anonymen — Kritiker über seine Werke sagten, interessierte ihn sehr. Mit Eifer sammelte er beispielsweise alle ihm erreichbaren Urteile über die Xenien und ging einige Wochen mit dem Gedanken um, auf die Urteile öffentlich zu antworten. Auch „alle elende Critiken" der *Horen* wollte er mit einer Erwiderung bedenken.[15] Warum kümmerte er sich so eifrig um das „RecensentenGesumse"[16]? Hoffte er auf Bestätigung? Suchte er die literarische Auseinandersetzung? Sicher ist: Angriffe bereiteten ihm Verdruß. Und: Er hat sich mit seinen Kritikern öffentlich nicht gründlich auseinandergesetzt. Dennoch hat er auf sie reagiert.

Die Stimmung, der Schiller für sein eigenes Schaffen durchaus Bedeutung beimaß, entfernte ihn aus dem ihm eigenen und, wie er selbst glaubte, von ihm beherrschten Bereich des streng begrifflichen Denkens, der philosophischen Distinktion und der systematischen Analyse. Indem sie ihn aber gleichsam außer sich setzte, konnte sie zur Ursache von Dunkelheit, Unsicherheit und Zaudern werden und damit in eine Situation führen, die poetisch nicht fruchtbar war und aus der herauszufinden wieder die Reflexion vonnöten war. In solchen Fällen „übereilte", wie Schiller sich ausgedrückt hat[17], der Philosoph den Poeten, und die Poesie war gerne bereit, die Philosophie als Führerin anzuerkennen. Für Goethe scheinen solche Fälle die Regel gewesen zu sein: „Es war nicht Schillers Sache", will Eckermann von ihm gehört haben[18], „mit einer gewissen Bewußtlosigkeit und gleichsam instinktmäßig zu verfahren, vielmehr mußte er über jedes, was er tat, reflektieren [. . .]." Mag auch diese Generalisierung übertrieben sein, so wird Schillers Hang zur Reflexion auch in den Fällen, in denen es sich anders verhält, als es das Goethe-Wort annehmen läßt, in Anschlag zu bringen sein[19]: Das ohne gründliche Vor-Reflexion Zustandegebrachte rief gerade wegen der Bedingungen seiner Entstehung nach kritischer Prüfung, also nach gründlicher Reflexion. Schiller blieb sich auf der Spur, weil er den Verdacht nicht loswurde, aus seinen Stimmungen und Gefühlen ließe sich keine Dichtung gewinnen, die seinen eigenen Prinzipien und Anforderungen genügte. Nur einige Werke aus früher Zeit — an Teile der *Räuber*, an die meisten *Anthologie*-Gedichte oder an das Lied *An die Freude* wäre zu denken — erscheinen hinsichtlich des Anlasses wie des Produktionsvorgangs den Werken Goethes vergleichbar, über welche dieser in *Dichtung und Wahrheit* berichtet, daß sie in „Herzensangelegenheiten" gründeten und „mit freier Brust, ohne irgendeinen theoretischen Leitstern" entstanden waren.[20]

Nach seinen jugendlichen Anfängen schwand zunächst Schillers Vertrauen in die poetische Zuständigkeit seiner Erlebnisse und Empfindungen immer mehr und machte einer sich steigernden Unsicherheit vor allem bei lyrischen Arbeiten Platz. Waren die durch Gefühle angeregten Vorstellungen der Niederschrift und Mitteilung wert? Waren die aus Stimmungen entstandenen Bilder passend, verständlich, originell? Waren Diktion, Metrum und Reim überhaupt ohne sorgfältige Wortwahl-, Syntax- und Grammatik-Übung, ohne bemühte Skansion, ohne bewußtes Experimentieren möglich?

Probleme des poetischen Sprechens sind nur zu einem Teil durch Reflexionen dessen, der sich der poetischen Sprache bedient und seinen Fähigkeiten aus irgendeinem Grund mißtraut, lösbar. Weitere Lösungen lassen sich erwarten, wenn die Probleme unter Gesprächspartnern diskutiert werden. Schiller hat Diskussionen über seine Arbeiten gesucht, — während sie entstanden und nach ihrer Fertigstellung. Er, der angeblich so imperatorisch verfahrende Dichter, hat den Rat von Freunden und Experten eingeholt, damit das im Entstehen begriffene Werk davon profitiere, und da er sich des Erfolges seiner Arbeit dennoch nicht sicher war, hat er, der angeblich über jede Tageskritik erhabene Dichter, sorgsam verfolgt und später verwertet, was die Rezensenten über das Veröffentlichte zu sagen hatten. Das in der Regel schroffe Urteil über diese Rezensenten darf nicht darüber hinwegtäuschen, daß Schiller sehr wohl bereit war, von den Gescholtenen zu lernen; — die Bezirke waren abgesteckt. Zum Beispiel: Schiller hielt — wie auch Goethe — den Weimarischen Gymnasiallehrer Karl August Böttiger, den angesehenen Philologen und selbstbewußten Vielwisser, der zu denen gehörte, die sich unglückseligerweise darum bemühten, „durch unglaubliche Nachgiebigkeit, Unthätigkeit, Schmeicheley und Rücken und Zurechtlegen, einen leidlichen Ruf zeitlebens" zu erhalten[21], Schiller hielt diesen aufdringlichen Zeitgenossen für eine höchst unerfreuliche Erscheinung, und oft genug hat er deutlich gemacht, wie sehr er ihn verachtete. Doch er hat ihn nicht nur verachtet: „Ich habe die Ballade [*Die Kraniche des Ibykus*], in ihrer nun veränderten Gestalt, an Bötticher gesendet, um von ihm zu erfahren, ob sich nichts darin mit altgriechischen Gebräuchen im Widerspruch befindet." So schrieb Schiller am 7. September 1797 an Goethe.[22] Am 15. September meldete er: „Mit meinen Kranichen ist Böttiger sehr zufrieden gewesen, und Zeit und Lokal, worüber ich ihn consulierte, hat er sehr befriedigend dargestellt gefunden."[23] Es gibt andere Beispiele, die zeigen, daß Schiller von Böttigers Fachwissen Gebrauch gemacht hat, daß er dessen Kenntnisse und sein Urteil über dargestellte oder darzustellende Fakten brauchte. Auf Böttigers Urteile über die poetische und gedankliche Qualität seiner Dichtungen war er freilich nicht begierig; gelegentlich fand er sie belustigend, meistens ärgerlich: bombastisch und trivial.

Der Fall Böttiger zeigt, daß Schiller im Umgang mit Menschen, die auf geistigem Gebiet mit ihm in Berührung standen, hinsichtlich ihres Wertes und ihrer ‚Brauchbarkeit' jeweils zwischen der Gesamtperson und einzelnen Fähigkeiten unterschied, daß er seine Beurteilung weitgehend nach dem Schema: philosophischer Kopf — Brotgelehrter gewann und sein Verhalten der Beurteilung anpaßte. Böttiger konnte ihn nicht aus der Unsicherheit einer poetischen Stimmung befreien, er konnte ihn nicht über das Wesen der Kunst oder über die Aufgabe des Dichters belehren, aber er konnte gelegentlich über formale und inhaltliche Details sein „Richtig" oder „Falsch" sprechen. — Die kritischen Stimmen der Fachleute waren Schiller nicht gleichgültig. Auch in Fällen, in denen Kritik mit Beckmesserei verwechselt wurde, ließ er sich durch begründete Einwände belehren und zog, wenn sich die Gelegenheit dazu bot — oft Jahre später —, sichtbare Konsequenzen daraus. Wie das geschah, soll später an Einzelbeispielen dargestellt werden.

Wichtiger als die öffentliche Beurteilung des gedruckten Werkes war für Schiller das Gespräch über das noch entstehende Werk. Es habe sich, meinte Goethe[24], aus seinem Reflexionsbedürfnis ergeben, „daß er über seine poetischen Vorsätze nicht unterlassen konnte, sehr viel hin und her zu reden [. . .]." Es läßt sich auch sagen: Schillers Gesprächsbedürfnis war die Folge seines ausgeprägten Bewußtseins von der Beschränktheit seines poetischen Vermögens, sofern dieses plastische Anschaulichkeit, unmittelbare Umsetzung von Erlebtem in Sprache und Sicherheit des Stils bedeutet. Und mochte es bei den Gesprächen auch viel um mehr oder weniger ‚technische' Probleme gehen, so war doch das Bemühen einer gleichsam poetischen Fortbildung die konstante Ursache — wie jeweils ein bestimmtes Werk der aktuelle Anlaß — solcher Auseinandersetzungen. Dabei zeigte Schiller (wieder nach Goethes Zeugnis[25]) ein „wunderbares Nachgeben und Verharren": er war bereit, sich anzuverwandeln, was ihm gemäß war. Welche Ergebnisse die Diskurse, Diskussionen und vielleicht auch Dispute gezeitigt haben, läßt sich nur in wenigen Einzelfällen bestimmen. — Mit den folgenden Bemerkungen soll am Beispiel einiger Gedichte Schillers gezeigt werden, wie groß der Einfluß privater und öffentlicher Kritik auf den Dichter war und in welcher Hinsicht er wirksam wurde. Um gewagte Spekulationen zu vermeiden, soll dabei das Feld der authentischen schriftlichen Zeugnisse so wenig wie möglich verlassen werden.

Als Schiller im März 1788, von Wieland um einen Beitrag für den *Teutschen Merkur* gebeten, in ganz kurzer Zeit *Die Götter Griechenlandes* verfaßte, da trieb er, wie es in einem Brief an Körner heißt[26], mit Wieland „die Wortfeile" und wechselte mit ihm, „einem Epitheton zu Gefallen [. . .] manche Billets hin und wieder [. . .]." Diese Billetts sind nicht erhalten, und es erscheint nicht zweckmäßig, den zur Rede stehenden Epitheta nachzuforschen.[27] Wichtig ist, daß Schiller — sicher nicht nur ohne Bedenken, sondern auch aus eigenem Antrieb —

Wieland als ästhetischem Ratgeber wie selbstverständlich die Möglichkeit ein-
räumte, bei der Textgestaltung mitzuwirken. Die Billigung des fertigen Gedichts
durch Wieland mag Schiller aus möglichen Zweifeln an der Qualität seiner
Arbeit entlassen haben; — galt Wieland doch nicht nur als vorzüglicher Poet,
sondern auch als kompetenter Kunstrichter. Auf kritische Bemerkungen konnte
Schiller zunächst selbstbewußt antworten, ihm gefalle „diß Gedicht sehr, weil
eine gemäßigte Begeisterung darinn athmet, und eine edle Anmuth mit einer
Farbe von Wehmuth untermischt [...]."[28] Einige Zeit später allerdings tauchten,
begünstigt durch Stimmen der Kritik, Zweifel auf und mehrten sich schnell. Was
sie bewirkten, wird noch zu erörtern sein.[29]

Genau ein Jahr nach den *Göttern Griechenlandes* erschien, ebenfalls im *Teutschen Merkur,* Schillers letztes großes Gedicht der vorklassischen Periode: *Die
Künstler.* Mit diesem Gedicht hat sich Schiller vier Monate — länger als mit
jedem anderen Gedicht — beschäftigt; und kein anderes Gedicht hat während
seiner Entstehung so viele Veränderungen erfahren wie dieses; und schließlich:
Die Künstler sind bis zur Drucklegung mehr als jedes andere Schillersche Gedicht
von der Kritik Außenstehender begleitet und beeinflußt worden, wobei es um
sehr viel mehr als um bloße „Wortfeile" ging. Es ist seit einiger Zeit üblich, die
verschiedenen Fassungen des Gedichts mit den Namen derer zu bezeichnen,
denen Schiller sie zur Begutachtung vorgelegt und deren kritische Bemerkungen
er genutzt hat: Einer Urfassung folgte die ‚Körner-Fassung', dieser zunächst die
‚1. Wieland-Fassung', dann die ‚2. Wieland-Fassung' (= Druckfassung).[30]

Die ursprüngliche Fassung der *Künstler,* die zum größten Teil im Oktober
und November 1788 entstanden ist, entsprang, wie Schiller am 10. November
an Caroline von Beulwitz und Charlotte von Lengefeld schrieb[31], „Empfindungen und Vorstellungsarten [...], die aus dem innersten meines Wesens
gegriffen sind." Später sprach er auch über die „erste Stimmung", in der das
Gedicht entstanden war und die nun vorbei sei.[32] In dieser ersten Stimmung
hatte das Gedicht, wie Schiller sehr bald erkannte, noch nicht die nötige „Run-
dung" erhalten[33]; Ergänzungen und Streichungen, Korrekturen im einzelnen
und Umstellungen von Strophen oder gar Strophengruppen waren erforderlich,
um das Ganze druckreif zu machen. Am 12. Dezember war die Redaktion noch
nicht geleistet, und Schiller dachte, so scheint es, mit einiger Unlust an das
bevorstehende Geschäft.[34] Was dann einen Monat später Körner zugeschickt
wurde, war wohl nur partiell mit der im einzelnen nicht mehr rekonstruierbaren
Urfassung identisch. Aber auch mit dieser ‚Körner-Fassung' war der Autor nicht
zufrieden; er hoffte nun auf förderliche Hilfe vom Freund:

> Ich wünschte gar sehr, daß Du Zeit und Lust fändest, mir recht viel im allgemeinen
> und einzelnen über dieses Gedicht zu sagen: es wird mich dann zu der letzten Hand,
> die ich ihm noch zu geben habe, begeistern und überhaupt bedarf ich jetzt zu meiner
> inneren Existenz einer solchen Friction von außen gar sehr.[35]

Körner hat Schillers Aufforderung sehr ernst genommen und in seiner Antwort zahlreiche Verbesserungswünsche vorgebracht. Er hielt sie offenbar selbst
für so gravierend, daß er fürchten mußte, sie würden Schillers Verdruß über
das Gedicht vermehren. Deshalb begann er seinen Brief:

> Fußfällig möchte ich Dich bitten, Dein neues Gedicht nicht zu übereilen. Es wäre
> unverantwortlich, wenn Du die Lust daran verlieren solltest, und es nicht den Grad
> von Vollendung erlangte, dessen es werth ist.[36]

Körners Haupteinwand betraf sodann die Anordnung der Strophen, die er
Schiller „so zu versetzen" bat, „daß vom Bekannten zum Unbekannten fortgeschritten wird und das Interesse immer s t e i g t." Es sei, heißt es dann weiter,
der vorhandene Stoff „so lange durcheinander zu werfen, bis das schönste
Ganze herauskommt." Auf diesen Vorschlag, mit dem Körner eine im Grunde
fundamentale Kritik aussprach, ist Schiller zunächst nur mit der allgemeinen
Formulierung eingegangen: „Ich finde Deine Bemerkungen meistens sehr
wahr [...]."[37] Daß er sich mit dem Gedanken einer Verschiebung von Strophen
bald vertraut machte, zeigt seine Bemerkung im Brief an Körner vom 2. Februar[38], er habe über die neue Ordnung noch keine Klarheit gewinnen können.
Bereits einen Tag später schließt er allerdings schon die neue, durch Körners
Kritik wesentlich beeinflußte Fassung der *Künstler* ab[39], und es kann wohl angenommen werden, daß Körners wichtigster Vorschlag (noch) nicht oder kaum
berücksichtigt worden ist.

Körner hatte in seinem Brief vom 16. Januar mit seiner Beurteilung im ganzen
eine Kritik im einzelnen verbunden, mit der sich Schiller bei der Neufassung des
Gedichts, die hauptsächlich in der Zeit vom 31. Januar bis zum 3. Februar
geleistet wurde[40], gründlich auseinandersetzte. In zahlreichen Fällen hat er
dabei den Bedenken des Freundes Rechnung getragen, in einigen Fällen änderte
er seine ursprüngliche Meinung nicht.[41] Einige Beispiele sollen den Einfluß
Körners belegen: Er hatte angemerkt, eine mit „Die ihr als Kind" beginnende
Strophe tue „nach dem Vorhergehenden keine Wirkung"[42]; — Schiller strich
offenbar die ganze Strophe. Körner hatte gefunden, es bestehe kein genügender
Zusammenhang zwischen der ersten und zweiten Strophe; — Schiller nahm die
beiden Strophen fort, obwohl er sie kurz zuvor noch ausdrücklich verteidigt
hatte[43] (die erste verwandte er 1795 für den Anfang des Gedichts *Die Macht des
Gesanges*[44]), und rückte an ihre Stelle zwei neu gedichtete Versgruppen.[45] —
Von einzelnen Wendungen, die Körner mißfallen hatten, seien die genannt, die
Schiller geändert hat: In dem (jetzigen) Vers 63 hatte ursprünglich „kindisch"
(vermutlich in dem Zusammenhang: „sieht man sie kindisch"[46]) gestanden; —
Schiller verbesserte die Wendung zu: „wird sie zum Kind [...]." Körner hatte
die Wendung „So denkt in jugendlicher Schöne" etc. als unpassend und die
Wendung „Stolzen Bogen, der über Sternen" etc. als schwülstig kritisiert; — von
beiden Wendungen ist in der Druckfassung nichts erhalten. Körner hatte an

einer Stelle (Vers 213) den Einschub des unbestimmten Artikels „eine" vorgeschlagen; — Schiller folgte dem Vorschlag. Ferner: Körner hatte bemerkt, daß die Verwendung des Wortes „Hades" an einer Stelle des Gedichts „gesucht" erscheine, daß „Was ist der Menschen Leben?" etc. nicht zum Vorhergehenden passe und daß „Als er sie gegeben" nicht klar genug sei; — die letztgenannten Wendungen waren Bestandteile einer Strophe, die Schiller aus dem Gedicht ganz herausnahm und später in veränderter Form als Stammbucheintragung für den Maler Karl Graß verwandte; das Wort „Hades" mag ursprünglich auch in dieser Strophe gestanden haben.

Die Gedichtfassung, die Schiller am 3. Februar fertigstellte und bald darauf[47] Wieland übersandte (‚1. Wieland-Fassung'), verdankt ihre Entstehung nicht allein den Anregungen Körners und den Einfällen Schillers, sondern auch kritischen Bemerkungen Wielands, die dieser in einem nicht genau datierbaren Gespräch — vermutlich Ende Januar — geäußert hatte. Über diese Bemerkungen und ihre Wirkung hat sich Schiller in Briefen an Körner und Wieland deutlich genug geäußert, um des letzteren Verdienst an der dritten *Künstler*-Fassung abschätzen zu können. „Ich habe eine Idee", heißt es im Brief an Wieland[48],

> worauf Sie mich neulich geführt haben, in mir reif werden lassen und in dem Gedichte (oder Nichtgedichte, wenn Sie wollen) weiter ausgeführt. Sie scheint ihm wirklich als ein nothwendiges Glied vorher gefehlt zu haben, und nun, däucht mir, hätte es Mannichfaltigkeit in Einheit.

Um welches „nothwendige Glied" es sich handelt, ergibt sich aus Schillers Brief an Körner vom 9. Februar:

> Wieland [...] empfand es sehr unhold, daß die Kunst nach dieser bisherigen Vorstellung doch nur die Dienerinn einer höhern Kultur sey, daß der Herbst immer weiter gerückt sey, als der Lenz, und er ist sehr weit von dieser Demuth entfernt. Alles was wissenschaftliche Kultur in sich begreift, stellt er tief unter die Kunst, und behauptet vielmehr, daß Jene Dieser diene. [...] Es ist sehr vieles an dieser Vorstellung wahr, und für mein Gedicht vollends wahr genug.[49]

Es kann nicht zweifelhaft sein, daß Schiller wenigstens die Versgruppen 27 und 28 (V. 383—408) in das Gedicht eingefügt hat, um den von Wieland bemerkten Mangel zu beheben.[50]

Schiller war mit dem nun Geleisteten zufrieden und erwartete, daß Wieland seine Zustimmung zum Druck geben werde.[51] Doch dieser Zufriedenheit entsprach nicht die Sicherheit der Selbsteinschätzung: *Die Künstler* wurden, nach einer Unterredung mit Wieland am 9. Februar[52], noch einmal umgearbeitet, und zwar so durchgreifend, daß Schiller geradezu von einem „jüngste(n) Gericht" sprechen konnte, das er abgehalten habe, indem er das Gedicht „fast ganz durcheinander" warf[53]; und: „Eine ganze Kette neuer Strophen, die zum Inhalt haben, das zu beweisen, was in der vorigen Edition ganz beweislos hingeworfen war, ist nunmehr eingeschaltet."[54] Wie leicht sich Schiller tat, gewünschte Ergänzungen zu verfertigen, und wie wenig er an dem hing, was ihm kurz zuvor — noch am selben Tage[55] — Grund zum Selbstlob geboten hatte, ergibt sich aus dem Brief, den er drei Tage nach der Unterredung mit Wieland, also am 12. Februar, an Charlotte von Lengefeld und Caroline von Beulwitz schrieb:

> Wie viel doch kleine Umstände können. Vor einigen Tagen war Wieland bey mir, um eine kleine Fehde, die wir über eine Stelle in den Künstlern hatten, mit mir abzuthun. Das Gespräch führte uns weit in gewisse Mysterien der Kunst. — Wieland war kaum eine halbe Stunde weg, so durchlas ich meine Künstler, einige vorher sehr werth gehaltene Strophen eckelten mich an, und diß gab mir Anlass 14 Neue dazu zu thun, die ich nicht in mir gesucht hätte, d. h. deren Inhalt bißher nur in mir geschlafen hat.[56]

So entstand die ,2. Wieland-Fassung' der *Künstler,* die Wieland für den *Teutschen Merkur* akzeptierte, obwohl er seine Ansicht, es fehle Schiller an Leichtigkeit und die *Künstler* seien kein Gedicht, sondern philosophische Poesie[57], sicher nicht revidiert hatte. — Die 14 neuen Strophen, die Schiller in Eile gedichtet hatte, bilden mit großer Wahrscheinlichkeit die Hauptmasse des zweiten Teils des Gedichts, der im Erstdruck die Versgruppen 8—25 (V. 91—362) umfaßte.[58] Was außerdem hinzugekommen ist und weggestrichen wurde, läßt sich ebensowenig angeben wie Einzelheiten der Umgruppierung von Gedichtteilen, mit der Schiller im übrigen den am 16. Januar geäußerten Wunsch Körners, den Stoff „durcheinander zu werfen", als berechtigt anerkannt und erfüllt hat.

Eine Art von Cento war entstanden: Materialien desselben Autors zwar, aber nicht derselben Stimmung und derselben Gesinnung, waren, aufgrund der antreibenden Kritik zweier Kunstrichter, in mehreren Arbeitsgängen zunächst hergestellt und dann miteinander verbunden worden. Sie bildeten nach Schillers Auffassung nicht nur ein Ganzes, sondern auch eine Einheit.[59] Er nannte sein Gedicht „ausgezeichnet".[60]

Als Körner nach dem Druck der *Künstler* einige Dunkelheiten des Gedichts beklagte[61], stimmte ihm Schiller zu.[62] Und es dauerte nicht allzu lange, bis dem Dichter vor der Lektüre und geplanten Revision seines Werkes „bange" war, weil ihn das Philosophische daran nicht befriedigte[63]; — das Vergangene war das Überwundene. Welchen Wert sollte das Lyrische haben? „Das lyrische Fach", hatte Schiller im Februar 1789 an Körner geschrieben[64], „[...] sehe ich eher für ein E x i l i u m , als für eine e r o b e r t e P r o v i n z an." — Schiller mied länger als sechs Jahre das Exil; und er machte so wahr, was er am 26. März 1789 an Charlotte von Lengefeld geschrieben hatte: daß er nach der Fertigstellung der *Künstler* „auf lange Zeit" kein Gedicht schreiben werde.[65]

Erst im Sommer 1795 entschied sich Schiller, zur Dichtkunst im engeren — oder, nach damaliger Auffassung: im eigentlichen — Sinne zurückzukehren und sich bewußt auf die Abfassung von Gedichten zu konzentrieren. Der Einfluß Wilhelm von Humboldts hat bei dieser Entscheidung (mittelbar oder unmittelbar) sicher eine wichtige Rolle gespielt, der äußere Anlaß aber ist in der Tatsache zu suchen, daß Schiller die Herausgabe eines Musenalmanachs übernommen hatte und für dieses Unternehmen wie auch für seine *Horen* poetische Beiträge brauchte. „Ich lebe jetzt ganz cavalierement", schrieb er am 4. Juli 1795 an Körner[66], „denn ich mache — Gedichte für meinen MusenAlmanach. Närrisch genug komme ich mir damit vor."

Wie in früherer Zeit, so unterwarf Schiller auch jetzt die Gedichte vor oder während der Drucklegung der Kritik Außenstehender. Dabei zeigte sich, daß die Unsicherheit gegenüber sich selbst und damit die Beeinflußbarkeit durch die Kritiker nicht mehr so groß waren wie einst. Allerdings waren die Personen, an die sich Schiller 1795 wandte, nicht identisch mit denen, die 1788/89 weitreichende Mitbestimmungsrechte genutzt hatten. Wichtig ist vor allem, daß der Wechsel der persönlichen Beziehungen Wieland aus dem Kreis der kritischen Ratgeber ausgeschlossen hatte, während nun Humboldts, des neugewonnenen Freundes, Urteil besonderes Gewicht bekam. Körner wurde in der Regel um seine Antwort gefragt, und zuweilen bemühte sich Schiller um das Placet Goethes sowie um die Meinung Herders. An ein paar Beispielen sollen die praktischen Auswirkungen dieses Verfahrens gezeigt werden.

Zu den Gedichten, die weder Humboldts noch Körners vollen Beifall finden konnten, gehören die Mitte August 1795 entstandenen *Ideale*. Während der eine in dem Gedicht die für Schiller charakteristische „gedrängte Fülle, den Schwung, den raschen Gang" vermißte und den Ausdruck des vorherrschenden Gefühls durch die poetische Form als nicht gelungen ansah[67], bemerkte der andere lakonisch: „Die Ideale haben treffliche Stellen, nur den Schluß wünschte ich kräftiger."[68] Schiller trat den Urteilen zwar entgegen und verteidigte besonders den Schluß, aber er ließ keinen Zweifel daran, daß er das Gedicht anders einschätzte als Goethe, dem es besonders gefallen hatte.[69] Die unterschiedlichen Urteile Humboldts, Goethes und Schillers haben dieselbe Ursache: Mit dem Gedicht hatte der Verfasser, angeregt durch eine Stimmung schwebender Melancholie, ein individuelles Bedürfnis befriedigt, ohne auf allgemeine Bedürfnisse oder auf klar zu formulierende Lehren der Weltweisheit Rücksicht zu nehmen. „Die Empfindung aus der es entsprang", schrieb Schiller an Humboldt[70], „theilt es auch mit und auf mehr macht es, seinem Geschlecht nach, nicht Anspruch." Im Grunde teilte Schiller die Überzeugung Humboldts, der Dichter müsse sich vor der Darstellung subjektiver Zustände und zufälliger Stimmungen hüten, und so ist sein Diktum, mit dem er sich verteidigte, als ebenso selbstkritisch wie apologetisch zu verstehen. — Auf eine der beiden kritischen Einzelbemerkungen Humboldts zu den *Idealen*[71] konnte Schiller vor dem Druck des Gedichts noch mühelos eingehen: Er ersetzte an einer Stelle — vermutlich in Vers 69 — „Minne" durch „Liebe". Das zweite Bedenken berücksichtigte er, als er seine gesammelten Gedichte für den Druck vorbereitete.[72]

Weit zufriedener als mit den *Idealen* waren sowohl Humboldt als auch Körner mit der *Würde der Frauen.* Das Gedicht entsprach ihren — vor allem Humboldts — Vorstellungen von dem, was die Dichtkunst zu leisten habe, und dem, was Schiller zu leisten imstande sei. Humboldt nannte es „ein göttliches Stück"[73], in dem allgemeine Wahrheiten in einer „schönen und angemeßnen Diction ausgeprägt" seien.[74] Das Lob hat einen unmittelbar einsichtigen Grund: Die allgemeinen Wahrheiten hatte Humboldt ein paar Monate vorher, zum Teil in wörtlich gleichen oder ähnlichen Formulierungen, in seinen *Horen*-Aufsätzen *Ueber den Geschlechtsunterschied und dessen Einfluß auf die organische Natur* und *Ueber die männliche und weibliche Form* behandelt.[75] — Die herbe Kritik an der *Würde der Frauen,* die Schiller bedenklich machte, erfuhr das Gedicht erst nach seiner Veröffentlichung. Friedrich Schlegel, zum Beispiel, billigte ihm nichts Poetisches zu, während *Die Ideale* ihm Anlaß gaben, von Schiller als dem „Meister in der Kunst" zu sprechen.[76] Mit seinem poetischen Glaubensbekenntnis stand Friedrich Schlegel eben Goethe sehr viel näher als Humboldt und Schiller. Über die Wirkung, die sein Urteil auf Schiller hatte, soll später noch etwas gesagt werden.[77]

Die weitgehende Übereinstimmung zwischen Humboldt und Schiller in Fragen der Dichtungstheorie, Geschichtsauffassung und Anthropologie hatte zur Folge, daß die Bemerkungen Humboldts über Gedichte Schillers von gänzlich anderer Qualität waren als die seinerzeit von Wieland vorgebrachten Einwände, durch die dieser Inhalt und Form der *Künstler* zu beeinflussen vermocht hatte. Humboldt dachte wohl nicht daran, seinen Einfluß in vergleichbarer Weise zu erweitern, und er wird auch gewußt haben, daß ein Versuch, es zu tun, ohne Erfolg geblieben wäre. Schiller hatte sich in den Jahren seiner poetischen Abstinenz mit jener philosophischen Festigkeit gewappnet, die ein Eingehen auf grundsätzliche Bedenken gegen den Gedankengehalt seiner poetischen Werke zur Zeit seiner Entstehung und Veröffentlichung nahezu ausschloß.[78] Daß sich seine Auffassung später (oft schon sehr bald) änderte, lag nicht in erster Linie an einer Unsicherheit gegenüber sich selbst, sondern an der Geschwindigkeit der Entwicklung, mit der er die Vergangenheit hinter sich ließ. Wenn er 1795 ein Gedicht schrieb, fühlte er sich am „Ufer der Philosophie" wohl; „das freye Meer der Erfindung" schien ihm mancherlei Gefahren zu bergen.[79] — Schillers Selbstbewußtsein äußerte sich u. a. in dem Brief, mit dem er *Das Reich der Schatten* an Humboldt schickte; es heißt dort:

> Es ist gewiß, daß die Bestimmtheit der Begriffe dem Geschäft der Einbildungskraft unendlich vortheilhaft ist. Hätte ich nicht den sauren Weg durch meine Aesthetik geendigt, so würde dieses Gedicht nimmermehr zu der Klarheit und Leichtigkeit in einer so difficilen Materie gelangt seyn, die es wirklich hat.[80]

Es überrascht daher nicht, daß Schiller den Einwänden Körners nicht mehr entfernt die Bedeutung beimaß, die sie in früherer Zeit für ihn und seine Arbeiten gehabt hatten.

Zwar wird nicht der eitle Wunsch nach Selbstbestätigung Schiller dazu bestimmt haben, seine Gedichte vor der Veröffentlichung nach Dresden und Berlin (bzw. Tegel) zu schicken, aber der Hauptgrund wird wohl auch nicht in dem bescheidenen Eingeständnis zu suchen sein, es möchte noch notwendig sein, die „Wortfeile" anzusetzen, metrische Unebenheiten zu glätten und Undeutliches deutlich zu machen. Die Zweifel an der Angemessenheit seines Ausdrucks, an der Fähigkeit der Differenzierung und Nuancierung durch poetisches Sprechen waren sicher noch nicht gänzlich geschwunden, und deshalb sollten Humboldt und, in geringerem Maße, Körner in dieser Hinsicht hilfreich sein; dennoch war sich Schiller der Fortschritte, die er gemacht hatte, wohl bewußt und empfand sich nicht länger als unfertigen Schüler, der jeden, der sich als Lehrer ausgab, in seinem Urteil bestätigte. Das zeigt folgendes Beispiel:

Das Reich der Schatten sei „ein Muster der didaktisch-lyrischen Gattung", erklärte Humboldt, nachdem er sich das Gedicht hatte „zu eigen machen" können; Schiller habe „mit der vollkommenen Präcision der Begriffe die höchste poetische Individualität und die völlige sinnliche Klarheit in der Darstellung" erreicht. Gleichwohl sparte der bewundernde Freund nicht mit Hinweisen auf mögliche Verbesserungen im einzelnen: Ein paar Wendungen schienen ihm nicht klar genug, einige unreine Reime notierte er, und schließlich störte er sich an der Elision des Vokals i in verschiedenen Adjektiven.[81] Schiller, der das für die *Horen* bestimmte Gedicht bereits an Cotta geschickt hatte, ging auf alle Einwände Humboldts ein[82], — keinen ließ er gelten; auch der Reim „Sklave — schlafe" schien ihm völlig in Ordnung zu sein. — Körner vermißte in dem Gedicht „hier und da Bestimmtheit und Evidenz" und sah voraus, daß wegen der Schwierigkeit der behandelten Materie „das Publikum eines solchen Gedichts auf eine kleinere Zahl" beschränkt bleibe.[83] Die Wirkung des veröffentlichten Gedichts bestätigte diese Vermutung und veranlaßte Schiller, das Gedicht für die spätere Veröffentlichung zu ändern.

Unter den 1795 entstandenen Gedichten schätzte Schiller selbst die *Elegie* (später *Der Spaziergang* genannt) am meisten; er wurde in seiner hohen Meinung durch Körner, Goethe, Herder und Humboldt bestätigt. Körner rühmte das glückliche „Schwanken zwischen der philosophischen und der dichterischen Begeisterung", die sich im Gedicht kundtue[84]; Goethe hob die Schiller eigene „sonderbare Mischung von Anschauen und Abstractionen", die „sich nun in vollkommenem Gleichgewicht" zeige, hervor[85]; Herder nannte das Gedicht ein „geordnetes Gemählde aller Scenen der Welt und Menschheit" und pries die Verse als „sehr gut", die Sprache als „ungeheuer glücklich"[86]. Humboldt endlich antwortete auf die Übersendung der *Elegie* mit einer ausführlichen Interpretation, die in dem Urteil gipfelte: „Alles ist im höchsten Grade klar, unglaublich schön, und freiwillig fließt eins aus dem andern her, und mit der größesten Deutlichkeit durchschaue ich jetzt die herrliche O r g a n i s a t i o n dieser eignen W e l t."[87] Daneben kritisierte Humboldt nicht weniger als 20 Einzelstellen, bei denen ihm Wörter nicht gut gewählt, metrische Gesetze verletzt und die Vorschrift, den Hiatus zu meiden, nicht beachtet schienen. Obwohl Schiller die Einwände für den Druck des Gedichts nicht mehr berücksichtigen konnte, setzte er sich gründlich mit ihnen auseinander und akzeptierte sie in den meisten Fällen. In der späteren Fassung des Gedichts sind 15 der 20 Stellen, an denen Humboldt Anstoß genommen hatte, geändert. Schiller wußte und gestand es ein, daß er in metrischen Fragen zum Beispiel (noch) keinen Anspruch auf Kompetenz machen konnte; er sei, schrieb er an Humboldt, „hierinn der roheste Empiriker", und ihm seien „der Hexameter und Pentameter [...] ganz fremd, in Rücksicht auf Theorie und Critik."[88] Deshalb solle Humboldt nach weiteren Fehlern suchen: „Da Sie so blöde und schaamhaft sind, selber mit der Muse [keine] Kinder zu zeugen, so adoptieren oder erziehen Sie mir vielmehr die meinigen. Dafür sollen Sie denn auch die Vatersfreuden mit mir theilen."[89] — Damit genug der Beispiele, die zeigen sollten, in welchem Maße die private Kritik Einfluß auf Schillers Arbeiten gewinnen konnte.

Je lieber ihm seine Kinder waren, desto besorgter war Schiller um einen Erzieher, der die vorhandenen Spuren des Schlechten und Mangelhaften zu tilgen in der Lage war. In ihrer Substanz bedurften diese Kinder keiner Korrektur, also auch keiner Kritik; der Vater verantwortete sie. Für die äußere Erscheinung hingegen war ein teilnehmender Berater von Geschmack und Kenntnissen sehr willkommen. — Schiller bewahrte sich die Offenheit für kritische Anmerkungen über Schwächen seiner Dichtungen — sofern es sich um Anmerkungen zu sprachlichen, metrischen, ‚technischen' Erscheinungen, zu Fragen der Ästhetik und Dramaturgie handelte — bis zu seinem Tod. Und er nahm nicht nur die befreundeten Kritiker ernst, sondern auch die ihm fernstehenden und darunter sogar einige, deren intellektuellen, künstlerischen oder moralischen Rang er gering achtete. Wie sich diese Tatsache auswirkte, soll an denselben Gedichten beispielhaft gezeigt werden, die bereits unter anderem Aspekt Gegenstand dieser Erörterungen waren. Einige Beobachtungen allgemeinerer Art seien zunächst mitgeteilt.

Alle acht Tage sei Schiller ein anderer gewesen, hat Goethe gesagt. Wie sah sich Schiller selbst? Der Wille und die daraus resultierende Anstrengung, sich fortzuentwickeln, waren ungewöhnlich; die Erkenntnis des Fortschreitens, des Erfolges also, ließ keinen Stillstand erwarten; dieser wäre allenfalls im Zustand der Resignation denkbar gewesen. Kontemplation? Muße? Wenn sie nicht aufhielten, waren sie möglich; wenn sie nötig waren, wurden sie bemüht, — nicht immer mit Erfolg freilich. Es ist sicher nicht ganz unzutreffend, was Friedrich Schlegel 1795 von Körner gehört haben will: daß Schiller während der dichterischen Tätigkeit „die Gedanken mit der größten Anstrengung h e r a u f - p u m p e n" müsse.[90]

Was Schiller schrieb, charakterisiert ihn vielleicht als Schriftsteller oder Mensch zum Zeitpunkt der Entstehung eines Werkes, — weitere Folgerungen hat er nicht gestattet. — Nicht lange nach ihrer Veröffentlichung verwarf Schiller *Die Götter Griechenlandes*; *Die Künstler* wurden ihm bald fremd; gegen *Die Ideale, Würde der Frauen* und *Das Reich der Schatten* meldete er Bedenken an, nachdem die Gedichte gerade gedruckt waren[91]; „[...] auf die Elegie besinne ich mich immer mit Vergnügen und mit keinem müßigen [...]" — zwei Monate nach der Fertigstellung und einen Monat nach dem Erscheinen des Gedichts[92]; später ist von dem solchermaßen Ausgezeichneten nicht mehr die Rede. Für dieses Verhältnis Schillers zu sich selbst ist folgendes kennzeichnend: Er hing nicht sonderlich an seinen abgeschlossenen und veröffentlichten Werken, ja er war nicht einmal darum besorgt, die eigenen Werke zu besitzen. Im Oktober 1788 fragte er bei Körner an, ob dieser seine — Schillers — Dissertation besitze und verleihen könne[93]; im August 1795 mußte er auf eine Anfrage F. H. Jacobis mitteilen, er habe *Die Künstler* nur in einem Exemplar besessen und besäße sie nun gar nicht mehr[94]; 1797 wußte er nicht einmal mehr, in welchem Jahr das Gedicht erschienen war[95]; einmal bat er Cotta, ihm die erste Auflage der *Räuber* zu besorgen[96]; ein anderes Mal sollte der Tübinger Verleger auch von *Kabale und Liebe* ein Exemplar auftreiben[97]; am 4. Mai 1798 schrieb Schiller an Goethe: „Ist der Wallenstein einmal fertig und gedruckt, so interessiert er mich nicht mehr [...]."[98] Die Beispiele ließen sich mehren.

Schiller hat, gedrängt durchs Publikum, in späterer Zeit verschiedentlich daran gedacht, seine Jugendwerke, vor allem *Die Räuber* und *Fiesko*, für die Bühne neu zu bearbeiten; die Pläne scheiterten. Die Werke waren in Schillers Augen Dokumente einer Epoche, die er ganz und gar überwunden hatte, an die ihn nichts mehr band und von der er gelegentlich mit Unwillen sprach. Was wäre durch Bearbeitungen der Dramen für diese gewonnen worden? Die Bemerkung Caroline von Wolzogens[99] (die durch eine fast gleichlautende Friedrich von Hovens gestützt wird[100]), Schiller habe zuweilen gewünscht, seine Jugendwerke wären ungedruckt geblieben, ist nicht unglaubwürdig; noch weniger Zweifel sind an der überlieferten Äußerung Schillers angebracht, es wäre „ihm schwerer geworden, ein altes Stück zu ändern als ein neues zu machen".[101] Dagegen fiel es ihm nicht schwer, die Werke anderer Autoren zu bearbeiten: Shakespeares, Lessings, Goethes. Es geschah dies nicht, weil er den Autoren und ihren Werken distanzierter, unbeteiligter gegenüberstand als sich selbst, sondern — weil er ihnen näherstand. Es ist nicht zu bestreiten, daß Schiller im Jahre 1800 *Macbeth* nicht nur für besser als *Fiesko* hielt, sondern jenes Stück auch besser verstand als dieses, mit jenem sich beschäftigte, weil es, im Gegensatz zu diesem, seine poetischen Interessen berührte und den Entwicklungsgang seines Geistes förderte.

Als Schiller Kritik an Bürger übte, schloß er sich in die Kritik mit ein; das ist oft genug bemerkt worden. Wichtig ist: Schiller konnte sich begegnen wie einem Fremden; er konnte sich scharf zurechtweisen und für eigenes, in der

Vergangenheit liegendes Handeln die Verantwortung in der Gegenwart ablehnen. (Schon immer hatten die, welche auf der Suche nach der Einheit der großen Person Schillers waren, nur auf Kosten der historischen Wirklichkeit Erfolg. Es gibt auch sehr unterschiedliche Vorlieben für den Dichter, deshalb.) Was bedeutet dies für das Verständnis Schillers zur literarischen Kritik? Die Beurteiler, die schon Jahre zuvor aus distanzierter Position nach bestimmten Prinzipien Werke Schillers besprochen und kritisiert hatten, wurden nun von dem sich selbst beurteilenden und kritisierenden Dichter eher anerkannt als früher, da ihn die Überzeugung von dem Wert der eigenen Leistung und dem Unrecht der Kritik noch bestimmt haben mochte. Es waren Fremde unter sich, die versucht hatten oder noch versuchten, sich am selben Objekt zu messen und zu bestätigen: die Kritiker von damals und Schiller, der Autor, als der seiner Vergangenheit Entfremdete.

Die grundsätzlichen Einwände Schillers gegen seine früheren Werke überwogen meistens die Einzelkritik; bei den öffentlichen Kunstrichtern war das Verhältnis in der Regel umgekehrt gewesen. Es lag daher nahe, daß Schiller bei der Vorbereitung für den Neudruck seiner Gedichte dieser Einzelkritik besondere Aufmerksamkeit schenkte, war doch kaum ein Gedicht in seinem Gehalt auch nur anzutasten, geschweige wesentlich zu verändern. Es konnten zwar Epitheta ausgetauscht, metrische Glättungen vorgenommen, Einzelverse und Versgruppen variiert oder auch fortgelassen werden, — ein neues Gedicht entstand dadurch nicht.

Die Götter Griechenlandes, das Gedicht der Klage um verlorene Schönheit und verlorenes Glück, der Trauer über eine entseelte Gegenwart, da „ein Andrer" herrscht „auf Saturnus umgestürztem Thron", der Sehnsucht auch nach einem neuen Goldenen Zeitalter, — dieses Gedicht rief bei seinem Erscheinen eine lebhafte Diskussion hervor, die sich an dem religiösen Problem Polytheismus/Monotheismus entzündete und ästhetische Fragen wie die Eigenart der Schillerschen Gedankenführung kaum berücksichtigte. Zu den heftigsten Kritikern des Gedichts gehörte Friedrich Leopold Graf zu Stolberg, der in seinen *Gedanken über Herrn Schillers Gedicht: die Götter Griechenlandes*[102] Schiller „Mißbrauch der Poesie", die selbst nie „lezter Zweck" sein dürfe, vorwarf. „Ein Geist [...], welcher gegen Gott lästert, ist kein guter Geist. Ein Geist, welcher die Tugend verächtlich zu machen sucht, ist kein guter Geist."

Auf die Kritik Stolbergs, die Schiller äußerst betroffen machte[103], und ihn noch Jahre später erklären ließ: „[...] ich bin mit Stolberg in einer gerechten Fehde [...]"[104], antworteten, indirekt und direkt, Körner[105] und Johann Georg Forster[106]; als Replik auf *Die Götter Griechenlandes* veröffentlichte Franz von Kleist im August 1789 im *Teutschen Merkur* das Poem *Das Lob des einzigen Gottes*. Dieses Werk ist, wie auch manche andere Stellungnahme zu Schillers Gedicht, in dem hier untersuchten Zusammenhang ohne Bedeutung. Auch

Körners und Forsters Abrechnungen mit dem gräflichen Aristarchen sind nur insofern erwähnenswert, als in ihnen die ästhetische Position Schillers beschrieben und verteidigt und der Dichter gegen die Vorwürfe eines theologisierenden Moralisten in Schutz genommen wird. Diese entschiedene Parteinahme ist sicher nicht ohne Einfluß auf Schillers spätere Behandlung der *Götter Griechenlandes* geblieben. Vielleicht wäre ohne sie die Zweitfassung des Gedichts gar nicht oder nicht in der vorliegenden Form entstanden?

Da es die Zweitfassung gibt, ist zu fragen, durch wen und durch was sie nachweislich angeregt wurde. Goethe habe, so schrieb Schiller am 2. Februar 1789 an Körner, *Die Götter Griechenlandes* „sehr günstig beurtheilt; nur zu lang hat er sie gefunden, worin er auch nicht unrecht haben mag."[107] Als sich Schiller im Frühjahr 1793 mit der Revision seiner Gedichte beschäftigt, teilt er dem Dresdener Freund mit: „[...] die Götter Griechenlands [...] kosten mir unsägliche Arbeit, da ich kaum mit 15 Strophen darin zufrieden bin."[108] Im selben Brief wird gesagt: „Ueber meine Schönheitstheorie habe ich unterdessen wichtige Aufschlüsse erhalten [...]." — Es ist anzunehmen, daß die zweite Fassung der *Götter Griechenlandes,* die dann erst 1800 in Schillers Gedichtsammlung erschien, im wesentlichen 1793 entstanden ist.

In der neuen Fassung hat Schiller nicht nur dem Wunsch Goethes nach Kürzung und dem eigenen Bedürfnis nach Pointierung des Hauptgedankens Rechnung getragen, sondern er hat auch die Kritik Stolbergs berücksichtigt. Dabei ging es ihm gewiß nicht in erster Linie darum, den Rezensenten zufriedenzustellen, sondern darum, Mißverständnisse, die aufgekommen waren, aus dem Wege zu räumen und an einzelnen Stellen Verbesserungen, die aus gutem Grund gewünscht worden waren, vorzunehmen. Caroline von Wolzogens spätere Erklärung, die Neufassung habe ihre Ursache in Schillers Maxime, „die bessere Ueberzeugung und das Heilige in keinem Menschenherzen zu beleidigen"[109], ist zwar nicht ausreichend, trifft aber für einen Teilbereich des Ursachenkomplexes sicher zu. Schiller mochte sich auch an Körners Bemerkung erinnern: „Einige Ausfälle wünschte ich weg, die nur die plumpe Dogmatik, nicht das verfeinerte Christenthum treffen. Sie tragen zum Werth des Gedichtes nichts bei [...]."[110]

Von den 25 Strophen der ersten Fassung übernahm Schiller nur 14 in die zweite Fassung, darunter nur 7 von den 10 Strophen, die ihm 1788 besonders lieb gewesen waren.[111] Zwei neue Strophen (die nun 6. und 16.) kamen hinzu; die ursprüngliche Reihenfolge der übernommenen Strophen wurde, bis auf eine Ausnahme (die 10. Strophe rückte zwischen die 12. und 14.), beibehalten. Das Gedicht erscheint nun straff gegliedert, die Ordnung wird eindeutig vom antithetischen Prinzip bestimmt: 11 Strophen werden der alten Welt gewidmet, daran schließen sich 4 über die moderne Welt an, die neu hinzugekommene Schlußstrophe enthält die Quintessenz, die an Eindeutigkeit nichts zu wünschen übrig läßt: „Ja sie kehrten heim und alles Schöne / Alles Hohe nahmen sie mit fort, / [...] Was unsterblich im Gesang soll leben / Muß im Leben untergehn."

Diese Tendenz zur Verdeutlichung des Gemeinten und vormals Mißverstandenen drückt sich auch in der anderen Strophe, die Schiller in die zweite Fassung einfügte, klar aus: „[...] Damals war nichts heilig als das Schöne, / Keiner Freude schämte sich der Gott, / [...].“ Daß sich hier Schillers Schönheitstheorie geltend machte, von der im genannten Brief an Körner die Rede war und die zur gleichen Zeit (1793) in der Schrift *Ueber Anmuth und Würde* ihren Niederschlag fand, ist unbezweifelbar.

Die Straffung des Gedichts diente nach Schillers Vorstellung also der Präzisierung des ästhetisch-philosophischen Grundgedankens, den Stolberg in dem Gedicht nicht zu erkennen vermocht hatte. Durch eine Reihe metrischer und sprachlicher Glättungen versuchte der Dichter außerdem, dem Gedicht einen höheren Grad an poetischer Dignität zu verleihen.

Daß sich Schiller bei der Bearbeitung der *Götter Griechenlandes* von der Kritik des Gegners weitgehend leiten ließ, wird durch Zahlen deutlich: Stolberg hatte in seiner Besprechung insgesamt 44 Verse eindeutig mißbilligend zitiert[112]; Schiller strich davon 40. Es scheint, daß er bei der Herstellung der zweiten Fassung Stolbergs Kritik als Arbeitsmaterial unmittelbar verwendet hat. Dafür kann vielleicht auch die folgende Einzelbeobachtung sprechen: „Jeder Leser der Alten“, hatte Stolberg gesagt, „wird bekennen, daß zur Zeit

> Da der Dichtkunst malerische Hülle
> Sich noch lieblich um die Wahrheit wand,

[...] eben diese Dichtkunst so oft allen Zauber der Fantasie und des Witzes aufbot [...].“ Daß Schiller in der zweiten Fassung „mahlerische Hülle“ durch „zauberische Hülle“ ersetzte, ist, so scheint es, am einfachsten durch den Einfluß der Stolbergschen Wendung zu erklären.

Daß Schiller 1803 im zweiten Band seiner gesammelten Gedichte *Die Götter Griechenlandes* noch einmal in der ersten Fassung bot — „Für die Freunde der ersten Ausgabe“ —, lag sicher nicht nur daran, daß sich die Freunde öffentlich zu Wort gemeldet hatten[113], sondern auch daran, daß Schiller glauben konnte, mit der zweiten Fassung gleichsam eine Interpretation der ersten geliefert und diese damit den einstmaligen Mißverständnissen entzogen zu haben. Möglich ist auch, daß er 1803 sein Werk aus dem Jahre 1793 für nicht besser hielt als das aus dem Jahre 1788.

Als sich Schiller im Mai 1793 gegenüber Körner zur Revision seiner Gedichte äußerte, erwähnte er auch *Die Künstler,* die ihm noch mehr Mühe bereiten würden als *Die Götter Griechenlandes*[114]: Zwar finde er „noch sehr viel philosophisch richtiges in d. Künstlern“, aber über das Ganze „fürchte“ er sich zu urteilen.[115] Eine Umarbeitung des Gedichtes wollte nicht gelingen. Da Schiller sie allerdings für unbedingt erforderlich hielt, verzichtete er 1800 darauf, das Gedicht in der Fassung von 1789 wieder zu veröffentlichen. „Nicht alle Stücke, die ich weggelaßen“, schrieb er über seine Gedichtsammlung an Körner[116], sind darum von mir verworfen; aber sie konnten nicht in ihrer alten Gestalt bleiben, und eine neue Bearbeitung hätte mehr Zeit erfodert, als ich dießmal daran wenden konnte. Verschiedene, wie die Künstler, habe ich wohl zwanzigmale in der Hand herum geworfen, eh ich mich decidierte.

Er ging sogar so weit zu sagen, das Gedicht habe „nur einzelne glückliche Stellen". Diese letzte Bemerkung macht deutlich, wie schwierig eine Neufassung war; sie hätte, wie Körner schon 1793 erklärt hatte[117], sicherlich mehr Mühe bereitet als die Abfassung eines ganz neuen Gedichts.

Im zweiten Band der Gedichtsammlung von 1803 erschien dann das Gedicht nahezu unverändert. Von den insgesamt nur fünf nennenswerten Textänderungen waren zwei durch A. W. Schlegels *Künstler*-Kritik angeregt worden[118], zwei weitere ergaben sich aus der Notwendigkeit rhythmischer Glättungen[119], und eine Änderung beseitigte eine sachliche Ungenauigkeit.[120]

Es muß bezweifelt werden, daß es Schiller gelungen wäre, für die sogenannte Prachtausgabe seiner Gedichte, die abschließend für den Druck vorzubereiten ihn der Tod hinderte, *Die Künstler* einer gründlichen Revision zu unterziehen. Unwahrscheinlich ist, daß er sich schließlich doch noch mit Körners 1789, 1793 und 1800 unterbreitetem Vorschlag, das Gedicht zu teilen[121], einverstanden erklärt hätte. Hätte er das Gedicht endgültig verworfen? Oder hätte er die Fassung von 1789 noch einmal veröffenlicht? In diesem Falle wäre es allerdings notwendig gewesen, die Vorerinnerung zum zweiten Band der Gedichtsammlung von 1803 zu zitieren:

> [. . .] bei einer Sammlung von Gedichten, welche sich größtenteils schon in den Händen des Publikums befinden, konnte der poetische Wert nicht allein in Betrachtung kommen. Sie sind schon ein verjährtes Eigentum des Lesers, der sich oft auch das Unvollkommene nicht gern entreißen läßt, weil es ihm durch irgendeine Beziehung oder Erinnerung lieb geworden ist, und selbst das Fehlerhafte bezeichnet wenigstens eine Stufe in der Geistesbildung des Dichters.
>
> Der Verfasser dieser Gedichte hat sich, so wie alle seine übrigen Kunstgenossen, vor den Augen der Nation und mit derselben gebildet; er wüßte auch keinen, der schon vollendet aufgetreten wäre. Er trägt also kein Bedenken, sich dem Publikum a u f e i n m a l in der Gestalt darzustellen, in welcher er n a c h u n d n a c h vor demselben schon erschienen ist. Er freut sich, daß ihm das Vergangene vorüber ist, und insofern er sie überwunden hat, mag er auch seine Schwächen nicht bereuen.[122]

Den ersten Band seiner Gedichte hatte Schiller mehr nach Gesichtspunkten des poetischen Wertes als nach solchen des für die Autobiographie signifikanten dokumentarischen Gehalts ausgewählt. Er hatte es deshalb als wichtig angesehen, den poetischen Wert in Fällen, in denen es ihm möglich erschien, gegenüber früheren Fassungen zu heben; dabei hatte er die kritischen Stimmen der Vergangenheit geprüft und ihre Berechtigung oft anerkannt. Das persönliche Verhältnis zu den Kritikern hatte bei der Korrekturarbeit keine besondere Rolle gespielt. Dem Dichter war — wie schon am Beispiel der *Götter Griechenlandes* deutlich geworden ist — auch die Mitarbeit seiner Gegner willkommen.

In seiner Beurteilung des für den *Musen-Almanach für das Jahr 1796* bestimmten Gedichts *Die Ideale* hatte Humboldt den Vers 58 („Ein reißend bergab rollend Rad"), als „ein wenig hart" gerügt.[123] Schiller billigte das Bedenken und schrieb nun einen ganz neuen, ganz anderen Vers: „Beglückt in seines Traumes Wahn". Ein poetisches Bild wird — es scheint so: kurzerhand — durch die Beschreibung eines als real vorgestellten seelischen Zustandes ersetzt, und am Gehalt des Gedichts ändert sich nichts. Das Beispiel zeigt, wie frei Schiller in seinem Ideenreich schalten konnte, wenn die Konturen einer Idee mit wenigen Strichen deutlich gezeichnet waren. Das bestimmte Allgemeine läßt das unbestimmte Besondere in vielen Ausprägungen zu.

Die von Humboldt monierte Stelle hatte auch dem Kritiker der von Schiller gehaßten und in den *Xenien* gezüchtigten Zeitschrift *Neue Bibliothek der schönen Wissenschaften und der freyen Künste*[124] mißfallen; dieser hatte dem Dichter attestiert, *Die Ideale* enthielten „mehrere tadellose, trefliche Strophen", aber in „nicht wenige(n)" hatte er „gezwungene Ausdrücke, Uebertreibungen, und seltsame Bilder" bemerkt. Die Liste seiner kritischen Bemerkungen ist zu lang, um sagen zu können, inwieweit Schiller sie bei der Bearbeitung des Gedichts berücksichtigt hat. Das für die zweite Fassung Geänderte und Gestrichene hatte der Rezensent zum größten Teil getadelt, — mehr läßt sich nicht mit Sicherheit sagen. Friedrich Jacobs, der 1801 Schillers Gedichtsammlung in der *Neuen Bibliothek der schönen Wissenschaften und der freyen Künste* besprach, glaubte allerdings, daß die Kritik seines Kollegen die schönsten Früchte gezeitigt hätte: die Zeitschrift freue sich, „daß [...] die gemachten Ausstellungen (eines andern Rezensenten) gewissenhaft beherzigt worden sind."[125] — Friedrich Schlegel hatte in seiner Besprechung des *Musen-Almanachs für das Jahr 1796* gesagt: „Um die ‚Knoten der Liebe' und die ‚Säule der Natur' aus den Idealen zu tilgen, gäbe ich gern die *Würde der Frauen*."[126] Schiller tilgte die Wendungen, indem er die zweite Hälfte der 4. Strophe (sie wurde in der zweiten Fassung die 3. Strophe) ganz neu dichtete. Ein weiterer Einwand Schlegels erledigte sich dadurch, daß Schiller das Gedicht — um insgesamt 16 Verse — kürzte.

Wenig Glück hatte das zunächst von Körner und Humboldt beifällig aufgenommene Almanachs-Gedicht *Würde der Frauen* bei der öffentlichen Kritik gemacht. Friedrich Schlegel hatte dekretiert: „Strenge genommen kann diese Schrift nicht für ein Gedicht gelten: weder der Stoff noch die Einheit sind poetisch."[127] Der Rezensent der *Neuen Bibliothek [...]* war nicht weniger deutlich gewesen: „Einige Vergleichungen, die der Dichter zwischen dem männlichen und weiblichen Charakter anstellt, sind völlig unwahr, weil, was er ausschließend von dem einen Geschlechte behauptet, mit eben dem Rechte von dem zweyten gesagt werden kann [...]."[128] Ludwig Tieck hatte im *Berlinischen Archiv der Zeit und ihres Geschmacks* bemerkt, er habe in dem Gedicht „keinen eigentlichen Plan" entdecken können. „Es sind Gedanken, die sich mehrentheils in recht gut gewählten Bildern gegenüber stehen, die aber nicht untereinander zusammenhängen, und sich noch weniger einander erläutern [...]."[129]

Die Vermutung liegt nahe, daß die Änderungen, die Schiller mit dem Gedicht vornahm, nachdem er es für eine erneute Veröffentlichung bestimmt hatte, im wesentlichen durch die Kritik veranlaßt wurden. Das Gedicht, das ursprünglich 118 Verse hatte, schrumpfte auf 62 Verse, von denen 12 neu gedichtet waren, zusammen; d. h. nur 50 Verse der Erstfassung blieben erhalten. Die Substanz des Gedichtes wurde durch diese Amputation nicht wesentlich verändert.

Einen sehr viel höheren Wert als den *Idealen* und der *Würde der Frauen* maß Schiller selbst den *Horen*-Gedichten *Das Reich der Schatten* und *Elegie* bei. Sie waren nach ihrer Veröffentlichung nur in einer einzigen Besprechung ausführlich gewürdigt worden: in der von August Wilhelm Schlegel, die im Januar 1796 in der *Allgemeinen Literatur-Zeitung* erschienen war.[130] Der Rezensent hatte den Inhalt vom *Reich der Schatten* zu paraphrasieren versucht und eine Deutung angeschlossen („Der ganze Sinn des Gedichtes liegt in dem Apfel Proserpinens begriffen"), mit der Schiller keineswegs zufrieden war.[131] Schlegels Beurteilung bestätigte allerdings nur, was schon vorher deutlich geworden war: Das Gedicht wurde von den meisten Lesern nicht richtig verstanden.[132] Die entscheidende Fehlerquelle lag im Begriff ‚Schatten', der nur selten in der von Schiller gemeinten Bedeutung erkannt wurde. Aus diesem Grund änderte der Dichter die Überschrift und nannte das Gedicht 1800 *Das Reich der Formen*; außerdem strich er 3 der ursprünglich 18 Strophen ersatzlos, weil in ihnen die dem Gedicht zugrundeliegende Idee eher verdunkelt als ans Licht gehoben wird; er opferte also hier, wie auch in anderen Fällen, „der Ründung des Ganzen das einzelne, wo dieß störte", auf, wie er an Körner schrieb.[133] Schließlich wurde durch die Änderung einzelner Wendungen die neue Überschrift präzisiert: Statt „der Schönheit Schattenreich" (V. 40 der Erstfassung) heißt es nun: „des Ideales Reich", oder: „Wo die Schatten selig wohnen" (V. 151 der Erstfassung) ist geändert in: „Wo die reinen Formen wohnen". Durch weitere Änderungen hat Schiller die Zahl der antithetischen Zuspitzungen vermehrt und auch auf diese Weise — sie ist mit Vorsicht als Formalisierung zu bestimmen — den Grundgedanken des Gedichts betont.[134] Niemand anderem als dem von Schiller so oft gehöhnten und gescholtenen Publikum kommt das Hauptverdienst an der Verbesserung des Gedichts zu. Für die zweite Auflage der Gedichtsammlung (1804) änderte Schiller noch einmal die Überschrift; sie lautete nun *Das Ideal und das Leben* und war als weitere Interpretationshilfe gedacht.

Mit A. W. Schlegels Beurteilung der *Elegie* war Schiller auch keineswegs zufrieden gewesen; selbst die Ausführungen des Prosodie-Experten über den Hexameter hatte er nicht billigen können.[135] Den Grund für das mangelhafte Verständnis Schlegels sah Schiller nicht in Schwierigkeiten, die das Gedicht bot, sondern in der Oberflächlichkeit des Kritikers. Zu einschneidenden Veränderungen sah sich der Dichter deshalb nicht veranlaßt, als er die *Elegie* für die Gedicht-sammlung überarbeitete. In sprachlicher Hinsicht gewann das Gedicht, das nun *Der Spaziergang* genannt wurde, hier und da an Präzision und Eleganz, in metrischer Hinsicht wurden einige Korrekturen, die zum Teil auf Humboldt, zum Teil auch auf Karl Philipp Moritz zurückzuführen sind[136], durchgeführt; Ergänzungen und Streichungen — die zweite Fassung ist um 16 Verse kürzer als die erste — dienen demselben Zweck: die Totalität eines in sich geschlossenen Geschichtsbildes überzeugend vorzustellen, das mit einer fixierten Naturansicht, in der Göttliches und Menschliches, Moralisches und Ästhetisches aufgehoben sind, in enger Beziehung steht, — wenn es nicht ganz oder teilweise mit ihr identisch ist. — Der einzige Kritiker, von dem Schiller bei der Überarbeitung des Gedichts profitieren konnte, war Humboldt. Seine Anmerkungen aus dem Jahre 1795 wurden sorgfältig genutzt.[137]

Schiller, der so oft in stolzer Einsamkeit gedacht wird, war, anders als Goethe, bei seiner dichterischen Arbeit von Mitteilung und Teilnahme abhängig. Der Souverän eines kleinen Volkes von Ideen und Begriffen fühlte sich als Untertan in den weiten Grenzen einer durch sinnliche Anschauung erfahrbaren und durch sprachliche Kunstgebilde deutbaren Welt. Er bezweifelte die poetische Fruchtbar-keit seiner subjektiven Stimmungen; er mißtraute seinem Vermögen der adä-quaten Beschreibung, Versinnbildlichung oder Allegorisierung von Geschautem, Gefühltem und Gedachtem; er begleitete außerdem seine geistige Entwicklung mit wacher Skepsis. Fast alle seine Gedichte, auch die für die Sammlung von 1800 neu bearbeiteten, markieren Positionen in der Vergangenheit, also über-wundene Positionen. Wie sie überwunden worden waren und was an ihre Stelle getreten war, konnte durch die Bearbeitungen nicht sichtbar gemacht werden. Das einmal Niedergelegte und Aufbewahrte konnte nur an Faßlichkeit und Evidenz der Idee sowie an Korrektheit, Bestimmtheit und poetischer Qualität der formalen und sprachlichen Mittel gewinnen, d.h. es ging um ‚richtig‘ oder ‚falsch‘ der Darstellungsweise und nicht um ‚wahr‘ oder ‚unwahr‘ erkenntnis-theoretischer oder geschichtsphilosophischer Prinzipien. Um das mögliche Ziel zu erreichen, suchte Schiller, wie schon bei der Entstehung der Gedichte, den Rat der Kritiker. Er war gar nicht „erhaben über das Urtheil der Welt".

Siglen und Abkürzungen:

GA = *Gedenkausgabe* (*Goethes Werke, Briefe und Gespräche.* Hrsg. von Ernst Beut-ler. 24 Bde. Zürich 1948—1954).

NA = *Nationalausgabe* (*Schillers Werke.* Begr. von Julius Petersen. Hrsg. von Liese-lotte Blumenthal und Benno von Wiese. Weimar 1943 ff.).

Biedermann/Herwig = Goethes Gespräche. Eine Sammlung zeitgenössischer Berichte aus seinem Umgang. Auf Grund der Ausgabe und des Nachlasses von Flodoard Freiherrn von Biedermann ergänzt und herausgegeben von Wolfgang Herwig. Bd. 1—3,2. Zürich und Stuttgart 1965—1972.

Braun = Schiller im Urtheile seiner Zeitgenossen. Zeitungskritiken, Berichte und Notizen, Schiller und seine Werke betreffend, aus den Jahren 1781—1805. Ges. und hrsg. von Julius W. Braun. 3 Bde. Leipzig (Bd. 3: Berlin) 1882.

Fambach = Schiller und sein Kreis in der Kritik ihrer Zeit. Die wesentlichen Rezensionen aus der periodischen Literatur bis zu Schillers Tod [...]. [Hrsg.] von Oscar Fambach. Berlin 1957.

Charlotte = Charlotte von Schiller und ihre Freunde. (Hrsg. von Ludwig Urlichs.) 3 Bde. Stuttgart 1860—1865.

Jonas = Schillers Briefe. Hrsg. und mit Anmerkungen versehen von Fritz Jonas. Kritische Gesamtausgabe. 7 Bde. Stuttgart, Leipzig, Berlin und Wien (1892—1896).

Schiller/Körner = Schillers Briefwechsel mit Körner. Von 1784 bis zum Tode Schillers. Zweite vermehrte Auflage. Hrsg. von Karl Goedeke. 2 Tle. Leipzig 1878.

Anmerkungen

[1] *Biedermann/Herwig,* Bd. 3,2, S. 630 (Goethe zu Felix Mendelssohn am 1. Juni 1830).

[2] Vgl. z. B. *GA,* Bd. 11, S. 643 f. (*Tag- und Jahreshefte* für 1794), außerdem Anm. 11; dazu Benno von Wiese: *Friedrich Schiller.* Stuttgart 1959, S. 527 f.

[3] Vgl. *GA,* Bd. 24, S. 331 (Goethe zu Eckermann am 24. März 1829).

[4] Vgl. ebd., S. 217 (Goethe zu Eckermann am 18. Januar 1827).

[5] Vgl. *Biedermann/Herwig,* Bd. 1, S. 514 (Goethe zu Falk am 24. Juni 1792) und Bd. 3,1, S. 175 (Goethe zu Conta im Mai 1820); außerdem Anm. 18.

[6] *GA,* Bd. 5, S. 148 (*Faust. Eine Tragödie.* V. 218—221).

[7] *Charlotte,* Bd. 1, S. 105.

[8] Ebd., S. 112.

[9] Ebd.

[10] *GA,* Bd. 2, S. 96 (*Epilog zu Schillers Glocke.* V. 29—32).

[11] *GA,* Bd. 21, S. 946 (Goethe an Zelter vom 9. November 1830).

[12] *Charlotte,* Bd. 1, S. 106.

[13] Ebd., S. 105.

[14] *NA,* Bd. 30, S. 91.

[15] Vgl. *NA,* Bd. 28, S. 89 f. (Schiller an Cotta vom 30. Oktober 1795).

[16] Ebd., S. 54 (Schiller an F. L. W. Meyer vom 14. September 1795).

[17] Vgl. *NA,* Bd. 27, S. 32 (Schiller an Goethe vom 31. August 1794).

[18] *GA,* Bd. 24, S. 73 (Goethe zu Eckermann am 14. November 1823).

[19] Vgl. dazu Benno von Wiese: *Goethe und Schiller im wechselseitigen Vor-Urteil.* Köln und Opladen 1967, S. 15 f. und 30 f.; außerdem Gerhard Storz: *Gesichtspunkte für die Betrachtung von Schillers Lyrik.* In: *Jahrbuch der Deutschen Schillergesellschaft* 1968, S. 259—274 (bes. S. 259—263).

[20] *GA,* Bd. 10, S. 569 (aus dem 12. Buch).

[21] *NA,* Bd. 36,1, S. 398 (Goethe an Schiller vom 7. Dezember 1796).

[22] *Jonas,* Bd. 5, S. 251.

23 Ebd., S. 259.

24 *GA*, Bd. 24, S. 73 (Goethe zu Eckermann am 14. November 1823).

25 *GA*, Bd. 14, S. 955 (aus der Besprechung der englischen *Wallenstein*-Übersetzung).

26 *Jonas*, Bd. 2, S. 30 (Schiller an Körner vom 17. März 1788).

27 Vgl. dazu Wolfgang Frühwald: *Die Auseinandersetzung um Schillers Gedicht „Die Götter Griechenlandes“*. In: *Jahrbuch der Deutschen Schillergesellschaft* 1969, S. 251 bis 271 (bes. S. 254).

28 *Jonas*, Bd. 2, S. 75 (Schiller an Körner vom 12. Juni 1788).

29 Vgl. unten, S. 143—145.

30 Vgl. dazu Franz Berger: *„Die Künstler“ von Friedrich Schiller. Entstehungsgeschichte und Interpretation.* (Diss.) Zürich 1964, S. 5—26.

31 *Jonas*, Bd. 2, S. 139.

32 Ebd., S. 216 (Schiller an Körner vom 2. Februar 1789).

33 Vgl. ebd., S. 149 (Schiller an Körner vom 14. November 1788).

34 Vgl. ebd., S. 180 (Schiller an Körner vom 12. Dezember 1788).

35 Ebd., S. 207 (Schiller an Körner vom 12. Januar 1789).

36 *Schiller/Körner*, Bd. 1, S. 263 (Körner an Schiller vom 16. Januar 1789).

37 *Jonas*, Bd. 2, S. 210 (Schiller an Körner vom 22. Januar 1789).

38 Vgl. ebd., S. 216.

39 Vgl. ebd., S. 222 (Schiller an Caroline von Beulwitz vom 5. Februar 1789).

40 Vgl. ebd., S. 216 (Schiller an Körner vom 2. Februar 1789).

41 Seine Begründungen finden sich zum größten Teil im Brief an Körner vom 22. Januar 1789 (*Jonas*, Bd. 2, S. 209—211).

42 *Schiller/Körner*, Bd. 1, S. 263 (Körner an Schiller vom 16. Januar 1789).

43 Vgl. *Jonas*, Bd. 2, S. 210 (Schiller an Körner vom 22. Januar 1789).

44 Vgl. *NA*, Bd. 35, S. 323 (Körner an Schiller vom 2. September 1795).

45 Vgl. *Jonas*, Bd. 2, S. 225 (Schiller an Körner vom 9. Februar 1789).

46 Vgl. ebd., S. 210—211 (Schiller an Körner vom 22. Januar 1789).

47 Der Brief, mit dem Schiller das Gedicht an Wieland schickte, ist undatiert; er wird etwa am 5. Februar geschrieben worden sein; vgl. *Jonas*, Bd. 2, S. 223 f.

48 *Jonas*, Bd. 2, S. 223 f.

49 Ebd., S. 225.

50 Vgl. dazu auch den weiteren Text des Briefes an Körner vom 9. Februar 1789 (*Jonas*, Bd. 2, S. 225 f.).

51 Schiller hatte in seinem Brief an Wieland um eine „Ansicht der Correctur“ gebeten (*Jonas*, Bd. 2, S. 224).

52 Der Gesprächstermin ergibt sich aus Schillers Briefen an Körner vom 9. Februar und an Charlotte von Lengefeld und Caroline von Beulwitz vom 12. Februar 1789 (vgl. *Jonas*, Bd. 2, S. 227 und 229).

53 *Jonas*, Bd. 2, S. 236 (Schiller an Körner vom 25. Februar 1789).

54 Ebd.

55 Vgl. seinen Brief an Körner vom 9. Februar 1789 (*Jonas*, Bd. 2, S. 224—227).

56 *Jonas*, Bd. 2, S. 229 f.

57 Vgl. ebd., S. 237 (Schiller an Körner vom 25. Februar 1789).

58 Von dem zweiten Teil des Gedichts waren mit Sicherheit die Versgruppen 8 und 16 schon vorher da; der Versuch weiterer Bestimmungen führt wohl ins Spekulative.

59 Vgl. *Jonas*, Bd. 2, S. 236 f. (Schiller an Körner vom 25. Februar 1789).

60 Ebd., S. 247 (Schiller an Körner vom 9. März 1789).

61 Vgl. *Schiller/Körner*, Bd. 1, S. 295 (Körner an Schiller vom 19. März 1789).

62 Vgl. *Jonas*, Bd. 2, S. 265 (Schiller an Körner vom 30. März 1789).

[63] *Jonas,* Bd. 3, S. 314 (Schiller an Körner vom 27. Mai 1793).

[64] *Jonas,* Bd. 2, S. 237 (Schiller an Körner vom 25. Februar 1789).

[65] Ebd., S. 262.

[66] *NA,* Bd. 28, S. 1 f.

[67] *NA,* Bd. 35, S. 314 (Humboldt an Schiller vom 31. August 1795).

[68] Ebd., S. 323 (Körner an Schiller vom 2. September 1795).

[69] Vgl. Schiller an Humboldt vom 7. September 1795 (*NA,* Bd. 28, S. 43 f.).

[70] *NA,* Bd. 28, S. 43. — Über Schillers Lyrikauffassung vgl. Käte Hamburger: *Schiller und die Lyrik. In: Jahrbuch der Deutschen Schillergesellschaft* 1972, S. 299—329 (für den hier angedeuteten Zusammenhang bes. S. 328). Die Abhandlung, die sich in einigen Punkten mit dem vorliegenden Aufsatz berührt, erschien erst nach dessen Fertigstellung.

[71] Vgl. *NA,* Bd. 35, S. 315 (Humboldt an Schiller vom 31. August 1795).

[72] Vgl. unten, S. 147.

[73] *NA,* Bd. 35, S. 328 (Humboldt an Schiller vom 8. September 1795).

[74] Ebd., S. 334 f. (Humboldt an Schiller vom 11. September 1795).

[75] Über Einzelheiten der Abhängigkeit des Schillerschen Gedichts von den Abhandlungen Humboldts vgl. den Bericht über einen Vortrag von Fr. Rehorn: *W. von Humboldts Aufsätze über den Unterschied der Geschlechter und ihr Einfluß auf die Lyrik Schillers.* In: *Berichte des Freien Deutschen Hochstiftes zu Frankfurt am Main.* N. F., Bd. 10, 1894, S. 362—374 (bes. S. 370—372).

[76] Schlegels Kritik erschien im Juli 1796 in Reichardts Zeitschrift *Deutschland* (Bd. 2, S. 348—360); abgedruckt in: *Fambach,* S. 265—269; das Zitat ebd., S. 267.

[77] Vgl. unten, S. 147 f.

[78] Vgl. dazu den in Anm. 19 genannten Aufsatz von G. Storz (bes. S. 272—274).

[79] Vgl. *NA,* Bd. 28, S. 88 (Schiller an August Wilhelm Schlegel vom 29. Oktober 1795).

[80] Ebd., S. 23 (Schiller an Humboldt vom 9. August 1795).

[81] Vgl. Humboldt an Schiller vom 21. August 1795 (*NA,* Bd. 35, S. 294—297).

[82] Vgl. Schillers Brief an Humboldt vom 7. September 1795 (*NA,* Bd. 28, S. 45 f.).

[83] *NA,* Bd. 35, S. 343 (Körner an Schiller vom 14. September 1795).

[84] Ebd., S. 357 (Körner an Schiller vom 27. September 1795).

[85] Ebd., S. 373 (Goethe an Schiller vom 6. Oktober 1795).

[86] Ebd., S. 375 (Herder an Schiller vom 10. Oktober 1795).

[87] Ebd., S. 393 (Humboldt an Schiller vom 23. Oktober 1795).

[88] *NA,* Bd. 28, S. 116 (Schiller an Humboldt vom 29. November 1795).

[89] Ebd., S. 118.

[90] *Friedrich Schlegels Briefe an seinen Bruder August Wilhelm.* Hrsg. von Oskar F. Walzel. Berlin 1890, S. 234 (Brief vom 17. August 1795).

[91] Vgl. oben, S. 134 und 137 sowie *NA,* Bd. 28, S. 115 (Schiller an Humboldt vom 29. November 1795).

[92] Ebd.

[93] Vgl. *Jonas,* Bd. 2, S. 133 (Schiller an Körner vom 20. Oktober 1788).

[94] Vgl. *NA,* Bd. 28, S. 35 (Schiller an Jacobi vom 28. oder 29. August 1795).

[95] Vgl. *Briefe von und an August Wilhelm Schlegel.* Ges. und erl. durch Josef Körner. Zürich, Leipzig und Wien 1930. T. 1, S. 60 (Caroline Schlegel an Karl August Böttiger vom 23. März 1797).

[96] Vgl. *Jonas,* Bd. 5, S. 286 (Schiller an Cotta vom 14. November 1797).

[97] Vgl. *Jonas,* Bd. 6, S. 431 (Schiller an Cotta vom 27. November 1802).

[98] *Jonas,* Bd. 5, S. 378.

[99] Vgl. Caroline von Wolzogen: *Schillers Leben* [. . .]. 5. Aufl. Stuttgart 1876, S. 272.

100 Vgl. *Biographie des Doctor Friedrich Wilhelm von Hoven. Von ihm selbst geschrieben* [...]. Nürnberg 1840, S. 125.

101 Vgl. *Euphorion*, Bd. 12, 1905, S. 48 (Charlotte von Schiller an Cotta, etwa Anfang September 1805).

102 Die Kritik erschien im August 1788 in Boies Zeitschrift *Deutsches Museum* (Bd. 2, S. 97—105); abgedruckt in: *Fambach*, S. 44—49; *Braun*, Bd. 1, S. 208—215; die Zitate nach *Braun*, Bd. 1, S. 213.

103 Vgl. *Fambach*, S. 50 f.

104 *NA*, Bd. 28, S. 275 (Schiller an Goethe vom 31. Juli 1795).

105 Körner veröffentlichte im März 1789 in Schillers *Thalia* (Bd. 2, 6. Heft, S. 59—71) einen Aufsatz mit dem Titel *Ueber die Freiheit des Dichters bei der Wahl seines Stoffs;* abgedruckt in: *Fambach*, S. 53—57.

106 Forsters Entgegnung auf Stolbergs Kritik, *Fragment eines Briefes an einen deutschen Schriftsteller, über Schillers Götter Griechenlands,* erschien 1789 in Archenholtz' Zeitschrift *Neue Litteratur und Völkerkunde* (Bd. 1, S. 373—392); abgedruckt in: *Fambach*, S. 60—68.

107 *Jonas*, Bd. 2, S. 218.

108 *Jonas*, Bd. 3, S. 311 (Schiller an Körner vom 5. Mai 1793).

109 Caroline von Wolzogen: *Schillers Leben* [...]. 5. Aufl. Stuttgart 1876, S. 149 f.

110 *Schiller/Körner*, Bd. 1, S. 183 f. (Körner an Schiller vom 25. April 1788).

111 Vgl. *Jonas*, Bd. 2, S. 75 (Schiller an Körner vom 12. Juni 1788).

112 V. 69 f., 81—88, 101—104, 129—132, 133—136, 153—156, 177—184, 191 f. und 193—200. Die ebenfalls zitierten Verse 9 f. und 137—140 hat Stolberg nicht ausdrücklich angegriffen.

113 Der Kritiker der *Neuen allgemeinen deutschen Bibliothek,* der 1801 (Bd. 61, S. 297—303) Schillers Gedichtsammlung besprach, bedauerte die Kürzung des Gedichts und zitierte 4 der gestrichenen Strophen (vgl. *Braun*, Bd. 3, S. 144—146).

114 Vgl. *Jonas*, Bd. 3, S. 311 (Schiller an Körner vom 5. Mai 1793).

115 *Jonas*, Bd. 3, S. 314 (Schiller an Körner vom 27. Mai 1793).

116 *NA*, Bd. 30, S. 206 (Schiller an Körner vom 21. Oktober 1800).

117 Vgl. *Schiller/Körner*, Bd. 2, S. 65 (Körner an Schiller vom 11. Mai 1793).

118 Schlegels Kritik war 1790 in Bürgers *Akademie der schönen Redekünste* (Bd. 1, S. 127—179) erschienen; abgedruckt in: *Fambach*, S. 74—89. Auf Schlegels Rat änderte Schiller „in erhabnen Fernen" (V. 189) in „nach erhabnen Fernen" und „Fechters" (V. 262) in „Ringers".

119 V. 106 kürzte Schiller um 1 Versfuß, V. 445 um 2 Versfüße.

120 Als Instrument des Orpheus wird die Leier genannt (V. 170); sie ersetzt die Zitter der Erstfassung.

121 Vgl. *Schiller/Körner*, Bd. 1, S. 267; Bd. 2, S. 68 und 357 (Körner an Schiller vom 30. Januar 1789, 31. Mai 1793 und 10. September 1800).

122 *NA*, Bd. 22, S. 112.

123 Vgl. *NA*, Bd. 35, S. 315 (Humboldt an Schiller vom 31. August 1795).

124 *Neue Bibliothek* [...]. Bd. 58, 2. Stück, S. 285—317; abgedruckt in: *Braun*, Bd. 2, S. 160—176; das Zitat ebd., S. 163.

125 *Neue Bibliothek* [...]. Bd. 65, 1. Stück, S. 80—124; abgedruckt in: *Braun*, Bd. 3, S. 146—172; das Zitat ebd., S. 169.

126 Vgl. Anm. 76; zitiert nach *Fambach*, S. 267.

127 Zitiert nach *Fambach*, S. 267.

128 Vgl. Anm. 124; zitiert nach *Braun*, Bd. 2, S. 168.

[129] Tiecks Rezension des Musenalmanachs war im März 1796 in der genannten Zeitschrift erschienen; vgl. *Braun*, Bd. 2, S. 120—123; das Zitat ebd., S. 120.

[130] *Allgemeine Literatur-Zeitung* 1796. Nr. 4—6 vom 4., 5. und 6. Januar; abgedruckt in: *Fambach*, S. 185—201.

[131] Vgl. Schiller an Humboldt vom 9. und 25. Januar 1796 (*NA*, Bd. 28, S. 163 und 172 f.).

[132] Vgl. Humboldt an Schiller vom 13. November und 11. Dezember 1795 (*NA*, Bd. 36,1, S. 18 und 45) sowie Schiller an Humboldt vom 29. und 30. November 1795 (*NA*, Bd. 28, S. 120 f.).

[133] *NA*, Bd. 30, S. 192 (Schiller an Körner vom 4. September 1800).

[134] Vgl. dazu August Schoenwerk: *Schillers Änderungen an seinen Gedichten.* (Diss. Gießen.) Auszug. Gießen 1928, S. 7—14.

[135] Vgl. Schiller an A. W. Schlegel vom 9. Januar 1796 und an Humboldt vom selben Tag (*NA*, Bd. 28, S. 159 und 163).

[136] Über Schillers Studium von Moritz' Schrift *Versuch einer deutschen Prosodie* (Berlin 1786) vgl. Schillers Briefe an Humboldt vom 29. November 1795 und an A. W. Schlegel vom 9. Januar 1796 (*NA*, Bd. 28, S. 116 und 159).

[137] Vgl. oben S. 140 f.

ROGER BAUER

SCHILLERS RUHM IN FRANKREICH

Ende Mai 1833 reiste Chateaubriand nach Prag, um „dem Königtum nach dessen Tode die Füße zu küssen". Im düsteren Hradschin wird er von Karl X. empfangen, seinem nun zum zweiten Mal verbannten König: „le 68ème roi de France, courbé sous le poids de ces règnes et de soixante-seize années" („dem 68. König von Frankreich, gebückt unter der Last dieser Vergangenheit und seiner eigenen 76 Jahre"). Einige Tage später begibt er sich nach Karlsbad, dem eigentlichen Ziel seiner Reise. Die Herzogin von Berry, vom Schicksal und der Polizei Louis-Philippes verfolgte Witwe des ermordeten Sohnes Karls X., hatte ihn beauftragt, ihre Schwägerin zu besuchen: Madame la Dauphine, Herzogin von Angoulême, die unglückliche Tochter der unglücklichen Marie-Antoinette, die Enkelin Maria-Theresias, die nun in dem Lande, dessen Krone ihre Großmutter trug, im Exil leben muß.

Knappe zwei Tage hat Chateaubriand für seinen Aufenthalt vorgesehen, aber er findet noch Zeit genug, neben seinen politisch hochbedeutenden Aussprachen mit der Herzogin, einen Blick in die Besucherliste des Brunnens, „du Sprudel" wie er sagt, zu werfen. Er findet die Namen „bedeutender Schriftsteller des Nordens" — die von Herder und Goethe z. B. —, nicht aber den, den er sucht: „Schiller, objet de ma préférence."

Diese „préférence" ist bei fast allen französischen Dichtern der Zeit nachzuweisen. Daß aber Chateaubriand hier und unter diesen Umständen Schillers gedenkt, hat einen tieferen Sinn.

Im Hradschin, nach der Audienz Karls X., sieht er wie in einer Vision den jungen Wallenstein, mit Bassompière Ball spielend und „von einer Krone träumend"; drei Tage später, in Eger, schreibt er: „Les nuits sont funestes à Egra. Schiller nous montre Wallenstein trahi par ses complices, s'avançant vers la fenêtre d'une salle de la foresse d'Egra. Le ciel est orageux et trouble ..." („Unheilvoll sind die Nächte in Eger. Bei Schiller sehen wir Wallenstein, von seinen Komplizen verraten, zum Fenster eines Saales der Festung schreiten: Am Himmel ist geschäftige Bewegung ..."). Und Chateaubriand fährt fort, indem er die berühmte Stelle aus *Wallensteins Tod* zitiert (NB! nach der Baranteschen Übersetzung, nicht nach Constants *Wallstein*, wie aus dem Text hervorgehen scheint):

155

> Le ciel est orageux et trouble
> Le vent agite l'étendard placé sur la tour
> Les nuages passent rapidement sur le croissant de la lune
> qui jette à travers la nuit une lumière vaccillante et
> > incertaine ...
> (Am Himmel ist geschäftige Bewegung
> Des Turmes Fahne jagt der Wind, schnell geht
> Der Wolken Zug, die Mondessichel wankt
> Und durch die Nacht zuckt ungewisse Helle)

Ein zweites Zitat folgt sogleich, aus der Klage Wallensteins um den verlorenen Freund Max Piccolomini:

> La fleur de ma vie a disparu; il était près de moi comme
> l'image de ma jeunesse. Il changeait pour moi la réalité
> en un beau songe
> (Die Blume ist hinweg aus meinem Leben,
> Er machte mir das Wirkliche zum Traum).

Anschließend heißt es noch:

„Et Schiller et Benjamin Constant sont allés rejoindre Wallenstein tandis que je rappelle aux portes d'Egra leur triple renommée". (Schiller wie auch Benjamin Constant sind Wallenstein gefolgt, während ich an den Toren Egers aller dreien Ruhm verkünde.)

Wie die Dichter Schiller und Constant den Ruhm Wallensteins verkündeten, so verkündet nun der Dichter Chateaubriand neben des Helden Ruhm auch den seiner Sänger: das immer von Echo zu Echo widerhallende Dichterwort gewährt den einzigen Sieg über die Vergänglichkeit.

An dem Beispiel Chateaubriands sind zwei Komponenten aufzuzeigen, die Schiller für Frankreich vor allen anderen deutschen Dichtern exemplarisch werden ließen. Er ist der Dichter und Deuter der unerbittlichen Konsequenz des historischen Schicksals, aber er besiegt diese Fatalität dank der rettenden Kraft seines Dichterworts. Damit ist aber eine Definition der Dichtung überhaupt gegeben, die von nun an in Frankreich maßgebend wird und die ohne das Schiller'sche Vorbild kaum erklärt werden könnte.

Es gibt unzählige Aussagen französischer Schriftsteller, auch der berühmtesten unter ihnen, die eine Bevorzugung Schillers vor allen anderen deutschen Dichtern der Zeit bezeugen. Die meisten dieser Aussagen sind wohlbekannt und wurden von der Forschung gebührend registriert. Es erübrigt sich also, bei diesem Punkt zu verweilen. Ein allgemeiner Hinweis auf das grundlegende Opus von Edmond Eggli und einige besonders deutliche Zitate dürften hier genügen.

Bei Stendhal (*Rome, Naples et Florence en 1817*) lesen wir: „Les Allemands n'ont qu'un homme, Schiller, et deux volumes à choisir parmi les vingt tomes de Goethe" („Die Deutschen besitzen nur einen Mann: Schiller, und zwei Bände, auszuwählen unter den zwanzig von Goethe"). Durch diese Stelle ist auch das Rätsel gelöst, warum in *Le Rouge et le Noir* sechs Kapiteln ein Motto von Schiller vorausgeht und nur einem ein Zitat von Goethe ...

Ein anderes Beispiel: Wenn am Anfang des Jahrhunderts die Namen verschiedener deutscher oder überhaupt fremder Dichter verehrungsvoll oder lobend erwähnt werden, steht meistens der Name Schiller an der Spitze; so bei Alfred de Musset: „Dès l'âge de quinze ans, sachant à peine lire, / Je dévorais Schiller, Dante, Goethe, Shakespeare" („Mit fünfzehn Jahren und kaum des Lesens kundig, / Verschlang ich Schiller, Dante, Goethe, Shakespeare").

Man wird vielleicht hier einwenden, diese Reihenfolge erkläre sich aus dem Zwang der Metrik und des Reimes. Dagegen spricht aber, daß auch bei Balzac z. B. Schiller den Vorrang hat. In den *Illusions perdues* steht folgender Satz:

> Ils lisaient les grandes œuvres qui apparurent depuis la paix sur l'horizon littéraire et scientifique, les ouvrages de Schiller, de Goethe, de Lord Byron, de Walter Scott, de Jean Paul ... ils s'échauffaient à ces grands foyers (Sie lasen die Meisterwerke, die seit Kriegsende am literarischen und wissenschaftlichen Horizont aufgestiegen waren: die Dichtungen von Schiller, Goethe, Byron, Walter Scott, Jean Paul ... sie wärmten sich an diesen großen Feuern).

Es ist auch kennzeichnend, daß sogar der sensible Gérard de Nerval, der geniale Übersetzer des ersten *Faust,* für Goethe und Schiller eine sozusagen gleich große Bewunderung hatte. In seinen *Impressions de voyage* (von 1838) spricht er dithyrambisch von Deutschland und seinen z w e i Dichtern: „terre de Goethe et de Schiller, ... vieille Allemagne, notre mère à tous, Teutonia!" („Du Erde Goethes und Schillers, ... ehrwürdiges Deutschland, unserer aller Mutter, Teutonia!").

Bekannt und berühmt wurde Schiller zuerst durch die *Räuber.* Durch Zeitungen und Zeitschriften war das Echo des Mannheimer Triumphs bis nach Paris getragen worden, und bereits drei Jahre nach der Uraufführung war die erste Übersetzung (von Friedel und Bonneville, 1785) entstanden. Auf der Bühne allerdings erschien das Drama, oder genauer: dessen sehr ungetreue Bearbeitung, das ‚mélodrame' *Robert, chef des Brigands* von Lamartellière, erst sieben Jahre später, am 10. März 1792, das heißt immerhin fünf Monate vor der Verleihung des Titels eines „Citoyen français" an den Dichter (nach den letzten Untersuchungen auf Initiative des elsässischen Abgeordneten Rühl). Ob eine direkte Beziehung zwischen beiden Ereignissen besteht, läßt sich nicht feststellen, ist aber kaum anzunehmen.

Dem ‚mélodrame' Lamartellières — ein Pseudonym, unter dem sich Jean Henri Schwindenhammer aus Pfirt (Oberelsaß) verbirgt — war ein sensationeller und dauerhafter Erfolg beschieden: Ferdinand Baldensperger hat eine polnische und eine rumänische Übersetzung des Stückes gefunden, und Eggli erwähnt sogar eine brasilianische (*Roberto, chefe de ladroes,* Rio 1832) und eine neugriechische (῾Ο ἀρχικλέφθες ῾Ροβέρτος, Alexandria 1869).

Während des Kaiserreiches und in Verbindung mit der verengt klassizistischen und nationalistischen Strömung, die damals vorherrschte, verschwanden die Stücke Schillers von der Bühne. Die Zeitung *Le Constitutionnel* kommentiert noch 1834 diese Zurückdrängung:

> Il nous fallut la Restauration pour qu'on ne se crût pas mauvais Français en lisant Shakespeare, Schiller ... (Erst nach der Restauration war es möglich, sich nicht als schlechten Franzosen zu betrachten, wenn man Shakespeare oder Schiller las).

Aber gerade unter dieser neuen Konstellation wird der Ruhm Schillers neu und diesmal endgültig begründet, und zwar von einer Gruppe liberaler Schriftsteller, die sich um Madame de Staël scharen. Diese Liberalen — eine Reihe davon war während der Revolution zur Emigration gezwungen worden — haben aber kaum etwas gemein mit den mehr oder weniger republikanisch und jakobinisch gesinnten Rühl und Lamartellière. Dieser Unterschied ist schon daraus ersichtlich, daß im Kreise von Madame de Staël die als zu anarchisch empfundenen Jugendwerke des Dichters eigentlich abgelehnt werden. Bewundert und kommentiert werden nun mit Vorliebe die historischen Dramen aus der Reifezeit.

In ihrem *De l'Allemagne* erklärt Madame de Staël diese Schwerpunktsverlagerung des Interesses damit, daß die Jugendwerke ja ohnehin schon übersetzt seien, und dann vornehmlich damit, daß man in ihnen jenen „génie historique" vermisse, dem Schiller es verdanke, für die neue Generation ein Objekt der Bewunderung geworden zu sein. Dieser „génie historique" war also das Ausschlaggebende für die Autorin, die noch feststellt: „la tendance naturelle du siècle, c'est la tragédie historique" („Die natürliche Tendenz des Jahrhunderts ist das historische Trauerspiel"). Ähnlich ihr Freund Benjamin Constant: „Il me paraît certain que nos poètes seront poussés presque exclusivement vers la tragédie historique" („Für mich gibt es keinen Zweifel: unsere Dichter werden von nun an fast ausschließlich zum historischen Trauerspiel tendieren").

Wie sehr aber Schillers Dramen diesem Bedürfnis der Franzosen nach „Geschichte" auf der Bühne entsprachen, zeigt uns wiederum das Beispiel Chateaubriands. 1821 hatte Chateaubriand in Berlin, wo er als Botschafter weilte, Gelegenheit, einer Aufführung der *Jungfrau von Orleans* beizuwohnen. Er schreibt darüber in einem Brief an die Herzogin von Duras:

> J'ai été voir hier Jeanne d'Arc de Schiller. C'est un mélodrame superbe. La cérémonie du sacre est admirable. Quand j'ai vu la cathédrale de Reims et que j'ai entendu le chant religieux au moment de la consécration de Charles VII, j'ai pleuré sans comprendre un mot de ce qu'on disait (Gestern ging ich ins Theater, wo man Schillers „Jungfrau von Orléans" spielte. Das Stück ist ein großartiges Melodrama. Wunderbar die Krönungsszene. Die Kathedrale von Reims vor Augen und den Gesang bei der Weihe Karls VII. im Ohr, mußte ich weinen, ohne ein Wort von all dem, was man sprach, zu verstehen).

Wie tief der Eindruck dieser Aufführung gewesen ist, zeigt noch ein Text aus den *Mémoires d'Outre-Tombe*, in denen Chateaubriand von der Krönung Karls X. im Jahre 1825 spricht — der letzten Krönung eines Königs von Frankreich überhaupt:

> J'écris cette page de mes Mémoires dans la chambre où je suis oublié au milieu du bruit. J'ai visité ce matin Saint Rémy et la cathédrale décorée de papier peint. Je n'aurai eu une idée claire de ce dernier édifice que par la décoration de la *Jeanne d'Arc* de Schiller, jouée devant moi à Berlin: des machines d'opéra m'ont fait voir au bord de la Spree ce que des machines d'opéra me cachent au bord de la Vesle (Ich schreibe diese Seite meiner Memoiren inmitten allen Lärms, vergessen und verlassen in einem Herbergszimmer. Heute morgen war ich in Saint Rémy und in der Kathedrale, die man mit papierenen Tapeten ausgeschmückt hat. Eine wahrhafte Idee dieses Gebäudes verdanke ich allein dem Bühnenbild der Schiller'schen *Jungfrau von Orléans*: es war damals, als man sie in Berlin vor mir aufführte. Am Ufer der Spree zeigte mir eine Opernmaschinerie, was mir am Ufer der Vesle eine andere Opernmaschinerie verbirgt).

Verschiedenes läßt sich aus diesen beiden Texten herauslesen. Zuerst, daß Chateaubriand nicht Deutsch verstand, was seinem Schillerenthusiasmus einen fast mystischen Zug verleiht (man denke auch an seinen Ausspruch: „Je sens Schiller, j'entends Goethe" „Schiller fühle ich, Goethe verstehe ich"). Dann, daß er die *Jungfrau von Orleans* mit den ‚mélodrames' der Zeit in Verbindung brachte, d. h. mit jenen Haupt- und Staatsaktionen der kleineren Pariser Volksbühnen, die vom „guten" Publikum verachtet wurden und kaum zur Literatur zu rechnen sind, die aber den späteren Geschichtsdramen der „romantiques" den Weg ebneten, woraus auch hervorgeht, wie stark und allgemein dieses Bedürfnis nach einem historischen (und nationalen) Drama damals war. Endlich aber, und vor allem, erscheint wieder in diesem Text Chateaubriands der Dichter — wie er in Schiller seine Inkarnation fand — als der berufene Deuter der Geschichte: nur er kann den Geist der vergangenen Jahrhunderte neu beleben, d. h. die Vergangenheit erneuern, retten.

Daß Schiller und nicht Shakespeare als das nachzuahmende Vorbild auf dem Gebiete des Geschichtsdramas erkoren wurde, hat vor allem diesen Grund: den Franzosen erscheint Schiller weniger fremd, weniger erdrückend als Shakespeare, neben dem er immer genannt wird (außerdem genießt er den Vorteil der Modernität, er liegt zeitlich näher). Vor allem aber ist die Komposition seiner Dramen nicht ganz so ungewohnt wie die des Engländers. In einer Zeit, in der — um Lamartines Ausdruck zu gebrauchen, und Lamartine konnte Englisch, aber nicht Deutsch — das Publikum nach einem Shakespeare verlangt, der von Racine geschrieben wäre („on veut du Shakespeare, écrit par Racine", 1818), gilt das Werk Schillers als das Vorbild eines gemäßigten, gangbaren Modernismus. Prosper de Barante — ein Schüler Madame de Staëls, der damals an seiner Schiller-Übertragung arbeitete — versucht 1821 diesen Vorteil Schillers vor

Shakespeare genauer zu definieren: Shakespeares Menschenkenntnis ist rein intuitiv und instinktiv, sie entspricht einer naiveren, archaischeren Denkungsart; diejenige Schillers ist bewußt, rational, das heißt modern. Bei Shakespeare ist die Kraft der Leidenschaft ungebrochen, dagegen haben die Helden Schillers „quelque chose de sceptique". Wie die Menschen einer Zeit, in die die Umwälzungen der Revolution und des Kaiserreiches fielen, wissen sie sich „klein und schwach vor den Umständen", in denen sie leben. Auf jeden Fall erklärt aber diese — wenigstens angenommene — Modernität Schillers die Tatsache, daß das neue historische Drama gleichsam aus dem seinigen herausgewachsen ist.

Dieser Einfluß Schillers auf die romantische Theaterreform ist allerdings kein unmittelbarer. Mehr noch als die Übersetzung seiner Werke — zuletzt durch Barante — wirkten die Interpretationen, die Benjamin Constant und Madame de Staël davon gegeben hatten.

Im langen und eingehenden Essay, der Constants *Wallstein* (1809) begleitet, werden verschiedene Qualitäten oder Eigentümlichkeiten der Schiller'schen Dramaturgie besonders hervorgehoben. Zuerst darf, nach Constant, der Dichter der Wallenstein-Trilogie nicht vom Historiker des Dreißigjährigen Krieges getrennt werden. Das heißt, für Constant ist Schiller vor allem der Dichter der historischen Treue, eine Bewertung, die man noch oft antrifft und die erklärt, warum die *Jungfrau von Orleans* mit ihrem erfundenen phantastischen Ausgang in Frankreich meistens abgelehnt wurde.

In der theatralischen Praxis entsprechen, nach Constant, dieser generellen historischen Treue die Technik der „pittoresken Szene" und die des einheitlichen Charakterbildes (im Gegensatz zur französischen Technik der Krisensituation, des Zusammenpralls zweier Leidenschaften oder einer Leidenschaft mit einem unüberwindbaren Hindernis). So bewundert Constant die Szene, in der Tertzky die anderen Feldherrn Wallensteins an dessen Wohltaten erinnert. Er bezeichnet sie als ein „tableau piquant de l'état de cette armée", d. h. er bewundert darin eine treffende bildhafte Vergegenwärtigung der Stimmung des ganzen Heeres. Der französische tragische Stil untersagt leider solche Szenen, „d'une originalité remarquable et d'une grande vérité locale" („von einer bemerkenswerten Originalität und einer großen Wahrheit des Lokalkolorits"). Die historische, „lokale", zeitbedingte Wahrheit ist ebenfalls unvereinbar mit dem typisierenden Verfahren der französischen Tragödie. Sie entspricht aber Schillers breiten Charaktergemälden. Nach seinem Vorbild versucht denn auch Constant „de peindre Wallstein, à peu près tel qu'il était" („Wallenstein so zu zeichnen, wie er ungefähr war"): „Les Français même dans celles de leurs tragédies qui sont fondées sur la tradition ou sur l'histoire ne peignent qu'un fait ou une passion. Les Allemands, dans les leurs, peignent une vie entière et un caractère entier" („Sogar in jenen Tragödien, die auf Tradition und Geschichte beruhen, malen die Franzosen immer nur ein Ereignis oder eine Leidenschaft aus. In den ihrigen geben die Deutschen ein Bild eines ganzen Lebens oder eines einheitlichen Charakters").

Noch eingehender, mit Illustrationen aus dem ganzen Werke Schillers, werden bei Madame de Staël diese beiden der historischen Treue dienenden Techniken hervorgehoben.

Der deutsche Dichter, im Gegensatz zum französischen, „se transporte ... en entier dans le siècle et les moeurs des personnages qu'il représente" („versetzt sich in die Zeit und die Sitten der historischen Personen, die er darstellt"). In *Wallensteins Lager* sind wir sofort in medias res versetzt: „ce n'est pas un récit qu'on écoute, c'est un événement dont on est devenu contemporain" („an die Stelle einer Erzählung, der man lauscht, tritt ein Ereignis, dessen Zeitgenosse man wird"). Man glaubt sich „au milieu d'une armée" („inmitten eines Heeres"). Dieser Eindruck der Unmittelbarkeit, der farbigen Präsenz einer Epoche, ist ganz allgemein — Madame de Staël gibt noch viele andere Beispiele — der große Reiz des Schiller'schen Theaters: „C'est toujours une belle chose que l'histoire sur la scène" („In jedem Falle ist es etwas Schönes, die Geschichte auf der Bühne").

Neben den „historischen Bildern" bewundert Madame de Staël, wie Constant, die breite Schilderung der Charaktere. Auf Constants *Wallstein* anspielend, stellt Madame de Staël den komplizierten Wallenstein Schillers den willkürlich vereinfachten Charakteren der tragédie classique gegenüber: „Les Français se privent d'une source infinie d'effets et d'émotions en réduisant les caractères tragiques ... à quelques traits saillants, toujours les mêmes" („Indem sie die tragischen Charaktere auf einige hervorstechende Züge, immer dieselben, beschränken, versagen sich die Franzosen unzählige Möglichkeiten und Empfindungen").

Wie weit der Weg allerdings noch war von der anerkannten Notwendigkeit der Übernahme des „système des étrangers" („des Systems der Ausländer") — der Ausdruck ist von Constant — bis zur eigentlichen Nachahmung, zeigt das Zögern, die Schüchternheit der Verfasser der ersten Bearbeitungen. Sie haben noch nicht den Mut, ganz mit der alten, ehrwürdigen, klassischen Tradition zu brechen. Selbst Benjamin Constants *Wallstein* ist eine „tragédie en cinq actes et en vers" nach altbewährtem Muster, und wie er selbst in seinem Kommentar feststellt, hat er nicht eine Szene der Trilogie ganz übernommen. Von den achtundvierzig Personen des Originals hat er nur zwölf beibehalten. Um der Regel der Einheit der Zeit und des Orts zu genügen, ist das ganze Geschehen nach Eger verlegt. Die schablonenhafte, emphatische Sprache des Spätklassizismus ist beibehalten: Nicht von Kanonen ist die Rede, sondern von „ehernen Schlünden, die den Tod speien": „bouches d'airain qui vomissent le trépas." Die traditionelle „bienséance" verbietet Thekla, ihrem Geliebten in den Tod zu folgen: sie begnügt sich damit, ins Kloster zu gehen. Constant kommentiert selbst diese Änderung der Vorlage: „la violence du suicide m'aurait semblé déranger l'harmonie qui doit être dans son caractère" („das Gewalttätige eines Selbstmordes hätte, so schien es mir, unweigerlich die Harmonie zerstört, die doch von ihrem Charakter untrennbar sein muß").

Constants Bearbeitung eines Schiller'schen Dramas im Sinne der klassizistischen Tradition kann als stellvertretend gelten für die unzähligen anderen, die vor allem nach 1821 entstanden, d. h. nachdem die Publikation der Baranteschen Übersetzung die Dramen den des Deutschen nicht kundigen Bühnenpraktikern sozusagen ausgeliefert hatte. Diese Entwicklung wurde noch dadurch beschleunigt, daß 1821 die Bearbeitung der *Maria Stuart* des Pierre Lebrun einen von den Zeitgenossen als sensationell, revolutionär empfundenen Erfolg errang. Über die Größe des Erfolges berichtet z. B. Charles de Rémusat in einem Brief an seine Mutter:

> Il y avait, de temps en temps, des mouvements de surprise dans la salle; on se révoltait, et puis on se laissait entraîner. On semblait voir un jeune homme bien élevé conduit dans un mauvais lieu, ses scrupules s'effarouchent, et la nature l'entraîne (Von Zeit zu Zeit gab es eine Bewegung im Saale, ein Zeichen des Erstaunens. Man empörte sich, ließ sich aber gleich wieder mitreißen. Es war, als ob ein wohlerzogener junger Mann in ein schlecht beleumundetes Haus gelockt worden wäre: zuerst regen sich seine Skrupel, dann aber siegt die Natur).

Diese Anspielung auf den „mauvais lieu" ist bezeichnend; man hat das Gefühl, sich in unheimliche, anrüchige Gefilde zu begeben, womit übereinstimmt, daß die Vertreter der alten Schule mit Entsetzen reagieren: „C'en est fait, le monstre triomphe" („Es ist alles vorbei, das Ungeheuer hat gesiegt"), heißt es in der streng royalistischen *Quotidienne*.

Der Schock, den Lebruns Werk verursachte, ist aber um so erstaunlicher und für den Historiker bedeutsam, weil Lebrun selbst alles getan hatte, um ihn zu vermindern. Die Anekdote ist allbekannt, die Alfred de Vigny im Vorwort zu seinem *More de Venise* wiedergibt. In einer ersten Fassung der *Marie Stuart* hatte Lebrun die „gemeinen", nicht tragödienfähigen Ausdrücke „mouchoir" („Taschentuch") und „brodé" („gestickt") gebraucht. Die entsetzten Schauspieler verlangten deren Entfernung, und der kompromißfreudige Autor gab nach. In der ersten Fassung hieß es: „Prends ce don, ce mouchoir, ce gage de tendresse / Que pour toi, de ses mains, a brodé ta maîtresse". Und in der zweiten, der endgültigen: „Prends ce don, ce tissu (Gewebe), ce gage de tendresse / Qu'a pour toi, de ses mains, embelli (verschönert) ta maîtresse." Ein solches Beispiel zeigt, wie wenig es damals bedurfte, um als ein Revolutionär der Literatur zu gelten. Dennoch ist diese *Marie Stuart* für die Geschichte des französischen Dramas bedeutend: sie war ein Ansporn für andere Dichter, sich ebenfalls in Schillerbearbeitungen zu versuchen. Und wie es in der Zeitung *Le Pandore* vom 2. April 1826 heißt: „Schiller est à la mode. L'heureuse épreuve que M. Lebrun a faite sur Marie Stuart a tenté l'imagination des poètes" („Schiller ist nun Mode geworden. Der geglückte Versuch H. Lebruns, Schillers *Maria Stuart* einzuführen, hat die Phantasie der Dichter angeregt"). In der Tat, zählt man Tragödien, Opern, Dramen, Melodramen, Travestien nach Schiller zusammen, so ist man geneigt, von einer wahren Schillerinvasion zu sprechen. Nach dem *Globe* vom 14. Mai 1828 wurden in diesem Jahr sechs Bearbeitungen des *Wilhelm Tell* in Paris aufgeführt, darunter ein „mélodrame" von Pixérécourt und eine Oper, für die Rossini die Musik geschrieben hatte.

Diese Mode der Schillerbearbeitungen mußte notgedrungen ihr schnelles Ende finden, zunächst, weil die Materie bald erschöpft war, und vor allem, weil eine neue Generation mit den kraftlosen, schüchternen klassizistischen Transpositionen à la Constant und à la Lebrun nicht mehr einverstanden war. Was nun verlangt wird, ist der „wahre" Schiller oder ein französisches historisches Drama, das dem seinen ebenbürtig wäre. Im Oktober 1828 schreibt Paul Dubois im *Globe:*

> Guerre donc, guerre à mort à tous ces drames allemands ou anglais rabougris qui souillent notre scène. Il n'y a que la traduction quand elle est possible et quand le traducteur sait la donner fidèle et inspirée, qui puisse trouver grâce (Kampf denn, Kampf auf Leben und Tod all diesen verkümmerten deutschen und englischen Dramen, die unsere Bühne besudeln. Gnade sei allein der Übersetzung gewährt, wenn diese möglich ist, wenn die Eingebung den Übersetzer beflügelt und wenn er der Treue fähig ist).

Noch brutaler und eindeutiger ist Alexandre Dumas in seinen *Mémoires:* „M. Lebrun a estropié la Maria Stuart de Schiller ... Quand donc y aura-t-il une loi qui permettra de traduire mais défendra de mutiler?" („M. Lebrun hat Schillers Maria Stuart verstümmelt. Wann wird es endlich ein Gesetz geben, das das Übersetzen erlaubt, das Entstellen aber untersagt?").

Zu solchen, zugleich treuen und bühnenfähigen Übersetzungen kommt es allerdings nicht. Hingegen nimmt der Einfluß Schillers auf die damals im Entstehen begriffene Gattung des „drame romantique" die verschiedensten und kühnsten Formen an. Kaum ein Aspekt der Einwirkung Schillers auf die französische Literatur ist eingehender und genauer untersucht worden als dieser, so daß es anhand der Sekundärliteratur ein leichtes wäre, unzählige Parallelstellen anzuführen. In unserem Zusammenhang dürfte es genügen, einige Fälle zu zitieren. Alexandre Dumas (Vater), der uns in seinen *Mémoires* verrät, daß er, um sich zu üben, *Fiesko* übersetzte („Je m'habituai à manier la poésie dramatique en traduisant en vers le Fiesque de Schiller ... Je m'étais mis à ce travail comme à une étude et non comme à une espérance" / „Ich lernte, mit der dramatischen Poesie umzugehen, indem ich Schillers Fiesko in Versen übersetzte. An diese Arbeit hatte ich mich nicht gemacht, weil ich mir etwas davon versprach, sondern um mich zu üben"), Dumas zögert nicht, in seinem *Henri III et sa cour* ganze Stellen aus *Don Carlos* zu übernehmen. Nicht viel anders steht es mit Hugo. Die Szene der Gemäldegalerie in den *Räubern* kehrt wieder in *Hernani*: Hier wie dort steht der unschuldig verbannte, zum Räuber gewordene Sohn des Hauses vor den Bildern seiner Ahnen und darf sich nicht zu erkennen geben. Der lüsterne Fürst in *Le roi s'amuse* erinnert an Gianettino Doria im *Fiesko*. In Mussets *Lorenzaccio* versucht der Cardinal Cibo, seine Schwägerin zu überreden, den Liebeswerbungen des Herzogs nachzugeben: sie könne so dessen intime Gedanken erspähen; wenn sie den Kardinal davon unterrichte, könne sie ein frommes Werk tun. Ähnliche Argumente werden aber schon von Domingo der Fürstin Eboli gegenüber verwendet. Am Ende von Vignys *Maréchale d'Ancre* wird der Mörder Concinis, ein Hauptmann der Garde namens Vitry, von einem seiner Gefährten mit den Worten begrüßt: „Bonjour, Maréchal de Vitry." Diese Stelle wurde offensichtlich inspiriert vom Schlußwort des *Wallenstein*: „Dem Fürsten Piccolomini."

Bei solchen Detailentlehnungen fällt auf, daß die betreffenden Situationen und Stellen sehr oft zur Kategorie der „pittoresken" und „charakteristischen" Szene gehören, die Constant und Madame de Staël bei Schiller besonders bewunderten. Zum Beispiel finden wir die — schon von Madame de Staël hervorgehobene — Szene Philipp - Medina Sidonia fast unverändert in Victor Hugos *Cromwell* wieder. Hier wie dort wird der unglückliche Diener und Feldherr von den Höflingen gemieden und verschmäht: dort der Admiral der geschlagenen Armada, Medina Sidonia, hier der alte Puritaner Carr. Beide Male folgt der wiederkehrenden Gunst des Herren eine Haltungsänderung der Höflinge: die Verachtung wandelt sich in Eifersucht und Mißgunst.

Nicht die Entlehnungen an sich sind jedoch das Bedeutende, sondern die vergleichbare dramatische Funktion solcher „charakteristischer" Stellen. Hugo hat, wie alle französischen Dramatiker seiner Zeit, bei einem Schiller, wie er ihn durch das Prisma Madame de Staëls und Constants sah, gelernt, „lokale Wahrheit" und „Zeitwahrheit" zu vergegenwärtigen: wie man die „couleur locale" durch typische, die Phantasie ergreifende Situationen schafft ... Auch der Begriff des „romantischen Helden", wie er sich am Ende der zwanziger Jahre herausbildet, ist beeinflußt von Constants und Madame de Staëls Vorstellungen des totalen, breiten Charakters. „Un tableau large de la vie", („Ein breites Bild des Lebens"), „des caractères non des rôles" („Charaktere, keine Rollen"), heißen die Forderungen Vignys im Vorwort zum *More de Venise* (1829). Selbst die Theorie der Vereinigung des Erhabenen („sublime") und des „grotesque" im selben Stück, ja im selben Charakter, kann als eine konsequente und paradoxe Erweiterung dieses Konzeptes des totalen Charakters betrachtet werden, und es liegt ohne Zweifel viel Wahres in Ferdinand Brunetières launiger und bündiger Formel: „La préface de Cromwell ne contient rien, absolument rien qui ne soit ailleurs, et notamment dans l'Allemagne de Madame de Staël" („Das Vorwort des Cromwell enthält nichts, absolut nichts, was nicht auch anderswo zu finden wäre, insbesondere in Madame de Staëls Deutschlandbuch"), d. h. bei Schiller, wie er von ihr und ihren Freunden gesehen und gedeutet worden war.

Daß die Franzosen des 19. Jahrhunderts Schiller vornehmlich als den Autor der historischen Tragödien und nebenbei als Lyriker, ja als Modell des lyrischen Dichters, bewunderten, während der Philosoph und Ästhetiker kaum beachtet wurde, hat verschiedene Gründe. Der erste ist, daß in Frankreich immer noch das Theater als ganzes, und auf dem Theater das heroische Drama als die höchste literarische Gattung galten. Der zweite, daß Schillers philosophisch-ästhetische Schriften sich am schwersten und spätesten einbürgerten. Die erste gültige Zusammenfassung von Schillers Theorien über die Kunst erschien 1845, und die erste vollständige Übersetzung der betreffenden Schriften 1869.

Unter solchen Umständen ist es aber besonders bemerkenswert, daß einige Grundbegriffe oder Grundschemata dieser Theorien schon sehr früh bekannt, ja enthusiastisch aufgegriffen wurden. Es handelt sich um jene Gedankengänge, die auch in Schillers Gedichten entwickelt und ausgesponnen worden waren. Dieser Parallelismus ist vielleicht aus gemeinsamen Quellen zu erklären: Rousseau und der Neo-Platonismus des 18. Jahrhunderts. Dazu kommt, daß die rhetorische, mehr lateinische als griechische Diktion Schillers für die Franzosen in mancher Hinsicht als verwandt empfunden wurde. Schließlich aber beruht die Bewunderung für den „Dichter" Schiller vor allem auf den sozusagen hagiographischen Schilderungen seiner Persönlichkeit, die damals dem französischen Publikum vorlagen.

Sofort nach Schillers Tod erschienen nämlich in der französischen Presse verschiedene Nekrologe. Da wurde dithyrambisch an den Verstorbenen erinnert und immer wieder seine persönlichen, menschlichen Tugenden hervorgehoben, so in der langen Abhandlung, die ein gewisser Charles Lobstein im *Magasin encyclopédique* (1805/06) veröffentlichte. Es ist darin die Rede von einem „Coeur absolument sensible" („einem absolut empfindsamen Herzen"), von seiner „douceur de caractère" („Milde des Charakters"), seiner „âme noble" („edlen Seele"); Schiller wird gefeiert als „l'ennemi déclaré de toutes les erreurs" („der erklärte Feind aller Verirrungen"), als der Vorkämpfer der „liberté de l'esprit" („Freiheit des Geistes"). Vieles in diesem Text verrät eine gewisse Verwandtschaft — die sich leider nicht aufklären läßt — mit dem Bericht über Schillers Tod, den ein Brief Wilhelm von Humboldts an Madame de Staël (25. Mai 1805) enthält. Unter anderem liest man dort folgendes:

> Il n'y a jamais eu un homme qui comme lui ne se nourrissait jamais que de ce qu'il y avait de plus noble et de plus élevé, qui vivait uniquement dans la sphère des idées, dont rien qui eût été ou commun ou vulgaire n'approchait jamais... Ce désintéressement total, cette impartialité absolue, cette existence toute entière en idées et en sentiments et détachée de toute passion, ... tout cela est rentré dans la nuit du néant avec lui (Nie gab es einen Menschen, der wie er immer nur an den edelsten und erhabensten Quellen trank, in der reinen Sphäre der Ideen lebte, den niemals etwas berührte, das gemein oder niedrig gewesen wäre... Jene totale Selbstlosigkeit, jene absolute Unparteilichkeit, jene ganz den Ideen und Gefühlen

gewidmete und jeder Leidenschaft ferne Existenz..., all dies ist mit ihm in die Nacht des Nichts zurückgekehrt).

Endgültig fixiert wurde dieses Schillerbild im 8. Kapitel des 2. Teiles von *De l'Allemagne*, dessen eine Quelle der eben erwähnte Humboldtbrief bildet. Eine andere Quelle ist von Madame de Staël selbst angegeben: der Bericht über Schillers Tod von Caroline von Wolzogen.

Man kann also behaupten, daß die spätere französische Schillerverehrung die Verehrung des Weimarer Kreises fortführt. In Frankreich wurde dann das entsprechende Schillerbild als eine Art kanonische Wahrheit betrachtet und gewertet. Bei Madame de Staël lesen wir u. a.:

> Schiller était admirable entre tous par ses vertus autant que par ses talents. La conscience était sa muse: celle-là n'a pas besoin d'être invoquée, car on l'entend toujours quand on l'écoute une fois. Il aimait la poésie, l'art dramatique, l'histoire, la littérature pour elle-même... ses écrits étaient lui-même, ils exprimaient son âme, et il ne concevait pas la possibilité de changer une expression, si le sentiment intérieur qui l'inspirait n'était pas changé. C'est une belle chose que l'innocence dans le génie, et la candeur dans la force... elle nous fait comprendre comment la Bible a pu nous dire que Dieu fit l'homme à son image. (Schiller war bewunderungswürdig wegen seinen Tugenden und Talenten. Das Gewissen war seine Muse; und diese Muse braucht man nicht anzurufen: hat man ihren Worten einmal gelauscht, so wird man nie aufhören, sie zu hören. Er liebte die Dichtung, die dramatische Kunst, die Geschichte, die Literatur um ihrer selbst willen... seine Werke waren er selbst, sie drückten seine Seele aus, und er konnte sich nicht vorstellen, wie man einen Ausdruck hätte ändern können, solange das innere Gefühl, dem er entsprach, sich nicht geändert hatte. Wunderbar ist solche Reinheit im Genie, solche Einfalt in der Kraft... vor ihr verstehen wir, warum die Bibel uns sagen konnte, daß Gott den Menschen nach seinem Ebenbilde schuf.)

Wir finden hier gewissermaßen den Inbegriff der nun geläufigen Konzeption des „idealistischen" Schiller, dessen innere, zugleich subjektive und verbindliche, das Heil verheißende Stimme den Weg zeigt, der aus der „gemeinen", unseligen Welt führt. Die persönlichen Tugenden werden dargestellt als die Voraussetzung und die augenfällige Manifestation seines exemplarischen Erhobenseins über das „gemeine" Menschsein, seiner Existenz in der Sphäre der Ideen.

Schillers Werk und das von nun an kanonische Idealporträt bestimmen so die neue Auffassung des Dichters überhaupt. Dieser erscheint als der Verkünder einer göttlichen, von der niedrigen, „gemeinen" Realität abgelösten Wahrheit. Denn der Dichter findet diese seine Wahrheit in sich selber, „dans la solitude et la réflexion" („in der Einsamkeit und dem Nachdenken"), wie es Barante ausdrückt, der noch hinzufügt: „nous ne savions guère en France ce que c'est que ces existence tout intérieures" („in Frankreich wußten wir wenig von solchen rein innerlichen Existenzen"). Die absolute Subjektivität wird zur Garantie der absoluten Verbindlichkeit. Sie ist paradoxerweise die Voraussetzung für die

Allgemeingültigkeit der dichterischen Vision. Auch die für den französischen „romantisme" typische Auffassung des Dichters als an seiner Zeit leidendem und sie überwindendem einsamen „Propheten" — siehe den *Moise* Vignys — nimmt in Verbindung mit dem damals geläufigen Schillerbild Gestalt an.

Natürlich wird gegen diese rein subjektive Begründung der Wahrheit auch Einspruch erhoben, so durch Barante, der von einem „mépris pour les lois positives" („Verachtung der positiven Gesetze") spricht und einwendet:

> si les axiomes de la morale, si la connaissance de Dieu créateur et providence prennent naissance dans l'homme lui-même, on peut dire encore qu'il n'a aucun motif de croire que sa propre pensée (sollten wirklich die Axiome der Moral, die Kenntnis Gottes, des Schöpfers und der Vorsehung, im Menschen selbst entstehen, so kann man auch behaupten, daß ihm der einzige Anlaß zum Glauben von seinem eigenen Denken geliefert wird).

Solche Erwägungen betreffen aber nicht nur Schiller, sondern die idealistische Philosophie als ganze, was wiederum beweist, daß Schiller als einer — vielleicht als der bedeutendste — der Vertreter dieser Geistesrichtung betrachtet und beurteilt wurde.

Die engen Beziehungen Schillers zur idealistischen Philosophie wurden natürlich schon früh bemerkt und hervorgehoben. In seinem *Essai sur la réformation* (1804) spricht Charles de Villers von Schiller als „le plus remarquable des disciples de Kant" („dem bemerkenswertesten Schüler Kants"). Und wie er es in seinen *Mémoires pour servir à l'histoire de ma vie* noch einmal vermerkt, gab es für den jungen Guizot keine Trennung, keinen Unterschied zwischen der deutschen Philosophie und der deutschen Dichtung: „Philosophie et littérature allemandes étaient mon étude favorite, je lisais Kant et Klopstock, Herder et Schiller" („Die deutsche Philosophie und die deutsche Dichtung waren mein Lieblingsstudium; ich las Kant und Klopstock, Herder und Schiller").

Schillers Ruhm steht also stellvertretend für den des ganzen deutschen Idealismus, d. h. er wäre eigentlich nicht verständlich ohne den Hintergrund der damaligen Idolatrie vor dem philosophierenden, der „Idee" verschriebenen Deutschland. Einer der Hauptbestandteile dieses Deutschlandmythos, denn um einen solchen handelt es sich, stellt der wohlbekannte Topos von Deutschland als der Heimat der wahren, reinen Liebe dar. Und abermals empfiehlt es sich, Madame de Staël zu zitieren: „L'amour est une religion en Allemagne" („In Deutschland ist die Liebe eine Religion"). Diesen Satz variiert Constant im Kommentar zu seinem *Wallstein* und exemplifiziert ihn an der Gestalt der Thekla: „Les Allemands voient dans l'amour quelque chose de sacré, une émanation de la divinité même ... On sent que cette créature lumineuse et presque surnaturelle [nämlich Thekla] est descendue de la sphère éthérée, et doit bientôt remonter vers sa patrie" („Für die Deutschen ist die Liebe etwas Heiliges, eine Emanation der Göttlichkeit selbst ... Man fühlt, daß jene leuchtende und fast übernatürliche Kreatur heruntergestiegen ist aus den ätherischen Sphären und daß sie bald wieder zurück muß, hinauf in ihre Heimat"). In *De l'Allemagne* heißt es sogar:

> [Schiller] a peint Max Piccolomini et Thekla comme des créatures célestes qui traversent tous les orages des passions politiques en conservant dans leur âme l'amour et la vérité... Ces deux êtres apparaissent au milieu des fureurs de l'ambition, comme des prédestinés... (Schiller hat Max und Thekla als himmlische Gestalten gezeichnet, die inmitten der Unwetter der politischen Leidenschaften in ihrer Seele der Liebe und der Wahrheit treu bleiben... Wie Begnadete treten sie auf in einer dem Wahnwitz des Ehrgeizes ausgelieferten Welt).

Wiederum ist es Chateaubriand, der uns den tieferen Sinn dieser Thekla-Idolatrie enthüllt. In seinen *Mémoires d'Outre-Tombe* spricht er, gleich nach dem Lob Theodor Körners und seiner Kampfgenossen, die als „nouveaux Arminius" bezeichnet werden, vom Rütlischwur... und von Thekla:

> Le génie allemand a quelque chose de mystérieux, la Thécla de Schiller est encore la fille teutonne douée de prescience et formée d'un élément divin. Les Allemands adorent aujourd'hui la liberté dans un vague indéfinissable, de même qu'autrefois ils appellaient Dieu le secret des bois: Deorumque nominibus appellant secretum illud... (Dem deutschen Geiste ist etwas Geheimnisvolles eigen; Schillers Thekla ist immer noch die teutonische Jungfrau, der das Zukünftige offenbar, und aus göttlicher Materie geschaffen. Heute beten die Deutschen eine unbestimmte, ungreifbare Freiheit an, genau so wie sie einst das Geheimnis des Waldes eine Gottheit nannten: Deorumque nominibus appellant secretum illud...)

Dieses Zitat weist auf den letzten Ursprung des französischen Deutschland-Mythos: die *Germania* des Tacitus. Aber wie der germanische Mythos der Römer, so hatte auch der deutsche Mythos der Franzosen eine bestimmte Funktion; er sollte Ansporn sein zu einer als notwendig empfundenen Regeneration des eigenen Volkes durch Rückführung dieses Volkes zu seinem „guten" Ursprung.

Schillers Nachruhm in Frankreich waren diese Umstände zugleich nützlich und abträglich. Solange der deutsche Mythos als solcher noch eine werbende Kraft besaß, blieb auch die Schillerverehrung groß und lebendig. Als aber dann um die Mitte des Jahrhunderts — unter anderem infolge der politischen Spannungen — die Deutschlandschwärmerei zurückging, mußte auch das frühere „ideale" Schillerbild verblassen. Kennzeichnend dafür ist die Pariser Schillerfeier von 1859. Sie wurde von den zahlreichen in Paris ansässigen Deutschen organisiert. Den dritten Akt aus *Don Carlos* las ein deutscher Schauspieler; man spielte — in Anwesenheit des Maestro — die „Marche de Schiller" Meyerbeers, eine Kantate desselben Musikers, eine Komposition Mendelssohns und endlich Beethovens Neunte. Die ganze Veranstaltung gipfelte aber in einem „appel à la concorde, à la fraternité, à la réconciliation des peuples". Dieser Appell wurde allerdings von der breiten Öffentlichkeit mit gemischten Gefühlen aufgenommen, was nicht zu verwundern braucht, wenn man die eng-nationalistische Stimmung in Betracht zieht, die sich in den vielen deutschen Schillerreden von damals ausdrückte.

Um so bedeutender und für die wirkliche Größe Schillers sowie für seine Tiefenwirkung in Frankreich bezeichnend ist aber die Tatsache, daß, als nach dem Desaster von 1870 das Problem der inneren Reform und Regeneration sich auf akutere Weise als je stellte, abermals Schiller als Vorbild und Helfer gewählt wurde. So wird in Ernest Renans *Réforme intellectuelle et morale de la France* (1871) den „étranges excès" („befremdlichen Exzessen") des deutschen Nationalismus' in den letzten Jahren die echte, wahre deutsche Nationalität gegenübergestellt und dabei der Name Schillers zuerst genannt:

> Le titre d'une nationalité ce sont ses hommes de génie, gloires nationales, qui donnent aux sentiments de tel ou tel peuple une forme originale et fournissent la grande matière de l'esprit national, quelque chose à aimer, à admirer, à vanter en commun ... Schiller, Kant, Herder ont créé la patrie allemande (Das Gewicht und den Wert einer Nationalität bestimmen seine genialen Menschen, die den Ruhm der Nation begründen, die den Gefühlen dieses oder jenen Volkes eine eigentümliche Form geben und dem nationalen Geiste das liefern, was er braucht: etwas, das man lieben, bewundern, gemeinsam loben kann ... Schiller, Kant, Herder haben das deutsche Vaterland geschaffen).

In dieser wehmütigen Beschwörung eines anderen Deutschlands schwingt aber — es ist nicht zu überhören — der Gedanke mit, daß nach dem Beispiel der von Kant, Herder, Schiller erwirkten Regeneration des deutschen Volkes diejenige des französischen möglich sein dürfte, oder sogar die der Menschheit. In dem 1848 geschriebenen, aber erst kurz vor seinem Tode 1890 veröffentlichten Werk *L'avenir de la science* spricht Renan von seiner Zuversicht auf eine „religion de l'avenir" („Religion der Zukunft"), die mit dem „pur humanisme" identisch wäre. Um sie genau zu bestimmen, greift er zurück auf eine „admirable expression de Schiller" („einen bewundernswerten Ausdruck Schillers"): „Soigner sa belle humanité" („seine schöne Humanität pflegen"). Ähnlich drückt sich noch Romain Rolland in einem Brief an Malwida von Meysenbug aus: „Il n'est plus d'autre rêve permis à quelqu'un qui est grand, que celui de l'humanité de Schiller, libre, fraternelle et unie" („Kein anderer Traum ist mehr jemandem erlaubt, der groß fühlt, als Schillers Traum der Humanität: einer freien, brüderlichen, geeinten Menschheit") (1885).

Gewiß ist gegen Ende des Jahrhunderts eine derartige Schillerverehrung nur noch vereinzelt anzutreffen. Die Gründe dafür sind leicht ersichtlich. Die Dramen Schillers sind unaktuell oder klassisch geworden, genauso wie die historischen Dramen der „romantiques", die daraus hervorgegangen waren. In der Lyrik hatten andere Einflüsse, im großen Maße deutsche: Wagners und der Romantiker, diejenigen Schillers verdrängt. Für ihn verblieb die beständigere aber weniger ins Auge springende Berühmtheit eines Schulautors.

Dennoch läßt sich auch noch am Anfang des neuen Jahrhunderts die Wirkung der alten Vorstellungen vom prophetischen, den Weg in die Zukunft zeigenden, den Sieg über das Schicksal und das „Gemeine" verheißenden Schiller nachweisen. Gide, der Goetheverehrer, der sonst Schiller nicht viel abzugewinnen vermochte, notiert nach einer Lektüre Nietzsches in seinem *Journal*:

> Il en est du nietzschéisme comme d'une route qui nous paraît d'autant plus belle que nous ne savons pas bien où elle va. Ce besoin de noblesse qui passé vingt six ans fait encore Nietzsche préférer Schiller à Goethe. Préférer? peut-être est-ce s'avancer un peu trop que de le dire — mais du moins cite-t-il Schiller et non Goethe... (Der Nietzscheanismus gleicht irgendwie einer Straße, die uns um so schöner erscheint, je weniger wir wissen, wohin sie wirklich führt. Und jenes Bedürfnis der Größe, das dazu führt, daß — schon über sechsundzwanzig Jahre alt — Nietzsche immer noch Schiller vor Goethe den Vorzug gibt. Den Vorzug geben... vielleicht ist es gewagt, soweit zu gehen, sicher ist aber, daß er Schiller zitiert und nicht Goethe...)

Wir haben festgestellt, daß es in Frankreich sehr lange — bei Chateaubriand, Stendhal, Renan usw. — üblich war, Schiller vor Goethe zu zitieren ... eben aus diesem „besoin de noblesse" her, der nun einen Gide zu Nietzsche führen sollte.

Bei der Beschaffung des Materials wurden vornehmlich folgende Studien und Gesamtdarstellungen benutzt:

Fernand Baldensperger: *Le mouvement des idées dans l'émigration française.* 1928.

Fernand Baldensperger: *Etudes d'histoire littéraire.* 2 vol. 1939.

Edmond Eggli: *Schiller et le romantisme français.* 2 vol. 1927.

André Monchoux: *L'Allemagne devant les lettres françaises de 1814 à 1835.* ²1965.

Robert Minder: *Schiller, Frankreich und die Schwabenväter* (in: *Kultur und Literatur in Deutschland und Frankreich* = Insel-Bücherei Nr. 771 = Frankf./M. 1962, S. 106 bis 135). Dieser reichhaltige Aufsatz bestätigte unsere Absicht, die Analyse auf einige charakteristische Topoi der Schiller-Literatur und des Schiller-Mythos in Frankreich zu beschränken.

PETER PÜTZ

FAUST UND DER ERDGEIST

Viermal ist im *Faust* vom Erdgeist die Rede; einmal tritt er selbst in Erscheinung. Sein Wesen und seine Funktion sind bis heute umstritten.

Der *Prolog im Himmel* zeigt einen Mephisto, der weder von der Hölle noch von einem Geiste gesandt und gelenkt wird. Der Teufel gehört vielmehr zum Gesinde des Herrn und wirkt im Sinne des göttlichen Heilsplans als stimulierende Kraft. In *Wald und Höhle* dagegen kommt nach den Worten Fausts der Teufel vom Erdgeist, falls man die Anrede „Erhabner Geist" auf ihn beziehen kann. Hier liegt dem Anschein nach ein Widerspruch vor. Um ihn zu tilgen, deutet Rickert „Erhabner Geist" nicht auf den Erdgeist, sondern auf den Geist des Makrokosmus, dessen Zeichen Faust betrachtet hat. Der Erdgeist sei nämlich ein Tatengenius, während Faust in *Wald und Höhle* ein Wesen anrufe, dem er die Wonnen der Kontemplation verdanke.[1] Rickert bezeichnet seine Erklärung als eine mögliche Hypothese; in Wirklichkeit lasse sich die fragliche Stelle nicht genau deuten. Faust glaube an Gott und Teufel und sei außerdem noch mit anderen Geistern beschäftigt, die sich weder der göttlichen noch der teuflischen Welt eindeutig zuordnen ließen, sondern irgendwo in der Mitte ständen. „Die überirdischen Bestandteile dagegen sträuben sich gegen jede konsequente Ausgestaltung nach logischen Normen."[2] Gegen Rickerts Deutung ist manches einzuwenden: Der Widerspruch ist nicht beseitigt, sondern nur verlagert. Was hat das Zeichen des Makrokosmus mit dem Teufel zu tun? Weiterhin: Warum spricht Faust von „erhabnem Geist", wenn ihm das Zeichen des Makrokosmus letzten Endes „Aber ach! ein Schauspiel nur!"[3] war? Nun aber heißt es: „du gabst mir, gabst mir alles."[4] Das paßt nicht zueinander. Zum Erdgeist dagegen passen die Zeilen: „Du hast mir nicht umsonst / Dein Angesicht im Feuer zugewendet."[5] Beim Erscheinen des Erdgeistes hieß es: „Es dampft! — Es zucken rote Strahlen / Mir um das Haupt —"[6], und die Regieanweisung gab an: „Es zuckt eine rötliche Flamme, der Geist erscheint in der Flamme."[7] Das Zeichen des Makrokosmus dagegen war nicht mit Feuer verbunden; es war nur ein Zeichen, und es fehlte ihm die bezwingende Kraft des Elementes; daher wandte sich Faust enttäuscht von ihm weg und dem Erdgeist zu. Auf ihn zielt daher die Äußerung aus *Wald und Höhle* mit großer Wahrscheinlichkeit, und die meisten Interpreten haben sie so verstanden.

Der Widerspruch, der dadurch entsteht, daß der Teufel einmal von Gott, dann aber vom Erdgeist kommen soll, ist auf zweierlei Weise erklärt worden.

Im 19. Jahrhundert, als die *Faust*-Forschung ganz im Banne der Entstehungsgeschichte stand, gab man auf die Erdgeistfrage folgende Antwort: Da zwischen
dem *Urfaust* und der Szene *Wald und Höhle* rund 20 und zwischen dieser und
dem *Prolog im Himmel* fast 10 Jahre lagen, hatte sich Goethes Verhältnis zur
Geisterwelt entscheidend gewandelt, und so kamen die Unstimmigkeiten zustande. Bereits 1837 vertritt Ch. H. Weiße die Auffassung, daß der Erdgeist
ursprünglich eine viel größere Rolle spielen sollte: „So scheint es denn fast gewiß,
daß nach dem ersten Plane der Dichtung die Gestalt des Erdgeistes die Stelle
einnehmen sollte, die in der späteren Überarbeitung durch die metaphysische
Auffassung des Mephistopheles als ‚Geist der Verneinung' auszufüllen versucht
worden ist."[8] Die genaue theologische Gliederung nach Gott, Engel und Teufel
sei dem jungen Goethe fremd gewesen und daher als spätere Hinzufügung zu
betrachten. Als Goethe in Rom die Szene *Wald und Höhle* ausführte, gab es
den *Prolog im Himmel* noch nicht; er entstand erst 1797/98.

Auch Beutler macht die verschiedenen Entstehungsphasen des *Faust* für die
widersprüchliche Darstellung des Erdgeistes verantwortlich. Goethe habe in seiner
italienischen Zeit das teuflische Prinzip noch auf einen Naturgeist zurückgeführt.
Durch den *Prolog im Himmel* sei dann später eine „Unstimmigkeit" entstanden,
die der Autor nicht mehr beseitigt habe.[9]

In unserem Jahrhundert wird — abgesehen von Beutler — anders argumen-
tiert. Die Unstimmigkeit wird jetzt nicht mehr mit halber Entschuldigung der
Entstehung des Werkes zugeschrieben, sondern als von Goethe gewollt und dem
Gegenstand angemessen betrachtet. Schon Rickert zweifelte an der logischen
Erklärbarkeit dieser Geisterwelt und fragte: Was tut Mephisto, wenn er nicht
mit Faust zusammen ist? Geht er von Zeit zu Zeit in die Hölle? Ist er nur mit
Faust beschäftigt, oder hat er noch andere Kunden? Darauf gibt Rickert sich
selbst zur Antwort: Wie ein völlig begriffener Gott kein Gott mehr wäre, so
wäre ein völlig begriffener Teufel kein Teufel mehr. Die Geisterwelt bleibe in
einem geheimnisvollen Dunkel, und das müsse so sein.[10] Ähnlich argumentiert
Trunz in seinem Kommentar zur Hamburger Ausgabe: „Es gehört zum Wesen
des Geisterreichs, daß es geheimnisvoll bleibt und daß der Mensch immer nur
Teile davon, die in seine Welt hineinragen, wahrnimmt."[11]

✳

Im folgenden wird ein dritter Weg gewählt, der zur Klärung des Widerspruchs führen kann. Dieser soll weder auf die Entstehungsgeschichte zurückgeführt noch gerechtfertigt, sondern beseitigt werden. Zunächst müssen allerdings die fünf Stellen, an denen der Erdgeist vorkommt, nacheinander untersucht werden.

1. Faust schlägt das Buch des Nostradamus auf und erblickt das Zeichen des
Makrokosmus. Plötzlich fühlt er sich beglückt und meint die „wirkende Natur"[12]
zu schauen. Fast alle *Faust*-Kommentare betonen übereinstimmend, daß Fausts

Erkenntnisdrang beim Anblick des Zeichens Genüge getan wird, daß aber diese Befriedigung nur von kurzer Dauer sein kann; denn Fausts Streben gilt in erster Linie nicht der Erkenntnis, sondern dem tätigen Leben. Aus diesem Grunde bleibt das Zeichen nur ein „Schauspiel"[13], d. h. etwas, das geschaut wird, aber aus einer Distanz, die Faust ein Miterleben und Mitwirken verbietet.

Nachdem er sich enttäuscht von dem so vielversprechenden Symbol abgewendet hat, ruft er folgerichtig nach dem Korrektiv, dem Geist der Erde, den Goethe im Schema von 1797/99 als „Welt- und Taten-Genius"[14] bezeichnet. Beim Symbol des Makrokosmus war schauendes Erkennen Fausts Geschäft, nun kennzeichnen Verben der Bewegung seinen Drang. Viermal sind es die gleichen Reimsilben, die nacheinander Zeitwörter der Aktion hervorheben:

> Ich fühle Mut, mich in die Welt zu wagen,
> Der Erde Weh, der Erde Glück zu tragen,
> Mit Stürmen mich herumzuschlagen
> Und in des Schiffbruchs Knirschen nicht zu zagen.[15]

Der Erdgeist erscheint, und was nun geschieht, steht in umgekehrtem Verhältnis zur vorhergehenden Szene. Während dort das magische Zeichen des Makrokosmus Faust nicht genügt und er sich unbefriedigt abwendet, tritt nun ein Wesen auf, dem Faust seinerseits nicht standhält. Wir beobachten hier übrigens eine Technik der Szenenfolge, die Goethe häufig anwendet: Das Nachfolgende steht zum Vorhergehenden in einem deutlich herausgearbeiteten Kontrast und in einer ebenso deutlichen Entsprechung. Ich nenne dieses Phänomen hier kurzerhand: Analogie in der Umkehrung. Es kennzeichnet auf beziehungsreiche Weise ein typisch Goethesches Denkmodell, wie es sich auch in der Vorstellung von „Dauer im Wechsel" zeigt.

Ich kehre zum Geist der Erde zurück. Faust, der den Anblick der Erscheinung nicht erträgt, muß sich als „Übermensch" verhöhnen lassen. Als er sich aufzuraffen sucht und dem Gewaltigen entgegenhält: „Ich bin's, bin Faust, bin deinesgleichen!"[16], da umschreibt die Erscheinung ihr Wesen, um Fausts Kleinheit darzutun.

> In Lebensfluten, im Tatensturm
> Wall' ich auf und ab,
> Webe hin und her!
> Geburt und Grab,
> Ein ewiges Meer,
> Ein wechselnd Weben,
> Ein glühend Leben,
> So schaff' ich am sausenden Webstuhl der Zeit
> Und wirke der Gottheit lebendiges Kleid.[17]

Was Faust in seinem vorhin geäußerten Wunsch nach Leben erstrebte, spricht nun aus den Worten des Geistes. Sie drücken fast alle gesteigerte Bewegung aus: Fluten, Sturm, wallen, wechseln, glühen, schaffen, sausen. In dieser nicht endenwollenden Bewegung liegt zugleich eine gewisse Monotonie, so daß in dem permanenten Wechsel auch ein Moment der Dauer liegt: „ein ewiges Meer", wie es heißt. Die anhaltende Gleichförmigkeit wird von dem eintönigen Rhythmus der zweihebigen Verse getragen. Die Bewegung, die stets von einem Ende zum anderen geht und umgekehrt, wiederholt sich unaufhörlich. Goethe hat in seinen Dichtungen verschiedene Bilder für den Vorgang des Lebens gefunden: Im *Divan* spricht er von den „zweierlei Gnaden"[18], die im Atemholen liegen; an anderer Stelle bringt er das Gleichnis vom Zettel und Einschlag[19], und auch der Erdgeist benutzt das Bild vom Webstuhl.[20] Bevor dieser selbst genannt wird, ist er vorbereitet durch die Wendungen des „auf und ab" und des „hin und her".[21] Das „webe hin und her" im zweiten Vers will Beutler nach einem Druckfehler der Stuttgarter Ausgabe von 1816 als „wehe hin und her" lesen.[22] So wäre das Wallen der zweiten Zeile auf „Lebensfluten", das Wehen nun auf „Tatensturm" bezogen. Erich Schmidt dagegen vertritt die Lesart „weben" und verweist auf Parallelstellen bei Goethe und Herder.[23] Ich schließe mich dieser Deutung an und erblicke in dem Worte „weben", das auf den ersten Blick ungewöhnlich wirkt, eine Vorbereitung auf das abschließende Bild des Webstuhls.

„Der Gottheit lebendiges Kleid"[24], das der Erdgeist nach eigenen Worten wirkt, ist die geschaffene irdische Natur. Eine ähnliche Vorstellung kennen wir aus der Hymne *Grenzen der Menschheit* (1781):

> Wenn der uralte,
> Heilige Vater
> Mit gelassener Hand
> Aus rollenden Wolken
> Segnende Blitze
> Über die Erde sät,
> Küss' ich den letzten
> Saum seines Kleides,
> Kindliche Schauer
> Treu in der Brust.[25]

Der enge Zusammenschluß zwischen Erde und „Saum seines Kleides" gibt Anlaß zu der Deutung, daß der erschauernde Mensch in Ehrfurcht vor dem segnenden und strafenden Vater niederkniet oder sich zu Boden wirft und mit zitternden Lippen die Erde berührt; sie ist der „Saum seines Kleides". Die Parallele zur *Faust-Stelle* geht noch weiter, denn im Gedicht heißt es, daß sich der Mensch nicht nur mit den Göttern nicht messen könne, sondern daß er sogar im Vergleich mit der irdischen Natur unterliege:

> Reicht er nicht auf,
> Nur mit der Eiche
> Oder der Rebe
> Sich zu vergleichen.[26]

Auch Faust muß sich vom Erdgeist in dessen letzten Worten sagen lassen: „Du gleichst dem Geist, den du begreifst, / Nicht mir!"[27] Keiner der mir zugänglichen Kommentare geht auf diese Stelle genauer ein. Meint der Erdgeist, Faust begreife nur seinen eigenen Geist und den seinesgleichen? Oder spielt er bereits auf Mephisto an, den er als seinen Knecht dem Menschen senden will und der bestenfalls von Faust begriffen werden könnte? Wie dem auch sei, der Erdgeist markiert einen beträchtlichen Rangunterschied zwischen sich und Faust, dem seine Unterlegenheit nun deutlich ins Bewußtsein tritt:

> Nicht dir!
> Wem denn?
> Ich Ebenbild der Gottheit!
> Und nicht einmal dir![28]

Sowohl der Erdgeist als auch Faust sprechen von einer höchsten Gottheit, in deren Diensten offenbar der Erdgeist steht. Es ist unmöglich, die Vorstellung von dieser Gottheit zu präzisieren. Seine Erwähnungen verbieten die Festlegung auf eine christliche Gottesfigur oder auf eine Natur-Gottheit des Universums, die über dem Erdgeist steht, da dessen Domäne auf die irdische Natur beschränkt ist. Goethe hat die Gottheit verschieden benannt und in wechselnden Perspektiven gesehen. Ob es der „uralte, Heilige Vater"[29] oder „Das Göttliche"[30] ist, ob sich Prometheus trotzig von ihm löst[31] oder Ganymed sehnend zu ihm strebt[32], immer ist es der Eine, der „Allumfasser"[33], wie Faust zu Gretchen sagen und wie er zugleich mit pietätvoller Skepsis fragen wird: „Wer darf ihn nennen?"[34] Eines nur steht fest, und wir wollen das als Ergebnis unserer bisherigen Analyse festhalten: Es gibt die aufsteigende Rangordnung: Mensch, Erdgeist, Gottheit.

Der Erdgeist als Prinzip des irdischen Lebens ist im wesentlichen „Goethes eigene mythische Schöpfung". Anregungen erhielt er bei Paracelsus, der vom „archeus terrae", und bei Giordano Bruno, der von der „anima terrae" spricht.[35] Erich Schmidt verweist auf eine verworfene Stelle von Herders *Ideen*: „Großer lebendiger Geist der Erde, der du alle deine Gebilde durchhauchst ... du führest auf und zerstörest. Welch Geschöpf kann sich retten vor deinem zudringenden Einfluß ..."[36] In Goethes Schriften ist mehrfach vom „ewigen Geiste" oder vom „Geist des Ewigschaffenden" die Rede; so im *Schwager Kronos*[37] und im *Werther*[38]. Als weiteren wichtigen Beleg für den „Erdgeist" nennt Benno von Wiese das *Requiem, dem frohsten Manne des Jahrhunderts*, in dem es heißt:

> Das Entsetzen wie das Grauen,
> Das Zerstören als ein Bauen.[39]

Dieselbe Zwiespältigkeit von Schaffen und Vernichten, von Geburt und Grab empfindet Faust, wenn ihm der Geist erscheint oder wenn er sich dessen später erinnert. Er fühlt sich erhoben und bestürzt zugleich. Ihm zeigt sich der Geist des Elementaren, das jenseits von Gut und Böse liegt, das Leben und Tod in sich enthält und das von Wiese in Zusammenhang bringt mit dem spezifisch Goetheschen Begriff des Dämonischen, wie er in *Dichtung und Wahrheit* entfaltet wird.

2. Nach der ersten Wagner-Szene erinnert sich Faust der „Geisterfülle"[40], die ihn vor dem Besuch des trockenen Gelehrten umgeben hat. Ist ihm Wagner zu gering, so ist ihm der Erdgeist zu gewaltig. Die „Erscheinung war so riesengroß"[41], daß er sie zwar rufen, aber nicht ertragen konnte. Das alles beschäftigt den monologisierenden Faust immer noch, denn sein gescheiterter Anspruch auf Gottesebenbildlichkeit bedrückt ihn. Dann zieht er das Fazit:

> Den Göttern gleich' ich nicht! Zu tief ist es gefühlt,
> Dem Wurme gleich' ich, der den Staub durchwühlt.[42]

Hiermit bestätigt Faust die letzten Worte des schwindenden Erdgeistes: „Du gleichst dem Geist, den du begreifst, / Nicht mir."[43] Fausts Vergleich mit dem „Wurm" ist wiederum als Hinweis auf den kommenden Satan zu verstehen.

3. Die dritte Stelle im *Faust*, die sich auf den Erdgeist bezieht, ist kurz und unproblematisch. Wir brauchen hier nicht lange zu verweilen. Faust sagt zu Mephisto:

> In deinen Rang gehör' ich nur.
> Der große Geist hat mich verschmäht,
> Vor mir verschließt sich die Natur.[44]

Faust erinnert sich abermals seiner früheren Begegnung mit dem Geist der Erde und ist sich vor allem seiner Unterlegenheit bewußt. Der Vers „In deinen Rang gehör' ich nur" zielt auf die letzten Worte des Erdgeistes: „Du gleichst dem Geist, den du begreifst, / Nicht mir!"[45] Ich habe bereits die Möglichkeit angedeutet, diesen Vers auf den später auftretenden Mephisto zu beziehen.

4. Im *Urfaust* fehlen die zweite, die dritte und vierte Erdgeiststelle. Im *Faust I* finden wir die vierte zu Beginn der Szene *Wald und Höhle*. Wie ein Gebet spricht Faust seinen Monolog:

> Erhabner Geist, du gabst mir, gabst mir alles,
> Warum ich bat. Du hast mir nicht umsonst
> Dein Angesicht im Feuer zugewendet.[46]

Faust fährt fort, den Angeredeten zu preisen, und er dankt ihm für die Kraft, die Natur fühlen und genießen zu können. Als Natur betrachtet er nicht nur die idyllische Landschaft mit ihren schattigen Bäumen, kühlenden Quellen und Lüften, sondern auch die tosenden Elemente, die das Werk der Zerstörung betreiben. Doch dann schlägt Fausts Begeisterung in Resignation um, und er beklagt sich über eine andere Gabe des Erdgeistes:

> O daß dem Menschen nichts Vollkommnes wird,
> Empfind' ich nun. Du gabst zu dieser Wonne,
> Die mich den Göttern nah und näher bringt,

Mir den Gefährten, den ich schon nicht mehr
Entbehren kann, wenn er gleich, kalt und frech,
Mich vor mir selbst erniedrigt, und zu Nichts,
Mit einem Worthauch, deine Gaben wandelt.[47]

Beides verdankt also Faust offenbar dem Erdgeist, sowohl die Fähigkeit des beglückten Empfindens als auch das Gegenteil. Der Schenkende hat zugleich ein Gegenmittel mitgegeben, welches das Geschenk immer wieder verdirbt: „und zu Nichts, / Mit einem Worthauch, deine Gaben wandelt." Der „Worthauch" ist die kalte, zynische Sprache Mephistos.

5. Die Auffassung, daß Faust Mephisto dem Erdgeist verdankt und daß dieser Macht über den Teufel hat, spricht auch aus der fünften und letzten Stelle. Es ist die Szene *Trüber Tag. Feld.* Fausts Stimmung entspricht der öden Umgebung. Er ist verzweifelt über das mitverschuldete Schicksal Gretchens, die im Kerker schmachtet, und er verflucht seinen Begleiter: „Hund! abscheuliches Untier! — Wandle ihn, du unendlicher Geist! wandle den Wurm wieder in seine Hundsgestalt ..." und wenig später: „Großer, herrlicher Geist, der du mir zu erscheinen würdigtest, der du mein Herz kennest und meine Seele, warum an den Schandgesellen mich schmieden ..."[48] Es ist kein Zweifel, daß hiermit der Erdgeist gemeint ist; denn kein anderer verehrungswürdiger Geist ist Faust erschienen. Daß dieser den Erdgeist für seinen Teufel verantwortlich macht, beweist meines Erachtens, daß auch in *Wald und Höhle* der „erhabne Geist", dem Faust ebenfalls die Herkunft Mephistos zuschreibt, mit dem Erdgeist identisch ist.

✳

Wenn wir die fünf besprochenen Stellen überblicken, dann ergibt sich folgendes Bild: Der Erdgeist ist die Verkörperung der lebendigen irdischen Natur. Dauernd und zugleich in ewigem Wechsel erschafft und vernichtet er. Faust verdankt ihm sein beglückendes Naturerlebnis und hält ihn für den Herrn des Mephistopheles. Das alles ist nicht unverständlich, und die eingangs erwähnten Unstimmigkeiten ergeben sich erst durch den *Prolog im Himmel.* Hier gehört der Teufel einer anderen Sphäre an, nämlich nicht der naturmythischen, sondern der christlichen. Mephistopheles zählt eindeutig zum Gesinde des Herrn, spricht ihn mit „Herr" an und wird von diesem als Untergebener behandelt.

Die Unstimmigkeit kommt aber nur dadurch zustande, daß man beide Sphären mit den gleichen Augen betrachtet. Die bisherige Forschung hat nicht genügend berücksichtigt, daß im *Faust I* der Teufel in einer doppelten Perspektive zu sehen ist. Autor und Zuschauer blicken während des Vorspiels in den Himmel und sehen den Teufel als theologischen Partner und Widerpart eines jenseitigen Gottes. Faust dagegen bleibt dieser Einblick verwehrt, und er weiß nichts von einem Himmel. Für ihn ist Mephisto ein Geist dieser Erde, der dem erhabnen Erdgeist unterstellt ist. Dieser „erhabne Geist" ist nicht identisch mit Gott, aber er ist die Verkörperung der von Gott geschaffenen Natur. Während im Himmel der Schöpfer selbst auftritt, erscheint Faust in seiner irdischen Beschränktheit nur der Geist des Geschaffenen. Dieser, welcher der „Gottheit lebendiges Kleid" wirkt, war anfangs zu stark für Faust. Offenbar hat er ihm dann aber die Kraft verliehen, die „herrliche Natur" zu genießen, indem er ihm den Gesellen beigegeben hat. Hierin liegt eine deutliche Parallele zu Gott, der ebenfalls dem Menschen als Stimulans den Teufel schickt. Der Erdgeist verhält sich somit in der Natur und für den an die Erde gefesselten Faust ähnlich wie der Herr aus der Perspektive des Jenseits. Der Teufel ist zwar je nach der Blickrichtung verschiedener Herkunft und erscheint bald als christlich verstandener Satan, bald als Abgesandter eines nicht christlich gesehenen Naturdämons. Seine Funktion aber — und darin liegt das Wesentliche — ist in beiden Fällen dieselbe. Sowohl als Diener des Herrn wie auch als Sendling des Erdgeistes hat Mephistopheles die Aufgabe, die Kehrseite des Guten zu verkörpern und dadurch den Menschen zu stimulieren. Er glaubt den Absichten des Auftraggebers entgegenzuarbeiten, erfüllt aber letztlich sowohl im Heilsplan des überirdischen Gottes als auch im Haushalt der irdischen Natur eine Funktion, die in das Gesamtkonzept beider Herren paßt.

Im *Faust* gibt es also zwei Sphären: Die eine ist die umfassende, die mit dem *Prolog im Himmel* beginnt und mit dem *Chorus Mysticus* am Ende des *Faust II* sich rundet. Sie ist nur für die Überirdischen und im Theater für die Zuschauer hör- und sehbar. Darin eingeschlossen liegt eine kleinere Sphäre; es ist die des irdischbegrenzten Faust. Ihm bleibt der Blick über seinen beschränkten Bereich hinaus verschlossen; in seinen besten Stunden vermag er zwar dem Geist seiner Sphäre näherzukommen, aber an den Rändern dieser Erde ist ihm unweigerlich Einhalt geboten. Er hat daher keine Verbindung mit der Gottheit, sondern nur mit ihrem „lebendigen Kleid". Mit der Verherrlichung der Natur wird zwar Gott nicht völlig ins Diesseits gezogen, aber die begrenzte Erkenntnisfähigkeit des Menschen läßt ihm keine andere Wahl, als sich an die natura naturata zu halten, wenn ihm schon die natura naturans unzugänglich bleibt. Aber auch das Kleid ist immer der „**Gottheit** lebendiges Kleid", und hierhin paßt der Vers des II. Teils: „Am farbigen Abglanz haben wir das Leben."[49] Für Faust ist der Erdgeist die einzig faßbare höhere Instanz; er gebietet über die Geisterwelt und natürlicherweise auch über Mephistopheles. Es besteht also kein Widerspruch, wenn von einem überirdischen Standpunkt aus der Teufel in anderen Verhältnissen steht, die Faust nicht kennen oder nicht glauben kann. Es ist bezeichnend für Goethes Analogiedenken, daß beide Sphären trotz allem nicht beziehungslos sind. Die Entsprechung liegt in der gleichartigen Funktion, die der Teufel sowohl in der großen als auch in der kleinen Sphäre ausübt. In beiden Fällen kommt er von einem positiven Prinzip, welches das Negative zugunsten seines eigenen Wesens zuläßt.

Faust hat keine Verbindung zur umfassenden Sphäre. Und doch antwortet er dem Erdgeist: „Ich Ebenbild der Gottheit! Und nicht einmal dir!" Spricht hieraus nicht die Kenntnis des höchsten Wesens, so daß die bisherigen Ausführungen widerlegt würden? Faust ahnt eine über dem Erdgeist stehende Gottheit, aber er kann sich ihr nicht nähern. Sie muß keineswegs mit dem Herrn im Himmel identisch sein. Der christliche Gott des Prologs ist im Sinne Goethes selbst nur eine der bildlichen Darstellungen für den „Allumfasser". Für Fausts Augen ist der Himmel verschlossen. Selbst wenn himmlische Geister sich auf der Erde vernehmbar machen, bleiben sie dem Menschen fremd. Hierfür ein Beispiel: Als Faust die Schale mit dem Gift zum Munde führt, ertönen Glockenklang und Chorgesang. Die Engel singen: „Christ ist erstanden." Faust versteht die Worte, die ihm unvertraut geworden sind, zunächst nicht, und er fragt verwundert:

> Welch tiefes Summen, welch ein heller Ton
> Zieht mit Gewalt das Glas von meinem Munde?[50]

Dann begreift er Inhalt und Sinn des Gesanges, und er zieht sich zurück mit den Worten: „Die Botschaft hör' ich wohl, allein mir fehlt der Glaube"[51]; und weiter: „Zu jenen Sphären wag' ich nicht zu streben, / Woher die holde Nachricht tönt"[52]; Faust trennt hier selbst die himmlische Sphäre von seiner eigenen streng ab und bekennt seine Unfähigkeit, durch den Glauben in sie einzudringen. Im späteren Gespräch mit Gretchen zieht Faust die Grenze noch einmal sehr scharf:

> Wölbt sich der Himmel nicht dadroben?
> Liegt die Erde nicht hierunten fest?[53]

Die beiden Sphären in Goethes *Faust* finden ihre formale Entsprechung in der zweifachen Exposition des Dramas. Der Prolog macht uns mit der überirdischen Vorgeschichte und Ursache der Fausthandlung bekannt und bringt zugleich Vorgriffe auf das zukünftige Geschehen. Wir lernen Mephistos Bestreben kennen, und die Zuversicht des Herrn kommt als spannende Gegenkraft ins Spiel. Daß die Vergangenheit zunächst in einem Vorspiel und nicht im Drama selbst behandelt wird, hat seinen natürlichen Grund darin, daß sie außerhalb dieser Erde liegt. Das Geschehen der irdischen Sphäre dagegen benötigt eine eigene Exposition, in der die Titelfigur nicht mehr aus höheren Regionen, sondern aus der Perspektive des Diesseits gesehen wird. Mit „Habe nun, ach! ..."[54] beginnt die zweite Exposition, die jetzt nicht mehr die Form des Vorspiels, sondern die des Eingangsmonologes hat. Dieser steht am Anfang des innerweltlichen Dramas und ist nach dem Vorbild antiker Stücke gebildet. Euripides läßt fast alle seine Dramen mit einem prologartigen Monolog beginnen. Die größere Sphäre dagegen, welche die Welt umschließt, ist dem Kosmos des Mysterienspiels und seiner mittelalterlichen Expositionsform nachgebildet. Die doppelte Perspektive des *Faust*, in dem der Blick sowohl vom Himmel herab auf die Erde als auch von der Erde hinauf zu einem verschlossenen Himmel gerichtet ist, spiegelt sich wider in den beiden verschiedenen Formen der Exposition.

Peter Pütz

Anmerkungen

1 Heinrich Rickert: *Goethes Faust. Die dramatische Einheit der Dichtung.* Tübingen 1932, S. 243 f.

2 Rickert, S. 247 f.

3 J. W. v. Goethe: *Faust. Eine Tragödie. JA* 13, V. 454.

4 Goethe: *Faust.* V. 3217.

5 Goethe: *Faust.* V. 3218 f.

6 Goethe: *Faust.* V. 471 f.

7 Goethe: *Faust. JA* 13, S. 23.

8 Ch. H. Weiße: *Kritik und Erläuterung des Goethe'schen Faust. Nebst einem Anhange zur sittlichen Beurtheilung Goethe's.* Leipzig 1837, S. 88.

9 Ernst Beutler: *Goethe, Faust und Urfaust* — erläutert von Ernst Beutler. Bremen o. J., S. 558.

10 Rickert, S. 250.

11 Erich Trunz: *Hamburger Goethe-Ausgabe.* Bd. 3, S. 517.

12 Goethe: *Faust.* V. 441.

13 Goethe: *Faust.* V. 454.

14 *Hamburger Goethe-Ausgabe.* Bd. 3, S. 427.

15 Goethe: *Faust.* V. 464—467.

16 Goethe: *Faust.* V. 500.

17 Goethe: *Faust.* V. 501—509.

18 Goethe: *West-östlicher Divan. JA* 5, S. 7.

19 Goethe: *Dichtung und Wahrheit. JA* 25, S. 126 u. ö.

20 Goethe: *Faust.* V. 508 f.

21 Goethe: *Faust.* V. 502 f.

22 Beutler, S. 545.

23 Erich Schmidt in: *JA* 13, S. 278.

24 Goethe: *Faust.* V. 509.

25 Goethe: *Gedichte. JA* 2, S. 62.

26 Ebd.

27 Goethe: *Faust.* V. 512 f.

28 Goethe: *Faust.* V. 514—517.

29 Goethe: *Gedichte. JA* 2, S. 62.

30 Goethe: *Gedichte.* S. 63.

31 Goethe: *Gedichte.* S. 59 f.

32 Goethe: *Gedichte.* S. 61.

33 Goethe: *Faust.* V. 3438.

34 Goethe: *Faust.* V. 3432.

35 Trunz: *Hamburger Goethe-Ausgabe.* Bd. 3, S. 497 f.

36 Schmidt in *JA* 13, S. 278.

37 Goethe: *Gedichte. JA* 2, S. 51.

38 Goethe: *Die Leiden des jungen Werthers. JA* 16, S. 58.

39 Goethe: *Requiem, dem frohsten Manne des Jahrhunderts, dem Fürsten Ligne. JA* 2, S. 35.

Vgl. Benno von Wiese: *Die deutsche Tragödie von Lessing bis Hebbel.* Hamburg ³1955, S. 135. Von Wiese macht noch auf eine andere Parallele aufmerksam: „Auch das Goethe so verwandte Toblersche *Fragment über die Natur* [*JA* 39, S. 3 ff.] entwickelt eine dem Dämonischen nahestehende Ansicht der Natur, das Bauen und Zerstören, das Belohnen und Bestrafen, das Rauhe und Gelinde, das Liebliche und Schreckliche, das Kraftlose und Allgewaltige." (Ebd.)

40 Goethe: *Faust.* V. 607.
41 Goethe: *Faust.* V. 612.
42 Goethe: *Faust.* V. 652 f.
43 Goethe: *Faust.* V. 512 f.
44 Goethe: *Faust.* V. 1745—1747.
45 Goethe: *Faust.* V. 512 f.
46 Goethe: *Faust.* V. 3217—3219.
47 Goethe: *Faust.* V. 3240—3246.
48 Goethe: *Faust. JA* 13, S. 191 f.
49 Goethe: *Faust. JA* 14, V. 4727.
50 Goethe: *Faust. JA* 13, V. 742 f.
51 Goethe: *Faust.* V. 765.
52 Goethe: *Faust.* V. 767 f.
53 Goethe: *Faust.* V. 3442 f.
54 Goethe: *Faust.* V. 354.

HANS MAYER

DON JUANS HÖLLENFAHRT

Don Juan und Faust

Immer noch wird vermutet, aller Wahrscheinlichkeit zuwider, man hätte ihnen in der Hölle benachbarte Zellen zugewiesen: dem deutschen Professor Faust und dem spanischen Hidalgo Don Juan Tenorio. Wobei offenbar vorausgesetzt wird, daß die Hölle sich, die ihre Rechte hat, nicht an die christliche Zeitrechnung hält. Andernfalls wäre, schon der übersichtlichen Gliederung halber, die Nachbarschaft eines deutschen Zeitgenossen (und Exponenten) des Reformationszeitalters und eines Rebellen gegen spanische Sitten und Riten des 17. Jahrhunderts kaum zu rechtfertigen.

Der Gegeneinwand freilich ist nicht zu widerlegen. Woher weiß man, in der Tat, ob die Historie im Bereich des Luzifer oder Mephistopheles respektiert wird? Was der stets verneinende Geist bei Goethe vom Innenbereich ausplaudert — oft widerwillig, bald auch dreist lügnerisch —, spräche eher dagegen. Geschichtlichkeit ist Ernstnehmen des menschlichen Seins, des vergangenen wie des virtuellen. Dagegen jedoch wehrt sich der Teufel energisch: hierin just erblickt e r , vom teuflischen Standpunkt aus, die Erbsünde.

Trotzdem wurde lange vor Christian Dietrich Grabbes hybridem und mißglücktem Unterfangen, Don Juan und Faust in einer einzigen Tragödie exponieren zu wollen, den Wettbewerb also gleichzeitig mit Mozart und Goethe zu wagen, die innere Affinität des Professors und des spanischen Aristokraten bedacht und gedeutet. Gefährten der Höllenfahrt. Divergierende Einzelheiten schien man zu übersehen[1]: daß etwa Faust vom Teufel nach Fug und Vertragsrecht geholt wird, während der Steinerne Gast, der den Wüstling den Höllenflammen überantwortet, das Gegenteil eines infernalischen Boten ist. Der ermordete Komtur Don Gonzalo de Ulloa, die auch im Jenseits noch adlig-formvolle Statue bei Tirso de Molina, dem Dramatiker des „Don Juan" vom Jahre 1630, begegnet dem *Burlador de Sevilla* ebenso vollkommen aristokratisch wie gut katholisch. „Wundertaten Gottes sind unerforschlich, Don Juan. Er will, daß du deine Sünden abzahlst in die Hände eines Toten."[2] So spricht kein Höllen- und Lügengeist.

Je mehr man dem Parallelismus des intellektuellen und des libidinösen Wüstlings nachspürt, um so unstimmiger wird die These von ihrer geheimen Zusammenordnung. In der Fausttradition, seit dem Volksbuch, verhält sich stets die himmlische Sphäre reserviert zum Ablauf des Geschehens. Im Vordergrund agieren Sendboten der Hölle. Bei Marlowe ziehen die Teufel mit Faustus ab. Selbst sein letzter flehender Anruf gilt n i c h t dem Himmel, sondern Luzifer.

> Ugly Hell, gape not! Come not Lucifer!
> I'all burn my books' O Mephostophilis![3]

Don Juan Tenorio hingegen ist in seiner letzten Erdenstunde mit dem Göttlichen konfrontiert. Die Hölle ist nicht dramatisches Agens. Der Steinerne Gast als Rechtsvollstrecker des Himmels erniedrigt die Unterwelt zum bloßen Organ des Strafvollzugs. Don Juan weiß, ebenso wie Faust, aber in einer durchaus divergierenden Konstellation, mit wem er zu verhandeln hat. Marlowes Faust will — großartig und lächerlich — das letzte Opfer bringen: die Bücher verbrennen, doch wendet er sich damit an Luzifer. Don Juan Tenorio, in der ersten und prägenden Theatralisierung durch Tirso, hat gleichfalls eine letzte Bitte, die Aufschub bedeuten könnte:

> Erlaub mir erst noch
> Beichte und Absolution.

Doch der „Convidado de piedra" kennt den göttlichen Auftrag:

> Hier jetzt nicht, zu spät erwachst du.[4]

Die Suche nach der höllischen Verwandtschaft oder Partnerschaft des Don Juan und Faust endet immer wieder, je ernsthafter und genauer sie betrieben wird, ohne Ergebnis. Über den Hinweis auf die zweifache Höllenfahrt und eine vage Analogie der dazu führenden Exzesse kommt die Untersuchung nicht hinaus.

Zudem ist nicht zu verkennen, daß es k e i n e n T e u f e l s p a k t d e s D o n J u a n gibt. Grabbe hat in der Tragödie *Don Juan und Faust* daran nichts geändert. Der teuflische Ritter des Faust hat keine Macht über den spanischen Hidalgo, hält sich an den Doktor, versucht sich wohl auch einmal durch ein Wort des Verrats an Don Juans Welt: doch ohne Pakt und blutige Signatur. Er hat einfach Glück:

> Hier in dem Prachtsaal Don Juans schlag ich
> Den Sitz der Hölle auf — Wo ich bin, thronet sie! —
> — Nun b e i d e mein: der Faust durch eignen Willen,
> Der Don Juan durch fromme Geisterhände! —

Die Formel gibt den Sachverhalt exakt wieder. Spätestens hier jedoch wird evident, daß eine Tragödie, die sich den scheinhaften Analogien ausliefert, falsch titanisch der absoluten Übergipfelung nachstellend, nicht tragische Gegenspieler miteinander konfrontiert, sondern bloß, wie es bisweilen auf dem Theater zuzugehen pflegt, prominente Stars auf dem Theaterzettel zusammenführte; ausnahmsweise auf der linken Seite, wo die Figuren aufgezählt werden. Protagonisten jedoch, die miteinander nicht zu spielen verstehen.

Johann oder Georg oder Heinrich F a u s t ist in allen Bühnenwandlungen ein Mann der Reflexion und der Aktion. Er kennt, durch Wissen, das Vergangene, erhofft von der Zukunft das Absolute. So entgeht ihm, wie er weiß, die Gegenwart: der erfüllte Augenblick. Die Paradoxie der Wette bei Goethe, die kaum noch Pakt ist, hat damit eben zu tun. D o n J u a n T e n o r i o lebt stets nur im Präsens. Leben als permanente Reihung der erfüllten Augenblicke. Vergangenheit: das ist einst gelebter Genuß. Zukunft? Die Gegenwart von morgen. Reflexion wäre Rationalisierung des Irrationalen: das überläßt der Verführer den Catalinón oder Sganarelle oder Leporello.

Ist Don Juan wenigstens ein a k t i v e r W ü s t l i n g ? Das haben die modernen Psychologen immer wieder mit tückischen Argumenten bestritten. Der spanische Historiker und Philosoph Gregorio Marañon provozierte mit seinem Don-Juan-Essay von 1940 viel Aufregung in Spanien.[5] Don Juans „undifferenzierter" erotischer Instinkt sei unmännlich: der richtige Mann habe „seinen" Typ, genau oder ahnungsweise, stets im Auge. Don Juan suche in Verkleidung und nächtlichem Dunkel den Genuß: der männliche Mann wolle gesehen und geliebt werden. Männliche Liebe kenne die Verschwiegenheit wie die Eifersucht: Don Juan sei unfähig zu beidem. Er prahle mit dem Leporelloregister. Ein — eher — weiblicher Übermann, so will es Marañon scheinen: „Don Juan hat einen unreifen, pubertären Instinkt, fixiert an das Entwicklungsstadium der allgemeinen A b s t r a k t i o n von Frauen, nicht der konkreten Fixierung an eine einzige Frau."

Nicht zu leugnen ist in der Tat, daß die Aktionen dieses Meisterverführers, so weit man sie auf der Schauspiel- oder Opernbühne zu kontrollieren vermag, mehr einem Getriebensein oder kontinuierlichen U n t e r l a s s e n gleichen, als dem herrischen Tun eines Faust. Oft ist bemerkt worden, daß der Wüstling bei Mozart glanzlos in Halberfolgen (bei Zerlina) und peinlichen Mißgeschicken sein Geschick vollendet. Ganz gehört ihm nur Elvira: aber die meint Vergangenes, bürgerliche solide Bindung, die Restauration des Einst. Mozart gibt ihr eine Arie im Händelstil!

Damit jedoch wird eine Frage unabweisbar. Wenn Don Juan der Hölle gleichsam ohne deren eigenes Verdienst zufällt, ohne Pakt und Absprache, fast wäre zu sagen: als ein Geschenk des Himmels; nach Absolvierung eines Daseins den Flammen anheimfällt, das mehr ein Zulassen oder Unterlassen war als ein reflektiertes und gewolltes Freveln an weltlicher und kirchlicher Ordnung, — nun denn: W a r u m a l s o m u ß D o n J u a n z u r H ö l l e f a h r e n ?

Denn freilich fährt er zur Hölle. Man sah es im Opernhaus. Der Commendatore war verschwunden, ein Höllenschlund hatte sich geöffnet, Jubelchöre der lang schon wartenden Teufel. Don Juan stürzt hinab in die Flammen: als ein dissoluto punito. Das Spiel endet bei Mozart und Da Ponte nach erprobten Regeln eines dramma giocoso. Das Schluß-Sextett läßt die sonderbar durch den Bestraften miteinander vereinten Paare gleichzeitig trivial moralisieren und den

Alltag vorbereiten, der so unerfreulich wie feiertäglich gestört worden war. Aber dies Morgen scheint sich nur für Zerlina und Masetto als Rückkehr ins Gewohnte anzudeuten. Die Aristokraten Anna und Ottavio bleiben vereint und getrennt zugleich. Die Wunde will sich nicht schließen. Sonderbar ist es zugleich, wie die „Madamina" Elvira und Leporello durch jenen Bestraften und Verschwundenen aneinander gekettet wurden: in Schmach und Genuß. Beide hat jener zugleich erniedrigt und entzückt. Beide wissen, was sie verbindet. Am Schluß der Registerarie läßt der Diener erkennen, daß und was er weiß. Elvira kann nur entfliehen, nicht protestieren.

Warum gab es für Don Giovanni kein anderes Ende als die Hölle? Das heißt zugleich fragen, w e l c h e T o d s ü n d e seinen „ewigen Tod" im Sinne katholischer und spanischer Überlieferung besiegelt hat. Womit die verwirrende Vielfalt aller Konzepte über Don Juan Tenorio sichtbar wird. Was ihm zum Verderben wurde, glaubt man allgemein zu wissen. Gleich zu Anfang seines Buches über *The Metamorphoses of Don Juan* (Stanford University Press 1959) zitiert Leo Weinstein dies allgemeine und offenbar unanfechtbare Faktum, wonach Don Juan zu verstehen sei für den „legendären Mann aus dem Volke als ein hübscher Bursche, der weiß, wie man die Frauen anlockt und verführt". Darum wohl auch, wegen einer H y p e r t r o p h i e d e s E r o t i s c h e n , bestraft wird am Leib und an der Seele.

Just diese These, die so evident scheint, daß kein Theaterbesucher, ob in der Oper oder im Schauspielhaus, dagegen Bedenken bekäme, ist e b e n s o u n a b -
w e i s b a r w i e f a l s c h . Nüchterne Geschichtsforschung, woran es bei der Don-Juan-Wissenschaft wahrlich nicht gefehlt hat, dürfte vermutlich zu dem Ergebnis kommen, daß erst das bürgerliche und laizistische 19. Jahrhundert, das nicht mehr an die Hölle glaubte, um so mehr aber an das Doppelleben aus öffentlicher Respektabilität und geheimer Ausschweifung, an Dr. Jekyll und Mr. Hyde, die unsühnbaren Verbrechen Don Juans, mitsamt den Rechtsfolgen der Höllenfahrt, in den Bereich des Geschlechtlichen transportierte. Wovon — gleich in den Anfängen der literarischen Karriere dieses Junkers aus Sevilla — sein erster poetischer Biograph, der Ordensbruder Gabriel Téllez, der seine Theaterstücke als Tirso de Molina zeichnete, weit noch entfernt war.[6]

Die von Don Juan bei Tirso und in allen späteren Adaptationen praktizierte und exhibierte Freizügigkeit der geschlechtlichen Begier war für diesen Mönch und Dramatiker kein ungewohntes Außenseitertum. Daß dem theaterfreudigen Ordensmann nicht einmal der Gedanke kam, sein Stück über den adligen Wüstling und seinen Gast vom Friedhof könnte als W a r n l i t e r a t u r gelesen oder angeschaut werden, so wie das deutsche Volksbuch des Jahres 1587 vom weitbeschreiten Erzzauberer Faustus ausdrücklich verstanden sein wollte, darf als unbestritten gelten. Eher wäre bei Tirso von einer Aktion der l i t e r a r i s c h e n R a c h e zu sprechen. Der Bruder Gabriel Téllez war unehelich geboren: das fand man heraus mit Hilfe der Taufakte. Natürlicher Sohn vermutlich eines hohen

Adligen, des D o n J u a n Téllez y Giron, Herzogs von Osuna und Vizekönigs
von Neapel. Hat er darum dem Burlador den Vornamen seines mutmaßlichen
Erzeugers gegeben? Jedenfalls beginnt der „Don Juan" des Tirso de Molina,
bevor der Wüstling nach Spanien zurückkehren muß, im Palast des spanischen
Vizekönigs von Neapel. Gewiß war es Schimpf für die hochachtbare Familie
der Tenorios, wenn ihr mit Hilfe von Theater und Literatur ein anrüchiger,
schließlich von der Hölle verschlungener Anverwandter präsentiert wurde. Tirso
hatte das übrigens zu büßen, wie es heißt.

Worin wurde der Schimpf gesehen? In Don Juans erotischer Frenesie, wenn
sie es war, mitnichten. Das kam dem Alltäglichen gleich im spanischen 17. Jahrhundert: dem „goldenen Zeitalter" des Theaters. Der adlige Wüstling war
geradezu ein Topos der Mantel- und Degenstücke. Don Juaneskes Treiben brachte
Lope de Vega immer von neuem auf die Szene: ohne Höllenfahrt als Finale.
Auch hier spiegelte sich Wirklichkeit in solchen Episoden und Charakteren. Das
eigene Leben des Lope de Vega zwischen 1562 und 1635 liest sich wie eine
Vorwegnahme der meisten Sexualeskapaden von Don Juan Tenorio: Entführungen, Ehebrüche, Konkubinat, dazwischen die Weihe zum Priester, die aber
den erotischen Ablauf nicht stört. Er irritiert auch den düsteren Herzog von
Alba nicht, dem Lope zeitweise als Sekretär dient. Übrigens wird ihm selbst
gleichfalls mit Entführung und Vergewaltigung heimgezahlt. Ein Kammerherr
des Königs entführt die Tochter des berühmten Dramatikers. Am Schluß freilich
Reue und Buße und ein erbauliches Ende. Die Leichenfeier des Lope de Vega,
weit entfernt von allem Höllenruch, wird ein kirchliches und gesellschaftliches
Ereignis zu Madrid: fünf Jahre nach der Premiere des „Don Juan" von Tirso
de Molina.

Die Widerlegung aller Gemeinplätze über Don Juans Höllenfahrt und ihre
Ursache könnte nicht vollständiger sein. Der scheinbar so exzessive, und vom
Himmel zu Recht gestrafte erotische Außenseiter gleichsam als ein J e d e r m a n n
d e s S e x u a l v e r h a l t e n s unter seinen Zeitgenossen.

Die Suche nach einem realen Tenorio als Vorbild für Tirso und alle Nachfahren schlug fehl. Es gibt kein real-modellhaftes Gegenstück des Don Juan zum
Knittlinger Urbild des Doktor Faustus. Daß es hingegen, inspiriert durch den
Theaterbesuch des Stücks von Tirso, im späten 17. Jahrhundert einen ebenso
realen wie p r o g r a m m a t i s c h e n N a c h f a h r e n gegeben hat, ist eine groteske Pointe des verwirrenden Zerrspiels zwischen Literatur und Wirklichkeit
in allem, was mit Don Juan zu tun hat.[7] Don Miguel de Mañara, geboren 1627,
gelobte sich (und anderen) feierlich und mit vierzehn Jahren, angeregt durch
frühzeitigen Theaterbesuch bei Tirso, den Weg der berühmten Kunstfigur im
selben Sevilla von nun an real nachzuvollziehen. Entführungen, erotische Betrügereien, Duelle mit Todesfolge, Ehebrüche, verlogene Schwüre: ganz wie auf
dem Theater. Er hat, dieser Don Miguel, das R e g i s t e r L e p o r e l l o s erfunden.[8] Verschwiegenheit war auch seine Sache nicht. Er zeigte sein Kontobuch

herum; am nächsten Abend spielte man wieder einmal den „Don Juan"; Schauspieler imitierten die Liste und warfen sie ins Publikum. Ein Hahnrei, der im Register verzeichnet stand, verprügelte den literaturbesessenen Erotiker. Wie Don Miguel aussah, weiß man. Murillo hat ihn gemalt. Der boshafte Marañon wurde durch das Gemälde an ein „zartes Mädchen" erinnert. Wieder endet alles, wie bei Lope, in Erbaulichkeit. Mit 22 Jahren ist die Wüstlingsexistenz zu Ende. Heirat, Tod der Mutter und Gattin, Trostlosigkeit und Reue, Generalbeichte, Wohltaten, der Tod mit 52 Jahren. Beim Vatikan wird ein Prozeß der Kanonisierung angestrengt, der nicht weit kam.

Alles am Fall des Don Juan ist konträr zu Faust. Bei diesem der Weg von der Realbiographie zur Mythe und Literatur: mit Christopher Marlowe an der entscheidenden Schaltstelle. Bei Don Juan verläuft die Kurve vom Mythos zur Literatur, von dort, als wunderliche Sukzession, zu einer realen Lebensgeschichte. Daß nämlich der mythische Untergrund der Geschichte seit den Anfängen deren Faszinosum bewirkte, durchaus nicht hingegen die Einkleidung des Mythos als erotische Mustergeschichte, läßt sich an der Geschichte dieses Mythos und seiner literarischen Metastasen belegen. Hier erst findet sich die Antwort auf ein Fragen, das wissen möchte, warum der spanische Junker zur Hölle fahren muß.

Es ist der Frevel an den Toten. Hohn auf dem Kirchhof. Don Juan Tenorio mag, nach dem Leben vieler entworfen, eine Erfindung Tirsos gewesen sein; die Geschichte vom Steinernen Gast hingegen übernahm der Dramatiker aus alten Überlieferungen. Der spanische Literaturhistoriker Ramón Menéndez Pidal fand in den Bergen bei Burgos uralte spanische Romanzen, die vom übermütigen Lebemann berichten, welcher die Statue auf einem Grab „am Bart zerrt" und zum Diner einlädt. Auch mag zu denken geben, daß die auf dem spanischen Theater seit dem 19. Jahrhundert erfolgreichste Dramatisierung des Don Juan, das mit Don Juans Erlösung durch das Ewig-Weibliche endende Stück von José Zorilla (1844), in vielen Provinzen Spaniens auch heute noch zum Totengedenken im November aufgeführt wird.

Mozarts d-Moll. Der Geistergesang des Commendatore, aufsteigend durch alle zwölf Töne der Skala. Don Giovanni, der die Toten beleidigt und nicht ruhen läßt. Der ehrlose Aristokrat überdies. War Faust eine Art dunkler Unehrenmann, so Don Juan vielleicht ein unehrenhafter Ehrenmann. Faust mußte, trotz geistlicher Warnung, als vorwegnehmender Geist bewundert und gefürchtet werden: als ein Außenseiter der Antizipation. Ambivalent als Figur und in der Wirkung. Auch Don Juan ist ambivalent als Figur wie in seiner Wirkung. Aber als ein Außenseiter der Regression.

Für alle christlichen Religionen bleibt der Kirchhof die Grenzscheide zwischen Einst und Dereinst, das Glaubensparadox aus Staub und ewigem Sein. Don Juan Tenorio am Grabe des Komturs verhöhnt die Totenbitte des Requiem. Das katholische Gebot ist verletzt.

Auch das f e u d a l e Verbot. Sein erotisches Treiben machte ihn nicht zum aristokratischen Außenseiter: durch Ehrlosigkeit. Wenngleich Verstöße gegen Verhaltensweisen vor Damen der Adelsgesellschaft zu rügen waren. Das jedoch war zu vergeben, und wird bei Tirso lange Zeit hindurch im Stück einem hochadligen und tapferen Hidalgo vom König und Hof nachgesehen. Auf dem Friedhof hingegen verletzt der Edelmann einer Katholischen Spanischen Majestät die Pflichten eines katholischen Ritters. Edelmann blieb er der Form nach in allem Irdischen: die doppelte Einladung mit Besuch und Gegenbesuch zwischen Hidalgo und totem Komtur leidet an keinem Stilvergehen. Doch Thron und Altar, Adel und Gegenreformation gehören unlöslich zusammen. Wer diesen Bund stört, hat alles bedroht. Don Juan muß in die Hölle. Der Zorn der Familie Tenorio auf Tirso war berechtigt.

In diesem Kontext wird plötzlich a u c h D o n J u a n zu einer Gestalt der W a r n l i t e r a t u r. Man übersieht das, interpretiert einer die Kunstfigur als solche eines adligen W ü s t l i n g s. Daß Tenorio ein a d l i g e r Wüstling ist, macht alles aus. Bei einer Aufführung des „Don Juan" von Tirso de Molina genoß der anwesende Adel, voller Behagen, Unehrenhaftes, Unkatholisches, das dieser Adelsgefährte demonstriert hatte. Die Bürger hingegen, und die zahlreichen Musketiere der spanischen Söldnerheere, das zahlreichste und kritischste Publikum in jenem siglo de oro, machte sich Gedanken über Adelswillkür und Privilegien. Hier wird Aminta betrogen.

> Sag, was ist das für ein Ritter,
> Der mir meinen Mann entfremdet?
> Hat in Spanien man die Frechheit
> In den Ritterstand erhoben?[9]

So klagt Aminta. Das Volk im Theater sprach es ihr nach. Wiederum ist der Kontrast zu Faust auch in der s o z i o l o g i s c h e n S i t u i e r u n g evident. Der deutsche Professor und Doktor war s t e t s e i n B ü r g e r. Als Don Juan Tenorio jedoch fährt ein Aristokrat zur Hölle. Was als s p a n i s c h e r Feudal- und Kriminalfall zuerst zu Erfolg kam, weitet sich, mit Verbreitung der Aufklärung in Europa, zum literarischen und politischen Topos der bürgerlichen Emanzipation. Im Don Juan denunziert man das Amalgam des a r i s t o k r a t i s c h e n L i b e r t i n i s m u s. Wie sich der spanische Picaro zum Figaro, so wandelt sich Don Juan, kurz vor der großen bürgerlichen Revolution, in Komödienform, und ganz ohne Höllenfahrt, in den Grafen Almaviva, der gleichfalls nicht Wüstling ist, sondern a d l i g e r Wüstling. Mozart und Da Ponte wußten, warum sie beim Suchen nach einem neuen Erfolgslibretto, um den Prager Erfolg mit dem *Figaro* zu wiederholen, auf den *Don Giovanni* kamen.

Bürgerliche Aufklärung hatte es schwer mit dem Fauststoff in ihren Anfängen. Der antizipierende Denker und Aufklärer wurde zum Zeitgenossen, diente nicht mehr zur Warnung. Das Volk mag sich einstweilen noch auf den Jahrmärkten mit Grausen an der Höllenfahrt ergötzen. Dem gebildeten Bürger ist Faust kein tragischer Stoff. Moses Mendelssohn reagiert entsetzt, als Lessing einen tragischen *Faust* entwarf.

Don Juan dagegen: das ist ein authentisches Aufklärungsrelikt des Bürgertums und seiner Literatur. Dramatisierungen des „Faust" gibt es im 18. Jahrhundert bloß in Deutschland; die anderen Literaturen folgen, meist in Goethes Gefolge, erst im frühen 19. Jahrhundert. Don Juan dagegen zieht durch Europa. Molière (1665) und Thomas Corneille, der Bruder von Pierre; drei Jahre nach ihm (1676) ein englischer Don Juan von Shadwell; Goldoni und Gluck und Mozart, und eines der Hauptwerke von Lord Byron und Mérimée. „Und so fortan", wie Goethe geschrieben hätte: zu Shaw und Horváth und Max Frischs die Geometrie liebendem Don Juan.

Es gibt solide Gründe für die These, die bedeutendste und adäquateste Dramatisierung (Mozart abgerechnet) des Stoffes sei bei Molière zu finden.[10] Keine Aufführung seiner Komödie, die das Publikum nicht ratlos und enttäuscht sähe. Das bösartigste und entschiedenste Stück dieses Dramatikers neben dem *Tartuffe*, mit dem es biographisch nah zusammenhängt. Tirso de Molina hatte sich zwar an spanischen Granden rächen wollen, allein die Aristokratie stellte er ebensowenig in Frage wie die Kirche. Don Juan handelt — meist — als Mann von Stande und respektiert — meist — die konventionelle Religion: bis zur letzten Bitte nach Beichte und Absolution. Molière, der das Stück von Tirso nicht kannte, sondern den Stoff von einem italienischen Bearbeiter übernahm, bringt einen adligen Freigeist und Atheisten auf die Szene, einen libertinistischen adligen Heuchler, so wie Tartuffe ein klerikaler Heuchler gewesen war. Diese Konstellation jedoch war Gemeinplatz der bürgerlichen Aufklärung bereits zur Regierungszeit Ludwigs XIV. Bürgerlicher Moralismus wider aristokratische Libertinage. In der deutschen Literatur des Sturm und Drang galt das noch ein Jahrhundert später: Pastor Moser vor dem adligen Freigeist Franz Moor; Musikus Miller und der Präsident von Walter. Der schwäbische Pietismus des jungen Schiller hält an religiösen und moralischen Antithesen fest, die Molière, der mit Höflingen und Jesuiten in Versailles zu tun hat, längst transzendierte. Der Skandal, den der französische Dramatiker mit dem *Don Juan* erregte, und der den Sonnenkönig veranlaßte, die Zurückziehung des Stückes anzuraten, damit er den bürgerlichen Stückeschreiber, seinen Liebling, erfolgreich vor den Jesuiten schützen könne, geht nicht von der Figur des Don Juan aus und ihren atheistischen Angriffen auf die Religion, sondern von der Art und Weise, wie diese Religion gegen den Wüstling auf der Bühne verteidigt wird. Keine Blasphemie Don Juans ist enthüllender als die dümmliche Spruchweisheit eines eingedrillten frommen Volksglaubens, die sein Diener S g a r a n e l l e von sich gibt.

Molière zeigt, das unterscheidet ihn von Tirso und allen nachfolgenden Versuchen, den Wüstling als — je nachdem — faszinierenden oder abscheulichen Sonderfall eines depravierten Adligen zu interpretieren, daß Don Juan einen

Typ repräsentiert, gar ein gesellschaftliches S y s t e m : k e i n e n e x z e s s i v e n
S o n d e r f a l l. Der französische Don-Juan-Forscher Gendarme de Bévotte
betont, daß die Don Juans im französischen 17. Jahrhundert „eine richtige
Klasse darstellten, so einförmig, daß sie sich kaum voneinander unterscheiden
ließen".[11] Als herausragendes Beispiel nennt er den Herzog Henri von Lothrin-
gen. D i e s e Kaste greift Molière an: ihren Mißbrauch sogenannter Philosophie
zur Libertinage. Darum ist in dieser bitteren Komödie, die selbstverständlich
mit der Höllenfahrt und dem Standbild als vorgeprägten Modellen zu arbeiten
hat, alles Romanzenhafte zurückgedrängt, das Übernatürliche als Requisit eines
realistischen Stückes eingesetzt. Nicht Don Juans Verführertum ist das Thema,
sondern sein Heuchlertum. Der Don Juan Molières gibt eine ausgezeichnete
Illustration für Sartres Philosophie der „mauvaise foi": um so frappierender,
als es sich bei ihm — überdies — um die Unredlichkeit in der Philosophie handelt.

Der bürgerliche Schriftsteller Molière, bereit zum Bündnis mit dem absoluten
Monarchen, weil es gegen die Feudalherren ebenso Schutz bedeutet wie gegen
die Jesuiten, haßt und verachtet Don Juan, den verlogenen Adelstyp, dem
Ausbeutung und Atheismus zu Komplementärbegriffen entartet sind. Bévotte
formuliert: „Molière rächt das anständige Bürgertum an der den Bürger verach-
tenden Aristokratie, die verdorben ist und bösartig." Das aber ist nur ein Teil
der Deutung. Unverkennbar ist — nicht der Nihilismus, wie behauptet wurde
— die Trauer über das Fehlen gesellschaftlicher Gegenkräfte zur erotischen und
philosophischen Libertinage der Aristokratie. Die Bourgeoisie im *Don Juan*
Molières? Leichtgläubig und geprellt durch den adligen Don Juan wie durch
den klerikalen Tartuffe. Das Volk? Dem nimmt man die Frauen weg und bietet,
beim Versuch von Gegenwehr, gnädigstenfalls Prügel an. Sganarelle ist Volk, jedoch bei Molière ganz unversehens mit dem realistischen Tatsachenverstand eines
Sancho Pansa. Er ist nicht die Wahrheit seines Herrn, wie später bei Diderot
und Hegel. Im Gegenteil: durch seine Einfalt, Kirchen- und Adelsgläubigkeit
macht er Don Juans Taten erst machbar. Don Juan spielt Rollen als Heuchler,
das ist schlimm, wie Molière andeutet, allein Sganarelle glaubt an seine Rollen
und Sprüche. Das ist verhängnisvoller. Weil dem so ist, mußte Brechts Versuch,
eben diesen französischen *Don Juan* vom Jahre 1665 als plebejische Konzeption,
und Sganarelle als antizipatorischen Figaro zu präsentieren, von vornherein
scheitern. Denn die Verhältnisse, die waren nicht so.

Weshalb der Schluß des *Don Juan* bei Molière, in Form der Höllenfahrt, nichts
anderes wiederholt, als den — scheinbar positiven — Schluß des *Tartuffe*, wo
der reitende Bote des Sonnenkönigs alles bestens arrangiert. Wenn die Verhältnisse unreif sind, braucht man den Steinernen Gast und reitenden Königsboten.

Diese Komödie ist verstörend geblieben, weil sie komödienhaft endet, nämlich
hoffnungslos. Ein Werk bürgerlicher Aufklärung ist sie just darin, daß sie aller
Utopie ausweicht, auch jeglicher Verklärung einer bürgerlichen und an ein

„Höheres Wesen" glaubenden Tugendhaftigkeit. Die totale Illusionslosigkeit des Stückeschreibers Molière gegenüber a l l e n von ihm präsentierten Klassen ist vorweggenommener Sternheim, aber ohne Nietzsche, auch vorweggenommener Heinrich Mann, doch ohne Rousseaus Bürgertugend. Diesem aristokratischen Libertin, ersteht nicht, wie seinem Standes- und Denkgenossen Franz Moor, ein bürgerlich-tugendhafter Pastor Moser.

Und die Frauen dieses Don Juan? Sie sind Requisiten oder Versatzstücke der traditionellen Handlung: von Molière ohne viel Interesse in die Handlung gebracht, da sich Adelsmißbrauch, Menschenverachtung und Heuchelei dieses Hidalgo nun einmal an den erotischen Affären demonstrieren lassen. Wären allein jene Skandalaffären, es gäbe keinen *Don Juan* von Molière.

Der Wüstling wird von Molière verachtet und gehöhnt; seinen Don Giovanni hingegen soll Mozart geliebt, fast als Wunscherfüllung gestaltet haben. So liest man es immer wieder. Die so jedoch schrieben, waren Denker und Künstler des bürgerlichen 19. Jahrhunderts: von E. T. A. Hoffmanns berühmter Erzählung *Don Juan* über Mörike bis zu Kierkegaard, der das „dramma giocoso" als Oper aller Opern bezeichnet hat, da seine Gleichzeitigkeit eine solche der „substantiellen Leidenschaft" sei, verursacht durch den Träger der „sinnlichen Genialität", den Verführer: „Im Don Juan ist der Grundton nichts anderes als die Grundkraft der Oper selbst, diese ist Don Juan, er aber ist wiederum — eben weil er nicht Charakter, sondern wesentlich Leben ist — absolut musikalisch." Für Kierkegaard daher die höchste Steigerung der Mozartlinie Cherubino — Papageno — Don Giovanni. Hier erst, in der Reflexion bürgerlichen Denkens im 19. Jahrhundert, wird der Don-Juanismus als e s s e n t i e l l e r o t i s c h e s P h ä - n o m e n interpretiert. Sogleich übrigens als zweideutige Gegebenheit, die ebensoviel mit sinnlicher Präsenz zu tun hat wie mit dem T o d e. Lange vor Freuds Dualität von Libido und Todestrieb wird die Ambivalenz von Tod und Liebe, l'amour et la mort, am Beispiel der Lebens- und Höllenreise des Mozartschen Don Giovanni vordemonstriert. Nun erst, in den Fesseln der bürgerlichen Sexualmoral, wird Don Juan zum Zuordnungspunkt der Begierden und Repressionen. Faust war eine ambivalente Gestalt der Warnliteratur zwischen Reformation und Aufklärung; später wurde er gesellschaftlich funktionslos; endlich — im 19. Jahrhundert — ein Forscher wie andere auch, ein gelehrter Jedermann. Don Juan wird in sonderbarer Weise zur gleichen Epoche eine Gestalt der Warnliteratur: nicht einer äußeren, sondern innerlichen Repression. Gesellschaftliche Realität hat er nicht mehr, wie zu Zeiten von Tirso und Molière. Das macht die Figur gleichzeitig irreal und überwirklich. Dies Sevilla liegt nicht in Spanien, sondern auf der Opernbühne. Die Hölle, an die man nicht mehr glaubt, befindet sich unter dem Bühnenboden. Der Aristokratismus des Hidalgo wurde reduziert auf das Kostüm: Festgewand in weißer Seide.

Faszination geht von zweierlei aus: dem P a n e r o t i s m u s, den die Registerarie Leporellos schildert, und der A b l e h n u n g d e s L e b e n s k o m p r o -

misses. Das „No" des Giovanni an den Commendatore: von hier aus wird die Figur gesehen und gebilligt. Bedauern über diese Höllenfahrt. Der ernste Gustav Mahler strich deshalb an der Wiener Hofoper das — scheinbar frivole — Schluß-Sextett, um den *Don Giovanni* von Mozart als Drama mit Höllenfahrt, als Katharsis, tragisch ausklingen zu lassen.

Mozart aber, dieser bürgerliche Künstler, der seine Oper vom bestraften Wüstling so sehr aus dem Geiste des Sturm und Drang konzipiert hatte, daß e r s t v o n h i e r a u s e i n B r ü c k e n s c h l a g z u m F a u s t erfolgt, aber nicht als Affinität von Faustus und Tenorio, sondern von G o e t h e u n d M o z a r t, brauchte das Sextett für die Gesamtkonzeption wie für das d-Moll des Steinernen Gastes.

Literaten wetteiferten seit der Romantik mit den Malern und Zeichnern, den Don Giovanni Mozarts und Da Pontes auch für den eigenen Kunstbereich zu adaptieren. Man wählte zumeist den Umweg übers Theater. Der gespielte und gesungene Giovanni als der wahre. So auch hat ihn Kierkegaard, als Inkarnation musikalischer Genialität, die der Aufführung durch eine Opernbühne bedarf, um sich zu vollstrecken, in dem Buch „Entweder-Oder" interpretiert.[12]

Dennoch wird man durch jeden Opernabend belehrt, daß der Wüstling zwar nahezu jede Szene der Oper als Handelnder wie Erleidender bestimmt, weit jedoch davon entfernt ist, das m u s i k a l i s c h e Z e n t r u m d e r M o z a r t -partitur zu bedeuten. Don Giovanni hat drei Arien, aber keine, worin er sich in der Essenz ausspricht, wie alle anderen Figuren des gegen ihn gestellten Sextetts. Was immer Kierkegaard einwenden möge: in seiner Deutung des „Musikalisch-Erotischen", dessen höchste Ausprägung jener Mozartsche dissoluto darstellt, wird das Erotische in einer Weise durch das Musikalische sublimiert, daß der V o r g a n g a u c h a l s E n t - E r o t i s i e r u n g zu deuten wäre. Der dänische Denker bemerkte zu Recht, daß die Lügenarie, wodurch Masetto von seinen Freunden getrennt und der Überrumpelung durch den Aristokraten ausgesetzt wird, bloßes Handlungsmoment ist, das Gegenteil gar einer existenziellen Proklamation. Auch das berühmte Ständchen ist agierender und düpierender Gesang: weit entfernt von monologischer Selbstdarstellung.

Bleibt der musikalische Orgasmus in B-Dur, die sogenannte C h a m p a g n e r -a r i e. Kierkegaard sieht in ihr den intensivsten l y r i s c h e n A u g e n b l i c k des Werkes, welcher „allein Don Juan zugestanden werden darf". In der Tat fehlt es in diesem Augenblick an einer dramatischen Situation, die solche Stimmungseklosion verursacht hätte. Don Giovanni steht einen Moment zwischen den Aktionen und erotischen Rollen. Kierkegaard deutet den Moment so: „Hier ist er gleichsam ideell in sich selbst berauscht. Und wenn alle Mädchen der Welt ihn in diesem Augenblick umringten, er wäre ihnen nicht gefährlich, denn er ist gleichsam zu stark, um sie betören zu wollen; selbst der mannigfaltigste Genuß der Wirklichkeit ist ihm zu gering im Vergleich zu dem, was er in sich selbst genießt. Hier zeigt es sich so recht, was es heißen will, daß Don Juans Wesen Musik ist."[13]

Musik mithin als erotischer Selbstgenuß, als Moment einer narzißhaften Lebenshaltung. Don Giovanni hat bei Mozart keinen Monolog, wo er sich einer anderen Existenz mitteilen könnte. Auch darin ist er unähnlich dem Faust. Es war ein Mißverständnis der Don-Juan-Dichtungen im 19. Jahrhundert, Don Juan zur Mitteilung, demnach zur Kommunikation, gezwungen zu haben. Darin hörte er auf, Don Juan zu sein. Mozart verstand den Verführer besser: er versagte ihm nicht bloß die Arie der Selbstdarstellung, denn jenes fast kaum singbare Presto ist bloßer Selbstgenuß einer Vitalität, die Worte haben nichts mit der Musik zu tun; es kommt nicht zur Individuation eines Menschen in Zeit und Raum. Mehr noch: es gibt bei Mozart überhaupt keine Musik, die für Don Giovanni spezifisch wäre. Er hat Musik der jeweiligen Rolle und nachgeäfften Sozialsphäre, folglich keine eigene.

Das ist für Mozarts Konzept von ihm um so wichtiger, als die Partitur, die genau gearbeitet wurde in allen Proportionen, also beispielsweise den zwölf Arien dieselbe Anzahl Ensemblenummern gegenüberstellt, alle anderen Figuren genau in ihrem gesellschaftlichen Umkreis und Rang vorstellt: die Adelswelt; dann die Bürgersfrau Elvira aus Burgos, die der Adelsdiener Leporello in der Registerarie hochmütig als „Madamina" anredet; das Bauernvolk. Gesellschaftlich dreigeteilt die Tanzmusik auf dem Schloß des Hidalgo: aristokratisches Menuett, bürgerliche Contredanse, deutscher Walzer. Alles erklingt gleichzeitig, verkörpert die soziale Pluralität und Ubiquität. Die Arie der Donna Anna aus dem Geist und der Form einer höfischen Opera seria kontrastiert mit den volkstümlichen Liedern der Zerlina. Leporellos Registerbericht parodiert in Form und Gehalt die aristokratische Arienschematik.

Bloß Don Giovanni ist musikalisch keiner einzigen Sozialsphäre zugeordnet. Er singt und agiert in allen Stilen, also in keinem eigenen. Das gehört gewißlich zu seinem erotischen Parasitismus, hat aber mehr zu bedeuten. Dieser Giovanni Mozarts ist sozial heimatlos. Kein gegen Spielregeln der Aristokratie und Kirche verstoßender Junker wie bei Tirso de Molina; weniger noch eine exemplarische Verkörperung der adligen Libertinage und Heuchelei, wie bei Molière. Der Don Juan bei Mozart ist die Kunstfigur eines bürgerlichen Künstlers, geschaffen wenige Jahre vor dem Bastillesturm. Ungefährlich geworden und fast anachronistisch; taugend weder zur Tragödie noch zur komödienhaften Enthüllung. Held eines dramma giocoso. Heiter vor allem, weil es ein Spiel mit Glaubensformen und Gesellschaftshierarchien darstellt, an die man nicht mehr glaubt: Welt von gestern, als Realität überfällig, abgesunken — oder emporgehoben! — als Spiel der Erinnerung, des Traums, der Kunst.

Weshalb die Höllenfahrt des „bestraften Wüstlings" durchaus nicht mehr als Strafe empfunden wird, vielmehr als vorausgewußter Abschluß einer längst gekannten Fabel, die man nicht entbehren mag: gleich Kindern, die bei jeder

Wiederholung einer Geschichte auf dem traditionellen Wortlaut zu bestehen pflegen.

An dieser Stelle ihrer wechselvollen Geschichte rücken F a u s t u s u n d D o n J u a n T e n o r i o j ä h g a n z n a h e z u s a m m e n, um sich ebenso plötzlich wieder voneinander zu trennen. Seinen Freund Lessing hatte Moses Mendelssohn davor gewarnt, eine Höllenfahrt des Faust auf die Bühne zu bringen, da bloß noch das Jahrmarktsvolk an dergleichen glaube, nicht mehr aber ein aufgeklärtes sächsisches Bürgerpublikum. So kam, wie bekannt, Lessing zuerst auf den dramaturgischen Plan einer Rettung Faustens mit Hilfe der himmlischen List und einer Übertölpelung der Hölle. Goethe vollends konnte eine Figur, die so viel vom Eigensten ihres Dichters mitbekam, die geradezu als stellvertretend empfunden wurde für bürgerlich-säkularisiertes Denken, nicht mehr, der Volks- und Volksbuchtradition zuliebe, zur Hölle schicken.

Eben diese Säkularisation des Geistes jedoch verbot es umgekehrt Mozart und Da Ponte, den Giovanni aus der Hand des Steinernen Gastes zu erretten. Das Jahrmarktsspectaculum der Höllenflammen hatte an ihm sich zu wiederholen. Mit ihm, dem Aristokraten und Wüstling, war Identifikation für die Bürgerwelt nicht möglich, wie mit dem bürgerlichen Professor und totalen Aufklärer Faust. Mendelssohn hatte nicht von Faust abgeraten, sondern von einer Repetierung des Aberglaubens der Hölle. Don Juan jedoch, der sozial heimatlos Gewordene, durfte getrost zur Hölle, die es nicht gab, wie Da Pontes, des Geistlichen und Freigeists, boshafte und verlogen moralisierende Verse im Schluß-Sextett nur allzu deutlich ausplaudern:

> Questo è il fin di chi fa mal
> E de' perfidi la morte
> Alla vita è sempre ugual.

Recht ist ihm geschehen, dem bestraften Wüstling. Dennoch ließ sich Gustav Mahler, wenn er das geliebte Werk nicht mit dem Sextett, sondern der Höllenfahrt ausklingen ließ, von tiefer Beobachtung, nicht von Kapellmeisterwillkür leiten. Don Giovanni nämlich, der seinen unheimlichen Gast zunächst noch im gesellschaftlichen Parlando empfangen hatte, erhielt plötzlich, da er alles als Ende weiß, eine ungewöhnliche neue Dimension: auch musikalisch. Man hat bemerkt, daß die Partie des Geistes eine musikalische Antizipation bedeutet. Mozart hat ihn ganz frei gemacht von aller herkömmlichen und gesellschaftlich determinierten musikalischen Form. Dies ist freies Spiel mit den zwölf Tönen der Skala, die gleichsam als Ewiges präsentiert werden. Auch Don Giovanni, der musikalisch Undeterminierte, wird einbezogen in diese Antizipation. Um so stärker, als er in dieser extremen Konstellation zum erstenmal nicht in einer Rolle auftritt, sondern als Substanz: in der Form der g r o ß e n V e r - w e i g e r u n g. In dieser Szene und Musik wird Don Juan plötzlich zu einem Zeitgenossen seines Tonsetzers, nicht zum lustigen Anachronismus einer fremden

Zeit und Landschaft. In seinem „No" wird Don Juan, anders als bei Tirso und Molière, zum P a r t n e r u n d G e g e n s p i e l e r F a u s t s. Allein seine Position ist die der b l o ß e n N e g a t i v i t ä t, der Verweigerung. Damit kann die Hölle nicht gebannt werden. Der Wüstling wird bestraft. Doch scheidet man, nach Mozarts Plan, nicht mit Glückwünschen, sondern mit leiser Verachtung von den Überlebenden des Sextetts.

Damit ist die Laufbahn Don Juans als eines realen Themas menschlicher Emanzipation, je nachdem eines Vorbilds oder Warnbilds, durchmessen. Der Rest gehört der Theatergeschichte oder den eifrigen Spürhunden im Bereich der vergleichenden Literaturhistorie. Das scheint eine unhaltbare Behauptung zu sein. Es gibt Dichtungen von Lord Byron und Mérimée, ganz zu schweigen von Lenau und Heine, Shaw und dem in die Geometrie verliebten Don Juan bei Max Frisch. Freilich zählt dies alles nur noch im Oberseminar und in der Topos-Forschung. Keine der auf Mozart folgenden Kreationen, epische wie dramatische, vermochte das Außenseitertum, damit die reale Konfliktebene der sensationellen und skandalösen Gestalt, zu reproduzieren. Alle späteren Don Juans waren w o h l b e k a n n t e A b w a n d l u n g e n d e s b ü r g e r l i c h e n C h a r a k t e r s. Der bürgerliche Don Juan aber ist keiner. Bei Nikolaus Lenau enden Faust wie Don Juan als Selbstmörder, allein das meint nicht den Abschluß des absoluten Außenseitertums wie bei Heinrich von Kleist, sondern bürgerliche Desillusionierung, mithin die indirekte Bestätigung der Bürgerwelt.

Gleichsam eine zweite Eule der Minerva, hat längst die P s y c h o l o g i e ihren nächtlichen Flug gestartet. Psychologie um Don Juan und den Donjuanismus zeigt an, daß diese Gestalt einstigen Lebens alt wurde. Für Kierkegaard bedeutete der Wüstling ein philosophisches Problem, kein psychologisches. Was unterschied den Don Giovanni Mozarts vom bürgerlichen Verführer? Und: Warum war die erotisch-ästhetische Existenz unmöglich? Protestantische und dialektische Theologie (auch bei Karl Barth, dem Denker über Mozart) führte damit den spanischen Hidalgo wieder in einen Bereich zurück, wo die H ö l l e e i n G e g e n s t a n d d e s N a c h d e n k e n s war, kein Jux vom Jahrmarkt oder aus dem Gruselfilm.

In seinem Spätwerk *Atheismus im Christentum* konstatiert Ernst Bloch: „Aufklärung und Atheismus treffen ‚Satanisches!' nicht im gleichen Gegenschlag wie die Hypostase Gott", was heißen soll: die Aufklärung habe es sich mit der Wegargumentierung der Hölle und des Satanischen zu leicht gemacht. „Sozusagen automatisch fiel mit dem wachsenden Unglauben an Gott auch der furchtbare Glaube an seinen Gegenspieler: Und doch nun — h i e r s t e c k t d a s P r o b l e m."[14] Psychologie als essentielle Wissenschaft der Aufklärung versagte auch hier ebenso wie vor dem Phänomen des Don Juan. Sie lieferte Varianten der bürgerlichen Charakterologie: Don Juan als Narziß, Frauenfeind, Objekt statt Subjekt des erotischen Begehrens, als Brecher von Tabus der bürgerlichen Sexualmoral, als käufliche Ware auf dem Lustmarkt. Bei Bernard Shaw: als imperialistischer Leser Nietzsches mit Reflexionen über die Zukunft der menschlichen Rasse. Der Aristokrat kam nur durch ein Versehen, als Anachronismus gleichsam, in die Hölle. Er ist nicht bedrohlich, sondern bedroht. In Shaws Vorrede zu *Mensch und Übermensch* heißt es: „Ein Mann täte besser daran, alle Standbilder Londons, so häßlich sie auch sind, zum Abendbrot einzuladen, als sich durch das nonkonformistische Gewissen einer Donna Elvira vor Gericht zitieren zu lassen." So spricht viktorianisches England. Mitleid mit Juan Tenorio alias John Tanner.

Über 120 Jahre hinweg haben sich z w e i F r a n z o s e n , beide Kenner der Literatur und der Frauen, mit Konflikten befaßt, die ein Leben des Donjuanismus in einer bürgerlichen Gesellschaft produziert, wo nicht mehr an Gott und den Teufel geglaubt wird. Stendhal, der Verehrer Mozarts, verurteilt den Spanier, im 59. Kapitel des Buches *Über die Liebe* von 1822, als Feind der bürgerlichen Ordnung und Gleichheit. Für ihn ist Tenorio abermals ein parasitäres Adelsprodukt: „Don Juan verzichtet auf alle Pflichten, die ihn mit der übrigen Menschheit verbinden. Auf dem großen Lebensmarkt ist er der unehrliche Kaufmann, der stets kauft und nie bezahlt. Die Idee der Gleichheit macht ihn so wütend wie das Wasser den Wasserscheuen; darum paßt der Hochmut der Geburt so gut zu Don Juans Charakter." Noch philisterhafter schließt der Mann, der die Figur des Julien Sorel in *Rot und Schwarz* schuf, indem er dem Genießer gar die Genußfähigkeit aberkennt. „Er muß fühlen, daß der belangloseste General, der eine Schlacht gewinnt, der belangloseste Präfekt, der sein Department in Ordnung hält, größere Genugtuung verspürt, als er selbst." Reflexionen eines abgedankten napoleonischen Offiziers und kleinen Beamten der Restaurationsepoche. In Stendhals Tagebüchern liest mans anders.

Seine Studie über den Sisyphusmythos schrieb Albert Camus mitten im Kriege (1942) als philosophisches Gegenstück zum Roman *Der Fremde*. Wo Stendhal, als Zeitgenosse der bürgerlichen Revolution und der aristokratischen Restauration, den Don Juan als Anachronismus verwirft, und damit natürlich das restaurierte bourbonische Königtum meint, mitsamt seiner gleichfalls restaurierten adligen Libertinage, interpretiert Camus umgekehrt den stolzen Hidalgo als b ü r g e r l i c h e n J e d e r m a n n.[15] Im Absatz des Sisyphusbuches über den Donjuanismus heißt es folglich: „Don Juan kann nur richtig verstanden werden, wenn man sich beständig an das hält, was er herkömmlicherweise symbolisiert: den alltäglichen Verführer und den Sexualathleten. Er i s t ein alltäglicher Verführer. Mit der Ausnahme, daß er es weiß, und darum ist er absurd . . .". Wie jedermann in der bürgerlichen Wirtschaft und Gesellschaft strebte Don Juan nach der Quantität. Aber sein Bewußtsein der Absurdität verhindere, daß er sich, wie der Jedermann des Bürgertums, neben dem Kult der Quantität auch dem Kult des S a m m e l n s ergäbe. „Sammeln bedeutet die Fähigkeit, die eigene Vergangenheit nachzuleben. Er aber verwirft das Bedauern, diese andere Form der Hoffnung. Er ist unfähig, Porträts anzuschauen."

Womit Don Juan dennoch gegenüber Jedermann zu Ehren kommt. Als Heros und Mythos der Absurdität, ein anderer Sisyphus. Daß Camus am Don Juan die Erinnerungs- und Geschichtslosigkeit bewundert, kann nicht überraschen. Allein das verschämte Lob des „absurden" und damit legitimierten Don Juan erfolgt auf Kosten der Realität. D i e s e r Don Juan des Albert Camus, gleichzeitig banaler Playboy u n d Weigerer des Rekorddenkens, der nicht Bindung will, aber auch keine Erinnerung, ist in ähnlicher Weise sozial heimatlos in der bürgerlichen Spätzeit, wie der Don Giovanni Mozarts am Ende des Ancien Régime.

Wenn die Hölle im Diesseits liegt, wie schon Marlowe im *Faustus* verkündete, vielleicht in London, wie Shelley vermutete, oder eher in Hollywood, wie Brecht gedichtet hat, bedarf es nicht der wandelnden Statuen und höllischen Brände. Camus schließt: „Don Juan kann nicht bestraft werden. Ein Schicksal ist keine Strafe."

Ein Schicksal ist keine Strafe? Allein damit weicht man der Frage aus, ob Don Juan als bürgerlicher Playboy nicht seit langem in der Hölle lebte, bevor auch er sich, wie Jedermann, ins allgemeine Schicksal ergab: in die Spielregel von Alter und Tod.

Anmerkungen

1 Eine interessante Deutung versucht Peter Michelsen: „Don Juan ist ‚Verführer' in der diabolischen Bedeutung des Wortes, indem er seine Opfer schuldig macht, und um dieses Dämonisch-Satanischen willen ist es dann auch ganz in der Ordnung, in der alten orthodoxen Ordnung, daß er schließlich vom Teufel geholt wird." (Peter Michelsen: *Verführer und Übermensch. Zu Grabbes „Don Juan und Faust".* In: Jahrbuch der Raabe-Gesellschaft 1965, S. 89). Allein diese Interpretation setzt eine moderne Reflexionsstufe voraus, die innerhalb der „alten orthodoxen Ordnung", der katholischen nämlich, durchaus nicht angenommen werden kann, auch bei Tirso und seinen Nachfolgern im Text keine Bestätigung findet.

2 Zitiert wird Tirso in der Nachdichtung von Karl Vossler. In: *Don Juan.* Texte herausgegeben von Joachim Schondorff. München/Wien 1967.

3 *The Plays of Christopher Marlowe.* Oxford University Press 1971, S. 388.

4 *Don Juan,* a. a. O., S. 126.

5 Gregorio Marañon: *Ensayo sobra el origen de su legenda.* Buenos Aires 1940, S. 74.

6 Doña Blanca de los Rios: *El enigma de Molina.* 1928.

7 Esther van Loo: *Le vrai Don Juan. Don Miguel de Mañara.* Paris 1950.

8 Van Loo, a. a. O., S. 93.

9 A. a. O., S. 101.

10 Die umfangreichste Gesamtinterpretation des Don-Juan-Themas gab Georges Gendarme de Bévotte: *La Légende de Don Juan.* Paris 1911. Neuere Untersuchungen bei J. Austen: *The Story of Don Juan.* London 1939, bei Oscar Mandel: *The Theatre of Don Juan.* University of Nebrasca Press 1963, vor allem bei Leo Weinstein: *The Metamorphoses of Don Juan.* Stanford University Press 1959.

11 Bévotte, a. a. O., S. 107.

[12] Sören Kierkegaard: *Entweder-Oder.* Ausgabe Jakob Hegner. Köln und Olten 1960, S. 106 ff.

[13] Kierkegaard, a. a. O., S. 162/3.

[14] Ernst Bloch: *Atheismus im Christentum. Zur Religion des Exodus und des Reichs.* Frankfurt 1968, S. 321.

[15] Albert Camus: *Le mythe de Sisyphe: Le Don Juanisme.* (Deutsche Ausgabe: *Der Mythos von Sisyphos. Ein Versuch über das Absurde.* rde., Band 90).

Beda Allemann

ZUR FUNKTION DER CHEMISCHEN GLEICHNISREDE IN GOETHES *WAHLVERWANDTSCHAFTEN*

Die Gesellschaftsschicht, in der Goethe seinen im Jahre 1809 veröffentlichten Roman spielen läßt, gehört längst der Vergangenheit an. Die Heiligenlegende, in die der kurze Lebensweg der Ottilie gleichnishaft ausmündet, mußte schon den Zeitgenossen als Rückwendung in eine ‚romantische' Mittelalter-Frömmigkeit erscheinen. Aber die Strukturfragen, mit denen der Roman den aufmerksamen Leser konfrontiert, sind aktuell geblieben und werden sich so rasch nicht auflösen lassen. Die Bemühungen der Goethe-Forschung um das vielschichtige Werk können diesen Sachverhalt nur bestätigen. Der Roman hat denn auch stets die Kenner und Spezialisten angezogen. Eigentlich populär ist er nie geworden.

Es steht zu diesem Befund nicht im Widerspruch, wenn Benno von Wiese die *Wahlverwandtschaften* unter bestimmtem Aspekt als das modernste Buch bezeichnet, das Goethe geschrieben hat.[1] Eine indirekte und überraschende Bestätigung von anderer Seite mag darin liegen, daß Helmut Heißenbüttel inzwischen seinen ersten Roman mit einer Paraphrase des *Wahlverwandtschaften*-Anfangs beginnen läßt.[2] Die Vermutung scheint erlaubt, daß Goethes Roman seine Wirkungsgeschichte eher noch vor als schon hinter sich habe. Es ist verständlich, daß er in seinem eigenen Jahrhundert, dem Zeitalter des großen realistischen Romans, sozusagen nur subkutan nachwirken konnte.[3]

Die folgenden Überlegungen konzentrieren sich auf einen ganz bestimmten, aber unter gewissen theoretischen Voraussetzungen signifikanten Teilaspekt. Es geht um die Funktion der Gleichnisrede, auf die der Titel des Romans *Die Wahlverwandtschaften* verweist und die seinen Aufbau mitbestimmt. Es wäre denkbar, daß Goethe bei der ursprünglichen Konzeption des Werkes nicht viel anderes vorschwebte, als den gleichnishaften Sprachgebrauch, der die zeitgenössische Naturwissenschaft von Wahlverwandtschaft sprechen ließ, wo es sich um das chemische Phänomen der Affinität handelte, in den zwischenmenschlichen, den sozialen und moralischen Bereich zurück zu übertragen. Dem Charakter einer Novelle, wie sie zunächst für die *Wanderjahre* geplant war, hätte diese Grundidee durchaus entsprechen können. Mit der Ausweitung des Vorhabens zum selbständigen Roman mußte sie keineswegs aufgegeben werden, wohl aber in komplexere Zusammenhänge des Werkaufbaus einrücken. Dieser Sachverhalt spiegelt sich in der kurzen Selbstanzeige, die Goethe wenige Wochen vor dem Erscheinen des Romans im Cotta'schen Morgenblatt erscheinen ließ. Sie beruft sich zur Erklärung für den „seltsamen Titel" auf die fortgesetzten physikalischen Arbeiten des Verfassers.

> Er mochte bemerkt haben, daß man in der Naturlehre sich sehr oft ethischer Gleichnisse bedient, um etwas von dem Kreise menschlichen Wissens weit Entferntes näher heranzubringen, und so hat er auch wohl in einem sittlichen Falle eine chemische Gleichnisrede zu ihrem geistigen Ursprunge zurückführen mögen . . .[4]

Soweit scheint die Bedeutung der Gleichnisrede für den Ansatz und die Basis der Romanhandlung völlig eindeutig festzustehen. Von einem späteren naturalistischen Stand der Romantheorie aus gesehen, könnte man geradezu versucht sein, hier bereits auf einen r o m a n e x p é r i m e n t a l im genauen Sinne Emile Zolas zu schließen. Eine naturwissenschaftlich erfaßbare Gesetzmäßigkeit soll in den sittlich-sozialen Bereich übertragen und in ihm an einem konkreten Beispielfall demonstriert werden. Goethe selbst beruft sich im Fortgang des zitierten Satzes darauf, daß „doch überall nur e i n e Natur ist", und scheint damit die Legitimation der Übertragung sicherstellen zu wollen. Es gilt indes von vornherein zu beachten, daß es sich für ihn nicht um eine einfache Übertragung vom einen Bereich der Natur in den anderen handelt, sondern ausdrücklich um eine Rückübertragung. Der Begriff der Wahlverwandtschaft ist dem Bereich zwischenmenschlicher Beziehungen entnommen. Sein naturwissenschaftlicher Gebrauch hat seinerseits bereits den Charakter der Metapher. Somit läßt sich Goethes Verfahren dadurch kennzeichnen, daß hier ein metaphorischer Kunstausdruck wieder wörtlich genommen wird. Darin liegt der nun nicht mehr chemische, sondern poetische Sinn der Gleichnisrede.

Diese Rückführung kann allerdings nicht die Funktion haben, die chemische Metapher zu tilgen. Sie wird vielmehr akzentuiert dadurch, daß die Gleichnisrede als eine solche begriffen wird. Damit öffnet sie sich unter den Voraussetzungen der Goetheschen Denkweise von selbst über die beiden zunächst maßgebenden Bezugsbereiche hinaus in eine umfassendere Dimension. Die Selbstanzeige mündet in einen Hinweis auf den Gegensatz von Vernunft, Freiheit und Notwendigkeit, dessen Ausgleich menschliche Kräfte übersteigt. Damit ist die Spannweite der Gleichnisrede vorläufig exponiert. Sie ist bei der poetologischen Analyse dieser Gleichnisrede im Auge zu behalten.

I

Die nicht unironische Vorsicht, mit der Goethe sein poetisches Verfahren in der Selbstanzeige begründet, findet sich im Erzählvorgang des Vierten Kapitels des Ersten Romanteils unmittelbar wieder. Ein abendliches Gespräch unter den Freunden dient dazu, den Begriff der Wahlverwandtschaften zu thematisieren.

Die Rückführung der chemischen Gleichnisrede zu ihrem geistigen Ursprung wird nicht programmatisch vollzogen; es genügt, wenn der Leser sich beim Fallen des Stichworts an den Titel des Romans sogleich erinnert und aufhorcht. Die Thematisierung erfolgt beiläufig aus einem als zufällig dargestellten Anlaß im Laufe der Unterhaltung.

Aber das Gespräch über die Wahlverwandtschaften wird nicht nur auf dem ironischen Umweg über einen spielerischen Zufall in Gang gebracht, es weist in sich selber alle Merkmale konstruktiver Ironie auf. Charlotte hat Eduard beim Vorlesen über die Schulter geblickt, und auf seine unwillige Bemerkung darüber weiß sie mit einer naiv entwaffnenden Begründung den Frieden wieder herzustellen:

> Ich hörte von Verwandtschaften lesen, und da dacht ich eben gleich an meine Verwandten, an ein paar Vettern, die mir gerade in diesem Augenblick zu schaffen machen. Meine Aufmerksamkeit kehrt zu deiner Vorlesung zurück; ich höre, daß von ganz leblosen Dingen die Rede ist, und blicke dir ins Buch, um mich wieder zurechtzufinden (S. 270).

Mit leichter Hand wird damit auch der Leser des Romans zu besonderer Aufmerksamkeit ermuntert. Nur am Rande sei vermerkt, daß das Motiv von Eduards Unwillen im späteren Verlauf des Romans bekanntlich noch eine ganz andere Funktion bekommt: was dem Helden an Charlotte unausstehlich ist, wird ihm in bezug auf Ottilie zur lieben Gewohnheit werden. Die genauere Auskunft, die Charlotte über den chemischen Begriff der Verwandtschaft haben möchte, wird ihr zunächst nicht von ihrem vorlesenden Gatten, sondern vom dritten Teilnehmer an der abendlichen Runde, dem Hauptmann als dem eigentlichen Experten in naturwissenschaftlichen Fragen, erteilt. Aber auch er mag sich nicht ganz ohne Vorbehalte äußern, denn sein einschlägiges Wissen ist zehn Jahre alt: „Ob man in der wissenschaftlichen Welt noch so darüber denkt, ob es zu den neuern Lehren paßt, wüßte ich nicht zu sagen" (ebd.). Das wiederum gibt dem impulsiven Eduard Gelegenheit, sich darüber zu beschweren, daß man neuerdings alle fünf Jahre umlernen müsse und nicht wie die Vorfahren sich an den in der Jugend empfangenen Unterricht halten könne. Charlotte beschwichtigt ihn ein weiteres Mal; ihr geht es gar nicht um eine präzise wissenschaftliche Auskunft. Sie weiß, daß die Gelehrten sich ohnehin selten über einen Sachverhalt einig sind. Sie möchte lediglich die Wortbedeutung kennenlernen, um sich in größerer Gesellschaft nicht mit ihrer Unkenntnis zu blamieren.

Es ist hier schon, bevor noch das eigentliche Gespräch über das Phänomen der Wahlverwandtschaft zwischen den Freunden in Gang kommt, sehr deutlich geworden, daß die an ihm beteiligten Hauptfiguren des Romans weit davon entfernt sind, seine Bedeutsamkeit für ihr eigenes Schicksal zu durchschauen. Zwar können die Gatten es sich in der Folge nicht versagen, die umsichtig-sachlichen Erklärungen des Hauptmanns immer wieder zu unterbrechen und die dargelegten chemischen Befunde sogleich in den sozialen und schließlich in ihren ganz persönlichen Bereich zu übertragen. Charlotte sucht sich den abstrakten wissenschaftlichen Lehrstoff nach Möglichkeit zu veranschaulichen. Sie mag dafür nicht die Ankunft des vom Hauptmann in Aussicht gestellten Experimentierkastens abwarten, sondern assoziiert weiterhin die Metaphern der chemischen Kunstsprache sogleich mit der ihr geläufigen zwischenmenschlichen Bedeutung. Eduard seinerseits läßt es sich nicht nehmen, die so eingeleitete Rückübertragung bis in die geistreiche Spielerei weiterzutreiben und sich selbst schon als einen Kalk zu sehen, der von der Schwefelsäure in Person des Hauptmanns ergriffen, seiner Gattin entzogen und in einen refraktären Gips verwandelt wird.

Auf so heiter gelöste Art ist in der deutschen Literatur erst bei Thomas Mann wieder Naturwissenschaft doziert worden, im Speisewagen-Gespräch des falschen Marquis de Venosta mit Professor Kuckuck zwischen Paris und Lissabon. Aber die Goethesche Ironie im Wahlverwandtschaften-Gespräch ist noch um eine Stufe verschlagener als die des Hochstaplers. Sie ist konstruktive Ironie in dem für den Aufbau des Romans maßgebenden Sinn, daß die muntere Kombinatorik, mit der die Freunde die chemische Gleichnisrede auf ihre eigenen Verhältnisse und schließlich auch auf das künftige Verhältnis zu der noch nicht in ihrem Kreise anwesenden Ottilie beziehen, die eigentliche Applikation der chemischen Vorgänge auf die zwischenmenschlichen Verhaltensweisen, wie sie sich aus dem weiteren Fortgang der Romanhandlung aufdrängt, gerade verstellt anstatt sie zu enthüllen. Die Freunde glauben, lediglich ein unterhaltsames Gesprächsspiel zu treiben, und sie bleiben in verständlicher Blindheit bei den noch harmloseren Varianten stehen. Aus der Reihe der möglichen Kombinationen wissen sie jene schlimmstmögliche Wendung, die tatsächlich auf sie lauert, nicht wahrzunehmen. Sie glauben zu spielen, während der Autor des Romans mit ihnen spielt.

Wir müssen es uns versagen, hier die kleine Komödie der Selbsttäuschung, als die das Wahlverwandtschaften-Gespräch im Nachhinein erscheint, Zug für Zug nachzuverfolgen, so reizvoll das wäre. Es käme dabei nicht so sehr darauf an, die Stichhaltigkeit der von den Gesprächspartnern spielerisch vorgenommenen Übertragungen noch einmal nachzurechnen, oder gar, wie es jüngst geschehen ist, nachzuweisen zu suchen, daß die Spekulationen der Freunde, wenn man sie nur recht auszulegen weiß, schließlich doch mit dem von Goethe wenigstens intendierten Handlungsverlauf des Romans übereinstimmen.[5] Der Mechanismus der von den Freunden erwogenen Anwendungsfälle ist in sich stimmig und auch für den Laien durchschaubar, jedenfalls wenn dieser sich anhand eines Kommentars über gewisse Eigentümlichkeiten im damaligen Sprachgebrauch der Chemie hat belehren lassen. Wichtiger für die Erkenntnis der strukturellen Funktion des Wahlverwandtschaften-Gesprächs ist es, die in den Erwartungen und Befürchtungen der Personen in bezug auf ihr künftiges Zusammenleben psychologisch begründete Disposition wahrzunehmen, die sie fast zwangsläufig auf ihre zu harmlose Schlußkombination führt.

So hatte Charlotte von Anfang an große Bedenken dagegen gehabt, die spät erst gewonnene Zweisamkeit mit ihrem Jugendfreund Eduard durch die Einladung an den Hauptmann einer möglichen Störung auszusetzen. Als in den chemischen Erläuterungen der Begriff der Scheidung auftaucht, reagiert sie mit einiger Heftigkeit. Der eigensinnige, aber zugleich konfliktscheue Eduard hatte ihr vorgeschlagen, zum Ausgleich auch Ottilie aufs Landgut zu holen. Charlotte brachte auch gegen diesen Kompromißvorschlag ihre Bedenken vor, aber nicht etwa, weil sie eine Annäherung zwischen Eduard und Ottilie befürchtet hätte. Der Leser erfährt schon im Zweiten Kapitel des Ersten Teils, daß niemand anders als Charlotte selbst, bevor sie in die Ehe mit Eduard einwilligte, versucht hatte, diesen mit Ottilie in eine dauernde Verbindung zu bringen. Der Versuch war fehlgeschlagen: Eduard hatte, ganz von dem Gedanken erfüllt, seine Jugendliebe zu Charlotte endlich mit einer Heirat zu besiegeln, das junge Mädchen kaum recht wahrgenommen. Was Charlotte immer noch bedenklich stimmt, ist vielmehr der Plan, den Hauptmann und Ottilie unter einem Dach zu vereinigen. Das ist die Ausgangslage in den Beziehungen der Hauptpersonen zueinander im Augenblick des Gesprächs über die Wahlverwandtschaften. Eduard weiß an seinem Beginn noch nicht, daß Charlotte sich soeben tatsächlich entschlossen hat, die Einladung an Ottilie ergehen zu lassen. Ihm muß alles darauf ankommen, wenn er seinen Freund bei sich halten will, die von ihm angestrebte Viererkonstellation als so unverfänglich wie nur denkbar hinzustellen. Genau das tut er mit dem Buchstabenspiel, das die Unterhaltung über die Wahlverwandtschaften beschließt. Er glaubt hier wie immer an seine Fähigkeit zur Zeichendeutung, und wie immer scheinen ihm die Zeichen den erwünschten Erfolg zu verheißen. Er selbst wird sich enger dem befreundeten Hauptmann anschließen, der ihn „für diesmal“ seiner Gattin „einigermaßen entzieht“. Damit aber Charlotte bei diesem Austausch der Verbindungen nicht leer ausgeht, soll sie einen Ersatz an Ottilie finden, „gegen deren Annäherung du dich nicht länger verteidigen darfst“ (S. 276).

Eine kleine Unaufrichtigkeit bleibt in dieser Ausdeutung durch Eduard gewiß zurück. Von einer klaren Scheidung der Elemente, wie sie das zugrundeliegende chemische Reaktionsschema verlangt, ist nicht mehr die Rede. Der Rest von Verfänglichkeit, der der Gleichnisrede auch noch in dieser harmlosesten der möglichen Deutungen anhaftet, wird mit wohlgesetzten Worten überspielt. Charlotte findet denn auch, daß das Beispiel nicht ganz auf den vorliegenden Fall paßt. Aber zugleich erklärt sie sich mit der Einladung an Ottilie einverstanden. Die Konversation hat zu einem alle Seiten befriedigenden Abschluß geführt. Daran ändert sich auch nichts mehr, wenn am Schluß des folgenden Kapitels das Thema noch einmal kurz aufgenommen wird. Zwar scheint der Hauptmann hier das künftige Verhängnis zu ahnen. Aber Eduard weiß auch dieser Wiederaufnahme der Gleichnisrede eine scherzhafte Wendung zu geben, die die Selbsttäuschung über den bevorstehenden Konflikt nur bestärkt.

II

Die Situation des Romans im ganzen ist durch das Gespräch über die Wahlverwandtschaften in seinen Grundzügen exponiert. Ich möchte dabei den Begriff der Situation in einem poetologisch prägnanten Sinn verstehen, in welchem er die aktive Bedeutung einer thematischen Grundlegung mit einschließt. Er bezeichnet in diesem Fall primär das Sichsituieren der Personen und damit die Bereitstellung für den Ablauf der Handlung. Es gibt daneben in der Situation eines Romans gewiß auch die statischen Momente, das wie selbstverständlich Vorausgesetzte des Schauplatzes und auch des Zeitgerüsts. Es ist in bezug auf die *Wahlverwandtschaften* oft genug auf die streng abgezirkelte Szenerie mit ihren genau lokalisierten und symbolträchtigen Einzelheiten hingewiesen worden. Entsprechendes läßt sich für die Gliederung der Handlungszeit zeigen, die als klare Marksteine eine bestimmte Abfolge von Gedenktagen (Namens- und Geburtstagen der Hauptpersonen) aufzuweisen hat.[6] Innerhalb der Figurenkonstellation ist thematisch eindeutig vorgegeben die eigentümliche Verbindung zwischen Eduard und Charlotte. Als drittes und viertes Element kommen der Hauptmann und Ottilie vom Ersten Kapitel an in Sicht, noch bevor sie persönlich den Schauplatz betreten. Im Vierten Kapitel verdichtet sich die Konstellation zur Grundsituation des Romans im vollen Sinne, und gleichzeitig stellt sich die poetologische Frage nach ihrer Weiterentwicklung.

Damit ist nicht nur die naheliegende und den erwartungsvollen Leser beschäftigende Frage gemeint, wie es denn nun weitergehen werde, nachdem im Sechsten Kapitel schließlich auch Ottilie als letzte der Hauptpersonen glücklich auf dem Landgut eintrifft. Es handelt sich zugleich und vor allem um die diffizilere Frage, wie es der Erzähler bewerkstelligt, auf der von ihm mit konstruktiver Ironie bereitgestellten Basis die zentrale und von den Hauptbeteiligten nicht vorhergesehene Verwicklung im Romanablauf zu entfalten.

Damit ist auch schon gesagt, daß der entscheidende Vorgang auf mehr als einer Ebene gesehen werden will. Unausdrücklich, jedenfalls ohne nähere Begründung, sind wir bei der Analyse des Wahlverwandtschaften-Gesprächs schon so verfahren. Streng aus dem Horizont der beteiligten Personen betrachtet, ließe dieses Gespräch sich auf die einfache Formel einer Täuschung bringen, deren eigentlicher Urheber Eduard ist. Seiner deutungssüchtigen Initiative und seiner Beredsamkeit ist es zuzuschreiben, daß Charlotte und der Hauptmann trotz leiser Bedenken sich mitziehen lassen und gegen die Einladung an Ottilie keinen nachhaltigen Widerstand leisten. Charlotte selbst hält es „für ein Glück, daß wir heute einmal völlig zusammentreffen und daß diese Natur- und Wahlverwandtschaften unter uns eine vertrauliche Mitteilung beschleunigen" (S. 276 f.). Im übrigen kann es den Beteiligten auch am Ende des Gesprächs immer noch so scheinen, als seien sie rein zufällig auf das Thema geraten. Dem Leser dagegen ist diese naive und auf die gegebene Situation beschränkte Sehweise verwehrt. Es versteht sich für ihn von selbst, daß der Autor ein solches

Gespräch nicht ausführlich referiert, ohne damit eine weiterreichende konstruktive Absicht zu verbinden. Da das Leitthema des Gesprächs überdies mit dem Titel des Romans übereinstimmt, ist er bei aller Indirektheit der Darstellung sogar darauf gefaßt, hier etwas über die Grundabsicht des Autors zu erfahren. Er sieht sich geradezu aufgefordert, in der Gleichnisrede den Schlüssel für das angemessene Verständnis des ganzen Ablaufs zu suchen und zu finden. Es bereitet ihm unangefochtenes Vergnügen, hinter der scheinbaren Zufälligkeit des Gesprächsgegenstandes die lenkende Hand des Autors wahrzunehmen, dessen Erzählkunst nicht zuletzt in der Beiläufigkeit besteht, mit der er die entscheidende Reflexion auf die Grundlagen des bevorstehenden Ablaufs ins Spiel zu bringen weiß. Der Leser delektiert sich an dem Umstand, daß die Romanpersonen offensichtlich auf der richtigen Spur sind und die ihnen drohenden Verwicklungen im Prinzip erkennen, ohne doch die in der Romanwirklichkeit bevorstehende Katastrophe zu ahnen. Leise Andeutungen in der Darstellung durch den Autor genügen ihm, um sich in seiner Vermutung bestärkt zu finden, daß sich hinter der chemischen Gleichnisrede noch etwas ganz anderes verbirgt, als was Eduard aus ihr herausliest. Für den Leser zeichnet sich das Verhängnis bereits ab, für das die Romanfiguren im Augenblick noch so gut wie blind sind. Er hat aus seiner Lesererfahrung heraus ein Gespür für den Täuschungsmechanismus, der sich hinter Eduards Selbstgewißheit verbirgt.

Allerdings bleibt auch der Leser — und damit ergibt sich eine dritte Ebene — auf die Winke des Autors angewiesen, wenn er nicht im Dunklen tappen will. Es ist offensichtlich, in welch ungewöhnlichem Ausmaß gerade die *Wahlverwandtschaften* mit zunächst unscheinbaren und zu einem guten Teil erst bei wiederholter Lektüre wahrzunehmenden Vorausdeutungen und Querverweisen arbeiten. In unserem Zusammenhang sei nur daran erinnert, wie früh und zunächst scheinbar beiläufig das Motiv des Todes und der Beziehung zu den Toten in den Roman eingeführt wird. Die Dichte solcher Motivverflechtungen ist ein wesentlicher Aspekt des Ganzen. Es nützt dem Leser wenig, etwas klüger und in seinen Schlußfolgerungen vorsichtiger zu sein als die handelnden Personen, wenn er nicht zugleich ein immer schärferes Bewußtsein für die Gesamtkonstruktion zu entwickeln versteht. Das trifft nicht nur in bezug auf die Motivverflechtungen zu, sondern gilt ganz besonders auch für die Funktion der Gleichnisrede, mit der die Thematik des Romans exponiert wird. In ihrem Bereich ist mit dem Aufdecken von Motivparallelen, so wichtig dies bleibt, nicht mehr viel auszurichten.

Es fällt vielmehr auf, daß nach dem Gespräch im Vierten Kapitel und dem kurzen Nachspiel am Ende des Fünften Kapitels des Ersten Teils auf die Gleichnisrede nicht mehr ausdrücklich zurückgekommen wird. Das bedeutet gewiß nicht, daß ihre Rolle damit bereits erschöpft sei. Aber der Sachverhalt dieses Verstummens fordert zu besonderer Sorgfalt in der Analyse ihrer Funktion auf. Es mag naheliegende, wenn auch im Roman unausgesprochene Gründe dafür geben, daß die Gesprächspartner in dem Maße, wie die Situation sich verschärft, nicht mehr gerne an ihre anfänglichen Scherzreden erinnert sein wollen, an denen Ottilie, die am Schluß als die eigentliche Heldin des Romans dasteht, ohnehin keinen aktiven Anteil hatte. Der Autor seinerseits sieht keinen Anlaß, die Gleichnisrede nochmals aufzunehmen und weiterzuführen. Höchstens spielt er gegen Ende des Romans noch einmal flüchtig auf sie an, wenn er im zweitletzten Kapitel, das den eigentümlichen Ruhezustand vor der finalen Katastrophe schildert, von Eduard und Ottilie sagt: „Nach wie vor übten sie eine unbeschreibliche, fast magische Anziehungskraft gegeneinander aus" (S. 478). Die Interpreten des Romans haben nicht verfehlt, auf diesen Satz eigens hinzuweisen. Indes überforderte man ihn wohl, wenn man aus ihm schließen wollte, daß die weitere Entwicklung der Romanhandlung und ihr Ausgang ohne weiteres und ausschließlich nach dem im Wahlverwandtschaften-Gespräch bereitgestellten Schema zu verstehen sei. Man braucht eine solche Rechnung nur konsequent durchzuführen, um ihre Abwegigkeit zu erkennen. Nach der einstigen Explikation der chemischen Wahlverwandtschaften durch den Hauptmann sind nämlich die bedeutendsten und merkwürdigsten Fälle jene, „wo man das Anziehen, das Verwandtsein, dieses Verlassen, dieses Vereinigen gleichsam übers Kreuz wirklich darstellen kann, wo vier bisher je zwei zu zwei verbundene Wesen, in Berührung gebracht, ihre bisherige Vereinigung verlassen und sich aufs neue verbinden" (S. 275). Auf einen solchen Fall war auch Eduards Buchstabenspiel gegründet. Wenn es nur darum ginge, die falsche und harmlose Kombination Eduards durch die richtige zu ersetzen, so hieße das nichts anderes, als daß der inzwischen zum Major avancierte Hauptmann sich schließlich mit Charlotte ebenso innig verbinden müßte wie Eduard mit Ottilie. Zweifellos gibt es im Ablauf des Romangeschehens genug Belege dafür, daß eine solche komplementäre Wahlverwandtschaft denkbar ist, ja durchaus besteht und sozusagen nur darauf wartet, mit Nachdruck thematisiert zu werden. Den erst im Tode vereinten Liebenden stünde dann ein noch im Leben glücklich zueinander findendes Paar gegenüber. Bei einer noch strengeren Applikation des chemischen Wahlverwandtschaften-Prinzips „gleichsam übers Kreuz" wäre sogar Voraussetzung, daß schon in der Ausgangslage zwei zunächst fest verbundene Paare vorhanden sein müßten: neben dem Ehepaar Eduard und Charlotte ein Liebespaar Hauptmann und Ottilie. Es genügt, eine solch strenge Anwendung des voll entfalteten chemischen Schemas auch nur zu erwägen, und es wird sogleich sichtbar, wie wenig sie das konstruktive Grundschema für den Handlungsablauf bereitzustellen vermöchte. Sie würde die Konstruktion des Romans nicht stützen und erläutern, sondern im Gegenteil zerstören.

Das ist ein klarer, aber in dieser Form rein negativer Befund. Er besagt, daß mit einer bloßen Rektifikation und linearen Durchführung der in den Gedankenspielen des Wahlverwandtschaften-Gesprächs exponierten Möglichkeiten die poetische Konstruktion des Romans noch nicht einmal im Bereich des äußeren

Handlungsablaufs und der Personenkonstellationen zu erfassen ist. Dem steht, vorderhand mit einiger Schroffheit, der Befund entgegen, daß der Leser seit der Einführung der Gleichnisrede in den Roman und weit über ihr Verstummen hinaus förmlich darauf angewiesen ist, sich den weiteren Verlauf nach dem Schema eben dieser Gleichnisrede zurechtzulegen. Ihm muß es, und zwar um so sicherer, je genauer er liest, nur darauf ankommen, den wahren Sinn der Gleichnisrede zu erkennen (im Gegenzug zu der voreiligen Fehldeutung Eduards), um den Schlüssel für das Romangeschehen tatsächlich in der Hand zu halten. Dieser nur zu natürlichen Erwartung des Lesers widerspricht der Verlauf des Romans. Er läßt sich in seiner Gesamtkonstruktion offensichtlich gerade nicht als die konsequente Illustration der Gleichnisrede interpretieren.

Was aber sollen wir sagen angesichts eines Romans, der sich weigert, die von ihm in der beschriebenen Weise kunstvoll exponierte Grundsituation folgerichtig auszubauen? Müssen wir uns wirklich darauf einlassen, das Spiel der Gesprächspartner unmittelbar in die Interpretation hinein fortzusetzen und nach immer komplizierteren Erklärungen zu suchen, um die Gleichnisrede schließlich doch noch dem Handlungsverlauf gefügig zu machen?

Ein ganz anderer Ausweg scheint sich anzubieten, wenn wir auf den Begriff eines ‚realistischen Tics' zurückgreifen, den Goethe in seinem Briefwechsel mit Schiller über *Wilhelm Meisters Lehrjahre* entwickelt hat. Auch dort ging es um den Einwand eines gewissen Mangels an letzter Konsequenz in der Durchführung eines Romans. Goethe begründet diese ihm selbst auffallende Eigentümlichkeit mit seiner tief verwurzelten Neigung zur Untertreibung:

> Der Fehler, den sie mit Recht bemerken, kommt aus meiner innersten Natur, aus einem gewissen realistischen Tic, durch den ich meine Existenz, meine Handlungen, meine Schriften den Menschen aus den Augen zu rücken behaglich finde (9. 7. 1796).

Goethe nennt das im selben Brief, jedenfalls in bezug auf seine schriftstellerische Verfahrensweise, geradezu eine „perverse Manier" und ist seinem Freund Schiller dankbar, daß er ihn in bezug auf die *Lehrjahre* noch rechtzeitig darauf aufmerksam gemacht hat:

> ich komme mir vor wie einer, der, nachdem er viele und große Zahlen über einander gestellt, endlich mutwillig selbst Additionsfehler machte, um die letzte Summe aus Gott weiß was für einer Grille zu verringern.

Trotz des selbstkritischen Tones in diesem Brief an Schiller spricht nichts dagegen, in gewissen Grenzen den ‚realistischen Tic' Goethes keineswegs nur als Perversion, sondern als ein sehr ernst zu nehmendes Prinzip in der Struktur seiner Werke zu verstehen. Es widerstrebt ihm offensichtlich, eine allzu glatte Rechnung aufzumachen. Zum allgemeinen poetologischen Grundsatz erweitert, läuft das auf die bekannte Weigerung Goethes hinaus, im poetischen Werk nur die Verkörperung einer abstrakten Idee zu sehen. Nach dem Zeugnis Eckermanns neigte Goethe im Rückblick dazu, gerade den *Wahlverwandtschaften* eine Konzession in dieser Richtung vorzuwerfen: „Der Roman ist dadurch für den Verstand faßlich geworden; aber ich will nicht sagen, daß er dadurch besser geworden wäre!" (Gespräch vom 6. 5. 1827). Unmittelbar auf diesen Satz folgt der vielzitierte Ausspruch: „je incommensurabler und für den Verstand unfaßlicher eine poetische Production, desto besser." Dem wäre dann für den vorliegenden Fall nur noch hinzuzufügen, daß auch die *Wahlverwandtschaften* zweifellos genug des Incommensurablen enthalten.

Damit wäre, wie gesagt, ein Ausweg skizziert aus der Verlegenheit, daß das Rechenexempel mit den chemischen Wahlverwandtschaften nicht fugenlos aufgehen will. Aber er würde seinerseits, unbeschadet seiner Beliebtheit und der Möglichkeit, sich mit ihm bis zu einem gewissen Grade auf Goethes Selbstverständnis zu berufen, doch nur wieder eine Verlegenheitslösung darstellen. Die poetologische Analyse ist es sich schuldig, nicht vorschnell auf das Unerklärliche zu rekurrieren, das ihren Gegenständen zugrundeliegt. Sie ist verpflichtet, einen Weg durch die Werkstruktur zu zeigen auf die Gefahr hin, daß auch er nur ein Gleichnis bleibt, und dazu nicht einmal ein poetisches. Ich bediene mich zu diesem Zweck des Begriffs der Situationsverschiebung. Er stammt aus alter rhetorischer Tradition, wird hier aber in einem ausgeweiteten und auf die Gesamtstruktur von literarischen Texten bezogenen Sinne verwendet, ohne daß dies theoretisch im vorliegenden Zusammenhang ausführlicher begründet werden könnte.

III

Die Grundsituation des Romans, wie sie im Wahlverwandtschaften-Gespräch exponiert wird und hier in einigen Hauptzügen nachgezeichnet wurde, schien klar zu sein. Sie wird von Goethe in einem konstruktiv-ironischen Erzählverfahren zur Darstellung gebracht, doch besagt das an sich noch nichts gegen ihre Eindeutigkeit in einem überthematischen und strukturellen Sinn, im Gegenteil. Auf dieser Basis könnte sich das Romangeschehen in einer gleichsam choreographischen Weise entfalten. Aber der ironische Vorbehalt, mit dem die Gleichnisrede ausgestattet ist, erweist sich vom weiteren Verlauf her als so fundamental, daß er das Prinzip der Gleichnisrede selbst trifft. Nicht nur Eduard und seine Freunde täuschen sich in bezug auf die wahren Möglichkeiten, die in der von ihnen betriebenen Kombinatorik liegen; nicht nur der Leser, an diesem Punkt bereits klüger als die Figuren oder jedenfalls vorgewarnt, sieht sich am Schluß des Romans vor die Frage gestellt, ob er die Tragweite des heiter-verfänglichen Gesellschaftsspiels rechtzeitig zu ermessen vermochte. Die Gleichnisrede selbst, deren der Autor sich bedient, gerät in den ironischen Verdacht, noch in einem ganz anderen Sinn Gleichnis zu sein als in dem offen zutageliegenden einer Rückübertragung aus dem chemischen in den zwischenmenschlichen Bereich. Wo dieser Verdacht auftaucht, wird auch das scheinbar Selbstverständliche dieser

Rückübertragung wieder fragwürdig. Auf der hier erreichten Stufe der Reflexion steht die Gleichnisrede als solche zur Diskussion. Es erhebt sich die Frage, ob durch den Autor nicht das zentrale und im Titel bestätigte Thema seines Romans mit aufs Spiel gesetzt wird. Manches weist von vornherein darauf hin, daß dem tatsächlich so ist. Goethe läßt nicht nur seine Figuren einer Selbsttäuschung verfallen. Seine ironische Zurückhaltung geht beträchtlich weiter. Er läßt die durch das Wahlverwandtschaften-Gespräch scheinbar und leichthin schon beantwortete Frage bewußt offen, wie es mit der Legitimation jener Rückübertragung bei Lichte besehen denn eigentlich bestellt sei.

Einerseits scheint die Analogie zwischen einer chemischen Reaktion und der menschlichen Verhaltensweise sehr weit zu reichen, nämlich bis zu der fast magischen Anziehungskraft, die die beiden Liebenden bis zuletzt aneinander bindet. Andersherum gesehen jedoch bedeutet der tödliche Ausgang den vollständigen Ruin des Gesellschaftsspiels, als das die Gleichnisrede eingeführt wurde. Was als geistreiche Gedankenkombination begonnen hatte, um dann rasch auf einen nicht vorausgesehenen Ernst des Lebens zu führen, der sich als eine unheilbare Ehekrise darstellt, gespiegelt in den eigentümlichen Umständen der Zeugung, vor allem aber im faktischen Tod des Kindes von Eduard und Charlotte, endet schließlich in einer Totalkatastrophe, die nicht nur das Spielerische der Exposition ruiniert, sondern die vorausgesetzte Spielregel selbst. Solange höchstens zu befürchten war, die neue Verbindung, der Eduard zustrebt, sei die Männerfreundschaft mit dem Hauptmann, konnte spielerisch-geistreich von einem refraktären Gips die Rede sein, als der sich gleichnishaft diese neue Verbindung darstellen würde. Nachdem sie sich aber als leidenschaftliche Liebe zwischen Eduard und Ottilie enthüllt, wagt niemand mehr von Gips zu sprechen und von refraktär. Nachdem schließlich Eduard und Ottilie tot sind, ist die Gleichnisrede als solche überholt und widerlegt. Die in Analogie zu einer chemischen Reaktion verstandene Verbindung hat nicht auf eine dauerhafte andere Kombination der Elemente, sondern in den Untergang geführt.

Die Notwendigkeit dürfte damit hinreichend belegt sein, den Begriff der Situation in diesem Roman dynamisch zu fassen. Es geht um eine in ihren Grundlagen sich verschiebende Situation, und die Gleichnisrede von den Wahlverwandtschaften ist nur ein Durchgangsstadium ihrer poetischen Explikation. Es wird durch sie keine Gesetzmäßigkeit menschlichen Zusammenlebens absolut gesetzt. Das Prinzip, dem der Roman Titel und Exposition verdankt, wird durch seinen Ablauf in Frage gestellt. Darin ist der entscheidende poetologische Sinn des ironischen Vorbehalts zu erkennen, mit dem die Gleichnisrede in die Handlung eingeführt wurde.

Der Hauptmann versprach sich damals viel von der anschaulichen Erläuterung des chemischen Gesetzes mit Hilfe des Experimentierkastens. Wenn es gestattet ist, diese Erwartung ihrerseits bildlich zu nehmen, müssen wir sagen, daß am Schluß des didaktischen Experiments das Labor, wenn auch lautlos, in die Luft fliegt. Und mehr als das. Die buchstäbliche Rückübersetzung der chemischen Metapher in die sittliche Sphäre ist gescheitert, und das nicht nur durch eine zufällige Täuschung, sondern prinzipiell.[7]

In dieser pointierten Formulierung könnte die Behauptung Mißverständnisse wecken, sie bedarf einer genaueren Begründung. Das Thema des Romans sind und bleiben die Wahlverwandtschaften, und als solche sind sie durch immanente ironische Distanzierung nicht überholbar. Goethe löst sich nicht von seinem Thema, indem er es bis zum Ruin, das heißt tragisch, ironisiert. Die Gleichnisrede ist nicht nur ein Vorwand, der lediglich zum Zweck seiner Widerlegung vorgebracht würde. Wenn man sie als einen Vorwand bezeichnen könnte, so als einen von der Art, über den man nicht auch schon hinausgelangt, indem man ihn in seinem bloß transitorischen Charakter sichtbar macht.

Es ist das Merkmal der transitorischen Momente in einem literarischen Text, im vorliegenden Fall eines Erzählwerks, daß sie zugleich die Substanz dessen bilden, was erzählt wird. Das zugrundeliegende Prinzip läßt sich mit Begriffen wie denen der thematischen Brechung oder wiederholten Spiegelung umschreiben. Im Spätwerk Goethes tritt es mit besonderer Deutlichkeit hervor und wird faßbar. Hinter dem Schlußsatz der *Wahlverwandtschaften* steht keine nachträglich formulierbare Transzendenz, die über die Gleichnisrede ein für allemal hinausführen und sie damit erledigen würde. Wenn sich ein konkreter Ausblick ins Jenseits am Schluß des Romans öffnet, so in der wiederum ironischen Brechung durch den naiven Volksglauben. Es sind zärtliche Mütter mit bresthaften Kindern, Arme und Schwache, die an die Wundertätigkeit der von ihnen zur Heiligen verklärten Ottilie glauben. Die Qualität einer in diesem Sinn der Brechung und Spiegelung verstandenen poetischen Reflexion hängt von dem Spielraum ab, den sie der Erfahrung einräumt. Er reicht im Fall der *Wahlverwandtschaften* vom Gesprächsspiel im Konversationston des Dix-huitième bis zum absoluten Ernst des Todes der kindlichen Unschuld. Der Gehalt eines Werkes an poetischer Reflexion bemißt sich nach dem Weg und der Erfahrung, die er zurückzulegen und zu vermitteln vermag. Die spezifische Weise, in der ein literarischer Text sich bewegt, sich selbst erfährt und damit für die Rezeption erfahrbar wird, läßt sich als Situationsverschiebung thematisch analysieren.

IV

Da die Ausgangslage der *Wahlverwandtschaften* sich als eine klar umrissene Personengruppierung konstituiert, liegt es nahe, den thematischen Niederschlag der Verschiebung zunächst im Bereich der wechselseitigen Beziehungen zwischen den vier Hauptfiguren und hier wiederum speziell in dem der unvorhergesehenen Annäherung zwischen Eduard und Ottilie zu suchen. Tatsächlich vollzieht sich im Verhältnis der beiden Liebenden zueinander die für den Romanaufbau im ganzen entscheidende Transformation.

Der Partnerinnentausch bildet bei aller erzählerischen Subtilität, mit der die wachsende Entfremdung zwischen den Gatten und reziprok dazu die steigende Zuneigung zwischen Eduard und Ottilie vorgeführt werden, doch nur den auf den Handlungsablauf bezogenen Aspekt. Strukturell wichtiger ist die Verschiebung in der erzähltechnischen Position der beiden Liebenden. Für den unbefangenen Leser des berühmten ersten Satzes der *Wahlverwandtschaften* spricht alles dafür und nichts dagegen, daß in ihm Eduard nachdrücklich als der eigentliche Held des zu erzählenden Romans vorgestellt werde. Dieser erste Eindruck erfährt für geraume Zeit keine entschiedene Korrektur. Zwar wird schon bald deutlich, daß der reiche Baron im besten Mannesalter nicht ganz dem gewohnten Bild des strahlenden Romanhelden entspricht. Unter den zeitgenössischen Beurteilern des Romans war es keineswegs nur Bettina, die ihr Mißfallen an dem schwächlichen, dilettierenden und unsteten Eduard kundtat. Goethes Antworten auf dergleichen Einwände weisen, wenn nicht gerade offene Widersprüche, so doch mindestens eine beträchtliche Bandbreite auf. Sie reichen von: „ich mag ihn selber nicht leiden, aber ich mußte ihn so machen, um das Factum hervorzubringen" (Gespräch mit Eckermann, 21. 1. 1827) bis zum Bekenntnis, daß er „mir wenigstens ganz unschätzbar scheint, weil er unbedingt liebt" (an K. F. v. Reinhard, 21. 2. 1810). Aus heutiger Sicht würde es sich rechtfertigen, Eduard in die spezifische Tradition der Anti-Helden einzureihen. Das alles ändert indes nichts am erzähltechnischen Befund, daß Eduards zentrale Position erst durch seine fluchtartige Abreise vom Hauptschauplatz gegen Ende des Ersten Teils nachhaltig erschüttert wird. Vom Ende des Romans her betrachtet, ist dann allerdings die Destruktion seiner Heldenrolle vollständig. Er selbst hat jetzt eingesehen, daß Ottilie sich über ihn weggehoben hat. Ihm bleibt nichts übrig, als ihr nachzusterben.

Ottiliens relativ später, aber wohlvorbereiteter Eintritt in die Romanhandlung erscheint im Rückblick nur als erstes Glied in der Kette raffiniert-indirekter Erzählmaßnahmen, das liebe Kind dem Herzen des Lesers besonders nahe zu bringen und schließlich in ihm, nicht in Eduard, die zentrale Romanfigur mit dem Anspruch auf den Titel der Heldin zu präsentieren.

Diese Verlagerung der Heldenposition steht mit der Relativierung der chemischen Gleichnisrede in engerem Zusammenhang, als auf einen ersten Blick sichtbar werden mag. Ist man aber darauf aufmerksam geworden, so erschließt sich erst der volle Sinn des Umstands, daß das als Buchstabe D in Eduards Formel eingegangene „liebenswürdige Dämchen Ottilie" (S. 276) an jenem deutungsfrohen Gespräch nicht teilgenommen hat. Wäre Ottilie damals schon gegenwärtig gewesen, sie hätte allenfalls schweigend zuhören können wie später bei der mit Rücksicht auf die Dienerschaft französisch geführten Unterhaltung mit dem Grafen und der Baronesse (Zehntes Kapitel des Ersten Teils). Wäre sie lediglich ein kalkulables „Viertes", als das sie in den geselligen Freundeskreis aufgenommen wird, so bestände kein Anlaß, von einer grundlegenden Situationsverschiebung zu sprechen. Selbst eine Liaison mit Eduard würde dann die Spielregel nicht durchbrechen, vielmehr die Gleichnisrede um eine (wenn auch unvorhergesehene) Variante bereichern und damit bestätigen. In der Romanwirklichkeit ist sie zugleich mehr und weniger als ein solches viertes, zu wahlverwandtschaftlichen Kombinationen taugliches Element. Weniger, insofern sie gar nicht die Leichtigkeit des Umgangs und der scherzhaften Konversation besitzt, die sie ohne weiteres zur Mitspielerin werden lassen könnte. Mehr, insofern sie die einzige Figur des Romans ist, die die Fähigkeit zu einem einsamen Entschluß hat, den sie zudem lange verheimlichen wird, dessen Radikalität aber ausreicht, die ganze Rechnung bis in ihre Grundlagen hinein zu zerstören.

Es entspricht der Darstellungsweise Goethes, daß dieser Entschluß zum Tode keineswegs heroisiert oder auch nur unmittelbar als dramatischer Akzent in die Handlung eingesetzt wird. Auf die Achse des linear vorgestellten Handlungsablaufs bezogen, läßt er sich nicht einmal präzis lokalisieren. Er wird außerhalb des kontinuierlichen Ganges der Erzählung gefaßt, gleichsam hinter dem Rücken des Erzählers. Als der Entschluß im letzten Kapitel zum Vorschein kommt, ist er auch faktisch längst unwiderrufbar geworden und durch kein gutgemeintes Mittel mehr umzuwenden.

Goethe selbst hat darauf hingewiesen, daß der Kampf des Sittlichen mit der Neigung „hinter die Scene verlegt" sei (Gespräch mit Riemer, Dezember 1809). Er gibt als Grund dafür an, daß dieser Kampf sich nicht zur ästhetischen Darstellung eigne. Tatsächlich könnte nur der auf eine kurzschlüssige Art von Nutzanwendung erpichte Interpret der Versuchung erliegen, das mit Vorbedacht Unerzählte des Romans wortreich kommentierend nachzutragen. Die ernsthaftere Aufgabe der Analyse ist es, die Notwendigkeit und die strukturellen Konsequenzen des indirekten Verfahrens zu erkennen.

Schon die Verlagerung der zentralen Position von Eduard und Ottilie vollzieht sich nicht als ein einfacher Übergang. Ottilie wird nach der Abreise des Geliebten nicht aktiver. Die Folge davon ist, daß der Roman in der ersten Hälfte des Zweiten Teils ohne den strengen Bezug auf eine Zentralfigur auszukommen hat. Es sind die Kapitel, in denen der Architekt die zurückgebliebenen Frauen in die fromme Kunstsphäre des Mittelalters einführt und Luciane mit ihrem Schwarm das Landgut bevölkert. Erst mit der eingelegten Novelle von den wunderlichen Nachbarskindern werden die Zügel der Haupthandlung wieder aufgenommen — und das bezeichnenderweise durch ein besonders deutliches Beispiel indirekter Spiegelung des ‚eigentlichen' Geschehens. Fast sieht es so aus, als sollte die Form der Novelle, abgesehen von ihrem auf die Vergangenheit des Hauptmanns bezogenen Inhalt, an die novellistische Strenge des Aufbaus erinnern, mit der der Roman eingesetzt hatte. Die weiteren Kapitel weisen dann das rapide Gefälle zur Schlußkatastrophe auf, das Goethe im Gespräch mit Sulpiz Boisserée selber hervorgehoben hat (5. 10. 1815).

Aber noch das zweitletzte Kapitel bringt die Darstellung jenes merkwürdigen

Ruhezustands, in dem die Leidenschaften wie geglättet sind und eine Rückkehr zur alten Gewohnheit des friedlichen Zusammenlebens den vier Freunden möglich zu sein scheint. Eine gemeinsame Entscheidung wird vermieden, man wartet ab. Den Liebenden genügt es, einander nahe zu sein. Ottilie hat sich in ein absolutes Schweigen zurückgezogen, und die Freunde achten ihr Gelübde. In einem bestimmten Augenblick hat es sogar den Anschein, als ob die alte Gleichnisrede, auch ohne daß sie nochmals erwähnt wird, eine Realisierung im Handlungsablauf finden sollte, die so vollständig wäre, wie das unter den gegebenen Umständen nur denkbar ist. Charlotte hat nach dem Tode ihres Kindes den Widerstand gegen den Gedanken einer Ehescheidung endlich aufgegeben, ja sie verspricht jetzt auf das Drängen Eduards hin sogar dem Major die Ehe, wenn andererseits Eduard nach vollzogener Scheidung seine Beziehung zu Ottilie legalisiert.

Ihre Zusage, die tatsächlich und ganz im Sinne des chemischen Reaktionsschemas die glatte Lösung aller noch schwelenden Konflikte in Aussicht stellt, knüpft Charlotte allerdings an eine Bedingung, in der ihre alte Tendenz weiterlebt, die Liebenden voneinander fern zu halten: die beiden Männer sollen zunächst nochmals verreisen. Ein Anlaß dazu findet sich sogleich, aber schon bald wird die Abreise doch wieder verschoben, ohne daß sich der Erzähler die Mühe macht, eine mehr als nur auf den Wankelmut Eduards abgestützte Begründung dafür zu geben oder die Beteiligten die neue Lage erörtern zu lassen. Offensichtlich sollen die ganzen Erwägungen und der halbherzige Lösungsvorschlag auch nur zeigen, wie wenig zielstrebig und im Grunde wie entschlußlos die Freunde in dieser Phase der Erschöpfung unmittelbar vor der Endkatastrophe noch agieren. Daß im Schlaglicht dieser Katastrophe dann der Gedanke einer schemagerechten Konfliktlösung ohnehin müßig erscheint, haben wir schon betont. An die Stelle des durch die Gleichnisrede einst bereitgestellten Schemas hat sich längst ein ganz anderes „Schema“ geschoben, das nämlich des tragischen Untergangs und der Katharsis.

Eben deshalb verdient es als ein nicht geringer Kunstgriff dieses an erzählerischen Schachzügen reichen Romans hervorgehoben zu werden, daß in dem der Retardation dienenden vorletzten Kapitel die einstigen Teilnehmer am abendlichen Wahlverwandtschaften-Gespräch noch einmal der Täuschung verfallen, auf der alten Basis zurechtkommen und, sei es auch unter Verzicht und Opfern, eine versöhnliche Lösung finden zu können: „der Wahn, als ob noch alles beim alten sei, war verzeihlich“ (S. 479). Die einzige, die dem Wahn nicht verfällt, ist Ottilie, aber sie schweigt oder widerspricht ihm in ihrem Brief an die Freunde jedenfalls nicht, obwohl sie es besser weiß.

So anschmiegsam und beeinflußbar das junge Mädchen seit seiner Ankunft auf dem Landgut erscheinen mochte, wenn es um die Einfügung in die Lebensgewohnheiten seiner Wohltäter ging, so unbeirrbar erweist sich Ottilie in den Grundentscheidungen, die ihr Leben und ihren Tod bestimmen. Während

Charlotte, nach außen zunächst nicht weniger grundsatztreu, schließlich schwankend wird und sich ins Unvermeidliche zu schicken beginnt, während die Männer sogar dazu neigen, die erste Katastrophe, den Tod des Kindes, als ein zu ihrem eigenen Glück notwendiges Opfer und eine höhere Fügung zu interpretieren, besitzt Ottilie die Kraft der sittlichen Natur, „die sich durch den Tod ihre Freiheit salviert" (Gespräch mit Riemer, Dezember 1809). Das klingt in dieser durch Riemer überlieferten Formulierung beinah mehr nach Schiller als nach Goethe. Aber noch in einem späten Brief an seinen Freund Zelter erinnert Goethe daran, „daß ich in meinen ‚Wahlverwandtschaften' die innige, wahre Katharsis so rein und vollkommen als möglich abzuschließen bemüht war" (Weimar, zwischen dem 13. und 25. 1. 1830). Es liegt hier zweifellos eine spezifische Korrektur am aristotelischen Begriff vor. Das wird um so deutlicher, als der Brief an Zelter sich unmittelbar auf Goethes im Hinblick auf die kathartische Wirkung der Tragödie mehr als skeptische *Nachlese zu Aristoteles' Poetik* (1827) bezieht. Um so genauer trifft aber auch der Goethesche Katharsis-Begriff die Endsituation der *Wahlverwandtschaften,* die man unter dieser Voraussetzung einen tragischen Roman nennen darf. Das will allerdings gerade nicht besagen, daß sich in den Schlußkapiteln einfach eine in Romanform übersetzte Tragödie abspielt. Wie über den Kampf zwischen dem Sittlichen und der Neigung, von dem man nur „sieht, daß er vorgegangen sein müsse" (Gespräch mit Riemer, Dezember 1809), läßt sich über den tragischen Konflikt insgesamt sagen, daß er „hinter die Scene verlegt" sei.

Die letzten Worte Eduards, die der Leser erfährt, lassen erkennen, daß er selbst in der toten Geliebten eine Märtyrerin sieht. Aber auch das ist ein indirektes Zeugnis, und gerade als Heldin eines Märtyrerdramas hat der Erzähler das liebe Kind, solange es lebte, nicht präsentiert. Kennzeichnend für Ottilie mußte vielmehr ihr Entschluß wirken, als Lehrerin in ihrer früheren Pension ein tätiges Leben aufzunehmen, bevor ihr dann auf der Reise dahin der Schock der unvermuteten Wiederbegegnung mit Eduard den Ausweg verlegt.

V

Die Tiefe dieses Schocks, der Ottilie von ihrem sorgsam erwogenen und vorbereiteten Plan abbringt und zu Charlotte zurückfliehen läßt, entzieht sich einer unmittelbaren Begründung aus dem Handlungsablauf selbst. Die Wirtshausepisode im 16. Kapitel des Zweiten Teils könnte von ihrer Anlage her fast an eine stereotype Lustspiel-Situation erinnern, zumal dem Herrn Baron eine hilfsbereite Intrigantin in Gestalt der Wirtin zur Seite steht. Die stumme Verwirrung des Mädchens wird nur voll begreifbar, wenn man die Szene in Beziehung setzt zu der schon im Ersten Teil des Romans beiläufig erzählten, ganz frühen Reaktion Ottiliens auf die Erscheinung Eduards. Ottilie war damals noch ein kleines Kind, Charlotte und Eduard bildeten das schönste Paar am Hof. Die herangewachsene Ottilie aber erinnert sich im Gespräch mit Eduard genau eines Vorfalls aus jener Zeit: „wie sie sich einmal bei seinem Hereintreten in Charlottens Schoß versteckt, nicht aus Furcht, sondern aus kindischer Überraschung." Der Erzähler kommentiert: „Sie hätte dazusetzen können: weil er so lebhaften Eindruck auf sie gemacht, weil er ihr gar so wohl gefallen" (S. 290). Sollte diese Reminiszenz im Siebenten Kapitel des Ersten Teils nur den Sinn haben, die kindliche Unverfänglichkeit und Unschuld der Beziehung zwischen Eduard und Ottilie zu betonen? Fast könnte es so scheinen, denn im selben Zusammenhang versichert uns der Erzähler (und akzentuiert damit die Harmlosigkeit auch auf seiten des männlichen Partners): „Eduard hatte bei zunehmenden Jahren immer etwas Kindliches behalten, das der Jugend Ottiliens besonders zusagte" (S. 289). Das ist auffallenderweise sogar die einzige ausdrückliche Begründung, die der Erzähler im Ersten Teil für die wachsende Hinneigung Ottiliens zu Eduard gibt.

Vom Ende des Romans her erhält auch diese ‚Kindlichkeit' im Verhalten der Liebenden eine ganz andere Tönung. Die Flucht Ottiliens aus dem Wirtshaus zurück ins Schloß ist nach geläufiger Vorstellung ebenso irrational wie ihre spontane Reaktion in der Kindheit, als sie sich im Schoß der Charlotte versteckte. Im Lichte tiefenpsychologischer Erkenntnisse könnte man von einer förmlichen Wiederholung jener Reaktion „aus kindischer Überraschung" sprechen und in ihr die — im Hinblick auf den Ausgang der Romanhandlung verhängnisvolle — Folge einer frühkindlichen Fixierung des Verhaltensmusters erblicken. Eine der wichtigsten der in den Roman eingelegten Reflexionen handelt von nichts anderem als der erstaunlichen Invarianz menschlicher Verhaltensweisen, die sich gegen alle Einflüsse durchsetzt (S. 478).

Mit der Regression, die Ottilie von dem Ausweg in ein zurückgezogenes, aber tätiges Leben zurückhält und in ihrer Konsequenz den Todesentschluß unausweichlich macht, befinden wir uns zweifellos wieder, um es mit den Worten von Goethes Selbstanzeige zu sagen, bei den „Spuren trüber, leidenschaftlicher Notwendigkeit". Sie durchkreuzen den vernünftigen Plan einer Konfliktlösung, wie Ottilie ihn sich zurechtgelegt hatte, und so entspricht der tödliche Ausgang genau der abschließenden Feststellung der Selbstanzeige, wonach diese Spuren „nur durch eine höhere Hand und vielleicht auch nicht in diesem Leben auszulöschen sind".

Andererseits stellt der entscheidende Satz der Selbstanzeige offensichtlich einen logischen Zusammenhang her zwischen diesen „Spuren" und der „chemischen Gleichnisrede". Nach Goethes Selbstinterpretation scheint das chemische Reaktionsschema geradezu das Prinzip Notwendigkeit verkörpern zu sollen. Inzwischen müßte aber auch deutlich geworden sein, was die Wendung ihrem vollen Umfange nach besagt: „eine chemische Gleichnisrede zu ihrem geistigen Ursprunge zurückführen". Mit diesem Zurückführen kann weder bloß die illustrative Applikation der Gleichnisrede auf eine Romanhandlung gemeint sein, noch umgekehrt ihre bloße Widerlegung durch einen sittlichen Entschluß. Beide Auslegungen würden zu kurz greifen. Die Zurückführung erweist sich vielmehr als der komplexe poetische Vorgang, der hier von wenigen, allerdings zentralen Handlungszügen aus zu skizzieren versucht wurde, und der auf den poetologischen Begriff der Situationsverschiebung gebracht werden kann.

Deshalb war im Zug der vorliegenden Analyse zunächst mit Nachdruck zu betonen, daß eine buchstäbliche Übersetzung des chemischen Schemas in den Bereich zwischenmenschlicher Beziehungen prinzipiell scheitern muß. Das ließ sich schon aus dem faktischen Gang der Romanhandlung ablesen. Die stichhaltigere Begründung dafür orientiert sich indes nicht nur am inhaltlich-thematischen Aspekt des Handlungsablaufs. Sie ist struktureller Art. Die Zurückführung der Gleichnisrede zu ihrem Ursprung löst eine grundlegende Transposition aus, die zur Folge hat, daß die spielerisch-experimentell entfaltete Ausgangssituation überholt wird von der ganz anderen, tödlichen Situation des Endes. Diese entwickelt sich aus jener, aber nicht auf dem Weg einer einfachen Ableitung, sondern auf dem einer komplexen Verschiebung. Die Schematik der Gleichnisrede, von vornherein ironisiert, fällt dem Vorgang zum Opfer, ohne daß diese selbst darüber vergessen werden könnte. Sie wirkt vielmehr, wenn auch unausdrücklich, fort als ein anfänglicher Erwartungshorizont, der fast unmerklich und ebenfalls von Anfang an überlagert wird durch den anderen Horizont des tragischen Abschlusses, der mit der Gleichnisrede als solcher noch in keiner Weise vorgegeben war. Den Elementen der chemischen Reaktion traut man zwar, mit den erläuternden Worten des Hauptmanns im Wahlverwandtschaften-Gespräch, „ein ewiges Leben, ja wohl gar Sinn und Verstand zu" (S. 276), aber die Kategorie des Todes ist ihnen fremd.

Eine solche Verschiebung mag für den Betrachter, zumal wenn er sie nachzukonstruieren versucht, geradezu etwas Vexatorisches an sich haben. Ihr ernsthafter und fundamentaler poetologischer Sinn ist es, daß sie die Rezeption zur absoluten Aufmerksamkeit auf die Bewegungs- und Vorgangsstruktur des Textes zwingt.

Unter diesem Gesichtspunkt würde die vollständige Erörterung der Funktion der chemischen Gleichnisrede in den *Wahlverwandtschaften* eine Gesamtinterpretation des Romans voraussetzen, die hier nicht zu leisten war. Manche wichtigen Bezüge konnten nur gestreift werden, andere sind mit voller Absicht gar nicht berührt worden. Zu ihnen gehört die dominante Rolle des Zufalls in diesem Roman, aber auch der Komplex des Dämonischen in dem spezifischen Sinn, den Goethe in den Jahren nach der Veröffentlichung der *Wahlverwandtschaften* diesem Wort gegeben hat. Beides hat seinen beschreibbaren Anteil an der Konstitution der Gleichnisrede, und dasselbe gilt von dem eigentümlichen Dilettantismus, der ein Charakteristikum der meisten der im Roman vorgeführten Tätigkeiten bei Haupt- wie Nebenpersonen ist.

Statt dessen wurde der Blick auf den unmittelbar strukturbildenden Sachverhalt der Situationsverschiebung konzentriert, der von der chemischen Gleichnisrede seinen Ausgang nimmt und den weiteren thematischen Bezügen zugrundeliegt. Die Verschiebung als solche wahrzunehmen, das sei zugegeben, bedarf einer bestimmten strukturanalytischen Einübung. Unmittelbar und völlig angemessen ,beschrieben' wird sie nur durch den Primärtext selbst. Ihre kritische Nachkonstruktion könnte immerhin den Vorzug haben, die poetologisch orientierte Rezeption davor zu bewahren, voreilig bei den vermeintlichen Aussagen und Mitteilungen des literarischen Textes innezuhalten und ihn als Artefakt mißzuverstehen, das es lediglich zu reproduzieren gilt. Die Aufgabe der Analyse wäre so gesehen vielmehr als ein Versuch bestimmt, dem eigentümlichen Erkenntnisvorgang in literarischen Werken und ihrer Rezeption auf die Spur zu kommen.

Anmerkungen

[1] B. v. Wiese, Anmerkungen des Herausgebers zu *Die Wahlverwandtschaften,* Einleitung, in: *Goethes Werke, Hamburger Ausgabe* in 14 Bänden, Bd. VI, S. 655.

[2] Helmut Heißenbüttel, *Projekt Nr. 1 D'Alemberts Ende,* Neuwied und Berlin 1970. Mit dieser Eingangs-Paraphrase ist im übrigen lediglich ein Signal gesetzt für die oft weniger augenfälligen Bezüge und Anspielungen, die die Struktur dieses mit moderner Zitat- und Montage-Technik arbeitenden Textes bestimmen und dem andersgearteten Beziehungsgeflecht in Goethes Roman als in gewisser Weise wahlverwandt erscheinen lassen.

[3] Vgl. dazu Jürgen Kolbe, *Goethes „Wahlverwandtschaften" und der Roman des 19. Jahrhunderts,* Stuttgart 1968 (Studien zur Poetik und Geschichte der Literatur, Bd. 7).

[4] Zitiert nach: *Goethes Werke, Hamburger Ausgabe* in 14 Bänden, Bd. VI, Hamburg ⁵1963, S. 621. Alle Seitenangaben zu den Zitaten im Text beziehen sich auf diesen Band.

[5] John Milfull, *The „Idea" of Goethe's ,Wahlverwandtschaften',* in: *The Germanic Review* XLVII, 2 (March 1972), p. 83—94. Eben durch die Konsequenz, mit der in diesem Aufsatz die Gleichnisrede beim Wort zu nehmen und auf dem Hintergrund von Goethes naturwissenschaftlichen Schriften, speziell zur Farbenlehre, auszulegen versucht wird, zeigen sich sehr deutlich die interpretatorischen Schwierigkeiten, auf die eine poetologisch unreflektierte Anwendung des chemischen Reaktionsschemas auf den Handlungsverlauf unweigerlich führt. Sie haben ihren Grund keineswegs nur, wie Milfull will, in der Unzulänglichkeit früherer Parallelisierungsversuche (François-Poncet, Schaeder). — Im übrigen kann im vorliegenden Rahmen naturgemäß nicht in eine Detaildiskussion mit der umfangreichen Forschungsliteratur eingetreten werden.

[6] Vgl. dazu H. G. Barnes, *Goethe's ,Die Wahlverwandtschaften'. A Literary Interpretation,* Oxford 1967, bes. S. 85 ff.

[7] Es verdient unter diesem Aspekt beachtet zu werden, daß ein so kompetenter zeitgenössischer Beurteiler wie Hegel der Auffassung war, „das ganze aus der Chemie entlehnte Bild der chemischen Verwandtschaften" bleibe dem Roman Goethes äußerlich. Genau wie andere Motive, „die Parkanlagen, die lebenden Bilder und Pendelschwingungen, das Metallfühlen, die Kopfschmerzen" erkläre sich auch dieses Bild nur aus dem

„Anfügen von einzelnen Zügen, die aus dem Inhalte nicht hervorgehn" — einem Verfahren, das Hegel sonst nur in einem Jugendwerk wie dem Götz wahrnimmt, wo „viele
Züge und ganze Szenen, statt aus dem großen Inhalte selber herausgearbeitet zu sein,
hier und dort aus den Interessen der Zeit, in der es verfaßt ist, zusammengerafft und
äußerlich eingefügt erscheinen." (*Ästhetik, Jubiläums-Ausgabe* XII, 398 ff.) Man wird
diese recht harte Kritik Hegels, die er selbst durch einen Hinweis auf die weniger strengen Anforderungen an den Roman zu mildern sucht, „der in einer bestimmten prosaischen
Zeit spielt", nicht als bloßes Fehlurteil abtun können. Mindestens macht sie noch einmal
darauf aufmerksam, daß mit der „Darstellung einer durchgreifenden Idee" in den
Wahlverwandtschaften eine besondere Problematik verbunden ist.

ERNST BEHLER

DIE KUNST DER REFLEXION

Das frühromantische Denken im Hinblick auf Nietzsche

In seinem Buch über den Begriff der Kritik in der deutschen Frühromantik hat Walter Benjamin 1920 zu zeigen versucht, daß die neue Form der Literaturkritik, die gegen Ende des 18. Jahrhunderts von der Romantischen Schule hervorgebracht wurde, keineswegs aus direkten methodologischen Überlegungen zu diesem Thema oder aus Reformbestrebungen innerhalb dieser Disziplin erwuchs, sondern das beiläufige Resultat eines Umschlags im philosophierenden Bewußtsein war.[1] Diese neue denkerische Haltung bestand in der hauptsächlich von Friedrich Schlegel und Novalis herbeigeführten Steigerung der Fichteschen Reflexionsmethode zu einem unaufhaltsam im Selbstbewußtsein über sich selbst reflektierenden Denken, zur Unendlichkeit der Reflexion. Zweifellos lag in diesem „Denken des Denkens" eine bis dahin nicht dagewesene narzißtische Beziehung des Denkens auf sich selbst beschlossen. Alles, was sich in der Erkenntnis von einem Gegenstand darstellt, war hier Reflex der Selbsterkenntnis, und das reine Denken der Reflexion wurde zum Medium, in welchem das Absolute hervortreten sollte. Damit kreisten die Reflexion und das Absolute rein in sich selber. Doch vermochte Benjamin zu zeigen, daß sich dieser Reflexionsprozeß nicht als ein endloser und leerer Verlauf darstellte, sondern in der Unendlichkeit seiner Potenzenreihen Zusammenhang gewann und durch Selbstdurchdringung zu immer höherer Selbsterfassung gelangte. Je schrankenloser er sich ausdehnte, desto mehr erfüllte er sich und drang so durch die Spiegelbilder der unendlichen Reflexion ins Absolute ein, von dem wir nach der Überzeugung dieser Denker selbst ein Stück sind.

Grundsätzlich ist diese immanente Selbstentfaltung der Reflexion auf kein besonderes Gebiet beschränkt. Sie kann sich in den verschiedensten Medien bekunden, wie dies auch in entsprechenden Reflexionssträngen des Novalis über die Natur, oder in Friedrich Schlegels wechselnden Auffassungen des Absoluten als Bildung, Harmonie, Religion, Geschichte oder Menschheit zum Ausdruck kommt. Doch war nach Benjamin das für die Frühromantiker genuine und fruchtbarste Reflexionsmedium die Kunst, im besonderen aber die Dichtkunst. Hier entstand als das vorzüglichste Ergebnis ihrer Spekulationen eine neue Form der Kritik, die schließlich in Friedrich Schlegel repräsentativen Ausdruck fand.

Bei dieser Kritik geht es nicht mehr um die bloße Begutachtung von Kunstgegenständen. Sie läßt sich vielmehr reflektierend in ihre Werke ein und sucht diese durch ständige Erhöhungen im Bewußtsein des Reflektierenden zu entfalten, aus ihrem immanenten Aufbau zu immer höheren Sphären zu potenzieren. Damit bewirkt der Kritiker aber nicht nur die Steigerung des einzelnen Werkes, sondern letztlich die der Kunst überhaupt. Auf der zeitlichen Ebene erhebt sich in diesem Denken die progressive Universalpoesie, die eben deshalb „ewig nur werden, nie vollendet sein kann", weil sie nach dem bekannten Athenäumsfragment in der „poetischen Reflexion" zentriert ist und „diese Reflexion immer wieder potenzieren und wie in einer endlosen Reihe von Spiegeln vervielfachen kann". Ihr korrespondiert auf der spekulativen Ebene die Transzendentalpoesie, die ebenfalls in der poetischen Reflexion, d. h. der „Poesie der Poesie" ihr Zentrum hat, aber im Roman ihren Ausdruck findet, der wegen seiner „retardierenden Natur" die ständige Reflexion auf sich selbst und damit ein immerwährendes Höhertreiben ermöglicht. Kraft der unendlichen Reflexion ist der Kritiker somit aktiv in den Vollendungsprozeß der Kunst verwoben, ja diese unendliche Reflexion war für Schlegel und Novalis selbst das Wesen der Kunst.

Es wäre leicht, vom heutigen Standpunkt aus die Grenzen dieser frühen Studie aufzuweisen, die sich zunächst aus der überscharfen Akzentuierung der Kunstkritik ergeben. In Wirklichkeit sind die Reflexionen der Frühromantiker im Medium der Kunst nur ein Aspekt des umfassenderen Bestrebens, das im „revolutionären Wunsch, das Reich Gottes zu realisieren", seine Grundlage findet und auf das Hervortreiben eines „neuen Zeitalters" gerichtet war.[2] Alle „Elemente der Menschheit", d. h. Poesie, Philosophie, Moral und Religion sollten in der Reflexion erfaßt und durch potenzierendes Denken über sich hinausgeführt werden. Dabei stellten sich unter den Genossen stets neue Kombinationen der „Symphilosophie" ein, die in der Verbindung von Friedrich Schlegel und Schleiermacher im Reflexionsmedium der Moral zu nicht weniger umwälzenden Resultaten geführt haben als in den gemeinschaftlichen Spekulationen mit Novalis auf dem Gebiet der Kunst.[3]

Aber selbst in der Beschränkung auf die Kunst erscheint die von Benjamin herausgearbeitete Form der Kritik noch zu eng gefaßt, ja sie kann, wie er selbst zugesteht, letztlich nur für die Wilhelm-Meister-Rezension von 1798 Gültigkeit beanspruchen.[4] Wie René Wellek und jüngst Hans Eichner aufgewiesen haben, schließt die damals erwachsende Theorie der Kritik durchaus tiefgreifende methodologische Besinnungen und Auseinandersetzungen ein.[5] Sie enthält aber vor allem bei Friedrich Schlegel eine bedeutende historische Dimension, die keineswegs von der transzendentalen Reflexion abgeschnitten ist und fremd neben dieser steht, sondern eine lebendige Einheit mit ihr bildet. Doch wird mit derartigen Einwänden die eigentliche Leistung Benjamins nicht geschmälert, der mit sicherem Griff die unendliche, artistische Reflexion als den Kern der frühromantischen Denkweise hervorhob und gleichzeitig nachwies, daß das Denken in dieser sich schrankenlos erweiternden Reflexion einen inhaltlich erfüllten Zusammenhang findet und selbst künstlerischen Charakter gewinnt.

Das Zeitalter der Reflexion

Was hier als unendliche Reflexion herausgearbeitet wurde, ist seit langem der eigentliche Stein des Anstoßes in der Begegnung mit der deutschen Frühromantik gewesen. Die scharfen Polemiken, die in den ersten Dezennien des 19. Jahrhunderts zuerst von Johann Heinrich Voß, dann im Anschluß an ihn von Heinrich Heine gegen die Romantik geführt wurden, hatten sich gegen den Katholizismus und Mystizismus, den Klerikalismus und Feudalismus der späteren Romantiker gerichtet und diese Bewegung als eine ausschließlich an der Vergangenheit orientierte, an den wirklichen Problemen der Zeit aber vorbeigehende Episode der deutschen Literatur gebrandmarkt, die überhaupt keine zukunftsweisende Bedeutung gehabt habe.[6] In bezug auf die Frühromantiker stellten diese Angriffe freilich bloße Lufthiebe dar. Der in ihren Kreisen vertretene Liberalismus, oder die von ihnen repräsentierte Bewunderung für die Französische Revolution standen in scharfem Kontrast zu diesen Attacken, und darüber hinaus nahm die hier gefeierte Menschheitsreligion entscheidende Aspekte des von Heine entwickelten Pantheismus der Humanität vorweg.

Tatsächlich hat sich der Kampf gegen die Frühromantik auch von einer anderen Front erhoben und charakteristischerweise an der unendlichen Reflexion entzündet. Hegel war es, der mit scharfem Blick die Bedeutung dieser Denkweise erfaßte, freilich in der „romantischen Subjektivität" einer Gestalt des Geistes begegnete, die seine eigene Achillesferse war — nämlich ein Bewußtsein, das sich nicht zum System konstruieren ließ, sondern in einer Haltung, die er als „schlechte Unendlichkeit" bezeichnete, über jedes System hinaus ist. Von ihm stammt das Bild der frühromantischen Geistigkeit als verantwortungslose, unverbindliche „Extravaganz der Subjektivität", als „höchste Spitze der sich als das Absolute wissenden Subjektivität", der „alles und jedes nur ein wesenloses Geschöpf" ist, an das „der freie Schöpfer, der von allem sich los und ledig weiß, sich nicht bindet, indem er dasselbe vernichten wie schaffen kann". Insbesondere warf er der hier gezeichneten Reflexionshaltung vor, daß sie „nicht zum Substanziellen" komme und schließlich verglimme „als ein gestaltloser Dunst, der sich in Luft auflöst".[7]

Die Nachwirkungen dieser Polemiken sind noch heute in der konservativen wie in der marxistischen Kritik an der Frühromantik spürbar. Sie zeigen sich in Emil Staigers Bild von Friedrich Schlegels Geistigkeit als ein Meiden „jeder ernstlichen Bindung aus Lust am Schweben", ein Ausweichen vor allem, was „die Natur, die Kunst vorzeitig zu einem System, zu einem übersichtlichen Ganzen zusammenschließen könnte", womit zwar die „Unendlichkeit" erfahren werde, nicht aber der „Progreß". Letztlich setze hier jedoch die Zerstörung der Kontinuität, der Bruch mit der klassischen Tradition ein.[8] Für Georg Lukács erfolgt mit dem angeblich von den Frühromantikern proklamierten „Kultus des vollständig befreiten, allein auf sich selbst gestellten Individuums" die Abkehr vom großen zukunftsweisenden Gang der europäischen Literatur. Hier beginnt die „Zerstörung der Vernunft", der Abstieg in den Sumpf des Irrationalismus, des Faschismus.[9]

Der frühromantische Reflexionsbegriff bildet in der Tat ein entscheidendes Thema für das Begreifen dieser Epoche, und charakteristischerweise setzen die jüngeren Forschungen an diesem Phänomen auch wieder an.[10] Doch bringt die neue Textsituation nun mit reicherem Quellenmaterial zum Ausdruck, daß sich in diesem in Antinomien alternierenden und zwischen Gegensätzen oszillierenden Denken bereits deutlich eine Nietzsche antizipierende Bewußtseinshaltung ankündigt, die auf eine ästhetische, beinahe dichterisch gestaltete, freilich in Fragmente zerbrochene Bekundung ihrer selbst drängt. Thomas Mann, der einen klaren Blick für diesen Bezug zwischen dem Denkerischen und Künstlerischen besaß, hat Nietzsche später einen „Erkenntnislyriker" genannt.[11] Hier zeigt sich sogar eine Verwandtschaft mit dem jungen Hegel, dem das werdende Erfassen des Seins, als Kreis von Kreisen, „Gottesdienst" war, nämlich „ein lebendiges Anschauen des absoluten Lebens, und somit ein Einssein mit ihm".[12] „Wir Deutsche sind Hegelianer", sagte Nietzsche, „auch wenn es nie einen Hegel gegeben hätte, insofern wir (im Gegensatz zu allen Lateinern) dem Werden, der Entwicklung instinktiv einen tieferen Sinn und reicheren Wert zumessen als dem, was ,ist' — wir glauben kaum an die Berechtigung des Begriffs ,Sein'."[13]

Das grenzenlose Reflektieren im Denken und Gegendenken, wie es sich seit 1795 in den Fragmenten von Novalis und Friedrich Schlegel abzeichnet, hat sich bekanntlich an Fichte inspiriert, mit dem nach einem häufig zitierten Ausspruch das Zeitalter der Reflexion beginnt.[14] Fichtes Auffassung des reinen Ich, oder des „Ich an sich", das sich im Räsonnement selbst bestimmt, ließ die Philosophie zum „reinen Denken seiner selbst" werden. Wie Hegel es ausdrückte, wurde hier „das Wissen des Wissens erst zum Bewußtsein gebracht" und die Philosophie aufgefaßt als „das künstliche Bewußtsein, als das Bewußtsein über das Bewußtsein, so daß ich Bewußtsein habe von dem, was mein Bewußtsein tut".[15] Die Intelligenz, wie Fichte sie faßte, „sieht sich selbst zu" und geht in diesem Sehen „unmittelbar auf alles, was sie ist". Ja, diese „unmittelbare Vereinigung des Seins und Sehens" war für Fichte die eigentliche Natur der Intelligenz, die damit bildlich gesprochen in „einer doppelten Reihe", nämlich „des Seins und Zusehens, des Reellen und des Idealen" bestand.[16]

Aus der „Unzertrennlichkeit dieses Doppelten" und der daraus resultierenden Wechselwirkung ging für Fichte unmittelbar das Leben der Intelligenz hervor, die „kein eigentliches Sein, kein Bestehen" darstellte, sondern wesensmäßig tätig, lebendig und agil, eben ein „Tun", nicht einmal eine „Tätigkeit" war.[17] In der *Grundlage der gesamten Wissenschaftslehre* von 1794 hat Fichte auch aus diesem Prozeß „unter den Augen des Lesers oder Zuhörers" in aufsteigenden Synthesen den ganzen Umfang und Inhalt des Bewußtseins in einer transzendentalen Geschichte allmählich zu entfalten versucht. Indem das Ich von dem Bestreben geleitet ist, schlechthin bei sich selbst, völlig frei zu sein, stößt es immer wieder vor eine Schranke, mit der es „bei anderem" ist, aber nach dem Überwinden dieser Schranke zeigt sich stets eine neue. „Es ist eine fortgesetzte Abwechslung von Negation und Affirmation, eine Identität mit sich, die wieder in die Negation verfällt, und daraus immer wieder hergestellt wird", sagte Hegel über diesen Prozeß.[18] Dies Alternieren von Bejahen und Verneinen, von Heraustreten aus sich selbst und Zurückkehren in sich selbst wurde zum Grundmodell der frühromantischen Reflexion, obgleich Fichte den unendlichen Progreß, der hier bereits angelegt ist, im vollendeten Selbstbewußtsein des Denkens wenigstens auf theoretischem Gebiet einzuhalten suchte und nur für die Praxis zuließ.[19]

Mit dieser Theorie verband sich bei Fichte auch die Überzeugung einer „völligen Umkehrung der Denkart". Er glaubte hiermit „etwas dem Zeitalter ganz Neues" zu bieten. Zwar hatte Kant schon „das reine tätige Selbstbewußtsein, in welchem eigentlich eines Jeden Ich besteht", erfaßt, und Fichte fand „bei Kant ganz bestimmt den Begriff des reinen Ich, gerade so, wie die Wissenschaftslehre ihn aufstellt". Doch war Kants Vorhaben, „die Denkart des Zeitalters ... aus dem Grunde umzustimmen", nach Fichtes Ansicht völlig mißlungen, und so beschloß er, „eine von Kant ganz unabhängige Darstellung jener großen Entdeckung" zu geben. Den Erfolg dieses Unternehmens erwartete er nicht von der älteren, bereits im Dogmatismus verfestigten Generation, sondern von der „jungen Welt". Letztlich glaubte er nur von einem späteren Zeitalter voll verstanden zu werden.[20]

In diesem Sinne wurde Fichtes Philosophie von der jungen Generation aufgenommen. Für Hegel hat dieser Denker im Geistesleben der Zeit „so sehr Aufsehen und Epoche gemacht", daß sich mit ihm eine „neue Stufe", ein „bedeutender Abschnitt", eine „Revolution" auftat.[21] Auf ähnliche Weise haben die Frühromantiker, vor allem Schlegel und Novalis, auf Fichte reagiert. Noch vor seiner Übersiedlung nach Jena hatte Friedrich Schlegel am 17. August 1795 seinem Bruder aus Dresden geschrieben: „Der größte metaphysische Denker, der jetzt lebt, ist ein sehr populärer Schriftsteller ... Er ist ein solcher, nach dem Hamlet vergebens seufzte: jeder Zug seines öffentlichen Lebens scheint zu sagen: dies ist ein Mann."[22] Auf dem Weg nach Jena machte Schlegel bei Novalis in Weißenfels Station und fand dort den Freund in seinem „Lieblingsstudium" vor, das denselben Namen wie seine Braut trug. „Sophie heißt sie — Philosophie ist die Seele meines Lebens und der Schlüssel zu meinem eigensten Selbst", hatte ihm Novalis kurz vorher geschrieben und dabei gestanden, daß es Fichte war, der ihn „weckte und indirekt zuschürt".[23] Seit dieser Zeit entwickelte sich zwischen den Freunden ein lebhafter Gedankenaustausch, der nicht nur in Gesprächen, sondern auch in einem intensiven Briefwechsel Ausdruck fand, darüber hinaus von „geschriebenen Paketen", von „philosophischen Heften" Schlegels begleitet war, die Novalis mit *Repliken und Additamenta* beantwortete. Dabei handelte es sich hauptsächlich um die seit 1795 datierenden Fichtestudien von Schlegel und

Novalis, die eine der ersten bedeutenden Reaktionen auf die neue Lehre darstellten.[24]

Mit seiner Entdeckung des „tätigen Gebrauchs des Denkorgans" war Fichte für Novalis der „Erfinder einer ganz neuen Art zu denken — für die die Sprache noch keinen Namen hat". Diese Philosophie war „Aufforderung zur Selbsttätigkeit", zum „Denkerzeugungsprozeß" und beruhte auf der Devise: „Was ich will, das kann ich — bei dem Menschen ist kein Ding unmöglich." Denn Fichtes „Denken aus Denken" lehrt einen das „Denken in seine Gewalt zu bekommen" und zu „denken wie und was wir wollen". Während die „meisten Menschen ... nicht eher schwimmen" wollen, „bis sie es können", hatte Fichte mit der „Forderung des Zugleichdenkens, Handelns und Beobachtens" das „Ideal des Philosophierens" aufgewiesen, das im freien „Experimentieren" besteht, wobei „Sachen und Handlungen in Experimente und Begriffe", oder „Sachen in entgegengesetzte Handlungen" und „Handlungen in entgegengesetzte Sachen" verwandelt werden.[25] Mit dieser neuen Denkhaltung hatte Fichte für Novalis wahren kritischen Geist ins Denken gebracht, dessen „echter Gewinst" in der „Regularisation des Genies" besteht. Freilich, und damit klingt bereits ein wichtiges Motiv der frühromantischen Auseinandersetzung mit Fichte an, begriff er „nur einen Teil der Philosophie der Kritik", da von ihm die „genialischen Einfälle und Methoden ... in ein System gebracht" und so letztlich „der Geist fixiert" wurde.[26] Novalis war sogar der Meinung, daß „der Erfinder ... vielleicht nicht der fertigste und sinnreichste Künstler auf seinem Instrument" sein möge und sah es als wahrscheinlich an, „daß es Menschen gibt und geben wird, die weit besser fichtisieren werden als Fichte", vor allem „wenn man das Fichtisieren erst artistisch zu treiben beginnt". Dann könnten „wunderbare Kunstwerke" entstehen.[27]

Friedrich Schlegels Reaktion auf Fichte war so umfassend und vielgestaltig, daß sie sich hier nicht einmal andeutungsweise darstellen ließe.[28] Der überwältigende Einfluß, der von diesem Philosophen auf ihn ausging, klingt noch in den Pariser Jahren von 1802—1804, d. h. aus einem Zeitraum nach, da sich sein Denken bereits entscheidend von Fichte abgewandt hatte. Damals suchte er in seiner Zeitschrift *Europa* den in Deutschland neu erwachten Geist zu charakterisieren, sah aber immer noch den eigentlichen Impuls für den Aufschwung der Künste und Wissenschaften in der von Fichte erweckten „transzendentalen Ansicht". Dieser Denker hatte „das Bewußtsein in seiner innersten schöpferischen Tiefe erschüttert" und „die richtige Methode in der Philosophie ganz allein und zuerst entdeckt und aufgestellt", indem er „das freie Selbstdenken zu einer Kunst organisierte". Von dieser Entdeckung war „kaum eine Kunst oder Wissenschaft" unbeeinflußt geblieben. Doch hatte sie ihre fruchtbarste Wirkung im schöpferischen Denken der „Poesie" gefunden, die freilich in einem umfassenden, kritischen Sinne aufzufassen ist, ja für Schlegel mit jener „Wissenschaft" identisch war, „welche Plato Dialektik, Jakob Böhme aber Theosophie nannte", nämlich „die Wissenschaft von dem, was allein und wahrhaft wirklich ist".[29] Als er in einem französisch verfaßten Aufsatz von 1802—1803 dem Pariser Publikum die eigentliche Leistung Fichtes vorstellen wollte, bestimmte Schlegel diese als die Erfindung einer neuen Denkmethode, die er „art de la réflexion" nannte oder auch mit mathematischen Begriffen als „calcul de la réflexion, l'algèbre des facultés intellectuelles et morales de l'homme" umschrieb.[30] Im Vergleich mit dieser Entdeckung sank sogar die Französische Revolution auf einen untergeordneten Platz. „Mir schien sie in der Einsamkeit der Spekulation nicht sehr bedeutend", sagte Schlegel rückblickend in seinem Werk über *Lessings Geist* von 1804, „wenigstens bei weitem nicht so wichtig, als eine andre, größre, schnellere, umfassendere Revolution, die sich unterdessen im Innersten des menschlichen Geistes selbst ereignet hat". Dies war die „Erfindung des Idealismus", dessen Wesen eben darin besteht, „daß der Mensch sich selber entdeckt hat".[31]

Das Werk über Lessing wurde Fichte gewidmet, und Schlegel fand den Bezug zwischen den beiden Denkern gerade darin, daß Lessings Schriften bereits angefangen hatten, „diesen Geist des Selbstdenkens zu erregen und zu bilden". Denn das wahre Denken, das Lessing ankündigte, besteht nicht darin, „das Gedachte schon fertig zu geben", es will vielmehr „das Denken in seinem Werden und Entstehen" darstellen. Ein solches Denken kann auch erst „in einem Werke der Kunst vollständig deutlich gemacht werden".[32] Lessing, der seiner Anlage nach der größte deutsche Philosoph hätte werden können[33], war für Schlegel der Prototyp eines solchen Dichterphilosophen. Sein Denken dringt immer tiefer in sich selbst ein und greift in „eigentümlichen Kombinationen der Gedanken", in „überraschenden Wendungen und Konfigurationen" stets weiter um sich.[34] Schlegel selbst, der „aus den Tiefen der Kritik" begonnen hatte, suchte unter den Inspirationen Fichtes das von Lessing begonnene Werk einer neuen Menschheitsreligion zu vollenden.[35] Doch fand die damals von ihm konzipierte „neue Mythologie" erst in Nietzsches *Zarathustra* ihre Erfüllung.

Die Unendlichkeit der Reflexion

Tatsächlich suchten die Freunde von Anfang an über die von Fichte entwickelte Denkmethode hinauszugehen oder sie vielmehr durch die Anwendung auf einem neuen Gebiet erst fruchtbar zu machen. Im Anschluß an Kant hatte sich Fichtes Denkprozeß vor allem auf die dynamische Ableitung der Kategorien, der Verstandesformen konzentriert. Novalis erblickte in diesen genetischen Deduktionen ein „furchtbares Gewinde von Abstraktion". Auch schien ihm, daß Fichte „zu willkürlich alles ins Ich hineingelegt" hatte, sein Ich ein „Robinson", d. h. eine „wissenschaftliche Fiktion" war und die Darstellung der Wissenschaftslehre einfach zu „dogmatizistisch" blieb.[36] „Fichten muß man an der Logik fassen, die er voraussetzt", notierte er. Diese „Voraussetzung der Logik" und die „Annahme eines allgemeingeltenden Gedankens", aus der Fichtes „ganze

Philosophie notwendig" folgt, war „absoluter Glaubensartikel".³⁷ Zunächst beanspruchte Novalis also eine größere Freiheit der Reflexion als die von Fichte erlaubte, die „in ihren Grenzen" blieb und „bescheiden" war. „Fichte ist den analytischen Gang nach einem synthetischen Prinzip gegangen. Ich gehe den synthetischen und analytischen Weg zugleich — Ich betrachte jeden Schritt vorwärts und rückwärts", schrieb er in der Zeit von 1795—1796.³⁸ Im Mai 1798 faßte er dann „eine sehr große, sehr fruchtbare Idee, die einen Lichtstrahl der höchsten Intensität auf das Fichtische System" warf, von ihm aber nur durch das mathematische Unendlichkeitssymbol angedeutet wurde.³⁹ Hier kündigt sich der Übergang „zum magischen Idealismus" an, der nicht nur zu einer freieren Umbildung der Reflexionsmethode, sondern auch zu einer beträchtlichen Ausweitung des Gebietes der Wissenschaftslehre selbst führte. Dabei brachte Novalis die Theorie des Ich mit dem für ihn typischen Personbegriff in Beziehung⁴⁰ und suchte die „Tätigkeiten des Geistes" auf eine umfassendere Weise zu umschreiben, so daß die dichterische Kraft gegenüber der philosophischen größere Bedeutung gewann, überhaupt der Kreis des Fichteschen Denkens gesprengt wurde, indem die Wissenschaft in der Poesie, dem Glauben, der Liebe, wie auch in der Religion ihre Ergänzung fand.⁴¹

Dies Hinausgehen über Fichte wurde von Friedrich Schlegel in Gang gebracht. „Ich rücke immer mehr in Deinen Gesichtspunkt der Wissenschaftslehre hinein", schrieb Novalis dem Freund am 14. Juni 1797 und versicherte ihm gleichzeitig: „Deine Hefte spuken gewaltig in meinem Innern." Fichte erschien Novalis als „der gefährlichste unter allen Denkern", denn „er zaubert einen in seinem Kreise fest". Wegen seines „freien kritischen Geistes" wurde Schlegel von ihm dazu berufen, „gegen Fichtes Magie die aufstrebenden Selbstdenker zu schützen".⁴² Schlegel war ebenfalls nicht mit dem Umkreis der Fichteschen Philosophie zufrieden gewesen. „Die Wissenschaftslehre ist zu eng", notierte er im Jahre 1797: „es werden nur die Prinzipien von Fichte darin deduziert, d. h. die logischen und die nicht einmal alle. Und die praktischen und moralischen oder ethischen? — Gesellschaft, Bildung, Witz, Kunst usw. hätten gleichfalls Recht, hier auch deduziert zu werden."⁴³ Bei seiner „Ergänzung und Berichtigung der Fichteschen Philosophie" ging es Schlegel aber vor allem um die Einbeziehung des Historischen, während Fichte auf diese unerwartete Erweiterung seiner Wissenschaftslehre mit der lakonischen Bemerkung reagierte, er wolle „lieber Erbsen zählen, als Geschichte studieren".⁴⁴ Schon im Aufsatz *Über das Studium der griechischen Poesie* von 1795 wurde die Historie von Schlegel in einer Hegel vorwegnehmenden Vision als immerwährendes Höhertreiben nach dem Modell der unendlichen Reflexion aufgefaßt. Die Beziehung zwischen der transzendentalen Reflexion und dem geschichtlichen Prozeß war ihm so eng, daß er historische Epochenbegriffe wie „Klassik" und „Romantik" für Stufen im reflexiven Bewußtseinsprozeß, oder die Bezeichnung transzendentaler Denkphasen wie „Beschränkung" und „Progression" für historische Perioden verwandte.⁴⁵

Reflexion bestand für Schlegel und Novalis im eigentlichen aber darin, daß sie sich bereitwillig in den grenzenlosen Gang des Denkens einließen. Mit ihrem „sehr ausdrucksvollen Namen" war die Reflexion für Novalis eine Geisteshaltung, bei der im Unterschied zum Gefühl oder zur Empfindung „der Gegensatz selbst mittelbar wird". Nachdem das reflektierende Denken einmal begonnen hat, ändern Zustand und Gegenstand ihr Wesen ständig.[46] Der „natürliche Gang der Reflexion" führt zunächst zum Resultat. Während aber feste Resultate nur „durch Unterbrechung des Triebes nach Erkenntnis des Grundes", d. h. durch ein „Stillstehn bei dem Gliede, wo man ist", entstehen, schreitet das Denken jetzt weiter zur „Reflexion als dem Resultate des Resultats". Die Reflexion entspricht darin dem Leben, das „ein aus Synthese, These und Antithese Zusammengesetztes und doch keins von allen dreien" ist.[47] Was man in der Reflexion findet, „scheint schon da zu sein". Sie ist damit eine „Sophistik des Ich", in der sich ein „transzendentales Bild unsers Bewußtseins" entrollt. Dies wird eben deshalb „immer etwas von einer Individualphilosophie haben", wie auch der „Dichter . . . ebenfalls nur Individualphilosophie" darstellt. Ein solches Denken ist „Selbstbesprechung", „Selbstoffenbarung", „stete innere Symphilosophie".[48] Bei diesem „absoluten Spiel" verwandelt der Geist in einer „Handlung der Alienation", „Fremdes in Eignes", aber gleichzeitig soll der Geist „sich selbst fremd und reizend sein, oder absichtlich machen können". Natur soll Kunst und Kunst zweite Natur werden.[49] Dies ist „ein unaufhörlicher Wechsel — oder ein unendlicher Wechsel". „Strebe nur nach der höheren, permanenten Reflexion und ihrer Stimmung", notierte Novalis im Frühling 1797 in seine Tagebücher.[50] In dieser „Freiheit der Reflexion" sind „alle Schranken . . . bloß des Übersteigens wegen da". Hierbei rücke ich „gleichsam meine Grenze vorwärts — ich gewinne etwas", dessentwegen auch „Schmerzen . . . erträglich sein" müssen. Die „lebendige Reflexion" war Novalis mit einem Wort „der Anfang einer wahren Selbstdurchdringung des Geistes, die nie endigt".[51]

Friedrich Schlegels Begriff der unendlichen Reflexion kam innerhalb seiner gedruckten Schriften in den Athenäumsfragmenten 116, 238 und 305, auch in dem Aufsatz *Über die Unverständlichkeit* zum Ausdruck und wurde später in den Kölner Vorlesungen zur Philosophie auf zusammenhängende Weise entwickelt.[52] Am lebendigsten spiegelt sich seine Auffassung aber in dem fragmentarischen Nachlaßwerk *Philosophische Lehrjahre*, das selbst ein Produkt ständigen Reflektierens ist.[53] Die Reflexion ist für Schlegel zunächst „die eigentümliche Form unsers Denkens". „Ein Verstand — Intelligenz — das schon Reflexion", sagte er. Dabei geht der „Mechanismus der Reflexion überall nach allen Richtungen ins Unendliche".[54] Nachdem Kant „das Ende der Metaphysik entdeckt" hatte, wurde von Fichte ein neuer Anfang gemacht, „nicht aber im Ich und Nicht-Ich, sondern in der innern Freiheit der Reflexion". Schlegel wollte selbst eine solche Metaphysik ausführen und dabei mit einer „Reflexion über die Unendlichkeit des Wissenstriebes" beginnen: „Der Gang dieser Metaphysik sollte in mehreren Zyklen sein, immer weiter und größer. Wenn das Ziel erreicht, sollte sie immer wieder von vorn anfangen — wechselnd zwischen Chaos und System, Chaos zu System bereitend und dann neues Chaos."[55] Die Reflexion beruhte für ihn im wesentlichen auf selbstkritischer Haltung: „Reflexion über die Reflexion ist der Geist der kritischen Philosophie als Philosophie der Philosophie". Dabei kann „das Ich durch keine Reflexion erschöpft werden", denn die Reflexion läßt sich „durch sich selbst" ständig „potenzieren und analysieren".[56] Nach einem „glücklichen Ausdruck" ist sie „objektive Willkür", „konstitutive Vernunft". Sie macht das Objekt zum Subjekt, und das „Potenzieren des Objekts hält Schritt mit den Stufen der Reflexion im Subjekt".[57]

Den besonderen Rhythmus der Reflexion hat Schlegel auf der Grundlage Fichtes noch als „Spiel des Dualismus" bezeichnet und aus zwei entgegengesetzten Bewegungsrichtungen des Geistes, nämlich dem Heraustreten aus sich selbst („aus dem Innern heraus") und der Rückkehr in sich selbst („ins Innre hinein") hergeleitet. „Das Gute in Fichte's Form ist das Setzen, und dann das Aus sich Herausgehn und In sich zurückkehren — d. h. die Form der Reflexion", sagte Schlegel.[58] Aus diesem kontrapunktischen Gang des Denkens ergibt sich auch die Erklärung der mathematischen Symbole des unendlichen Potenzierens und Radizierens, die Schlegel in seinen Notizheften verwandte. Sie sind als Umschreibungen dieses Reflexionsprozesses aufzufassen. „Das in sich Zurückgehen, das Ich des Ichs, ist das Potenzieren; das aus sich Herausgehen das Wurzelziehen der Mathematik", so lautet die Deutung dieser Zeichen in den Kölner Vorlesungen.[59] Während Fichte die Unendlichkeit der Reflexion auf theoretischem Gebiet durch das vollendete Selbstbewußtsein eindämmte und den progressus in infinitum nur im Praktischen erlaubte, vertrat Schlegel den Standpunkt, daß sich dem nur denkenden Bewußtsein eine solche Grenze von Natur aus nicht stellen könne. Hier war die Reflexion vielmehr der ständigen „Potenzierung fähig und ins Unendliche teilbar". Sie war „unermeßlich — ewig — unbedingt, d. h. unendlich".[60]

Reflexion und Kunst

Freilich galt diese Grenzenlosigkeit nur für das reine Denken, nicht aber für das praktische, moralische Handeln. Man könnte sogar sagen, daß Schlegel einen Fichte direkt entgegengesetzten Standpunkt einnahm. Tatsächlich forderte er auch: „In der Moral darf die Reflexion nicht ins Unendliche fortgesetzt werden."[61] Der im philosophischen Denken angelegte unendliche Prozeß der Reflexion findet damit in der praktischen Tat seine Grenze. Dabei ist aber nicht bloß an ein aus moralischen Postulaten erfolgendes Anhalten des unendlichen Denkprozesses zu denken. Vielmehr faßte Schlegel die Wechselwirkung von Theorie und Praxis, von Reflexion und Schaffen noch ursprünglicher als eine Wechselwirkung der Philosophie und Poesie auf.[62] Das Problem des unendlichen Denkprozesses löste sich ihm mit einem Wort auf der ästhetischen Ebene. In der Dichtung, dem schöpferischen Ausdruck seiner selbst, gewann das grenzenlose Denken Einheit und Zusammenhang — in einer Dichtung freilich, die nicht in einem Wurf gelingt, sondern in einem ständigen Wechsel von „Selbstschöpfung" (Poesie) und „Selbstvernichtung" (Philosophie), von Aus-sich-Heraustreten (Schaffen) und In-sich-Zurückkehren (Kritik) in immer größeren Kreisen über sich hinauswachsen sollte.

Entsprechend wurde von Schlegel auch der Angelpunkt oder das „Hypomochlion" der Poesie als „Phantasie", das der Philosophie aber als „Reflexion" angesehen. Die reine Reflexion genügt sich nicht selbst. Sie drängt über sich hinaus, aber nicht nur in eine neue Stufe des Bewußtseins, sondern in eine artistische Bekundung ihrer selbst, die wieder in der unendlichen kritischen Selbstreflexion immer ihren Stachel hat. Die Reflexion als solche ist „künstliches Bewußtsein" und bleibt in einen ständigen Prozeß des „Aus-sich-selbst-Herausgehens und des wieder In-sich-Zurückkehrens" eingespannt. Die Phantasie ist „dagegen ganz in Beziehung auf Zentrum — Aether, Orient, Norden pp.".[63] Den „objektiven Begriff des Ich" haben wir nur „im Gefühl der Freiheit". Im reinen Denken bleibt uns nur der „subjektive der Reflexion", und das Höchste, das dabei gewonnen werden kann, ist die „Identität der Reflexion — daß nicht eine Reihe in die andre überlaufe, daß es ein Faden sei". Skepsis ist der Zustand dieser „schwebenden Reflexion".[64] Letztlich lernt man für Schlegel das Verhältnis von Reflexion und Phantasie „nur aus der Poesie ganz kennen und üben". „Die Philosophie ist also von allen Seiten eine hilfsbedürftige Wissenschaft", sagt er: „Diese Hilfsbedürftigkeit ist nun aber auch wieder eine große Herrlichkeit, indem sie durch ihr Bedürfnis grade den innersten Kern, Wesen und höchsten Zweck jener andern Künste und Wissenschaften anfordert und berührt. — Die Unmöglichkeit, das Höchste durch Reflexion positiv zu erreichen, führt zur Allegorie, d. h. zur (Mythologie und) bildenden Kunst."[65]

Diese Aufgabe hatte Schlegel bereits in den Fragmenten des Lyceums formuliert, ohne dabei aber die zugrundeliegende Theorie von Reflexion und Kunst zum Ausdruck zu bringen, als er sagte: „Die ganze Geschichte der modernen Poesie ist ein fortlaufender Kommentar zu dem kurzen Text der Philosophie: Alle Kunst soll Wissenschaft, und alle Wissenschaft soll Kunst werden; Poesie und Philosophie sollen vereinigt sein." Hier wird die künstlerische Darstellung des „immer weiter strebenden Gangs" des Geistes zur eigentlichen Aufgabe des Lebens.[66] Diese „Selbstbeschränkung", die Schlegel und Novalis auch „Besonnenheit" nannten und die „für den Künstler wie für den Menschen das Erste und Letzte, das Notwendigste und das Höchste" ist, gipfelt im „Werk", das „absolute Liberalität mit absolutem Rigorismus vereinigt".[67] Gerade diese Durchdringung von Reflexion und Darstellung, Philosophie und Poesie, Kritik und Schaffen war auch die abschließende Aussage der Athenäumsfragmente. „Universalität ist Wechselsättigung aller Formen und Stoffe", heißt es da: „Zur Harmonie gelangt sie nur durch Verbindung der Poesie und Philosophie: auch den universellsten vollendetsten Werken der isolierten Poesie und Philosophie scheint die letzte Synthese zu fehlen; direkt am Ziel der Harmonie bleiben sie unvollendet stehn."[68]

In den folgenden Jahren zeigt sich bei Schlegel ein immer mächtiger werdendes Heraustreten aus dem Kreise des nur denkenden Bewußtseins. Dies ist mit „Entzücken", einer „Auflösung der begrenzten Ichheit" verbunden, womit die Schlegelsche Bewußtseinstheorie deutlich eine dionysische Note gewinnt. Die Erweiterung des Selbst geht aus der Ahnung, der Phantasie, dem Enthusiasmus hervor und beruht auf „Begeisterung, Erleuchtung, Trunkenheit, Traum und Witz".[69] Doch stellt sich diesem poetischen Überschwang nun die „kategorische Entscheidung der moralischen oder göttlichen Reflexion, d. h. des Gewissens" entgegen. Das „poetische Denken ohne die moralische Reflexion" ist für Schlegel „eigentlich böse Magie". Es wird zügellos, „transzendent", und verliert seinen Charakter als „immer fortgehendes Bewußtsein", wenn es „ohne Kritik, oder ohne höhere Potenz ist" und „die moralische Reflexion nicht noch den Primat darüber erhält".[70]

Dies Wechselverhältnis von kritischer Reflexion und künstlerischer Gestaltung ist auch für Novalis die Lösung des Problems eines unendlichen Progresses gewesen. Für ihn war der Geist „in der höchsten Belebung ... zugleich am wirksamsten". Die eigentlichen Wirkungen des Geistes bestanden ihm aber in Reflexionen, die ihrem Wesen nach bildend sind, so daß „mit der höchsten Belebung also die schöne oder vollkommene Reflexion verknüpft ist". Ein „Künstler, der Werkzeug und Genie zugleich ist", vermag zu entdecken, daß die polar zueinanderstehenden Glieder seiner geistigen Tätigkeiten zwar aus einer „tiefer liegenden Trennung seines eignen Wesens" hervorgehen, aber doch die „Möglichkeit ihrer Vermittlung — ihrer Verbindung" haben. Er hat nämlich die Fähigkeit, „sich im Moment des Übergehens von einem Gliede zum andern zu erhalten und anzuschauen". Novalis fährt fort: „Die vollständige Darstellung des durch diese Handlung zum Bewußtsein erhobenen echt geistigen Leben ist die Philosophie kat' exochen. Hier entsteht jene lebendige Reflexion, die sich bei sorgfältiger Pflege nachher zu einem unendlich gestalteten geistigen Universo von selbst ausdehnt." Dies ist genau der „Anfang einer wahrhaften Selbstdurchdringung des Geistes, die nie endigt".[71]

In einem solchen Denken „läßt sich aus einer Nußschale machen, was sich aus Gott machen läßt". Bei dieser „synthetischen und analytischen Methode" gelten die Regeln: „Je kleiner und langsamer man anfängt — desto perfektibler ... Je mehr man mit wenigem tun kann — desto mehr kann man mit vielem tun. Wenn man eines zu lieben versteht — so versteht man auch alles zu lieben am besten." Es ist letztlich die „Kunst, alles in Sophien zu verwandeln — oder umgekehrt".[72] Der Reiz dieses denkenden Gestaltens liegt aber im Werden, im Fortschreiten. Bei der „Darstellung des Vollkommnen" ist Langeweile kaum zu vermeiden. Eine Kontemplation Gottes wäre „monoton", ja selbst eine „Betrachtung Jesu" wäre „ermüdend".[73] In diesem Denken bin ich „für mich der Grund alles Denkens, der absolute Grund, dessen ich mir nur durch Handlungen bewußt werde, Grund aller Gründe für mich". Was ich von meinem Ich erkenne und durch Handlungen erfahre, suche ich „durch Reflexion" soviel wie möglich zu verknüpfen: „Ergründen ist philosophieren. Erdenken ist Dichten. Bedenken und Betrachten ist eins." Ein solcher Künstler des eigenen Lebens schafft ein „Poëm", ein „Machwerk". Er wird von Novalis in einem anderen Zusammenhang auch der „echte Gelehrte", d. h. der „vollständig gebildete Mensch" genannt, „der allem, was er berührt und tut, eine wissenschaftliche, idealische, synkretistische Form gibt". „Alles, was ein Gelehrter tut, sagt, spricht, leidet, hört etc.", so führt Novalis diesen Gedanken aus:

> muß ein artistisches, technisches, wissenschaftliches Produkt oder eine solche Opera-
> tion sein. Er spricht in Epigrammen, er agiert in einem Schauspiele, er ist Dialogist,
> er trägt Abhandlungen und Wissenschaften vor — er erzählt Anekdoten, Geschich-
> ten, Märchen, Romane, er empfindet poetisch; wenn er zeichnet, so zeichnet er als
> Künstler, so als Musiker; sein Leben ist ein Roman — so sieht und hört er auch
> alles — so liest er.[74]

Auf ähnliche Weise hatte Friedrich Schlegel bereits im *Lyceum* gesagt:

> Mancher der vortrefflichsten Romane ist ein Kompendium, eine Enzyklopädie des
> ganzen geistigen Lebens eines genialischen Individuums; Werke die das sind, selbst in
> ganz andrer Form, wie Nathan, bekommen dadurch einen Anstrich vom Roman.
> Auch enthält jeder Mensch, der gebildet ist, und sich bildet, in seinem Innern einen
> Roman. Daß er ihn aber äußre und schreibe, ist nicht nötig.[75]

Daß hier ein zentrales Motiv der Denkweise Nietzsches anklingt, geht aus einer Äußerung Thomas Manns hervor, der sagte:

> Es gibt in Europa eine Schule von Geistern ... in welcher man sich gewöhnt hat, den
> Begriff des Künstlers mit dem des Erkennenden zusammenfließen zu lassen. In die-
> ser Schule ist die Grenze zwischen Kunst und Kritik viel unbestimmter, als sie ehe-
> mals war. Es finden sich in ihr Kritiker von durchaus dichterischem Temperament
> und Dichter von einer vollkommenen kritischen Zucht des Geistes und Stiles. Die-
> ser dichterische Kritizismus aber, die scheinbare Objektivität und Degagiertheit
> der Anschauung, die Kühle und Schärfe des bezeichnenden Ausdrucks ist es, was je-
> nen Anschein von Feindseligkeit erweckt. Der Künstler dieser Art nämlich — und
> es ist vielleicht keine schlechte Art — will erkennen und gestalten; und das gedul-
> dige und stolze Ertragen der Schmerzen, die von beiden unzertrennlich sind, gibt
> seinem Leben die sittliche Weihe.[76]

Aufgrund dieser inneren Bezogenheit von Erkennen und Gestalten, Kritik und Dichtung war es für Schlegel und Novalis grundsätzlich auch gleichgültig, in welchem Medium sich ihr Denken bekundete. Wenn es sich um prosaische Werke der Kritik, der Philosophie oder den Roman handelte, dann sollten diese durch das der Reflexion inhärente künstlerische Prinzip poetisiert werden, wie andererseits die dichterischen Hervorbringungen durch die rückwirkende Kritik philosophischen Charakter gewannen, indem nun „Genialität und Kritik" verschmolzen. Das Ergebnis dieser Vermittlung bestand zunächst in der philosophischen, kritischen Durchdringung des poetischen Schaffens, dann aber vor allem in einer Poetisierung der Philosophie, oder allgemeiner von Werken der Prosa. Damit vollzog sich ein entscheidender Wandel in der traditionellen Unterscheidung von Poesie und Prosa, der zu dem anscheinenden Paradox führte, daß nun das höchste Ideal der Poesie in der Prosa erblickt wurde. Hier tut sich ein Thema auf, das für die frühromantische Literaturtheorie von direkt fundamentaler Bedeutung war, freilich weit über den Rahmen der vorliegenden Untersuchung hinausgeht.[77]

Bei dieser Synthese ist keineswegs allein an den Roman zu denken, der wegen seiner „symbolischen Form" von Schlegel und Novalis auch als wahrhaft poetisch aufgefaßt wurde. Die „symbolische Form" war gleichzeitig die Auszeichnung von Lessings und sogar schon von Platons Prosa gewesen.[78] Während wir in der deutschen Sprache bis zum Auftreten Lessings „nur äußerst wenig vortrefflich in Prosa Geschriebenes" hatten, transzendierten seine Schriften für Schlegel die damals gebräuchliche Trennung von Prosa und Poesie, da uns dieser Autor nicht „das Gedachte schon fertig" gab, „sondern das Denken selbst lehren" wollte. Eine solche „Mitteilung" ist aber von Natur aus bereits „Darstellung". Denn „man kann das Denken nicht lehren, außer durch die Tat und Beispiel", indem man nämlich „vor jemandem denkt" und „das Denken in seinem Werden und Entstehen ihm darstellt".[79] Die besondere „Folge der Gedanken" ist es demnach, welche die Philosophie oder ein Werk der Prosa zur Dichtung erhebt und „das Selbstdenken zu erregen" vermag. Dies hatten aber bereits die Platonischen Dialoge demonstriert. „Ein Widerspruch gegen ein geltendes Vorurteil, oder was irgend sonst die angeborne Tätigkeit recht kräftig wecken kann, macht den Anfang", so bestimmte Schlegel die Technik poetischen Denkens an diesem Beispiel:

> dann geht der Faden des Denkens in stetiger Verknüpfung unmerklich fort, bis der überraschte Zuschauer, nachdem jener Faden mit einem Male abreißt, oder sich selbst in ihm auflöste, plötzlich vor einem Ziele sich findet, das er gar nicht erwartet hatte; vor sich eine grenzenlose weite Aussicht, und sieht er zurück auf die zurückgelegte Bahn, auf die deutlich vor ihm liegende Windung des Gesprächs, so wird er inne, daß es nur ein Bruchstück war aus einer unendlichen Laufbahn.[80]

Mit ähnlichen Mitteln erreichten Lessings Schriften diese Wirkung, wobei es gleichgültig ist, ob er von „geschnittenen Steinen, oder Schauspiel, oder Freimaurerei" ausging. Sogar sein *Nathan* gewann dadurch „einen Anstrich vom Roman".[81]

Von diesem dominierenden Gesichtspunkt ihres Schaffens sind grundsätzlich alle Werke von Friedrich Schlegel und Novalis zu verstehen.[82] Doch manifestiert sich das Ziel einer künstlerischen Ausformung des Denkens nirgendwo deutlicher als in ihren Fragmenten. In dieser Form ließ sich der Roman des Denkens in seinem widersprüchlichen Zusammenhang als eine Einheit von Form und Inhalt, Gestalt und Aussage, Geist und Buchstabe, eben als „System von Fragmenten" zum Ausdruck bringen. Freilich ist der Formwille in diesen Fragmenten nur angelegt und noch nicht eigentlich ästhetisch ausgeführt. Das zugrundeliegende Gestaltungsprinzip ist vor allem dadurch verdeckt, daß in neuerer Zeit, ja eigentlich schon seit dem frühen 19. Jahrhundert unvollendete Aufzeichnungen aus den Nachlässen von Novalis und Friedrich Schlegel in Tausenden und Abertausenden von Notizen in Erscheinung getreten sind, die heute von uns bereitwillig als romantische Fragmente anerkannt werden. Das literarische Werk Hardenbergs wurde davon besonders betroffen, da sich die ersten Editoren seiner Schriften bereits darin gefielen, zusammenhängende Studien oder Vorarbeiten zu geplanten Fragmenten in Gedankenatome zu zersplittern und diese mit den von Novalis selbst veröffentlichten Fragmenten in solch willkürlicher Anordnung zu vermischen, daß Clemens Brentano bei Ansicht der ersten Edition den Eindruck gewann, „als sähe man in ein vom Schweinemetzger geschlachtetes und am Boden ausgespanntes Universum bei jedem Gedärm eine Nummer und über alles ein Register".[83]

In Wirklichkeit können nur wenige Fragmentengruppen des Novalis den Anspruch erheben, ein „Werk" in jenem strengen Sinne zu sein, den Schlegel im Athenäumsfragment 297 bestimmte, als er sagte: „Gebildet ist ein Werk, wenn es überall scharf begrenzt, innerhalb der Grenze aber grenzenlos und unerschöpflich ist." Bei den meisten „Fragmenten" dieses Autors, die inzwischen aus seinem Nachlaß ediert wurden, handelt es sich um bloße Vorarbeiten, Skizzen, ohne wirkliche Gestaltung. „Was in diesen Blättern durchstrichen ist", bemerkte Novalis zu einer dieser Fragmentensammlungen,

> bedürfte selbst in Rücksicht des Entwurfs noch mancherlei Verbesserungen etc. Manches ist ganz falsch — manches unbedeutend — manches schielend. Das Umklammerte ist ganz problematischer Wahrheit — so nicht zu brauchen. — Von dem übrigen ist nur weniges reif zum Drucke — z. B. als Fragment. Das meiste ist noch roh. Sehr — sehr vieles gehört zu einer großen höchstwichtigen Idee. Ich glaube nicht, daß etwas Unbedeutendes unter dem Undurchstrichenen ist. Das Angestrichene wollt ich in eine Sammlung von neuen Fragmenten aufnehmen und dazu ausarbeiten. Das andre sollte bis zu einer weitläufigen Ausführung warten. Durch Fortschreiten wird so vieles entbehrlich — so manches erscheint in einem andern Lichte — so daß ich vor der Ausführung der großen, alles verändernden Idee nicht gern etwas Einzelnes ausgearbeitet hätte.

Novalis sah eine „zukünftige Literatur", eine „schöne Zeit" voraus, „wenn man nichts mehr lesen wird als die schöne Komposition — als die literarischen Kunstwerke". Von diesem Gesichtspunkt aus erschienen ihm selbst die ausgestalteten Fragmentsammlungen bloß als „abgerissene Gedanken", oder „Anfänge interessanter Gedankenfolgen — Texte zum Denken". „Viele sind nur Spielmarken und haben nur einen transitorischen Wert", meinte er: „Manchen hingegen habe ich das Gepräge meiner innigsten Überzeugung aufzudrücken gesucht."[84]

Ähnlich sind Friedrich Schlegels „Fragmente" aufzufassen. Nur ein kleiner Teil von ihnen wurde zu „Gemmen" geschnitten oder zu „kleinen Kunstwerken" ausgestaltet, während die große Masse der fragmentarischen Aufzeichnungen ihn in über sechzig umfangreichen Heften durch sein ganzes Leben begleitete, ohne daß es Schlegel trotz mehrfacher Ansätze gelungen wäre, daraus den Denkroman der *Philosophischen Lehrjahre* zu schaffen, den er als sein eigentliches Hauptwerk geplant hatte. Die große Leitidee dieser Schöpfung, nämlich eine Geschichte des Denkens mittels unendlicher, grenzenloser Reflexion scheint aber immer noch durch diese rohen Aufzeichnungen hindurch, die zunächst wie ein immenser Steinbruch von Ideen anmuten.[85] Allgemein ergibt sich aber der Eindruck, daß den Romantikern die Kunst der Reflexion eine Intuition war, die sie selbst noch nicht recht auszuführen wußten. Dies zeigt sich vor allem, wenn man ihre Fragmente mit den geschliffenen Aphorismen Nietzsches vergleicht, der uns lehrte, wie Gottfried Benn sagte, eine Handbreit Prosa wie eine Statue zu meißeln. „Nietzsche führte uns aus dem Bildungsmäßigen, dem Gelehrten, Wissenschaftlichen, dem Familiären und Gutmütigen . . . in das gedanklich Raffinierte, in die Formulierung um des Ausdrucks willen", so entwickelt Benn diesen Gedanken weiter: „er führte die Vorstellung der Artistik in Deutschland ein . . . er sagte: Die Delikatesse in allen fünf Kunstsinnen, die Finger für Nuancen, die psychologische Morbidität, der Ernst des Mis-en-Scène . . . und er krönte dies mit drei rätselhaften Worten: Olymp des Scheins."[86]

Statische und dynamische Reflexion

Von hier aus läßt sich der Unterschied der Reflexionstechniken bei Schlegel und Novalis umreißen. Der fundamentale, vielleicht jede Reflexion bestimmende Wurf ihres Denkens bestand in dem gegenwirkenden Rhythmus des Aus-sich-Heraustretens und In-sich-Zurückkehrens, wobei dies Modell aber von den beiden Autoren je auf charakteristische Weise ausgeführt wurde. Novalis erwuchs daraus die zentrale Idee der „dichterischen Anschauung der Welt". Das Aus-sich-Heraustreten und In-sich-Zurückkehren entsprach ihm der Dialetik von Innen- und Außenwelt im dichterischen Erlebnis. Diese Operation, „die uns beim Studium der Natur auf uns selbst . . . und beim Studium unsrer Selbst auf die Außenwelt" verweist, war für ihn die „fruchtbarste aller Indikationen". Sie bildete den Kern jener „großen, alles verändernden Idee", von der er in seinen Briefen und fragmentarischen Aufzeichnungen gesprochen hatte.[87] Diese fundamentale Vision läßt sich auch so formulieren, daß die Natur „von außen betrachtet . . . unbegreiflich per se" ist, daß sie sich uns aber durch die Anschauung unseres Inneren als Analogie unseres Ich, als ein symbolisches Bild desselben erschließt. Die Reflexion, d. h. die „ständige Zurückweisung ans Subjekt" läßt uns „die Natur oder Außenwelt als ein menschliches Wesen ahnden". Sie zeigt, „daß wir alles nur so verstehen können und sollen, wie wir uns selbst und unsre Geliebten, uns und euch verstehen". Auf umgekehrte Weise lautet dieser Gedanke, daß wir „alles Fremde nur durch Selbstfremdmachung — Selbstveränderung — Selbstbeobachtung" begreifen. Dies waren für Novalis die „wahren Bande der Verknüpfung von Subjekt und Objekt".[88]

Die beiden Bewegungsrichtungen der Reflexion koinzidieren demnach. Sie bilden ein ständiges Pulsieren des Ich, und tatsächlich sagte Novalis: „Was außer mir ist, ist gerade in mir, ist mein — und umgekehrt." „Wir kennen nur eigentlich, was sich selbst kennt", heißt es an anderer Stelle. Auf persönlichere Weise drückte er die sich in der Reflexion eröffnete Dialektik von Innen und Außen in der Notiz aus:

> Indem ich glaube, daß Söffchen um mich ist und erscheinen kann, und diesem Glauben gemäß handle, so ist sie auch um mich — und erscheint mir endlich gewiß — gerade da, wo ich nicht vermute — in mir, als meine Seele vielleicht etc. und gerade dadurch wahrhaft außer mir . . .[89]

Novalis hat die Technik des reflektierenden Heraustretens aus sich selbst auch mit dem Begriff des „Romantisierens" umschrieben. Dabei werden die Konturen der scharf beobachteten Außenwelt in eine „romantische Ferne" verlagert. „Die Kunst auf eine angenehme Art zu befremden, einen Gegenstand fremd zu machen und doch bekannt und anziehend, das ist die romantische Poetik", heißt es in einem Fragment der letzten Jahre. „Ferne Philosophie klingt wie Poesie", sagt Novalis, „weil jeder Ruf in die Ferne Vokal wird . . . so wird alles in der Entfernung Poesie — Poem. Actio in Distans. Ferne Berge, ferne Menschen, ferne Begebenheiten etc. alles wird romantisch, quod idem est — daher ergibt sich unsere urpoetische Natur."[90] Der auf die Entfernung gerichtete Akt des Romantisierens war für Novalis aber keineswegs das Ein und Alles, sondern fand in einer auf das Nahe, das Innere gehenden Reflexion seine polare Entsprechung. Diese Gegenbewegungen sind in dem Fragment dargestellt, das mit den bekannten Sätzen beginnt: „Die Welt muß romantisiert werden . . .". Unmittelbar hieran anschließend geht der Gedankengang dann in umgekehrter Richtung weiter, indem dem romantischen Potenzieren ein Logarithmisieren entgegengestellt wird, das im dialektischen Wechselbezug mit dem Romantisieren erst den vollen Prozeß der transzendentalen Reflexion zum Ausdruck bringt, der insgesamt in „Wechselerhöhung und Erniedrigung" besteht.[91]

Damit gewinnt die Reflexion bei Novalis einen kreisenden Charakter. Sie ist in der Einheit einer „systematischen Intuition" zentriert.[92] Ihr Rhythmus ist zyklischer, statischer Natur, auf der Stelle tretend. Das Denken kreist immer um dasselbe Phänomen und sucht dies auf stets neue Weise zu erfassen. Rahel Varnhagen hatte bei der Lektüre den Eindruck, „als würden nur ein paar Wahrheiten dargetan, und immer dasselbe gesagt". „Variationen auf nur wenig Eingesehenes", meinte sie, was aber durchaus nicht als Tadel zu verstehen ist. Denn schließlich galt ihr diese Beobachtung auch für Fichte, Goethe, Rousseau, Saint-Martin, Jean Paul. „Alle, alle, die etwas Gutes sagen, sagen dasselbe", fügte sie hinzu: „lauter Variationen auf das einfache, im höchsten Witz ersonnene Thema."[93]

Bei Friedrich Schlegel beruht die unendliche Reflexion auch auf einer Gesamtvision, aber in dieser Intuition wird die „unendliche Fülle" des Daseins in seiner widersprüchlichen Vielheit erfahren, was seinem Denken den Anschein des Paradoxen und einen durchaus dynamischen Charakter verleiht. Die Lösung der in der Reflexion erfahrenen Gegensätze besteht für Schlegel nicht in einer bloßen Synthese oder harmonischen Sättigung, sondern liegt in der Bewegung selbst, in einem vollen Ausschöpfen der polaren Spannung, in einem „Schweben" zwischen den Antinomien, in einem ständigen Wechsel zwischen den Antithesen, wobei sich das geistige Leben entfaltet und reicher wird. Hier tritt die Vernunft „mit sich selbst in Wechselwirkung", wird „dialogisch" und erweist sich als ein „ewiges Bestimmen durch ewiges Trennen und Verbinden". Dieser Prozeß ist wie bei „Rhapsoden, wo Frage und Antwort ewig wechselt". In dieser „Gymnastik des Geistes" sind Ideale erreichbar, d. h. approximierbar, „denn sie beruhen alle auf Synthesis und Widerspruch, Schweben, Schwanken".[94]

Gewiß lassen sich bei Novalis ähnliche Gedanken nachweisen. „Inwiefern erreichen wir das Ideal nie?", hatte er bei Gelegenheit seiner Fichte-Studien gefragt und die Antwort gegeben: „Insofern es sich selbst vernichten würde ... Der Adel des Ich besteht in freier Erhebung über sich selbst — folglich kann das Ich in gewisser Rücksicht nie absolut erhoben sein — denn sonst würde seine Wirksamkeit, sein Genuß i. e. sein Sieg — kurz das Ich selbst würde aufhören." „Nur das Unvollständige kann begriffen werden, kann uns weiter führen", heißt es entsprechend an anderer Stelle: „... Wollen wir die Natur begreifen, so müssen wir sie als unvollständig setzen." Indem „unsre Natur" oder „die Fülle unsers Wesens" unendlich ist, läßt es sich nicht „in der Zeit" voll verwirklichen. Andererseits sind wir für Novalis „aber auch in einer Sphäre außer der Zeit", und hier können wir das Ziel „in jedem Augenblick erreichen". In diesem Gedanken fand er „Beruhigung für den Geist, dem ein endloses Streben ohne es zu erreichen ... unerträglich dünkt".[95]

Doch gewinnt die Dialektik bei Schlegel einen stärker vorwärtsstrebenden, „progressiv-zyklischen" Charakter. „Die Idee der Philosophie ist nur durch eine unendliche Progression von Systemen zu erreichen. Ihre Form ist ein Kreislauf", sagte er in seinen philosophischen Vorlesungen von 1801.[96] Dies Denken hat den Widerspruch, die Antithese zum inneren Prinzip. „Dem Setzen des Ich ist ein Aussichherausgehen — ein Überschreiten entgegengesetzt", heißt es in einem Fragment: „Das Bestimmen ist das mittlere zwischen beiden. Alle Tätigkeit ist ein Bestimmen — alles Bestimmen ist gegenseitig." Insofern kann Schlegel auch notieren: „Eine Antinomie zwischen mehren Teilen der menschlichen Bildung ist kein wahrer Dualismus, sondern nur eine Wechselbestimmung."[97] In dieser transzendentalen Geschichte des Selbst gibt es stets von neuem ein „Überspringen in sein Gegenteil". Dieser „Übergang, der immer ein Sprung sein muß"[98], wird durch die Skepsis in Anstoß gebracht, die selbst so ewig „wie die Philosophie" ist. Dabei handelt es sich nicht um absoluten Skeptizismus, nicht um die „Skepsis als System", die nur „Anarchie" hervorbringen würde, sondern um eine Skepsis, die wesensmäßig „zur Philosophie gehört", eine ständige „logische Insurrektion" darstellt und im Heraustreten aus den einschnürenden Banden des Systems die immer wieder antreibende Kraft des Denkens ist.[99] Darin ist sie der Revolution im historischen Prozeß verwandt, und tatsächlich sieht Schlegel das „Leben des universellen Geistes" auch als „eine ununterbrochene Kette innerer Revolutionen" an. „Ewiger Wechsel und Kampf. Stete Reihe innrer Revolutionen, und zwar periodisch", sagte Schlegel in den *Philosophischen Lehrjahren*. Ohne diesen Widerspruch würde das Denken verkümmern. Entsprechend ist auch das Leben „nur durch eine fortdauernde, immer wiederholte Störung ... möglich".[100] Auf ähnliche Weise hatte Novalis gesagt: „Der Akt des sich selbst Überspringens ist überall der Höchste — der Urpunkt — die Genesis des Lebens. So ist die Flamme nichts als ein solcher Akt. — So hebt alle Philosophie da an, wo das Philosophierende sich selbst philosophiert — d. h. zugleich verzehrt (bestimmt, sättigt) und wieder erneuert (nicht bestimmt, frei läßt). — Die Geschichte dieses Prozesses ist die Philosophie."[101]

Dies Wirken gegen sich selbst verbindet sich mit Schmerz und Pein. Schlegel prägte für dies ständige in Frage Stellen seiner selbst die Begriffe „Selbstvernichtung" oder „Selbstzerstörung", die er im Abschluß seines Lessing-Aufsatzes von 1801 auch in dem Gedicht *Herkules Musagetes* darstellte:

> Ja auch das Werk, das teuer erkaufte, es bleibe Dir köstlich;
> Aber so Du es liebst, gib ihm Du selber den Tod,
> Haltend im Auge das Werk, das der Sterblichen keiner wohl endet:
> Denn von des einzelnen Tod blüht ja des Ganzen Gebild.[102]

Nietzsche hat diesen Gedanken zur Idee des „absolut Wehetuenden" der Erkenntnis gesteigert und im Bild des „Don Juan der Erkenntnis" ausgeführt.[103] „Wir müssen uns über unsre eigene Liebe erheben und was wir anbeten, in Gedanken vernichten können", sagte Schlegel, während für Novalis alle lebendige Moralität damit anhebt, „daß ich aus Tugend gegen die Tugend handle, damit beginnt das Leben der Tugend, durch welches vielleicht die Kapazität ins Unendliche zunimmt".[104]

Im Bereich der Moral bestimmte Schlegel die gegen sich selbst und die herrschenden Ideale gerichtete Haltung während eines kurzen Zeitraums auch gern als „Zynismus". Denn der Zynismus bringt die „Rechte der selbständigen Willkür" zur Geltung, und die Verbindung von „Hund und Lorbeer" befördert die „Vertilgung der Vorurteile". „Die Ironie und Selbständigkeit wird hier gleichsam zum Stand und Geschäft des Lebens", sagte Schlegel über die zynische Einstellung.[105] Novalis zeigte sich von diesem Begriff beeindruckt, obgleich ihm das Wort etwas „anstößig" erschien und er es lieber mit einem anderen vertauschte, das „nicht so zynisch" war.[106] Auch der Witz als „Wissenschaft aller sich ewig mischenden und wieder trennenden Wissenschaften" wurde von Schlegel zur Umschreibung des antithetischen Denkprozesses angeführt. Wegen seiner „doppelten Beziehung auf Einheit und Fülle ... auf Ähnlichkeit und Verschiedenheit" bezeichnete er den Witz sogar als das „höchste Prinzip des Wissens". Eigentlich läßt sich sagen, daß sein Begriff des Witzes wohl die umfassendste Theorie des transzendentalen Reflexionsverlaufes enthält.[107] Doch hat diese bei weitem nicht die Prominenz erlangt wie die parallel entwickelte „Theorie der Ironie". Die Ironie, die im *Athenäum* als „steter Wechsel von Selbstschöpfung und Selbstvernichtung" definiert ist[108], wurde zum bekanntesten Begriff für den transzendentalen Gang des Heraustretens und Hineingehens, von Enthusiasmus und Skepsis, Idealismus und Zynismus.[109]

In diesem Prozeß erfolgt immer wieder ein ekstatisches, phantastisches Durchbrechen der „begrenzten Ichheit", das aber in dem entgegengesetzten Imperativ der Kritik oder des „logischen Gewissens"[110] seinen Widerpart findet. Der transzendentale Gang des Geistes wird so zu einem unablässigen Ringen, dies Spannungsverhältnis zu versöhnen. Er ist ein Wechsel von Lust und Schmerz, wobei „die höchste Freude die mit Schmerz saturierte" und „der höchste Schmerz ... der mit Lust vermischte" ist.[111] Die Fülle des hier erfahrenen geistigen Lebens drückt sich auch in dem charakteristischen Begriff vom „Meer der Geister" aus. „Die Welt als Musik betrachtet", heißt es in einem Fragment von 1798, „ist ein ewiger Tanz aller Wesen, ein allgemeines Lied alles Lebendigen, und ein rhythmischer Strom von Geistern". Ohne dies „Meer von Geistern" läßt sich „Gott nicht denken". „In ihm leben alle Geister", sagte Schlegel, er ist „Ozean von Geist und Liebe — unendliche Fülle der Phantasie." „Alles das" ist für Schlegel „in Gott" und bildet „die heiligen Spiele in ihm". In diesem „Meer von Geistern" eröffnen sich überall „Eingänge in das Labyrinth der Unendlichkeit".[112]

Schlegel und Novalis teilten die Überzeugung, daß sich mit der wahrhaften Selbstdurchdringung des Geistes eine „neue Epoche der Menschheit", ein neues Zeitalter ergäbe. Die künftige Welt war für sie „das Chaos, das sich selbst durchdrang".[113] Grundsätzlich besteht dieser Prozeß aber in einem nicht endenden Fortschreiten. Hierin entspricht das Leben des denkenden Geistes der realen Geschichte der Menschheit oder dem Gang der progressiven Universalpoesie, die ebenfalls „ewig nur werden, nie vollendet sein kann".[114] Schlegel gestand zu, daß die Zeitgenossen einer späteren Epoche „wohl bei weitem nicht so groß von uns denken wie wir selbst, und vieles was jetzt bloß angestaunt wird, nur für nützliche Jugendübungen der Menschheit halten" möchten. Auf die Frage: „Wann und wann eher?" gab Novalis die rhetorische Antwort: „darnach ist nicht zu fragen. Nur Geduld ... und bis dahin seid heiter und mutig in den Gefahren der Zeit."[115]

Reflexion als existentielle Dialektik

Trotz vieler frappierender Anklänge war es von hier noch ein weiter Weg zu Nietzsche, der sich selbst auch keineswegs in der romantisch-idealistischen Tradition sah, sondern seinen Spott über die „Transzendentalisten" ausgoß, Fichte als Prototyp des „deutschen Jünglings" verhöhnte und in den idealistischen Philosophen „unbewußte Falschmünzer", bloße „Schleier-macher" sah, die sich auf die Schleichwege zur Theologie verstanden. „Fichte, Schelling, Hegel, Feuerbach, Strauß — das stinkt alles nach Theologen und Kirchenvätern", sagte er in den Nachlaßschriften.[116] Die Romantik wurde von ihm nicht besser behandelt, sondern als Krankheitssymptom des niedergehenden Lebens aufgefaßt und in einen krassen Gegensatz zur Stärke, zur Gesundheit der Klassik gestellt, die aus der Überfülle des Lebens schöpfte. Nachdem er in der *Geburt der Tragödie* zunächst selbst „mit einigen dicken Irrtümern und Überschätzungen", d. h. mit romantischen Hoffnungen und Vorurteilen auf sein Zeitalter losgegangen war, verschrieb Nietzsche sich eine „antiromantische Selbstbehandlung". Auf jene „unvorsichtige geistige Diät und Verwöhnung", die man Romantik nennt, sollte eine „grundsätzliche Einschränkung auf das Bittere, Herbe, Wehetuende der Erkenntnis" folgen.[117]

Der Begriff der Reflexion wurde von Nietzsche sogar systematisch vermieden, wozu ihn offensichtlich der introspektive, eben romantische Beiklang des Wortes veranlaßt haben mag. „Erkenntnis-Selbstkritik" war ihm „unnatürlich", nämlich gegen das unmittelbare Leben gerichtet, und er sah es als ein „Zeichen von Entartung" an, „wenn ein Instrument ‚sich selbst zu erkennen' sucht". Der Spruch „erkenne dich selbst" klang deshalb „im Munde eines Gottes und zu den Menschen geredet" beinahe wie eine „Bosheit".[118] In zahllosen Äußerungen gefiel Nietzsche sich darin, sein „instinktives Mißtrauen gegen die Abwege des Denkens" zur Schau zu stellen, oder das Denken als eine „tiefsinnige Wahnvorstellung" zu bestimmen, „welche zuerst in der Person des Sokrates zur Welt kam". Die Sokratische Dialektik wurde entsprechend als „Verfalls-Symptom", Ausdruck der Dekadenz angegriffen. Mit dieser „Superfötation des Logischen", dieser „Rachitiker-Bosheit" maßte das Denken sich an, zum Leben Stellung zu nehmen und kam zu dem Resultat: „Es taugt nichts."[119]

Doch wird hier gleichzeitig deutlich, daß Nietzsche mit diesen Polemiken sich selbst, oder wenigstens jene Seite seiner Natur geißelte, die von einem „Verlangen nach immer neuer Distanzerweiterung innerhalb der Seele selbst, von der Herausbildung immer höherer, seltenerer, fernerer, weitgespannterer, umfänglicherer Zustände" bestimmt war, darin aber, wie Jaspers gezeigt hat, gerade in der grenzenlosen Reflexion ihren Antrieb fand.[120] Das Postulat des „Erkenne Dich selbst" bildete in Wirklichkeit ein beherrschendes Motiv für Nietzsche. Dieser Aufruf wurde in der Frühzeit aus Heraklits „Lehre vom Gesetz im Werden und vom Spiel in der Notwendigkeit" entwickelt und mit den Sätzen be-

stimmt: „ ‚Mich selbst suchte und erforschte ich', sagte er [Heraklit] von sich ...
als ob er der wahre Erfüller und Vollender der delphischen Satzung ‚Erkenne
dich selbst' sei, und niemand sonst."[121] Als Nietzsche in späteren Jahren in Nizza
zufällig — für ihn freilich aus einem „Instinkt der Verwandschaft" — die französische Übersetzung von Dostojewskis *Aufzeichnungen aus einem Kellerloch*
(*L'esprit souterrain*) in die Hand kam, charakterisierte er diesen Roman als
„einen Geniestreich der Psychologie, eine Art Selbstverhöhnung des γνῶθι
σαυτόν" und bemerkte in einem Brief an Overbeck: „Ich muß bis zu meinem
Bekanntwerden mit Stendhals *Rouge et Noir* zurückgehn, um einer gleichen
Freude mich zu erinnern."[122] Dies Erkennen war für Nietzsche ein unendliches
„Feststellen, Bezeichnen, Bewußtmachen von Bedingungen (nicht ein Ergründen
von Wesen, Dingen, ‚An-sichs')", kurz „eine Schraube ohne Ende": „Daß Du
nicht enden kannst, das macht Dich groß und daß Du nie beginnst, das ist Dein
Los; Dein Lied ist drehend wie das Sterngewölbe, Anfang und Ende immerfort
dasselbe."[123]

Der Preis des Lebens, das „Goldaufblitzen am Bauch der Schlange Vita" ist
demnach nur ein Pol in Nietzsches Dialektik, der im unendlichen Drehwerk des
Denkens seinen Widerpart findet. „Amor fati: das sei von nun an meine Liebe!",
sagte er in ekstatischer Rede im Januar 1882: „Ich will keinen Krieg gegen das
Häßliche führen. Ich will nicht anklagen, ich will nicht einmal die Ankläger
anklagen. Wegsehen sei meine einzige Verneinung! Und, alles in allem und
großen: ich will irgendwann einmal nur noch ein Jasagender sein!" „Amor fati
ist meine innerste Natur", so griff Nietzsche einige Jahre später dies Motiv
wieder auf, fügte dann freilich hinzu: „Dies schließt aber nicht aus, daß ich die
Ironie liebe, sogar die welthistorische Ironie."[124] In klarer Einsicht in diese
Doppelnatur seines Wesens hat sich Nietzsche auch in *Ecce Homo* als Proto-
typen des modernen „décadent" gezeichnet, als einen Dialektiker, der in der
„tiefsten physiologischen Schwäche", in „einem Exzeß von Schmerzgefühl" und
„mitten im Martern" Dinge sehr kaltblütig durchdachte, zu denen man „in
gesünderen Verhältnissen nicht Kletterer, nicht raffiniert, nicht kalt genug" ist.
Das eigentliche Glück seines Daseins, „seine Einzigkeit vielleicht", erblickte er
aber darin, daß er nicht nur ein décadent, sondern zugleich „auch dessen Gegensatz" war, somit eine „doppelte Reihe von Erfahrungen" besaß, was zu der
Feststellung führte: „ich bin ein Doppelgänger." Seine „Zugänglichkeit zu anscheinend getrennten Welten", die aus dieser dualistischen Natur resultierte, hat
Nietzsche nirgendwo deutlicher als in den bekannten Sätzen bestimmt, die auch
die von ihm ausgebildete Reflexionstechnik umreißen: „Von der Kranken-Optik
aus nach gesünderen Begriffen und Werten, und wiederum umgekehrt aus der
Fülle und Selbstgewißheit des reichen Lebens hinuntersehn in die heimliche Arbeit
des Décadence-Instinkts — das war meine längste Übung, meine eigentliche
Erfahrung, wenn irgendworin wurde ich darin Meister. Ich habe es jetzt in der
Hand, ich habe die Hand dafür, Perspektiven umzustellen ..."[125]

Von hier aus betrachtet erscheint auch Nietzsches „Kampf gegen die Romantik" und sein emphatisches Bekenntnis zur Klassik als eine gegen die eigenen Inklinationen gewonnene Position, besonders wenn man seine tiefschürfenden Aussagen über die Bedeutung von Krankheit und Dekadenz ins Auge faßt. Das Ideal einer dionysischen Klassik bringt Nietzsche gleichzeitig in eine unmittelbare geistige Verwandtschaft mit den Frühromantikern, die er selbst kaum kannte, während er von der Romantik im allgemeinen nur klischeehafte Vorstellungen hatte.[126] Ja, Nietzsches Alternieren zwischen den Polen des Lebens und der Dekadenz kann von diesem Gesichtspunkt aus als ein intensiviertes Wiederaufleben jener Dialektik von Selbstschöpfung und Selbstvernichtung, von ekstatischer Poesie und kritischer Philosophie gedeutet werden, die den Nerv der frühromantischen Reflexionsmethode gebildet hatte. Freilich verdichtet sich nun die kritische Selbstvernichtung zur „gegen sich selbst gewendeten Grausamkeit", sogar zum „Genuß am eigenen Leiden, am eignen Sich-Leiden-Machen", deren „gefährliche Schauder" noch jeden Akt der Erkenntnis bestimmen. „Zuletzt erwäge man", sagt Nietzsche, „daß selbst der Erkennende, indem er seinen Geist zwingt, wider den Hang des Geistes und oft genug auch wider die Wünsche seines Herzens zu erkennen — nämlich Nein zu sagen, wo er bejahen, lieben, anbeten möchte —, als Künstler und Verklärer der Grausamkeit waltet; schon jedes Tief- und Gründlich-Nehmen ist eine Vergewaltigung, ein Weh-tun-Wollen am Grundwillen des Geistes, welcher unablässig zum Scheine und zu den Oberflächen hin will — schon in jedem Erkennenwollen ist ein Tropfen Grausamkeit."[127]

Der Rhythmus der unendlichen Reflexion, in dessen Verlauf jedes Ja in ein Nein umschlägt, das Nein aber wieder auf ein ekstatisches Ja tendiert, erwächst aus der für Nietzsche grundlegenden Überzeugung, daß alles Erkennen letztlich nur Auslegen, Interpretieren ist, das Dasein aber unendliche, sich wechselseitig ausschließende Interpretationen erlaubt. Das sich daraus ergebende Postulat „Perspektiven umzustellen", d. h. die unseren Interpretationen zugrundeliegenden Gesichtspunkte auszuwechseln und z. B. „die Wissenschaft unter der Optik des Künstlers zu sehen" oder die Kunst „unter der des Lebens", führt in der Reflexion konsequenterweise zu einer ständigen Selbstaufhebung einmal gewonnener Perspektiven.[128] Diese von Nietzsche zu einer bewußten Technik ausgebildete Methode erscheint ebenfalls wie eine Steigerung des Aus-sich-Herausgehens und In-sich-Zurückgehens im Denken der Frühromantiker, vor allem wenn man bedenkt, daß sich die von Nietzsche veranschlagten Perspektiven gewöhnlich zwischen den Polen der Vitalität und Dekadenz, Süden und Norden, Leben und Intellekt bewegen. Doch gewinnt dieser „transzendentale Gang" bei Nietzsche eine neue Note, indem er zunächst von dem intensivierten Wahrheitswillen der „intellektuellen Redlichkeit" („Ich will mich nicht selbst betrügen") beherrscht ist. „Etwas dürfte wahr sein", sagt Nietzsche, „ob es gleich im höchsten Grade schädlich und gefährlich wäre; ja es könnte selbst zur Grundbeschaffenheit des Daseins gehören, daß man an seiner völligen Erkenntnis zugrunde ginge".[129] Letztlich kann diese Reflexion nicht einmal in dem „Willen zur Wahrheit" Ruhe finden, da sich aus seiner Verabsolutierung der Verdacht ergibt, „daß auch wir Erkennenden von heute, wir Gottlosen und Antimetaphysiker, auch unser Feuer noch von dem Brande nehmen, den ein jahrtausende alter Glaube entzündet hat, jener Christen-Glaube, der auch der Glaube Platos war, daß Gott die Wahrheit ist, daß die Wahrheit göttlich ist". Der unendliche Zirkel der Reflexion geht sogar weiter zu der Frage: „Aber wie, wenn dies gerade immer mehr unglaubwürdig wird, wenn nichts sich mehr als göttlich erweist, es sei denn der Irrtum, die Blindheit, die Lüge — Wenn Gott selbst sich als unsre längste Lüge erweist?"[130] Auch bleibt dies In-Fragestellen seiner selbst für Nietzsche keineswegs auf das rein Denkerische und Künstlerische beschränkt, sondern greift in die intimsten Bereiche des Seelischen über. „Es gibt Vorgänge so zarter Art", sagte er,

> daß man gut tut, sie durch eine Grobheit zu verschütten und unkenntlich zu machen, es gibt Handlungen der Liebe und einer ausschweifenden Großmut, hinter denen nichts rätlicher ist, als einen Stock zu nehmen und den Augenzeugen durchzuprügeln, damit trübt man dessen Gedächtnis. Mancher versteht sich darauf, das eigene Gedächtnis zu trüben, um wenigstens an diesem einzigen Mitwisser seine Rache zu haben — die Scham ist erfinderisch. Es sind nicht die schlimmsten Dinge, deren man sich am schlimmsten schämt: es ist nicht nur Arglist hinter einer Maske — es gibt so viel Güte in der List.[131]

Fichte glaubte zu wissen, „daß nichts Wahres und Nützliches, was einmal in die Menschheit gekommen, verloren geht; gesetzt auch, erst die späte Nachkommenschaft wisse es zu gebrauchen".[132] Von hier aus läßt sich vielleicht sagen, daß Nietzsche gegen Ende des 19. Jahrhunderts, aber ohne seine geistigen Vorfahren wirklich zu kennen, in kühnen Impulsen das Denken der Reflexion weiterführte, mit dem dies Jahrhundert nach den ursprünglichen Intentionen von Friedrich Schlegel und Novalis eingeleitet werden sollte. Dabei sah sich Nietzsche selbst wieder als die Antizipation eines neuen Zeitalters, nämlich des 20. Jahrhunderts, nach dem mit ihm zu Ende gehenden des neunzehnten.[133] In diesem dynamischen Zusammenhang, der sich auch in anderen Beziehungen, innerhalb der Gattung des Romans z. B. an Thomas Mann aufweisen ließe, scheint der zentrale Bezugspunkt zwischen der frühromantischen Reflexion und dem Denken Nietzsches zu bestehen. Der stets auf dem Weg befindliche und in kritischem Selbstüberwinden über sich hinausdrängende Gang der unendlichen Reflexion entspricht damit dem Prozeß der sich ständig selbst transzendierenden „progressiven Universalpoesie" im historischen Bereich. Hier findet das Denken jenen übergreifenden Zusammenhang, den es sich selbst nur durch den gestalteten, doch immer fragmentarisch bleibenden Ausdruck seiner selbst geben konnte. Es richtet sich damit letztlich, wie Diderot formuliert hat, „à la posterité et à l'être qui ne meurt jamais".[134] Nietzsche drückt dies aus, wenn er in einem über die reflexive Selbstkritik des

Denkens noch hinausgehenden Akt der „Selbstvernichtung" auch das eigene Werk in Frage stellt und im Epilog zu *Jenseits von Gut und Böse* sagt:

Ach, was seid ihr doch, ihr meine geschriebenen und gemalten Gedanken! Es ist nicht lange her, da wart ihr noch so bunt, jung und boshaft, voller Stacheln und geheimer Würzen, daß ihr mich niesen und lachen machtet — und jetzt? Schon habt ihr eure Neuheit ausgezogen, und einige von euch sind, ich fürchte es, bereit, zu Wahrheiten zu werden: so unsterblich sehen sie bereits aus, so herzbrechend rechtschaffen, so langweilig. Und war es jemals anders? Welche Sachen schreiben und malen wir denn ab, wir Mandarinen mit chinesischem Pinsel, wir Verewiger der Dinge, welche sich schreiben lassen, was vermögen wir denn allein abzumalen? Ach, immer nur das, was eben welk werden will und anfängt, sich zu verriechen! Ach, immer nur abziehende und erschöpfte Gewitter und gelbe späte Gefühle! Ach, immer nur Vögel, die sich müde flogen und verflogen und sich nun mit der Hand haschen lassen — mit unserer Hand! Wir verewigen, was nicht mehr lange leben und fliegen kann, müde und mürbe Dinge allein.[135]

Anmerkungen

1 Walter Benjamin: *Der Begriff der Kunstkritik in der deutschen Romantik.* Berlin 1920 (als Dissertation der Universität Bern gedruckt). In seiner Auffassung der Romantik wurde Benjamin von Siegbert Elkuss: *Zur Beurteilung der Romantik und zur Kritik ihrer Erforschung.* München 1918, und Erwin Kircher: *Philosophie der Romantik.* Jena 1906, bestimmt (vgl. S. 11 und 36).

2 Ernst Behler: *Die Auffassung der Revolution in der deutschen Frühromantik. Essays on European Literature. In Honor of Liselotte Dieckmann.* St. Louis 1972, S. 191 ff. Benjamin war sich über diesen Aspekt der Romantik, den er „romantischen Messianismus" nannte (S. 6, 81), im klaren, doch tritt er hinter der Entwicklung der Kritik für ihn zurück.

3 Vgl. hierzu vor allem Friedrich Schlegel: *Philosophische Lehrjahre: Kritische Friedrich Schlegel Ausgabe* (im folg. *KA*), Bd. 18, S. XXIV f., 79 ff., Bd. 19, S. 379 f.

4 Walter Benjamin, a. a. O., S. 59, 60.

5 René Wellek: *A History of Criticism,* Bd. 2 (*The Romantic Age*). New Haven 1955, S. 5 ff. Hans Eichner: *Friedrich Schlegels Theorie der Literaturkritik.* In: Zeitschrift für deutsche Philologie 88, 1970 (Sonderheft Friedrich Schlegel), S. 2 ff. Vgl. bes. René Wellek: *The Early Literary Criticism of Walter Benjamin.* Rice University Studies 57, 1971, S. 123 ff. (126 f.).

6 J. H. Voß: *Antisymbolik.* Stuttgart 1824; Heinrich Heine: *Die romantische Schule* (*Sämtliche Werke.* Hrsg. von Ernst Elster, Bd. 5), S. 240 f., 245, 217.

7 Jubiläumsausgabe, Bd. 2, S. 511 f.; Bd. 7, S. 218 ff.; Bd. 19, S. 644 f.

8 Emil Staiger: *Friedrich Schiller.* Zürich 1967, S. 416 ff.

9 Georg Lukács: *Skizze einer Geschichte der neueren deutschen Literatur.* Neuwied 1963, S. 66 ff., 71 ff., 83 f.

10 In bezug auf Friedrich Schlegel zuerst auf umfassende Weise in Karl Konrad Polheim: *Die Arabeske, Ansichten und Ideen aus Friedrich Schlegels Poetik.* Paderborn 1966, wobei die „Arabeske" als poetische Entsprechung der reflexiven Denkhaltung aufzufassen ist. Vgl. auch Eberhard Huge: *Poesie und Reflexion in der Ästhetik des frühen Schle-*

gel. Stuttgart 1971, und Franz Norbert Mennemeier: *Friedrich Schlegels Poesiebegriff.* München 1971. — In bezug auf Novalis vgl. Hannelore Link: *Abstraktion und Poesie im Werk des Novalis.* Stuttgart 1971; Charles M. Barrack: *Conscience in Heinrich von Ofterdingen: Novalis' Metaphysics of the Poet.* In: The German Quarterly 46, 1971, S. 257 ff. — Richard Faber: *Novalis: Die Phantasie an die Macht.* Stuttgart 1970, läuft in bloße Modeklischees („Novalis und Che Guevara") aus. Hans-Joachim Heiner: *Das Ganzheitsdenken Friedrich Schlegels.* Stuttgart 1971, will die „Wissenssoziologische Deutung einer Denkform" erarbeiten, gelangt aber nur zu einem schematischen „Verweisungssystem der Fragmente".

11 Thomas Mann: *Gesammelte Werke in zwölf Bänden,* Bd. 10, S. 18.

12 Hegel: *Gesammelte Werke,* Bd. 4. Hrsg. von Hartmut Bucher und Otto Pöggeler. Hamburg 1968, S. 76.

13 *Die fröhliche Wissenschaft,* § 272.

14 Karl Jaspers: *Vernunft und Existenz.* München 1960, S. 20.

15 *Jubiläumsausgabe,* Bd. 19, S. 618.

16 J. G. Fichte — *Gesamtausgabe.* Hrsg. von Reinhard Lauth und Hans Gliwitzky. *Werke,* Bd. 4, S. 196 f.

17 A. a. O., S. 200.

18 *Werke,* Bd. 2, S. 370 ff. — Hegel: *Jubiläumsausgabe,* Bd. 19, S. 629.

19 Zu Fichtes Reflexionsmethode vgl. Wolfgang Janke: *Fichte. Sein und Reflexion. Grundlagen der kritischen Vernunft.* Berlin 1970.

20 Fichte — *Gesamtausgabe. Werke,* Bd. 4, S. 183, 195, 225 f.

21 Hegel: *Gesammelte Werke,* Bd. 4, S. 5, 7; *Jubiläumsausgabe,* Bd. 19, S. 640 f. Vgl. hierzu meinen Aufsatz: *Die Geschichte des Bewußtseins. Zur Vorgeschichte eines Hegelschen Themas.* In: Hegel-Studien 7, 1972, S. 169 ff.

22 *Friedrich Schlegels Briefe an seinen Bruder August Wilhelm.* Hrsg. von Oskar Walzel. Berlin 1890, S. 235 f.

23 *Friedrich Schlegel und Novalis. Biographie einer Romantikerfreundschaft in ihren Briefen.* Hrsg. von Max Preitz. Darmstadt 1957, S. 59.

24 Friedrich Schlegel: *Philosophische Lehrjahre: KA,* Bd. 18, S. 3 ff. — Novalis: *Schriften,* Bd. 2. Hrsg. von Richard Samuel in Zusammenarbeit mit Hans-Joachim Mähl und Gerhard Schulz. Stuttgart 1965 („*II. Fichte-Studien,* 1795—1796"). Der Zusammenhang dieser Arbeiten ist noch unerforscht. Zu Novalis vgl. Geza von Molnar: *Novalis' Fichte-Studies. The Foundation of his Aesthetics.* The Hague — Paris 1970.

25 Novalis: *Schriften,* Bd. 2, S. 583 (Nr. 247), 524 (Nr. 11), 271 (Nr. 567); Bd. 3, S. 477 (Nr. 1147), 680 (Nr. 635), 373 (Nr. 603), 391 (Nr. 657).

26 *Schriften,* Bd. 3, S. 445 (Nr. 921), 335 (Nr. 463).

27 *Schriften,* Bd. 2, S. 524 (Nr. 11).

28 Vgl. die Einleitung zu *KA,* Bd. 7. — Schlegels erstes veröffentlichtes Bekenntnis zu Fichte erfolgte im Studiumsaufsatz: *KA,* Bd. 1 (im Druck).

29 *KA,* Bd. 3: *Literatur* (im Druck).

30 *KA,* Bd. 18, S. 543, 545.

31 *KA,* Bd. 3: *Lessings Gedanken* (im Druck).

32 *KA,* Bd. 3, ebd.

33 *KA, Bd. 6, S. 388.* Vgl. auch *Philosophische Lehrjahre* IV 678; X 41.

34 *KA,* Bd. 3, ebd.

35 Ähnlich äußert sich Nietzsche über Lessing: *Jenseits von Gut und Böse,* § 28. Zum Bezug Lessing — Fichte im Zusammenhang der neuen Religion vgl.: *Friedrich Schlegel und Novalis,* a. a. O., S. 139; ferner Diana Behler: *Lessing's Legacy to the Romantic Concept of the Poet — Priest.* In: Lessing Yearbook 4, 1972.

36 *Friedrich Schlegel und Novalis,* S. 97; *Schriften,* Bd. 2, S. 107; Bd. 3, S. 405, (Nr. 717), 249 (Nr. 57).

37 *Schriften,* Bd. 3, S. 559 (Nr. 25), 363 (Nr. 560).

38 *Schriften,* Bd. 2, S. 268 (Nr. 559), 192 (Nr. 272).

39 *Friedrich Schlegel und Novalis,* S. 112.

40 *Über das Geheimnis der Individualität. Fichtes Mißverständnis der Individualität: Schriften,* Bd. 3, S. 433 (Nr. 843).

41 Vgl. die Einleitung zu den Fichte-Studien von Hans-Joachim Mähl: *Schriften,* Bd. 2, S. 29 und meine Rezension: GRM, Neue Folge 17, 1967, S. 214 ff.

42 *Friedrich Schlegel und Novalis,* S. 96.

43 *Philosophische Lehrjahre* (im folg.: *Ph. Lj.* Die Fragmente werden nach Heft- und Fragmentenziffern zitiert) II 143.

44 *Briefe von und an Friedrich und Dorothea Schlegel.* Hrsg. von Josef Körner. Berlin 1926, S. 9.

45 Vgl. meinen Aufsatz *Kritische Gedanken zum Begriff der Europäischen Romantik: Europäische Romantik.* Frankfurt 1972, S. 18 f.

46 *Schriften,* Bd. 2, S. 201 (Nr. 284), 207 (Nr. 290), 218 (Nr. 305).

47 *Schriften,* Bd. 2, S. 107 (Nr. 3), 270 (Nr. 566).

48 *Schriften,* Bd. 2, S. 112 (Nr. 14), 136 (Nr. 46), 523 (Nr. 8), 529 (Nr. 22), S. 419 (Nr. 20): dies Fragment stammt von Friedrich Schlegel, doch hat Novalis diesen Gedanken auch: *Schriften,* Bd. 2, S. 558 f. (Nr. 147).

49 *Schriften,* Bd. 2, S. 559 (Nr. 148), 107 (Nr. 3), 646 (Nr. 468).

50 *Schriften,* Bd. 2, S. 295 f. (Nr. 662); Tagebücher (Novalis: *Schriften,* Bd. 4. Im Verein mit Richard Samuel hrsg. von Paul Kluckhohn), S. 383.

51 *Schriften,* Bd. 2, S. 268 (Nr. 559); Bd. 3, S. 269 (Nr. 151), Bd. 2, S. 294 (Nr. 654, 655), 525 (Nr. 13).

52 *KA,* Bd. 2, S. 165 ff., 363 ff.; *KA,* Bd. 12, S. 324 ff.; *KA,* Bd. 13, S. 3 ff.

53 Vgl. das Register in *KA,* Bd. 19, auch in bezug auf „Schweben", „Schwanken" etc.

54 *Ph. Lj.* III 643; VII 3; IV 682.

55 *Ph. Lj.* IV 1019, 1048.

56 *Ph. Lj.* IV 1059, 1541.

57 V 649, 924, 500, 957, 1059, 1021.

58 V 935, 1004, 1116; VII 53; VI 112. Vgl. auch Novalis: *Schriften,* Bd. 3, S. 310 (Nr. 382): „Fichte hat nichts, als den Rhythmus der Philosophie entdeckt."

59 *KA,* Bd. 12, S. 349. Zur Deutung dieser mathematischen Zeichen vgl. *KA,* Bd. 19, S. 392 (Nr. 298). Auch bei Novalis stehen mathematische Spekulationen (unendliche Potenzreihen) mit der Reflexionsmethode in Zusammenhang. Vgl. dazu Martin Dyck: *Novalis and Mathematics.* Chapel Hill 1960, bes. S. 84 ff. und vorher schon E. Spenlé: *Novalis. Essai sur l'idéalisme romantique en Allemagne.* Paris 1904, S. 139 ff.

60 *Ph. Lj.* IV 1060; VI 356.

61 *Ph. Lj.* IV 1077, 1060.

62 *Ph. Lj.* III 643.

63 *Ph. Lj.* V 844; VI 112.

64 *Ph. Lj.* X 512; V 507, 955.

65 *Ph. Lj.* VIII 227. Dieser Gedanke bildete bereits den Kern der Rede über die Mythologie: *KA,* Bd. 2, S. 311 ff.

66 *Lyc. Fr.* 115 (*KA,* Bd. 2, S. 147 ff.); *KA,* Bd. 18, S. XIII.

67 *Lyc. Fr.* 37, 123. Zum Begriff Werk vgl. noch *KA,* Bd. 19, S. 800 (Register).

68 *Ath. Fr.* 451 (*KA,* Bd. 2, S. 165 ff.).

⁶⁹ *Ph. Lj.* XI 145, 147; X 123; *KA*, Bd. 19, S. 414 (Nr. 279), 419 (Nr. 738), 488 (Nr. 26).

⁷⁰ *Ph. Lj.* XI 83, 85, 84. — In seiner Spätphilosophie übt Schlegel scharfe Kritik an den Versuchen, aus reinem Denken das Wesen der Ichheit zu ergründen. Vgl. meinen Aufsatz *Friedrich Schlegel und Hegel.* Hegel-Studien 2, 1963, S. 243 ff. und die Einleitung zu *KA*, Bd. 8. Diese Polemiken erscheinen aber nur dann als Zurückweisung seines eigenen frühen Reflexionsbegriffes, wenn man nicht berücksichtigt, daß dieser bereits auf eine Erfüllung durch die Poesie, d. h. die Phantasie angelegt war. In der Spätphilosophie wird die Theorie des Bewußtseins durch weitere Seelenkräfte ergänzt: *KA*, Bd. 10, S. XXXII ff.

⁷¹ *Schriften,* Bd. 2, S. 488 f. (Nr. 17), S. 525 f. (Nr. 13).

⁷² *Schriften,* Bd. 2, S. 287 (Nr. 647); Bd. 3, S. 408 (Nr. 723).

⁷³ *Schriften,* Bd. 3, S. 435 (Nr. 862): „Man erinnre sich an die vollkommnen Charaktere in Schauspielen — an die Trockenheit eines ächten, reinen philosophischen, oder mathematischen Systems etc."

⁷⁴ *Schriften,* Bd. 2, S. 271 (Nr. 567); *Briefe* (Novalis: *Schriften.* Im Verein mit Richard Samuel, hrsg. von Paul Kluckhohn, Bd. 4), S. 144; *Schriften,* Bd. 3, S. 339 (Nr. 470).

⁷⁵ *Lyc. Fr.* 78.

⁷⁶ *Gesammelte Werke in zwölf Bänden,* Bd. 10, S. 18 f.

⁷⁷ Gute Ansätze hierzu finden sich bei Walter Benjamin, a. a. O., S. 85 ff.

⁷⁸ *KA*, Bd. 2, S. 412. Die „Verteidigung der symbolischen Formen" wird von Schlegel auch dem letzten Teil des Athenäums zugute gehalten: *KA*, Bd. 3 (im Druck). Raymond Immerwahr hat das Gespräch über die Poesie von diesem Gesichtspunkt aus interpretiert: *Die symbolische Form des Briefes über den Roman.* In: Zeitschrift für deutsche Philologie 88, 1970 (Sonderheft Friedrich Schlegel), S. 41 ff.

⁷⁹ *KA*, Bd. 3: *An Fichte* (im Druck).

⁸⁰ *KA*, Bd. 3, ebd. Dieser Gedanke findet in Schlegels Spätvorlesungen eine bedeutende Fortsetzung: *KA*, Bd. 10, S. 352 f.

⁸¹ *KA*, Bd. 3, ebd. — *Lyc. Fr.* 78.

⁸² Jean-Jacques Anstett hat die Lucinde neuerdings vom Gesichtspunkt des transzendentalen Ganges aus interpretiert: *Friedrich Schlegel, Lucinde, introduction, traduction et commentaire de Jean-Jacques Anstett.* Paris 1971. Zur Formproblematik des Werkes vgl. Karl Konrad Polheim: *Friedrich Schlegels Lucinde.* In: Zeitschrift für deutsche Philologie 88, 1970 (Sonderheft Friedrich Schlegel), S. 61 ff. — Ferner Johannes Mahr: *Übergang zum Endlichen. Der Weg des Dichters in Novalis' Heinrich von Ofterdingen.* München 1970 und Charles M. Barrack: *Conscience in Heinrich von Ofterdingen.* In: The Germanic Review 46, 1971, S. 257 ff.

⁸³ R. Steig: *Achim von Arnim und Clemens Brentano.* Stuttgart 1894, S. 65.

⁸⁴ *Schriften,* Bd. 2, S. 595 (Nr. 318); Bd. 3, S. 276 f. (Nr. 210); *Briefe,* a. a. O., S. 256.

⁸⁵ Vgl. *KA,* Bd. 18, S. XII ff.

⁸⁶ *Essays,* S. 542.

⁸⁷ *Schriften,* Bd. 3, S. 429 (Nr. 820).

⁸⁸ *Schriften,* Bd. 3 (Nr. 342), S. 302, 429 (Nr. 820). Vgl. auch *Schriften,* Bd. 2, S. 431 (Nr. 45).

⁸⁹ *Schriften,* Bd. 3, S. 376 f. (Nr. 617), 302 (Nr. 342), 374 (Nr. 603).

⁹⁰ *Schriften,* Bd. 3, S. 685 (Nr. 668), S. 302 (Nr. 342). Vgl. auch Bd. 1, S. 203, 283.

⁹¹ *Schriften,* Bd. 2, S. 545 (Nr. 105).

⁹² Theodor Haering: *Novalis als Philosoph.* Stuttgart 1954.

⁹³ *Rahel. Ein Buch des Andenkens für ihre Freunde,* Bd. 3. Berlin 1834, S. 139 f.

94 *Ph. Lj.* IV 1314, 1318, 1321, 1324; III 4.

95 *Schriften*, Bd. 2, S. 259 (Nr. 508), 559 (Nr. 151), 288 (Nr. 647).

96 *KA*, Bd. 12, S. 10.

97 *Ph. Lj.* IV 1284, 1286.

98 *KA*, Bd. 12, S. 417, 426, 434; *KA*, Bd. 13, S. 25, 284, 292 f., 388.

99 *KA*, Bd. 12, S. 10. *Ath. Fr.* 97; *KA*, Bd. 7, S. 24 f.

100 *Ath. Fr.* 451; *Ph. Lj.* II 637; IV 113; V 1181.

101 *Schriften*, Bd. 2, S. 556 (Nr. 134).

102 *KA*, Bd. 2, S. 418 f. Zur Dialektik von Selbstschöpfung und Selbstvernichtung vgl. *Lyc. Fr.* 28, 37; *Ath. Fr.* 51, 269, 305, 400 und *KA*, Bd. 19, S. 767, 768 (Register).

103 *Morgenröte*, § 327.

104 *KA*, Bd. 2, S. 131; Novalis: *Schriften*, Bd. 2, S. 556 (Nr. 134).

105 *Ath. Fr.* 16; *Lyc. Fr.* 119; *Ph. Lj.* II 860, 850; V 696; IV 197, 1533.

106 *Friedrich Schlegel und Novalis*, S. 113.

107 *Ath. Fr.* 220; *KA*, Bd. 11, S. 301 (Nr. 192); *KA*, Bd. 19, S. 807 f. (Register).

108 Vgl. Anm. 102.

109 Diesen Aspekt habe ich gesondert dargestellt in: *Klassische Ironie — Romantische Ironie — Tragische Ironie. Zum Ursprung dieser Begriffe.* Darmstadt 1972, S. 65 ff.

110 *KA*, Bd. 10, S. 529.

111 *Ph. Lj.* III 797.

112 *Ph. Lj.* IV 60, 737, 1497.

113 Novalis: *Schriften*, Bd. 3, S. 281 (Nr. 234); *Ph. Lj.* IV 760, 1534.

114 *Ath. Fr.* 116.

115 *Ath. Fr.* 426; Novalis: *Schriften*, Bd. 3, S. 524.

116 Friedrich Nietzsche: *Werke in drei Bänden.* Hrsg. von Karl Schlechta, Bd. 2, S. 894 (Nr. 25), 575 f. (Nr. 11); Bd. 1. S. 965 (Nr. 216); Bd. 2, S. 1149 (Nr. 3), 894 (Nr. 25). — Friedrich Nietzsche: *Sämtliche Werke in zwölf Bänden.* Hrsg. von Alfred Baeumler, Bd. 10 (*Die Unschuld des Werdens*), S. 239 (Nr. 625).

117 *Werke*, Bd. 1, S. 965 (Nr. 217); Bd. 2, S. 244 (Nr. 370); Bd. 1, S. 17 f. (Nr. 7), S. 739 (Nr. 2); Bd. 2, S. 10 (Nr. 1).

118 *Werke*, Bd. 2, S. 894 (Nr. 25); *Sämtliche Werke*, Bd. 9 (*Der Wille zur Macht*), S. 292 (Nr. 426); *Werke*, Bd. 2, S. 194 (Nr. 335).

119 *Werke*, Bd. 1, S. 728 (Nr. 635), S. 84 (Nr. 15); Bd. 2, S. 951 ff. (vor allem in „Das Problem des Sokrates" aus der *Götzendämmerung*).

120 *Werke*, Bd. 2, S. 727 (Nr. 257); Karl Jaspers: *Nietzsche. Einführung in das Verständnis seines Philosophierens.* 3. Auflage. Berlin 1950, S. 337 ff., 385 ff. Vgl. auch Karl Jaspers: *Vernunft und Existenz.* München 1960, S. 20 ff.

121 *Werke*, Bd. 1, S. 380 f. (Nr. 8).

122 *Werke*, Bd. 3, S. 1250, 1254.

123 *Sämtliche Werke*, Bd. 9, S. 380 f. (Nr. 555); Bd. 10, S. 31 (Nr. 59).

124 *Werke*, Bd. 2, S. 161 (Nr. 276), S. 1151 (Nr. 4).

125 *Werke*, Bd. 2, S. 1070 ff. (Nr. 1—3).

126 *Sämtliche Werke*, Bd. 9, S. 671. Zu diesem Thema vgl. René Wellek: *A History of Modern Criticism*, Bd. 4. New Haven 1965, S. 336 ff. und E. Kunne-Ibsch: *Die Stellung Nietzsches in der Entwicklung der modernen Literaturwissenschaft.* Assen 1972, S. 166 ff., 225 ff. Die Verwandtschaft zwischen Nietzsche und den Frühromantikern war für Karl Joël so eng, daß er zu den großen Themen von Nietzsches Denken seitenlang Zitate hauptsächlich von Friedrich Schlegel und Novalis anführte: *Nietzsche und die Romantik.* Jena und Leipzig 1905. — Mit Novalis wurde Nietzsche in seiner Frühzeit bekannt: *Werke*, Bd. 3, S. 69. Vgl. auch *Werke*, Bd. 1, S. 543 (Nr. 142).

[127] *Werke,* Bd. 2, S. 694 (Nr. 229).
[128] *Werke,* Bd. 2, S. 249 f. (Nr. 374), S. 1071 (Nr. 1); Bd. 1, S. 11 (Nr. 2).
[129] *Werke,* Bd. 2, S. 602 (Nr. 39).
[130] *Werke,* Bd. 2, S. 208 (Nr. 344).
[131] *Werke,* Bd. 2, S. 603 (Nr. 40).
[132] *Werke,* Bd. 4, S. 183.
[133] Vor allem in „Wir Gelehrten" aus *Jenseits von Gut und Böse: Werke,* Bd. 2, S. 663 ff.
[134] *Œuvres complètes,* Bd. 13, S. 144.
[135] *Werke,* Bd. 2, S. 756 (Nr. 296).

Friedrich Sengle

MÖRIKES SENTIMENTALISCHER WEG
ZUM NAIVEN

Mörikes Ruhm ist in den letzten Jahrzehnten bis in die fernsten Länder ge-
drungen. Doch besteht im Ausland noch eine gewisse Neigung, Heine gegen ihn
auszuspielen. Ob nun von der kleinen Zahl der „wirklich guten Gedichte" die
Rede ist, oder von Mörikes „Provinzialismus" oder von seiner fehlenden gesell-
schaftskritischen Stoßkraft, immer besteht eine gewisse Neigung, q u a n t i t a -
t i v e Gesichtspunkte gegen ihn geltend zu machen. Dies ist, wie jeder Unbe-
fangene zugeben muß, durchaus möglich. Mörikes Dichtung ist so „tief" wie
die Goethes — in einem näher zu bestimmenden Sinn —; aber sie ist nicht entfernt so breit, so ausgreifend. Von einem Shakespeare, zu dem ihn seine hegelianischen Freunde bilden wollten, gar nicht zu reden! Solche Vergleiche haben
als Widerspruch gegen die Mörikevergötzung, die sich hie und da schon bemerkbar macht, wie auch in epochengeschichtlicher Beziehung ihren guten Sinn. Heine
und Mörike jedoch sollte man so wenig gegeneinander ausspielen wie Breite
und Tiefe in der Geometrie. Im Koordinatensystem der Biedermeierzeit bezeichnen sie die beiden extremsten Möglichkeiten, — den bekannten Gegensatz
Heine/Platen nicht ausgenommen. Freilich sind sie in dieser Einseitigkeit auch
wieder ganz die Kinder ihrer Zeit. Ein französischer Zeitgenosse, Henri Blaze,
für den die beiden Dichter noch nicht Symbole für irgend etwas Außerlitera-
risches waren, nimmt wohl die richtige Haltung ein, wenn er Mörike rühmt,
ohne Heine zu verwerfen: für ihn ist Heine einfach der kritische, Mörike der
naive Romantiker.[1]

Man hat seither immer wieder versucht, mit Hilfe des Begriffes „naiv" an
Mörike heranzukommen. Seine bezaubernde Unmittelbarkeit, seine Bescheiden-
heit und Volkstümlichkeit, seine Fabulierlust und Verträumtheit, seine Angst
und sein gutmütiger Humor, seine Gegenständlichkeit und seine Verspieltheit,
seine Liebe zu Ding und Mensch, sein Gemüt überhaupt, seine Frömmigkeit —
all das scheint ein Hinweis zu sein auf das ungebrochene, durch „Reflexion"
nicht zerstörte, Welt- und Gottesverhältnis, das man spätestens seit Schiller mit
Bewunderung naiv zu nennen pflegt. Gewisse Vorstellungen von süddeutscher
oder „schwäbischer Naivität" vermochten dies Mörike-Bild noch in jüngster Zeit
zu stützen.

Kein Zweifel, Mörikes „Naivität" hat die schwäbische Lebensart, auch das

Selbstverständnis der Württemberger, im Laufe der Zeit stark geprägt. Aber man wird sich zunächst doch fragen müssen, wie irgendeine Naivität in der damaligen württembergischen Intelligenz und gar bei einem Stiftler möglich gewesen sein soll. Noch standen die Neckarschwaben an der vordersten Front des menschlichen Bewußtseins. Nicht nur, daß Hegel in Mörikes Jugend von Berlin aus das deutsche Geistesleben zu erobern begann. In seiner unmittelbaren Nähe geschahen große Dinge: Straußens Bibelkritik, Vischers Ästhetik, von der geistigen Vorbereitung der Märzrevolution, an der Südwestdeutschland stark beteiligt war, ganz zu schweigen. Auf die Dichtung wirkte sich diese intensive gedankliche Tätigkeit nicht günstig aus, so wenig günstig, daß im dritten Teil meiner *Biedermeierzeit,* also unter den „Dichtern", Mörike als einziger Schwabe erscheinen wird. Zwar gab es zahllose schwäbische Poeten, gerade auch Lyriker, aber die Erschöpfung der Landschaft ist auf diesem Gebiete nicht mehr zu verkennen. Württemberg war schon überkultiviert, allzu gebildet, im Unterschied zu den neu aufsteigenden Literaturlandschaften (Schweiz, Österreich, Westfalen). Es war auch nicht so naiv-provinziell, wie man denkt; denn die Briefwechsel der Zeit, auch der Mörikes, zeigen, wie stark das geistige Leben auf die „Residenz" Stuttgart bezogen ist. Vischer kehrt von Zürich in die schwäbische Hauptstadt zurück, nicht zuletzt deshalb, weil sie eine in jedem Betracht gebildete „Welt" verkörpert.[2] Daß dies Urteil nicht nur lokalpatriotisch bestimmt ist, verrät die gleichzeitige Verachtung des provinziellen Tübingen. Vischer ist im damaligen Württemberg keine Ausnahme. Man verlangt begierig nach Anteil an der „Geschichte". Man ist über alle Fragen der Philosophie, der Wissenschaft, der Politik erstaunlich orientiert, und Verse zu machen und zu beurteilen versteht sowieso jeder Gebildete. Wie soll aus solcher Umwelt ein naiver Dichter kommen?

⁂

Mörikes Bildungsgeschichte gehört denn auch zu den verwickeltsten Vorgängen, die sich denken lassen. Der Hinweis auf fehlende akademische Leistungen besagt bei einem so unvergleichlich rezeptiven Menschen nicht viel. Er orientierte sich auf s e i n e Weise in der geistigen Umwelt. Auch sein Verhältnis zur Dichtung zeichnet sich zunächst mehr durch E m p f ä n g l i c h k e i t als durch produktiven Eifer aus. Freundschaften vor allem sind es, die ihm den objektiven Geist vermitteln. Das p e r s o n a l i s t i s c h e W e l t v e r h ä l t n i s des Biedermeiers charakterisiert ihn besonders deutlich. Aber es wäre doch ein Irrtum, zu glauben, dies bedeute mangelnde Tiefe des Bewußtseins, konsequenten Irrationalismus. Die neuerdings in einer gewissen Vollständigkeit veröffentlichten Tagebücher W i l h e l m W a i b l i n g e r s lassen klar erkennen, wie man sich die Bildungsgeschichte Mörikes vorzustellen hat.

Er schließt sich ganz an diesen geniespielenden Epigonen an. Mörike ist zeitweise der einzige, der sein volles Vertrauen genießt. Auf diese Weise werden ihm wichtige Bestände der klassisch-romantischen Literatur vermittelt, G o e t h e , H ö l d e r l i n , B y r o n vor allem. Aber nicht nur dies: er erlebt zugleich an dem rastlos schreibenden Freunde das Experiment einer frühreifen, anspruchsvollen Produktivität, wie es dem Geiste der zwanziger Jahre entsprach. Er läßt sich Waiblingers Roman vorlesen, er unterzieht sich für den Freund der Mühe des Feilens. Kein verfrühter Ehrgeiz stört die Schülerschaft. Er erlebt, mit der nur halb beteiligten Neugier des berufenen Genies — vgl. Goethe in Straßburg —, auch die praktischen Folgen von Waiblingers „Byronismus": seine Liebeswirren, seinen Zusammenstoß mit der im Stift repräsentierten alten Ordnung, seine halbwahnsinnige Liebe zum wahnsinnigen Hölderlin, seine Verzweiflung, seine Flucht und später seinen Untergang. Waiblinger empfand frühzeitig den Abstand zu dem nur genießenden, teilnehmenden (sich bildenden), aber so gar nicht handelnden und „kämpfenden" Mörike. Auch der von den Biographen so stark betonte Verzicht auf seine Liebe zu Maria Meyer (Peregrina) ist nur Teilvorgang in Mörikes Auseinandersetzung mit dem Waiblingertum.

Der Byronismus ist wegen seiner nihilistischen und revolutionären Elemente von dem zu trennen, was wir heute in Deutschland unter Romantik verstehen. Aber auch diese natürlich wirkt auf den empfänglichen, in jeder Weise offenen Mörike, zuerst Novalis, dann, mit dem Erwachen eines gar nicht hochfliegenden literarischen Ehrgeizes, vor allem E. T. A. H o f f m a n n und L u d w i g T i e c k . Die ältere Forschung, für welche die vielseitige, in gewisser Weise faszinierende Dichtung des alten Tieck noch ein klarer Begriff war, betonte vor allem die Abhängigkeit von diesem Dichter, und so entstand die Vorstellung von Mörikes romantischer Jugend. Die an einzelnen Stellen des Werks (*Die Elemente)* klar faßbare Beeinflussung durch S c h e l l i n g und die Bevorzugung mythischer Stoffe, vor allem aber ihre dämonisierende Behandlung (z. B. in der ersten Fassung des *Feuerreiters)* verstärkte den Eindruck, daß wir es beim jungen Mörike mit einer verspäteten Romantik zu tun haben. In Württemberg war bis in die zwanziger Jahre des 19. Jahrhunderts hinein der Klassizismus besonders mächtig gewesen. Und die Gestalt, in der die Romantik von Uhland repräsentiert wurde, war überaus maßvoll, fast schon biedermeierlich. So hat die Vorstellung von einem verspäteten Einbruch der Romantik manches für sich. Auch Mörikes freundschaftliche Beziehungen zu J u s t i n u s K e r n e r können sie stützen. Eine bestimmte, nachhaltig wirkende Seite von Mörikes Wesen und Dichtung wird damit bezeichnet. Aber einmal ist eine verspätete geistige Bewegung immer etwas anderes als die ursprüngliche, und dann wirkten eben noch ganz andere geistige Kräfte auf Mörike, nicht nur die schon erwähnten klassischen, sondern sogar, wie in der Biedermeierzeit üblich, die des 18. Jahrhunderts.

Jean Paul, Hölty, Ramler sind dem Dichter noch ganz gegenwärtig; ja, sie treten mit dem Abrücken von einer dämonisierenden Romantik sogar stärker in den Vordergrund. Häufiger bezeugt und, wie mir scheint, von allergrößter Wichtigkeit ist das Studium Lichtenbergs. Das Interesse für den genialen Anthropologen verbindet Mörike schon mit Waiblinger und dann vor allem mit F. Th. Vischer. Neben Hartlaub, der ihm Mozart vorspielte, sonst aber mehr Seelen- als Geistesfreund war, ist der hochgebildete Hegelianer Vischer Mörikes eigentlicher Urfreund, seine breiteste Brücke zur geistigen Welt. Der Mörike-Vischer-Briefwechsel ist eines der interessantesten kulturgeschichtlichen Dokumente des 19. Jahrhunderts und selbst für die Mörike-Interpretation noch nicht genügend ausgewertet. Hier kommen alle Fragen, die das Verhältnis von „Reflexion" und Dichtung und damit Mörikes „Naivität" betreffen, zur Sprache. Es war keine bequeme, aber eine, eben wegen der Wesensunterschiede, höchst produktive Freundschaft, eine von großartiger Wahrhaftigkeit. Und so bedeutet es viel, wenn Vischer meint, „der Ähnlichkeitspunkt" bei Mörike und ihm „liege besonders in einer Lichtenbergschen Neugierde eines grübelnden Selbstbewußtseins".[3] Mörike wird — was etwas heißen will! — von Vischer lange Zeit nicht nur auf dem Gebiete der Dichtung, sondern auch in Fragen des „Bewußtseins" als Autorität betrachtet. Noch als der Stiftsrepetent Vischer sein Faustkolleg vorbereitet, bittet er Mörike um seine gedankliche Unterstützung. Mörike ist es auch, der sich zuerst mit der Ästhetik befaßt — mit Sulzers Theorie der schönen Wissenschaften![4] — und damit dem Freunde eine entscheidende Anregung für seine geistige Bestimmung gibt.[5]

✤

Mit meinen Hinweisen ist nur ein Teil dessen genannt, was Mörike zu verarbeiten unternimmt; aber sie genügen wohl, um zu beweisen, daß Mörikes Ausgangspunkt das Gegenteil eines naiven Dichtertums ist. Gegeben ist zunächst, wie fast immer in den zwanziger und frühen dreißiger Jahren die Situation des Epigonentums. Die Aufnahme der Romantik ist dabei nur ein Teilvorgang. Eine Überfülle von empirischen, z. B. psychologischen Erkenntnissen, von Ideen, von literarischen Vorbildern stürzt auf den jungen Dichter ein, und die Folge ist, wie auch sonst in dieser Zeit, der Mangel an klarer Orientierung. Nichts ist zu finden, was wirklich und ganz verbindlich wäre und aus dem chaotischen Reichtum des Überlieferten herausführen könnte. In seelischer Hinsicht ergibt sich daraus eine dumpfe Schwermut, ja Verzweiflung, noch nicht unbedingt Resignation im positiven, biedermeierlichen Sinne des Wortes. Der Mörike von 1825 und 1830 bettet sich noch nicht mit klarer Entscheidung im „Schoße der Kirche", der Freundschaft, der Familie. Er liebäugelt mit der Schauspielerei, für die er nach allen Zeugnissen hochbegabt war, mit dem Verzicht auf die geistliche Laufbahn, mit einer reinen Literatentätigkeit. Die „Residenz" steht im Mittelpunkt seiner Gedanken, Geldfragen spielen bei jeder Publikation eine bedeutende Rolle. Er betätigt sich gern als Herausgeber. Die Züge des „Urdichters" bemerkt man kaum in seinem Bild. Aus diesem Gesichtspunkt ist noch die Abfassung eines Opernlibrettos (*Die Regenbrüder*, Februar 1834) zu verstehen.

Insgeheim freilich empfindet er immer deutlicher, daß er für den zeitgemäßen Kulturbetrieb nicht taugt, weniger als jeder seiner Freunde. Schon die Vitalkräfte reichen nicht aus. Daraus zieht seine Schwermut neue Nahrung bis hin zu quälenden Untergangsgefühlen. In Emil Staigers schönem Vortrag über Schellings Schwermut[6] wird mit Recht immer wieder die Parallele zu Mörike gezogen. Wir befinden uns damit in einer Grundströmung der Biedermeierzeit; auch bei Staiger tritt dieser epochengeschichtliche Grund klar hervor. Mörike ist zwar nicht chronisch schwermütig, wie Lenau bis zu einem gewissen Grad. Oft genug schlägt — wie bei den anderen Weltschmerzlern — die Melancholie in Übermut, ja in ein burschikoses Wesen um. Hier zeigen sich schon Widerstandskräfte, die — ebenso wirksam, wenn auch anders als bei Heine — über die frühe Biedermeierzeit hinausführen. Aber die Grundstimmung ist Schwermut, der Gesamteindruck Verwirrung.

Der Niederschlag von Mörikes Jugendepoche ist der *Maler Nolten* (1832). Ich bediene mich mit Absicht dieser in Verruf geratenen („psychologischen“) Bezeichnung. Man wird dem Buch wohl am ehesten gerecht, wenn man es als eine Art von „Universalpoesie“ betrachtet. Dafür spricht nicht nur der reiche Schatz an Lyrik und das „phantasmagorische Zwischenspiel“ (*Der letzte König von Orplid*), das das Buch enthält, sondern auch die Tatsache, daß Mörike seine äußere Gestalt immer als etwas Vorläufiges betrachtete und die ästhetische Kritik des Gesamtwerkes ohne Bitterkeit hinnahm. Sie traf ihn nicht ernstlich, denn was er in der ersten Fassung geben wollte, war kein vollendetes Werk, sondern ein Begriff vom überquellenden Reichtum seiner inneren Welt, zugleich ein Hinweis auf die ganze, nicht nur irdische Welt in ihrer unergründlichen Tiefe. „O Leben! o Tod! Rätsel aus Rätseln!“ — diese Worte bezeichnen etwa den Grundton, dem eine ausgeklügelte Technik widersprach.

Die Zeitgenossen wurden dieser Sachlage gerecht. Sogar Gustav Schwab, der mit dem Erstling des Jüngeren recht schulmeisterlich umsprang, erkennt, daß die technischen Mängel in dem Überreichtum des Werkes ihre Ursache haben. Mörike hat sich mehr vorgenommen, als sich ein „erfahrener Novellenmeister“ — Tieck wird zum Schluß als Lehrer Mörikes genannt — vornehmen würde. In dem Werk ist „fast lauter Erlebtes“, aber es sind zu viel der Personen, der Motive, der Episoden. Vom „Verschwenderischen“ des Werks ist teils kritisch, teils bewundernd öfters die Rede.[7] F. Th. Vischer sagt noch treffender: Mörike „hat in dieses Buch seine ganze reiche poetische Jugend hineingeschüttet; dieses Zuviel werden wir dem jugendlichen Dichter gewiß gerner verzeihen als ein Zuwenig“.[8] Er lenkt die Aufmerksamkeit auf die einzelnen Punkte, die eine „große Kraft der Anschauung und Individualisierung“ verraten, auf die „plastische Klarheit und Goethesche Idealität“, mit der er den „phantastisch-romantischen Stoff“ durchdringt, auf die „Klassizität“ des Stils.

Diese Kritik, besonders Vischers Hinweis, daß jedes der nicht integrierten „Momente" des Buches „für sich den schönsten Stoff zu einem kleineren poetischen Ganzen darbietet", hat auf die spätere Entwicklung des Dichters gewiß bedeutenden Einfluß ausgeübt: Die Hinwendung zur Kleinform lag bei solcher Charakterisierung bereits nahe. Aber in e i n e r Beziehung sah sich der Dichter doch nicht recht verstanden, was um so fühlbarer war, als in diesem Punkt die Schwabsche mit der Vischerschen Rezension übereinstimmte; im Grunde handelt es sich dabei um eine weltanschauliche Entscheidung, auch wenn die Kritiker ästhetisch argumentierten. Dem Verfasser des *Maler Nolten* war es ernst damit gewesen, die verschiedensten Erkenntnisse und Welten in seinem Buch zu verschmelzen. Es sollten nicht nur Gesellschaftsbilder entworfen werden (vom Leben in der Residenz, von Schlössern, Handwerkerstuben, Forsthäusern usw.), nicht nur kontrastierende Charakterbilder (von der einfachen Agnes und von der Hofdame Konstanze, vom verzweifelten Schauspieler, Lebensschauspieler Larkens und manchem würdigen Herrn). Auch Noltens Stellung zwischen den sozialen Schichten und den sehr verschieden gearteten Frauen, seine wechselnden Stimmungen, seine Konflikte waren nicht das Letzte, so sehr der Dichter auf seinen psychologischen Tiefblick und seine Beobachtungsgabe stolz war und dafür belobt wurde. Sein höchster Ehrgeiz zielte dahin, die Ahnung des Wunderbaren in sein Werk hineinzuziehen und das ganz Goethisch, ganz „plastisch" gefaßte Natürliche mit dem Übernatürlichen zu vereinigen. Über Noltens Leben sollte von vornherein ein „Schicksal" im Sinne einer jenseitigen Bestimmung stehen. Irdische Erlebnisse wie etwa das Schwanken zwischen Konstanze und Agnes sollten ihn nur auf sein eigentliches Schicksal, — immer wieder angekündigt durch das Erscheinen der Zigeunerin Elisabeth — vorbereiten. Die Todesvermählung mit Elisabeth sollte kein verblüffender Schlußeffekt, sondern der notwendige Ausgang des sinnlich-übersinnlichen Geschehens sein, ein Hinweis darauf, daß der Mensch nicht nur von dieser Welt ist.

Die moderne Forschung hat immer wieder bestätigt, daß diese Konzeption Mörikes ernstzunehmen ist, trotz der epigonenhaften Motive, die sie zu Hilfe nimmt. Die Verknüpfung des Irdischen und des Überirdischen muß ihm tiefstes Bedürfnis gewesen sein, trotz der undurchdringlichen Verknäuelung, die dadurch für ein rationales Denken entstand. Auch später, als er das Buch zu revidieren begann und einer realistischeren Auffassung vom Erzählstil bewußt zu entsprechen versuchte, hat er an diesem Zentralpunkt nie gerührt. Wenn man das Biedermeier kennt, wird man sich über das verbissene Festhalten an der jenseitigen Dimension nicht einmal allzusehr wundern. Welt und Überwelt, Empirismus und Jenseitsglaube bilden für viele Zeitgenossen noch ein Ganzes. Für Mörike — diesen Sachverhalt muß man hinnehmen — steht „das Psychologische ... eben keineswegs im Gegensatz zu dem Fatalistischen, vielmehr ist es ein wesentliches Moment in der Hand des Schicksals".[9] Daher eben ist ihm der Schluß „notwendig". Man kennt heute viele Züge, die im Roman auf den düsteren Ausgang vorausdeuten, so das Zwischenspiel mit seiner Todessehnsucht und das Totentanzbild des Eingangs.[10] Wir können verstehen, daß der Dichter gerade was „die Duplizität und höhere Einheit der leitenden Ideen betrifft, gern Recht behalten möchte".[11] Aber die Kritik nahm ihm diese „Einheit", besonders die Art, wie sie den Ausgang des Romans prägte, nicht ab. Der junge Theologe, der mit einem so kühnen, tiefsinnigen Werk vor die Öffentlichkeit getreten war, sah sich gerade in seinem höchsten, universalpoetischen Anspruch verworfen und auf die einzelnen Schönheiten seiner Feder verwiesen.

Daß es Mörike mit seiner Konzeption, so verwirrt sie den anderen (und vielleicht ihm selbst) erscheinen mochte, wirklich ernst war, wird auch dadurch bestätigt, daß die Enttäuschung, welche die Aufnahme des *Maler Nolten* für ihn bedeutete, seinen Jenseitsglauben nicht beeinträchtigen konnte. Die brieflichen Vorstöße gegen Wunderglauben und „Romantik", die Vischer immer erneut unternahm, hatten in diesem Punkte ebenso wenig Wirkung. Mörike zog sich bei derartigen Themen einfach stumm auf sich selbst zurück. Es gab da einen Kern, der fester war als die altmodische Darbietungsform des *Nolten*. Doch es muß ihm durch seinen Roman zum Bewußtsein gekommen sein, daß er, so wie er nun einmal war, im Widerspruch zum vorwärtsdrängenden Zeitgeist stand, und daß überhaupt die ausgreifende Gestaltung eines Menschen- und Weltbildes nicht seine Sache war. In diesem Verzicht, nicht in irgendeinem Artistenstolz, gründet Mörikes Entscheidung für ein reines Künstlertum.

Äußerlich ermöglicht wurde sie zunächst durch die Ernennung zum ständigen Pfarrer in Cleversulzbach. Auch dieser Weg ist als Verzicht zu sehen; denn er war zu jener Zeit für die geistigen Söhne Württembergs alles andere als selbstverständlich. Im gleichen Jahr gab Freund Vischer die theologische Laufbahn auf, einige Jahre später der junge Hermann Kurz. Die Freunde drängten Mörike in gleicher Richtung, ja sie verachteten ihn im Stillen, weil er halbwegs zufrieden auf seiner Landpfarre saß. Lange Pausen in den Briefwechseln deuten den Ernst dieser Auseinandersetzung an.

✵

Es ist wenig aussichtsreich, die Grundtatsache dieses Verzichtes, dieses Rückzugs in die Idylle aus Abneigung gegen den „biedermeierlichen Pfarrherrn" leugnen zu wollen; denn die Briefe reden gerade in diesem Punkt eine zu deutliche Sprache. Freilich wirken mehrere Motive zusammen. Auch die gesundheitlichen Verhältnisse des Dichters, ob nun körperlich oder seelisch bedingt, verursachen immer neue Wellen der Resignation, der Schwermut, der Indolenz. Mörikes „Faulheit" ist, wie schon der umfangreiche *Maler Nolten* verrät, keine von vornherein feststehende „Eigenschaft"; sie gewinnt erst durch die in den dreißiger Jahren vor sich gehende Umstrukturierung ihre wesentliche

Ausprägung, ihren Sinn. An die Stelle einer „verschwenderischen", zwischen Lebensgier und Todestrunkenheit unklar schwankenden Einstellung tritt nun die „Ö k o n o m i e", die „D i ä t". Immer wieder erscheinen diese eindeutigen Begriffe im Briefwechsel. Mörike kann Hermann Kurz nicht sehen, weil ihm dieser Besuch, die geistige Anregung, die von ihm ausginge, zu anstrengend wäre (Brief vom 20. 9. 37). Auch die Lektüre erscheint jetzt oft in einem bedenklichen Licht. Er erkennt gerade die von uns erwähnte außerordentliche Empfänglichkeit als seine Gefahr. Verständlich, daß dann das Produzieren zur Todesgefahr wird. Sie beginnt schon bei den Briefen; immerhin sind Briefe und Gelegenheitsdichtungen noch läßliche Sünden des Dauerpatienten. Zur eigentlichen Dichtung jedoch, auch wenn es Prosawerke sind, bedarf es eines besonderen Aufschwungs, so daß Arbeiten im Format des *Nolten* ganz undenkbar werden. Die Normaldiät, zu der er sich gezwungen sieht, wird etwa durch folgende Worte bezeichnet: Ich „darf weder viel schreiben, noch lesen, noch denken und muß mir gerade dasjenige am meisten vom Leibe halten, was mir sonst Leben und Athem ist".[12] Am schärfsten trifft, wie immer bei Mörike, eine Metapher: „Was mein Verhältnis zu der Poesie betrifft, so ist's für jetzt eigentlich nur die Sehnsucht eines Liebhabers zur Liebsten, der sich diäthalber enthalten muß."[13]

Auf den ersten Blick wundert man sich, daß ein Dichter, der seine Schwäche so wenig verbirgt, von der medizinischen und psychoanalytischen Forschung noch verhältnismäßig wenig heimgesucht wurde — denn seine Krankheit ist nicht zu leugnen —; auf den zweiten Blick aber erkennt man, warum. Es gelang ihm bis zu einem gewissen Grad mit seinem lebenslangen Leiden fertig zu werden, im Unterschied zu Waiblinger, Lenau, Grabbe, Raimund usw. Die immer wieder auftauchende moralische (wie auch soziologische) Mörike-Kritik geht in die Irre, weil sie das Faktum dieser wie immer zu benennenden Krankheit nicht klar genug in Rechnung stellt. Richtig verstanden ist Mörikes späteres Leben und das ihm abgerungene schmale Werk, auch moralisch gesehen, eine bemerkenswerte Leistung. Gewiß, er will sich bewahren, er will sich retten, König Ulmon will nicht mehr sterben, sondern sein Königtum ablegen und ein bescheidenes Leben führen. Aber in diesem Verzicht liegt zugleich die Möglichkeit, die Krankheit — wir geben ihr doch wohl am besten den Namen Weltschmerz — einigermaßen zu überwinden und zu einem, wie immer begrenzten, s i n n v o l l e n Leben und Dichten zu gelangen.

Mörike vollzieht die Entscheidung mit vollem Bewußtsein, gerade auch, was den überpersönlichen Aspekt der Krankheit betrifft. In dem Briefwechsel zu Beginn der dreißiger Jahre finden sich immer wieder Ausfälle gegen die „Kränklichkeit", „Schmerzensprahlerei", „Zerrissenheit" der Z e i t.[14] Den Ausgangspunkt bildet natürlicherweise die Auseinandersetzung mit der „kranken Desperationskoketterie" in Heines Liedern. Seit er sie gelesen hat, sind ihm „Verzweiflungsexpektorationen" unangenehm.[15] Er sieht mit Bedauern, daß Vischer im gleichen Strome schwimmt und die üblichen Selbstmörderspekulationen vermehrt. Was hilft alle „Virtuosität unseres Geistes", wenn sie jede Lebenssicherheit aufzehrt. Man wird doch bei aller Bewunderung fragen: „Ergo was bleibt uns?" Vischer versucht, mit Hilfe der hegelianischen Dialektik die (begrenzte) Notwendigkeit der Zerrissenheit, der Dämonie zu verteidigen. Mit gutem Grund ist Heine teuflisch: „Der Dichter muß notwendig den Teufel gerochen haben. Bei Goethe muffelt es überall so ziemlich. Darum ist er ein Dichter."[16] Mit solchen und ähnlichen Worten, die sehr modern anmuten, versucht Vischer immer wieder den Freund vor der Resignation, vor dem was man heute „Verengung" nennt, zu bewahren. Mörike aber ist in solchen Kapitalfragen gar nicht mehr schwach und beeinflußbar. M i t g r o ß e r S i c h e r h e i t , a u c h u n b e i r r t d u r c h d i e A u t o r i t ä t G o e t h e s , geht er den f ü r r i c h t i g e r k a n n t e n W e g i n d i e S t i l l e , i n d i e „ G e s u n d h e i t".

In diesem Zusammenhang ist auch seine Freundschaft mit dem jüngeren Hermann Kurz zu verstehen. So schwierig der Umgang mit dem handfesten revolutionären Landsmann war, — er diente der Regeneration, der Verjüngung. Nicht nur die sentimentale, auch die witzige Aussprache der Zerrissenheit, alles geistreiche Umspielen des Nichts, alles Kokettieren mit dem „Teufel", jede leere „Virtuosität unseres Geistes" in Gesellschaft und Dichtung wird ihm widerwärtig.

Das Urteil über Heine versteht sich für einen damaligen schwäbischen Poeten fast von selbst. Daß aber Tieck, der Abgott der Biedermeiergesellschaft und seiner eigenen Jugend, in das Gericht über die „Zeit" einbezogen wird, verrät den Ernst und die Tiefe des Neuansatzes. So schreibt er etwa an Hermann Kurz über dessen Skizze *Das Wirtshaus gegenüber* u. a. Folgendes: „Lauter frische gesunde Jugend: ein ächtes Korn von Witz, wobei Einem das Herz in einem fort lacht, während der Tieck'sche Humor häufig von einem dämonischen Raffinement durchdrungen ist, aus dessen schönster Blüthe oft das Kränkliche ihres Bodens zu stark und unheimlich herauswittert."[17]

Dies ist, kurz skizziert, die Bildungsgeschichte, die zu dem Mörike geführt hat, den wir naiv zu nennen pflegen. Seine Naivität ist das Ergebnis eines höchst bewußten Bemühens um Heilung und Verjüngung. Die psychophysischen, metaphysischen und ästhetischen Faktoren lassen sich in diesem Vorgang kaum voneinander trennen.

Anmerkungen

1 *De la poésie lyrique en Allemagne, Éduard Moerike.* Revue des Deux Mondes, Nouvelle Série 11. Paris 1845, S. 353—366.

2 An Mörike, Mai 1865. *Mörike-Vischer-Briefwechsel.* Hrsg. von Robert Vischer. München 1926, S. 224.

3 An Vischer, 28. 1. 31. Ebd., S. 32.

[4] An Vischer, 26. 2. 32. Ebd., S. 56.

[5] Vischer an Mörike, 27. 3. 32. Ebd., S. 62.

[6] Schelling-Tagung 1954. Studia philosophica 14, S. 112—133.

[7] Blätter für literarische Unterhaltung 1833. Gustav Schwab: *Kleine prosaische Schriften.* Hrsg. von K. Klüpfel. Freiburg und Tübingen 1882, S. 213—236.

[8] *Kritische Gänge,* Bd. 2. 2. verm. Aufl. Leipzig 1914, S. 8.

[9] August Emmersleben: *Das Schicksal in Mörikes Leben und Dichten.* Diss. Würzburg 1931, S. 65.

[10] Bernhard Seuffert: *Mörikes Nolten und Mozart.* Graz — Wien — Leipzig 1925, S. 8.

[11] An Schwab, 17. 2. 33. *Briefe.* Hrsg. von F. Seebaß. Tübingen o. J., S. 388. Sperrung von mir.

[12] An Kurz, 26. 5. 37. *Mörike-Kurz-Briefwechsel,* S. 4.

[13] An Vischer, 13. 12. 37. *Mörike-Vischer-Briefwechsel,* S. 139.

[14] Wichtig ist besonders der Brief vom 5. 10. 1833. *Mörike-Vischer-Briefwechsel,* S. 102.

[15] An Vischer, 17. 1. 31. Ebd., S. 24.

[16] An Mörike, 29. 12. 33. Ebd., S. 117.

[17] An Kurz, 19. 6. 37. *Mörike-Kurz-Briefwechsel,* S. 15.

PAUL GERHARD KLUSSMANN

DIE DEFORMATION DES ROMANTISCHEN TRAUMMOTIVS IN HEINES FRÜHER LYRIK

„Im Kelche der Rose ein kaltes Insekt"
Traum und Leben (II, 65 f.)[1]

Es mag heute befremden, daß Heinrich Heine mit Gedichten sein literarisches Œuvre eröffnet hat. Ein Zyklus von Traumgedichten steht am Anfang, und das Traummotiv durchzieht das ganze Werk. Unverkennbar ist ein Zusammenhang mit der Romantik. Darauf deutet die Vorliebe für Traumbilder ebenso hin wie der lyrische Anfang. In beidem bekundet sich auch wohl die Absicht, dem Leser poetische Texte mit einer deutlichen Fiktionalitätsstruktur vorzulegen; denn Lied und Traum weisen hin auf Lebendigkeit der Imagination und Kühnheit der Phantasiekombinationen. Doch die anfängliche Bevorzugung der lyrischen Form steht im Widerspruch zu Heines früher Werbung für Prosa und zu seinem Wissen, daß die Vorliebe des damaligen deutschen Publikums nicht dem Gedicht galt. In der Rezension des *Rheinisch westfälischen Musen-Almanachs auf das Jahr 1821* trat Heine der ihm von der Großmutter überlieferten Auffassung entgegen, daß es Poesie nicht gebe, wo „keine Reime klingen oder Hexameter springen", und er übte Kritik daran, daß „bei einer poetischen Kunstausstellung" Prosa fehle (VII, 172). Während er dies schrieb, befaßte er sich selbst vornehmlich mit Gedichten und bereitete die Veröffentlichung der ersten Sammlung seiner Lyrik vor, die im Spätherbst 1821 erschien: *Gedichte von H. Heine*. Mit dem Titel *Traum und Lied* hatte der Dichter sein Manuskript zunächst dem Verleger Brockhaus angeboten. In dem beigefügten Brief vom 7. November 1820 schrieb Heine: „Ich weiß sehr gut, daß Gedichte in diesem Augenblick kein großes Publikum ansprechen und daher als Verlagsartikel nicht sonderlich geliebt seyn mögen."[2] Trotz der Ablehnung des Manuskripts durch Brockhaus und ungeachtet des vermuteten geringen Interesses der Leser an Lyrik betrieb Heine den Druck seiner ersten Gedichte mit Eifer, verfaßte nach deren Publikation neue, zögerte nicht, auch sie zu veröffentlichen, bis er 1827, schon entschieden mit dem neuen Genre der Reisebilder befaßt, das *Buch der Lieder* als Gesamtausgabe seiner bekannten Gedichte auf den literarischen Markt brachte und damit den Abschluß seiner frühen Lyrikproduktion anzeigte. Die nur geringe Resonanz, die das später so berühmte Gedichtbuch bei seinem Erscheinen fand, bestätigte Heines Urteil über Geschmack und Vorliebe des zeitgenössischen Lesers wenigstens im Hinblick auf seine eigenen Gedichte recht deutlich. Von den 2000 Exemplaren der ersten Auflage des *Buchs der Lieder* — der Verleger Campe hatte nur 1000 drucken wollen — konnten in 7 Jahren nur 1200 abgesetzt werden.[3] Wer damals Lyrik las, hielt sich vor allem an Goethe, Schiller, Uhland, Eichendorff und Wilh. Müller. Doch das Verlagsprogramm der Firma Brockhaus in den Jahren nach 1820 und die Zurückhaltung von Heines Verleger Campe deuten darauf hin, daß die traditionellen Gattungen der Poesie, und also auch die Lyrik, beim Publikum an Zugkraft verloren hatten und daß dieser nun immer entschiedener seinen Geschmack für Erzählprosa und aktuelle Sachinformation zu entwickeln begann.

In seinem Aufsatz *Literarischer Markt und ästhetische Denkform* hat Jochen Schulte-Sasse einleitend darauf hingewiesen, daß in den Dezennien nach 1750 der belletristische Markt in Deutschland sich auffällig vergrößert habe, daß die Zahl der neu verlegten Dramen und Romane sprunghaft angestiegen sei und daß Autoren und Theoretiker der Klassik und frühen Romantik auf das rasche Anwachsen der Literaturproduktion mit der Behauptung einer Differenzierung von Markt und Publikum reagiert hätten: es wird streng geschieden zwischen hoher und niedriger Literatur, zwischen Kritik und Polemik, zwischen der gebildeten literarischen Öffentlichkeit und dem genußsüchtigen Konsumpublikum vulgärer oder trivialer Tagesliteratur.[4] Berücksichtigt man angesichts solcher Dichotomien die Frage der Gattung, die Schulte-Sasse nicht eigens gestellt hat, so ergibt sich, daß vor allem die Prosaepik an der Ausweitung des Markts und an der Ausbildung der sogenannten Modeliteratur einen großen Anteil hat. Als Heine forderte, den Musenalmanach durch Prosa zu erweitern und zu vervollständigen, schrieb Tieck die beiden ersten seiner späten Novellen[5], und Goethe veröffentlichte *Wilhelm Meisters Wanderjahre oder Die Entsagenden, Erster Teil.* Auch ein Preisausschreiben für Novellen fand statt. Nach den Angaben der Meß-Jahrbücher des deutschen Buchhandels haben in diesem Jahr 1821 die traditionellen Gattungen der „Poesie" (Lyrik, Drama, Epos) zum letzten Mal ein Übergewicht gegenüber der Prosa (Roman), während in dem folgenden Jahr 1822 die Erzählprosa die alten Gattungen in der Gesamtzahl der Buchveröffentlichungen überbot: 276 Titel sind für die Prosa aufgeführt, für die Poesie 253. Auf diesen Wendepunkt des Jahres 1822 hat in anderem Zusammenhang Rolf Schröder aufmerksam gemacht.[6] Blickt man also auf die Entwicklung der Literaturproduktion, so eilt dem Lyrikautor der Rezensent Heine deutlich voraus, zumal er die Marktlage sehr genau überschaut, wenn er im *Rheinisch-westfälischen Musen-Almanach* durch die Nennung von erfolgreichen Prosaautoren — Jean Paul, E. T. A. Hoffmann, Clauren, Karoline Fouqué — zugleich die Differenzierung im Bereich der Literatur und die aktuellen Marktmöglichkeiten andeutet.[7] Wer wie Heine die Situation in der frühen Biedermeierzeit richtig beurteilt, so scheint es, müßte als ehrgeiziger junger Autor mit

Erzählprosa dem Publikum sich bekanntmachen, wenn er auf sicheren Erfolg rechnen und mit Literatur möglicherweise seinen Lebensunterhalt verdienen will.

Was mag Heine veranlaßt haben, mit Lyrik zu beginnen? Erfolg und Wirkung wollte er gewiß erreichen. Gleich sein erstes Gedichtbuch schickte er auch Goethe zu, der jedoch nicht antwortete; und für das *Buch der Lieder* wünschte er eine erste Auflage von 3000 Exemplaren, um eine weite Verbreitung zu bewirken. Wenn er auch dem Grundsatz widerspricht, daß nur Versdichtung hohe Literatur und Poesie sei, so geht er doch offenbar selbst davon aus, daß die gebildete literarische Öffentlichkeit der Zeit und auch die Literaturkritik noch vorwiegend mit den Maßstäben von einst mißt und daß nur der als Dichter und Autor von Rang beim Publikum sich unbezweifelbar ausgewiesen hat, der sich mit Lyrik oder Versdichtung vorstellt und in diesem Literaturbereich Anerkennung findet. Unter dem Gesichtspunkt der literarischen Wertung spielt für Heine die Frage der Kontinuität von Anfang an eine entscheidende Rolle. Wie die großen Autoren des 18. Jahrhunderts, der Klassik und Romantik will er durch Originalität sich auszeichnen und einen Namen auf dem literarischen Markt gewinnen, der auch im alten Sinn Qualität verspricht. Darum schreibt er in dem schon zitierten Brief an Brockhaus:

> Ich wünsche recht sehr, daß Sie selbst mein Manuskript durchlesen möchten, und bey Ihrem bekannten richtigen Sinn für Poesie bin ich überzeugt, daß Sie wenigstens der ersten Hälfte dieser Gedichte die strengste Originalität nicht absprechen werden. Dieses Letztere, welches heut zu Tag schon etwas werth ist, mußten mir auch die zähesten Kunstrichter zugestehen, vorzüglich mein Meister A. W. v. Schlegel, welcher ... meine Gedichte mehrmals kritisch durchhechelte, manche Auswüchse derselben hübsch ausmerzte, manches Schöne besser aufstutzte und das Ganze, Gott sey Dank, ziemlich lobte. (8)

Um den Verleger für sich zu gewinnen, beruft sich Heine auf das Urteil eines der angesehensten Kritiker der Goethezeit und auf die Originalität seiner Gedichte, von denen er die an den Anfang gestellten *Traumbilder* besonders hervorhebt. Den Lesern seines ersten Buches, der *Gedichte*, läßt er sich in ähnlicher Weise durch eine vermutlich von ihm selbst verfaßte Verlagsanzeige als einen Autor vorstellen, der „eine überraschende Originalität beurkundet"; und wieder werden die *Traumbilder* ins Blickfeld gerückt: „... ein Cyklus Nachtstücke, die in ihrer Eigentümlichkeit mit keiner von allen vorhandenen poetischen Gattungen verglichen werden können."[9] Originalität erscheint als Ausweis für literarische Qualität. Das aber bedeutet erstens Vergleichbarkeit mit den großen Meistern der Vergangenheit und Gegenwart, sofern sie im Bewußtsein der literarischen Öffentlichkeit Geltung besitzen, und zwar durch Ähnlichkeit in der allgemeinen Struktur hoher Dichtung, durch Anderssein als Abweichung und Innovation im besonderen des einzelnen Texts, des Zyklus, des Buches. Zweitens ist mit der Selbstvorstellung eine klare und scharfe Absetzung von aller trivialen Epigonalität beabsichtigt, die nur planlos alte Formeln und Muster und zuhandene Vokabeln wiederholt. Abweichung und neue Zielsetzung verbinden sich beim jungen Heine immer mit dem Willen zur Kontinuität, die sich gerade in der Originalität bezeugt, damit der Erfolg bei einem Publikum gesichert werden kann, dessen Ohr und dessen kritische Maßstäbe von der herrschenden Moderne — in diesem Fall die Romantik — bestimmt sind. Sowohl der frühe Aufsatz *Die Romantik,* der Versuch einer ersten Standortbestimmung innerhalb des Rahmens der wirkungsmächtigen literarischen Gegenwart, als auch die dichterischen Selbstaussagen in *Atta Troll. Ein Sommernachtstraum* bezeugen Heines gleichbleibende Absicht, bei aller Modernität einen Platz im Bezirk anerkannter hoher Dichtung, die durch die Kühnheit und Beweglichkeit einer originellen Phantasie geprägt ist, zu gewinnen und zu bewahren:

> Goldbeschlagen sind die Hufen
> Meines weißen Flügelrößleins,
> Perlenschnüre sind die Zügel,
> Und ich lass' sie lustig schießen.   (II, 360)
> Ja, mein Freund, es sind die Klänge
> Aus der längst verschollnen Traumzeit;
> Nur daß oft moderne Triller
> Gaukeln durch den alten Grundton.   (II, 421)

Mag der Wunsch, in der literarischen Öffentlichkeit als Dichter einen Namen zu gewinnen, bestimmend gewesen sein für den Anfang mit Lyrik, ein anderer Grund kommt gleichgewichtig hinzu. Wie Heine in der *Vorrede* zu *Atta Troll* und anderswo freimütig bekennt, war er von der „Traumweise" (II, 353) der Romantik fasziniert, und er tummelt sich auch später noch gern „mit den alten Traumgenossen ... im Mondschein" (II, 348). Vor allem das Lied war für Heine der Ort einer lustvoll erfahrenen und positiv ergriffenen Romantik, das Lied, das traumhaft die Phantasie beflügelt und eine Erregung der Sinne bewirkt. Der Rahmen all dessen, was den jungen Heine beeindruckte und unvermittelt zu lyrischer Produktion anregte, ist zu bezeichnen durch die folgenden Texte und Namen, deren Wirkung überall in Heines Lyrik nachweisbar ist: Herders *Volkslieder,* Goethes Gedichte in den beiden Werkausgaben, die Cotta ab 1806 und ab 1815 veranstaltete, dazu *West-östlicher Divan, Des Knaben Wunderhorn,* Tiecks, Brentanos und Eichendorffs Gedichte, sofern sie in Prosakontexten greifbar waren, Uhlands *Gedichte,* Wilhelm Müllers *Sieben und Siebzig Gedichte aus den hinterlassenen Papieren eines reisenden Waldhornisten* und, außerhalb dieser Reihe, Lyrik aus mittelhochdeutscher Zeit, Gesellschaftslyrik des 18. Jahrhunderts und die Gedichte von Bürger. Seinen eigenen Texten will der junge Heine die Mittel der Phantasieerregung und die Eindruckskraft gewinnen, die er als Leser an sich erfährt. Da die Wirkung auf ihn vornehmlich von Lyrik ausgeht, bleibt er zunächst selbst im Bereich dieser Gattung. Doch dabei bekundet sich von Anfang an der Wille zur Veränderung der Struktur des romantischen Gedichts. Er akzeptiert, wie er in *Die Romantik* erklärt, die Erweckungskraft der romantischen Bilder, aber er wehrt sich gegen die Tendenz zur Auflösung der Kontur, gegen „verworrene und verschwimmende Bilder", und für sich selbst findet er die Formel der zugleich romantischen und plastischen Poesie (VII, 150). Dabei beruft er sich auf seinen Meister A. W. Schlegel und auf Goethe. Doch das Plastische gewann in Heines Gedichten eine ganz andere Funktion. Es ermöglichte Orientierung, Überschau und Distanz in der erweckenden lyrischen Situation einer Erregung von Gefühl und Phantasie. Volkslieder, Volksballaden, Lyrik im Volksliederstil und vor allem Uhlands Gedichte mit ihrer nüchternen Besonnenheit und einem der Klassik wieder angenäherten Umriß[10] wurden für Heine im Sinn seiner Formel vorbildlich. Und von diesen Mustern her ergab sich ein anderer wichtiger Anreiz zur Lyrikproduktion. Heine wünschte wie viele Autoren der Biedermeierzeit über den engen Bezirk des literarisch gebildeten Publikums hinaus zu wirken. Natürlich hatte das auch ökonomische Gründe, aber die traten wohl im Anfang zurück hinter der Überzeugung, daß Popularität, wenngleich anders begründet als Originalität, auch ein Zeichen für Wirkungskraft und Qualität eines Textes sein könne und auf dem literarischen Markt eine rasche Bekanntheit des Namens sichere. Erfolge des aufgewerteten Volksliedes dürften diese Ansicht mehr gestützt haben als eine Bezugnahme auf Bürger.[11] Vermutlich schien Heine die kleine Form des Gedichts am ehesten dazu geeignet zu sein, durch Einprägsamkeit, Einfachheit, Rhythmus und durch Wiederholung der Themen, Motive und Bilder im Zyklus die Differenzierung und Schichtung des Leserpublikums bei der Rezeption unwirksam werden zu lassen, so daß die Zweiteilung von hoher und niederer Literatur überwunden werden konnte und dementsprechend die schroffe Grenze zwischen gebildetem Publikum und Volk oder denen fiel, die nur ein Genußbedürfnis befriedigen wollen und Lektüre mehr oder weniger bewußt zu einer frivolen Angelegenheit werden lassen.[12] Die wiederkehrende Speise- und Eßmetaphorik, in welchem Sinn sie auch immer im jeweiligen Kontext verwendet wird, läßt grundsätzlich erkennen, daß Heine den sinnlichen Genuß von Dichtung ebenso positiv wertet wie den Genuß geschätzter Küchenspezialitäten. Dem Leser und Kritiker war bei manchen Gedichten des *Rheinisch-westfälischen Musen-Almanachs* „so wohlig, heimisch und behaglich zu Mute ..., als ob er sein Leibgericht äße, rohen westfälischen Schinken nebst einem Glase Rheinwein" (VII, 172). Den Lesern der eigenen Gedichte will Heine unbeschadet des hohen Dichtungsanspruchs auch eine genüßlich unterhaltsame Lektüre und eine angenehme Gefühlsbewegung zugestehen, um desto sicherer die von Anfang an intendierte und erkennbare Gesamtwirkung seiner lyrischen Texte zu erreichen: Aufstörung im Genuß, die das Denken über das Genießen in Gang setzt und dann den Kunstgenuß durch das geweckte Erkenntnisinteresse und durch neuartige, über die Sinne vermittelte Textinformationen auf seine von jeher beanspruchte wahre Höhe bringt.

Der junge Heine wählt Lyrik als durchaus noch wirkungskräftige und in der ganzen Biedermeierzeit angesehene Gattung[13], aber er formt sein Gedicht so, daß der vom Publikum weitgehend unreflektiert genossene Zauber des Romantischen teilweise erhalten bleibt und ausdrücklich thematisiert wird. Daß der Leser bei Heines Gedichten romantische Gemütserregungen erlebt und gleichzeitig zum Bewußtsein über den Wirkungsmechanismus der Gefühls- und Phantasieerzeugung gelangen kann, macht diese Lyrik noch nicht zur Reflexionspoesie, wie H. Koopmann es mit Nachdruck behauptet. Zwar grenzt er mit Recht Heines Gedicht vom Strukturmodell des Erlebnisgedichts ab — dies gilt auch für die *Traumbilder* und alle frühen lyrischen Texte, die ein biographisches Element enthalten —, aber wenn er vermutet, daß die Zeitgenossen und die Leser des 19. Jahrhunderts Heines Gedichte durchweg als Erlebnislyrik gelesen hätten, dann ist nicht einzusehen, warum in der Phase, in der das Erlebnismodell vorherrschte, Heine nicht sogleich zu Erfolgen als Lyrikautor kam, sondern erst mit einer Verspätung von 10 Jahren, als er sich längst mit Prosaschreibe einen Namen gemacht hatte.[14] Es hat viele Irrtümer von Literarhistorikern über Heine gegeben, aber es scheint doch für eine wenigstens unbewußt richtige Aufnahme seiner Lyrik durch die zeitgenössischen Leser zu sprechen, wenn sie erst nach dem Auftreten des J u n g e n D e u t s c h l a n d in der Phase des Vormärz und des frühen Realismus das *Buch der Lieder* wirklich entdeckten.

Die *Traumbilder* haben ihren Platz am Anfang, den sie im ersten Gedichtbuch innehatten, im *Buch der Lieder* behalten. Sie bilden mit 10 Einzelstücken einen kleinen Zyklus, in dem das erste Gedicht, ursprünglich mit der Überschrift *Zueignung*, eine Prologfunktion hat und das Schlußstück — „Da hab' ich viel blasse Leichen / beschworen mit Wortesmacht" (I, 29) — den Epilog bildet. Heine hat dem Zyklus *Traumbilder* durch die Placierung im Werk, durch vielfältige Textänderungen, durch Auslassungen und Ergänzungen[15] Gewicht gegeben; die Interpreten messen ihm heute wenig Bedeutung zu. Kaufmann weist auf den Anschluß an volkstümliche Traditionen deutscher Lyrik hin, auf Requisiten von Ballade und Märchen und paraphrasiert, was in einigen *Traumbildern* geschieht. Windfuhr deutet sie von der Biographie her, von der Liebesgeschichte mit der Cousine Amalie, und glaubt feststellen zu können, daß Heine auf Verletzungen produktiv reagiere und daß aufgrund jenes Ersterlebnisses „Liebe schlechthin ... für ihn unglückliche Liebe" wurde. Vordtriede sieht im Traumerlebnis eine bei Heine wiederkehrende Stilfigur und glaubt, daß neue Inhalte alten Klängen und Formen unterlegt seien; und Storz kommt zu dem Ergebnis, daß die *Traumbilder* „im wesentlichen nicht mehr als ein effektvolles Arrangement vorgefundener Motive aus Volksliedern, Legenden und Balladen" gäben.[16] Heine indessen, wenn er aus dem Abstand eines Jahres auch „Unreifes und Unerquickliches" zu erkennen meinte, wollte mit den *Traumbildern* einen originellen Neuansatz schaffen. Daß dies gelungen sei, bestätigten zeitgenössische Kritiker. Varnhagen fand nichts „Nachgemachtes" und sah aus dem

„Überlieferten" das „Eigentümliche" sich emporarbeiten. Immermann sprach rühmend von „dramatischer Anschaulichkeit", und ein anderer Kritiker sah den Unterschied zur zeitgenössischen Lyrik in der „Objektivität der Darstellung", im „wilden Zerstörungsgeist" und in einer „schneidende[n] Dissonanz".[17] Es hat den Anschein, daß einige Zeitgenossen Heines Anfang richtiger gelesen und genauer begriffen haben als spätere Interpreten.

Mit dem Traummotiv, das Heines ganze Dichtung durchzieht und auch in Prosatexten an wichtigen Stellen auftaucht, entsteht eine auffällige Verbindung zur Romantik. Der Traum ist dem Romantiker Zeichen dichterischer Lebenserfahrung und Weltdurchdringung. Wenn Natur sich den Sinnen des Menschen als ein Innenraum eröffnet, wenn die Dinge mit ihren Formen, Farben und Lichtern das Gefühl ansprechen, dann verwandelt sich für den Romantiker Wirklichkeit in Traum, und Traum gewinnt Weltgehalt.[18] Bezeichnend ist Tiecks Allegorie *Der Traum* (1798). In der gleichen Form der Stanze wie Goethes *Zueignung* — „Der Morgen kam; es scheuchten seine Tritte . . ."[19] — und mit Vokabeln, Wendungen und Reimen aus Goethes Gedicht beschreibt Ludwig Tieck den Nachtgang zweier Freunde in einsamer Gebirgslandschaft mit Lichtvision und Klangoffenbarung, so daß das Erlebnis der Freundschaft ins Unterirdische und Kosmische sich ausweitet und einen Zusammenhang stiftet von Natur, Leben und Kunst:

> Wir sehen kleine blaue Strahlen rinnen,
> Die Gräser, die dem schwachen Schimmer nah
> Erleuchten nun mit ihrer zarten Grüne,
> Daß glänzendhell der kleine Raum erschiene.
>
> Und wie wir noch das Wunder nicht begreifen,
> Erschimmert heller der verlorne Stern,
> . . . . .
> Und aus dem räthselhaften Wunderglanze
> Quillt plötzlich leuchtend her die schönste Pflanze.
> . . . . .
> Sie schwankt und glänzt wie wenn die Distel blüht,
> . . . . .
> Ein neues Staunen hält den Sinn gefangen,
> Indem die Melodie nun lauter klingt,
> Im Busen zittert mächtiges Verlangen,
> Das wie zum Horchen so zur Freude zwingt.
> Die Töne sich so wundersamlich schwangen,
> Und jeder Klang uns Freundesgrüße bringt,
> Und zärtlich wird von allen uns geheißen
> Daß wir die Pflanze nicht dem Fels entreißen.
> . . . . .
> Jetzt war für uns die Einsamkeit voll Leben,
> Wir sehnten uns nur zu der Blume hin,

Ein freudenvolles, geisterreiches Weben
Durchläuterte den innerlichsten Sinn;
Wir fühlten schon ein unerklärbar Streben,
Zum Edelsten und Schönsten treibt es hin,
Die Wonne wollte fast das Herz bezwingen,
Wir hörten Staud' und Baum und Fels erklingen.
. . . . .
Und wie ich mich an meinem Freund erfreue,
Sein Glück mich mehr, als selbst mein eignes rührt,
Erleuchtet über uns die schönste Bläue,
Die Wolken theilen sich, ein Windstoß führt
Sie abwärts, heller scheint des Himmels Freie,
Das holde Licht mit Tagesglanz regiert,
Die Blume schießt empor, die Blätter klingen,
Und Strahl und Funken aus dem Kelche springen. (20)

Traum ist Sehnsuchtserfüllung im Gedicht. Freundschaft und Liebe gewinnen inneres Leben durch die Bewegung der Naturzeichen, durch Lichterschein und Klang, durch die geheimnisvolle Korrespondenz von Oben und Unten. Novalis hat dem von Tieck angetönten Traummotiv im Roman *Heinrich von Ofterdingen* eine klare Gestalt und Deutung gegeben: Traum eröffnet neue Bezirke wahren Lebens und verheißt Zukunft im Raum der Kunst. Im Traum wird Heinrich von Ofterdingen seine dichterische Bestimmung geheimnisvoll und wunderbar offenbart. Schon im Anfangsmonolog wird die Erweckung als ein geträumtes Erlebnis des Transzendierens vorgestellt, ehe dann eine übergänglich dahinfließende Serie von Träumen, die zum Traum im Traum sich steigert, den Roman exponiert. Traum ist bei Novalis Initiation, Weg nach Innen, Vision künftigen Lebens und prophetische Schau. Die Weltwerdung des Traums ist die Schöpfungstat des Dichters. Bezeichnend ist für den Traum die Bewegungsstruktur, der rasche Wechsel von Zuständen und Begebenheiten.[21] Mit dem Traum verbinden sich bei Novalis Nacht, Liebe und Tod, alles Bereiche, in welche die Sehnsucht des Romantikers vorläuft. Das *Lied der Toten* des Novalis wird zum Gesang des Lebens.[22] Im Traum gewinnt das romantische Ich den weiten und offenen Spielraum seiner Freiheit, den Ort der höchsten Wunscherfüllung, der geistigen und sinnlichen Liebeserfahrung, der Weltkommunikation. Als Verheißung eines neuen Lebens tut das künstliche Paradies einer außerirdischen Landschaft sich auf, die von einem fremden Licht hell und mild überstrahlt ist.

Auch in Heines *Traumbildern* transzendiert das lyrische Subjekt auf mannigfache Weise: Wesen des Volksglaubens, Geister, Gespenster und Kobolde, werden lebendig und gewinnen Gestalt, Figuren des oberen und unteren Bereichs, Engel und Teufel, erscheinen und Wiedergänger treten auf; immer aber steht im Mittelpunkt die Liebste oder die Braut, sei es, daß sie als lebend oder tot vorgestellt ist, sei es, daß sie als spukender Geist agiert, oder daß von ihr erzählt wird. Das Liebesthema wird in seiner strukturbildenden Funktion schon in den *Traumbildern* für das ganze *Buch der Lieder* präludiert.[23] Dagegen tritt das romantische Naturthema mit seiner reichen Motivik sogleich deutlich zurück.

Die Bezüge zur Romantik, die mit dem Traummotiv sich anzeigen, lassen sich mit Hinweisen auf Elemente der Form, auf das Lexikon, auf typische Wendungen, Bilder und Motive rasch belegen, und auch die Nähe zum Volkslied ist offenkundig; aber gleichzeitig erkennt man, daß Heine nicht wie Eichendorff ausschließlich mit den Versatzstücken der frühen romantischen Lyrik und der Volksliedsammlungen operiert, sondern Strukturelemente der Bürgerschen Ballade, der Goetheschen Gedichte[24] und auch der vorausgegangenen Gesellschaftslyrik des 18. Jahrhunderts zitathaft benutzt. Diese traditionellen Baustücke der Form und des Inhalts erhalten durch die Art der Verwendung, durch neue Textmittel und durch Veränderung der Komposition ein fremdes Gesicht.

Von der romantischen Lyrik und dem Volkslied ist die eingängige vierzeilige Strophe übernommen, vor allem mit dem auftaktig vierhebigen Vers, dessen Senkungen doppelt gefüllt sein können. Nur die Sonette, Nr. 3 und Nr. 4, und einzelne Abschnitte des freier geformten Gedichtes Nr. 8 bieten deutliche Abweichungen. Der oft formbestimmende Dialog oder die Partien wörtlicher Rede folgen den Mustern des Volksliedes und Uhlandschen Balladen. „Feins Liebchen", das „Töchterlein", die „schöne Maid", die Motive des Tanzes, der Hochzeit, des Liebestranks und allerlei altertümelnde Wortformen entstammen dem Volkslied und dem ihm nachgebildeten volkstümlichen Gedicht der Romantik. Aus dem Vorrat der romantischen Motive und Bilder übernimmt Heine die Lichtmetaphorik, das Wehen der Luft, das Echo, den flimmernden Mondschein, das Jagd- und Jägermotiv, Rauschen der Musik und Harfenklang, das **Motiv** des singenden Mädchens, das Zerfließen von Bildern, Heiligenbild und Engel, Marmorbrunnen und das Wortfeld des Wunderbaren. Aus der Schauerballade ist das Wiedergängermotiv genommen, der finstre Sohn der Nacht, das Heulen der Geister, das Blutmotiv, das Totengebein, das weiße Totenkleid, Kirche, Friedhof, Grab und Leichenstein, Galgen und Hölle, das Hingeben der Seligkeit und die poetische Lust an lautmalerischen Effekten, die über das Gehör eine Atmosphäre des Schaurigen evozieren sollen: „Die sämtliche Höll' ist los fürwahr. / Und lärmet und schwärmet in wachsender Schar; / Sogar der Verdammnis-Walzer erschallt, — ... Und es krächzet und zischet und heulet toll, / Wie Wogengebrause, wie Donnergeroll; — ..." (I, 21 f.) — „So heult es verworren, und ächzet und girrt, / Und brauset und sauset, und krächzet und klirrt; ..." (I, 23). Natürlich ist das zugleich ein Anklang an Goethes *Hochzeitlied,* denn „klirrt" ist als Reimwort übernommen — an anderer Stelle des Gedichtes, in leichter Abwandlung durch Tempus und Kompositum auch Goethes Reimwort „wirrt": „girrte" — „verwirrte" (I, 25) — ebenso wie die Bildung der Verbformen „krächzet — zischet — heulet — brauset — sauset".

Darüber hinaus stellen die Themen der Hochzeit, des Totentanzes und des nur vom Meister beherrschten Zauberspruches sowie das Motiv der Locke eine Beziehung zu Goethes Balladen aus der Zeit der Klassik her. Zahlreiche Wendungen lesen sich zudem wie variierte Entlehnungen aus Goethes Gedichten, z. B. die Verbindungen „Busch und Wildnis" oder „Busch und Strauch" (I, 27), oder auch Wörter, Wortbildungen und Wendungen wie: „Streif", „Nebelduft", „junges Blut", „Liebesglut", „Liebesbrunst", „schwellende Brust", „glühendes Herz", „wandeln", „umfangen", „umschlingen", „durchglühen" und „hochbeglückt".

Übernahmen aus dem Formelschatz der Anakreontik mag die Gartenschilderung des *Traumbildes* 2 belegen:

> Das war ein Garten, wunderschön,
> Da wollt' ich lustig mich ergehn;
> Viel schöne Blumen sahn mich an,
> Ich hatte meine Freude dran.
>
> Es zwitscherten die Vögelein
> Viel muntre Liebesmelodei'n;
> Die Sonne rot, von Gold umstrahlt,
> Die Blumen lustig bunt bemalt ... (I, 13 f.)

Die große Zahl der literarischen Anklänge und der zitathaften Wörter, Wendungen, Verse und Reime, jene bunte Mischung aus anakreontischen und romantischen Formeln, aus Volksliedern, Balladen und Goethe-Gedichten läßt merkwürdigerweise nur selten den Eindruck des Epigonalen aufkommen. Nirgends auch zeigt sich eine deutlich parodistische Struktur. Erste Gründe dafür erkennt man in der konsequenten variierenden Verfremdung aller zitatartigen Elemente, in der Einbringung eines eigenen Vokabulars, in Techniken der Steigerung oder untertreibenden Abwandlung des Übernommenen wie durch den raschen Wechsel des Sprachniveaus — hoher Ton und Alltagssprache — und durch bildhafte und eingängige Oppositionsstrukturen. Für die verfremdende Variation mag die vergleichende Gegenüberstellung von Goethes *Jägers Abendlied* und eines Textstücks aus Heines *Traumbild* 8 ein Beispiel geben:

Goethe:

> Im Felde schleich' ich still und wild,
> Gespannt mein Feuerrohr,
> Da schwebt so licht dein liebes Bild,
> Dein süßes Bild mir vor.
>
> Du wandelst jetzt wohl still und mild
> Durchs Feld und liebe Tal,
> Und ach, mein schnell verrauschend Bild,
> Stellt sich dir's nicht einmal?

Heine:

> Zum Weidwerk trieb mich Liebesharm;
> Ich schlich umher, die Büchs' im Arm.
> Da schnarret's hohl vom Baum herab,
> Der Rabe rief: Kopf-ab! Kopf-ab!
>
> O, spürt' ich doch ein Täubchen aus.
> Ich brächt' es meinem Lieb nach Haus!
> So dacht' ich, und in Busch und Strauch
> Späht ringsumher mein Jägeraug'.
>
> Was koset dort? Was schnäbelt fein?
> Zwei Turteltäubchen mögen's sein.
> Ich schleich' herbei, — den Hahn gespannt, —
> Sieh da! mein eignes Lieb ich fand.
>
> Das war mein Täubchen, meine Braut,
> Ein fremder Mann umarmt sie traut, —
> Nun, alter Schütze, treffe gut!
> Da lag der fremde Mann im Blut.
>
> Bald drauf ein Zug mit Henkersfron —
> Ich selbst dabei als Hauptperson —
> Den Wald durchzog. Vom Baum herab
> Der Rabe rief: Kopf-ab! Kopf-ab!   (I, 27)

Obwohl Heine für diesen Abschnitt seines Totentanz-Traums das Motiv aus Goethes Jägerlied eindeutig übernimmt — das Denken an die Liebste und die Bilder des Schleichens und des gespannten Jagdgewehrs stellen einen klaren Bezug her —, entsteht ein ganz anderer, im Grunde unvergleichbarer Text. Bei Goethe wird die lyrische Situation durch das vorgestellte Bild der Geliebten bestimmt, und es wird die Wirkung der Vorstellung auf das sprechende Ich gezeigt. Heine erzählt eine Geschichte mit einer überraschenden Wendung und macht sie dem Leser in Form einer Waldszene anschaulich. Dabei nähert sich der Text mehr der gewohnten Jägersprache an, und an der Stelle des Bildes der Geliebten steht das Täubchen, das als Jagdbeute der Braut gebracht werden soll. Die überraschende Pointe, daß das gesuchte Wild in die Geliebte sich verwandelt, ist durch volkstümliche Metaphorik — hier die Rede vom „Turteltäubchen" — vorbereitet und teilweise durch ein Handlungsmoment in Goethes Ballade *Die Braut von Korinth* — die auf dem Gange schleichende Mutter vernimmt die „Klag- und Wonnelaute" der Liebe — mitgeprägt. Doch im Gegensatz zu Goethes Gedichten ist Untreue im Spiel, so daß eine dramatische Zuspitzung sich ergibt mit Mord und Gericht. Der im Umkreis solchen Geschehens beheimatete Rabe übernimmt die Funktion des hellsichtig warnenden Chores, der auch ausspricht, was nicht mehr in dieser Waldszene dargestellt ist: „Kopf-ab". Die Knappheit dieser berichtenden Schlußbemerkung ist auch motiviert durch die realistische Tendenz der lautnachahmenden Wiedergabe einer Rabenstimme. Heines Intention der theatralischen Inszenierung eines lyrisch-balladesken Vorgangs drückt sich unmittelbar darin aus, daß das lyrische Ich zur „Hauptperson" im Henkerszug wird; eine solche szenische Darstellung formt auch den Kontext des ganzen Traumgedichts 8, in dem die durch den Spiel-mann erweckten Geister sich zum Chor gruppieren, aus dem nacheinander ein-zelne hervortreten und ihre Geschichte von Liebe und Tod vortragen. Der Sprecher des zitierten Textteils ist der Sechste in der Reihe, der wie im epischen Theater seine Geschichte durch die Art seines Auftritts ankündigt, indem er seinen Kopf in der Hand trägt:

> Da lachten die Geister im lustigen Chor;
> Den Kopf in der Hand, trat ein Sechster hervor ... (I, 27)

Die szenische Gestaltungsabsicht ist in diesem Gedicht durch literatursatirische Einsprengsel — kritische Anspielungen auf die Räuberromantik und Schiller (I, 24) — und durch die Schauspielerrolle einer der Geisterfiguren unmißver-ständlich angezeigt:

> Ich war ein König der Bretter,
> Und spielte das Liebhaberfach,
> Ich brüllte manch wildes: Ihr Götter!
> Ich seufzte manch zärtliches: Ach!
>
> Den Mortimer spielt' ich am besten,
> Maria war immer so schön!
> Doch trotz der natürlichen Gesten,
> Sie wollte mich nimmer verstehn. —
>
> Einst, als ich verzweifelnd am Ende:
> „Maria, du Heilige!" rief,
> Da nahm ich den Dolch behende —
> Und stach mich ein bißchen zu tief. (I, 25)

Hoffnungslose und unerfüllbare Liebe, mit Erfolg auf dem Theater gespielt, wird zum Thema des wirklichen Lebens und macht aus dem theatralischen Büh-nentod einen tatsächlichen Selbstmord. Eine dramaturgische Forderung der Zeit — die natürliche Geste — wird genutzt, um eine Parallelerfahrung von Spiel und Wirklichkeit in einen Widerspruch zwischen unnahbarer Schönheit und echt verzweifelter Werbung zu überführen. Durch den Aufbau der Opposi-tion zwischen „schön" und „natürlich" und durch die Untertreibung im Schluß-vers gewinnen die drei Strophen, abweichend vom romantischen Liedmodell, eine zugleich komische und witzige Struktur, die sich noch in der Reaktion des fiktiven Publikums, der Geisterschar, verdeutlicht: „Da lachten die Geister im lustigen Chor ..." (I, 26); in diesen Bezirk der *Traumbilder* gehört auch die Figur des Hanswurst (I, 21). Oppositionen der vorgeführten Art ergeben sich in den *Traumbildern* auf den Ebenen des Inhalts, der Form und der Sprache.

Schon die Differenz zwischen variierten Textteilen aus tradierter oder zeitgenössischer Literatur und Heines eigenem Vokabular wirkt strukturbildend, so wenn der „Eichenbaum" durch die Reihe „Eichenstamm", „Eichenschrank", „Eichenschrein" (I, 15) ergänzt und das Herstellungsverfahren des Totensargs angedeutet oder das äußerlich „feine" Kleid als inwendig „grob und schmutzig" erkannt wird (I, 16), wenn die Blumenmädchen „bucklicht und krumm" sind (I, 21), wenn „die Blume der Blumen" vom „dürren Philister, dem reichen Wicht" gepflückt wird (I, 26), oder wenn das Rippengeklapper der Höllen- und Totengeister zum „Verdammnis-Walzer" sich rhythmisch steigert, der die Ankunft des „Bräutchens" ankündigt, das mit „blutteure[r] Gebühr" erkauft ist (I, 21 f.). Immer stellen sich Oppositionen her: zwischen der Dauer anzeigenden Eiche und ihrer Funktion, dem Hinfälligen zu dienen, zwischen dem äußeren Schein und der inneren Wirklichkeit, zwischen der Armseligkeit des Philisters, seinem Reichtum und Liebeserfolg, zwischen Hochzeitsmusik und Verdammniskonzert, zwischen Liebesglück und Trauungsgebühr. Die häufige Wahl der Diminutiva, oft der witzigen Untertreibung dienend — „Die rangen mit den Engelein" (I, 19) —, ist wohl von Goethes *Hochzeitlied* angeregt. Auf der sprachlichen Ebene ergeben sich weitere Spannungsmomente aus dem Nebeneinander unterschiedlicher Kodes: Literatursprache, Volksliedvokabular und -syntax, Alltagssprache, Konversationston, modischer Jargon, Berufs- und Studentensprache. Von den strukturbildenden Textmitteln kommt auch der Steigerung im Sinn der Überzeichnung und Übertreibung eine besondere Bedeutung zu. Ein instruktives Beispiel bietet das Aufforderungslied des auf dem Leichenstein hockenden Spielmanns mit abgewandelten Wiederholungen, mit Alliteration, effektvollem Reim und inhaltlicher Steigerung:

> Bravo! Bravo! immer toll!
> . . . . .
> Narren waren wir im Leben,
> Und mit toller Wut ergeben
> Einer tollen Liebesbrunst.
> . . . . .
> Jeder soll hier treu erzählen,
> Was ihn weiland hergebracht,
> Wie gehetzt,
> Wie zerfetzt
> Ihn die tolle Liebesjagd. (I, 23 f.)

Die Form des frühen Heineschen Gedichts, wie sie in den *Traumbildern* sich darstellt, ist bestimmbar als entstellende Veränderung überlieferter Textstrukturen. Vor allem Goethes Gedichte, das Volkslied und romantische Gedichte oder Motive liefern das Material. Offensichtlich sind dazu neue Textmittel eingebracht, die mannigfache Oppositionen produzieren. Sie bewirken inhaltlich die Deformation des romantischen Traummotivs im Sinn einer Verkehrung: im

Traum baut sich nicht das poetische Paradies einer neuen höheren Welt auf, sondern der Traum führt zurück in die wahren Verhältnisse des wirklichen Lebens. Statt Erhebung, Entzücken, Verzauberung und Vision, bei Heine: Erniedrigung, Enttäuschung, Entzauberung und erkennende Hellsicht. Wie ein „schreibender Realist" im Sinne Brechts verhält sich der junge Heine seinen Lesern gegenüber in fast jeder Beziehung realistisch: er berücksichtigt die gesellschaftliche Lage und den Literaturgeschmack des Publikums um 1820, „er besorgt sich umsichtig sein Material und kritisiert es sorgfältig". Er entführt die Leser in die geliebte Traumwelt, um sie um so sicherer auf den Boden der Wirklichkeit zurückzubringen. Er begreift die Wirklichkeit in ihrer Widersprüchlichkeit, in Opposition zu Schematik und überliefertem Urteil.[25] Im einzelnen erfolgen Entstellung und Deformation des Traummotivs durch die Aufhebung der Bewegungsstruktur des romantischen Gedichts[26]; durch Beleuchtung der lyrischen Situation, so daß der Standort und Standpunkt des lyrischen Ich sich durch eine erkennbare Rolle klärt und eine deutliche Perspektive im Gedicht sich herstellt[27]; durch szenische Gestaltung und Erzählvortrag; durch komische Inszenierung eines lyrischen Vorgangs; durch die Aufdeckung der Wirkungsmechanismen lyrischer Texte, die Gemütserregung erzeugen, im Kontext des Gedichts und des Zyklus; durch komischen oder witzigen Wechsel der Sprachebenen und Mischung der Sprachkodes; durch witzig pointierte Überzeichnung oder Untertreibung und durch die Vielfalt der auf diese Weise und mit solchen Mitteln sich ausbildenden Oppositionsstrukturen. Mit seinen ersten Gedichten unternimmt Heine daher den Versuch, die Traummodelle romantischer Texte so umzuformen, daß die Frage des sinnlich realen Lebens dem literarischen Publikum wieder in den Blick gebracht wird.

Schon vor Heines Anfang zeigen sich freilich Veränderungen des romantischen Traummotivs in der Lyrik von Justinus Kerner[28] und Ludwig Uhland. Und gleichzeitig mit Heine entwirft Brentano Träume, die mit dem Thema der verlorenen Liebe und der vergeblichen Suche nach dem „Treulieb" in die Nähe der *Traumbilder* rücken, aber so, daß im Unterschied zu Heine Brentano die Bewegungsstruktur des romantischen Gedichts beibehält. Das zeigt sich schon in der ersten Strophe des wohl bereits vor 1816 entstandenen, aber nicht veröffentlichten Gedichts:

> Ich träumte hinab in das dunkle Tal
> Auf engen Felsenstufen
> Und hab' mein Liebchen ohne Zahl
> Bald hier, bald da gerufen.
> Treulieb, Treulieb ist verloren! (29)

Mörike konzipierte dann später seine Träume in Richtung auf einen psychologischen Realismus. Vorbereitet sind solche Entwicklungen und die Deformation des Traummotivs bei Heine durch das Moment des enttäuschenden Erwachens bei Tieck[30] und durch die Differenzierung der Träume und Traumarten bei Novalis. Indem Uhland den Kontrast von Traumvorstellung und realer Wirklichkeit in der Manier des Volkslieds gestaltete, gab er vermutlich Heine einen Anstoß zum Entwurf der *Traumbilder*:

Der Traum

Im schönsten Garten wallten
Zwei Buhlen, Hand in Hand,
Zwo bleiche, kranke Gestalten,
Sie saßen in's Blumenland.

Sie küßten sich auf die Wangen
Und küßten sich auf den Mund,
Sie hielten sich fest umfangen,
Sie wurden jung und gesund.

Zwei Glöcklein klangen helle,
Der Traum entschwand zur Stund';
Sie lag in der Klosterzelle,
Er fern in Turmes Grund. (31)

Uhlands Traum bricht nicht aus dem Schema des Volksliedes von den zwei Königskindern aus, aber Heine verwirft solche Modelle der Liebessehnsucht und wenigstens momentanen glückhaften Liebeserfüllung ganz. An die Stelle der Volkslieder und Gedichte vom untreuen Knaben setzt er seine Traumgedichte vom treulosen Mädchen.

Treulosigkeit des Liebchens oder der Braut ist das durchgängige Motiv des Zyklus der *Traumbilder*. Im ersten Gedicht erscheint der Bezug des Autors zu den folgenden Traumberichten oder Traumszenen auffällig distanziert, während im Schlußgedicht, Nr. 10, der Autor als gleichsam erster Leser sich entschieden beeindruckt zeigt und um Distanzgewinnung bemüht ist:

Da hab' ich viel blasse Leichen
Beschworen mit Wortesmacht;
Die wollen nun nicht mehr weichen
Zurück in die alte Nacht.

Das zähmende Sprüchlein vom Meister
Vergaß ich vor Schauer und Graus;
Nun ziehen die eignen Geister
Mich selber ins neblichte Haus.

Laßt ab, ihr finstern Dämonen.
Laßt ab, und drängt mich nicht!
Noch manche Freude mag wohnen
Hier oben im Rosenlicht. (I, 29)

Das Selbstbewußtsein des jungen Autors spricht sich deutlich aus, indem er auch Lage und Urteil des Rezipienten nach der Lektüre der *Traumbilder* in diesen Versen vorwegnimmt; aber gleichzeitig wird das Verhältnis zum Meister Goethe angedeutet, auf dessen Ballade *Der Zauberlehrling* die zweite Strophe unverkennbar anspielt. Prolog und Schlußgedicht des Zyklus *Traumbilder* sind für die Frage nach der Struktur der Heineschen Traumberichte nicht sonderlich ergiebig, aber sie zeigen, in welcher Weise Heine seine potentiellen Leser orientiert und wie bewußt er die Frage der möglichen Wirkung thematisiert.

Das Ins-Bild-Setzen des Lesers soll offenbar verhindern, daß man beim Lesen der Träume selbst ins Träumen gerät und sich ganz den Bildeindrücken ausliefert, dabei den Zeitabstand vergessend, den die Vergangenheitsform des narrativen Präteritums wiederkehrend in den Traumgedichten artikuliert. Nur das Gedicht Nr. 7 des *Traumbilder*-Zyklus ist durchgehend im Präsens geschrieben. Text 5 setzt zwar ebenfalls mit präsentischen Fragen ein, aber es sind im Unterschied zu Nr. 7 Fragen des lyrischen Ich, die auf dessen Befindlichkeit hinweisen und durch die Darstellung der Traumwirkung die Traumerzählung exponieren, die wie stets mit dem Präteritum einsetzt: „Es kam der finstre Sohn der Nacht ..." (I, 17).

Die *Traumbilder* 2 und 3 mögen die formulierten Thesen und Ergebnisse durch Kommentierung und Deutung belegen.

2.

> Ein Traum, gar seltsam schauerlich,
> Ergötzte und erschreckte mich.
> Noch schwebt mir vor manch grausig Bild,
> Und in dem Herzen wogt es wild.
>
> Das war ein Garten, wunderschön,
> Da wollt' ich lustig mich ergehn;
> Viel schöne Blumen sahn mich an,
> Ich hatte meine Freude dran.
>
> Es zwitscherten die Vögelein
> Viel muntre Liebesmelodei'n;
> Die Sonne rot, von Gold umstrahlt,
> Die Blumen lustig bunt bemalt.
>
> Viel Balsamduft aus Kräutern rinnt,
> Die Lüfte wehen lieb und lind;
> Und alles schimmert, alles lacht,
> Und zeigt mir freundlich seine Pracht.
>
> Inmitten in dem Blumenland
> Ein klarer Marmorbrunnen stand;
> Da schaut' ich eine schöne Maid,
> Die emsig wusch ein weißes Kleid.

Die Wänglein süß, die Äuglein mild,
Ein blondgelocktes Heil'genbild;
Und wie ich schau', die Maid ich fand
So fremd und doch so wohlbekannt.

Die schöne Maid, die sputet sich,
Sie summt ein Lied gar wunderlich:
„Rinne, rinne Wässerlein,
Wasche mir das Linnen rein!"

Ich ging und nahete mich ihr,
Und flüsterte: O sage mir,
Du wunderschöne, süße Maid,
Für wen ist dieses weiße Kleid?

Da sprach sie schnell: Sei bald bereit,
Ich wasche dir dein Totenkleid!
Und als sie dies gesprochen kaum,
Zerfloß das ganze Bild, wie Schaum. —

Und fortgezaubert stand ich bald
In einem düstern, wilden Wald.
Die Bäume ragten himmelan;
Ich stand erstaunt und sann und sann.

Und horch! welch dumpfer Widerhall!
Wie ferner Äxtenschläge Schall;
Ich eil' durch Busch und Wildnis fort,
Und komm' an einen freien Ort.

Inmitten in dem grünen Raum,
Da stand ein großer Eichenbaum;
Und sieh! mein Mägdlein wundersam
Haut mit dem Beil den Eichenstamm.

Und Schlag auf Schlag, und sonder Weil'
Summt sie ein Lied und schwingt das Beil:
„Eisen blink, Eisen blank,
Zimmre hurtig Eichenschrank!"

Ich ging und nahete mich ihr,
Und flüsterte: O sage mir,
Du wundersüßes Mägdelein,
Wem zimmerst du den Eichenschrein?

Da sprach sie schnell: Die Zeit ist karg,
Ich zimmre deinen Totensarg!
Und als sie dies gesprochen kaum,
Zerfloß das ganze Bild, wie Schaum. —

Es lag so bleich, es lag so weit
Ringsum nur kahle, kahle Heid';

Ich wußte nicht, wie mir geschah,
Und heimlich schaudernd stand ich da.

Und nun ich eben fürder schweif',
Gewahr' ich einen weißen Streif;
Ich eilt' drauf zu, und eilt' und stand,
Und sieh! die schöne Maid ich fand.

Auf weiter Heid' stand weiße Maid,
Grub tief die Erd' mit Grabescheit.
Kaum wagt' ich noch sie anzuschaun,
Sie war so schön und doch ein Grau'n.

Die schöne Maid, die sputet sich,
Sie summt ein Lied gar wunderlich:
„Spaten, Spaten, scharf und breit,
Schaufle Grube tief und weit!"

Ich ging und nahete mich ihr,
Und flüsterte: O sage mir,
Du wunderschöne, süße Maid,
Was diese Grube hier bedeut't?

Da sprach sie schnell: Sei still, ich hab'
Geschaufelt dir ein kühles Grab.
Und als so sprach die schöne Maid,
Da öffnet sich die Grube weit;

Und als ich in die Grube schaut',
Ein kalter Schauer mich durchgraut;
Und in die dunkle Grabesnacht
Stürzt' ich hinein — und bin erwacht.

Der Erzähler berichtet von seiner durch den Traum bewirkten Gemütserregung, von einem Schwanken der Stimmung zwischen den gegensätzlichen Gefühlen von Ergötzen und Erschrecken. Ein solches Spannungsfeld unterschiedlicher und immer rasch wechselnder Gefühle hatte der junge Tieck als bezeichnend für die Traumstruktur in den Analysen Shakespearescher Komödien gefunden. Dem romantischen Dichter geht es um totale Illusion, um den Verlust der Beziehung zur Wirklichkeit: „Wir verlieren in einer unaufhörlichen Verwirrung den Maßstab, nach dem wir sonst die Wahrheit zu messen pflegen; eben, weil nichts Wirkliches unsere Aufmerksamkeit auf sich heftet, verlieren wir, in der ununterbrochenen Beschäftigung unserer Phantasie, die Erinnerung an die Wirklichkeit; der Faden ist hinter uns abgerissen, der uns durch das rätselhafte Labyrinth leitete; und wir geben uns am Ende völlig den Unbegreiflichkeiten preis. Das Wunderbare wird uns jetzt gewöhnlich und natürlich."[32] Im Gegensatz zu einer solchen Wirkung von Traum und Phantasie, will Heine durch seine Vorinformation den Leser davor bewahren, daß er sich unkritisch dem Traumbericht überläßt.

Der im Gedicht dargestellte Traum ist dreifach gegliedert und hat in jedem Einzelabschnitt die gleiche Struktur: wie im Märchen wiederholt sich ein Geschehen mit bestimmten Abwandlungen dreimal. Immer mündet das Erzählen in eine Dialogszene. Zu Anfang wird eine heitere Garten-, Blumen- und Sonnenlandschaft aufgebaut, eine rokokohaft-romantische Gartenidylle. Die vertrautesten Versatzstücke sind: Sonne rot und gold, Wehen der Lüfte, Duften der Kräuter, und mitten darin das Mädchen am Brunnen, weißes Linnen waschend. Alles scheint auf Liebeserwartung hinzudeuten, und die Frage des lyrischen Ich ermöglicht noch die Märchenantwort, die auf Liebe und auch Hochzeit hindeutet; doch dann folgt die Todesankündigung für den Fragenden. — Im 2. Abschnitt wird das Waldeinsamkeitsmotiv, sehr viel knapper freilich, entfaltet, und der Umschlag der Stimmung bereitet sich durch die Erscheinung des Mädchens mit dem Beil vor. Da sich der Leser der Epitheta erinnert — Wänglein süß, Äuglein mild, blondgelocktes Heiligenbild — und durch das Attribut „wundersam" noch ausdrücklich der Blick darauf gelenkt wird, verwandelt sich das holzfällende Mädchen, das sein Beil gegen den Eichenstamm schwingt, in eine Figur mit einem Doppelantlitz, dessen eine Seite gleichsam eine Karikatur jenes Mädchens im Walde ist, das den Königssohn aus dem Bann des Baumzaubers erlöst.[33] Nichtsdestoweniger wiederholt sich die Frage mit den alten Wendungen („O sage mir ...") und mit demselben Textumfang wie im ersten Abschnitt. Auch die Antwort erfolgt an der gleichen Stelle in der Strophe, freilich wiederum in Abweichung von dem formelhaften Fragestil in spruchhaft apodiktischer Form und in einem anderen Sprachkode, einer Aussage, die auf die Lebenszeit des Fragenden hinweist, aber zugleich ein Ausspruch über die Lebenszeit des Menschen schlechthin ist: „Die Zeit ist karg ...".

Der Traum führt im dritten Erzählabschnitt an einen romantischen Ort, auf die Heide, die sowohl durch die Rezeption mittelalterlicher Lyrik als auch durch die Shakespeare-Rezeption in der deutschen Romantik ihre spezifische stimmungshafte Auszeichnung erhalten hat. Im Gegensatz zur strengen Wiederholung der Situation im Volksmärchen erfolgt hier wieder eine Abwandlung: das Ich wird aufmerksam auf den Widerspruch zwischen der schönen Maid und ihrem Totengräbergeschäft: „Sie war so schön und doch ein Grau'n ...", und es wagt kaum noch zu dem seltsamen Mädchen hinzusehen. Wieder begleitet, wie in den beiden voraufgegangenen Traumabschnitten, ein Arbeitslied die merkwürdige Tätigkeit. Dann folgt der knappe Dialog: die Frage des lyrischen Ich mit derselben Einleitungsformel und die Antwort mit einem Imperativ, der dem Redenden als dem Todgeweihten schon Schweigen gebietet und den Zweck und Bezug des Tuns erläutert, worauf dann sogleich Todesschauer und Absturz ins Grab erfolgen, und, darüber ist der Leser ja schon orientiert, das schreckhafte Erwachen mit heftiger Gemütsbewegung.

Der Schluß des Gedichtes mag eine reale Traumerfahrung wiedergeben, da plötzliches Erwachen nach Absturzsensationen in Berichten über Träume vielfach bezeugt ist. Doch es kommt nicht so sehr darauf an, ob es sich hier um die Abwandlung eines literarischen Topos oder um ein wirkliches Erlebnis handelt. Wichtig ist allein die Absicht des Autors, den Leser der Traumphantasien wieder in den Zustand des Wachseins zurückzuführen und nach Seelenerregung und Fiktionsgenuß das kritische Bewußtsein neu zu erwecken, so daß am Ende das Verhältnis von Traum und Wachen zum bewegenden Problem wird. Als Mittel der Entstellung traditioneller und romantischer Traumstrukturen lassen sich erkennen: Die Orientierung des Lesers durch das Spannungsverhältnis zwischen Traumerlebnis und -erkenntnis, zwischen Gemütsbewegung und distanzierter Textlektüre. — Der Abbau der romantischen Bewegungsstruktur, die Kommunikation mit dem Ganzen der Welt ermöglichen soll, durch Schärfung der Umrisse in Erzählung und Dialog. — Der szenische Aufbau einer dialogischen Handlung, in der Widersprüche sich darstellen, die im Traum auf die reale Existenz und die wirkliche Zeit verweisen. — Der Wechsel des Sprachkode im Unterschied zum Volkslied und zur überlieferten Ballade (Diese Differenzierung der Rede stellt den Leser unmittelbar vor die bewegende Frage nach Tod und Leben). — Die Enttäuschung der zunächst geweckten Liebes- und Märchenerwartung durch die Aktionen und Aussprüche der schönen Traumfigur, des so wohlbekannten und doch so fremden Mädchens; „wohlbekannt" als literarischer Topos, „fremd" als Erfindung des Autors.

Heine hat zu seinen *Traumbildern,* und wohl insbesondere auch zu dem Gedicht 2, einen Kommentar gegeben, der von den Interpreten zumeist zum Zweck einer ergänzenden biographischen Fundierung der frühen Lyrik herangezogen wird. Es handelt sich um die Erzählung vom „roten Sefchen" in den *Memoiren.* Das Sefchen ist die Tochter eines Scharfrichters. Was von ihr berichtet wird, verweist nicht nur auf zentrale balladeske Motive der *Traumbilder* und auf die Anregung durch das Volkslied, sondern es verdeutlicht den Produktionsprozeß der ersten Gedichte und beschreibt die gefühlserregende Wirkung eines Liedes, die Heine mit seinen Texten zugleich erreichen und überwinden wollte. Einige Abschnitte der Erzählung geben eine ergänzende Erläuterung zum *Traumbild* 2, verschärfen die Frage nach Heines Verhältnis zu vorgegebenen inspirierenden Textmustern und geben bestätigende Information über die Struktur seiner ersten Gedichte:

> Ihr Haar war rot, ganz blutrot und hing in langen Locken bis über ihre Schultern hinab, so daß sie dasselbe unter dem Kinn zusammenbinden konnte. Das gab ihr aber das Aussehen, als habe man ihr den Hals abgeschnitten, und in roten Strömen quölle daraus hervor das Blut.
>
> Die Stimme der Josepha oder des roten „Sefchen", wie man die schöne Nichte der Göcherin nannte, war nicht besonders wohllautend, und ihr Sprachorgan war manchmal bis zur Klanglosigkeit verschleiert; doch plötzlich, wenn die Leidenschaft eintrat, brach der metallreichste Ton hervor, der mich ganz besonders durch den Umstand ergriff, daß die Stimme der Josepha mit der meinigen eine so große

Ähnlichkeit hatte. Wenn sie sprach, erschrak ich zuweilen und glaubte, mich selbst sprechen zu hören, und auch ihr Gesang erinnerte mich an Träume, wo ich mich selber mit derselben Art und Weise singen hörte.

Sie wußte viele alte Volkslieder und hat vielleicht bei mir den Sinn für diese Gattung geweckt, wie sie gewiß den größten Einfluß auf den erwachenden Poeten übte, so daß meine ersten Gedichte der „Traumbilder", die ich bald darauf schrieb, ein düstres und grausames Kolorit haben, wie das Verhältnis, das damals seine blutrünstigen Schatten in mein junges Leben und Denken warf.

Unter den Liedern, die Josepha sang, war ein Volkslied, das sie von der Zippel gelernt, und welches diese auch mir in meiner Kindheit oft vorgesungen, so daß ich zwei Strophen im Gedächtnis behielt, die ich um so lieber hier mitteilen will, da ich das Gedicht in keiner der vorhandenen Volksliedersammlungen fand. Sie lauten folgendermaßen — zuerst spricht der böse Tragig:

„Otilje lieb, Otilje mein,
Du wirst wohl nicht die letzte sein —
Sprich, willst du hängen am hohen Baum?
Oder willst du schwimmen im blauen See?
Oder willst du küssen das blanke Schwert,
Was der liebe Gott beschert?

Hierauf antwortet Otilje:

„Ich will nicht hängen am hohen Baum,
Ich will nicht schwimmen im blauen See,
Ich will küssen das blanke Schwert,
Was der liebe Gott beschert?"

Als das rote Sefchen einst das Lied singend an das Ende dieser Strophe kam und ich ihr die innere Bewegung abmerkte, ward auch ich so erschüttert, daß ich in ein plötzliches Weinen ausbrach, und wir fielen uns beide schluchzend in die Arme, sprachen kein Wort, wohl eine Stunde lang, während uns die Thränen aus den Augen rannen und wir uns wie durch einen Thränenschleier ansahen.

Ich bat Sefchen, mir jene Strophen aufzuschreiben, und sie that es, aber sie schrieb sie nicht mit Tinte, sondern mit ihrem Blute; das rote Autograph kam mir später abhanden, doch die Strophen blieben mir unauslöschlich im Gedächtnis. (VII, 502 ff.)

Das Bild des roten Sefchens kann als plakative Figur über den *Traumbilder*-Zyklus gesetzt werden. Sefchen repräsentiert zwar das traditionelle Betroffensein des verlassenen Mädchens durch Gericht, Tod und Verdammnis; aber die Ähnlichkeit der Stimme zeigt an, daß die Figur austauschbar ist mit dem Autor-Ich. Aus der Rückschau spiegelt Heine in ihr seine frühen dichterischen Projekte. Sefchen ist durch ihre Herkunft, ihre Erscheinung und ihr Lied eine Personifizierung der Volksballade. Die Variabilität und Eigenart der Stimme deutet hin auf Vortragswirkung und Verfremdungseffekte. Das Lied — es erinnert an das von Tieck bearbeitete Märchen vom Ritter — besingt das unheilvolle Schicksal des schönen Mädchens, das der Liebe und Mordlust des Mannes ausgeliefert ist, in knappen Andeutungen von Frage und Antwort, die den Sinn nur mehr erahnen lassen. Es ist weniger der Inhalt als die Textstruktur, die, den Bestimmungen Herders folgend, bezaubert, verwirrt, übermächtigt. Die beiden Liebenden überlassen sich in der *Memoiren*-Erzählung ganz einer solchen Wirkung. Nur die melodramatische Überzeichnung läßt erkennen, daß Heine sich vom Erlebnismodell ironisch distanziert. Seine *Traumbilder* sind Folge der Abstandgewinnung und Umformung. Betroffen von Untreue, Gericht und Tod ist bei ihm nicht mehr das Mädchen, sondern der Mann; aber diese Umkehrung verbindet sich mit der klärenden Konzeption von Texten, die zugleich bezaubern und erwecken im Sinn des Wachmachens. Heine hat diesen Prozeß der Distanzierung vom romantischen Volkslied in der Schrift *Die Romantische Schule,* noch deutlicher beim Bericht über die Wirkung, die Uhlands Gedichte eine Zeitlang auf ihn ausgeübt haben, so beschrieben: „... auf den Trümmern des alten Schlosses zu Düsseldorf am Rhein" deklamierte er „das schönste aller Uhlandschen Lieder", das Lied vom schönen Schäfer und dem Königstöchterlein — „Der schöne Schäfer zog so nah' " — (V, 344 f.). Stimmung und Faszination wurden noch gesteigert durch die Echo-Stimmen der Nixen, die der Deklamierende zu hören glaubte. Doch im rückschauenden Bericht wird das Nachäffen der Worte des Gedichts in ein ironisches Kichern umgedeutet, das ausgerechnet bei den schönsten Textstellen hörbar wird (V, 345). Dadurch erscheint die Stimmung dieser Rheinszene mit den romantischen Requisiten von Lied, Schloß, Strom, Abenddämmerung und Nixenlaut gebrochen. Das Adverb „ironisch" verweist hier freilich nur auf Distanz. Die Szene selbst erhält eine komische Struktur, denn Vorstellungsaufwand ist erspart[34] und Kichern wird ausgelöst; das Lachen ist ein klares Signal für die Art der Deformation. Durch sie aber wird der Genuß nicht geschmälert, sondern nur verändert und im wacheren Kunst und Lebensbewußtsein höchst artifiziell gesteigert. *Traumbild* 3 ist in vieler Hinsicht typisch für das Gedichtmodell, das Heine als originelle neue Textform durch Entstellung des romantischen Traummotivs konstruiert:

3.

Im nächt'gen Traum hab' ich mich selbst geschaut,
In schwarzem Galafrack und seidner Weste,
Manschetten an der Hand, als ging's zum Feste,
Und vor mir stand mein Liebchen, süß und traut.

Ich beugte mich und sagte: „Sind Sie Braut?
Ei! Ei! so gratulier' ich, meine Beste!"
Doch fast die Kehle mir zusammenpreßte
Der langgezogne, vornehm kalte Laut.

Und bittre Thränen plötzlich sich ergossen
Aus Liebchens Augen, und in Thränenwogen
Ist mir das holde Bildnis fast zerflossen.

> O süße Augen, fromme Liebessterne,
> Obschon ihr mir im Wachen oft gelogen,
> Und auch im Traum, glaub' ich euch dennoch gerne!

Die Sonettform mindert zwar die Liedhaftigkeit des Textes, die sonst in den *Traumbildern* und im *Buch der Lieder* dominiert, aber die Art und Tendenz der Umbildung des romantischen Themas ist sehr charakteristisch und verweist auf wichtige Elemente des neuen Textmodells. Das Perfektum des ersten Verses exponiert die Situation, indem es das lyrische Ich und den Leser des Gedichts in die Rolle des Zuschauers versetzt. Der Präzision der Beschreibung und dem szenischen Aufbau dient hier das romantische Spiegelmotiv, das bei Novalis Zeichen mystischer Liebesvereinigung und transzendierender Selbsterkenntnis ist. Heines Traum- und Spiegel-Ich, festlich gekleidet, begegnet dem geliebten Du. Man weiß anfangs nicht recht, ob es ein verabredetes oder ein zufälliges Zusammentreffen ist; doch der Gesellschaftsanzug macht den Abstand zwischen dem Ich und dem Liebchen in merkwürdiger Schroffheit offenkundig. Das Mädchen erscheint außerhalb jeder aktuellen oder gesellschaftlichen Bestimmbarkeit und ist doch eine ganz konventionelle Figur: ein Lied- oder Volksliedmädchen „süß und traut". Demgegenüber ist das Traum-Ich durch den Galaanzug bürgerlich eingeordnet und in seiner Absicht immerhin annähernd festgelegt: ein Mann auf dem Weg zu einem bedeutenden gesellschaftlichen Ereignis, auf dem Weg zu einem Fest, vielleicht ein Bräutigam, der seine Braut zur Hochzeitsfeier abholen will. Doch dieser aufkommenden Vermutung widersprechen Geste und Form, womit die Traumfigur das Liebchen anredet. In einer frühen Fassung hieß es noch deutlicher: „sprach im Hofton" (I, 16). Statt der erwarteten zärtlichen Begrüßung eine distanzierte Verbeugung und eine Nachfrage in Form einer leutselig herablassenden Erkundigung, wie sie üblich ist, wenn man zufällig einen entfernten Bekannten trifft. Die „als ob"-Wendung im dritten Vers der ersten Strophe, bei Eichendorff ahnungsreiche und selige Empfindungen des lyrischen Ich anzeigend, erhält im Nachhinein den Charakter einer bösen Vorahnung, während sie zunächst nur die Ungewißheit über die genaue Absicht der Figur im Festkleid formuliert. Die Abänderung des erwarteten Rollengesprächs irritiert den Leser für einen Augenblick, aber er wird dadurch neu orientiert und zufriedengestellt, daß das Traum-Ich von seiner befremdlich kalten Redeweise und seinem Verhalten sich selbst heftig betroffen zeigt durch die Empfindung der zusammengepreßten Kehle, die jedes weitere Wort unmöglich macht. Auch das Liebchen reagiert richtig, freilich mit einem romantischen Gefühlsausbruch; denn die Metapher „Tränenwogen" spielt sehr deutlich auf das romantische Wellenmotiv an und auf die Zerfließungstendenz. Mit dem ersten Terzett endet die szenische Aktion. Nach der pathetischen Liebesanrufung mit einer traditionellen pars pro toto-Formel und einer abgegriffenen Metapher, die aufgrund der vorausgegangenen Szene nur eine komische Wirkung auslösen kann, kommt es zu einer Schlußreflexion, die durch den auffälligen Konzessivsatz eingeleitet und angekündigt wird. Im Zustand des Erwachtseins — das Präsens ist dafür ein sichtbares Signal — werden Traumerlebnis und Wirklichkeitserfahrung einander gegenübergestellt. Der nun richtig begriffenen Lage entspricht das Traumereignis als exakte Beschreibung des wahren Verhältnisses. Nachträglich erweisen sich die formelhaften Wendungen, die zur Beschreibung der Liebsten gebraucht wurden, tatsächlich als ebenso leer wie die Metapher der „Liebessterne". Und es rechtfertigt und begründet sich nun das befremdliche Verhalten des Traum-Ich. Aus der Überschneidung und Verkehrung von Traum und Wachen, von Verstellung und echtem Gefühl, von Liebesbetrug und wirklicher Liebe bildet sich die Struktur dieses aufklärenden Gedichts. Vertauschung von Traum und Wirklichkeit ist zwar auch ein romantischer Topos, aber bei Heine wird nicht das lockende Dämmerlicht des Grenzenlosen und Unbegrenzten produziert, sondern das Wissen um die Verführungskraft der schönen Täuschungen der Liebe und der Lieder. Nur der vollzogene Erkenntnisakt erlaubt es, sich dem Zauber der „süßen Augen" für einen lustvollen Augenblick zu überlassen.

In der Schrift über Börne hat Heine über seine Nachtträume in Prosa berichtet. Vieles erinnert an die frühen *Traumbilder* und kann als Kommentar dienen für den „gellenden Mummenschanz" der Wirklichkeit, den gerade die Träume mit der Schärfe des wachen Bewußtseins widerspiegeln.

> O, welche Träume! Träume des Kerkers, des Elends, des Wahnsinns, des Todes! Ein schrillendes Gemisch von Unsinn und Weisheit, eine bunte vergiftete Suppe, die nach Sauerkraut schmeckt und nach Orangenblüten riecht! Welch ein grauenhaftes Gefühl, wenn die nächtlichen Träume das Treiben des Tages verhöhnen, und aus den flammenden Mohnblumen die ironischen Larven hervorgucken und Rübchen schaben, und die stolzen Lorbeerbäume sich in graue Disteln verwandeln, und die Nachtigallen ein Spottgelächter erheben . . .
> Gewöhnlich in meinen Träumen sitze ich auf einem Eckstein der Rue Laffitte an einem feuchten Herbstabend, wenn der Mond auf das schmutzige Boulevardpflaster herabstrahlt mit langen Streiflichtern, so daß der Kot vergoldet scheint, wo nicht gar mit blitzenden Diamanten übersät . . . Die vorübergehenden Menschen sind ebenfalls nur glänzender Kot: Stockjobbers, Spieler, wohlfeile Skribenten, Falschmünzer des Gedankens, noch wohlfeilere Dirnen, die freilich nur mit dem Leibe zu lügen brauchen, . . . zu meiner eigenen Verwunderung bin ich ganz in rosaroten Trikot gekleidet, . . . Eben wie Leonidas auf dem Gemälde von David bin ich kostümiert, wenn ich in meinen Träumen auf dem Eckstein sitze an der Rue Laffitte, . . . (VII, 129 f.)

Heines fiktionale Träume lassen den Bezug zur Komödie erkennen, und die Struktur der *Traumbilder* nimmt Elemente und Effekte des epischen Theaters vorweg.

Anmerkungen

1 Der Text der Heine-Zitate folgt, wenn nicht anders angegeben, der Ausgabe von E. Elster: *Heinrich Heines Sämtliche Werke*. Hrsg. von E. Elster. Bd. 1—7. Leipzig und Wien o. J. [1887—1890]. Römische Ziffern in der angeführten Klammer bezeichnen den Band, arabische Ziffern die Seitenzahl.

2 Brief an Friedrich Arnold Brockhaus. Göttingen, 7. November 1820. In: *Dichter über ihre Dichtungen*. Bd. 8/I. Hrsg. von R. Hirsch und W. Vordtriede. *Heinrich Heine*, T. 1. Hrsg. von N. Altenhofer. München 1971, S. 15.

3 Vgl. dazu den Bericht von K. Briegleb in seinem Kommentar zum *Buch der Lieder*. In: *Heinrich Heine. Sämtliche Schriften*. Hrsg. von K. Briegleb. Bd. 1. München 1968, S. 631.

4 Jochen Schulte-Sasse, *Literarischer Markt und ästhetische Denkform*. Analysen und Thesen zur Geschichte ihres Zusammenhanges. In: *Zeitschrift für Literaturwissenschaft und Linguistik* 2 (1972). H. 6, S. 11—31.

5 Tiecks erste Novelle der Spätzeit *Der Geheimnisvolle* wurde zwar schon 1819 konzipiert, aber erst 1821 für den Druck ausgearbeitet und fertiggestellt. Sie erschien im *Dresdener Merkur für 1822*. Die ebenfalls im Jahr 1821 geschriebene Novelle *Die Gemälde* wurde zuerst im *Taschenbuch zum geselligen Vergnügen auf das Jahr 1822* veröffentlicht. Beide Texte bezeichnen durch ihr Erscheinungsjahr den Anfang der Novellenmode der Biedermeierzeit und durch ihren Erscheinungsort die Ablösung des Musenalmanachs durch das Taschenbuch.

6 Rolf Schröder, *Novelle und Novellentheorie in der frühen Biedermeierzeit*. Tübingen 1970. Vgl. insbes. S. 58 und 59 mit den Anmerkungen 31 und 32. Die Angabe der Zahlen nach dem *Codex nundinarius Germaniae literatae biscularis*. Halle 1877, ist aus dem Buch von Schröder übernommen. Vgl. dazu auch F. Sengles Ausführung: *Wirtschaftliche Gründe für den Aufstieg der Prosa*. In: F. Sengle, *Biedermeierzeit*. Bd. 2. Stuttgart 1972, S. 24 ff.

7 Auf eine ähnliche Zusammenstellung sehr unterschiedlich gewerteter Autoren hat K. Briegleb in seinem Kommentar zum *Rheinisch-westfälischen Musen-Almanach* hingewiesen. Im Brief an M. Moser vom 21. 1. 1824 nennt Heine nebeneinander: Carl Müchler, Clauren, Gubitz, Michel Beer, Auffenberg, Theodor Hell, Laun, Gehe, Houwald, Rückert, Müller, Immermann, Uhland, Goethe. Vgl. *Heinrich Heine. Sämtliche Schriften*. Bd. 1, a. a. O., S. 810. Und: *Heinrich Heines Sämtliche Werke*. Bd. 7, a. a. O., S. 172. Die Autoren-Reihe verdeutlicht die Differenzierung im Bereich der Literatur der frühen Biedermeierzeit; freilich ergibt sich dabei keine strenge Scheidung nach „hoch" und „niedrig". Im Nebeneinander der Namen wird zwar auch der Gesichtspunkt der Wertung erkennbar — eine gegen das Ende hin deutlich aufsteigende Linie —, aber vor allem ist die Vielgestaltigkeit der literarischen Landschaft und die Vielfältigkeit der literarischen Wirkungs- und Erfolgsmöglichkeiten angedeutet.

8 Brief an F. A. Brockhaus. Göttingen, 7. November 1820. In: *Dichter über ihre Dichtungen*. Bd. 8/I, a. a. O., S. 15 f.

9 *Heinrich Heines Sämtliche Werke*. Bd. 1, a. a. O., Einleitung des Herausgebers zum *Buch der Lieder*, S. 1 f.

10 Vgl. dazu: F. Sengle, *Biedermeierzeit*. Bd. 2, a. a. O., S. 482.

11 „Popularität eines poetischen Werkes ist das Siegel seiner Vollkommenheit": *Gedichte von Gottfried August Bürger*. Hrsg. von A. Sauer. Berlin und Stuttgart o. J. (Deutsche National-Litteratur, Bd. 78). *Vorrede*, S. 7.

12 Vgl. J. Schulte-Sasse, a. a. O., S. 21 und die dort verzeichneten Belege zu Schillers Ansicht.

[13] Vgl. F. Sengles Darstellung über den Wettstreit von Vers und Prosa und seine Einleitungsabschnitte zum Kapitel *Lyrik* in: *Biedermeierzeit.* Bd. 2, a. a. O., S. 13 ff. und S. 467 ff.

[14] Helmut Koopmann, *Heinrich Heine.* In: *Deutsche Dichter des 19. Jahrhunderts.* Hrsg. von Benno von Wiese. Berlin 1969, S. 149—173, insbes. S. 154 ff.

[15] Unter der Überschrift *Zwei Traumbilder* veröffentlichte Heine im *Gesellschafter* 1822 zwei Gedichte, die ausdrücklich als Ergänzung zum Zyklus *Traumbilder* gedacht waren und zwischen dem achten und neunten Gedicht der ersten Sammlung *Gedichte* eingefügt werden sollten. Sie fanden aber später im *Buch der Lieder* einen Platz im *Lyrischen Intermezzo.* Es handelt sich um die Stücke Nr. 60 („Der Traumgott bracht' mich in ein Riesenschloß . . .", I, 89) und Nr. 64 („Nacht lag auf meinen Augen . . .", I, 90 f.).

[16] Hans Kaufmann, *Heinrich Heine. Geistige Entwicklung und künstlerisches Werk.* Berlin und Weimar 1967, S. 163.

Manfred Windfuhr, *Heinrich Heine. Revolution und Reflexion.* Stuttgart 1969, S. 24 f.

Werner Vordtriede, *Heine-Kommentar.* Bd. 1. München 1970, S. 6 und 42 f.

Gerhard Storz, *Heinrich Heines lyrische Dichtung.* Stuttgart 1971, S. 35.

[17] Nach *Einleitung* von E. Elster zum *Buch der Lieder.* In: *Heinrich Heines Sämtliche Werke.* Bd. 1, a. a. O., S. 2 f.

[18] Vgl. *Novalis. Schriften.* Hrsg. von P. Kluckhohn und R. Samuel. Bd. 1. *Das dichterische Werk.* Darmstadt 1960, S. 319.

[19] *Goethes Werke. Hamburger Ausgabe.* Hrsg. von E. Trunz. Bd. 1. *Gedichte und Epen.* 3. Aufl. 1956, S. 149 f.

[20] *Gedichte von Ludwig Tieck.* Zweiter Theil. Dresden 1834, S. 80 ff.

[21] Vgl. dazu die Interpretation von E. Heftrich in: Eckhard Heftrich, *Novalis. Vom Logos der Poesie.* Frankfurt am Main 1969, S. 88 ff.

[22] Vgl. die Interpretation von Hans Joachim Schrimpf, *Novalis, Das Lied der Toten.* In: *Die deutsche Lyrik.* Form und Geschichte. Hrsg. von Benno von Wiese. Bd. 1. Düsseldorf 1956. S. 414—429, insbes. S. 424.

[23] M. Windfuhr hat auf den Formbereich der petrarkistischen Liebeslyrik und auf den unmittelbaren Einfluß der Gedichte von Petrarca mit einigen überzeugenden Belegen hingewiesen; auch in den *Traumbildern* sind solche Elemente nachweisbar, aber sie gewinnen keine strukturelle Bedeutsamkeit. Vgl. M. Windfuhr. *Heine und der Petrarkismus.* In: *Jahrbuch der Schillergesellschaft.* Hrsg. von F. Martini, W. Müller-Seidel, B. Zeller. 10. Jg. Stuttgart 1966, S. 266—285. Und: M. Windfuhr, *Heinrich Heine,* a. a. O., S. 26 f.

[24] Vgl. dazu Goethe, *Hochzeitlied. — Der Totentanz. — Der Zauberlehrling. — Die Braut von Korinth. —* Und außerdem: *Jägers Nachtlied* (Zweite Fassung) und *An den Mond* (Spätere Fassung). In: *Goethes Werke,* a. a. O., S. 280 ff., S. 288 ff., S. 276 ff., S. 268 ff., S. 121 f. und S. 129. — Das Motiv der Locke aus Goethes *Die Braut von Korinth* in dem zu den *Traumbildern* gehörenden Gedicht *Traum und Leben* (II, 65) und in einem Text der *Fresko-Sonette* des Zyklus *Junge Leiden.* Hier ist das Traummotiv durch das Motiv des Zauberspiegels ersetzt (I, 60).

[25] Vgl. Bertolt Brecht, *Allseitigkeit des Realismus.* In: *Gesammelte Werke 19. Schriften zur Literatur und Kunst 2.* Frankfurt am Main 1967, S. 372—373, S. 372.

[26] Vgl. dazu: Richard Alewyn, *Eine Landschaft Eichendorffs.* In: *Eichendorff heute.* Hrsg. von P. Stöcklein. Darmstadt 1966, S. 19—43. Und: Paul Gerhard Klussmann, *Über Eichendorffs lyrische Hieroglyphen.* In: *Literatur und Gesellschaft.* Festgabe für Benno von Wiese. Hrsg. von Hans Joachim Schrimpf. Bonn 1963, S. 113—141.

27 Dazu hat Dietrich Weber für die ganze Lyrik Heines instruktive und überzeugende Ergebnisse beigebracht in seiner Untersuchung: ,*Gesetze des Standpunkts*' *in Heines Lyrik*. In: *Jahrbuch des freien deutschen Hochstifts*. Tübingen 1965, S. 369—399.

28 Vgl. Justinus Kerner, *Der schwere Traum*. In: *Kerners Werke*. Hrsg. von R. Pissin. Bd. 2. *Gedichte*. Berlin, Leipzig, Wien, Stuttgart o. J., S. 51.

29 Clemens Brentano, *Werke in zwei Bänden*. Hrsg. von F. Kemp und W. Frühwald. Bd. 1. Darmstadt 1972, S. 100—107, hier S. 100. Vgl. dazu auch den Kommentar S. 518 und in *Chronika des fahrenden Schülers* den Abschnitt *Von dem traurigen Untergang zeitlicher Liebe* in derselben Ausgabe Bd. 1, S. 317 ff.

30 Ludwig Tieck, *Der Traum*. In: *Gedichte von Ludwig Tieck*, a. a. O., S. 89 f.

31 *Uhlands Werke*. Hrsg. von H. Brömse. Bd. 1. *Gedichte*. Berlin, Leipzig, Wien, Stuttgart o. J., S. 124.

32 Ludwig Tieck, *Kritische Schriften*. Leipzig 1848. Bd. 1, S. 44.

33 Vgl. *Die Alte im Wald*. In: *Kinder- und Hausmärchen*. Gesammelt durch die Brüder Grimm. Darmstadt 1963, S. 586—588. — Das Prinzip der entstellenden Verwendung und der artistischen Variation wird im *Traumbild 2* auch erkennbar an den Adjektiven aus dem Bereich des Wunderbar-Seltsamen: seltsam-schauerlich, wunderschön, wunderlich, wundersam und wundersüß. Schon das auffällige Arrangement dieser in romantischen Texten beliebten und häufigen Vokabeln und ihre sentimentale Überspitzung in „wundersüß" zeigen in der Bewahrung des Wortfelds die Umstrukturierung und Verkehrung der Wortbedeutungen an. (Zur Beliebtheit dieser Adjektive vergleiche man die instruktiven Statistiken in Peter Brauns Untersuchung: *Adjektivische Sehweisen, dargestellt an Prosawerken der Romantik*. Bonn Diss. Masch. 1964, insbes. S. 124 ff.).

34 Vgl. Siegmund Freud, *Der Witz*. Frankfurt am Main 1958 (Fischer-Bücherei. Bücher des Wissens 193), S. 192 f.

KÄTE HAMBURGER

ZUR STRUKTUR
DER BELLETRISTISCHEN PROSA HEINES

Die folgende kleine Betrachtung hat nur ein bescheidenes Ziel und ist weit davon entfernt, in bisher etwa unentdeckte Gefilde von Heines Schriftstellertum, ja auch nur des im Titel angegebenen Teilgebiets, seiner belletristischen Prosa, vorzudringen. Sie möchte nur die komplex-komplizierte, ja verwirrende Erscheinung, die diese zweifellos darstellt, strukturell etwas genauer zu beschreiben versuchen — womit das bekannte Heinebild nicht verändert sondern nur bestätigt wird.

Die beiden Komplexe, aus denen das belletristische Prosawerk Heines besteht, die *Reisebilder I—IV* und die drei Romanfragmente *Der Rabbi von Bacherach, Aus den Memoiren des Herrn von Schnabelewopski* und *Florentinische Nächte* sind in der literarischen Gattungslehre als zwei verschiedene Erzählformen verzeichnet und pflegen denn auch interpretatorisch als solche behandelt zu werden. Mit Recht: nicht nur weil Heine selbst die letzteren als Romane oder Novellen bezeichnet hat, sondern weil sie sich durch Titel und Erzählstruktur als solche ausweisen. Doch sind es nun gerade die Erzählstrukturen, die die Frage aufwerfen, ob und wieweit Romanfragmente und Reisebilder nicht auch einen gemeinsamen strukturellen Komplex darstellen. Eine genauere Untersuchung soll diese Frage zu beantworten suchen, die Frage, um es nun so zu formulieren, wie es sich mit dem Erzähler-Ich Heines verhält.

In der Tat ist es der Begriff des Erzählers, der hier in prägnanter Bedeutung gebraucht wird, und zwar veranlaßt durch eine Äußerung Heines selbst in bezug auf den *Rabbi*, mit dem wir unsere Überlegungen beginnen. Die Äußerung in einem Briefe an Moses Moser, dem er über sein Studium der „historia judaica" berichtet, ist bekannt und häufig angeführt: „Bei dieser Gelegenheit merkte ich auch, daß mir das Talent des Erzählens ganz fehlt; vielleicht tue ich mir auch Unrecht und es ist bloß die Sprödigkeit des Stoffes. Die Passahfeier ist mir gelungen..." (25. 6. 1824; Hirth Bd. 1, 1950. S. 172). Noch einmal tritt in den Briefen der Begriff des Erzählens auf, einige Jahre später in Zusammenhang mit der Empfehlung einer Novelle August Lewalds an Willibald Häring für dessen Zeitschrift *Der Freimütige*: „Er weiß zu erzählen und die Figuren zur Anschauung zu bringen ..." (17. 1. 1831; Hirth Bd. 1, S. 474), und Heine rühmt „das große Erzählungstalent des Verfassers", das er sich selbst abgesprochen hatte. Diese den

Begriff des Erzählens in betonter Bedeutung enthaltenden Briefstellen sind für uns aufschlußreich, wenn wir sie mit einer anderen konfrontieren, die die ja gleichzeitig mit dem *Rabbi* entstandene *Harzreise* betrifft: „Das Hübscheste, was ich unterdessen schrieb, ist die Beschreibung einer ‚Harzreise‘, die ich vorigen Herbst gemacht, eine Mischung von Naturschilderung, Witz, Poesie und Washington Irvingscher Beobachtung“ (an Ludwig Robert, 4. 3. 1825; Hirth Bd. 1, S. 196); und kurz darauf betont er, daß sie „im subjektivsten Stil geschrieben ist“ (an Friederike Robert, 15. 5. 1825; Hirth Bd. 1, S. 207).

Überlegen wir, bevor wir Heines Selbstkritik am *Rabbi* unsererseits prüfen, was aus diesen unwillkürlichen poetologischen Bezeichnungen, den Begriffen Erzählen und Beschreiben, zu entnehmen ist. Wir müssen, wie es Heine selbst unwillkürlich tut, den Begriff des Beschreibens in seinem genauen semantisch-phänomenologischen Sinne ins Auge fassen. Er ist konstituiert durch das intentionale Verhältnis eines (Aussage)subjekts zu einem Objekt[1], d. h. daß das Subjekt als ein jetzt und hier anwesendes, primär „etwas“ beobachtendes in diesem deutschen Verb mitgemeint ist. Der Begriff des Erzählens ist dagegen in dieser genauen Weise nicht durch den Bezug auf ein anwesendes Subjekt konstituiert, und nicht zufällig ist die erzählende Dichtung durch ihn bezeichnet. Fügen wir zwecks weiterer Differenzierung der semantischen Bedeutungsnuancen den Begriff des Schilderns hinzu, so wird erkennbar, daß dieser sich sowohl zu dem des Erzählens wie des Beschreibens gesellen kann. Aber wir werden nicht sagen, daß ein Historiker oder Archäologe die antike Stadt Rom beschreibt, sondern höchstens sie — auf Grund seiner Quellen — schildert. Denn sein beobachtend beschreibendes Ich ist in einer von ihm nicht erlebten Vergangenheit nicht anwesend gewesen. Wenn Heine beschreibend „im subjektivsten Stil“ zu schreiben sich rühmte, das Talent des Erzählens in bezug auf den *Rabbi* sich aber absprach, so hat dies mit den durch diese Begriffe gekennzeichneten Verhältnissen zu tun und ist an dieser Stelle deshalb von uns hervorgehoben, weil es die „Subjektivität“ Heines genauer zu bestimmen geeignet ist, wie wir sehen werden. Das beim *Rabbi* entgegenstehende Hemmnis, das er in richtiger Erkenntnis als Fehlen des Erzähltalents bezeichnete, hat denn auch seine Gründe in der Konzeption dieses Romans sowohl als Er-Erzählung wie als historischer Roman. Für beides ist in verschiedener Weise die Kategorie der „Objektivität“ dominierend. Als Heine sich bemühte, sich dieser zu unterwerfen, ging er gegen sein Talent des „Beschreibens“ an, dem er nur in durch die Ichform strukturierten Erzählformen Genüge tun konnte.

Nichts bezeugt dies besser als der Beginn des Rabbiromans und der Aufbau des ersten Kapitels. Die Bemühung, einen historischen Roman zu schreiben, ist deutlich, und zwar im Sinne einer streng sachbezogenen Darstellung einer für die Geschichte der deutschen Juden typischen schrecklichen Begebenheit. Die historisch-topographische Sachlichkeit geht so weit, daß zunächst für diese Begebenheit völlig irrelevante, die Geschichte und das Gemeinwesen der Stadt Bacharach

betreffende Umstände berichtet werden. Denn daß etwa die patrizischen Alt-
bürger und die Zünfte „wegen streitender Interessen in beständiger Spaltung
verharrten" (Elster Bd. 4, S. 449)², hat nichts damit zu tun, daß die kleine Juden-
gemeinde in dieser Stadt „eine am meisten vereinzelte, ohnmächtige und vom
Bürgerrechte allmählich verdrängte Körperschaft" war (ebd. S. 450). Der Bericht
aber strebt auf die Begebenheit bei einer Passahfeier im Hause des Rabbi Abraham um die Mitte des 15. Jahrhunderts zu. Um sie aus der Geschichte der Juden-
verfolgungen zu erklären, gibt Heine, lose an die Notiz anknüpfend, daß die
Gemeinde von Bacharach „während der großen Judenverfolgung ganze Scharen
flüchtiger Glaubensbrüder aufgenommen hatte" (ebd.), einen Bericht über diese
Verfolgung, der in der Mitteilung über den den Juden zugeschobenen Ritualmord
gipfelt. Der Drang zur historischen Objektivität, die sich Heine hier abringt, ist
verantwortlich für die Ungeschicklichkeit dieser Exposition, die sich denn auch
in dem trockenen, schon damals ganz und gar un-Heineschen Stil eines Geschichts-
berichts dartut.

Wenn der allgemeine Bericht dann zu der Schilderung des Rabbi und seines
Hauses übergeht, gewinnt er auch jetzt noch nicht Bezug auf die Begebenheiten,
die folgen. Stellt sich etwa die Frage, ob Rabbi Abraham, ein durch Heirat mit
seiner Cousine, Tochter eines Juwelenhändlers, reicher Mann und bezeichnet als
„ein Muster gottgefälligen Wandels" (ebd. S. 451), hier etwa mit Hinblick auf
sein Verhalten bei und nach dem Grauen des Sederabends mit einem ironischen
Akzent charakterisiert ist, so muß sie, wie wir noch sehen werden, verneint werden. Hier wird ebenso objektiv berichtet wie in den allgemeingeschichtlichen
Partien. Der Rabbi i s t gelehrt und fromm, und es wird ohne Ironie zurückgewiesen, was „einige Fuchsbärte in der Gemeinde" (S. 452) munkeln mochten,
daß er die schöne Sara um des Geldes willen geheiratet habe. Denn zwar ist die
Begründung nicht sehr plausibel, daß er, wie „sämtliche Weiber . . . zu erzählen
[wußten] . . . schon vor seiner Reise nach Spanien in sie verliebt gewesen sei"
und er sie „selbst gegen ihre eigene Zustimmung geheiratet habe" (ebd.), aber
Heine kommt es hier nur darauf an, jüdisches Leben, Bräuche und Sitten zu schildern,
daß also z. B. „jedweder Jude . . . ein jüdisches Mädchen zu seinem rechtmäßigen
Eheweibe machen kann, wenn es ihm gelang, ihr einen Ring an den Finger zu
stecken" usw.³ Es gehört zu den zu beachtenden Charakteristika Heines, daß
h i n t e r g r ü n d i g e Ironie kein Stilmittel bei ihm war, worauf G. Storz mit
Recht hinweist.⁴ Heines Ironie schafft sich direkten, deutlichen, nämlich witzigen
oder komisch karikaturistischen Ausdruck, arbeitet mit erkennbaren Anspielungen und Bezüglichkeiten. Daß also die Lebensweise des Rabbi Abraham „überaus
rein, fromm und ernst" war, „sein Tag verfloß in Gebet und Studium", in seinem
Haus „der Frierende einen warmen Ofen und der Hungrige einen gedeckten
Tisch" fand (ebd. S. 453 f.) — dies wird ganz ebenso ohne Hintersinn und Vorbehalt erzählt wie die schockierende Tatsache, daß der Rabbi bei Entdeckung der
Kinderleiche unter dem festlichen Sedertisch die erste Gelegenheit ergreift, um

mit seiner Sara aus dem Hause zu schleichen und, seine Gemeinde dem sicheren Untergang preisgebend, sich selbst zu retten. Wenn glücklich am Rhein und beim rettenden Kahn angelangt der Rabbi sein zitterndes Weib über die Flucht aufklärt — „Siehst du den Engel des Todes? Dort unten schwebt er über Bacherach! . . .“ (ebd. S. 458) — und ihr versichert, daß die Verfolger es nur auf ihn und seine Schätze abgesehen hätten, den Freunden und Verwandten aber nichts geschehen würde, doch später in der Synagoge für sie das Totengebet spricht, so liefert uns der Dichter keine Handhabe, das Verhalten des Rabbi Abraham zu beurteilen. Will er nur seine Frau beruhigen oder soll die Lüge sich zu seinem Verhalten fügen oder aber — und dies ist das Wahrscheinliche — bemerkt der Erzähler selbst den Widerspruch seiner Darstellung nicht? — Nachdrücklich hat neuerdings J. Sammons in seiner großen Heinemonographie auf diese — natürlich als solche immer schon bemerkte[5] — Unstimmigkeit hingewiesen. Er weist dem Rabbi sogar eine von Heine nicht explizierte tragische Schuld zu und bemerkt: „tragic situations founded in guilt, whether in a Jewish setting or not, are not a feature of Heine's writing.“[6] Das ist zweifellos richtig, aber es ist eine überhaupt zu hoch gegriffene Kategorie für die Figur und die Funktion des Rabbi in der Erzählung. Der Erzähler nimmt keine Stellung zum Verhalten des Rabbi, denn er schildert ihn nur als „Figur“, nicht aber als Person und Charakter. Ja, man kann noch weitergehen und sagen, daß er nicht einmal als eigengewichtige Figur gemeint — oder wenn gemeint nicht gelungen — ist, sondern auch nur als sozusagen ethnologisches Stück in dem Bild jüdischen Lebens und Schicksals im Deutschland des 15. Jahrhunderts, zu dem, was das 1. Kapitel betrifft, ebensowohl durch Handel erworbener Reichtum wie die ständige Bedrohung der Juden gehört. Rabbi Abraham und die schöne Sara dienen gleichsam nur als verbindendes Glied, als „Vehikel“, das von der Szene zu Bacharach zu dem andersartigen Bild des Frankfurter Ghetto die Verbindung herstellt. Der Rabbi entweicht, erzählstrukturell gesehen, damit er von Bacharach nach Frankfurt befördert werden — und will man ganz pfiffig, aber vielleicht kaum verfehlt interpretieren — das Heinesche Erzähler-Ich sich in ein ihm besser gelegenes Element begeben kann als das des makaber düstern Geschehens von Bacharach. Heiter lächelt der Erzähler, als er „das lustige Gewühl vieler buntbewimpelter Schiffe“ an der Reede von Frankfurt beschreiben darf, „die Zöllner, die in ihren roten Röcken mit weißen Stäbchen und weißen Gesichtern von Schiff zu Schiff hüpften“ (ebd. S. 462), und läßt denn auch ohne weiteres seinen Rabbi „heiter lächelnd“ der schönen Sara „die weltberühmte freie Reichs- und Handelsstadt Frankfurt am Main“ (ebd.) zeigen und sich alsbald mit ihr im farbig geschilderten Gewimmel der Straßen und Basare verlieren. — Doch sollte man gerecht sein und jedenfalls aus dem Verhalten der schönen Sara eine Art von kritischer Stellungnahme des Erzählers heraushören? Sie ist es, durch die noch eine gewisse Verknüpfung mit der Situation hergestellt wird, wenn auch auf eine kaum weniger anstößige Weise: wenn sie beim Anblick der in den Basaren aufgeschichteten

Putzsachen „schon mit heimlicher Freude überlegte, was sie nach Bacherach mitbringen wolle, welchem von ihren beiden Bäschen, dem kleinen Blümchen oder dem kleinen Vögelchen der blauseidene Gürtel am besten gefallen würde . . ." erinnert sie sich doch plötzlich, daß die „Ach Gott! . . . gestern umgebracht worden . . . aber die goldgestickten Kleider . . . redeten ihr sogleich alles Dunkle aus dem Sinn . . ." (ebd. S. 464). Sie wird beim Gottesdienst in der Synagoge wenigstens ohnmächtig, als ihr Mann das Totengebet spricht, und es heißt „ihre Seele ward zerrissen von der Gewißheit, daß ihre Lieben und Verwandten wirklich ermordet worden . . ." (ebd. S. 481 f.). — Hiermit schließt das 2. Kapitel, und erst der Beginn des 3. Kapitels berichtet, daß nach beendigtem Gottesdienst der Rabbi seines Weibes harrend ihr mit heiterem Antlitz zunickt, worauf unmittelbar die Begegnung mit Don Isaak Abarbanel folgt. Dies Kapitel, das Heine bekanntlich erst 1840 hinzugefügt und für die Demonstration seiner inzwischen vom Saint Simonismus befruchteten Hellenen-Nazarenertypologie benutzt hat, ist für die Beurteilung seiner Erzählweise im *Rabbi von Bacherach* irrelevant. Daß es sich ideenmäßig und stilistisch von den beiden anderen Kapiteln unterscheidet, ist der späteren Entstehungszeit zuzuschreiben, der neuere Handschriftenuntersuchungen auch schon Partien des 2. Kapitels zurechnen.[7] Jedenfalls läßt das Fragment des 3. Kapitels nicht mehr erkennbar werden, ob dem Situations- und Verhaltensproblem des Rabbipaares noch weiter nachgegangen werden sollte. Doch dürfen wir der Anlage der ersten Kapitel entnehmen, daß Heine sich das Talent des Erzählens nicht zuletzt deshalb abgesprochen haben mag, weil er nicht vermochte, oder besser vielleicht es ihn nicht interessierte, Charaktere darzustellen, sie in ihrem seelisch-geistigen Sein und Verhalten und damit auch eine darin gegründete Handlung zu entwickeln, und er rühmte das Erzähltalent eines August Lewald, weil dieser „Figuren zur Anschauung bringen" konnte.

Der zweite Aspekt der „Objektivität", der Heine im *Rabbi* sich zu unterwerfen mühte, tritt hier zutage. Er ist begründet in der Er-erzählenden Form an sich und ist, streng genommen, nicht als Objektivität (die das nur mit der Aussagestruktur gesetzte Korrelat von Subjektivität ist), sondern besser als Objekthaftigkeit zu bezeichnen. Die Romanpersonen sind nicht Objekte der „Beobachtung" sondern erzählend erzeugte und als solche fiktive, fiktiv aus sich selbst „lebende" Figuren. Den Romanerzähler bindet gewissermaßen das den Romanpersonen innewohnende, wenn auch von ihm selbst geschaffene Gesetz. Sie setzen ihm ihre eigene Objekthaftigkeit entgegen und diese — wie Heine selbst erkannte — „zur Anschauung" zu bringen, ist dem Romanerzähler aufgegeben. Einen Ansatz dazu gibt es im Rabbiroman, nämlich wiederum die Figur der schönen Sara. Der Dichter versucht etwa, sie als eine träumerische Seele darzustellen. Die nächtliche Rheinfahrt, getaucht in deutschromantische Rheinpoesie, hat ihren Widerhall in ihrer Seele und vermischt sich mit Erinnerungsträumen von ihrem altjüdischen Elternhaus: „Es war auch, als murmelte der Rhein die Melodien der Agade" (ebd. S. 461), und es gehört zu den — durchaus vorhandenen — Glanzstücken der Erzählung, wie die träumerische Seele der schönen Sara zum Ort der Begegnung und Vermischung deutscher Sagen- und jüdischer Bibelwelt wird — eine trügerische Begegnung, so könnte man über diese Stelle hinaus interpretieren — und gar die Stadt Frankfurt, wenn sie mit ihren hohen Türmen in den Strahlen der Sonne daliegt, fast zur irdischen Erscheinung der heiligen Stadt Jerusalem, deren Traumvision die Sara selig lächelnd hatte einschlafen lassen. Wie aber dann das Rabbipaar alsbald im Gewimmel der Stadt Frankfurt und des Ghetto untertaucht, so ist es eben dieses buntscheckige Bild, das über die Hauptpersonen als Gegenstand der Erzählung dominiert und denn auch dort Heineschem Stil am meisten entgegenkommt, wo er sich komisch-grotesk ergehen kann, so bei den Figuren des dicken Hans, Jäkels des Narren und des Nasenstern am Tore zum Ghetto.[8]

Es sind in der Tat zwei „Bilder" aus der Geschichte und dem Leben der im Mittelalter in Deutschland angesiedelten Juden, die die Erzählsubstanz des Rabbifragments bilden. Sie könnten „Reisebilder"[9] sein, wenn sie nicht historisch vergangen wären und selbst ein fiktiver Ich-Erzähler hier nicht am Platze gewesen wäre. Denn wenn der historische Stoff der Anlaß zu dem Romanversuch gewesen ist — gegeben durch Heines damaliges Interesse am Assimilationsproblem der deutschen Juden und an der Geschichte des Judentums — so bedingte eben dieser auch die Er-erzählende Form. Man kann vermuten, ja aus dem übrigen belletristischen Prosawerk Heines schließen, daß auch wenn er sich naturgemäß keine Rechenschaft darüber abgegeben hat, die doppelte Objektgebundenheit des historischen Romanerzählers sich ihm als „Sprödigkeit des Stoffes", als Hemmnis in der Entfaltung des ihm gemäßen Stils entgegengestellt hatte.

Wenn also die Bedingungen eines historischen Er-Romans den *Rabbi von Bacherach* nicht in den strukturellen Komplex der ins Auge gefaßten Prosa eingehen lassen, so fällt diese Schranke bei den übrigen Werken fort. Die *Reisebilder* und die beiden anderen Romanfragmente haben die Ichform. Denn auch die Maximilian genannte Erzählerfigur der *Florentinischen Nächte* stellt nicht die Struktur einer Er-Erzählung her. Gewiß werden nach der Intention Heines selbst und auch unter gattungsformalen Gesichtspunkten Unterschiede mit dieser Zusammenstellung verwischt. Der *Schnabelewopski* und die *Florentinischen Nächte* sind durch fiktive (bzw. fingierte) Ich-Erzähler strukturiert und damit im Gebiet der erzählenden D i c h t u n g angesiedelt, während das Ich der Reisebilder das reale Ich Heines ist, das die authentischen realen Reisen, die Harzwanderung, den Norderneyaufenthalt, die italienische Reise beschreibt. Wenn aber, wie wir sehen werden, es mit der Realbeschreibung sich schon hier z. T. unsicher verhält, so ist über den Realitätscharakter des mit „Madame" plaudernden Ich in *Ideen. Das Buch Le Grand* noch weniger Sicheres auszusagen.

Der *Schnabelewopski* ist der zweite Versuch Heines, eine traditionelle Form der epischen Gattung hervorzubringen. Daß es diejenige des Schelmenromans sei, hat schon der Rezensent im Morgenblatt vom 11. 7. 1834, Wolfgang Menzel, festgestellt und ist von M. Windfuhr eingehend dargelegt worden, der vor allem Christian Reuters *Schelmuffsky* als ziemlich genaues Muster nachweisen möchte.[10] — Nun kann man gewiß den Ansatz, der im 1. Kapitel vorliegt, die lakonische Herkunftsangabe nach dem Muster der Schelmenromane und die komischen Namen — „Mein Vater hieß Schnabelewopski; meine Mutter hieß Schnabelewopska" usw. — als lustige Parodie eines Schelmenromans lesen. Doch die komischen Angaben werden noch im 1. Kapitel wieder fallengelassen und sogleich mit der Beschreibung des Doms von Gnesen, des silbernen Sarkophags des Hlg. Adalbert und der romantischen Erscheinung des betenden „wunderholden Frauenbildes", fortgesetzt im Panna Jadwiga-Traum, sentimentale Farben aufgesetzt. Entscheidender aber ist, daß die Schnabelewopski-Figur, als die der Ich-Erzähler sich parodistisch vorgestellt hat, überhaupt aus dem Bewußtsein verschwindet, aus dem des Erzählers und damit des Lesers. Als farbloses Residuum des ersteren bleibt die gelegentliche Namensanrede im Kreise der Leidener Studenten zurück. Und wenn es die Funktion des an die Überlegungen über Schlaf, Tod und Traum anknüpfenden Traums von Jadwiga und den Nixen sein soll (Kap. XII, Bd. 4, S. 132 ff.), die Verbindung mit dem ersten Jadwigatraum und eine Schnabelewopski-Identität zu bewerkstelligen, so genügt dies nicht, um die inzwischen aus dem Auge verlorene Erzählerperson als eine besondere, und gar schelmenromanhafte Individualität wiederherzustellen.

Damit sind wir bei dem springenden Punkt, dem entscheidenden Unterschied, der es bewirkt, daß wir den *Schnabelewopski* nicht als einen Schelmen- und Abenteurerroman — welche Kategorien für diese Gattung zusammenfallen — lesen, sondern allenfalls als einen Reiseroman, dessen Struktur der der *Harzreise* am nächsten kommt. Der Unterschied, den wir hier machen, kann so bestimmt werden: Der Ich-Erzähler eines Schelmen- und Abenteurerromans ist selbst als Figur in den von ihr geschilderten Begebenheiten vorhanden, und zwar als die Hauptfigur, die von den ihr zugestoßenen Abenteuern, in ihr Leben eingreifenden Schicksalen erzählt und deren Verhalten in ihnen ihr eigenes Wesen, ihre so oder so geartete Individualität sichtbar macht. So etwa stellt sich der Lazarillo da Tormes als ein wendiger Bursche dar, der bei seinen geizigen Herren alle denkbare Schläue entwickelt, um seinen Hunger zu stillen. Über die Persönlichkeit des Gil Blas von Le Sage sind umfangreiche Charakteranalysen angestellt worden[11], und Schelmuffsky ist ein Spaßmacher und Aufschneider, von dessen Geschichten mit Sicherheit angenommen werden kann, daß sie alle von ihm erfunden sind. Nicht zu reden vom Helden des Thomas Mannschen Schelmenromans, dem schönen und schlauen Felix Krull, der mit schauspielerischer Kunst die verschiedenen Rollen seines Lebens durchführt. Der „Held" eines Schelmen-Ichromans ist immer der Ich-Erzähler selbst, die zentrale Romanfigur, die als so oder so charakterisierte im literarischen Bewußtsein lebt und Gegenstand der Interpretation ist. Der Memoirenschreiber Schnabelewopski aber ist keine Romanfigur, sondern ein Reiseschilderer, der das was er gesehen, die Personen, denen er begegnet ist, mit seinen Glossen versieht, die nun in thematisch anderer aber strukturell gleicher Art wie eben vor allem in der *Harzreise* das Themengewebe bilden.

Hier wie dort konnte der Autor Heine im „subjektivsten Stil" schreiben, derart, daß wir von diesem Erzähler-Ich — das sich eben nicht zu einem Ich-Erzähler konkretisiert — nichts anderes erfahren, als daß es ein teils sentimental poetisch gestimmtes, teils sehr witzig boshaftes und auch erotisch höchst ansprechbares ist.[12] Es zeigt sich nicht in Aktionen, Situationen und Verhaltensweisen, sondern im Stil seiner Schilderung und Glossierung, und es ist irrelevant, ob dieses Erzählersubjekt Schnabelewopski oder Heinrich Heine heißt. Die satirische Beschreibung, die der Theologiestudent in spe Schnabelewopski von der Stadt Hamburg gibt, könnte ebensogut in der *Harzreise* stehen wie die Beschreibung der Stadt Göttingen, die der Jurastudent Heine zu Beginn seiner Harzwanderung gibt, in den Schnabelewopski-Memoiren (bei z. B. durchaus denkbarer Verschiebung der Ausgangsstationen). Ja, das Heine-Ich setzt sich sehr offensichtlich an die Stelle des Schnabelewopski-Ich, wenn dieses auf der Elbfahrt von Hamburg nach Amsterdam auf Klopstock zu sprechen kommt: „Die Ufergegenden der Elbe sind wunderlieblich. Besonders hinter Altona, bei Rainville. Unfern liegt Klopstock begraben. Ich kenne keine Gegend, wo ein toter Dichter so gut begraben liegen kann wie dort. Als lebendiger Dichter dort zu leben, ist schon weit schwerer. Wie oft hab' ich dein Grab besucht, Sänger des Messias, der du so rührend wahr die Leiden Jesu besungen! Du hast aber auch lang' genug auf der Königstraße hinter dem Jungfernstieg gewohnt, um zu wissen, wie Propheten gekreuzigt werden." (ebd. S. 114). Nicht nur daß ein polnischer Student von Klopstock nicht viel wissen wird — die Hamburg-Erfahrung Heines als „lebendiger Dichter" verdrängt diesen vollends. Wie denn überhaupt die Kenntnis Hamburger Verhältnisse und ihre Verspottung, die dem eben angereisten polnischen Adligen zugemutet werden, nur mühsam und sozusagen unbemerkt durch die auf seinen ersten Besuch rückblickende Erinnerung des „alten" Memoirenschreibers, der zwölf Jahre später Hamburg zum zweiten Mal besucht hat, gestützt wird: „Ach, das ist nun lange her. Ich war damals jung und thöricht. Jetzt bin ich alt und thöricht. Manches seidne Kleid ist unterdessen zerrissen, und sogar der rosagestreifte Kattun des Herrn Seligmann hat unterdessen die Farbe verloren. Er selbst aber ist ebenfalls verblichen — die Firma ist jetzt ‚Seligmanns selige Witwe' . . ." (ebd. S. 104). Die Unglaubwürdigkeit dieser und der Klopstock-Reminiszenzen wird denn auch nicht dadurch gerettet, daß Schnabelewopski zu Anfang dieses Kapitels bemerkt: „Es war aber ein gar lieblicher Frühlingstag, als ich zum ersten Mal die Stadt Hamburg verlassen." (ebd.)

Diese Feststellungen meinen, wohlverstanden, keine von einem Standpunkt älterer oder neuerer Romanmuster her geübte Kritik an dem köstlichen originellen Werkchen. Sie wollen nur sichtbar machen, daß zwischen dem Roman-Ich Schnabelewopski und dem Real-Ich der Reisebilder der Unterschied so gering ist, daß sie gegeneinander verschoben oder ausgetauscht werden können. Dies betrifft den

Charakter des beschreibenden Ich, nicht die durch die verschiedenen Reisesituationen geo- und topographisch bestimmten Inhalte. Denn auch das Real-Ich des Harzreisenden Heine bewahrt nicht unbedingt den Charakter der Realschilderung, wie es denn etwa keineswegs so ganz sicher ist, ob und inwieweit die Gesellschaft im Brockengasthof einer wirklich angetroffenen entsprach. Wir fassen beispielsweise die Geschichte von den beiden schwärmerischen und offenbar homoerotischen Jünglingen „schön und blaß wie Marmorbilder", die zur Brockengesellschaft gehören (III, S. 63/64), gestaltungsmäßig nicht anders auf als die Szenen der über die Existenz Gottes disputierenden Studenten in Leiden und des kleinen Simson, von denen die erstere als von dem realen Heine-Ich, die letzteren als von dem fiktiven Schnabelewopski-Ich erlebte präsentiert werden. Die pointierende, stets zum Karikieren neigende Beschreibungskunst Heines, für die ihm sein an so treffenden wie unerwarteten Vergleichen nie verlegener Wortwitz zur Verfügung stand, hat schon an sich die Tendenz, die faktische Erscheinung sei es einer Person oder einer Situation übertreibend zu verändern. Die Karikatur ist ja nicht durch die Bemühung um Objektivität bestimmt, sondern ein extremer Ausdruck der bestimmten dazu befähigten Subjektivität des Darstellenden.[13] Der Harzreisende Heine verhält sich nicht — und dies ist gewiß keine neue Feststellung — wie der Italienreisende Goethe, der am 10. 11. 1786 in Rom notierte: „Meine Übung, alle Dinge, wie sie sind, zu sehen und abzulesen . . . meine völlige Entäußerung von aller Prätention kommen mir einmal wieder recht zu statten." Ob und wieweit die Dinge wie sie sind, nicht nur in der *Harzreise,* sondern auch in der weit sachlicher ausgerichteten *Reise von München nach Genua* erscheinen, kann nicht mit ebensolchem „Vertrauen" angenommen werden wie bei einem Goetheschen Reisebericht. Wir sind nie sicher, wieweit die Phantasie des Beschreibers, sei es die karikierende oder poetisierende, mit am Werke ist. Ist in Verona „die Stimme, die mir so süß unheimlich in die Seele drang, als ich über die Scala Mazzanti stieg . . . Gesang wie aus der Brust einer sterbenden Nachtigall, todzärtlich und wie hülferufend an den steinernen Häusern widerhallend" (ebd. S. 264) wirklich erklungen? Denn es ist „die Stimme der toten Maria", die als makaber poetisches Leitmotiv sich durch diesen Reisebericht zieht.

Ein weiteres Indiz für die Unsicherheit des Realitätscharakters in beiden Erscheinungsformen der belletristischen Prosa sind auch die in sie eingefügten Träume. Es spielt dabei keine Rolle, daß etwa die beiden romantischen Jadwigaträume Schnabelewopskis vom Memoirenschreiber „erinnerte", da der berichteten Jugendzeit angehörige sein müssen oder der von dem Harzreisenden zu Osterode geträumte satirische Traum von der Göttinger Juristischen Fakultät wie auch der Saul Ascher-Traum in Goslar kurz nach der — realen — Reise berichtet sind. Denn es handelt sich natürlich auch hier nicht um reale Träume, sondern um je nach Umständen, Zweck und Stillage erdichtete poetische, in der *Harzreise* sehr gezielte Versatzstücke, die strukturell vergleichbare Funktionen in diesen Werken haben. Und wenn der tote Kantianer Saul Ascher im Traum als

transzendentalgraues Gespenst erscheint, um mit den Argumenten der Vernunft-
kritik die Unmöglichkeit seiner Gespenstererscheinung zu beweisen, so könnte
man sich die gleichfalls philosophisch, wenn auch sozusagen umgekehrt, nämlich
deistisch pointierte Figur des kleinen Simson und vor allem die groteske Szene
seines Duells mit dem dicken Fichteaner Driksen ohne Schwierigkeit als Traumerscheinung Schnabelewopskis denken.

Wir hoffen, nicht dahin mißverstanden zu werden, daß die Unterschiedlich-
keit der beiden Werke nach Stoff und Sinngehalt verwischt werden solle (die
wir als bekannt voraussetzen und deren stilistische Eigenstrukturen in jüngster
Zeit Gegenstand aufschlußreicher und bedeutsamer Analysen geworden sind[14]).
Uns handelt es sich nur um den genaueren Aufweis der für Reisebilder und
Romane gemeinsamen bzw. sie umgreifenden Form, die die Romane in die
Struktur der Reisebilder einbezieht und diese in die Struktur der Romane. Beides
ist begründet in dem was wir den schillernden Realitätscharakter- und grad des
diese Formen konstituierenden Erzähler-Ich nennen können, das wir am Schluß
unserer Beobachtungen noch genauer zu bestimmen versuchen werden.

Dieser Charakter tritt nun sehr deutlich im 2. Teil der *Reisebilder III* hervor,
in *Die Bäder von Lucca*, die, wenn auch zur Italienreise Heines gehörig, doch in
hohem Grade als Gebilde seiner Phantasie empfunden werden. Zwar bewahrt
der Reiseschilderer hier seine Identität als Dr. jur. Heine, aber gleich der Einsatz
der *Bäder* — „Als ich zu Mathilden ins Zimmer trat, hatte sie den letzten Knopf
des grünen Reisekleides zugeknöpft und wollte eben einen Hut mit weißen
Federn aufsetzen" (ebd. S. 293) — erweckt den Anschein einer mitten aus einem
Ichroman stammenden Szene. Eben weil wir keinerlei einleitenden Aufschluß
darüber erhalten, wieso der als „Doktor" angeredete Erzähler zu einer erst in
dessen Replik als Mylady bezeichneten Mathilde kommt und die Reisesituation
überhaupt fallengelassen ist, die Bäder von Lucca als topographischer Schauplatz nicht erscheinen, haben wir den Eindruck einer erfundenen, einer Roman-
szene. Sie ist als eine solche durch den ausgedehnten Dialog charakterisiert, der
zwar in einem Ichroman, aber nicht in einer realen autobiographischen Darstellung stehen kann. Denn da die Reisebeschreibung nicht die Form eines Tage-
buches oder Briefromans hat, sondern die eines länger oder kürzer zurückblicken-
den Erinnerungsberichtes, würde sie als solche keine ausgedehnte Dialogszene,
die Wiedergabe direkter Rede zwischen zwei oder mehreren Personen enthalten
können, während der Ichroman sich dieses fiktionalisierenden Mittels bedienen
kann. In der Tat sind die Dialogszenen in den *Bädern von Lucca* der gelungenste
Versuch Heines zu einer romanmäßigen Form. Denn mehr noch als die Figuren
selbst erwecken sie den Eindruck des Entworfen- und Erfundenseins, nicht den
des Realberichts. Aber auch was die Figuren betrifft, in erster Linie die des
Markese Gumpelino und seines Dieners Hirsch-Hyacinth, trifft dies zu. Es gibt
weder in den Romanfragmenten noch sonst in den Reisebildern eine so sich selbst
darstellende, sich durch ihre Rede charakterisierende Figur wie den kleinen Ham-

burger Lotteriekollekteur und Hühneraugenoperateur.[15] Mit Recht weist J. Sammons daraufhin, daß im Unterschied zu ihm der Markese Gumpelino „occupies a slightly different position", weil er nicht wie Hirsch „is mostly permitted to speak for himself without comment by the Narrator".[16] Dieser feine Unterschied ist zweifellos der erzählkünstlerische Ausdruck für die Haltung Heines zu dem ihn damals beschäftigenden Problem der Assimilation der Juden in Deutschland, die er mit Skepsis und Kritik betrachtete. Er karikiert sie in der Figur des Gumpelino, alias Bankier Gumpel, und sympathisiert mit dem kleinen Hirsch-Hyacinth, der — trotz allem: „Herr Doktor, bleiben Sie mir weg mit der altjüdischen Religion, die wünsche ich nicht meinem ärgsten Feind . . . Ich sage Ihnen, es ist gar keine Religion, sondern ein Unglück" (ebd. S. 327) — seinem jüdischen Glauben und seiner jüdischen Existenz treu ist. Dennoch fällt auch der stärker „kommentierte" Markese nicht aus der szenischen Darstellung dieser Kapitel (I—IX) der *Bäder* heraus. Er ist grotesk agierende, redende Figur in der Szene der Signorinas, des Glaubersalzes, als frommer Katholik am Betstuhl und als Rezitator Platenscher Verse. Alle diese Szenen sind so weit fiktionalisiert, daß das immer anwesende Erzähler-Ich des Doktors Heine stark zurücktritt, ja fast die Struktur einer Er-Erzählung zustandekommt. — Doch wie wenig in Heines schriftstellerischem Bewußtsein, oder besser vielleicht seiner Intention, die Gattungsstrukturen geschieden waren, zeigt sich denn auch nicht nur darin, daß die *Bäder* in die *Reisebilder* eingeordnet wurden, obwohl er sie als Fragment eines größeren Reiseromans bezeichnet hat (an Immermann, Dez. 1829, Hirth Bd. 1, S. 406), sondern weit entscheidender in dem Umstand, daß er den Gumpelino-Hyacinth-Szenen das Platenpamphlet angehängt hat. Hätte er es bei der köstlichen Szene bewenden lassen, in der Gumpelino, kommentiert von Hirsch Hyacinth, Platenverse rezitiert, also bei der indirekten Verspottung von dessen Dichtung, mit dem boshaft gezielten Zusatzingrediens, daß sich der konvertierte jüdische Bankier an des hochgeborenen Grafen Gedichten ergötzt, wäre die Literatursatire in die Romanstruktur integriert geblieben. Daß Heines heftiger Wunsch, sich für Platens antisemitische Invektiven im *Romantischen Ödipus* zu rächen, das direkte und peinliche Pamphlet hervorgebracht hat und von Heine als Hauptzweck der *Bäder* empfunden wurde, ist eine Sache für sich. Und wenn er schon bald nach Erscheinen der *Bäder* äußerte, daß „wenn mal das Ganze gedruckt wird . . . auch der Herr Graf, wie sich gebührt, aus dem Buche hinausgeschmissen wird" (ebd. Hirth Bd. 1, S. 406), so war es offenbar nicht das künstlerische Problembewußtsein, das ihn diese denn auch nicht ausgeführte Absicht äußern ließ, sondern das in weiten Kreisen gegen ihn erregte Ärgernis.

Wie sehr die Konzeption der *Reisebilder* mit derjenigen der Romane zusammenfällt, zeigen nun auch gerade die beiden Werke, die ein Jahrzehnt auseinanderliegen und — mit Ausnahme der etwas früheren *Harzreise* — die Grenzmarken des belletristischen Komplexes bilden: *Ideen. Das Buch Le Grand* (1826) und *Florentinische Nächte* (1836). Sie sind von ähnlicher Struktur. Mit demselben Recht, mit dem Heine von den *Florentinischen Nächten* als Novelle redete (an A. Lewald, 3. 5. 1836, Hirth Bd. 1, T. 2, S. 139), hätte er es in bezug auf *Das Buch Le Grand* tun können. Der Novellencharakter bzw. das was Heine so bezeichnete ist an sich sowohl mit der Er-Form des einen wie mit der Ich-Form des anderen gewährleistet. Aber die beiden Werke rücken eben deshalb noch näher einander, weil die erstere nur eine oberflächlich so erscheinende ist und andererseits das *Buch Le Grand* aus der Struktur der *Reisebilder* herausfällt, obwohl es als *Reisebilder II* ihr neben der *Harzreise* berühmtester und am meisten gepriesener Teil ist.

Das *Buch Le Grand* ist, wie stets bemerkt, kein „Reisebild". Eine Reise findet nicht statt, der Ich-Erzähler ist kein Reiseschilderer, und es gehört zu den Besonderheiten dieses Werkes, daß es Sinn hat, die Frage zu stellen, was er ist, wobei eben das Was, nicht das Wer das strukturell relevante Moment ist. Denn wenn dieses als das biographische Heine-Ich erkennbar ist, so ist das schillernd verspielte Was seiner Aussageform nicht leicht bestimmbar. Wenn es durch die Anrede „Madame" bestimmt erscheint, so ist des strukturellen Rätsels Lösung damit noch keineswegs gegeben. Stellenweise, so besonders in den ersten Kapiteln, die mit der Anrede einsetzen, etwa: „Madame, kennen Sie das alte Stück?" (als Zitat vorangesetzt), könnte man eine wenn auch nicht konventionelle, so doch originelle Briefform annehmen, wie sie wohl ein geistreicher und galanter Briefschreiber ausgebildet haben kann, wobei nicht einmal zwischen einem realen und einem fingierten unterschieden zu werden braucht. Das in den ersten Kapiteln aufgenommene (und am Schluß wiederholte) *Buch der Lieder*-Thema der unerwiderten Liebe, ob es nun auf die als mögliche Adressatin angenommene Madame bezogen ist oder nicht, kann durchaus Inhalt eines Briefes sein wie auch die sich daran anknüpfenden Assoziationen dieses damit ja immer virtuos verfahrenden Heineschen Aussagesubjekts. In die spielerische Briefform würden sich auch noch die Floskeln des 2. Kapitels fügen können, die eine unmittelbare Anwesenheit Madames evozieren: „Die Augen der Heldin sind schön, sehr schön — Madame, riechen Sie nicht Veilchenduft? . . . Die Stimme der Heldin ist auch schön — Madame, hörten Sie nicht eben eine Nachtigall schlagen? . . ." (III, S. 133); und zwar schon deshalb, weil es sich ja nur um durch blaue Augen und eine liebliche Stimme hervorgerufene Metaphern handelt. Auch das scherzhaft melancholische Versteckspiel des vermuteten Briefschreibers als „Graf vom Ganges" und das Durcheinander von Venedig, Hamburg, Indien fiele aus der kruden Briefform nicht heraus. — Dennoch könnte man das hier sprechende Ich auch als ein Memoiren-Ich auffassen, für das „Madame" die Stellvertreterin seiner Leser ist, am ehesten vergleichbar den ständig eingestreuten Anreden an „Sir" oder „Madam", die sich Lawrence Sternes Tristram Shandy als Leser oder „schöne Leserin" seiner „Life and opinions" vorstellt.[17] Ein Memoiren-Ich, das von einem fixen Zeitpunkt seines Lebens zurückblickt, kann zumal als fingiertes eines Memoirenromans in dieser oder jener, mehr oder weniger arabesk verschlungenen Weise zunächst und im wiederholten Unterbrechen seine Gegenwartssituation darstellen. Das *Buch Le Grand*-Ich könnte als Memoiren-Ich, zu dem es sich dann von Kapitel VI an recht eindeutig entwickelt, die zunächst als Briefinhalt angenommenen Mitteilungen und reflektorischen Ergüsse auch als seelische Gegenwartssituation zum Ausgangspunkt nehmen, die es auf allerhand krausen Gedankenwegen, wie die auf die Graf vom Ganges-Vorspiegelung folgende Träumerei von der Herkunft aus Indien (zwecks buntfarbiger Ausmalung des Lotosblumenlandes) in die Kindheit führt: „Nein, ich bin nicht geboren in Indien; das Licht der Welt erblickte ich an den Ufern jenes schönen Stromes, wo auf grünen Bergen die Thorheit wächst ..." (III, S. 140). Es ist bezeichnend, daß die Anrede „Madame" in den Memoirenkapiteln VI bis X zwar nicht ganz fallengelassen wird, aber doch zurücktritt und sozusagen in ihrem Hinwendungssinn verblaßt und funktionslos wird. Man kann es so ausdrücken: das tändelnde, assoziativ vorangetriebene Plaudern geht über in den Strom der Kindheitserinnerung, und in dem Maße, in dem sich diese zu dem Grunde herabsenkt, auf den es ankommt und der dem Buch den Namen gegeben hat, zum Tambour Le Grand und den Napoleonkapiteln, wird der durch „Madame" angegebene Zweck der Unterhaltung einer schönen Frau gewissermaßen aus dem Auge verloren, das Interesse des hier schreibenden Ich wird von dem größeren, ihn tiefer bewegenden Gegenstand in Anspruch genommen, der in einem Zentrum des Jugenderlebnisses gestanden und bis in die Gegenwart fortgewirkt hatte: le Grands sowohl reale bzw. als real geschilderte wie zugleich symbolische Titelfigur, Zentrum nicht bloß einer sehr lebendigen Jugenderinnerung, sondern zugleich eines politischen Kraftfeldes, das von dauernder Wirksamkeit für Heine geblieben war. Es ist stilistisch aufschlußreich, daß in den Le Grand-Napoleonkapiteln der tändelnde Unterhaltungston zum Verstummen kommt, sie aus dem Plauderton gleichsam herausgehoben sind. Als sie vorbei, Le Grands letzter Trommelschlag sozusagen verklungen und mit ihm die Ära Napoleons und der Französischen Revolution — „Monsieur hat in diesem Leben nie mehr getrommelt. Auch seine Trommel hat nie mehr einen Ton von sich gegeben, sie sollte keinem Feinde der Freiheit zu einem servilen Zapfenstreich dienen, ich hatte den letzten, flehenden Blick Le Grands sehr gut verstanden und zog zugleich den Degen aus meinem Stock und zerstach die Trommel" (ebd. S. 166) — setzt mit dem überlieferten Napoleonzitat „Du sublime au ridicule il n'est qu'un pas, Madame" (ebd.) der Plauderstrom wieder fröhlich ein, und unzählige Motive, zunächst das das Zitat erläuternde der „ridiculen" Repräsentanten der Restauration, tauchen in ihm auf und unter, indem sie in scheinbar willkürlichen, aber sehr gesteuerten assoziativen Anknüpfungen in andere übergehen, meist gezielte ironische Hiebe auf diese oder jene Zeiterscheinungen wie etwa auf die gelehrte Zitiermethode oder die verhaßte Kaufmannsstadt Hamburg.

Es geht uns jedoch nicht um die bekannten, hier nur angedeuteten sachlichen und Heines Auffassungen charakterisierenden Inhalte, sondern um die Form, die, so äußerlich dies klingen mag, durch die Anrede „Madame" gesetzt ist. Denn es ist zu beachten, daß die Anrede, nicht die Person selbst das bestimmende Strukturelement ist. Sie ist keine so oder so geartete Person, sondern unbestimmt, sei es als mögliche Brief- oder Memoirenadressatin. Und gerade die poetisch romantische Verwirrung der sozusagen vexatorisch ineinander geschobenen Frauenbilder in den letzten Kapiteln verstärkt den Eindruck des Imaginären der Madame bezeichneten Adressatin: hier erscheint die „schöne Freundin" in Godesberg, der der Schreiber von der kleinen toten Veronika erzählte; Madame aber ist selbst die schöne Frau, die über die Geschichte des Ritters und der Signora Laura im Palastgarten in der Brenta weint und auch selbst wohl Signora Laura ist, zugleich aber mit der kleinen toten Veronika zusammenfließt — „Die Johanne in Andernach hatte mir vorausgesagt, daß ich in Godesberg die kleine Veronika wiederfinden würde — und ich habe Sie gleich wiedererkannt —. Das war ein schlechter Einfall, Madame, daß Sie damals starben...—" (ebd. S. 192) und außerdem noch ins Imaginäre der „Sultanin von Delhi", ein Bild der Gemäldegalerie (ebd.) verwandelt wird. Alles in allem die bezaubernde Schlußfermate des anfangs intonierten „alten Stücks" unglücklicher Liebe — „Sie war liebenswürdig, und Er liebte sie; Er aber war nicht liebenswürdig, und Sie liebte ihn nicht" (ebd. S. 194) —, das nun aber nicht als solches, so wenig wie „Madame" selbst den sonstigen Inhalt dieses Reisebilderteils ausmacht und berührt. Aber nun ist das Entscheidende der fast paradoxale und nahezu raffinierte Umstand, daß „Madame" gerade als sozusagen intentionale Anredeform nicht fortgedacht werden kann. Ohne daß das, was das Erzähler- bzw. Schreiber-Ich von sich gibt, einen Bezug auf die Adressatin hat — von der man, als Person vorgestellt, vermuten könnte, daß sie sich nicht im geringsten für die Zitatenoder die Hamburgparodie, den Tambour Le Grand und selbst das „alte Stück" interessiert (außer dieses beträfe sie selbst) —, ist es dennoch der tändelnd assoziative Plauderstil an sich, der ohne die imaginäre Adressatin nicht hätte ausgebildet werden können. Der Antrieb, eine schöne Frau zu unterhalten, mag diese existieren oder nicht, ist das assoziativ wirkende Stilferment, das das „Ideen"-Gewebe hervorbringt, aus dem dieses Werk besteht. Wobei es also nur auf die Vorstellung, nicht auf die Realität einer solchen Adressatin ankommt, auf die Anrede, nicht auf die angeredete Person.

Als Heine zehn Jahre später die imaginäre impersonale Situation in eine roman- oder novellenhafte mit „wirklichen" Personen und Gesprächspartnern umgestalten wollte, scheiterte er wie überall, wo er gegen sein Talent zum Romancier werden wollte. Dies ist nicht so zu verstehen, daß es sich dabei um eine bestimmte Absicht Heines gehandelt hätte, die *Florentinischen Nächte* aus dem *Buch Le Grand* zu entwickeln und er selbst diese beiden Werke in Beziehung zueinander gesehen hätte. Aber diese tritt hervor, weil auch hier als formale Struktur eine Unterhaltungssituation hergestellt ist, nun freilich eine eindeutige, in ihrem Ambiente genau angegebene Situation der Unterhaltung zwischen zwei fiktiven, Maria und Maximilian genannten Personen: die Situation einer kranken, dem Tode nahen jungen schönen Frau, die Maximilian zur Abendstunde besucht, um sie zu unterhalten. Daß dies in Florenz geschieht, ist jedoch schon bezeichnenderweise irrelevant, die Stadt Florenz spielt keine Rolle, ja der Titel des Fragments ist in inhaltlicher Hinsicht irreführend.

Fassen wir die beiden Figuren ins Auge, die ausschließlich als Gesprächspartner die Struktur des Novellenfragments bestimmen. Es ist immer bemerkt worden, daß Maximilian eine Camouflage Heines ist. Doch ist dieser mehr oder weniger aus den Erzählinhalten zu belegende Umstand nicht entscheidend. Es kommt allein auf das strukturelle Moment an, daß die Er-Figur ohne weiteres in einen Ich-Erzähler umgeändert werden kann, und zwar eben deshalb, weil sie mit ihrer Funktion als Gesprächspartner und Geschichtenerzähler identisch ist, Geschichten, die ihrerseits Icherzählungen des Maximilian-Ich sind. Ob wir lesen: „Im Vorzimmer fand Maximilian den Arzt" oder „fand ich den Arzt" ist hier so bedeutungslos wie in den folgenden Situationen am Krankenlager Marias. Denn von diesem Maximilian erfahren wir nur durch seine eigenen Erzählungen, was Er-erzählend von ihm berichtet wird, beschränkt sich, wie im ersten angeführten Satz, auf szenische Regieanweisungen, sein Kommen und Gehen u. dgl. m. — Was nun Maria betrifft, so gehört sie zwar als kranke, sterbende Frau zu der entworfenen Romansituation, und daß sie eine Sterbende ist, hat seine romantisch makabre Bedeutung vor allem für die Erzählungen der ersten Nacht: den Zusammenhang ihrer leichenblassen Gestalt auf dem grünen Divan mit dem aus Eichendorffs *Marmorbild* entnommenen Erzählungsmotiv der ins Gras gestürzten Marmorstatue und den daran anschließenden Motiven der Liebe zu Statuen und toten Mädchen. Dennoch hat die konkrete Romanfigur der Maria nicht eine solche strukturelle Bedeutung für die Form und den Stil der Erzählung wie die imaginäre „Madame" für das *Buch Le Grand,* obwohl sie wenigstens soweit Gesprächspartnerin ist als sie mit Repliken das Gespräch unterhält, mit relativ wenigen Repliken, die in der zweiten Nacht, die die Erzählung von Mademoiselle Laurence enthält, dann fast ganz aufhören — dies sogar eigens begründet durch das Gebot des Arztes, sich nicht zu bewegen, und die Bitte Maximilians, ihn nicht zu unterbrechen. Denn die Geschichten, Betrachtungen und Erlebnisse, auf die Maximilian zu sprechen kommt: die an den Besuch der Oper anknüpfenden Erörterungen über die italienischen Frauen, die durch die Wirkung der Musik besonders schön sind, über Bellini und Rossini, die berühmte Paganini-Passage sowie die ausgedehnte Erzählung von Mademoiselle Laurence — sie alle sind nicht durch eine sie anhörende Person in ihrem Erzählduktus und -stil geprägt wie im Falle des *Buches Le Grand.* Nicht daß die Situation des Erzählens und Zuhörens aus dem Auge verloren wäre: „Ich will es Ihnen gestehen, Maria, wenn mir in England nichts munden wollte . . ." (Bd. 4, S. 353), „Ich kann Ihnen nicht beschreiben, wie sehr ich verdrießlich wurde . . ." (ebd. S. 360). An wenigen

Stellen reagiert Maria, zweimal mit: „Und das ist die ganze Geschichte?" (S. 361, 369), wobei eine kleine Situationsschilderung eingeschoben wird: „Maximilian aber drückte sie sanft nieder . . ." (ebd.). Aber ebenso wie die Schilderung des Paganinikonzerts nach dem einleitenden Gespräch ohne Repliken Marias abläuft und bis zur Unterbrechung durch den Doktor, mit der die Schlußszene der ersten Nacht einsetzt, in sich geschlossen bleibt, beeinträchtigen die kurzen Situationsszenen nicht die Laurencegeschichte, eben deshalb weil sie nichts mit ihr zu tun haben. Diese weitet sich zu einer Novelle eigener Gesetzlichkeit aus[18], in der der Ich-Erzähler eine relativ aktive Rolle spielt und die fiktionalisierenden Mittel eines Er-Romans, wie der Dialog, eingesetzt werden.

Es ist die Funktionslosigkeit der Mariafigur für die Erzählungen Maximilians, die die *Florentinischen Nächte* als einen nicht gelungenen Romanversuch Heines kennzeichnen. Hier waltet nicht das intrikate, witzige Assoziationsprinzip des *Buches Le Grand*, sondern die Geschichten sind unabhängige, auch miteinander nicht in Beziehung stehende Teile. Jede von ihnen könnte, gerade weil sie Icherzählungen sind, in dies oder jenes der *Reisebilder* eingefügt werden. Im *Buch Le Grand*, wo das Thema der Liebe zu toten Mädchen angeschlagen ist, hätten, im assoziativen Erzählstrom, auch die Geschichten vom Marmorbild, von der toten kleinen Very einen Platz haben können. Ist oder scheint doch gerade die letztere aus dem im *Buch Le Grand* angeschlagenen Motiv entwickelt, dem der sterbenden schönen Johanna, die hellseherisch den Schreiber an die kleine tote Veronika erinnert. Nicht unmöglich auch, sich vorzustellen, daß die Geschichte von Mademoiselle Laurence „Madame" so gut hätte unterhalten können wie die kranke Maria; und eine Verbindung von den Le Grand- und Napoleonkapiteln zum Zwerg Türlütü, „den Napoleon nie geliebt hatte" und der dennoch auf seinem Totenbette „über das tragische Schicksal des großen Kaisers [weinte], der ihn nie geliebt, der aber in einem so kläglichen Zustand auf St. Helena geendet" (ebd. S. 370), ließe eine Integration dieser Erzählung in ein Werk vom Charakter des *Buchs Le Grand* als denkbar erscheinen. Wie denn etwa auch Maximilians Hamburger Erlebnis des Paganinikonzerts mitsamt seiner in Visuelles umgesetzten Musik auch das des Herrn von Schnabelewopski sein könnte, der ja über romantisch phantastische Tonfarben so gut verfügt wie über grotesk karikierende. Erinnert man sich, um ein Beispiel aus einem anderen Werk anzuziehen, an die berühmte Beschreibung der Jugendlektüre des *Don Quichote* im Hofgarten zu Düsseldorf, so kann es vorkommen, daß man sie eher im *Buch Le Grand* aufsucht als an ihrer Stelle in *Die Stadt Lucca*, mitten im italienischen Milieu und den Reflexionen über Religion und Königtum, das Verhalten von Pfaffen und Junkern und eine von Heines Lieblingsideen, der „Emanzipation der Könige" (Bd. 3, S. 420), an die sich wiederum die nicht unmittelbar damit zusammenhängende Erörterung über das „Wesen des Martyrtums, alles Irdische aufzuopfern für den himmlischen Spaß" (ebd. S. 421) anschließt, die nun ihrerseits noch auf die neuere Philosophie führt, „die aller Begeisterung nur eine relative Bedeutung zuspricht und sie somit in sich selbst vernichtet oder sie allenfalls zu einer selbstbewußten Donquichoterie neutralisiert" (ebd.). Das Stichwort für die Reminiszenz der Jugendlektüre ist gefallen, die so pointiert sie hier als Symbol der idealistischen Weltansicht und in bezug auf den „verrückten Poeten" Heine selbst eingesetzt ist, stilistisch in ihrem naiv romantischen Märchenton sich doch eher in die Plauderei mit „Madame" fügen würde als in die Zusammenhänge der *Stadt Lucca*.

Das Vertausch- und Verteilungsspiel, das wir uns hier erlauben, muß und kann gewiß vom Standpunkt werkgetreuer Interpretation zurückgewiesen werden, ja widerspricht den Nachweisen ausgepichter Kalkuliertheit von Heines Prosastil, die neuerdings scharfsinnig durchgeführt worden sind.[19] Wenn es, ohne diese zu beeinträchtigen, dennoch möglich erscheint, so beruht dies nicht nur auf der gegebenen offenen Form der Reisebilder, der ja auch das *Buch Le Grand* und die *Florentinischen Nächte* nicht unterliegen. Aber auch die sie alle strukturierende Ichform an sich genügt noch nicht, diese Möglichkeit zu begründen oder zu erklären. Die formale Offenheit, die der Austauschbarkeit von Erzählstücken freilich günstig ist, scheint doch erst in dem besonderen Charakter dieses Erzähler-Ich ihren Grund zu haben, dem daher noch eine kurze Überlegung gewidmet werden muß.

Wenn Heine sich rühmte, im subjektivsten Stil zu schreiben und als speziell historischer Romanerzähler durch die dafür erforderliche Objektgebundenheit gehemmt war, so ist zunächst der Sinn des Begriffes Subjektivität etwas genauer zu bestimmen. Es ist eben mit Bezug auf den *Rabbi* gesagt worden, daß „Heines ‚Ich' ihm in seinen Prosaschriften unentbehrlich ist und er dort, wo er wegen des historischen Stoffes auf Operationen mit ihm verzichten muß, er früh die Lust am Schreiben verliert".[20] Dies ist gewiß richtig, aber trifft — denn auch beiläufig in einer Fußnote formuliert — noch nicht ganz den eigentlichen Kern der Erscheinungsform, die diese ich-strukturierte Prosa darstellt. In ihr geht es nicht um Heines Ich, oder geht es Heine nicht um s e i n Ich, d. h. um sein Ich in einem privat biographischen, existentiellen Sinne. Seltsam genug und gegen allen zunächst sich aufdrängenden Anschein gibt es in dem ganzen von uns ins Auge gefaßten Prosakomplex im Grunde nur eine Stelle, an der er wirklich von s i c h spricht und eindeutig sich meint, die berühmte Stelle in der *Reise von München nach Genua*, wo er auf dem Schlachtfeld von Marengo bekennt: „. . . Ich habe nie großen Wert gelegt auf Dichterruhm, und ob man meine Lieder preiset oder tadelt, kümmert mich wenig. Aber ein Schwert sollt ihr mir auf den Sarg legen; denn ich war ein braver Soldat im Befreiungskriege der Menschheit" (Bd. 3, S. 281). Aber nicht solche Bekenntnisse sind es, die die „Subjektivität" des Stils begründen und ausmachen. Sondern gerade hier handelt es sich um eine objektive, d. h. wenigstens von dem hier aussagenden Ich objektiv gemeinte Feststellung, deren Objekt dieses Ich selbst ist — nicht anders wie in jeder Autobiographie die Mitteilungen über Leben, das Tun und Lassen des Autobiographen es sind. Und wenn wir eine andere, auf sich selbst bezügliche Aussage, diesmal aus dem Buch

Le Grand, heranziehen, so zeigt sich bereits, daß Subjektivität des Stils nicht mit existentieller Selbstaussage identisch ist:

> Die Stadt Düsseldorf ist sehr schön ... Ich bin dort geboren, und es ist mir, als müßte ich gleich nach Hause gehn. Und wenn ich sage, nach Hause gehn, so meine ich die Bolkerstraße und das Haus, worin ich geboren bin. Dieses Haus wird einst sehr merkwürdig sein, und der alten Frau, die es besitzt, habe ich sagen lassen, daß sie beileibe das Haus nicht verkaufen solle. Für das ganze Haus bekäme sie jetzt doch kaum so viel, wie allein schon das Trinkgeld betragen wird, das einst die grünverschleierten, vornehmen Engländerinnen dem Dienstmädchen geben, wenn es ihnen die Stube zeigt, worin ich das Licht der Welt erblickt ... und auch die braune Thüre, worauf Mutter mich die Buchstaben mit Kreide schreiben lehrte — ach Gott! Madame, wenn ich ein berühmter Schriftsteller werde, so hat das meiner armen Mutter genug Mühe gekostet. (ebd., S. 144)

Auch hier spricht der „Madame" unterhaltende Brief- oder Memoirenschreiber von sich selbst, und da es sich um die Ortsangaben von Heines Geburt und Kinderzeit handelt, kann man diesem Ich das Heinesche substituieren, ja wenn man es — unstatthafterweise — genau nimmt, die Aufrichtigkeit der späteren Feststellung auf dem Schlachtfeld von Marengo, „Ich habe nie großen Wert gelegt auf Dichterruhm" mit Hinsicht auf jene in Zweifel ziehen. Nun ist aber gerade sie gefärbt von dem Gesamtcharakter des *Buches Le Gand*-Ich, dessen schillernde Unbestimmbarkeit wir festzustellen hatten. Scherzhaft spricht hier Heine von sich selbst, nicht um eine über sich selbst erkannte und bekannte Tatsache — „ich war ein braver Soldat im Befreiungskriege der Menschheit" — handelt es sich hier, sondern um ein augenzwinkerndes Scherzen über künftigen Dichterruhm, wobei vorgegebene Tatsachen — „und der alten Frau, die es besitzt, habe ich sagen lassen, daß sie beileibe das Haus nicht verkaufen soll" — als lustig erfunden durchsichtig genug werden und zwischen Wahrheit und Dichtung leicht zugunsten der letzteren entschieden werden kann. — Diese beiden Beispiele, die das biographische Ich Heines betreffen, mögen zeigen, daß, gleichgültig was der Gegenstand oder Inhalt einer Aussage ist, das eigene Ich oder ein anderer beliebiger Sachverhalt, sie objektiver oder subjektiver sein kann. Und wenn Heine von dem subjektiven Stil der Beschreibung seiner Harzreise sprach, so meinte er die Subjektivität, die mit der „Beschreibung", als einer Aussage, gegeben ist und die größer oder geringer, mehr oder weniger subjektiv, ja von so extremer Subjektivität sein kann, daß, wie wir darzulegen versuchten, die objektive Wahrheit der Beschreibung, und damit der Realitätsgrad der beschriebenen, glossierten Gegenstände, Personen, Fakten usw. nicht mehr erkennbar ist.

Es hängt damit zusammen, daß es auf das objektive Sosein der Dinge und Fakten, ihre Eigengesetzlichkeit und Zueinanderordnung primär nicht ankommt und sie sozusagen je nach „Bedarf" eingesetzt werden, in dem in hohen Maße assoziativ strukturierten Raum der Subjektivität des Erzähler-Ichs ihren Platz erhalten können. Daß dies nicht immer und auf alle Inhalte der ins Auge gefaßten

Prosa zutrifft, bedarf der Erwähnung nicht. Aber die Versetz- und Vertausch-barkeit einzelner prägnanter Stücke ist dennoch dadurch möglich — eine Mög-lichkeit, die, wie kaum nochmals hervorgehoben zu werden braucht, in der durch ein solches Ich strukturierten Form fundiert ist, die *Reisebilder* und die beiden Romanfragmente zu einem Komplex vereinigt, an dessen Rand auch letztlich noch, wie zu zeigen versucht wurde, der nur aus den erörterten offensichtlichen Gründen „verhinderte" *Rabbi von Bacherach* stößt.

Anmerkungen

1 Ich darf hier wie auch für einige folgende Stellen (S. 290, 303) auf mein Buch *Die Logik der Dichtung*. Stuttgart ²1968, verweisen, wo die Struktur der Aussage als Rela-tion von Aussagesubjekt und -objekt eingehend erörtert und das Erzählen der Er-erzäh-lenden Dichtung oder epischen Fiktion als nicht durch diese Relation strukturiert nach-gewiesen ist.

2 Zitiert wird nach *Heinrich Heines Sämtliche Werke*. Hrsg. von E. Elster, Bd. 1—7, 1887—1890.

3 Daß diese Art der Verheiratung freilich unwahrscheinlich sei, nicht zum jüdischen Ritus gehört habe, erwähnt L. Feuchtwanger in seiner — heute noch sehr brauchbaren — Dissertation *H. Heines Fragment „Der Rabbi von Bacherach*. München 1907, S. 105.

4 G. Storz: *Heinrich Heines lyrische Dichtung*. Stuttgart 1971, S. 117. — So ist es auch bezeichnend, daß Heine seine frühe Romanze *Donna Clara* (Elster, Bd. 1, S. 140 f.), die man ihrem Ton und Stil nach als höchst ironisch-satirischen Angriff auf antisemiti-sches Vorurteil liest, selbst keineswegs so gemeint hatte und verstanden wissen wollte: „Das Gedicht ... sollte wahrlich kein Lachen erregen, noch viel weniger eine mokante Tendenz zeigen ... das Ganze hätte ich ernst-wehmütig, und nicht lachend, aufgefaßt, und es sollte sogar das erste Stück einer tragischen Trilogie werden" (an L. Robert, 27. XI. 1823. Hirt, Bd. 1, S. 122). Dazu auch Laura Hofrichter: *Heinrich Heine*. Göttin-gen 1966, S. 65.

5 L. Feuchtwanger, a. a. O., S. 105; E. Löwenthal: *Der Rabbi von Bacherach*. Heine-Jahrbuch 1964, S. 15.

6 J. L. Sammons: *Heinrich Heine. The Elusive Poet*. New Haven 1969, S. 312.

7 Dazu F. Finke: *Zur Datierung des „Rabbi von Bacherach"*. Heine-Jahrbuch 1965.

8 Daß die komisch-groteske Zeichnung dieser Figuren auch einen bitter tragischen Beigeschmack hat, enthüllt das Wort des Rabbi: „Sieh, schöne Sara" — sprach er seuf-zend — „wie schlecht geschützt ist Israel! Falsche Freunde hüten seine Thore von außen, und drinnen sind seine Hüter Narrheit und Furcht!" (Bd. 4, S. 474).

9 In der Tat hatte Heine, wie M. Windfuhr (*Heinrich Heine*. Stuttgart 1969, S. 184, Fußn. 1) mitteilt, die Absicht, das Fragment entweder in die *Reisebilder*, 2. Band oder in Salon I einzufügen.

10 M. Windfuhr: *Heines Fragment seines Schelmenromans*. Heine-Jahrbuch 1967.

11 Als Beispiel dafür sei Walter Scotts Analyse in seinen *Lives of the Novellists*, 1825, genannt.

12 Was das letztere betrifft, so könnte man, wie M. Windfuhr es tut, in den vier Liebesbeziehungen, die zur Sprache kommen: Jadwiga, die Hamburger Dirnen Heloise und Minka, die schöne Holländerin im Theater zu Amsterdam und die kugelrunde Leide-ner Wirtin zur roten Kuh, Liebesabenteuer sehen, in die Schnabelewopski als Akteur verwickelt ist (während er sonst, wie auch Windfuhr hervorhebt, außerhalb des eroti-schen Bereiches nur Beobachter ist (a. a. O., S. 28). — Aber im Stile der Abenteurerromane verhält es sich auch hier nicht. Panna Jadwiga bleibt Traumgestalt und repräsentiert in ihrer stereotypisch romantischen Bildhaftigkeit den sentimental poetischen Teil des Memoirenschreibers, gegensätzlich zu dem durch die Hamburger Dirnen und auch die Wirtin zur roten Kuh bezeichneten sinnlich materiellen Erlebnisbereich, der seinerseits zu der durch Hamburg und Holland vertretenen „Signatur" der Materialismus-Idee gehört. So werden denn im Grunde keine Liebesabenteuer erzählt, sondern die Partne-rinnen werden in ihren sinnlichen Erscheinungen unterschiedlicher Art beschrieben, am lustig pointiertesten, weil mit der Beköstigungsidee verbunden, die dicke appetitliche Wirtin zur roten Kuh, die zugleich, wie H. Meyer gezeigt hat, auf die holländische Chinoiserie-Liebhaberei hin gezeichnet ist. (*Das Bild des Holländers in der deutschen Literatur*. In: *Zarte Empirie*. Stuttgart 1963, S. 215 f.) Dort wo die Erzählung der eines Liebesabenteuers am nächsten kommt, in der Theaterlogenszene zu Amsterdam, wird sie so diskret wie erzählerisch raffiniert abgebrochen: „Aber nein — die ganze Geschichte, die ich hier zu erzählen dachte, und wozu der fliegende Holländer nur als Rahmen dienen sollte, will ich jetzt unterdrücken." (Bd. 4, S. 118) — und es ist eben im Rahmen des fliegenden Holländers, daß die holländische „Messaline" gegenbildlich eingesetzt ist.

13 Nun ist karikaturistische Darstellung freilich nicht an die Ich-erzählende Form gebunden, sondern kann in die Personengestaltung jeder Erzählung eingehen, wie z. B. Figuren in Thomas Manns *Zauberberg*, von Hofrat Behrens bis zu Frau Stöhr und selbst noch Mynheer Peeperkorn, nicht ohne karikierende Zeichnung gestaltet sind. Aber wie-derum sind es die gattungsbedingten Formen, durch die auch das karikierende Verfahren funktionell bestimmt ist. In der Er-Erzählung, der epischen Fiktion, sind karikaturistisch gezeichnete Figuren ohne Bezug auf ein mehr oder weniger boshaft oder auch scherzhaft beschreibendes Ich. Das heißt sie sind nicht Objekte seines karikierend eingestellten Blik-kes, die Frage übertreibender Entstellung von Wirklichkeit kann nicht gestellt werden (außer man sucht nach etwaigen Modellen, was aber mit der jeweiligen Romanwelt nichts zu tun hat). Sie sind nicht Objekte der Beobachtung und Beschreibung, sondern als solche so oder so gestaltete Figuren.

14 So A. Betz: *Ästhetik und Politik. Heinrich Heines Prosa.* München 1971. S. Gru-bačič: *Heines Erzählprosa.* Stuttgarter Diss. (Masch.) 1972.

15 Heine war sich denn auch bewußt, mit Hirsch eine richtige Romanfigur geschaf-fen zu haben: „Mein Hyacinth ist die erste ausgeborene Gestalt, die ich jemals in Lebens-größe geschaffen habe. Sowohl im Lustspiel wie im Roman werde ich dergleichen wei-tere Schöpfungen versuchen." (An Varnhagen 3. 1. 1830, Hirth, Bd. 1, S. 411.)

16 Sammons, a. a. O., S. 159.

17 Zum Beispiel „I must beg leave, before I finish this chapter, to enter a caveat in the breast of my fair reader ... All I plead for, in this case, Madam, is strict justice ..." (Book I, Chapter 18); „And in this, Sir, I am of so nice and singular a humour ..." (Book I, Chapter 25). — Ob eine direkte Anregung auf Heine hier vorliegt, ist kaum festzustellen, doch nicht wahrscheinlich. Eingehendere Äußerungen Heines über Sterne finden sich erst in der *Romantischen Schule* (Vergleich Jean Pauls mit Sterne), doch be-zeugen Briefe von 1823, 1828 und 1829, daß er ihn natürlich kannte. Eine ältere Arbeit von John C. Ransmeier, *Heines „Reisebilder"* und *Lawrence Sterne* (Archiv f. d. Stu-dium d. neueren Sprachen u. Literaturen, 61. Jahrg., Bd. 98, 1907, S. 289—317) zieht eingehende Vergleiche mit beiden Hauptwerken Sternes, doch geht beim Vergleich mit dem *Buch Le Grand* nicht auf dies — an sich ja auch nicht bedeutsame — formale Mo-ment ein. — Die Beobachtung, daß die briefliche Plauderei auf mündliche Rede hin ten-diert, wird dagegen in der Anm. 14 angeführten Dissertation von S. Grubačič gemacht und auf Sterne hingewiesen.

[18] A. Betz sieht die Figur der Mademoiselle Laurence als Allegorie der Freiheitsidee der französischen Revolution, a. a. O., S. 101 f.

[19] Dazu vor allem W. Preisendanz: *Der Funktionsübergang von Dichtung und Publizistik bei Heine.* In: *Die nicht mehr schönen Künste. Poetik und Hermeneutik III.* München 1968.

[20] A. Betz, a. a. O., S. 158.

HORST RÜDIGER

VITZLIPUTZLI IM EXIL*

Über *Vitzliputzli*, die umfangreichste und an exponierter Stelle des *Romanzero* — als Abschluß der *Historien* — eingeordnete Romanze, hat sich Heinrich Heine nur beiläufig geäußert.[1] Doch scheint er sie besonders geschätzt zu haben: Er veranlaßte einen Bekannten, Saint-René Taillandier, das Gedicht zusammen mit fünf anderen *Historien* in französischer Übersetzung in der *Revue des deux Mondes* zu veröffentlichen. Diese Arbeit war als Ankündigung und „bedeutende Reclame" für die ganze Sammlung gedacht; sie erschien am 15. Oktober 1851, etwa gleichzeitig mit der 1. Auflage des *Romanzero* in deutscher Sprache, welcher bis Jahresende rasch drei weitere Auflagen von je 5 000 bis 6 000 Stück folgten.[2] Das Verbot des Buches in Österreich, die Verbrennung in Preußen und ein Prozeß wegen „Unsittlichkeit" ließen ebenfalls nicht auf sich warten.[3] Heine war empört[4]: „Die Beschuldigung der Immoralität ist eine Lüge ..." Hatte er doch seinem Verleger Campe den *Romanzero* ein Jahr vor dem Erscheinen als „die dritte Säule meines lyrischen Ruhmes" (nach dem *Buch der Lieder* und den *Neuen Gedichten*) angekündigt[5] und nicht nur die künstlerisch unbefriedigenden, sondern auch die politisch etwa anstößigen Gedichte eliminiert. Zwei Monate nach dem Erscheinen versicherte er freilich der Mutter und der Schwester[6], der *Romanzero* sei „ein sehr schwaches Buch, man darf es aber nicht sagen. Ich habe es mit gelähmten Kräften geschrieben ..." Gewiß ist jedoch, daß er an diesem Buch gefeilt hat wie an keiner anderen lyrischen Sammlung[7]; selbst auf die typographische Gestaltung legte er hohen Wert[8], denn er wollte „immer honnett und proper in jedem neuen Buche vor dem Publikum erscheinen". Künstlerische Gewissenhaftigkeit ist eines der hervorstechenden Merkmale des *Romanzero*.

Dies gilt besonders für *Vitzliputzli*. Das Gedicht besteht aus einem *Präludium* von 20 Strophen und drei Teilen von 54, 38 bzw. 39 Strophen, was man seit Walzel gern mit der Hegelschen Trias in Verbindung gebracht hat.[9] Die Strophen sind der spanischen Romanze nachgebildet. Im Hinblick auf diese Form, auf den Aufbau und das historische Kolorit steht das Gedicht der postum (1869) veröffentlichten *Bimini*-Romanze am nächsten. Ihr geht ebenfalls ein *Prolog* voraus, der sich durch lyrisch-ichbezogene Haltung von den vier berichtenden Hauptteilen unterscheidet. Trotz einigen Digressionen kreist das Gedicht, das im April 1853 entstanden ist[10], um ein zentrales Thema: die Illusion von Bimini, „dem ew'gen Jugendlande" (II, 17 f.[11]), das sich dem gealterten Juan Ponce de

León, einem der spanischen Conquistadoren, beim Betreten als Land des Todes enthüllt. Der *Prolog* ist den Hauptteilen deutlich zugestaltet: Der Dichter selbst ist der Bimini-Illusion verfallen und wird grausam aus seinen Träumen gerissen. Man geht nicht fehl, wenn man Juan Ponces „Irrfahrt / Nach der Insel Bimini" (IV, 1) als Spiegelbild von Heines eigener „Narrenfahrt ins Land der verstorbnen / Jugendträume" (*Prolog* 50, 31) versteht.[12]

Anders in *Vitzliputzli*. Zwar spielt das Gedicht ebenfalls in der Neuen Welt, und einer seiner Protagonisten ist Hernando Cortez, der Eroberer Mexikos. Aber nicht nach ihm heißt die Romanze, sondern nach einem mexikanischen Dämon, der erst im II. Teil genannt wird (II, 8 u. ö.). Sein ursprünglicher Name ist Huitzilopo(s)chtli; er ist der Herr des Krieges, der Unterwelt, auch der Sonne und der Wolken.[13] Die verballhornte deutsche Namensform, die Heine schon früher verwandte[14], ist nicht seine Erfindung, obwohl er mit Namen gern recht willkürlich umgeht. Sie scheint zuerst in Christian Weises *Drey ärgsten Ertz-Narren in der gantzen Welt* (1672) belegt; dann findet sie sich als Name eines Teufels in Maler Müllers *Fausts Leben dramatisiert* (1778), in Hebels alemannischem Hexameter-Gedicht *Der Karfunkel* (¹1803)[15], endlich in der Schlußstrophe des nachgelassenen Gedichtes „Süßes Kind, die Perlenreihen ..." aus Goethes *Divan*.[16] Heine ist der Name vielleicht bei Maler Müller begegnet, dessen Drama er für seine eigenen *Faust*-Studien wohl gelesen hat. Woher auch immer er die Anregung empfangen haben mag — in unserem Zusammenhang ist der Name so unwesentlich wie die möglichen Quellen des *Vitzliputzli*-Stoffes; vielmehr interessiert uns hier, wie Heine den in der deutschen Literatur bereits bekannten Dämon für seine Zwecke umgestaltet — was er aus ihm gemacht hat.

Wir gehen bei unseren Überlegungen vom *Präludium* aus, das den Interpreten Schwierigkeiten bereitet hat. Es trug ursprünglich den Titel *Amerika — Präludium zum Vitzliputzli,* was zu der Annahme verleiten konnte, es sei erst später der erzählenden Trilogie vorangestellt — um nicht zu sagen: mit ihr zusammengeflickt worden. Giorgio Calabresi sieht es zwar im Zusammenhang mit der gesamten Historie, lenkt aber seine wortreiche Paraphrase nachdrücklich auf die letzte Strophe des Gedichtes mit dem Racheschwur des beleidigten Dämons (III, 39; vgl. den Abdruck u. S. 313 f.)[17]: „Potrebbe sembrare a prima vista che tutta la costruzione della piccola epopea fosse in funzione dell'ultima parola ..." Doch so sei es in Wirklichkeit nicht; Calabresi schlägt eine sentimental-harmonisierende Lösung vor:

> ... ci vediamo innanzi [nell'ultima stanza] non il fantoccio di legno, orrido, grottesco e vendicativo; e nemmeno il guerriero spagnolo inginocchiato nell'atto di religiosa umiltà ... con le mani ancora lorde del sangue degli indiani da lui traditi; ma un uomo, soltanto un uomo. E la terribile Ultima Stanza è scomparsa d'incanto, per far luogo ad una cameretta malinconica. Nella grigia luce del nebbioso inverno parigino, egli è disteso bocconi per terra, sopra un materasso ... ecc.

Nun, die furchtbare Schlußstrophe läßt sich auch mit melodramatischer Zauberei nicht auslöschen; vielmehr ist die g e s a m t e Dichtung — und zwar einschließlich des *Präludiums* — in der Tat auf sie hin angelegt, wie wir sehen werden. Aber Calabresi hat richtig geahnt, daß sich im Schluß des *Vitzliputzli* eine Beziehung zur Person des Dichters, zu seinem ganz individuellen Leiden, verbirgt. — Hella Gebhard erkennt im *Präludium* „die Ahnenschaft Rousseaus" und des Saint-Simonismus, sieht im ganzen Gedicht „Geschichtspessimismus" und im Schluß die Drohung des Dämons, „sich in einen Habgierteufel zu verwandeln und als solcher, seines Volkes Untergang rächend, die siegreichen Feinde zu quälen".[17a] — Cuno Ch. Lehrmann geht einen Schritt weiter. Für ihn ist *Vitzliputzli* zwar „das Glanzstück des *Romanzero*"; aber er macht es sich allzu leicht, wenn er resümiert[18]:

> Die Überlebenden ... brachten mit dem gelben Metall a u c h n e u e K r a n k -
> h e i t e n herüber, und durch beides rächte Vitzliputzli sich an den übermütigen
> Spaniern ... Die grausamen Methoden der spanischen Eroberer rächten sich, nach
> der Verheißung des Alten Testamentes, an ihren Kindern und Kindeskindern, die
> trotz märchenhaften Goldsegens in Not und Armut versanken. Hier tritt der Grund-
> gedanke des *Romanzero* eindeutig hervor.

Dies ist mit Sicherheit nicht der „Grundgedanke des *Romanzero*", doch auch Lehrmann hat etwas Richtiges geahnt, ohne seinen Einfall zu verfolgen. — Noch leichter hat es sich Fritz Strich in seiner Auswahl von Heines *Gedichten* gemacht, indem er das *Präludium* einfach ausläßt[19] — offenbar in der Annahme, auf diese Weise unorganisches Beiwerk entfernt zu haben. — S. S. Prawer trennt zwar das *Präludium* nicht ausdrücklich von der Historie, stellt es aber in scharfen Gegensatz zu ihr[20]: „... from the business of living ... *Präludium* presents yet another attempt to escape; a thwarted attempt which ends in the inferno of *Vitzliputzli* ..." — In seiner Art am konsequentesten verfährt Gerhard Storz[21], indem er das *Präludium* in extenso abdruckt und ihm im Anschluß an die Interpretation der drei Hauptteile eine eigene Betrachtung widmet.

> Dieser Prolog kündigt nicht an, ja er steht ... fast im Widerspruch zu dem, was
> ihm folgt. Fast möchte man glauben, dieses Präludium sei als selbständiges Ge-
> dicht konzipiert und erst später dem *Vitzliputzli*-Zyklus vorangestellt worden.
> Indessen findet sich die Bindung an den Zyklus und die Überschrift *Präludium*
> schon in der Handschrift.

Storz faßt seine Überlegungen folgendermaßen zusammen: „So begrüßte denn unser Gedicht in seinen ersten Versen jubelnd die neue, jugendliche Welt, der Dichter versetzt sich mitten hinein in sie, aber wie merkwürdig — dies geschieht im *Präludium* zu einer Gedichtreihe, die eitel Schlacht- und Abschlachtungsszenen darbietet." Also auch hier der Eindruck des Unorganischen, ja geradezu Widersinnigen bei der Verbindung von *Präludium* und Historie.

Ich gestehe, daß mich alle diese Lösungen bei einem Künstler vom Range Heines nicht befriedigen; auch sein eigener Hinweis auf die „gelähmten Kräfte" scheint mir wenig überzeugend für ein Gedicht, dessen Schluß die ungebrochene Kraft des Wortes zu visionärer Gewalt steigert. Gerade diese Klimax vom lyrisch verspielten, arabeskenhaft ausgeweiteten *Präludium* über den historischen Bericht, der auf der Ebene des Epischen ebenfalls präludiert, bis zum Racheschwur während der Götterdämmerung ist e i n e s der Gesetze, nach denen das Gedicht gebaut ist. Ein anderes ist die Antithese. Vor allem das *Präludium* selbst ist antithetisch aufgebaut (1—5). „... die Neue Welt ... in Flutenfrische ..."

> Wie gesund ist diese Welt!
>
> Ist kein Kirchhof der Romantik,
> Ist kein alter Scherbenberg ...
>
> Aus gesundem Boden sprossen
> Auch gesunde Bäume — keiner
> Ist blasiert und keiner hat
> In dem Rückgratmark die Schwindsucht.

Die Erinnerung an europa- und romantikmüde Zeitstimmungen in der ersten Hälfte des 19. Jahrhunderts drängt sich auf. So schlägt sich im *Wilhelm Meister* und in Goethes Gesprächen der spielerisch umkreiste Wunsch nieder, nach Nordamerika auszuwandern, und das Xenion *Den Vereinigten Staaten* ist eine Absage an „verfallene Schlösser" und an „Ritter-, Räuber- und Gespenstergeschichten", die der historisch unbelasteten glücklichen „Gegenwart" in der Neuen Welt gegenübergestellt werden.[22] Doch für Heine ist gerade die (mittel-)amerikanische Geschichte in höchstem Maße belastet, und für ihn liegt der Nachdruck auf dem Gegensatz gesund — krank, der bei Goethe in diesem Zusammenhang fehlt. Natürlich denkt man sogleich an die oft zitierte und viel strapazierte Äußerung Goethes zu Eckermann[23]: „Das Klassische nenne ich das Gesunde und das Romantische das Kranke"; aber man braucht Heines Antithese nicht auf Goethes Diktum zurückzuführen[24]: Der Gedanke lag ihm selbst nahe genug. Überdies spricht Heine von einer persönlich erlebten und erlittenen Krankheit, die mit medizinischer Exaktheit präzisiert scheint: Rückenmarksschwindsucht, Tabes dorsalis.

Neben den Prinzipien der Klimax und der Antithesen bedient er sich im *Präludium* zum *Vitzliputzli* wie in den folgenden Teilen dieser Historie und in zahlreichen anderen Gedichten des Stilmittels der assoziierenden Reihung und der Digression. Er hatte Byron und Sterne gut gelesen und wußte ihre Künste anzuwenden. So beginnt er mit einem Salut au Nouveau monde, bietet als Gegenbilder die ganze Skala der trivialen Apparatur vom „Kirchhof" und „Kyffhäuser" bis zum „Venusberg und andern / Katakomben der Romantik" auf, assoziiert zu den „gesunden Bäumen" alsbald die „großen Vögel", die auf den Ästen „schaukeln", pointilliert impressionistisch — gleichsam in Nahaufnahme — das „Gefieder / Farbenschillernd", die „langen Schnäbel" und die „Augen, / Brillenartig schwarz umrändert", wobei ihm die „Vögelsprachen" einfallen und der Hinweis auf den vogelsprachkundigen Salomo mit seinen „tausend Weibern" nicht fehlt; die Papageien wiederum evozieren „unerhörte, wilde Düfte", welche der „grübelnde Geruchsinn" vergeblich in London oder „Rotterdam" zu lokalisieren versucht; ein erschreckter „Affe" huscht vor dem Eindringling fort — und ermöglicht den politischen Schlußschnörkel von den „Affensteißcouleuren schwarz-rot-goldgelb". Über den Geschmack dieses Vergleiches braucht man keine Worte zu verlieren; unbestreitbar ist die Fähigkeit Heines, die divergentesten Impressionen in einem eindrucksvollen Potpourri zu integrieren. Mischung von objektiven historischen Reminiszenzen mit der Stimmung des Exotismus, die für den ganzen *Romanzero* charakteristisch ist, und mit dem allerpersönlichsten Bekenntnis ist ein Merkmal von Heines *Historien*-Stil. Es kann schneidende Stilbrüche hervorrufen, die man gewöhnlich unter dem Stichwort ‚Ironie' abhandelt; es hat aber Heine auch zum ersten wahrhaft potenten Feuilletonisten und Pamphletisten der neueren deutschen Literatur werden lassen, vergleichbar mit den römischen Satirikern, mit Hutten, Pietro Aretino, Voltaire, Swift. Dabei ist die sprunghafte Reihung der Assoziationen und Digressionen durch kunstvoll gebosselte Übergänge vom einen Thema zum anderen in eine Form gebracht, welche die Willkür des lediglich Assoziativen auffängt, und was zunächst wie ein blinder pittoresker Einfall wirkte, erweist sich alsbald als wohlkalkulierter Effekt, besonders deutlich in der Episode des kreuzschlagenden Affen.

Ich habe nicht die Absicht, den vorhandenen Interpretationen des *Vitzliputzli*[25] eine weitere zuzufügen, und übergehe deshalb das Kernstück der Historie: die Geschichte vom „Helden" Columbus, der uns „eine ganze Welt geschenket" hat (I, 7 f. — hier wird die Anknüpfung an das *Präludium* zum ersten Male deutlich), mit der Arabeske vom größeren „Helden" Moses, „der uns e i n e n Gott gegeben" (I, 11), und die wiederum antithetisch zugeordnete Geschichte vom Unhelden Cortez, von seinem Verrat am vertrauensvollen Eingeborenenfürsten Montezuma und vom blutigen Rückzug der Spanier. Ich übergehe auch das mit weit grelleren Farben gemalte Historientableau vom „Mysterium ... ‚Menschenopfer'" (II, 21 f.) — die grausige Anthropophagenorgie in der ‚noche triste', als „das Vollblut / Von Altchristen" in Strömen fließt (II, 25),

> das sich nie,
> Nie vermischt hat mit dem Blute
> Der Moresken und der Juden.

Hier versteht man, was Heine an dem Stoff zunächst angezogen hat: die Empörung über den unmenschlichen Rassenstolz und Christenhochmut der Conquistadoren und der Inquisitoren — und die Sympathie mit der causa victa, mit den Moresken, den Juden, den Azteken.

Die Menschenopfer werden Vitzliputzli dargebracht, „Mexikos blutdürst'gem Kriegsgott" (II, 8—10). Er ist zwar „ein böses Ungetüm",

> Doch sein Äußres ist so putzig,
> So verschnörkelt und so kindisch,
> Daß er trotz des innern Grausens
> Dennoch unsre Lachlust kitzelt —
>
> Und bei seinem Anblick denken
> Wir zu gleicher Zeit etwa
> An den blassen Tod von Basel
> Und an Brüssels Mankepiß.

Wiederum darf man nicht nach dem Geschmack des Vergleiches fragen; Bilder- und Metaphernsynkretismus gehört zu Heines extremen Kunstmitteln — harmloser, aber mit noch kräftigeren Kontrasten ausgeprägt in *Bimini*, wo es von der alten Kaka heißt (III, 35):

> Rokoko-anthropophagisch,
> Karaibisch-Pompadour,
> Hebet sich der Haarwulstkopfputz . . .,

wo die Göttin der Liebe gar als „Doña Venus Aphrodite" apostrophiert wird (IV, 4). Gerade die grotesk-komischen Züge des Vitzliputzli sind im weiteren Verlauf des Gedichtes selbstverständlich mit Absicht angebracht, wenn auch nur durch die Verdrehung des Namens (III, 4, 8, 17) „Vitzliputzli, Putzlivitzli" und durch seine Verbalisierung (III, 22):

> Vitzliputzelt er vergnügt
> In dem honigsüßen Goldlicht?

Doch selbst dieses billige Mittel verfehlt im Kontext seine Wirkung nicht: Der kindisch-alberne Zug, die fade Abgeschmacktheit läßt den Racheschwur des Dämons um so grausiger, die Art seiner Rache um so heimtückischer erscheinen.

Ist Vitzliputzli im II. Teil nur amüsierter Genießer (III, 4) der gräßlichen Schlachtszene, so wird er am Ende des Gedichtes auf seine Weise tätig. Vorbereitet wird der Höhepunkt durch das Gebet des Opferpriesters um Rache und Sieg über die Eindringlinge (III, 11, 14):

> Was ist ihr Begehr? Sie stecken
> Unser Gold in ihre Taschen,
> Und sie wollen, daß wir droben
> Einst im Himmel glücklich werden . . .
>
> Menschen sind sie und nicht schöner
> Als wir andre, manche drunter
> Sind so häßlich wie die Affen . . .

Doch auf die Goldgier, den Missionseifer und die Red-is-beautiful-Rhetorik geht Vitzliputzli gar nicht ein. Er läßt sich etwas Teuflischeres einfallen. Seine Rede, welche die letzten 21 Strophen des Gedichtes umfaßt, bedarf einer genauen Analyse. Ihr erster Teil enthält die Aufforderung an den Priester, nicht etwa seine Enkel abzuschlachten, wie er es dem Dämon vorgeschlagen hatte (III, 7), sondern sich selbst (III, 19). Dann soll die „nackte Seele" (III, 24, 30) zu Vitzliputzlis „Muhme", der „Rattenkön'gin", trippeln (III, 20 f.), die sich nach Vitzliputzlis Befinden erkundigen wird. Der Priester soll ihr Vitzliputzlis Gruß und Fluch bestellen, denn sie hat zum Krieg geraten und damit „des Reiches Untergang" verursacht (III, 26). Hier ist eine der Nahtstellen, an denen man Heines Art der assoziativen Verknüpfung einander entlegener Vorstellungen genau beobachten kann (III, 27—29):

> Weiberwille, Gotteswille,
> Doppelt ist der Gotteswille
> Wenn das Weib die Mutter Gottes . . .
>
> Diese ist es, die mir zürnet . . .
>
> Sie beschützt das Spaniervolk
> Und wir müssen untergehen . . .

Die „Rattenkön'gin" verwandelt sich gleichsam unter der Hand in die katholische „Himmelsfürstin, / Eine Jungfrau sonder Makel", deren Zauberkunde und Wunderkraft das „arme Mexiko" nicht gewachsen ist (III, 28 f.). „Nach vollbrachtem Auftrag" aber soll des Priesters „Seele" sich „in ein Sandloch" verkriechen, um nicht Zeuge der Götterdämmerung zu werden (III, 30).

Der zweite Teil von Vitzliputzlis Rede ist eine Prophezeiung. Der Tempel des Dämons wird zusammenstürzen, ihn selbst wird man nicht wiedersehen.

> 32 Doch ich sterbe nicht; wir Götter
> Werden alt wie Papageien,
> Und wir mausern nur und wechseln
> Auch wie diese das Gefieder.
>
> Nach der Heimat meiner Feinde,
> Die Europa ist geheißen,
> Will ich flüchten, dort beginn ich
> Eine neue Karriere.
>
> Ich verteufle mich, der Gott
> Wird jetzund ein Gott-sei-bei-uns;
> Als der Feinde böser Feind
> Kann ich dorten wirken, schaffen.
>
> 35 Quälen will ich dort die Feinde,
> Mit Phantomen sie erschrecken —
> Vorgeschmack der Hölle, Schwefel
> Sollen sie beständig riechen.

Ihre Weisen, ihre Narren
Will ich ködern und verlocken;
Ihre Tugend will ich kitzeln,
Bis sie lacht wie eine Metze.

Ja, ein Teufel will ich werden,
Und als Kameraden grüß ich
Satanas und Belial,
Astaroth und Beelzebub.

Dich zumal begrüß ich, Lilis,
Sündenmutter, glatte Schlange!
Lehr mich deine Grausamkeiten
Und die schöne Kunst der Lüge!

39   Mein geliebtes Mexiko,
Nimmermehr kann ich es retten,
Aber rächen will ich furchtbar
Mein geliebtes Mexiko.

Zunächst fällt die neuerliche Anknüpfung an das *Präludium* ins Auge: Man
versteht, weshalb Heine den „großen Vögeln" dort vier Strophen gewidmet hat
(6—10), weshalb der Dämon sich jetzt mit den Papageien vergleicht. Das
Tertium comparationis ist das Alter und die Fähigkeit zur Mauserung, zum
„Gestaltwandel der Götter". Damit nimmt Heine eine Idée maîtresse auf, die
er bereits in zahlreichen Schriften behandelt hatte: in den *Elementargeistern* und
den *Göttern im Exil*, in der Ballettskizze *Die Göttin Diana* und den *Erläuterungen* zum *Doktor Faust*, endlich in der Historie vom *Apollogott*, der sich zum
„Rabbi Faibisch" (= Phoibos) verwandelt hat. Das Thema ist immer das gleiche;
im Vorwort zum Erstdruck der *Götter im Exil* (1853) hat Heine es auf die
einfachste Formel gebracht[26]: „die Verteufelung der Götter" oder, wie es in den
Elementargeistern heißt[27], die „Transformation der altheidnischen Götter …
Sie sind nicht tot; sie sind unerschaffene, unsterbliche Wesen, die nach dem Siege
Christi, sich zurückziehen mußten in die unterirdische Verborgenheit, wo sie …
ihre dämonische Wirtschaft treiben." Die Sage vom Tannhäuser im Venusberg
ist für Heine und — durch die *Elementargeister* angeregt — für Wagner[28] das
Paradebeispiel. In allen diesen Fällen hat sich Heine in der Regel mehr oder
weniger eng an ältere Quellen oder an die zeitgenössische Literatur — Paracelsus,
Kornmann, die Brüder Grimm, Eichendorff, Alexis usw. — gehalten und den
Gestaltwandel griechischer, römischer oder germanischer Götter und Geister behandelt. In den *Historien* bleibt die Grundidee zwar erhalten, aber Heine gestaltet das Götterschicksal im *Apollogott* wie im *Vitzliputzli* mit freier Phantasie;
er schafft selbst einen Exilmythos. Und für uns noch wichtiger: Er überträgt das
Götterschicksal im *Vitzliputzli* auf einen altmexikanischen Dämon. Auch dieser
flüchtet und beginnt „eine neue Karriere" — aber in Europa. Auch er verteufelt
sich — aber seine teuflischen Funktionen sind anderer Art als die der Diana,

des Apollo, des Bacchus, des Hermes Psychopompos oder des alten Jupiter auf der Kanincheninsel der Walfischfänger.

Auf den ersten Blick sieht es so aus, als hätte Heine die volkstümlich-christlichen Vorstellungen vom Teufel — „Gott-sei-bei-uns“, „böser Feind“, „Vorgeschmack der Hölle, Schwefel ...“ — einfach auf Vitzliputzli übertragen. Und in einigen Fällen kann man mit ziemlicher Sicherheit die Stellen bezeichnen, von denen Heine sich hat anregen lassen. Wenn der Dämon in Europa „wirken, schaffen, / Quälen“ will, so hat Goethes *Prolog im Himmel* (v. 343) die Anregung gegeben, wo Mephisto ebenfalls „reizt und wirkt und muß als Teufel schaffen“. Nimmt man die „Muhme / Rattenkön'gin“, die am „Laubfroschteiche“ hockt, und die Belästigung Vitzliputzlis durch „Fliegen“ hinzu (20—22), so drängt sich wiederum die Erinnerung an Goethes Mephisto auf: Auch er hat eine „Muhme“, die „Schlange“ (v. 2049), wird „Fliegengott“ genannt (v. 1334) und ist unter anderem „Herr der Ratten ..., der Fliegen, Frösche ...“ (v. 1516 f.; vgl. auch die Szenenanweisung nach v. 6591 und den folgenden „Chor der Insekten“, die Mephisto „Vater“ nennen). „Fliegengott“ ist der hebräische Beezebúl nach dem Philistergott Baal Zebul oder Zebub[29], dann nochmals verballhornt zu „Beelzebub“, den Heine als „Kameraden“ Vitzliputzlis im Exil nennt (37). Es ist schon so, wie er am Schluß der „Einleitenden Bemerkung“ zum *Doktor Faust* sagt[30], die er am 1. Oktober 1851, also nicht lange vor dem Erscheinen des *Romanzero*, geschrieben hat: „In der Literatur wie im Leben hat jeder Sohn einen Vater, den er aber freilich nicht immer kennt, oder den er gar verleugnen möchte.“

Doch die Aufgabe des Literarhistorikers beschränkt sich nicht auf die Vaterschaftsfeststellung; seine Neugier drängt ihn zu wissen, was aus dem Sohne geworden ist. Vitzliputzli begibt sich in die Gesellschaft altorientalischer Dämonen. Mit einem Verfahren, das man in Anlehnung an den oben (S. 312) erwähnten Metaphernsynkretismus als Dämonensynkretismus bezeichnen könnte, nennt Heine als Vitzliputzlis Exilgefährten „Satanas und Belial, / Astaroth und Beelzebub“ sowie „Lilis, / Sündenmutter, glatte Schlange“. Die ersten vier kannte er natürlich aus der Bibel, aber auch aus dem 23. Kapitel der *Historia von D. Johann Fausten*, wo sie neben weiteren „Hellischen Geistern“ dem Helden des Volksbuches vorgestellt werden.[31] Während Satan als ‚Widersacher‘ und Ankläger des Menschen vor dem Herrn (*Hiob* 1; 2), Belial als Antichrist kat'exochen (*2. Kor.* 6, 15) und „Redelführer“ der bösen Schar (*Historia* 53), Beelzebub als ἄρχων τῶν δαιμονίων, nach Luther „der Teufel öberster“ (*Matth.* 12, 24), in der Hierarchie einen hohen Rang einnehmen, gehören Astaroth und besonders Lilis eher in die niederen Regionen. Ihnen ist auch „Katzlagara“, die von Heine erfundene mexikanische „Unheilsgöttin“

> Mit den schwarzen Eisenpfoten,
> Die in Otterngift getränket,

zuzurechnen (III, 23). Sie verdankt ihren Namen wohl der Vorstellung von einer theriomorphen orientalischen Gottheit, vielleicht einer katzenköpfig dargestellten Göttin der Ägypter, deren hundsköpfige Vettern Heine bekannt waren und die er schon früher im Zusammenhang mit Vitzliputzli erwähnt hatte (vgl. u. Anm. 14). Mahnt doch auch Vitzliputzlis Tempel „seltsam ... an ägyptisch",

> Babylonisch und assyrisch
> Kolossalen [sic] Bauwerkmonstren,

die Heine aus der Historienmalerei seiner Zeit kannte (II, 3 f.). Falls Mephisto mit seiner Behauptung (v. 1331 f.) recht hat, „das Wesen" der Dämonen könne man „gewöhnlich aus dem Namen lesen", dann läßt sich die Aufgabe der Katzlagara wohl aus der Schilderung des „mexikanischen Tedeum" erschließen (II, 16 f.):

> Ein Miaulen wie von Katzen —

> Ein Miaulen wie von Katzen,
> Doch von jener großen Sorte,
> Welche Tigerkatzen heißen
> Und statt Mäuse Menschen fressen!

Katzlagara ist der Dämon giftgetränkter Grausamkeit.

Der Herrschaftsbereich von Astaroth und Lilis, den beiden anderen weiblichen Dämonen, ist die Sexualsphäre. Astaroth-Astarte ist die in brüsker Nacktheit dargestellte orientalische Fruchtbarkeitsgöttin[31a]; in Gestalt der babylonischen Ischtar ist sie die Herrin der Tempelprostitution. Ihrem Kultus hängt Salomo im Alter an, von seinen „sieben hundert Weibern ... vnd drey hundert Kebsweibern" aus aller Welt zum Abfall vom wahren Gott verführt (1. *Kön.* 11, 3—5; vgl. 2. *Kön.* 23, 13). Die Anspielung auf seine polygamen Neigungen im *Präludium* zum *Vitzliputzli* (8 f.) dürfte also wiederum kein Zufall sein. Lilith, in der „Walpurgisnacht" als „Adams erste Frau" vorgestellt, beherrscht nach Mephisto alle Künste der Verführung (v. 4120—23):

> Nimm dich in acht vor ihren schönen Haaren,
> Vor diesem Schmuck, mit dem sie einzig prangt.
> Wenn sie damit den jungen Mann erlangt,
> So läßt sie ihn so bald nicht wieder fahren.

Die talmudische Legende leitet ihre Existenz aus dem Widerspruch von 1. *Mose* 1, 27 und 2, 21 f. ab: der Ersterschaffung eines „Menlin vnd Frewlin" und der Zweiterschaffung Evas aus der Rippe Adams. Ihre Funktion wird aus *Jesaija* 34, 14 klar, wo vom Strafgericht Gottes über die Feinde seines Volkes die Rede ist und unter anderen schädlichen Unwesen der „Kobold" genannt wird. Luther gibt damit das hebräische ‚lilith' wieder, das eigentlich ‚Nachteule' bedeutet.[32] Die spätere Legende macht sie zu einer vampirartigen Succuba, die sich mit dem

Teufel verbindet, nachdem sie Adam im Streit verlassen hat. „Lilith ist der semitische Name für die schöne, liederliche, unvermählte Dirne, welche die Männer auf Straßen und Feldern verführt."[33] Vitzliputzli begrüßt das vollkommene Sexualwesen als letztes, aber mit besonderer Emphase — man möchte sagen: mit diabolischer Herzlichkeit.

Worin aber besteht seine Rache an Europa? Sicher nicht darin, daß er die überlebenden Spanier „die gelbe Sündenlast . . ., das teuflische Metall" (I, 43 f.) in die Heimat mitnehmen ließ; denn davon ist in Vitzliputzlis Rachearie gar nicht die Rede, und außerdem wäre Gold für die Europäer keine Neuigkeit gewesen, die ihnen hätte schaden können. Unbekannt aber war ihnen bisher jene Krankheit, die man euphemistisch eine ‚venerische' nennt: die Syphilis. Sie verbreitete sich mit Windeseile in Europa und wütete schlimmer als die Pest. Was man zu Heines Zeiten über sie wußte, soll durch zwei Auszüge belegt werden. Die *Allgemeine deutsche Real-Encyclopädie für die gebildeten Stände* berichtet unter dem Stichwort „Lustseuche"[34]:

> Es ist nicht ganz gewiß, ob Columbus solche 1493 aus Hayti (Hispaniola) nach Spanien zurückbrachte, denn nach einigen Nachrichten soll sie sich bereits 1492 unter den nach Afrika aus Spanien verjagten Mauren geäußert haben. 1494 bemerkte man solche zuerst in Rom, 1495 verbreitete sie sich schon sehr in Italien. Die Neapolitaner haben behauptet, daß das franz. Heer Königs Carl VIII., das 1494 in Italien und 1495 nach Neapel rückte, dies Übel dahin brachte, die Franzosen dagegen, daß ihr Heer erst in Neapel damit Bekanntschaft gemacht habe. Nach Deutschland gelangte solches durch die Lanzenknechte Kaisers Max I., es ist aber ungewiß, ob diese solches aus Frankreich, in das sie eingedrungen waren, zurückbrachten, oder von der vergeblichen Belagerung Livorno's im J. 1495, also aus Italien.

Der Geograph Oscar Peschel, dem Heine ein Exemplar des *Romanzero* sogleich nach Erscheinen zusenden ließ und der die Sammlung schon am 9. November 1851 in der Augsburger *Allgemeinen Zeitung* freundlich und zu Heines voller Zufriedenheit anzeigte[35], schreibt in seiner *Geschichte des Zeitalters der Entdeckungen*[36]:

> Ein anderes, an unerlaubten sinnlichen Umgang geknüpftes Uebel [neben dem Gelbfieber], die syphilitische Vergiftung, wurde zuerst 1494 in Italien allgemein bemerkt, als französische und spanische Kriegsvölker die der Fremdherrschaft verfallende Halbinsel durchzogen. Wir besitzen keine chronologisch verbürgte Urkunde, daß dieses Uebel vor Ankunft der Europäer in Amerika, und kein unverdächtiges Zeugniß, daß die Krankheit vor Entdeckung Amerika's in Europa geherrscht habe.

Für die Ansteckung der Spanier in Amerika spreche auch der Umstand,

> daß gegen das Uebel specifische Heilmittel in Amerika sich fanden und den Eingebornen bekannt waren. Doch geschah es erst sehr spät, daß man die Krankheit mit der Entdeckung Amerika's in Zusammenhang zu setzen begann . . .

Für Heine jedenfalls bestand daran kein Zweifel. Und er ließ Vitzliputzli an den Verrätern seines „geliebten Mexiko" furchtbare Rache nehmen, indem er den Dämon den „giftigen Schlamm"[37] als Konterbande nach Europa schmuggeln ließ: Sie sollten seinen Feinden, den ‚nazarenischen' Verächtern des Leibes, den sorglosen Genuß der sexuellen Vereinigung für immer verderben. Darum weiß sich Vitzliputzli der verseuchten Katzlagara und den weiblichen Sexualdämonen so eng verbunden; darum genießt er den Vorgeschmack seines diabolischen Triumphes, wenn er die „Tugend" von „Weisen" und „Narren kitzeln will, / Bis sie lacht wie eine Metze". Deutlicher hätte Heine, der Zerstörer so vieler Tabus, kaum sagen können, was er meinte — wenigstens nicht in der Mitte des 19. Jahrhunderts. Den Dämon selbst aber ließ er ins Exil gehen: Er ließ ihn sein eigenes Schicksal und das der alten Heidengötter Europas teilen. Freilich verwandelte er ihn keineswegs in „einen deutsch-nordischen Teufel"[38]; vielmehr wird Vitzliputzli bei ihm ein Outcast wie der „Apollogott", den selbst der „schlottrige" jüdische Tuchhändler als Spieler, Freigeist, Komödianten und Zuhälter tief verachtet: ruhmlose Götterdämmerung in den Sielen der modernen Metropolen.

Vielleicht hat aber Heine dem Leser noch einen anderen Schlüssel zum Verständnis des Gedichtes in die Hand gegeben. Wir erinnern uns an den Preis der Gesundheit im *Präludium* (5), dem der Dichter die eigene Krankheit — „in dem Rückgratmark die Schwindsucht" — gegenüberstellt. Setzt man die Strophe zu Vitzliputzlis Rache in Beziehung, was mir bei den mehrfach nachweisbaren Vordeutungen des *Präludiums* auf die folgenden Teile des Gedichtes (vgl. o. S. 311, 314, 316) nicht nur erlaubt, sondern geboten scheint, so erhält der anscheinend nur en passant hingeworfene Vers vielleicht ein anderes Gewicht. Auch in dem Gedicht *Vermächtnis der Lamentationen* (und sonst) bezeichnet Heine seine Krankheit als „Knochendarre in dem Rucken".[39] Doch die medizinische Forschung hat bisher nicht mit Sicherheit feststellen können (und wird dazu vermutlich auch künftig nicht in der Lage sein), ob Heine wirklich an Tabes dorsalis gelitten hat; nach der jüngsten mir bekannt gewordenen Untersuchung spricht „überwiegende Wahrscheinlichkeit" doch für die — offenbar mehr aus moralischem Antrieb als mit wissenschaftlichen Gründen — immer wieder bestrittene Lues cerebrospinalis.[40] Ebensowenig ist die Frage mit letzter Sicherheit zu beantworten, ob Heine — falls er tatsächlich luetisch infiziert war — über die Art seiner Krankheit Bescheid gewußt habe; immerhin könnte die jüngste Interpretation von Heines Nachlaßgedicht *Für eine Grille — keckes Wagen!* — die Annahme stützen.[41] Auf eine mögliche Anspielung im *Vitzliputzli* möchte ich jedenfalls ergänzend hinweisen. Auch die so volkstümlich-konventionell scheinende Drohung des Dämons mit dem „Schwefel" (III, 35; vgl. o. S. 315) könnte — immer unter Voraussetzung der Exaktheit der Diagnose auf Lues — Gewicht erhalten: In den Sommern 1841 und 1846 hat Heine in den Pyrenäen Schwefelbäder genommen, die gegen „Rheuma, Syphilis und alte Blessuren" wirken sollten.[42] Über die „therapeutische Bedeutung" der Bäder von Barèges äußerte er sich skeptisch.[43] Einen eindeutigeren und wohl auch persönlicheren Ton haben indessen die 6. und die 40. Strophe des *Bimini*-Prologes[44]:

> ... Eine neue Welt mit neuen
> Menschensorten, neuen Bestien,
> Neuen Bäumen, Blumen, Vögeln,
> Und mit neuen Weltkrankheiten! ...
>
> Folget mir nach Bimini,
> Dorten werdet ihr genesen
> Von den schändlichen Gebresten;
> Hydropathisch ist die Kur!

Das zuvor genannte „Zipperlein" der älteren Herren und die „Rünzelchen" der reifen Damen kann man schwerlich als „schändliche Gebresten" bezeichnen. Hätte sich Heine tatsächlich infiziert und die Art seiner Krankheit gekannt (auch wenn er oder seine Ärzte ihr einen im pathologischen Sinne unzutreffenden Namen gaben), so hätte er sich selbst für ein Opfer der Rache des Dämons halten müssen. Dann aber hätte er in seiner Historie mehr erzählt als eine grotesk-gruselige Schauerballade: Er spräche von seinem eigenen Schicksal.[45]

Doch verlassen wir das unsichere Gelände der Vermutungen und wenden uns nochmals dem — wie mir scheint — nunmehr gesicherten Ergebnis zu. Der mexikanische Dämon geht ins Exil; seine Rache besteht in der Verbreitung der Syphilis in Europa. Aber er rächt sich an seinen Peinigern und ihren Nachkommen nicht allein durch eine heimtückische Krankheit; er korrumpiert sie auch moralisch[46] und intellektuell — so wie es die Antithese der gesunden und der blasierten, infizierten, kranken Welt, die in den „Katakomben der Romantik" dahinvegetiert, dem aufmerksamen Leser nahegelegt. Diese Antithese, im *Präludium* wiederum mit Bedacht ausgemalt, und vielleicht auch das unmittelbare Betroffensein des Dichters geben der Rede des Dämons die melodramatisch-pathetische Kraft. Götterdämmerungsvision, Rachearie, andeutend-verhüllende Metaphern und mythologisch-biblische Namen ersetzen die direkte Aussage: die Selbstidentifizierung des Dichters mit der gequälten Kreatur — und mit ihrem Rächer. D i e s e s Finale wirkt freilich nicht „stumpf und fragmentarisch", wie man den Schluß des zweiten Gesanges empfunden hat.[47] Es ist die Klimax des ganzen Gedichtes, auf die alle seine Teile zielen, und das *Präludium* ist somit ein organischer und notwendiger Bestandteil des Ganzen. Auch bildet die Historie vom Vitzliputzli wohl nicht zufällig und nicht allein wegen ihres Umfanges den Schluß des ersten Buches des *Romanzero*: Sie bereitet die *Lamentationen* vor, denen die Verse vom flüchtigen „Glück" und vom verweilenden „Unglück" als Motto vorangestellt sind.

Wenn wir die Historie vom Vitzliputzli im Sinne Heines verstanden haben, so ist ihr geheimes Thema zwei anderen Werken der deutschen Literatur von hohem Rang (und einigen weiteren von minderer Qualität) verwandt: Goethes unterdrückter *Römischer Elegie,* die mit den Worten „Zwei gefährliche Schlangen ..." beginnt und erst 1887 in der Weimarer Ausgabe veröffentlicht wurde[48], und Thomas Manns *Doktor Faustus.* So verschieden das heikle Thema im einzelnen ausgeführt sein mag — gemeinsam ist den Gestaltungen die verhüllende Darstellung und der symbolische Charakter, welcher der Krankheit zugesprochen wird. Mit der Elegie verbindet Heines Gedicht die antikische Auffassung Goethes, „ein feindlicher Gott" habe der Menschheit „die neue / Ungeheure Geburt giftigen Schlammes" gesandt, mit dem Roman die kulturkritisch-aufklärerische Haltung. Ihre unverwechselbar Heinesche Eigenart aber erhält die Romanze durch die Vorstellung von dem Dämon, der ins Exil geht — so wie Heinrich Heine ins Exil gegangen ist.

Anmerkungen

* Der Aufsatz ist B e n n o v o n W i e s e gewidmet, dem ich auf diese Weise für jahrelange gute Zusammenarbeit und für viele gesellige Stunden diesseits und jenseits der Alpen meinen Dank aussprechen möchte. Ihm zu Ehren habe ich ein germanistisches Thema gewählt, obwohl sich der Gegenstand natürlich auch komparatistisch behandeln ließe — von Girolamo Fracastoro bis zu Thomas Mann. Benno von Wieses Vortrag über den *Romanzero,* den er anläßlich des Düsseldorfer Heine-Kongresses im Oktober 1972 gehalten hat, war mir bei der Niederschrift leider nicht bekannt; doch möchte ich ausdrücklich auf ihn verweisen.

1 Vgl. *Dichter über ihre Dichtungen.* Bd. 8, Teil II: *Heinrich Heine.* Hrsg. von Norbert Altenhofer. München 1971, S. 97 f., 122 f.; zit.: Altenhofer. Nichts Neues dazu bringen die Bände *Begegnungen mit Heine — Berichte der Zeitgenossen — 1797—1846, 1847—1856.* Hrsg. von Michael Werner. Hamburg 1973; vgl. Register, auch unter *Romanzero.*

2 Altenhofer, S. 115 und Anm. 58, S. 127; Fritz Mende: *Heinrich Heine — Chronik seines Lebens und Werkes.* Hrsg. von den Nationalen Forschungs- und Gedenkstätten der klass. dt. Lit. in Weimar. Berlin 1970, S. 274 f., 277; zit.: Mende.

3 Altenhofer, S. 120 f., 123—125, 131; Mende, S. 275, 277, 281, 294, 299.

4 Altenhofer, S. 127; 18. 3. 1852.

5 Ebd., S. 87; 28. 9. 1850.

6 Ebd., S. 123; 5. 12. 1851.

7 Vgl. den Bericht eines Essayisten vom Range Karl Hillebrands, der vom November 1849 bis Mai 1850 Heines Sekretär war: Altenhofer, S. 84; Mende (Anm. 2), S. 258, 261. Der Brief ist freilich erst am 7. 1. 1876 geschrieben worden.

8 Altenhofer, S. 108; 23. 9. 1851.

9 So z. B. S. S. Prawer: *Heine — The Tragic Satirist ...* Cambridge 1961, S. 198 f.; zit.: Prawer: *Satirist.*

10 Mende (Anm. 2), S. 292.

11 Ich zitiere in der Regel nach *SW,* Bd. 1—4 — Nach dem Text der Ausg. letzter Hand — Verantwortlich für die Textrevision: Jost Perfahl. München 1969—1972, und zwar *Vitzliputzli,* Bd. 1, S. 523—541, mit *Präludium* bzw. Gesang und Strophenzahl; *Bimini,* Bd. 1, S. 865—887, mit *Prolog* bzw. Gesang und Strophenzahl; die übrigen Werke mit Band- und Seitenzahl.

[12] Ähnlich Gerhard Storz: *Heinrich Heines lyrische Dichtung*. Stuttgart 1971, S. 213 f.; zit.: Storz.

[13] Vgl. auch zum Folgenden C. H. Ibershoff: *Vitzliputzli*. In: MLN 28, Heft 7, Nov. 1913, S. 211 f. Über Huitzilopóchtli und die ihm zu Ehren veranstalteten Opferorgien Näheres bei Hans Schadewaldt: *Medizin der Azteken, Maya und Inka*. In: *Kunst und Medizin*. Köln 1967, bes. S. 69—72. Ebd. S. 72 über Xólotl Nanahuátzin, die Gottheit der (von den Azteken als Geschlechtskrankheit nicht erkannten) Syphilis; dazu Abb. 53 (Maske dieser Gottheit aus dem British Museum, London, „besät mit kleinen Türkisen, welche die blumenartigen Auswüchse der Syphilis wiedergeben") und 64 (Syphilitische Frau mit Kind, Perù, 4. Jh., aus dem Musée de l'homme, Paris). Ebd. S. 147 f. und Abb. 141 über die Verbreitung der Syphilis in Europa von Léon Binet und Charles Maillant. Vgl. dazu meine Ausführungen S. 317.

[14] In den *Englischen Fragmenten* (1828), Kap. VI (*Das neue Ministerium*), neben „Samiel, Belzebub" und der „alten Großmutter" (*SW*, Bd. 5 [O. Walzel]. Leipzig 1914, S. 111) und in der Zweiten der *Florentinischen Nächte* (1836/37); hier ist Vitzliputzli in einer Boutique neben einem „griechischen Apollo..., egyptischen Götzen mit Hundköpfchen" und neben anderen Raritäten ausgestellt (ebd., Bd. 6, 1912, S. 437); vgl. oben S. 315 f.

[15] *Werke*. Karlsruhe ²1853, Bd. 1, S. 121—127, als „Vizli Buzli". Die 1. Auflage der *Alemannischen Gedichte* erschien 1803.

[16] „Laß die Renegatenbürde / Mich in diesem Kuß verschmerzen: / Denn ein Vitzliputzli würde / Talisman an d e i n e m Herzen." Der Erstdruck erfolgte in der von Riemer und Eckermann besorgten sogenannten Quartausgabe von Goethes *Poetischen und prosaischen Werken*, Bd. 1—2. Stuttgart/Tübingen (Cotta) 1836, dann nochmals 1842 im 16. Band der *Ausgabe letzter Hand* (vgl. *West-östlicher Divan*, Vorwort und Erläuterungen von Max Rychner, Zürich 1952, S. 145—147, 567, 570 f.). Es ist unwahrscheinlich, daß Heine das Gedicht in der Quartausgabe gelesen hat, als sie begeistertes, wenn auch recht oberflächliches Urteil über den *Divan* in der *Romantischen Schule* formulierte (*SW*, Bd. 3, S. 301 f.; vgl. dazu Barker Fairley: *Heine, Goethe and the „Divan"*. In: German Life and Letters 9, 1955/56, S. 166—170). Eine spätere Lektüre im Jahrzehnt von 1836 bis zur Arbeit am *Romanzero* — 1846—1851 — wäre aber möglich. Das *Divan*-Gedicht dürfte Heine dann nicht nur wegen der preisend genannten Erzväter Abraham, Moses, David und Salomo angesprochen haben, sondern vor allem wegen der ‚antinazarenischen' Verse, um deretwillen Goethe das Gedicht auf Anraten Boisserées in den ursprünglichen *Divan* nicht aufgenommen hatte: „Wer ihn selbst [Jesus] zum Gotte machte, / Kränkte seinen heilgen Willen... / Mir willst du zum Gotte machen / Solch ein Jammerbild am Holze!"

[17] H. Heine: *Romanzero* — Con versione ital., guida e note di Giorgio Calabresi. Bari 1953, S. 34—38, hier 36, 38.

[17a] *Interpretation der „Historien" aus Heines „Romanzero"*. Diss. Erlangen 1956. München o. J., S. 106—113, hier 106, 113; zit.: Gebhard. — Auch Hans-Peter Bayerdörfer: *‚Politische Ballade' — Zu den „Historien" in Heines „Romanzero"*. In: DVjs 46, 1972, S. 435—468, bezeichnet den Dämon als „bösartig-alraunhaften Gott des Goldes und der Menschenopfer" und läßt ihn „aus der altmexikanischen Vorzeit in das neuzeitliche Europa" emigrieren, „wo er die angemessenen Verhältnisse für seine Rachepläne" finde (468), also offenbar für die Verbreitung des Goldes. Vgl. dazu oben S. 317.

[18] *Heinrich Heine — Kämpfer und Dichter*. Bern 1957, S. 188—190; Hervorhebung von H. R.

[19] Zürich 1955, S. 230—248.

20 Prawer: *Satirist* (Anm. 9), S. 204; ähnlich schon in *Heine's „Romanzero"*. In: The Germanic Rev. 31, Heft 4, 1956, S. 296.

21 Storz (Anm. 12), S. 191—196, hier 194, 196.

22 *Sämtl. Gedichte*, Bd. 2, Gedenkausg., Bd. 2. Hrsg. von H. v. Maltzahn und E. Staiger. Zürich 1953, S. 405 f.; zit.: Goethe: *Gedichte*. Schon Gebhard (Anm. 17 a) hat auf Goethes Verse hingewiesen.

23 Johann Peter Eckermann: *Gespräche mit Goethe...*, Gedenkausg., Bd. 24. Hrsg. von E. Beutler. Zürich 1948, S. 332.

24 So auch Storz (Anm. 12), S. 196, Anm. 20.

25 Neben der verdienstvollen älteren Arbeit von Helene Herrmann: *St. zu Heines „Romanzero"*. Berlin 1906, nenne ich hier nur Charles Andler: *Le Romanzero de Heine*. In: Etudes germaniques 2, 1947, S. 152—172, hier 163—169; zit. Andler; Gebhard (Anm. 17 a); Barker Fairley: *Heinrich Heine — An Interpretation*. Oxford 1954, S. 78 bis 80 u. ö.

26 *SW*, Bd. 2, S. 949. — Zum Thema vgl. A. I. Sandor: *The Exile of Gods...* The Hague/Paris 1967 (= Anglica Germanica IX); Dolf Sternberger: *Heinrich Heines Götter*. In: *Das Altertum und jedes neue Gute für Wolfgang Schadewaldt zum 15. März 1970*. Stuttgart usw. 1970, S. 167—194. Vgl. die entsprechenden Passus in Sternberger: *Heinrich Heine und die Abschaffung der Sünde*. Hamburg/Düsseldorf 1972; zit.: Sternberger.

27 *SW*, Bd. 3, S. 565.

28 Vgl. Heines Vorbemerkung zur *Göttin Diana*, ebd., Bd. 2, S. 731, 952: „Die Fabel meiner Pantomime ist... bereits im dritten Teil meines *Salon* enthalten, aus welchem auch mancher Maestro Barthel schon manchen Schoppen Most geholt hat": wahrscheinlich eine Anspielung auf Wagner. Dazu Lothar Prox: *Wagner und Heine*. In: DVjs 46, 1972, S. 684—698.

29 Vgl. Ulrich Rüdiger: *Zu einigen Beinamen des Mephistopheles in Goethes „Faust"*. In: arcadia 5, 1970, S. 195 f., mit weiterer Literatur. Interessant ist in unserem Zusammenhang die Tatsache, daß Apollon „im griechischen Kultbereich unter anderem der Gott des Ungeziefers schlechthin" ist, daß im Zuge seiner Verteufelung durch das Christentum also bestimmte apollinische Funktionen auf Mephisto übertragen worden sind; vgl. oben S. 315. — Ferner *Historia von D. Johann Fausten — Neudr. des Faust-Buches von 1587*. Hrsg. von Hans Henning. Halle/S. 1963, S. 54 f., über das „Unzifer"; zit.: *Historia*.

30 *SW*, Bd. 2, S. 666.

31 *Historia* (Anm. 29), S. 52 f.

31a Heine erwähnt sie auch sonst öfter (vgl. Sternberger [Anm. 26], S. 176 und 361, Anm. 71; 365, Anm. 25; 203 und 368, Anm. 56); stets ist sie für ihn eine Art Aphrodite Pandemos. Er kannte sie auch aus Byrons *Manfred*.

32 Vgl. Johann Christoph Adelung: *Grammatisch-krit. Wörterbuch der Hochdt. Mundart...* Wien [2]1808, Bd. 2, Sp. 1678.

33 Stephen H. Langdon: *Tammuz and Ishtar*. Oxford 1914, S. 74; zit. nach Mario Praz: *Liebe, Tod und Teufel...* Dt. von Lisa Rüdiger. München 1963, S. 367, Anm. 3.

34 Leipzig (F. A. Brockhaus) [6]1824, S. 892.

35 Altenhofer (Anm. 1), S. 111, 116 f.

36 Stuttgart/Augsburg 1858, S. 678 f. Freundlicher Hinweis von Manfred Windfuhr, der mir am 9. Februar 1972 auch mitteilte, daß die Frage der Syphilis im Zusammenhand mit *Vitzliputzli* „in den bisherigen Kommentaren... nicht berücksichtigt worden" sei.

37 Goethe: *Röm. Elegien* II (= XXII), v. 8. In: *Gedichte* (Anm. 22), S. 111.

38 Storz (Anm. 12), S. 190.

39 *SW*, Bd. 1, S. 580 f.

40 Arthur Stern (Nervenarzt in Jerusalem): *Heinrich Heines Krankheit und seine Ärzte.* In: Heine-Jb. 1964. Hrsg. vom Heine-Archiv Düsseldorf. Hamburg 1963, S. 63 bis 79, hier 76 f.; zit.: Stern. Nach dieser — wie mir scheint — leidenschaftslosen Untersuchung fällt „die Annahme einer Rückenmarksschwindsucht... ohne weiteres in sich zusammen". „Völlige Klarheit" über Heines Krankheit sei zwar nicht zu erzielen (S. 75; vgl. auch 71); doch müsse man „die venerische Ursache seines Leidens... supponieren" (S. 64). Mende (Anm. 2), S. 40, fixiert aufgrund eines Briefes von Heine an seinen Freund Moses Moser vom 25. Februar 1824 (zuletzt abgedruckt bei Sternberger [Anm. 26], S. 247 f.), der erst seit Hirths Ausgabe, Bd. 1, S. 146, Nr. 83, bekannt ist, Ort und Zeit der Infektion — Göttingen, Februar 1824—: „Sexuelle Beziehungen zur Köchin von A. Bauer [einem Professor für Strafrecht] führen zu einer venerischen Ansteckung." Doch Heines briefliches Bekenntnis: „Aber wahrhaftig je suis très enrhumé, oder, um deutsch zu sprechen, ich habe sehr den Katharr" (sic), spricht nicht gerade für Syphilis, sondern für Gonorrhoe. Stern (S. 74) gibt hingegen infolge eines nicht näher begründeten Hinweises von Heines Nichte „Italien 1828" als Ort und Zeit der Infektion an. Andere Medizinhistoriker und Heine-Forscher kommen zur gleichen Diagnose wie Stern oder auch zu anderen Ergebnissen: „angeborene spinale Form der progressiven Muskelatrophie" (ähnlich Andler [Anm. 25], S. 152 f.), Bulbärparalyse, multiple Sklerose usw. (vgl. Wilhelm Lange-Eichbaum: *Genie, Irrsinn und Ruhm*... Neu bearbeitet von Wolfram Kurth. München/Basel ⁴1956, S. 314, 523 f.). Als Laie hat man den Eindruck, daß den diagnostischen Hypothesen keine Grenzen gesetzt sind.

41 Sternberger (Anm. 26), dessen Buch erst während der abschließenden Arbeit an meiner Untersuchung erschienen ist, schließt sich in dem Kapitel „Venerische Krankheit und venerische Gesundheit" (S. 241—258, 374—378) der Annahme an, Heine sei luetisch infiziert gewesen, und bringt eine Reihe von Belegen bei, welche diese These stützen können. Das Gedicht aus dem Nachlaß bezeichnet er als „poetische Selbstdiagnose" (S. 254), schränkt allerdings ein, er könne nicht behaupten, daß seine Interpretation „eine zweifelsfreie Entschlüsselung sei" (S. 253). Der Schluß des *Vitzliputzli* ist ihm merkwürdigerweise entgangen, obwohl die Rache des Dämons für mich die stärkere Beweiskraft hat, auch wenn die persönliche Beziehung noch mehr verschlüsselt ist als in dem Nachlaßgedicht. Aber *Vitzliputzli* war ja zur Veröffentlichung bestimmt! — Interessant sind in diesem Zusammenhang die Beziehungen zum Saint-Simonismus (Sternberger, S. 256—258) und vor allem die Bemerkungen über Heines Preis der Gesundheit (S. 241—245), der seinerseits wieder mit dem Gegensatz von ‚Hellenismus' und ‚Nazarenertum' zusammenhängt. Hier liegen die Parallelen zu Nietzsches Gesundheitskult auf der Hand. Und für unseren Gesichtspunkt wichtiger: Das *Präludium* zum *Vitzliputzli* unterstreicht nicht umsonst die ‚Gesundheit' der Neuen Welt — und setzt sie zur eigenen — vermuteten oder verhüllten — Krankheit in Beziehung.

42 Stern (Anm. 40), S. 74; Mende (Anm. 2), S. 186 f., 234—236.

43 *Lutetia — Anhang* II, 7. 8. 1846. In: *SW*, Bd. 4, S. 406.

44 *SW*, Bd. 1, S. 865, 869.

45 Anders Georg Lukács: *Dt. Realisten des 19. Jahrhunderts*. Bern 1951, S. 121: „Die Verzweiflung Heines... im *Romanzero*... ist... keine Privatverzweiflung über ein persönliches Schicksal oder zumindest nicht nur eine private Verzweiflung. Es ist die Verzweiflung über den Weltlauf..., über das Schicksal der Revolution." Davon ist freilich im *Vitzliputzli* nicht die Rede. Viel treffender schreibt Prawer: *Satirist* (Anm. 9), S. 168: „Even in the most exotic ballads of the *Romanzero* — as *Vitzliputzli* serves to show — the reader is brought close to the sick poet and his experience of the world."

Als Parallele zitiert er eine Stelle aus De Quinceys *Confessions of an English Opium Eater,* dessen Visionen Heines exotischen Träumereien in der Tat erstaunlich ähnlich sind. Daß Heine selbst Opiate genommen hat, ist bekannt (vgl. Stern [Anm. 40], S. 69). Auch aus Prawers Beobachtung ergibt sich also eine enge Beziehung des *Vitzliputzli* zu Heines eigenem Schicksal.

46 Andler (Anm. 25), S. 168, spricht ebenfalls von „la ruine morale des conquérants", meint aber Geldgier, Fanatismus usw.

47 Storz (Anm. 12), S. 191.

48 Bd. 1, S. 419 f., freilich ohne die ‚anstößigen' Verse 19 f. und 26—28; vollständig in Goethe: *Gedichte* (Anm. 22), S. 111—113.

HARTMUT STEINECKE

DIE „ZEITGEMÄSSE" GATTUNG

Neubewertung und Neubestimmung des Romans in der
jungdeutschen Kritik*

Die Jungdeutschen sahen im Roman den „Spiegel seiner Zeit" und ihrer „bestimmt gezeichneten Wirklichkeit".[1] Sie sprachen ihm von allen literarischen Gattungen die größte „Aufnahmefähigkeit [...] für das wirkliche und gesellschaftliche Leben" zu.[2] Daher galt ihnen der Zeit- und Gesellschaftsroman — der „zeitgeschichtliche Sittenroman"[3] — als die „zeitgemäße" Gattung.[4] Als Ausdruck des „gesellschaftlichen Lebens" und der „zum Demokratismus hinstrebenden Zeit"[5] erfüllte er zugleich ihre Vorstellungen von den politischen Aufgaben der Literatur. Sie hielten ihn für besonders geeignet, als „Blendlaterne des Ideenschmuggels"[6] zu dienen und die von ihnen propagierten Vorstellungen in breite Kreise der Bevölkerung zu tragen. So sollte der Roman „die Fortschritte der Gesellschaft lehren": „funfzehn Romane, und die Millionen sind auf den Weg gebracht."[7]

In diesen Äußerungen von Mundt, Wienbarg, Gutzkow und Laube aus den Jahren 1830 bis 1837 zeichnet sich gegenüber der bis dahin vorherrschenden Poetik eine Neubewertung und Neubestimmung des Romans ab. Dennoch fanden die Vorstellungen der Jungdeutschen bis vor kurzem in der Forschung nur wenig Aufmerksamkeit.[8] Das ist allerdings durchaus erklärlich. Die zum größten Teil in Kritiken und Tagespolemiken verstreuten Äußerungen sind Gelegenheitsbemerkungen und Aperçus, Bekenntnisse und Visionen, Thesen ohne Begründungen, fast durchweg unsystematisch, nicht selten wirr und in sich widersprüchlich. Zudem zeigte bereits ein flüchtiger Blick in die Romane der Jungdeutschen, in wie geringem Maße sie sich an ihre eigenen Forderungen hielten.

Der Charakter der Quellen, die Art der Argumentation und das Versagen in der Praxis sollten jedoch nicht davon abhalten, die jungdeutschen Vorstellungen vom Roman näher zu betrachten. Sie spielen eine bisher wenig beachtete Rolle im Prozeß der Anerkennung des Romans. Sie bilden ein Kernstück der jungdeutschen Gattungspoetik, den wichtigsten Versuch, ihre ästhetischen Prinzipien zu konkretisieren. Schließlich können auch die Widersprüche, die sie von Beginn an prägen, von Interesse sein; denn sie sind charakteristisch für die Probleme, denen sich die deutsche Romankritik in den folgenden Jahrzehnten immer wieder gegenübersah, wenn sie versuchte, den Roman nach dem westeuropäischen Vorbild als realistischen Zeit- und Gesellschaftsroman zu verstehen.

Voraussetzung für die neue Sicht des Romans bei den Jungdeutschen ist eine tiefgreifende Änderung in den Prinzipien der literarischen Kritik. Ihre Grundlage ist die von Börne bereits 1821 formulierte Überzeugung, ein literarisches Werk dürfe nicht länger nach objektiv vorgegebenen oder ihm immanenten Kunstgesetzen betrachtet und bewertet werden; es müsse vielmehr das Ziel der Kritik sein, „die Literatur mit dem Leben, d. h. die Ideen mit der wirklichen Welt zu verbinden".[9] Menzel griff wenig später diese Vorstellungen auf und wandte sie auf eine Neubestimmung der Gattungen an. „Wechselwirkung" der Literatur „mit dem Leben"[10] bedeutete für ihn konkret: Literatur spiegelt die Zeit, die Wirklichkeit, die Gesellschaft und wirkt durch ihre Verbreitung im Publikum auf sie zurück. Von diesem Ansatz aus gilt das Interesse des Kritikers in besonderem Maße dem Roman, der zeitgemäßen, wirklichkeits- und gesellschaftsnahen Gattung. Daß der Roman diese Eigenschaften aufweist, belegt Menzel sowohl an seiner Wirkung im Lesepublikum als auch an seiner inneren Kongruenz mit dieser Zeit und ihrer Wirklichkeit.

Bereits seit dem späten 18. Jahrhundert war der Roman die verbreitetste Gattung. Die spätaufklärerische Poetik forderte zwar verschiedentlich, man müsse dem Roman schon aus diesem Grunde besondere Beachtung schenken, da er damit den bedeutendsten Einfluß auf „Geschmack" und „Sitten" der „Menge" habe.[11] Diese Hinweise fanden jedoch in den folgenden Jahrzehnten nur ein geringes Echo. 1780 schrieb Wezel, der Roman sei die „Dichtungsart, die am meisten verachtet und am meisten gelesen wird".[12] Diese Feststellung gilt im Grunde noch ein halbes Jahrhundert später. Menzel notierte 1830, „gegenwärtig" sei „keine andere Form so beliebt, als gerade die Romanform"; trotzdem verbinde man „mit dem Namen R o m a n eine herkömmliche Geringschätzung"; noch immer zweifle man, ob der „Romanschreiber [...] eigentlich den Dichtern beizuzählen sey".[13] Menzel geht jedoch über die Ansätze der aufklärerischen Literaturkritik hinaus; denn er bleibt nicht bei der Feststellung des Widerspruchs zwischen ästhetischer Verachtung und Verbreitung im Lesepublikum stehen, sondern er zieht aus dem Zustand des literarischen Marktes Folgerungen für die Aufgabe des Literaturkritikers. Weil „unter allen Dichterwerken die Romane den stärksten und ausgebreitetsten Einfluß auf das lesende Publikum, mit einem Wort auf das Volk üben", muß man ihnen nach Menzels Überzeugung

> eine weit höhere Bedeutung zuerkennen, als es gewöhnlich zu geschehn pflegt, und die Kritik, die etwa blos von einem hohen ästhetischen Standpunkt aus vornehm auf die Romane herabsehn oder sie sogar ignoriren wollte, würde den wahren Gesichtspunkt verfehlen. Werke, die vielleicht in ästhetischer Hinsicht unter der Kritik sind und keiner Erwähnung verdienen, können nichtsdestoweniger in moralischer

Hinsicht vermöge ihrer Wirkung auf ein großes Publikum eine neue und hohe
Bedeutung erhalten, welche die Kritik keineswegs übersehn darf.[14]

Menzel rechtfertigte die intensive Beschäftigung der Literaturkritik mit dem
Roman. Die Tatsache, daß man dem Roman große Aufmerksamkeit schenkt,
bedeutet allerdings noch nicht, daß man ihn schätzt. Die kritische Auseinandersetzung mit der Tagesproduktion konnte im Gegenteil die traditionellen ästhetischen Vorurteile und moralischen Bedenken bestärken, mithin die Verachtung
des Romans als literarische Gattung vermehren. Wenn diese Reaktion im allgemeinen nicht eintrat, so liegt der Grund in dem zweiten Aspekt der „Zeitgemäßheit" des Romans: seiner Kongruenz mit der Zeit. Menzel sieht die wichtigsten
Merkmale seiner Zeit in ihrer Wirklichkeitsnähe, ihrem prosaischen Charakter
und ihrer Betonung des Verstandes; politisch hebt er besonders die Wendung
vom Individuum zur Gesellschaft, dem „Volk", sowie das Streben nach Freiheit
und nach Demokratie hervor.[15] Die erstgenannten Charakteristika waren seit
Beginn der wissenschaftlichen Beschäftigung mit dem Roman Schlüsselbegriffe
der meisten Romandefinitionen. Daß der Roman eine besonders enge Beziehung
zur Wirklichkeit habe, wurde in der frühen Restaurationszeit, wie bereits in
der Aufklärungspoetik, als selbstverständlich angenommen. In bewußter Anknüpfung an die Tradition des 18. Jahrhunderts, besonders an den englischen
Roman, und im Gegensatz zur Romantik bezeichnete der junge Heine 1822 „die
wirkliche Welt und das wirkliche Leben" als Gegenstand des Romans.[16] Immermann nannte zur gleichen Zeit den „Boden der Wirklichkeit" seine Grundlage.[17]
Hegel setzte die Beziehung Roman — Wirklichkeit in seinen ästhetischen Vorlesungen als selbstverständlich voraus.[18] Eng mit der Bestimmung der Wirklichkeitsnähe hängt die des Prosacharakters zusammen.[19] Die Prosa des Romans
ist dabei zunächst formal zu fassen, als ungebundene Ausdrucksweise im Gegensatz zur gebundenen Dichtung, der „Poesie". Als Prosaform gehört der Roman
mehr dem Bereich des Verstandes an als dem der Phantasie, er ist „Verstandes-
prose". Schließlich ist der Roman „prosaisch" in der allgemeinen Bedeutung des
Wortes, da er sich vorwiegend mit Themen des alltäglichen Lebens beschäftigt.
Dadurch erhält er auch eine besondere Nähe zur gesellschaftlichen Wirklichkeit
seiner Zeit. A. W. Schlegel formulierte eine verbreitete Ansicht, als er schrieb:
„Der Punkt, wo die Litteratur das gesellige Leben am unmittelbarsten berührt,
ist der Roman."[20]

Alle diese Merkmale des Romans waren zwar von der früheren Kritik bereits
häufig herausgestellt worden, sie dienten jedoch im allgemeinen gerade als
Hauptargumente g e g e n den Roman. Die Nähe zur „gemeinen Wirklichkeit"
galt nicht nur Schiller als Zeichen der Idealitätsferne dieser Gattung; die Prosaform bestätigte die Distanz zum wahren Kunstwerk, denn das Prosaische ist
nach der Definition der traditionellen Poetik das Nichtpoetische, der Roman
daher „schlechterdings nicht poetisch".[21]

Die Apologeten des Romans in der frühen Restaurationszeit versuchten in der Regel zu begründen, daß auch der Roman die Wirklichkeit überwinden und sich zur Poesie erheben könne; die klassizistische Kritik lehnte diese Möglichkeit jedoch mit ähnlichen Argumenten wie Schiller ab. Menzel entzog sich der Auseinandersetzung und machte aus der Not eine Tugend. Er erklärte die ästhetischen Argumente für irrelevant und stellte das Kriterium der Zeitgemäßheit in den Mittelpunkt. Daß die Zeit eine „entschiedne Richtung gegen das Wirkliche" genommen habe, daß die „Wirklichkeit [...] sich eine große ungeheure Geltung erworben" habe, daß an die Stelle des früheren epischen und poetischen Weltzustandes das „Prosaische und Alltägliche" getreten sei[22] — darin waren sich Kultur- und Literaturkritik, Philosophie und Geschichtsschreibung der nachromantischen Zeit weitgehend einig. Dadurch, daß Menzel diese Kongruenz allgemeiner Charakteristika zum Wertungskriterium erhob, schob er die über ein Jahrhundert währende Romandiskussion und ihre Argumente einfach zur Seite und etablierte neue Regeln, nach denen der Roman als Sieger das Feld behauptete.

Weit problematischer als die Festlegung der Zeit und des Romans auf die Wirklichkeit und die Prosa sind die von Menzel zur Stützung seiner These herangezogenen politischen Bestimmungen der Zeit. Zwar kann man die Wendung vom Individuum zur Gesellschaft, die den Roman als die gesellschaftsunmittelbarste Gattung aufwertet, durchaus als einen wichtigen Prozeß der Restaurationszeit bezeichnen; aber daß das Streben nach Freiheit und Demokratie Merkmale dieser Epoche sind, ist keineswegs allgemein anerkannte Tatsache, sondern Hoffnung oder Überzeugung des liberalen Kritikers. Noch problematischer ist es, Entsprechungen für diese Erscheinungen in der Literatur namhaft zu machen. Die Anwendung politischer Begriffe zur Kennzeichnung von Eigentümlichkeiten des Romans erfolgt bei Menzel in einer sehr allgemeinen Weise. So stellt er etwa die Verbindung des Romans zur Freiheit mit dem Hinweis her: „Es giebt keine freiere poetische Form, als die des Romans, wie es keinen freiern Geist giebt, als den des Romans, und wie überhaupt der Geist in unsrem Zeitalter nach Freiheit strebt."[23] Nur wenig konkreter sind Menzels Bemerkungen über das Verhältnis des Romans zur Demokratie.[24] Die Einsicht in das Wesen des Romans wird durch diese politische Metaphorik kaum vertieft. Von großer Bedeutung ist jedoch die Tatsache, daß hier erstmals in diesem Ausmaße politische Begriffe in die literarische Diskussion eingeführt werden. Auch damit wurde Menzel zu einem Vorläufer von Tendenzen, die sich bereits wenige Jahre später auf breiter Front durchsetzten. Die immer wieder propagierte „Politisierung" der Literatur begann bei vielen Schriftstellern mit einer Politisierung der literarischen Terminologie (und kam bei nicht wenigen kaum darüber hinaus).

Obwohl Menzels Anschauungen häufig unscharf und in sich widersprüchlich sind, muß man dennoch festhalten: Wenn Wirklichkeitsnähe und Gesellschaftsbezug der Literatur und die darauf beruhende Hochschätzung des Romans bereits kurz nach 1830 zu den selbstverständlichen Grundsätzen der jungdeutschen Kritik gehörten, so ist dies sicher zu einem nicht geringen Teil Menzel zu verdanken, der als Herausgeber des angesehenen Cottaschen *Literatur-Blattes* (seit 1825) und als Verfasser des vielbeachteten Werkes *Die deutsche Literatur* (1828) eine zentrale Stellung in der zeitgenössischen Kritik einnahm. Wenn seine Rolle in der Geschichte der Romanpoetik bislang kaum beachtet wurde[25], so liegt das neben seiner Oberflächlichkeit als Programmatiker vor allem daran, daß er die hier herausgestellten kritischen Prinzipien in der Praxis nur zu oft seiner literarischen Privatfehden zuliebe beiseiteschob. Auch das Bild, das sich die Nachwelt von ihm machte, wirkte sich negativ aus: es ist geprägt von seinem Goethehaß und von seiner späteren Rolle als Denunziant der Jungdeutschen. Dies alles sollte jedoch den Blick für die wichtige Rolle nicht verstellen, die Menzel in einem bestimmten historischen Augenblick — am Vorabend der Julirevolution — bei der Formulierung und bei der Durchsetzung der neuen kritischen Prinzipien und insbesondere bei der Aufwertung des Romans gespielt hat.[26]

Menzels Ansichten von der Literaturkritik und vom Roman hätten trotz seiner Autorität keine derartige Wirkung entfalten können, wenn sie nicht latente Zeitstimmungen getroffen hätten, die durch die Julirevolution 1830 mächtigen Auftrieb erhielten. Sie galt vielen Zeitgenossen als das Ereignis, das eine Epoche der Geschichte und der Literatur abschloß und eine neue eröffnete.[27] Heine sah seine bereits 1828 — in einer Besprechung der Menzelschen Literaturgeschichte — geäußerte Vermutung vom „Ende der Kunstperiode" bestätigt.[28] Mundt verkündete wenige Wochen nach der Revolution, daß auch in der Literatur die „aristokratische" Periode der Genies und der Esoterik vorüber und „eine mehr republikanische Literaturverfassung" an ihre Stelle getreten sei.[29] Das Literaturverständnis, das diese neue Periode prägt, knüpfte an die Vorstellungen an, die Börne und Menzel im Jahrzehnt zuvor entwickelt hatten: es beruht auf der Überzeugung von der Wechselbeziehung Literatur — Leben und vom Primat der Zeitgerechtheit: die Begriffe „Leben", „Zeit" und „Wirklichkeit" werden zu Schlüsselwörtern der Kritik. Heine notierte 1830, früher habe der „Schein des Lebens, die Kunst" im Mittelpunkt gestanden, jetzt gelte es „die höchsten Interessen des Lebens selbst, die R e v o l u z i o n tritt in die Literatur".[30] Kurz darauf sprach Gutzkow — zu der Zeit noch Redaktionsgehilfe Menzels am *Literatur-Blatt* — von der Öffnung der Literatur zum Leben als einer „Politisirung unserer Literatur", deren „Nothwendigkeit" jetzt „unläugbar" sei.[31] Prutz faßte die Charakteristika des jungdeutschen Literaturbegriffs im Rückblick zusammen:

> Es handelte sich darum, die Nation aus der einseitigen literarischen Bildung, den abstracten ästhetischen Interessen, in denen sie sich bis dahin bewegt hatte, aufzurütteln und sie hinüberzuführen in die Praxis des öffentlichen Lebens; es handelte

sich darum, die Literatur jener Alleinherrschaft zu entkleiden, die sie bis dahin bei uns ausgeübt hatte und Theorie und Praxis, Literatur und Leben, Poesie und Wirklichkeit, Kunst und Staat in das richtige und naturgemäße Verhältniß zu einander zu bringen.[32]

Die Menzelsche Vorstellung von der Wechselwirkung zwischen Literatur und Leben wird bei den Jungdeutschen differenziert und in Richtung auf eine Theorie funktioneller Literaturbetrachtung hin ausgebaut. Wienbarg formulierte sie 1834 in seinen *Aesthetischen Feldzügen* am prägnantesten. Er stellte das „allgemeine Gesetz" auf, „daß die jedesmalige Literatur einer Zeitperiode den jedesmaligen gesellschaftlichen Zustand derselben ausdrücke und abpräge".[33] Die Wechselbeziehung zeigt sich nach Ansicht der Jungdeutschen gerade darin, welche Gattung in einer Zeit bevorzugt wird. Mundt betonte 1833:

> Die einzelnen Gattungen der Poesie sind ebenso sehr Kinder ihrer Zeit, als die Poesie selbst es ist, und es darf nicht für zufällig angesehen werden, welche Kunstformen vorzugsweise in einer Zeit von den schaffenden Geistern ergriffen werden.[34]

Diese Argumentation vereint den Aspekt der Verbreitung mit dem der Zeitgerechtheit. Jedem, der in dieser Zeit noch Epen dichtet, wirft Mundt „Buhlerei mit einer todten Form" vor.[35] Dem Drama gesteht man zwar weiterhin gerne zu, daß es das „fertigste Product, das vollendetste im Bereiche der Poesie"[36] sei; aber eben deswegen gilt es als unzeitgemäß, weil man diese Zeit nicht für fertig und vollendet hält, sondern für eine im Werden und im Umbruch begriffene Zeit. Daher rügt Laube Immermann 1833, daß er „mit unerschütterlicher Ruhe und Consequenz dramatische Arbeiten verfaßt", ohne zu erkennen, „daß diese Schreibart wahrlich nicht an der Zeit" ist.[37] Die „Schreibart", die „an der Zeit" ist, die das Werden und die Zerrissenheit der Zeit spiegelt, die Ausdruck ihrer „gesellschaftlichen Zustände" ist und daher von „den schaffenden Geistern" „ergriffen" werden soll und ergriffen wird — diese „Schreibart" ist für die Jungdeutschen die Prosa; die Prosaform jedoch, die den höchsten Rang verdient, ist der Roman. Er ist die zeitgemäße Gattung.

Bei der Bestimmung der Charakteristika ihrer Zeit, die auch Merkmale der Prosa im allgemeinen und des Romans im besonderen sind, wollen die Jungdeutschen nicht nur, wie Menzel, allgemeine Hinweise und aphoristische Beobachtungen geben, sondern auch Begründungen. Dabei gehen literarisch-wissenschaftliche und gesellschaftlich-politische Argumente, die bei Menzel noch relativ unvermittelt nebeneinanderstehen, eine enge Verbindung ein.[38]

Wienbarg versuchte als erster, das überall zu beobachtende Vordringen der Prosa politisch zu deuten. Er begrüßte diesen Vorgang, „weil Prosa unsere gewöhnliche Sprache und gleichsam unser tägliches Brod ist, weil unsere Landstände in Prosa sprechen, weil wir unsere Person und Rechte nachdrücklicher in Prosa vertheidigen können, als in Versen."[39]

Mundt führte die Überlegungen Wienbargs weiter und baute sie wenig später in seiner *Kunst der deutschen Prosa* (1837) systematisch aus.[40] Gestützt auf die sprachwissenschaftlichen Forschungen der Zeit, vor allem Wilhelm von Humboldts, bestritt er den bis dahin allgemein behaupteten Vorrang des Verses vor der Prosa und betonte ihre prinzipielle Gleichrangigkeit. Er sah im Verzicht auf das Metrum zugleich einen Gewinn an Vergeistigung. In einer Zeit der Geistesherrschaft, der Ideen und der Reflexion — als die Mundt seine Gegenwart betrachtet — ist daher die Prosa die angemessene Ausdrucksform. Sie ist es, „in welcher der schaffende poetische Geist der Nation am mächtigsten wird, in der die Ideenbewegung der Zeit vorzugsweise ihre Sache führt, der andern literarischen Formen sich entschlagend."[41] Daher drängt die Entwicklung „von Seiten der Sprache, der Literatur und der Gesinnung" gleichermaßen zur Prosa.[42] Sie ist sowohl sprachgeschichtlich wie politisch — das ist Mundts Überzeugung — die der neuen Zeit gemäße Ausdrucksform.

Mit der wachsenden Bedeutung, die den Inhalten innerhalb des Prosabegriffs zukommt — die „Emancipation der Prosa"[43] bedeutet für Mundt den Sieg des Inhalts, des Gedankens und der Wahrheit über den „bloßen" Formalismus, das Gefühl und den Schein —, wird die Frage der Abgrenzung zwischen den verschiedenen Prosaformen immer unwichtiger. Insbesondere die Bezeichnungen „Roman" und „Novelle" wurden nahezu beliebig austauschbar.[44] Die Jungdeutschen hielten die Gemeinsamkeit des Prosacharakters für wesentlich größer als eventuelle Unterschiede im Umfang oder in der Struktur. Dennoch galt ihnen, wenn sie einmal zu differenzieren versuchten, fast durchweg der Roman als die höchste Form der Prosadichtung. Zur Begründung wiesen sie vor allem, wie die Frühromantiker und die Ästhetiker der Zeit (Solger, Hegel, Rosenkranz), auf die am Epos abgelesenen Bestimmungen der „Universalität" und der „Totalität" des Romans hin. Dabei legten sie den Schwerpunkt allerdings stärker als früher auf das Inhaltliche. Als „Spiegel seiner Zeit" gibt der Roman ein umfassendes Bild der Zeit, das alle Erscheinungen des „wirklichen und gesellschaftlichen Lebens" enthält, er ist ein „Makrokosmos" — während die Novelle, die ebenfalls wirklichkeits- und zeitnah ist, nur einen Ausschnitt der Welt wiedergeben kann, also einen „Mikrokosmos" darstellt.[45] Es ist ein bleibendes Verdienst der jungdeutschen Kritik, daß sie durch ihren nachdrücklichen Einsatz für den Roman entscheidend zur rascheren Aufwertung der Gattung in Deutschland beitrug.

Der von den Jungdeutschen erstrebte Roman ist der Zeitroman. Dabei bedeutet „Zeit" zunächst einmal die eigene Gegenwart; darüber hinaus umfaßt der Begriff all die oben bereits genannten Bestimmungen dieser Zeit, die der Roman als ihr „Spiegel" enthalten soll: die Wirklichkeit der „äußeren Welt", ihre gesellschaftlichen und politischen Zustände, die Ideen und Probleme, die sie bewegen und prägen.

Die so verstandene „Zeit" soll im Roman „bestimmt" und „getreu" — also

realistisch[46] — gezeichnet werden. Vorbilder des „realistischen" Romans waren
seit den frühen zwanziger Jahren vor allem die Werke Scotts. Alexis, der bedeutendste deutsche Scott-Kritiker der Zeit, rühmte bereits 1823, daß sie ein
„Bild des Lebens" gäben und das „wirkliche Leben" widerspiegelten, „wie es
unseren Sinnen erscheint".[47] Die „getreue, schlichte Darstellung", der Bericht
„von wirklich Geschehenem" mache die Romane zum Abbild der Zeitwirklichkeit.[48] Die Wirklichkeitsnähe zeigt sich besonders in der Wendung vom Abstrakten und Allgemeinen zum Konkreten und Besonderen, in der großen Rolle
des Detailrealismus, in der Ausführlichkeit und Genauigkeit der Objektschilde-
rung. Alexis wird von seiner Analyse zu der Frage geführt, „was denn eigentlich
der Hauptgegenstand des Romanes sey, die Subjektivität des Helden, oder die
Objekte, welche er auf seiner Lebensreise erblickt"?[49] Er entscheidet sich, an
Scott orientiert, für die zweite Möglichkeit: die Subjektivität des Einzelnen muß
zugunsten der realistischen Zeitdarstellung zurücktreten. Noch von einer zweiten
Seite her wird die Beschäftigung mit dem Einzelnen eingeschränkt. Der Realismus
fordert die Abdankung des großen Individuums zugunsten von Menschen, „wie
wir sie jetzt im Leben erblicken", von „unbedeutenden", durchschnittlichen Menschen als Helden.[50] Sie sind mehr Ausdruck einer Klasse oder einer Zeitströmung
als psychologisch interessierende Individuen. So führt die Rezeption der Romane
Scotts zu einer Neubestimmung des Verhältnisses von Roman und Wirklichkeit
und zu einer neuen Definition der Rolle des Helden im Roman.

Da Scott mit diesen Vorstellungen für Menzel wie für eine Reihe anderer
deutscher Kritiker als Erneuerer des Romans und Schöpfer des modernen Romans
galt, sollte man meinen, daß auch die Jungdeutschen Anhänger des neuen
Romantypus geworden wären. Das ist jedoch nur mit großen Einschränkungen
der Fall. Die Fixierung auf die eigene Zeit, die Gegenwart, führte bei ihnen zu
einem problematischen Verhältnis zur Geschichte und damit auch zum historischen Roman.[51] Denn dieser ist dazu angetan, wie sein schärfster Kritiker
Wienbarg eiferte, „das so hoffnungreich bewegte Europa [...] einzuschläfern
und um das Gefühl und die That der Gegenwart zu betrügen"; er ist geprägt
von „dem Staube der abgebröckelten Vergangenheit".[52] Dieses Vorurteil trug
dazu bei, daß sich die Jungdeutschen nur am Rande mit den romantheoretischen
Prinzipien Scotts beschäftigten; daher gelang es ihnen nicht, seine Neuerungen
in ähnlichem Maße wie die französischen und englischen Romanciers der Zeit
für den erstrebten Zeit- und Gesellschaftsroman fruchtbar zu machen.[53]

Statt dessen griff die jungdeutsche Kritik wieder verstärkt auf die Tradition zurück, die bis zum Auftreten Scotts den meisten Ästhetikern, Kritikern
und Romanschreibern in Deutschland als vorbildlich gegolten hatte: die des
Individualromans vom Typus des *Wilhelm Meister*. Mundt faßt 1833 die auch
unter den Jungdeutschen vorherrschende Ansicht zusammen, wenn er schreibt,
Goethe habe mit dem *Meister* „gewissermaßen einen d e u t s c h e n N o r m a l -
R o m a n geschaffen"; er habe mit diesem Werk die „Bildungsgeschichte" eines

Individuums vor dem Hintergrund einer breiten Zeitdarstellung zum „Normal-Thema" des deutschen Romans erhoben.[54] Mundt warnt allerdings davor, die Formulierung „Bildungsgeschichte" zu eng zu fassen und hauptsächlich auf die innere Entwicklung, die Psyche des Helden, zu beziehen; gerade in Deutschland sei der „Irrthum des productiven Individuums" „gefährlich gewesen, [...] an sich und sein Schaffen, wie an seine Persönlichkeit eine ganze Welt geknüpft zu sehen".[55] Die gestiegene Bedeutung der Wirklichkeit bringe es mit sich, daß man die Zeit und die Wirklichkeit, in der das Individuum lebt und sich entwickelt, stärker als zur Zeit Goethes berücksichtigen müsse. Mundt propagiert gleichsam einen „modernen" *Wilhelm Meister.* Der Roman soll nach seiner Ansicht die „Gesammtrichtung des Lebens" darstellen,

> dieselbe zuvörderst verknüpfend an die Schicksale eines Individuums, das durch mannigfache, fruchtbare Anlagen besonders dazu berufen, und deshalb interessant genug erscheint, seine Bestrebungen in der Breite der Welt und durch die ganze Länge des Lebens vor uns zu entwickeln.[56]

Mundt will also die Darstellung der „Breite der Welt" nicht zugunsten der „Schicksale eines Individuums" verkürzen. Ähnlich ist für Wienbarg der „psychologische zeitgeschichtliche Sittenroman" das erstrebenswerte Ziel.[57] Dieses theoretisch postulierte Gleichgewicht verschiebt sich jedoch mehr und mehr zugunsten des Individuums, wenn die Ausführungen der Kritiker detaillierter werden. Die Jungdeutschen stimmen darin überein, daß es der äußeren Welt in der deutschen Gegenwart an Interesse und vor allem an poetischem Gehalt fehlt — „nicht wahr, es ist verdammt wenig Poesie in dieser Zeit, in diesem Leben, das wir in Deutschland führen?", klagt Wienbarg.[58] Daher wenden sie sich wieder verstärkt dem Bereich der Wirklichkeit zu, in dem bereits Hegel das Poetische suchte: dem Innern des Menschen, seinem Denken und Fühlen. „An innerem, psychologischem Interesse" würde Wienbarg dem Helden seines geplanten Romans *Johannes Küchlein* „zuzuwenden suchen, was ihm an äußerem mangelt."[59]

Die Jungdeutschen beantworten die Frage von Alexis, ob die „Subjektivität des Helden" oder die „Objekte" die Hauptsache im Roman seien, wieder im traditionellen Sinn. Die Rückkehr zum Einzelhelden und das „innere, psychologische Interesse" an seiner Person können jedoch dazu führen, daß die Erfassung der „äußeren Welt" auf den Lebensbereich eines Einzelnen eingeschränkt wird. Diese Gefahr ist bei den Jungdeutschen in besonderem Maße gegeben, weil sie dazu neigen, ihre Helden mit autobiographischen Zügen auszustatten. So werden häufig Literaten, „Zweifler" und „Zerrissene" zu Hauptpersonen ihrer Werke. Sie sind jedoch, ebenso wie das Milieu, in dem sie sich mit Vorliebe bewegen, nur bedingt repräsentativ für die Zeitwirklichkeit.

Für die Vernachlässigung der äußeren Wirklichkeit im Roman der Jungdeutschen lassen sich mehrere Gründe anführen. Zunächst muß man feststellen, daß die „umfassende Kenntnis der realen Welt", die Goethe an Scott als erste

Voraussetzung der realistischen Darstellung rühmte[60], ihnen nur in begrenztem Maße zu eigen war. Als zweites ist die nicht eben ausgeprägte Fähigkeit zu nennen, die erfahrene Wirklichkeit realistisch zu erfassen und zu beschreiben. Sie neigen eher zu einem rhetorischen, bilderreichen Stil, dem das genaue Beschreiben fremd ist. In den Bereich der schriftstellerischen Mängel gehört auch die Frage der Komposition. Die Rückkehr zum Einzelhelden enthebt aller Probleme der Struktur, die ein Zeitroman gestellt hätte: roter Faden ist eben der Lebensgang des Helden. Die Beliebtheit des Briefromans zeigt sowohl die Tendenz, den Roman auf die Erlebnisse, Gefühle und Reflexionen eines Einzelnen zu konzentrieren, also zu subjektivieren, als auch die geringe Neigung, sich mit Fragen der Komposition zu befassen.

Die Jungdeutschen geben in anderen Prosaformen — in „Skizzen" und „Charakteristiken", in „Genrebildern", ja selbst in Novellen — allerdings nicht selten genaue Schilderungen der äußeren Wirklichkeit. Die Tatsache, daß sie in den Romanen nur gelegentlich zu finden sind, läßt sich also nicht allein mit mangelnder Wirklichkeitskenntnis und darstellerischer Unfähigkeit erklären. Der tieferliegende Grund scheint mir zu sein, daß die Jungdeutschen den Roman als die poetischste Prosaform betrachten. Das stellt ihn zwar einerseits an die Spitze aller Prosaformen, es hindert ihn jedoch andererseits am Erreichen der ursprünglich gesetzten Ziele. Als Prosaform fordert der Roman Wirklichkeitsnähe und Beschäftigung mit der Prosa des Lebens, als poetische Prosaform wird ihm dies wiederum fraglich. Hegel betonte in seinen Vorlesungen, der Roman müsse zwar auch „die Prosa des wirklichen Lebens mit in seine Schilderungen" hineinziehen, aber seine Hauptaufgabe bleibe es stets, „der Poesie [...] ihr verlorenes Recht" wiederzuerringen.[61] Ganz ähnlich sehen die Jungdeutschen das Ziel des Romans darin, die Relikte der Poesie in dieser prosaischen Welt zu suchen, den „rothe[n] Faden der Poesie" im „taube[n] Gestein" der Wirklichkeit aufzuspüren.[62] Neben der „Poesie des Herzens", die zur intensiven Beschäftigung mit den Problemen des Menschen als privatem Wesen führt, bedeutet „Poetisierung" für die Jungdeutschen wie für die klassische Poetik „ideelle Durchdringung". Auch unter diesem Aspekt gilt Scott scharfe Kritik: Wienbarg spottet, daß in seinen Romanen von „höherer Absicht, durchscheinender Idee, oder ideeller Einheit" nichts zu spüren sei.[63] Gutzkow unterscheidet noch ausdrücklicher den Roman, der, wie bei Scott und seinen Nachfolgern, bloß die „Wirklichkeit kopirt", von dem viel höher zu schätzenden „poetischen" Roman, der die hinter der Wirklichkeit liegende „unsichtbare Welt" der „Wahrheit" erschließt. Der erstere sei „für die Masse": „Nur hell, blank und geschliffen muß diese Literatur sein, weil sie der Wirklichkeit gegenüber nur ein Spiegel ist, der sie treu auffaßt und wiedergibt". Die Wahrheit freilich liege „niemals in dem, was wirklich ist", sie offenbare sich erst in der Idee, im poetischen Kunstwerk.[64]

Von diesem idealistischen Ansatz aus wird nicht nur der realistische Roman der Engländer und Franzosen kritisiert, auch Goethes *Wanderjahre* fallen der

Verurteilung anheim. So fragt Mundt ziemlich ratlos, warum Goethe wohl all die „ins Detail gehenden Mittheilungen" über „prosaische" Vorgänge, wie die „ökonomischen, technischen, landwirthschaftlichen" Berichte in den Roman eingefügt habe. Er betont entrüstet,

> daß auch der Roman in seiner Biegsamkeit, die empirische Wirklichkeit des Lebens aufzunehmen, seine Grenzen haben muß, und daß ein Gedicht nicht Alles verdauen kann, was man in selbes hineinpropft. Denn der Roman ist doch auch eine p o e t i s c h e K u n s t f o r m ?[65]

Das Streben nach Poetisierung im Roman zeigt, wie sehr die Jungdeutschen trotz ihres Einsatzes für die Prosa als Ausdrucksform dieser Zeit noch im Bann des klassischen Dichtungsverständnisses stehen. Unter Berufung auf die traditionellen Vorstellungen vom Poetischen ziehen sie die „Grenzen" des Romans gegenüber der „empirischen Wirklichkeit des Lebens" sehr eng. Zwar setzen sie sich im Prinzip nachdrücklich von der „Kunstperiode" ab und fordern die „Emancipation der Prosa" und den Realismus in der Literatur; aber sie verlassen leichten Herzens das Gebiet realistischer Darstellung, noch bevor sie es recht erkundet haben, weil sie das Empirische geringschätzen und glauben, das Poetische bewahren zu müssen. So verfehlen sie letzten Endes beide Ziele.[66]

Welche Folgen eine konsequentere Beschäftigung mit der Wirklichkeit hat, wird in diesen Jahren am Beispiel Immermanns deutlich. Er erkannte wesentlich klarer, daß es die historische Aufgabe seiner Zeit war, das „realistisch-pragmatische Element" im Roman durchzusetzen, selbst wenn das den weitgehenden Verzicht auf das Poetische zur Folge haben sollte; er sah in einem solchen Realismus die Voraussetzung für einen eventuellen späteren „poetischen" Realismus.[67] So verwirklichte er in seinem Roman *Die Epigonen* (1836), was die Jungdeutschen ursprünglich erstrebten: die „Darstellung unserer jetzigen verworrenen sittlich-gesellschaftlichen Verhältnisse" und des „Lebens der Gegenwart" in einer „getreuen", „realistischen" Darstellung.[68] Allerdings wird auch Immermann von der ästhetischen Tradition, insbesondere vom übermächtigen Vorbild der *Lehrjahre*, immer wieder daran gehindert, dieses Ziel noch nachdrücklicher anzustreben. Vor allem die durch den Einzelhelden bedingte Struktur erweist auch bei ihm ihre hindernde Kraft auf dem Wege zum realistischen Zeitroman. Dennoch ist Immermann diesem Ziel näher gekommen als jeder andere deutsche Romancier seiner Zeit.[69]

Der „Zeitroman" der Jungdeutschen ist nur in geringem Maße der „Spiegel" der „bestimmt gezeichneten Wirklichkeit". Das gilt auch und gerade von dem gesamten Komplex des „gesellschaftlichen Lebens" der Zeit, den er als G e s e l l s c h a f t s r o m a n eigentlich zu behandeln versprach. Noch nachhaltiger als bei der Darstellung der äußeren Wirklichkeit wirkten sich hier die mangelnden Kenntnisse und die begrenzte Darstellungsgabe der Jungdeutschen aus. Doch

auch hier genügen diese sicher zutreffenden Erklärungen allein nicht. Die Jungdeutschen vernachlässigen die gesellschaftliche Wirklichkeit der Zeit nicht zuletzt
deshalb, weil sie ihre getreue Wiedergabe für überaus problematisch halten. Die
von ihnen selbst propagierte Wechselwirkung der Literatur mit dem „jedesmaligen gesellschaftlichen Zustand" einer „Zeitperiode" führte sie in ein Di-
lemma. Obwohl man ihnen politischen Scharfblick nicht eben nachrühmen kann,
blieb ihnen doch nicht verborgen, daß die Julirevolution in Deutschland keine
grundlegenden Veränderungen mit sich gebracht hatte; der „gesellschaftliche
Zustand" war trotz des Vordringens liberaler Vorstellungen noch immer weit
mehr restaurativ und restriktiv als freiheitlich oder gar demokratisch. Ein
Roman, der „realistisch" das wirklich Vorhandene widerspiegelte, wäre nach
Ansicht der Jungdeutschen daher unter politischen Aspekten keineswegs er-
strebenswert. So wirft Laube auch Goethes sonst so bewundertem Roman vor:
„,Wilhelm Meister' ist nur aus dem Dagewesenen reproducirt; er machte den
Zustand [der gesellschaftlichen und politischen Situation Deutschlands] mit
unglaublicher Kunst sonnenklar, half aber nicht einen Schritt weiter." Und er
erhebt diesen Vorwurf darüber hinaus gegen den gesamten deutschen Roman:

> Es ist ein Uebelstand, daß unser Roman fast immer der nachhinkende Bote unserer
> Gesellschaft war, statt ihr voreilender Courrier zu seyn — unser Roman erzählte
> nur immer, er erfand nie, er war stets reproductiv. Dadurch verschlimmerte er oft
> noch eine schlechte Zeit.[70]

Laube verwirft den nur realistisch widerspiegelnden Roman also, weil er nach
seiner Ansicht das Bestehende dadurch, daß er es festhält, verklärt, mithin selbst
restaurativ wirkt. Den Jungdeutschen ist die Vorstellung fremd, daß die getreue
Reproduktion von Wirklichkeit zugleich Wirklichkeit schaffen, daß der Realismus also die Macht haben könne, die Wirklichkeit gerade durch die getreue
Wiedergabe zu verändern.[71]

Die Jungdeutschen fordern zunächst, neben die Darstellung der Wirklichkeit
ihre Kritik zu stellen. Der Roman soll alle Brüche und Risse der Zeit, ihre Widersprüche und Mängel zeigen: „reißt der Zeit den Mantel der Heuchelei, der Selbst-
sucht, der Feigheit vom Leibe [. . .] haltet Abrechnung mit der Zeit."[72] Vor allem
muß der Roman jedoch die erwünschte Wirklichkeit propagieren: er muß als
T e n d e n z r o m a n dem „Fortschritte der Gesellschaft" dienen, von „socialer
Umgestaltung" künden, „die mit der politischen Hand in Hand gehe". Die
Füllung mit Tendenzen, die Verkündung neuer Ideen, liberaler Ideale, der
umfassenden „Demokratisierung" des Lebens wird zur entscheidenden Forderung an den Roman: „Warum verlangen wir nicht vom Romanschreiber, daß
die neue Welt sich abspiegele in den Erzählungen!"[73]

Zur Aufnahme von Ideen und Tendenzen aller Art ist der Roman nach Ansicht
der Jungdeutschen mehr als jede andere literarische Form geeignet. Die bereits
von Menzel als positiv herausgestellte „Freiheit" der Form — bis dahin ebenfalls

ein Argument g e g e n den Roman — machte es leicht möglich, alle erwünschten Ansichten in den Roman hineinzulegen. Jeder Blick in einen jungdeutschen Roman zeigt, daß diese Möglichkeit weidlich genutzt wurde. Marggraff resumierte mit mildem Spott, aber durchaus zutreffend: der Roman sei seit 1830 der wahre Spiegel der Zeit geworden, denn er habe „ihre Tendenzen, ihre Begehrnisse, ihre Händel, ihre Debatten in sich aufgenommen", er weite sich „mit jeder neuen Fase im Gebiete der Politik und Tagesgeschichte, der Filosofie, Ästhetik, Wissenschaft u. s. f. mehr aus".[74]

Ein wichtiger Vorteil der formalen Offenheit des Romans besteht darin, daß er leichter als jede andere Gattung den Umfang von 20 Bogen überschreiten kann, mit dem er die in den Karlsbader Beschlüssen verordnete Vorzensur umgeht. Gelingt es trotz langer Erörterungen aller möglicher Zeitfragen, trotz der Nachhilfe der Verleger durch kleine Buchformate und verschwenderisches Druckbild nicht, diesen Umfang zu erreichen, so kann man auch noch einen theoretischen Artikel einfügen, wie Gutzkow es bei seinem Roman *Wally, die Zweiflerin* tat.[75] Die Vorstellung von der Geschlossenheit des Kunstwerkes und von der Integration der Einzelteile war der Romandiskussion der Zeit unbekannt; selbst ein derartiger Artikel galt nicht als Fremdkörper, denn auch er war schließlich ein Zeugnis der Zeit.

Der Roman kam durch seine formale Offenheit den erstrebten politischen Zielen der Jungdeutschen also in mehrfacher Hinsicht entgegen. Die Füllung mit Tendenzen bedeutete allerdings eine Subjektivierung und damit den Verzicht auf die Objektivität, die seit Scott als eine Grundbedingung realistischen Darstellens angesehen wurde. Die Jungdeutschen gaben sie gerne preis, denn sie setzten Objektivität mit Gesinnungslosigkeit gleich. Wienbarg spottet über Scott und den historischen Roman: „Was bedarf es der Gesinnung, um einen historischen Roman zu schreiben? Ohne Gesinnung, ohne Theilnahme an etwas Lebendigem schweift die Phantasie im Rücken der Gegenwart umher."[76] Die „richtige" Gesinnung — nach Mundt ein Ersatz für „die gestörte Bewegung der P o l i t i k in unsern Tagen"[77] — wird zur Voraussetzung bei der Abfassung eines Romans; sie garantiert, daß die in den Roman aufgenommenen Gedanken und Gespräche den angestrebten Zwecken dienen. Die Art der Tendenz und der Gesinnung wurde daher zum wichtigsten Kriterium bei der Beurteilung eines Romans. Die jungdeutsche Kritik beschäftigte sich „nicht mit den Büchern an sich", „sondern mit der darin ausgesprochenen Gesinnung. Man fragte zuerst nach dem politischen Glauben des Verfassers [. . .]. Der Kunstwerth verlor seine Geltung; man schätzte ein Buch nach seinem Tendenzenwerthe ab."[78]

Im Prinzip sind die beiden Komplexe: Darstellung der gegebenen Wirklichkeit und Verkündung der erstrebten Verhältnisse für die Jungdeutschen von ähnlicher Bedeutung, aber jeder Blick in die Programme und Kritiken zeigt, daß man der Frage der erwünschten Tendenzen weit mehr Aufmerksamkeit widmet. Doch nicht nur das starke Interesse der Jungdeutschen für die Tendenz schränkt den Spielraum der realistischen Zeitdarstellung ein. Bereits das Streben nach Tendenz scheint das Streben nach Realismus zu erschweren, vor allem dann, wenn die Wirklichkeit, die durch die Tendenz geändert werden soll, zuvor nicht konkret und detailliert erfaßt wurde.[79]

Subjektivierung und Poetisierung, die die Wirklichkeitsdarstellung auf der einen Seite, Tendenz und Politisierung, die sie auf der anderen Seite in Frage stellen, berühren sich in manchem: so wird der Einzelheld zum beliebten Träger von Tendenzen, zum Sprachrohr der religiösen, philosophischen und politischen Anschauungen des Autors.[80] Denn wer hätte die „richtigere" Gesinnung als der autobiographische Held und was wäre einfacher, als ihn die erstrebten Tendenzen im Gespräch oder in Reflexionen ausbreiten zu lassen?

Wesentlich stärker als die Berührungen sind allerdings die Konflikte, die sich aus dem gleichzeitigen Streben nach Poetisierung und Tendenz ergeben. Für die klassische Poetik galt es als selbstverständlich, daß Poesie keine Zwecke kennen dürfe. Die Jungdeutschen verspotteten diesen Grundsatz als ästhetizistisch, doch trotz des häufigen lautstarken Bekenntnisses zur Politisierung der Literatur und zum Tendenzroman steigen ihnen immer wieder Zweifel darüber auf, ob nicht die Tendenz, wenn sie über ein bestimmtes Maß hinausgeht, die Poetisierung unmöglich macht. Zwar sind nur wenige Schriftsteller, die sich für fortschrittlich halten, bereit, sich zugunsten der Poesie wieder von der Tendenz zu distanzieren, wie es Heine seit der zweiten Hälfte der dreißiger Jahre immer nachdrücklicher tat; aber andererseits wollten auch nur wenige notfalls das Poetische der Tendenz völlig opfern. Die meisten Romanciers versuchten, das eine zu tun, ohne das andere zu lassen, freilich auch hier, wie im Konflikt zwischen Realismus und Poesie, ohne damit einer der beiden Seiten gerecht zu werden. Die Tendenz stellt letzten Endes sowohl den Realismus der Darstellung als auch das Poetische in Frage.

Zweifellos gelingt es den Jungdeutschen, den Roman als Tendenzroman in den Dienst ihrer politischen Ziele zu stellen. Wieweit wird er dadurch jedoch zu einer „fortschrittlichen" oder gar „demokratischen" Gattung?

Die Selbstverständlichkeit, mit der die Jungdeutschen den Roman als „fortschrittliche" Gattung ansahen, erklärt sich zum Teil aus der Rolle, die er vor 1830 in der klassizistischen Poetik gespielt hatte. Seine Stellung als Außenseiter und Emporkömmling unter den Gattungen machte die intensive Beschäftigung mit ihm bereits selbst zu einem Akt der Auflehnung gegen das Traditionelle. Mit dieser Ansicht standen die Jungdeutschen keineswegs allein; auch für viele Konservative bestand kein Zweifel daran, daß der Roman die Gattung der Fortschrittlichen und Liberalen war. Als sie im Laufe der dreißiger Jahre immer stärker eine geistliche Gegenliteratur gegen die Jungdeutschen aufbauten, scheuten sie sich daher lange Zeit, dazu auch den Roman zu benutzen.[81] So ist es zu verstehen, daß die Offenheit des Romans für Ideen aller Art einseitig der Propagierung „fortschrittlicher" Vorstellungen zugute kam.

Dennoch ist es natürlich im Grunde nicht möglich, diese in einer speziellen historischen Situation zutreffende Zuordnung als Merkmal der Gattung auszugeben. Zum Beweis dafür, daß der Roman eine fortschrittliche und speziell eine demokratische Gattung sei, bedürfte es mehr: man müßte z. B. seine innere Kongruenz mit demokratischem Denken und seine Bedeutung im Prozeß der Demokratisierung zeigen.

Der wohl wichtigste Punkt des ersten Komplexes ist die Vorstellung vom Verhältnis des Individuums zur Gesellschaft. Dem von Scott verwirklichten durchschnittlichen Helden kommt, so gesehen, auch eine politische Bedeutung zu. Bereits Menzel argumentierte, „der Held im Vordergrunde" sei „immer der poetische Monarch"; „in dem neuen historischen Roman" aber herrsche das „Volk, und was davon in den Vordergrund sich herausstellt, sind immer nur seine Organe, aus seiner Mitte, aus allen seinen Classen [...] herausgegriffen". Daher will Menzel diese Romane „durch den Charakter des Demokratischen" bezeichnen.[82] In den Augen mancher Kritiker ist der Roman gerade deswegen die „moderne" Dichtungsgattung, weil er „seinen Helden nicht unter den Vorkämpfern, sondern aus dem großen Haufen wählt, der aber zugleich der Träger einer ganzen Zeitrichtung wird".[83] Die Jungdeutschen stimmen der Ansicht durchaus zu, daß die Bewegung vom Einzelnen zur Gesellschaft ein Kennzeichen der politischen Entwicklung der Zeit ist. Selbst Heine meint, die „Weltperiode [...], wo die Taten der Einzelnen hervorragen", scheine vorüber zu sein, „die Völker, die Parteien, die Massen selber sind die Helden der neuern Zeit".[84] Trotz dieser Einsicht übertragen die Jungdeutschen dieses Merkmal der neuen Gesellschaft nicht auf den Roman, sie halten, wie gezeigt, am Einzelhelden fest.

Ähnlich zwiespältig ist ihre Haltung zum Problem der „demokratischen" Wirkung des Romans. Zweifellos verdankte der Roman seine Beliebtheit bei den Jungdeutschen zunächst entscheidend der Tatsache, daß er durch seine Verbreitung in besonderem Maße geeignet schien, ihre Ansichten in die „Masse" der lesenden Bevölkerung zu tragen. „Das demokratische Gift wird verschlungen", schrieb Laube 1833 frohlockend, „weil es auf Speisen geträufelt ist, welche dem Gaumen behagen."[85] Gutzkow setzte der Literatur im gleichen Jahr das Ziel, „die Meinung des Publikums", die „breite Masse, die wir Volk nennen", zu „erobern".[86] Doch trotz derartiger Bekenntnisse scheuten die Jungdeutschen die allzu konkrete Berührung mit den „Massen". Nicht nur Heine, der den Ausbruch der „demokratischen" Literatur von Beginn an mit Skepsis kommentierte und bald mit Spott bedachte[87], sondern auch Laube, Mundt und Gutzkow distanzierten sich bereits vor dem Bundestagsverbot mehr oder weniger deutlich von dem Versuch, mit dem „demokratischen Gift" die Massen zu erreichen. „Für die Massen schreib' ich nicht", betonte Gutzkow 1835, „so werden meine Schriften immer nur einen geweihten Kreis bilden, in welchen die Einsichtsvollen und

Unterrichteten eintreten."[88] Stil, Sprache und Darstellungsart der Romane sprechen in der Tat von vornherein nur dieses Publikum an. Gerade die „neuen Ideen", von denen sich die Jungdeutschen die Veränderung der Gesellschaft erhofften, wurden fast durchweg abstrakt und theoretisch vorgetragen, in Reflexionen und Briefen, in endlosen Konversationen und Diskussionen im Salon, im Literatenkreis, ja unter Liebenden. Der Tendenzroman scheiterte nicht zuletzt an seiner „ästhetischen Isolirung", er blieb „exklusiv" und „aristokratisch".[89] Gutzkow schrieb 1832: „Unser politisches Streiten ist demokratisch, wir sind aber gewohnt, nie die Feder zu greifen als im Geiste unserer literarischen Aristokratie."[90] Diese Feststellung gilt auch und gerade für das Verhältnis der Jungdeutschen zum Roman als „demokratischer" Gattung. Die „Politisierung" des Romans erfolgt im wesentlichen im Bereich der Inhalte, der Tendenzen; die Art der Darstellung hingegen wird nur in geringem Maße davon berührt. Die liberale Hochschätzung des Individuums und die Betonung seiner Autonomie und Vernunft blieben letzten Endes stärker als das Interesse für die Gesellschaft oder die demokratische Befürwortung der Masse.

Nur ein deutscher Kritiker und Romancier zog in diesen Jahren konkrete Folgerungen aus der Neubestimmung des Romans als Zeit- und Gesellschaftsroman und aus der Überzeugung, er sei eine fortschrittliche Gattung: Sealsfield. Er übertrug die am historischen Roman Scotts gewonnenen Einsichten, ähnlich wie Balzac, auf den Gegenwartsroman. Er war, unbelastet von der „poetischen" *Wilhelm-Meister*-Tradition, konsequenter als die Jungdeutschen in der Erfassung der äußeren, „empirischen" Wirklichkeit. Da sein Widerspiegelungsbegriff dialektisch war, konnte er trotz seiner demokratischen Neigungen weitgehend auf Tendenzen verzichten; er stellte das „gesellschaftliche Leben in allen seinen Nuancen"[91] realistisch dar und zeigte die Menschen als Glieder der Gesellschaft. Er bekannte sich ebenso zur Aufgabe des Romans, „Hebel" der „gesellschaftlichen Umgestaltung" zu sein wie zu der demokratischen Wirkung, die von seiner Verbreitung in allen Schichten der Bevölkerung ausgehe. So wurde Sealsfield noch mehr als Immermann seit den späten dreißiger Jahren zum Vorbild der liberalen Kritik. Niemand ist ihrer Ansicht nach „der realistischen Disposition der Zeit so sehr entgegengekommen" wie er, niemand hat wie er „das demokratische Princip im Roman" durchgesetzt.[92]

Sealsfield schrieb 1835: „der Roman kann nur auf ganz freiem Boden gedeihen, weil er die freie Anschauung, Darstellung der bürgerlichen und politischen Verhältnisse in allen ihren Beziehungen und Wechselwirkungen bedingt."[93]

Sealsfield nennt hier eine wichtige Bedingung des Romans, der sich als realistischer Zeit- und Gesellschaftsroman versteht. Art und Rang des Romans in England, Amerika und — nach 1830 — in Frankreich nimmt er als Beweis für seine These. Gerade da auch die Jungdeutschen von ihrer Richtigkeit überzeugt sind — sie ist ja eine Anwendung ihres Grundsatzes von der Wechselwirkung Literatur — Leben —, ist ihr Streben nach einem solchen Romantyp von vornherein gelähmt. Sealsfield ist, so gesehen, als Deutsch-Amerikaner ein Ausnahmefall, dessen Vorbild unerreichbar bleibt.

Die Probleme, die der Roman in Theorie und Praxis mit sich brachte, ließen die Jungdeutschen resignieren. Sie wandten sich noch vor Ende der dreißiger Jahre fast abrupt von der Beschäftigung mit der Gattung ab.[94] Das rasche Scheitern des mit so großen Hoffnungen begonnenen Versuchs einer Neubestimmung des Romans scheint die herrschende Ansicht der Forschung zu bestätigen, daß man die Bemühungen der Jungdeutschen ohne weitere Erörterung als mißglückt abtun könne. Doch trotz aller Inkonsequenzen und problematischen Halbheiten, die diese Versuche prägen, trotz der starken Bindung der jungdeutschen Kritik an die klassizistischen Traditionen sollte nicht übersehen werden: hier ist zum erstenmal in der nachklassischen und -romantischen Zeit ein Ansatz zu erkennen, den Roman weniger ausschließlich vom „deutschen Normal-Roman" her zu bestimmen und ihm neue Aufgaben und Ziele zuzusprechen. Das geringe und überwiegend negative Echo, das die jungdeutschen Vorstellungen vom Roman bei der Kritik der Zeitgenossen und bei der Literaturwissenschaft bis heute fanden, hat seine Gründe wohl nicht nur, wie eingangs herausgestellt, in den Mängeln und Widersprüchlichkeiten ihrer Bemühungen, sondern auch in der Selbstverständlichkeit, mit der weithin der Individualroman als der „eigentliche" Roman des 19. Jahrhunderts angesehen wurde und wird: selbst geringe Abweichungen von den durch ihn gesetzten Normen und Prinzipien wurden fast durchweg mit Unwillen aufgenommen oder als verfehlt abgetan.

Eine Bestätigung dieser Motive bietet die Wirkungsgeschichte von Gutzkows Roman *Die Ritter vom Geiste* (1850/51). Der Roman und die an ihm entwickelte Theorie vom „Roman des Nebeneinander" knüpften an die jungdeutschen Versuche der dreißiger Jahre an; sie sind allerdings wesentlich konsequenter in den Folgerungen, die sie aus der Bestimmung des Romans als „Zeitroman" und „sozialer Roman" für die Art der Darstellung ziehen. So verwirklicht der Roman in hohem Maße — mehr noch als die Werke Immermanns und Sealsfields — was die Jungdeutschen anstrebten, aber nach den ersten Ansätzen wieder zurücknahmen: er ist der erste Zeitroman in Deutschland, der diesen Namen eigentlich verdient — und er blieb auf Jahrzehnte hinaus der einzige.[95] Gutzkows Werk und Theorie hätten dem deutschen Roman des 19. Jahrhunderts andere Entwicklungsmöglichkeiten zeigen können. Sie fanden jedoch bei der Mit- und Nachwelt nur eine schwache und nicht eben positive Resonanz. Eine Erörterung der Gründe dafür, daß der Zeit- und Gesellschaftsroman in Deutschland eine so untergeordnete Rolle spielte und daß im Gegenzug, nach 1848, der „verinnerlichte" Roman seine Stellung als d e u t s c h e r Normalroman festigen konnte, erforderte eine eigene Arbeit.[96] Sie müßte sich von apologetischen Bemühungen ebenso freihalten wie von vorschnellen Verurteilungen, die — vor allem seit Auerbachs provozierenden Thesen[97] — die Diskussion über den deutschen Roman des 19. Jahrhunderts beherrschen. Ein geeigneter Ausgangspunkt einer weniger emotionalen Erörterung wäre die Beschäftigung mit der umfangreichen, jedoch nahezu unbekannten Literatur des Vormärz und des programmatischen Realismus über den Einfluß der jeweiligen gesellschaftlichen Wirklichkeit auf den Roman in Deutschland und in Westeuropa. Neben Sealsfield, Prutz und Marggraff wären hierfür Fontane, Vischer, Julian Schmidt, Freytag, Otto Ludwig u. a. m. heranzuziehen. Eine genauere Kenntnis dieser Diskussion scheint mir eine wichtige Voraussetzung für eine objektive Bewertung und Einordnung der jungdeutschen Bemühungen und der späteren Versuche Gutzkows zu sein. Wie immer man sie jedoch theoriegeschichtlich und ästhetisch auch beurteilen mag: In jedem Fall bedeutet die einseitige Orientierung des deutschen Romanverständnisses, die sich in ihrer geringen Beachtung ausdrückt, eine Verarmung der deutschen Romankritik und des deutschen Romans im 19. Jahrhundert.

Anmerkungen

* Dieser Beitrag beruht teilweise auf einem Kapitel meiner Habilitationsschrift *Die Entwicklung des Romanverständnisses in Deutschland von der Scott-Rezeption bis zum programmatischen Realismus*. Vieles, was hier nur angedeutet werden konnte, ist dort ausführlich diskutiert, durch umfangreiches Quellenmaterial belegt und in die allgemeine Romandiskussion des Vormärz in Deutschland und in Westeuropa eingeordnet. Andererseits sind verschiedene Vorstellungen aus dieser Arbeit hier weiterentwickelt und präzisiert — nicht zuletzt aufgrund von Anregungen, die ich Gesprächen mit Benno von Wiese verdanke.

1 Theodor Mundt: *Wilhelm Meister's Wanderjahre oder die Entsagenden*. In: Blätter für literarische Unterhaltung, Nr. 265 vom 22. 9. 1830, S. 1058.

2 Mundt: *Die Kunst der deutschen Prosa. Aesthetisch, literargeschichtlich, gesellschaftlich*. Berlin 1837, S. 356.

3 Ludolf Wienbarg: *Wanderungen durch den Thierkreis*. Hamburg 1835, S. 257.

4 Über „zeitgemäß" als Schlagwort der Jungdeutschen siehe Wulf Wülfing: *Schlagworte des Jungen Deutschland*. In: Zeitschrift für Deutsche Sprache, Bd. 22, 1966, S. 159.

5 Heinrich Laube: *Literatur*. In: Zeitung für die elegante Welt, Nr. 168 vom 29. 8. 1833, S. 669.

6 Karl Gutzkow: *Der deutsche Roman*. In Phönix. Frühlings-Zeitung für Deutschland. Literatur-Blatt, Nr. 12 vom 25. 3. 1835, S. 285.

7 Laube: *Literatur*. In Zeitung für die elegante Welt, Nr. 100 vom 23. 5. 1833, S. 398.

8 Eine Arbeit über die jungdeutschen Vorstellungen vom Roman gibt es nicht; auch die größeren Werke über das Junge Deutschland gehen nur am Rande auf sie ein, am ausführlichsten das soeben erschienene Buch von Jeffrey L. Sammons: *Six Essays on the Young German Novel* (Chapel Hill 1972). Auch verschiedene andere Publikationen der letzten Jahre schenken der jungdeutschen Romankritik eine gewisse Beachtung, wenn auch die Quellenbasis meistens nur schmal ist; siehe bes. Friedrich Sengle: *Der Romanbegriff in der ersten Hälfte des 19. Jahrhunderts*. In: Deutsche Romantheorien. Beiträge zu einer historischen Poetik des Romans in Deutschland. Hrsg. von Reinhold Grimm. Frankfurt, Bonn 1968, S. 127—141. Sengle: *Biedermeierzeit. Deutsche Literatur im Spannungsfeld zwischen Restauration und Revolution 1815—1848*. Bd. I und II. Stutt-

gart 1971 f., bes. Bd. 2, S. 803 ff. Edward McInnes: *Zwischen „Wilhelm Meister" und „Die Ritter vom Geist": zur Auseinandersetzung zwischen Bildungsroman und Sozialroman im 19. Jahrhundert.* In: DVjs 43, 1969, S. 487—514. Werner Hahl: *Reflexion und Erzählung. Ein Problem der Romantheorie von der Spätaufklärung bis zum programmatischen Realismus.* Stuttgart u. a. 1971, bes. S. 173 ff. Bruno Hillebrand: *Theorie des Romans.* 2 Bde. München 1972, bes. Bd. 2, S. 29 ff.

9 Ludwig Börne an Cotta vom 10. 3. 1821. *Sämtliche Schriften.* Hrsg. von Inge und Peter Rippmann, Bd. 5. Darmstadt 1968, S. 666.

10 Wolfgang Menzel: *Die deutsche Literatur.* 2 Bde. Stuttgart 1828, Bd. 1, S. 12.

11 Vgl. z.B. Friedrich von Blanckenburg: *Versuch über den Roman.* Leipzig und Liegnitz 1774, S. V.

12 Johann Carl Wezel: *Herrmann und Ulrike. Ein komischer Roman in vier Bänden.* Leipzig 1780. Vorrede, Bd. 1, S. I.

13 Menzel: *Romane.* In: Morgenblatt für gebildete Stände. Literatur-Blatt, Nr. 20 vom 19. 2. 1830, S. 77.

14 Ebd., S. 78.

15 Vgl. bes. Menzel [vgl. Anm. 10], Bd. 2, S. 182 ff., 270 ff.

16 Heinrich Heine: *Briefe aus Berlin* (1822). *Sämtliche Werke in 10 Bänden* [...]. Hrsg. von Oskar Walzel. Leipzig 1910—1920, Bd. 5, S. 280.

17 Karl Immermann: *Brief an einen Freund* [...] (1823). *Werke in 5 Bänden.* Unter Mitarbeit von Hans Asbeck, Helga-Maleen Gerresheim, Helmut J. Schneider, Hartmut Steinecke, hrsg. von Benno von Wiese. Frankfurt 1971 ff., Bd. 1, S. 519.

18 Georg Wilhelm Friedrich Hegel: *Vorlesungen über die Ästhetik* (geh. 1818 bis 1828/29). *Werke in 20 Bänden.* Neu ediert von Eva Moldenhauer und Karl Markus Michel. Frankfurt 1970, Bd. 15, S. 392 f.

19 Vgl. dazu Walter Brauer: *Geschichte des Prosabegriffs von Gottsched bis zum Jungen Deutschland.* Frankfurt 1938.

20 August Wilhelm Schlegel: *Beyträge zur Kritik der neuesten Litteratur.* In: Athenaeum, Bd. 1, 1798, Stück 1, S. 149.

21 Vgl. dazu z.B. Schiller an Goethe vom 20. 10. 1797. Goethe: *Gedenkausgabe der Werke, Briefe und Gespräche.* 24 Bde. Hrsg. von Ernst Beutler. Zürich 1948—1960, Bd. 20, S. 443.

22 Immermann: *Vorrede zur Ivanhoe-Übersetzung* (1826). *Werke* [vgl. Anm. 17], Bd. 1, S. 545. — Immermann an Beer vom 15. 2. 1829. *Michael Beers Briefwechsel.* Hrsg. von Eduard Schenk. Leipzig 1837, S. 100 f. — Hegel [vgl. Anm. 18], S. 393.

23 Menzel [vgl. Anm. 10], Bd. 2, S. 271.

24 Vgl. ebd., S. 167 ff., 184 ff. — Siehe auch in diesem Artikel S. 339.

25 Auch die Spezialliteratur über Menzel geht auf seine Rolle in der Romandiskussion kaum ein (vgl. z.B. Emil Jenal: *Wolfgang Menzel als Dichter, Literarhistoriker und Kritiker.* Berlin 1937).

26 Die Zeitgenossen erkannten das klarer als die spätere Forschung. Vgl. z.B. Gutzkow: *Vergangenheit und Gegenwart. 1830—1838.* In: Jahrbuch der Literatur 1, 1839, S. 19 ff.; Hermann Marggraff: *Deutschland's jüngste Literatur- und Culturepoche. Characteristiken.* Leipzig 1839, S. 263.

27 Vgl. dazu Walter Dietze: *Junges Deutschland und deutsche Klassik. Zur Ästhetik und Literaturtheorie des Vormärz.* Berlin 1957. Kap. „Das Bewußtsein der Zeitenwende", S. 129 ff.

28 Heine: *Die deutsche Literatur* (1828). Werke [vgl. Anm. 16], Bd. 5, S. 351; *Gemäldeausstellung in Paris 1831.* Ebd., Bd. 6, S. 57 ff. — Vgl. dazu Helmut Koopmann: *Das Junge Deutschland. Analyse seines Selbstverständnisses.* Stuttgart 1970, S. 130 f.

29 Mundt [vgl. Anm. 1], Nr. 264 vom 21. 9. 1830, S. 1054.

[30] Heine an Varnhagen von Ense vom 4. 2. 1830. *Briefe.* Erste Gesamtausgabe [. . .], hrsg. von Friedrich Hirth, Bd. 1, Mainz 1950, S. 420.

[31] Gutzkow: *Briefe eines Narren an eine Närrin.* Hamburg 1832, S. 215.

[32] Robert Prutz: *Die deutsche Literatur der Gegenwart. 1848 bis 1858.* 2 Bde. Leipzig 1859, Bd. 1, S. 4.

[33] Wienbarg: *Aesthetische Feldzüge. Dem jungen Deutschland gewidmet.* Hamburg 1834, S. 280. Zur Bedeutung dieser Art der Literaturbetrachtung siehe Dietze: *Einleitung* zu *Wienbarg, Ästhetische Feldzüge.* Berlin und Weimar 1964, S. XXXII ff.

[34] Mundt: Rezension über *Pyrker, Sämmtliche Werke.* In: Jahrbücher für wissenschaftliche Kritik. 1833, II. Sp. 124.

[35] Ebd.

[36] Laube: Rezension über *Immermann, Alexis.* In: Zeitung für die elegante Welt, Nr. 17 vom 24. 1. 1833, S. 65.

[37] Ebd.

[38] Zum Prosabegriff der Jungdeutschen vgl. Reinhard Wagner: *Wesen und Geltung der erzählenden Prosa im Urteil der Biedermeierzeit.* Diss. masch. Tübingen 1952, S. 170 ff.; Sengle: *Biedermeierzeit* [vgl. Anm. 8], Bd. 2, S. 13 ff., 820 ff.

[39] Wienbarg [vgl. Anm. 33], S. 135. — Vgl. auch S. 139: „Die Prosa ist eine Waffe jetzt und man muß sie schärfen".

[40] Zu Mundts Prosabegriff siehe Hanna Quadfasel: *Theodor Mundts literarische Kritik und die Prinzipien seiner „Ästhetik".* Diss. Heidelberg 1932.

[41] Mundt [vgl. Anm. 2], S. 138.

[42] Ebd. — Diese Verbindung von philologischer und politischer Argumentation zeigt sich auch an den Bereichen, mit denen „die literarischen Gattungen der Prosa" in Verbindung gebracht werden sollen: mit „Leben und Gesinnung", mit der „Weltbildung und den gesellschaftlichen Bedürfnissen", mit der „Wissenschaft" (S. XVI und XVIII).

[43] Ebd., S. 49.

[44] Vgl. dazu Rolf Schröder: *Novelle und Novellentheorie in der frühen Biedermeierzeit.* Tübingen 1970, S. 96 ff.

[45] Mundt: *Ueber Novellenpoesie.* In: Mundt: *Kritische Wälder. Blätter zur Beurtheilung der Literatur, Kunst und Wissenschaft unserer Zeit.* Leipzig 1833, S. 140. — Vgl. aber unten Anm. 94.

[46] Die Begriffe „Realismus" und „realistisch" finden sich in den frühen dreißiger Jahren erst vereinzelt. Das, was die Jungdeutschen mit der „bestimmten" Darstellung der Zeitwirklichkeit im Roman wollten, ist jedoch, wie Laube rückblickend zu Recht schrieb, „im wesentlichen das, was man später Realismus genannt hat" (*Erinnerungen 1810—1840. Gesammelte Werke.* Hrsg. von Heinrich Hubert Houben, Bd. 40. Leipzig 1910, S. 187).

[47] Willibald Alexis: *The Romances of Walter Scott* [. . .]. In: [Wiener] Jahrbücher der Literatur, Bd. 22, 1823, S. 7, 11.

[48] Ebd., S. 12, 5.

[49] Ebd., S. 19. Im Original: der Helden.

[50] Ebd., S. 30, 29.

[51] Vgl. dazu Koopmann [vgl. Anm. 28]. Kap. „Das Junge Deutschland und die Geschichte", S. 165 ff.

[52] Wienbarg [vgl. Anm. 3], S. 251 f.

[53] Vgl. Laubes selbstkritische Bemerkung: „das Unglück hat es gewollt, daß Niemand bei uns aufstehen mochte, der diesen [von Scotts Romanen ausgehenden] Impuls kräftig [. . .] zu handhaben wußte." (*Romane.* In: Mitternachtzeitung für gebildete Stände. Literaturblatt, Nr. 189 vom 21. 11. 1836, S. 754).

[54] Mundt [vgl. Anm. 45], S. 136 f.

55 Mundt [vgl. Anm. 1], Nr. 264 vom 21. 9. 1830, S. 1054.

56 Mundt [vgl. Anm. 45], S. 139.

57 Wienbarg an einen unbekannten Verleger vom 24. 11. 1835. Zitiert nach Heinrich Hubert Houben: *Jungdeutscher Sturm und Drang. Ergebnisse und Studien.* Leipzig 1911, S. 195. — Zu Wienbargs Romanbegriff vgl. Gerhard Burkhardt: *Ludolf Wienbarg als Ästhetiker und Kritiker. Seine Entwicklung und seine geistesgeschichtliche Stellung.* Diss. masch. Hamburg 1956, S. 152 ff.

58 Wienbarg [vgl. Anm. 3], S. 256.

59 Ebd., S. 258.

60 Goethe zu Eckermann am 3. 10. 1828. *Gedenkausgabe* [vgl. Anm. 21], Bd. 24, S. 282.

61 Hegel [vgl. Anm. 18], Bd. 15, S. 393.

62 Wienbarg [vgl. Anm. 3], S. 257.

63 Ebd., S. 248 f.

64 Gutzkow: *Wahrheit und Wirklichkeit.* In: Phönix. Frühlings-Zeitung für Deutschland. Literatur-Blatt, Nr. 29 vom 25. 7. 1835, S. 693—695. — Zu Gutzkows Romanbegriff in den dreißiger Jahren vgl. Harry Iben: *Karl Gutzkow als literarischer Kritiker. Die jungdeutsche Periode.* Diss. Greifswald 1928. Klemens Freiburg-Rüter: *Der literarische Kritiker Karl Gutzkow. Eine Studie über Form, Gehalt und Wirkung seiner Kritik.* Leipzig 1930.

65 Mundt [vgl. Anm. 1], S. 1058.

66 Allerdings gibt es Grade des Verfehlens. Sammons hat — m. E. durchaus überzeugend — gezeigt, daß Laube im Mittelteil seiner Trilogie *Das junge Europa, Die Krieger* (1837), auf dem Weg zum Realismus relativ weit vordringt, weiter jedenfalls als die anderen Jungdeutschen in ihren Romanen [vgl. Anm. 8], (S. 113 ff.).

67 Immermann: *Memorabilien* (1840). *Werke.* Hrsg. von Harry Maync, Bd. 5. Leipzig/Wien o. J., S. 379.

68 Immermann an Cotta vom 3. 11. 1828. *Briefe an Cotta.* Hrsg. von Herbert Schiller. Stuttgart, Berlin 1927, Bd. 2, S. 501. Vgl. dazu auch Fritz Rumler: *Realistische Elemente in Immermanns „Epigonen".* Diss. München 1964. Manfred Windfuhr: *Immermanns erzählerisches Werk. Zur Situation des Romans in der Restaurationszeit.* Gießen 1957.

69 Das gezeigt zu haben, ist ein Verdienst von Benno von Wieses jahrzehntelangen Immermann-Forschungen, die er in der Monographie *Karl Immermann. Sein Werk und sein Leben* (Bad Homburg v. d. H., Berlin, Zürich 1969) zusammenfaßte. Zur Bedeutung der Romane und zu ihrem „Realismus" vgl. bes. S. 172 ff.

70 Laube [vgl. Anm. 7], S. 398 f.

71 Nur Charles Sealsfield entwickelte in diesen Jahren Ansätze zu einem dialektischen Widerspiegelungsbegriff (*Zuschrift des Herausgebers an die Verleger der ersten Auflage* [von *Morton oder die große Tour*] [Offener Brief vom 1. 1. 1835]. In: *Gesammelte Werke.* Stuttgart ³1846. Tl 7, S. 13 ff.). Sealsfields Überlegungen blieben der Forschung weitgehend unbekannt. Seit Lukács' wiederholten Hinweisen gelten Friedrich Engels' Jahrzehnte später formulierte Gedanken als die klassische Darlegung des dialektischen Widerspiegelungsbegriffs (bes. Engels an Miss Harkness, 1888. In: Marx/Engels: *Über Kunst und Literatur.* Hrsg. von Manfred Kliem. Frankfurt, Wien 1968, Bd. 1, S. 158 f.).

72 Wienbarg [vgl. Anm. 3], S. 257.

73 Laube [vgl. Anm. 7], S. 398.

74 Marggraff: *Die Entwicklung des deutschen Romans, besonders in der Gegenwart.* In: Deutsche Monatsschrift für Litteratur und öffentliches Leben, 1844, Bd. 2, S. 59.

75 Es handelt sich um den in Anm. 64 genannten Artikel.

[76] Wienbarg [vgl. Anm. 3], S. 254 f.

[77] Mundt: *Madonna. Unterhaltungen mit einer Heiligen.* Leipzig 1835, S. 435.

[78] Marggraff [vgl. Anm. 26], S. 268.

[79] In eine ähnliche Richtung gehen Überlegungen von Sammons [vgl. Anm. 8] (S. 122 f.).

[80] Ferdinand Gustav Kühne nennt seinen Roman *Eine Quarantäne im Irrenhause* (1835) sein „Glaubensbekenntniß über die Zeitrichtungen" (an Brockhaus vom 26. 12. 1834. Zitiert nach Houben [vgl. Anm. 57], S. 638).

[81] Vgl. dazu Sengle: *Biedermeierzeit* [vgl. Anm. 8], Bd. 1, S. 144 ff. Kap. „Die militante geistliche Restauration". Erst das große Beispiel Gotthelfs machte den Konservativen die Möglichkeiten des Romans bewußt.

[82] Menzel [vgl. Anm. 10], Bd. 2, S. 170 f.

[83] L. Buhl: *Briefe an einen Dichter.* In: Mitternachtzeitung für gebildete Stände. Literaturblatt, Nr. 141 vom 29. 8. 1836, S. 563.

[84] Heine: *Französische Zustände* (1832). *Werke* [vgl. Anm. 16], Bd. 6, S. 241.

[85] Laube: Rezension über *Bulwers Werke.* In: Zeitung für die elegante Welt, Nr. 228 vom 21. 11. 1833, S. 911.

[86] Gutzkow an Cotta vom 2. 11. 1833. Zitiert nach Johannes Proelß: *Das junge Deutschland. Ein Buch deutscher Geistesgeschichte.* Stuttgart 1892, S. 355 f.

[87] Siehe z. B. Heine: *Einleitung zum Don Quixote* (1837). *Werke* [vgl. Anm. 16], Bd. 8, S. 138 f.

[88] Gutzkow: *Appellation an den gesunden Menschenverstand. Letztes Wort in einer literarischen Streitfrage.* Frankfurt 1835, S. 19.

[89] Vgl. dazu Marggraffs scharfsichtige Analyse und Kritik [vgl. Anm. 74], S. 100 ff.

[90] Gutzkow [vgl. Anm. 31], S. 215.

[91] Sealsfield [vgl. Anm. 71], S. 20.

[92] R.: Rezension über *Sealsfield, Süden und Norden* [. . .]. In: Deutsche Jahrbücher für Wissenschaft und Kunst, Nr. 242 vom 11. 10. 1842, S. 967. — Oskar Ludwig Bernhard Wolff: *Allgemeine Geschichte des Romans, von dessen Ursprung bis zur neuesten Zeit.* Jena [2]1850 ([1]1841), S. 727 f.

[93] Sealsfield [vgl. Anm. 71], S. 13.

[94] Wienbarg spottet bereits 1838 über den Roman (*Tagebuch von Helgoland.* Hamburg 1838, S. 111 ff.); Gutzkow schließt sich ihm wenig später an ([vgl. Anm. 26], S. 103); Laube und Mundt wissen in ihren Literaturgeschichten von 1840 bzw. 1842 nichts mehr vom Roman als der „zeitgemäßen" Gattung. — Vom Rückgang des Ansehens, das der Roman genoß, profitierte vor allem die Novelle. Die Jungdeutschen schätzten sie, da sie außer der Universalität alle positiven Merkmale des Romans teilte. Sie war zudem nicht die künstlerisch einfacher zu handhaben, sondern auch frei von der Last der „poetischen" *Wilhelm-Meister*-Tradition; so konnte sie das Ziel „realistischen" Darstellens unbeschwerter anstreben (vgl. Schröder [vgl. Anm. 44], S. 159 ff.).

[95] Vgl. dazu Peter Hasubek: *Karl Gutzkows Romane „Die Ritter vom Geiste" und „Der Zauberer von Rom". Studien zur Typologie des deutschen Zeitromans im 19. Jahrhundert.* Diss. Hamburg 1964.

[96] Vgl. in meiner in der Vorbemerkung genannten Arbeit die Kapitel III und IV.

[97] Erich Auerbach: *Mimesis. Dargestellte Wirklichkeit in der abendländischen Literatur.* Bern 1946, S. 457 ff.

CLIFFORD ALBRECHT BERND

ENTHÜLLEN UND VERHÜLLEN
IN ANNETTE VON DROSTE-HÜLSHOFFS
JUDENBUCHE

Hochverehrter Herr Jubilar,

im April 1968 diskutierten Sie, Richard Alewyn und ich am Ufer des schönen Lake Tahoe, an der Grenze zwischen California und Nevada, über Drostes „Judenbuche". Wir wurden nicht einig. Unser Gespräch endete mit einem Versprechen meinerseits, Ihnen eines Tages meine Interpretation der Novelle mit ausführlicherer Begründung schriftlich vorzulegen.

Jetzt, zu Ihrem 70. Geburtstage, kann ich endlich mein Versprechen einlösen.

Da unsere beiden Interpretationen immer noch voneinander abweichen, könnten Sie jetzt die Frage an mich stellen, ob es mir mit diesem Aufsatz darauf ankäme, Sie endlich zu überzeugen, daß ich recht und Sie unrecht haben. Meine Antwort wäre: ganz und gar nicht. So abweichend meine Auslegung von der Ihrigen ist, sie schließt dennoch die Gültigkeit Ihrer Analyse nicht aus. Ich verweise auf die herrliche Anekdote, mit der Sie meisterhaft den zweiten Band Ihrer Novelleninterpretationen einleiten: „Von einem Mailänder Friedensrichter wird erzählt, daß er nach Anhörung zweier streitender Parteien beiden recht gab, und als das zuhörende Söhnchen einwarf: ,Aber, Vater, das kann doch nicht sein, daß alle beide recht haben', bestätigend hinzufügte: ,Auch du hast recht, mein Sohn.'"[1]

I

Viel Aufschlußreiches ist über eine der undurchsichtigsten deutschen Erzählungen des 19. Jahrhunderts geschrieben worden: *Die Judenbuche* der Annette von Droste-Hülshoff.[2] Ein bemerkenswerter Anhaltspunkt, der zum Verständnis dieser schwer deutbaren Novelle beiträgt, ist aber übersehen worden. Ich meine hier den Einfluß, den Levin Schückings Erzählform auf die Entstehung der Novelle der Droste hatte. Schücking war mehrere Jahre lang ihr innigster Freund. Das ist natürlich in biographischen Studien über die Dichterin oft erwähnt worden. Immer wieder lesen wir über diese hoffnungslose Liebesgeschichte und auch darüber, wie in verschiedenen Gedichten die Liebe, die sie für ihn hatte, gespiegelt wird.[3] Doch wenn das auch der Wahrheit entspricht, so gibt es einen noch viel wichtigeren Grund für den Hinweis auf Schücking, wenn wir über das literarische Vermächtnis der Droste sprechen, nämlich, daß ein Studium seiner Erzählungen (ein wahres Desiderat der Forschung)[4] dazu beitrüge, uns ihre erzählerischen Absichten verständlicher zu machen. Die Formverwandtschaft zwischen Schückings Novelle *Die Schwester,* die zuerst 1848 herausgegeben wurde, und der *Judenbuche,* die 1842 erschien, gibt dies besonders gut zu erkennen.

Schaut man die Daten der Veröffentlichungen an, so könnte man meinen, daß im Hinblick auf die erwähnte Formverwandtschaft beider Novellen Schücking mehr von der Droste beeinflußt sein müßte als sie von ihm. Aber wenn wir die Tatsache berücksichtigen, daß er, während die Droste die *Judenbuche* schrieb, ihr ständiger Begleiter war, dann bedeuten diese sechs Jahre, die zwischen den Veröffentlichungen der beiden Werke liegen, beinahe nichts; und wer wen beeinflußte, ist dann, mehr oder weniger, eine akademische Frage. Viel wichtiger ist das Vorhandensein von auffallenden Parallelen, denn sie deuten darauf hin, daß beide Werke Früchte einer geistigen Zusammenarbeit sind, und daß sie sich gegenseitig komplementieren: Die Entdeckung von bestimmten Formelementen in dem einen Werk macht uns auf das Auftreten von ähnlichen Bestandteilen in dem anderen aufmerksam, und das Finden von Ähnlichkeiten im letzten Werk bestätigt unsere Entdeckungen im ersten Werk.

Es würde den Rahmen dieses Aufsatzes sprengen, wollte man Schückings *Die Schwester* hier eingehend untersuchen. Solch eine Analyse wäre zudem wenig sinnvoll, denn es gibt heute nur wenige Leser, die Schückings Werk kennen oder auch nur in der Lage wären, sich den Text ohne Schwierigkeiten zu beschaffen.[5] Folglich wäre es dem Leser kaum möglich, die gegebene Analyse kritisch zu bewerten. Ich muß daher hier voraussetzen, daß mir der Leser Glauben schenkt, wenn ich behaupte, daß das Verhältnis von Enthüllen und Verhüllen als das alles bestimmende Formprinzip angesehen werden muß, welches den einzelnen Bestandteilen von Schückings Novelle Bedeutung verleiht. Die nachfolgende Untersuchung wird dann den Beweis zu erbringen suchen, daß ein ähnliches Verhältnis zwischen Enthüllen und Verhüllen auch in Annettes Novelle sichtbar wird.

II

Vor allem ist es die Haltung des Erzählers, die dies in der *Judenbuche* zu erkennen gibt. Gelegentlich scheint er dem Leser alles zu enthüllen. Dann aber kommt es uns vor, als ob er nur oberflächliche Betrachtungen anstellen könne. So wechselt er zwischen zwei Perspektiven: er kann direkt im Fluß der Ereignisse stehen oder er kann sich auch über die Novelle als Ganzes stellen. Das gleiche Verhältnis von Enthüllen und Verhüllen zeigt sich auch bei konkreten Erzählobjekten. Zum Beispiel kann ein mit präziser Deutlichkeit beschriebenes Objekt dem Erzähler scheinbar entgleiten, indem es durch die Dunkelheit der Nacht oder des Waldes, durch den irritierenden Effekt des Mondlichts, oder durch die beschränkte geistige Wahrnehmung des menschlichen Verstandes selbst verschleiert wird. Alles umfassende Überschau und genaue Beschreibung des Erzählers dienen dazu, dem Leser das Gefühl der Sicherheit zu geben, aber dieses Gefühl wird wieder zerstört, wenn der Erzähler nicht mehr als Allwissender auftritt oder wenn die wahre Welt sich in eine verdunkelte Welt der Täuschung auflöst. Das Ergebnis ist, daß sich der Leser wie ein Gefangener innerhalb dieses Spannungsfeldes von Allwissenheit und Unwissenheit vorkommt.

Schauen wir uns aber den Text genauer an: Zu Beginn der Novelle wird unsere Aufmerksamkeit zuerst auf das Gedicht gelenkt, welches durch seine Form zwar von der Novelle selbst abgesetzt, dem Sinngehalt nach ihr aber zentral als Motto zugeordnet ist; wir sollen es als vom Erzähler geäußert betrachten. Die Perspektive des Gedichtes ist allwissend. Der Erzähler spricht zum Leser — „Du Glücklicher, geboren und gehegt / Im lichten Raum, von frommer Hand gepflegt" (882)[6] — und bittet ihn, verstehend zu sein. Der Leser soll nicht über dieses „arm verkümmert Sein" urteilen. Wie wir aus dem Gedicht entnehmen können, ist der Erzähler mit dem armen, an dieser Stelle noch nicht näher bezeichneten Geschöpf vertraut. Er deutet darauf hin, daß es eine Tat begehen wird, die wir von einem toleranten Standpunkt aus betrachten sollten; er scheint daher zu wissen, wie der Gang der Handlung verlaufen wird, und er scheint auch die mildernden Umstände zu kennen, unter denen die Tat zu beurteilen ist. Hinweise auf die zugrunde liegenden inneren Ursachen und Motive deuten sich in den folgenden Worten an: „beschränkten Hirnes Wirren"; „eitlen Blutes Drang"; „jedes Wort, das unvergessen / In junge Brust die zähen Wurzeln trieb" (882). Der Leser wird also mit manchem vertraut gemacht. Doch bleibt ihm auch vieles verhüllt: er hat weder eine Ahnung von dem, was geschehen wird, noch weiß er, wer der Täter ist; auch ist es ihm nicht klar, ob der Erzähler das selbst weiß. Somit weist das Gedicht auf eine Erzählhaltung hin, die zu gleicher Zeit enthüllt und verhüllt.

Die Spannung wird aber bald gemildert durch die konkreten Tatsachen im ersten Satz: „Friedrich Mergel, geboren 1738 . . ." (882). Das könnte die Gestalt sein, die sich der Leser genauer anschauen sollte. Man ist jedoch nicht ganz sicher, denn der Erzähler läßt sie zuerst unbeachtet und beschreibt statt dessen das Dorf, die Dorfbewohner und die landschaftliche Umgebung ausführlicher. Nichtsdestoweniger vertraut der Leser weiterhin dem Erzähler, denn dieser scheint allwissend zu sein, wenn er seine eingehenden und interessanten Landschafts- und Milieuschilderungen gibt. Plötzlich gesteht der Erzähler: „Es ist schwer, jene Zeit unparteiisch ins Auge zu fassen; sie ist seit ihrem Verschwinden entweder hochmütig getadelt oder albern gelobt worden, da den, der sie erlebte, zuviel teure Erinnerungen blenden und der Spätergeborene sie nicht begreift" (883). Hier ist der Standpunkt derselbe wie im Gedicht; das heißt, die Zeit, die der Erzähler beschreiben will, liegt in der Vergangenheit. Er weiß, wie sie von den Mitlebenden wie den Nachgeborenen beurteilt wird. Wegen dieses überlegenen Standpunktes des Erzählers erwartet der Leser eine Stellungnahme von ihm, einen Beweis seiner Objektivität, aber dieser erfolgt leider nicht. Der Erzähler

legt sich nicht fest, sondern er begnügt sich mit einer ziemlich allgemeinen Redeweise: „Soviel darf man indessen behaupten . . .“ (883). Was er weiterhin sagt —
„daß die Form schwächer, der Kern fester, Vergehen häufiger, Gewissenlosig-
keit seltener waren“ (883) — ist auch sehr unbestimmt und allgemein. Der Leser
weiß nicht genau, was die Worte „Form“ und „Kern“ bedeuten, ob sie sich auf
die Gebräuche beziehen, auf das Einzelwesen, oder auf die Leute als Ganzes.
Somit bleiben die erwartete Stellungnahme und der Beweis der Objektivität aus.
Im Gegenteil: der Erzähler dringt tief in das Reich der Subjektivität ein, wenn
er solche Ausdrücke gebraucht wie „Überzeugung“, „seelentötend“ und „das
innere Rechtsgefühl“. Die Tatsache, daß er sich weigert, einen objektiven Standpunkt zu beziehen — obwohl es scheint, als ob er das täte — und sogar zu
einem subjektiven Gesichtspunkt neigt, ergibt wieder eine Spannung innerhalb
der Erzählsituation und veranlaßt den Leser zu fragen, ob er dem Erzähler
uneingeschränkt vertrauen kann. Wenn dieser aber allwissend ist, dann können
wir nicht nur dem vertrauen, was er sieht, sondern auch dem, was er denkt;
ist er aber nicht allwissend, dann müssen wir jeder Schlußfolgerung, die er
gemacht hat, mit Vorsicht begegnen.

Der Erzähler fährt mit seiner Beschreibung fort, als ob die ganze Gegend vor
seinen Augen ausgebreitet daläge. Er weiß gut Bescheid, sowohl über das Holzstehlen als auch über die Zusammenarbeit von Holzfrevlern und Schiffseigen-
tümern. Sogar die einzelnen Einwohner des Dorfes stehen ihm klar vor Augen:
„Die Zurückgebliebenen horchten sorglos . . .“; „Ein gelegentlicher Schuß, ein
schwacher Schrei ließen wohl einmal eine junge Frau oder Braut auffahren;
kein anderer achtete darauf“ (884). Aber zu gleicher Zeit manifestiert sich hier
wiederum eine sonderbare Begrenzung in des Erzählers Allwissenheit: seine Schilderung des Holzstehlens ist völlig aus der Perspektive des Dorfes gesehen.
Weder dringt er tiefer in den Wald ein, noch beschreibt er die wahren Vorgänge,
die sich im Wald abspielen. Diese Tatsache ist sehr wichtig, denn an all diesen
Vorgängen, die sich im Wald zutragen — der Tod des Hermann Mergel, die
Morde an Brandis und Aaron, der Tod Friedrichs[7] — nimmt der Erzähler weder
selbst teil, noch scheint er mehr darüber zu wissen als der Leser. Der Wald hütet
sein Geheimnis auch ihm gegenüber.

Jetzt wendet sich der Erzähler wieder Friedrich Mergel zu: „In diesen Um-
gebungen ward Friedrich Mergel geboren . . .“ (884). Aber wie zuvor schwenkt
er bald zu einer allgemeineren Schilderung über: dieses Mal zur Beschreibung von
Hermann Mergel und dessen Haus. Die allwissende Perspektive ermöglicht ihm,
die Höhepunkte von Hermanns Vergangenheit zu verknüpfen, doch plötzlich
verliert er diese Überschau und sieht sich gezwungen, eine Vermutung über Hermann anzustellen: „Ob nun den Mergel Reue quälte oder Scham . . .“ (885).
Die Begrenztheit seines Standpunktes tritt noch deutlicher hervor bei der Schilderung von Hermanns zweiter Heirat. Hier wirken die Behauptungen unsicherer.
Zum Beispiel wagt der Erzähler nur eine Vermutung über Margreths Gründe

für Hermanns Heirat zu äußern: „Wir glauben den Grund eben in dieser ihrer selbstbewußten Vollkommenheit zu finden" (886). Es ist hier unverkennbar, daß sich der Erzähler der Stichhaltigkeit seiner Hypothese nicht ganz gewiß ist.[8]

Anscheinend hat der Erzähler auch sehr wenig Kenntnisse aus erster Quelle über das frühere Eheleben der Mergels, denn er verläßt sich oft auf Berichte von anderen: „... sah man sie abends aus dem Hause stürzen ..."; „Es hieß ..."; „... denn Margreth soll sehr geweint haben ..."; „... man meinte sogar ..." (886). Aber gleichzeitig weiß er, daß Friedrich „unter einem Herzen voll Gram" (886) getragen wurde, eine Feststellung, die genaue Kenntnisse seitens des Erzählers verrät.

Der Erzähler behält diese paradoxe Haltung bei, wenn er zeitweise mit absoluter Autorität und in alles eindringender Einsicht spricht und wenn er die bloßen Gedanken und Gefühle der einzelnen Charaktere beschreibt: „... (Friedrich) lag aus Furcht ganz still" (887); „Friedrich dachte an den Teufel ..." (888); „... nun begriff er ... aus den Reden ..." (888); „Die Mutter war ihm ganz unheimlich geworden ..." (889); „... eine mit Grausen gemischte Zärtlichkeit ..." (890); „... bei Friedrich wuchs dieses Gefühl ..." (890); „Es war ihm äußerst empfindlich ..." (890). Der Erzähler enthüllt nicht nur Friedrichs, sondern auch Margreths innere Gemütsbewegungen: „Der armen Margreth ward selten so wohl ..." (891); „Sie war ärgerlich und ängstlich und wußte ..." (895). An einer anderen Stelle sieht man, daß der Erzähler auch allgegenwärtig ist; mit anderen Worten: er kann Friedrich aus der Ferne beobachten und gleichzeitig Friedrichs Inneres enthüllen: „... und wie Friedrich so langsam seinem Führer nachtrat, die Blicke fest auf denselben geheftet, der ihn gerade durch das Seltsame seiner Erscheinung anzog ..." (893). Die Kenntnis des Erzählers bestätigt sich darin, daß er genau weiß, was Friedrich an Simon fesselt.

Aber trotz dieses Reichtums an enthüllenden Beobachtungen verrät der Erzähler eine bestimmte Zurückhaltung seinen Feststellungen gegenüber. Immer wieder muß er sich auf Berichte von anderen verlassen: „Friedrich hatte seinen Vater auf dem Stroh gesehen, wo er, wie man sagt, blau und fürchterlich ausgesehen haben soll" (890). Diese Zurückhaltung wird gleichfalls durch den Gebrauch des Zeitwortes „scheinen" hervorgehoben, was darauf hinweist, daß er das allwissende Verständnis, das er eben noch besaß, nicht mehr hat: „... (Friedrich) schien ungern daran zu denken" (890); „Simon schien dies zu überhören" (892); „Simon schien nachdenkend, der Knabe zerstreut ..." (893).

III

Anhand von Beispielen haben wir versucht zu zeigen, wie der Erzähler einen ambivalenten Standpunkt einnimmt; er kann einerseits weit über der Erzählung stehen und andererseits innerhalb der Geschichte stecken bleiben. Dieselbe Spannung zwischen Verhüllung und Enthüllung zeigt sich, wenn wir die in der Erzählung vorkommenden Daten betrachten. Die Zeitangaben scheinen ziemlich genau zu sein, einige sogar übertrieben genau; und sie erlauben dem Leser, die wichtigsten Ereignisse aufs Jahr, manchmal sogar auf den Monat festzulegen. An zwei Stellen wird selbst der Tag angegeben[9], und so hat der Leser das angenehme Gefühl zu wissen, wann alle diese Ereignisse stattgefunden haben; die chronikähnliche Exaktheit und Objektivität der Erzählung machen großen Eindruck auf ihn. Bei näherer Untersuchung jedoch stellt sich heraus, daß die Angaben gar nicht so präzise sind, wie sie scheinen. Nur zwei Ereignisse können genau auf den Tag datiert werden, ja sogar innerhalb der genauen Tageszeit: der Mord an Brandis geschieht am 11. Juli 1756, kurz nach vier Uhr morgens (902, 909). Das zweite Ereignis ist Friedrichs Rückkehr am 24. Dezember 1788 (926). Eine andere Reihe von Ereignissen kann nur ungefähr nach den Daten festgestellt werden: der Tod von Hermann Mergel — 6. Januar?, „um das Fest der heiligen drei Könige" (886), 1746 oder 1747? („Friedrich stand in seinem neunten Jahre" — wurde er vor oder nach dem 6. Januar 1738 geboren?); Friedrich von Aaron beleidigt, Aarons Ermordung — Oktober 1760 (914); Friedrichs Flucht — wahrscheinlich auch im Oktober 1760; Friedrichs Tod[10] — September 1789 (936). Was Aarons Ermordung betrifft, so wissen wir durch den gegebenen Bericht, daß sie kurz nach zehn Uhr am Abend der Hochzeit stattfand. Wir können jedoch das Datum nicht genauer bestimmen, denn die Angabe lautet nur Oktober 1760. Diese Tatsache fällt besonders auf, wenn wir in Erwägung ziehen, daß dies das wichtigste Ereignis in Friedrichs Leben war. Der Tod von Brandis dagegen, den wir auf Jahr, Monat und Tag, ja annähernd auch auf die Stunde festlegen können, hatte keine dauernde Wirkung auf Friedrichs Charakter. Die letzten Worte in Verbindung mit diesem Ereignis und Friedrichs Schuldgefühl sind: „Der Eindruck, den dieser Vorfall auf Friedrich gemacht, erlosch leider nur zu bald" (913). Eine dritte Reihe von Ereignissen ist, noch allgemeiner, nur auf das Jahr festgelegt: Friedrichs Geburt — 1738 (882); Simons Besuch — 1750 („Er war zwölf Jahre alt . . ." [890]).

Somit läßt sich sagen, daß auch die Zeitangaben in der Novelle zu erkennen geben, daß der Erzähler die Absicht hat, einerseits genau zu enthüllen und andererseits seine Aussagen verhüllt zu lassen.

IV

Interessant in dieser Erzählung sind auch die Angaben der Namen von Orten und Personen. Sie werden oft nur mit den Anfangsbuchstaben genannt: „Dorf B." (882, 883, 902, 924) oder einfach „B." (915, 920); „M." (906); „S." (920); „L." (924); „P." (925, 930, 932). Das bedeutet jedoch nicht, daß alle Orte so verhüllt bleiben. Manche werden genau angegeben: „Brede" (890, 895) oder „Heerse" (930). Auch der Wald und seine verschiedenen Teile werden immer mit dem ganzen Namen bezeichnet: „Brederholz" (890, 893, 894, 924, 935); „Telgengrund" (892); „Roderholz" (892); „Teutoburger Wald" (892, 893); „Mastergrund" (905); „Masterholz" (906). Die Namen der Personen behandelt der Erzähler viel konsequenter; nur zwei der in der Erzählung vorkommenden siebzehn Personennamen werden verhüllt: Herr und Frau von S.

Eine Erklärung für die abgekürzten Namen wäre, daß die Droste die wahren Namen der Leute und Orte, die sie in den Vorlagen fand, nicht preisgeben wollte. Zwei Äußerungen in ihren Briefen unterstützen diese Behauptung: „Schlimmer ist es, daß die Leute hierzulande es noch gar nicht gewohnt sind, sich abkonterfeien zu lassen und den gelindesten Schatten als persönliche Beleidigung aufnehmen werden" (an Schlüter, 13. Dezember 1838)[11]; „aber ich fürchte, meine lieben Landsleute steinigen mich, wenn ich sie nicht zu lauter Engeln mache" (an ihre Schwester, 29. Januar 1839).[12] Eine andere Beweisführung, die dies unterstützt, ist die Tatsache, daß sich die Droste nicht scheut, den vollen Namen zu benutzen, wenn sie von Orten spricht, die von Westfalen weiter entfernt liegen: „... bis Freiburg im Breisgau" (930); „... nach Amsterdam ..." (931).

Zweifellos nahm die Droste Rücksicht auf mögliche Reaktionen ihrer Landsleute, aber das kann nicht der einzige Grund für die Abkürzungen sein. Im Falle von „Herrn von S." zum Beispiel wäre die Abkürzung sinnlos, da sein ursprünglicher Name „Herr von H." war, wie wir aus Haxthausens Bericht ersehen können.[13] Was hätte es für einen Sinn, einen Namen abzukürzen, der ohnedies schon fiktiv ist? Und was hätte es für einen Sinn, Dorfnamen abzukürzen, wenn dem Leser zu verstehen gegeben wird, daß diese doch geographischen Wirklichkeiten entsprechen? Mit der Angabe der richtigen Anfangsbuchstaben und der Feststellung, daß die Dörfer in Westfalen liegen, wird der Leser eher dazu verleitet, die genauen Namen aufzuspüren.

Doch wenn es nun nicht Absicht der Droste war, Personen und Orte, die sie kannte, aus persönlichen Gründen zu verheimlichen, was rechtfertigt dann die Abkürzungen? Schauen wir uns das Dorf „B." an. Es trägt Züge von zwei westfälischen Kleinstädten, nämlich Bellersen und Bökendorf. Mit anderen Worten, die Droste hielt sich hier nicht an eine bestimmte geographische Wirklichkeit.[14] Erzählerisch aufschlußreich ist ferner die Tatsache, daß die Dörfer „B." und „Brede" anfangs geographisch unterschieden und getrennt erwähnt, dann aber im Gang der Novelle miteinander verbunden werden, besonders nach Friedrichs Rückkehr aus der Sklaverei.[15] Heitmann zitiert und erklärt die Tatsache, daß Friedrich aus der Türkei zum Dorf „B." zurückkehrt, doch als Johannes sollte er nach Brede, seiner Heimatstadt, wiederkehren. Nichtsdestoweniger wird er dort erkannt und willkommen geheißen, als ob es seine Heimatstadt wäre; und es hat den Anschein, als ob Johannes und Friedrich aus demselben Dorf gekommen wären, obwohl am Anfang der Erzählung die beiden Dörfer ganz deutlich durch einen langen Weg, der durch das Brederholz führte, voneinander getrennt waren.[16] Anhand dieses Beispiels stellen wir also fest, daß die abgekürzten Namen von Ortschaften dieselbe Funktion haben wie die mehr oder weniger bestimmten Zeitangaben. Sie dienen dazu, eine spannungsgeladene, undurchsichtige Atmosphäre zu schaffen. Die geographischen Namen machen uns nicht mit einem bestimmten Ort bekannt. In einzelnen Fällen werden zwar die vollständigen Namen der Dörfer geboten — z.B. Brede (890, 895), Heerse (930) — aber diese Namen weisen auf verhältnismäßig unwichtige Orte hin, geradeso wie die präziseren Zeitangaben nur einleitende Ereignisse bezeichnen. Dasselbe Prinzip gilt für die Namen der Wälder, deren Namen nie abgekürzt werden; sie bezeichnen nur größere Waldflächen, geben im einzelnen aber keinen genauen Anhaltspunkt.

Und doch verstärken andererseits gerade die Verweisungen auf Namen den Eindruck, daß in der Erzählung von realen Orten und Personen geredet wird. Es ist, wie Heitmann beobachtet: „Die Abkürzung derselben (Ortsnamen) erweckt den Eindruck, als habe die völlige Enthüllung der Wirklichkeit Bedenken, insinuiert also dem Leser geschickt die Wirklichkeit des Erzählten."[17] Auch wenn es der Dichterin nicht darauf ankam, wahre Namen zu verheimlichen, läßt der Leser der fiktiven Welt Abkürzungen als notwendig gelten, damit die Anonymität der wahren Personen und Orte beschützt bleibe. Somit werden dem Leser Realitäten (Personen, Orte) dargestellt oder enthüllt und — durch die verwischte Eindeutigkeit ihrer Bezeichnungen — gleichzeitig wieder verhüllt.

V

Der Dialog ist ein anderes Mittel, das dieses Spannungsverhältnis von Enthüllung und Verhüllung sichtbar macht. Hoffmann bezeichnet ihn als „ein Frage- und Antwortspiel", in dem jeder versucht, die Geheimnisse anderer zu enträtseln, ohne seine eigenen preiszugeben.[18] Meistens führen die Dialoge zu keinem bestimmten Ende und zu keinem ausgesprochenen Ergebnis; sie enden vielmehr jäh und unbefriedigend wie die zwei Gerichtsverhandlungen. Es mißlingt den Personen, sich gegenseitig in Einklang zu bringen und zu einer wirklichen Verständigung untereinander zu kommen. Das hat auch Benno von Wiese klar erkannt: „Gespräche sind bei der Droste keine Brücken von Mensch zu Mensch, sondern fast immer ... in eine Atmosphäre des Unheils getaucht."[19]

Man schaue nur die Gespräche zwischen dem jungen Friedrich und seiner Mutter an. Sie enden fast immer unbefriedigend, da die Fragen beider Personen zum größten Teil unbeantwortet bleiben. Somit macht uns die Tatsache, daß in der Novelle Fragen gestellt werden, für vieles hellhörig. Andererseits aber läßt uns der Erzähler, weil die Fragen kaum oder nur unvollkommen beantwortet werden, im Dunklen. Am Anfang der Erzählung z.B. fragt Friedrich, warum sein Vater nicht nach Hause käme. Margreth antwortet ausweichend: „Ach Gott, wenn der alles hielte, was er verspricht! Mach, mach voran, daß du fertig wirst!" (887). Friedrich ist aber mit der Antwort nicht zufrieden und fragt: „Aber wenn nun der Vater kommt?", und Margreth antwortet erbittert:

„Den hält der Teufel fest genug!" (887) — eine Antwort, die natürlich Friedrich dazu veranlaßt, nach dem Teufel zu fragen: „Wo ist der Teufel, Mutter?" (887). Die weitere Fragerei wird durch eine ungeduldig-drohende Antwort abgeschnitten: „Wart, du Unrast! Er steht vor der Tür und will dich holen, wenn du nicht ruhig bist!" (887). Ohne Zweifel versucht Margreth, nähere Erklärungen zu vermeiden, und daher weicht sie den Fragen ihres Kindes aus.

Die Situation ändert sich später, und Margreth, die jetzt die Fragen stellt, versucht, von Friedrich das Versprechen zu bekommen, daß er sich nicht in unnötige Gefahren begibt: „Fritzchen, ... willst du jetzt auch fromm sein, daß ich Freude an dir habe, oder willst du unartig sein und lügen, oder saufen und stehlen?" (889). Nur das letzte Wort der Frage — „stehlen" — scheint einen Eindruck auf Friedrich zu machen, denn geschickt weicht er ihrer Frage mit der einfachen Antwort aus: „Mutter, Hülsmeyer stiehlt" (889). Die Frage der Mutter bleibt somit unbeantwortet.

Friedrich wird schließlich zu einer letzten Frage gezwungen: „Mutter, lügen die Förster?" (889). Auch diese Frage will Margreth nicht direkt beantworten; außerdem weiß sie, daß Friedrich nicht in der Lage sein wird, ihre Antwort zu verstehen, in der sie sich die Ansicht der Dorfbewohner über die Zulässigkeit des Waldfrevels zu eigen macht. Somit dominiert ein ausweichendes Benehmen in beiden Begegnungen. Schon in jungen Jahren neigt Friedrich dazu, vielen Fragen auszuweichen, ein Charakterzug, der sich in seiner Begegnung mit Brandis später noch stärker bemerkbar macht.

Mit der Einführung Simons kommt eine neue Dimension der Hintergründigkeit ins Spiel. Seine Fragen während des Besuches bei Margreth haben nur einen Zweck — nämlich ausfindig zu machen, ob Friedrich sich für seine dunklen, zweideutigen Geschäfte mit den Holzfrevlern eignet. Seine Fragen müssen sorgfältig in Erwägung gezogen werden: „Du läßt ihn die Kühe hüten?"; „Aber wo hütet er?"; „... auch des Nachts und früh?" (892). Selbst Margreth wird durch die letzte Frage verwirrt, denn sie antwortet: „Die ganzen Nächte durch; aber wie meinst du das?" (892). Aber Simon beachtet vorsätzlich ihren Einwand nicht: „Simon schien dies zu überhören" (892). Die Tatsache, daß Friedrich die ganze Nacht hindurch in den Wäldern die Kühe hütet, paßt gut zu Simons Plänen. Es ist jedoch wichtig und darf nicht übersehen werden, daß der Leser noch nichts von Simons dunklen Geschäften an dieser Stelle wissen kann (oder wenn man es genau nimmt, an keiner Stelle der gesamten Novelle, denn Simon wird nie direkt mit dem Holzfrevel in Verbindung gebracht). Der Erzähler kommt auf diesen Teil des Gesprächs nicht zurück, und es bleibt daher ein Geheimnis.

Simons Gespräch mit Friedrich im Brederholz ist ebenfalls verwirrend. Er versucht zu erfahren, ob Friedrich trinkt und ob er täglich betet. Aber Friedrich ist kein unschuldiges Kind mehr, und seine Reaktionen lassen schon hier eine gewisse Verschlagenheit erkennen. Ständig versucht er, den Fragen seines Onkels auszuweichen.

Die Begegnung zwischen Friedrich und Brandis bietet den undurchsichtigsten Dialog der ganzen Novelle. Die Szene beginnt mit Friedrichs Fluchen und mit dem Steinwurf nach dem Hund. Heitmann gibt uns einen folgerichtigen Grund dafür, nämlich, daß es nur ein Vorwand für Friedrichs lautes Pfeifen ist, welches ein verabredetes Signal sein muß.[20] Die Quelle bestätigt Heitmanns Erklärung, denn dort fährt Friedrich fort, sich über den Hund Fidel mit lauter Stimme zu beklagen, was die Frevler noch mehr warnen müßte. Brandis ist sich der Lage bewußt und befiehlt ihm, leiser zu sprechen.[21] Aber Friedrich spricht dagegen noch lauter, bis ein ernster Blick des Försters ihn augenblicklich zur Ruhe bringt: „Ein Blick begleitete diese Worte, der schnell wirkte" (904). Auch die Zeile — „Herr Brandis, denkt an meine Mutter!" (904) — ist verständlicher in der Quelle. Dagegen kommt sie hier ganz unerwartet. Im Original-Text lesen wir folgendes: „Herr Brandis, denkt an meine Mutter, . . . bringt sie nicht ins Elend um einen Erlenzweig nicht . . ."[22]. Hätte Heitmann diese Fassung gekannt, würde er nicht die folgende Erklärung gegeben haben, nämlich: „Friedrichs Worte ‚Herr Brandis, denkt an meine Mutter!' sind der Ausdruck einer momentanen Angst des Achtzehnjährigen vor dem starken, rauhen Manne. Auch will die Dichterin hier eine gute Seite in Friedrichs Charakter hervorheben . . ."[23]. In Wirklichkeit fährt Friedrich in seiner Heuchelei fort und tut so, als ob Brandis nur wütend sei, weil die jungen Spößlinge beschädigt worden sind. Eine Kenntnis des Dialoges im Original widerlegt auch Heitmanns zweite Feststellung: „Die ganze Schimpfrede ist nicht recht motiviert."[24] Ursprünglich war sie ausgezeichnet motiviert, denn dort bezichtigt Brandis Friedrichs Mutter der Lüge seiner Frau gegenüber, und Friedrich beleidigt dafür Brandis und dessen Mutter: „. . . meine Mutter ist besser als die Eurige war, die drey Wochen vor eurer Geburt Hochzeit machte."[25] Der Grund für Brandis' Wut ist offensichtlich, und auch der Grund für Friedrichs nächste Bemerkung: „Herr, . . . Ihr habt gesagt, was Ihr nicht verantworten könnt, und ich vielleicht auch" (904).

Sogar die Verbindung Friedrichs mit den Frevlern ist in der ursprünglichen Fassung des Dialoges unverkennbar, denn Brandis drückt seinen Argwohn unverzüglich aus: „. . . meinst du ich sehe nicht, daß du die Schildwache machst bey deinen Kumpanen . . .?"[26] Die Droste beabsichtigte unverkennbar durch die Auslassung dieser Teile des Dialoges die Spannung zwischen dem, was enthüllt wird, und dem, was verhüllt bleibt, zu erhöhen.

VI

Nicht zuletzt will der in der Erzählkomposition ständig wiederkehrende Wechsel von Helligkeit und Dunkelheit auf die Darstellung des Spiels von Enthüllen und Verhüllen verweisen, denn gerade wie die wechselnde Perspektive des Erzählers uns jetzt ein deutliches, später ein verschwommenes Bild der Wirklichkeit gibt, so beeinflußt die Veränderung von Hell und Dunkel das Erkennen der Wirklichkeit.

Zweifellos dient die Dunkelheit, ob sie nun durch eine bestimmte Tageszeit oder die Tiefe des Waldes verursacht wird, dem Zweck der Verhüllung. Die Dunkelheit verführt Menschen zu Handlungen, die sie im Tageslicht nicht auszuführen wagen würden — so z. B. Morden und Holzstehlen. Aber umgekehrt enthüllt gerade deshalb die Dunkelheit die wahren Charaktereigenschaften der verwickelten Personen: sie wirkt wie eine Katalyse, die diejenigen Gefühle der Menschen zur Geltung bringt, die sonst innerhalb des Individuums begraben blieben. Und entsprechend — so läßt sich auch sagen — wird die Enthüllung der Wirklichkeit gerade durch das verhindert, was uns Klarheit bringen sollte, nämlich das Tageslicht. Bei Tageslicht geschieht nichts.

Die Bedeutung, die der Erzähler dem wechselnden Licht beimißt, wird durch die Tatsache unterstrichen, daß sich die entscheidenden Szenen bei Nacht und in der Dämmerung abspielen. Die einzige Ausnahme ist die Entdeckung von Friedrichs Leiche. Dies geschieht am hellichten Tage, was bedeuten würde, daß die Szene eine endgültige Offenbarung wäre. Doch das ist sie gerade nicht. Was am klarsten zu sein scheint, nämlich die endgültige Identifizierung des Mörders am hellichten Tage, bleibt am meisten verhüllt. Das hat Heinrich Henel gut gezeigt.[27]

Die verändernde Wirkung des Dunkels wird zweifellos am besten an der Stelle veranschaulicht, an der Simons und Friedrichs Gang durch das Brederholz beschrieben wird. Während sie sich dem Wald nähern, verschwindet das Licht nach und nach, und die Anzahl der auf Dunkelheit bezogenen Adjektive wird entsprechend größer: „einen sehr dunkeln Grund" (893). Der Mond scheint, aber er scheint ziemlich schwach: „seine schwachen Schimmer" (894). Und dieses Licht trägt nicht dazu bei, die Objekte zu enthüllen, sondern bewirkt gerade das Gegenteil: „. . . seine schwachen Schimmer dienten nur dazu, den Gegenständen, die sie zuweilen durch eine Lücke der Zweige berührten, ein fremdartiges Ansehen zu geben" (894). Somit verbirgt dieses Licht die Beschaffenheit der Objekte mehr als es sie enthüllt; sie büßen ihre genauen Umrisse ein, doch bemerkenswerterweise nicht in der Dunkelheit, sondern im Licht selbst: „Es kam ihm vor, als ob alles sich bewegte und die Bäume in den einzelnen Mondstrahlen bald zusammen, bald voneinander schwankten" (894).

Während die beiden die Lichtung betreten, ereignet sich ein gewisser Lichtwechsel; alle Gegenstände tauchen aus dem Dunkel auf, und die Beschreibung wird dementsprechend genauer: „Jetzt schien sich in einiger Entfernung das Dunkel zu brechen, und bald traten beide in eine ziemlich große Lichtung" (894). Gerade das Wort „Lichtung" vermittelt den Eindruck von Helligkeit. Der Mondschein ist jetzt heller: „Der Mond schien klar hinein und zeigte . . ." (894). Er verbirgt nicht mehr; er hat jetzt die Kraft, das Werk der Holzfrevler aufzudecken („zeigte"). Eine gefällte Buche wird in allen Einzelheiten beschrieben: „. . . denn eine Buche lag quer über dem Pfad, in vollem Laube, ihre Zweige hoch über sich streckend und im Nachtwinde mit den noch frischen Blättern zitternd" (895). Alles ist jetzt übersichtlicher geworden; man kann sehen, daß die Blätter der Buche noch frisch sind. Friedrich vermag sogar wahrzunehmen, daß die Eiche in der Mitte der Lichtung hohl ist. Der Unterschied zwischen dieser genauen Darstellung und der verschwommenen, schemenhaften Welt der vorigen Szene ist auffällig, und die Wirkung der Veränderung ähnelt der wechselnden Perspektive des Erzählers. Beide Erzählweisen sind wie Bilder eines optischen Instruments, welches ständig seine Einstellung wechselnd, bald scharf, bald unscharf zeichnet.

Es ist interessant, die immer wiederkehrende Formulierung zu beobachten, die der Erzähler benutzt, wenn er von der Wirkung des Lichtes spricht. Wir haben das erste Beispiel schon gesehen: „... seine schwachen Schimmer dienten nur dazu, den Gegenständen ... ein fremdartiges Ansehen zu geben" (894). Fast dieselbe Formulierung kommt in der Szene mit Johannes vor: „Der Schein spielte auf seinen Zügen und gab ihnen ein widriges Ansehen von Magerkeit und ängstlichem Zucken" (896). Auch wenn der Erzähler auf Simon zu sprechen kommt, wird diese Formulierung verwendet: „... und die vom Mondschein verursachte Blässe des Gesichts gaben ihm ein schauerlich verändertes Ansehen" (912). Das Licht enthüllt nicht, sondern verhüllt den Gegenstand und gibt ihm ein unwirkliches Aussehen. Höchstens im Fall von Johannes enthüllt es wahrscheinlich das wahre Aussehen seines Gesichts, doch der Erzähler nennt es nichtsdestoweniger „ein widriges Ansehen". Der erste Schimmer des Erkennens stellt sich merkwürdigerweise nicht eher bei Margreth ein, als bis sie sich ihm nähert; in diesem Moment schaut er zu ihr auf, und daher muß jetzt sein Gesicht umhüllt sein von der ihn umgebenden Dunkelheit der Küche.

Typisch ist auch die Szene, in der sich Friedrich und Simon über die Beichte streiten. — Ein Ort, der übrigens nicht zufällig in der Novelle erwähnt wird, ist der Beichtstuhl. Dort werden die Sünden dem Priester enthüllt und bleiben doch gleichzeitig allen anderen Menschen verhüllt. — Simon wird bei seinem Erscheinen zunächst durch das blasse Mondlicht beleuchtet, das ihn zugleich jedoch auch verfremdet (912). Doch in dem Augenblick, als das Licht am wichtigsten wäre und am ehesten enthüllend wirken könnte, nämlich als Simon schwört, daß er unschuldig ist, bewölkt sich der Himmel, und Simons Gesicht wird von der Dunkelheit verdeckt: „Er hätte viel darum gegeben, seines Ohms Gesicht sehen zu können. Aber während sie flüsterten, hatte der Himmel sich bewölkt" (913). Ausgerechnet Simons mögliche Schuld, die durch seinen Gesichtsausdruck hätte enthüllt werden können, bleibt von der Dunkelheit verhüllt!

VII

Als Gipfelpunkt der bildlichen Darstellung der Spannung zwischen Verhüllen und Enthüllen in der *Judenbuche* — und übrigens auch in Schückings *Die*

Schwester — wird man den Wald ansehen müssen. Man kann sagen, daß die undurchdringliche Dunkelheit des „Teutoburger Waldes", wie sie in der Novelle geschildert wird, einen guten Unterschlupf für diejenigen gewährt, die sich dem Bösen verschrieben haben. Dort scheint sich alles abzuspielen, was undurchsichtig und unheimlich ist.

Einerseits bringt der Wald ein Element des Enthüllens in die Novelle hinein: durch die Belebung, eine Art Katalyse der angeborenen Eigenschaften der Menschen, die sonst durch die Außenschale der Gesellschaft nicht zur Geltung kämen: „Seine Lage (Dorf B.) inmitten tiefer und stolzer Waldeinsamkeit mochte schon früh den angeborenen Starrsinn der Gemüter nähren" (883). Er fördert aber nicht nur solche relativ harmlosen Charakterzüge, sondern auch bestimmte verbrecherische Anlagen, wie z.B. Stehlen und Morden. Als stummer Zeuge legt er ferner die Gewalttätigkeiten der Menschen bloß, denn er birgt ja die Beweise dafür: die verwüsteten Waldflecken und die Leichen von Brandis, Aaron und Friedrich.[28]

Andererseits bewahrt der Wald eifersüchtig sein Geheimnis; enthüllt werden nur die Resultate. Wie diese Verbrechen begangen werden und wer sie begeht, bleibt im Wald verhüllt. Alle Bemühungen, diese Rätsel zu klären, führen zu keinem Ergebnis, wie wir aus den Gerichtsverhandlungen ersehen können. Der Leser, der schon so viel und doch so wenig weiß, wird gezwungen, aus dem, was ihm an Beweismaterial geboten wird, seine eigenen subjektiven Schlüsse zu ziehen.

Somit erfüllt der Wald, ähnlich wie die Dunkelheit, dieselbe paradoxe Funktion des Enthüllens und Verhüllens. Es geschieht dies in beiden Fällen sogar in sehr ähnlicher Weise, wobei die Verknüpfung dadurch noch enger wird, daß die Dunkelheit das dominierende Merkmal des Waldes ist. Der Wald unterscheidet sich jedoch von der Dunkelheit dadurch, daß er seine Geheimnisse nach seinem eigenen Gutdünken zu enthüllen scheint. Die Todesfälle von Brandis, Aaron, Friedrich und auch von Hermann Mergel zeugen davon, daß der Wald das allgegenwärtige Milieu ist, in dem sich all diese Dinge abspielen. Bei jeder Begebenheit scheint der Wald sein Geheimnis eine Zeitlang ganz zu bewahren; dann, zu einem bestimmten Zeitpunkt, werden die Beweise dem Menschenauge präsentiert. Keine der Leichen wurde durch systematische Nachforschungen seitens der Menschen gefunden, sondern nur durch reinen Zufall.

Wie sehr der Wald verhüllt und zu gleicher Zeit enthüllt, wird uns besonders deutlich, wenn wir beobachten, daß es auf der einen Seite gerade Teile des Waldes sind, die die Leichen von Brandis, Aaron und Friedrich[29] verbergen: Brombeerranken (910), dürres Laub (921), die Buche (935). Auf der anderen Seite ist es der Wald selbst, der sich als das zentrale Werkzeug der Entdeckungen erweist: Brandis wird gefunden, weil einige Brombeerranken an der Flaschenschnur eines Försters hängenbleiben. Aaron wird gefunden, weil seine Frau die Suche aufgegeben hat und unter der Buche, wo der Stab ihres Mannes liegt, Schutz vor dem Gewitter sucht. Friedrich wird nur gefunden, weil der junge Brandis bei der Hitze des Tages Kühlung unter eben der Buche sucht, wo Friedrichs Leiche verborgen hing.

Wie gut der Wald seine Rolle in des Erzählers Spiel von Aufdeckung und Verheimlichung erfüllt, kann auch daraus ersehen werden, wie prompt der Erzähler die Gestalt des Försters Brandis in das Blickfeld bringt und wie er diese dann wieder rasch unseren Blicken entzieht: „Hier sank ein Zweig hinter ihm, dort einer; die Umrisse seiner Gestalt schwanden immer mehr. Da blitzte es noch einmal durchs Laub. Es war ein Stahlknopf seines Jagdrocks; nun war er fort" (905). Noch einige Augenblicke zuvor hatte der Wald eine andere Funktion, als er nach und nach Brandis den Blicken Friedrichs preisgab: „In demselben Augenblicke wurden die Zweige eines nahen Gebüsches fast ohne Geräusch zurückgeschoben, und ein Mann trat heraus . . ." (903).

VIII

Die Diskussion über Enthüllen und Verhüllen, Aufdeckung und Verheimlichung in der *Judenbuche* würde nicht vollständig sein, wenn man nicht die hebräische Inschrift erwähnte, auf die sich der Erzähler zweimal bezieht: zunächst bleiben Inhalt und Bedeutung der Inschrift verhüllt (925), das andere Mal aber wird ihre Botschaft offenbart (936). Beim ersten Mal sieht sich der Leser einer Folge von hebräischen Buchstaben gegenüber, die er nicht verstehen kann. Später, am Ende der Erzählung, erscheinen die Worte übersetzt in die ihm verständliche deutsche Sprache. Warum diese philologische Änderung? Der Erzähler hätte gleich an der ersten Stelle die deutsche Übersetzung geben können. Und wenn er Wert auf den Umstand legte, daß die Inschrift in hebräischer Sprache verfaßt war, dann brauchte er das nur zu sagen. Wir hätten es ihm geglaubt. Aber das hat er ausgerechnet nicht getan. Er benutzt — bewußt, so müssen wir sagen — eine Sprache und Schrift, die seinen Lesern nicht verständlich ist, und wohl deshalb, weil er vor ihnen die Botschaft der Inschrift verheimlichen wollte. Andererseits läßt sich eine solche Absicht mit dem Hinweis auf die später gebotene Übersetzung verneinen.

Wir haben hier also nochmals ein künstlerisches Mittel, das zu erkennen gibt, wie sehr es dem Erzähler darum geht, uns zu zeigen, daß die Dinge dieser Welt, der wir verhaftet sind, zu gleicher Zeit verständlich und unverständlich, enthüllt und verhüllt sind.

Anmerkungen

1 Benno von Wiese: *Die Deutsche Novelle von Goethe bis Kafka*, Bd. 2. Düsseldorf 1962, S. 9.
2 Man vgl. den Forschungsbericht von Heinz Rölleke in *Annette von Droste-Hülshoff: Die Judenbuche*. Bad Homburg v. d. H. 1970, S. 195—207.

3 Vgl. z. B. Clemens Heselhaus: *Annette und Levin.* Schriften der Droste-Gesellschaft, Bd. 8. Münster 1948, S. 5: „Als das tiefste und symbolischste Ereignis im Dichterleben der Droste will mir das Schücking-Erlebnis erscheinen, das sich in jenen fünf Gedichten spiegelt, welche die Dichterin direkt an Levin Schücking gerichtet hat".

4 Das Fehlen einer solchen Studie wird um so schmerzlicher empfunden, wenn man weiß, daß Friedrich Hebbel, der kein unintelligenter Kritiker war, einst sagte: „Viele ringen um den Preis der modernen Novelle; wir möchten ihn Schücking zuerkennen". (Friedrich Hebbel: *Sämtliche Werke.* Hrsg. v. Richard M. Werner, Bd. 12. Berlin 1913, S. 252.)

5 Die Novelle erschien zum ersten Mal in „Urania, Taschenbuch auf das Jahr 1848". Mit einem anderen Titel, *Die Wilddiebin,* wurde sie wieder gedruckt in Levin Schücking: *Familiengeschichten.* Prag 1854 und in Bd. 6 von Schückings *Gesammelten Erzählungen und Novellen.* Hannover 1866. Paul Heyse und Hermann Kurz nahmen die Novelle, unter dem ursprünglichen Titel, in den von ihnen herausgegebenen *Deutschen Novellenschatz* (München 1871—1874) auf. Man findet sie in Bd. 15, S. 169—291.

6 Alle in Klammern angegebenen Seitenzahlen beziehen sich auf: Annette von Droste-Hülshoff: *Sämtliche Werke.* Hrsg. v. Clemens Heselhaus. 4. erw. Aufl. München 1963.

7 Heinrich Henel (*Annette von Droste-Hülshoff: Erzählstil und Wirklichkeit.* In: Festschrift für Bernhard Blume: Aufsätze zur deutschen und europäischen Literatur. Göttingen 1967, S. 146, 152) weist überzeugend nach, wie bedenklich es ist zu behaupten, der Erhängte am Schluß der Novelle sei einfach Friedrich. Wenn wir trotzdem den Erhängten „Friedrich" nennen, so geschieht das nicht, weil wir Henels Argumentation (vgl. Anm. 27) für unakzeptabel halten, sondern weil wir keinen besseren Namen für den Erhängten wissen. Es wäre genau so bedenklich, ihn mit einer anderen Gestalt zu identifizieren.

8 Dies wird um so deutlicher, wenn man sich die erste Fassung der Novelle anschaut. Dort erfahren wir, daß Hermanns Entschluß, zum 2. Mal zu heiraten, gut motiviert war. Später jedoch wurden viele Details gestrichen, und so entstand in der späteren Fassung eine wesentlich knappere und unklarere Beschreibung der Situation, die zur Hochzeit führte. Vgl. Karl Schulte Kemminghausen: *Die Judenbuche von Annette von Droste-Hülshoff mit sämtlichen jüngst wieder aufgefundenen Vorarbeiten der Dichterin und einer Handschriftenprobe.* Dortmund 1925, S. 94. Siehe auch Heinrich Henel, a. a. O., S. 161—162.

9 Das erste Datum geht aus zwei Angaben des Erzählers hervor: „Es war im Juli 1756 früh um drei" (902); „Brandis habe sie am zehnten abends zur Runde bestellt ..." (909). Die zweite Zeitangabe ist sofort ersichtlich: „Es war am Vorabende des Weihnachtsfestes, den 24. Dezember 1788" (926).

10 Siehe Anm. 7.

11 *Die Briefe der Annette von Droste-Hülshoff.* Hrsg. v. Karl Schulte Kemminghausen, Bd. 1. Jena 1944, S. 313.

12 Ebd., S. 339.

13 Karl Schulte Kemminghausen, a. a. O., S. 61—71.

14 Felix Heitmann: *Annette von Droste-Hülshoff als Erzählerin. Realismus und Objektivität in der „Judenbuche".* Münster 1914, S. 8—9.

15 Siehe Anm. 7.

16 Felix Heitmann, a. a. O., S. 9.

17 Ebd., S. 54.

18 Lore Hoffmann: *Studie zum Erzählstil der „Judenbuche".* Jahrbuch der Droste-Gesellschaft, Bd. 2. Münster 1948/50, S. 142.

[19] Benno von Wiese: *Die Deutsche Novelle von Goethe bis Kafka*, Bd. 1. Düsseldorf 1962, S. 166.

[20] Felix Heitmann, a. a. O., S. 10.

[21] Karl Schulte Kemminghausen, a. a. O., S. 178.

[22] Ebd., S. 179.

[23] Felix Heitmann, a. a. O., S. 10—11.

[24] Ebd., S. 11.

[25] Karl Schulte Kemminghausen, a. a. O., S. 182.

[26] Ebd.

[27] Man vgl. Henels Argumentation: „Während in der Quelle ein Geständnis des Täters vorliegt, gibt die Novelle nur Indizien, die Friedrich zwar stark belasten, aber die Möglichkeit seiner Unschuld nicht ausschließen. Und diese Ungewißheit ist nur eine unter vielen. Ob Mord oder Totschlag vorliegt, wer der Mörder ist, wer nach 29 Jahren an dem Ort der Tat erhängt gefunden wird und durch wessen Hand er ums Leben gekommen ist — das alles sind Fragen, die nur mit mehr oder weniger gut begründeten Vermutungen zu beantworten sind ...
Die Narbe, woran der Gutsherr schließlich Friedrich als den Täter zu erkennen glaubt, ist nie zuvor erwähnt worden, sie ist nur dem Gutsherrn bekannt (woher?), sie ist nur eines unter vielen Indizien, und diese widersprechen sich so, daß sie zusammen keinen schlüssigen Befund ergeben. Nichts berechtigt uns, die Identifizierung für mehr zu halten als die subjektive Meinung des Gutsherrn." (Heinrich Henel, a. a. O., S. 146, 152).

[28] Siehe Anm. 7.

[29] Siehe Anm. 7.

Helmut Kreuzer

DIE JUNGFRAU IN WAFFEN

Hebbels ‚Judith‘ und ihre Geschwister von Schiller bis Sartre[1]

Die althergebrachte Überordnung des Mannes über die Frau wird von deutschen Philosophen und Dichtern der ‚klassisch‘-idealistischen Epoche (wie vorher ähnlich von Rousseau) in eine Polarität umgedeutet, die prinzipiell auf eine Gleichwertigkeit der Geschlechter abzielt. Darin liegt ein progressiver Zug. „Mann und Frau“, sagt Kant, „bilden erst zusammen den vollen und ganzen Menschen, ein Geschlecht ergänzt das andere.“[2] Daß eine derart polarisierende Auffassung faktisch dennoch eine Unterbewertung der Frau, nämlich ihren Ausschluß von gesellschaftlicher Tätigkeit, erneut legitimieren konnte und faktisch legitimiert hat, zeigen folgende Exempel.

Hegel hat in seiner Rechtsphilosophie[3] und in seiner *Phänomenologie des Geistes*[4] eine Auslegung der *Antigone* des Sophokles benutzt, um seine Geschlechternormen zu erläutern, die einer generelleren Tendenz innerhalb des deutschen Idealismus und des sogenannten klassisch-tektonischen Tragödientyps „zwischen Lessing und Hebbel“[5] entsprechen. Hegel konfrontiert „das Gesetz der empfindenden subjektiven Substantialität, der Innerlichkeit“ einerseits und das offenbare Staatsgesetz andererseits.[6] Das eine nennt er ein göttliches Gesetz, das andere ein menschliches Gesetz; aber er stellt keineswegs das eine über das andere, sondern hält beide für gleich notwendig, und er leitet sie beide gleichwertig aus dem Wesen der „Substanz“ ab, d. h. beide aus dem Absoluten. In der *Antigone* repräsentiere die natürliche Familienbindung und religiöse Pietät Antigones die einfache und unmittelbare, spontane Sittlichkeit der einen Haltung, Kreons politisch-rationales Handeln dagegen die verantwortungsbewußte Repräsentanz der staatlichen, geschichtlich-politischen Werte. „Die Natur“, sagt Hegel, „nicht das Zufällige der Umstände oder der Wahl, teilt das eine Geschlecht dem einen, das andere dem anderen Gesetze zu.“[7] Daß in einer Situation, wo diese beiden Gesetze in einen Konflikt geraten, die Frau — Antigone — dem einen, der Mann — Kreon — dem anderen folgt, ist für Hegel natürlich und notwendig; es befreit sie von subjektiver moralischer Schuld, aber nicht von objektiver tragischer Schuld. Denn beide Gesetze sind ja objektiv gültig, auch wenn der endliche Mensch in der tragischen Situation nicht beiden zugleich folgen kann. So ergibt sich für Mann und Frau in einer solchen Tragödie die Schuld der Einseitigkeit. Was für eine archaische Kultur, so fügt Hegel hinzu, der Konflikt zwischen der Sippenbindung, der Familienpietät und dem Staatlich-

Politischen ist, das sei für die Neuzeit der Konflikt zwischen der individuellen Liebe und den Notwendigkeiten des Staates.[8]

Hegel hat die Tragödie des Sophokles hier nicht historisch adäquat im Sinn dieses Dichters ausgelegt, sondern dem Geist seiner eigenen Philosophie und dem Geist des deutschen Idealismus überhaupt angepaßt, der in Antithesen denkt. ,Mann' und ,Weib' erscheinen Hegel — aber auch den Dichtern, von denen wir heute zunächst sprechen wollen, Schiller, Kleist und Hebbel, als Beispiel einer natürlichen Polarität mit metaphysischen und ethischen Dimensionen. Das heißt, es sind für sie tragische Situationen denkbar, in denen für ,Mann' und ,Weib' andere, gegensätzliche Haltungen sittlich notwendig werden, aufgrund einer für sie natürlichen Ordnung, und wo sich auch bei richtigem, geschlechtsgemäßem Handeln Schuld und Verhängnis ergeben, weil das Sittliche eben doch ein Generell-Menschliches ist. Wenn man sich dies vor Augen hält, ist leicht zu verstehen, daß die ,Frau in Waffen', die Amazone für diese Dichter ein Paradox darstellen mußte, das zur Gestaltung reizen konnte, auch zur tragischen Gestaltung, weil hier die natürliche Ordnung verkehrt zu sein schien, die — wie wir bereits am Beispiel Hegels sahen — für diese historische Denktradition die Frau den Werten der Innerlichkeit und der als ,natürlich' empfundenen Ich-Du-Beziehungen zuordnet, der Liebe und Familie, den Mann aber den geschichtlich-politischen Werten, der Wirkung nach außen, der Verantwortung für den Weltlauf.

Das Motiv der kriegerischen Jungfrau ist bekanntlich mehreren Stoffkomplexen inhärent — so dem Jeanne-d'Arc-Stoff, dem Amazonenmythos, dem Judith-Stoff. Anders gesagt: Es erscheint in Schillers *Jungfrau von Orleans*, 1801, Kleists *Penthesilea*, 1808, Hebbels *Judith*, 1840/41.

Sie alle wählen eine Jungfrau als Heldin, auch dort, wo die Quelle des Stoffs auf eine Frau, nicht eine Jungfrau, verweist. Die Frau in Waffen stellt ihnen das skizzierte Problem; aber nur als Jungfrau in Waffen wurde sie ihnen zur tragischen Heldin, aus Gründen, von denen wir noch hören werden.

Hebbel hat von den Genannten am ausführlichsten und ausdrücklichsten das Geschlechterproblem auch theoretisch mit der Tragödie verbunden. Er wird im Mittelpunkt stehen, weil er den Endpunkt und den Ausgangspunkt unterschiedlicher Traditionslinien bildet, wie wir sehen werden.

Hebbel faßt Mann und Frau nach ihrem Wesen, ihrer sozialen Funktion, ihrem Ethos als Gegensätze auf. „Der Mann hat sich mit Welt und Leben zu plagen, das Weib mit dem Mann" (1836).[9] „Des Weibes Natur ist Beschränkung, Gränze (. . .) des Mannes Natur ist das Unbegränzte" (1841).[10] „Durch Dulden Thun: Idee des Weibes" (1839).[11] „Der Mann erröthet (. . .) nur für den Mann, das Weib nur für das Weib" (1849).[12] „Das Leben", so heißt es in seiner theoretischen Schrift *Ein Wort über das Drama*, 1843, „kann den vollkommensten Mann z.B. nicht bilden, ohne ihm die Vorzüge vorzuenthalten, die das vollkommenste Weib ausmachen, und die beiden Eimer im Brunnen, wovon immer

nur einer voll sein kann, sind das bezeichnendste Symbol aller Schöpfung."[13]
Der Mangel und die Einseitigkeit, auch im ethischen Sinne, sind das unvermeidliche Charakteristikum aller menschlich-individuellen Existenz. Derart steht für
Hebbel fest, „daß das Leben als Vereinzelung (...) die Schuld nicht bloß zufällig erzeugt, sondern sie nothwendig und wesentlich miteinschließt und bedingt; (...) daß die dramatische Schuld nicht, wie die christliche Erbsünde, erst
aus der Richtung des menschlichen Willens entspringt, sondern unmittelbar aus
dem Willen selbst."[14] Eine prägnante Formulierung dieses ethischen Konfliktbewußtseins und seiner metaphysischen Fundierung ist eine epigrammatische
Kernstelle des Hebbelschen *Demetrius*:

> Der Himmel selbst ruht auf gespalten Kräften,
> Die ganze Welt auf Stoß und Gegenstoß:
> Glaubst Du, der Mensch ist davon ausgenommen?
> Pflicht gegen Pflicht, das ist auch sein Gesetz! (V. 2990 ff.)

Der unverschuldete, aber in tragischen Konfliktsituationen schuldbedingende
Geschlechtergegensatz spielt als bevorzugtes Symbol des dualistisch gespaltenen
Seins in den meisten Dramen Hebbels eine Rolle. Wie in Hegels *Antigone*-Auffassung, so erfüllen z.B. in Hebbels *Agnes Bernauer*, die er seine „moderne Antigone" genannt hat, Mann und Frau jeweils die Normen, die nach der Wertordnung dieser beiden Autoren ihrem Geschlecht angemessen sind, und sie
werden dennoch tragisch schuldig.[15] Sehr viel problematischer noch wird die
Situation einer Figur, die Normen erfüllen will und s o l l, die ihrem Geschlecht
n i c h t angemessen sind. Das eben gilt für die Jungfrau in Waffen. Für Hebbel
ist es eine bloße Verirrung der Natur, wenn eine Frau aus subjektiv-persönlichem
Antrieb zu politisch-militärischem Handeln die Waffen ergreift, ohne daß eine
historisch-objektive, überpersönliche Notwendigkeit dafür gegeben ist. Wenn
aber diese Notwendigkeit gegeben ist, deren Möglichkeit er einräumt, dann
ergibt sich für die Heldin, wenn sie ihre Lage erkennt, eine subjektiv tragische
Situation und für das Drama ein objektiv tragischer Wertekonflikt, weil eine
für Hebbel zeitlose Ordnung der Natur und der zeitliche Anspruch der Geschichte
kollidieren.[16] Dann ist die Gottheit mit sich selber entzweit, weil sie nach
Hebbels Auffassung sowohl über die „Ordnung der Natur" wacht, als das
„Gewissen der Natur"[17], wie auch über den Sinn der Geschichte, der sie ihr
Ziel gesetzt hat. „Die Dialectik", so formuliert es Hebbel in der philosophischen
Terminologie der Zeit, ist „unmittelbar in die Idee selbst hinein geworfen".[18]

Hebbels merkwürdig spekulative Geschichtsphilosophie erlaubt ihm, die realhistorische Situation Judiths wie der Jungfrau von Orleans in diesem Sinn zu
interpretieren. Hebbel glaubte an eine historische Mission der Hebräer, das
Heidentum zu überwinden und die Erscheinung Christi hervorzubringen, und
er glaubte an die historische Mission der Franzosen zur Revolution. „Daß Frankreich selbständig bleiben, daß Gott ein Wunder thun mußte, um dies zu veranlassen: dies war nöthig, weil von Frankreich die R e v o l u t i o n ausgehen sollte",

heißt es zur Jungfrau von Orleans 1840 allen Ernstes im Tagebuch[19], und in einem Brief schreibt er in bezug auf *Judith*:

> Meine ganze Tragödie ist darauf basirt, daß in außerordentlichen Weltlagen die Gottheit unmittelbar in den Gang der Ereignisse eingreift und ungeheure Thaten durch Menschen, die sie aus e i g e n e m Antrieb nicht ausführen würden, vollbringen läßt. Eine solche Weltlage war da, als der gewaltige Holof[ernes] das Volk der Verheißung, von dem die Erlösung des ganzen Menschengeschlechts ausgehen sollte, zu erdrücken drohte.[20]

Hebbel ist ausdrücklich der Meinung, daß die Gottheit in solchen Fällen schon durch die Wahl des jungfräulichen Werkzeugs anzeigt, „daß sie, nicht durchaus gebunden in ihrem Wirken durch die allgemeinen Formen und Gesetze der Schöpfung, keiner irdischen Mittel bedarf, um die Zwecke zu erreichen, die sie als nothwendig den Regungen und Bewegungen der Geschichte gesetzt hat".[21] Wie die außerordentliche Weltlage die göttliche Berufung einer Frau zur kriegerischen Heroine legitimieren kann, so das außerordentliche Motiv der kriegerischen Frau die Einführung des Wunderbaren ins Drama. Hebbel erläutert das 1849 in einer Besprechung von Schillers *Jungfrau von Orleans*: „Darum fällt der Unterschied zwischen Mann und Frau für ihn [den Dichter] in dem Augenblick weg, wo in der kleinen Welt, deren Spitze der beide Geschlechter umfassende Mensch ist, nur noch durch ein außerordentliches Werkzeug ein großes und nothwendiges Ziel erreicht werden kann. Daß es wirklich so steht, muß der Dichter freilich zuvor gezeigt haben (. . .) hat er das aber gethan, hat er uns überzeugt, daß eine höhere Macht eingreifen muß, wenn noch eine Wendung zum Heil eintreten soll, so wird er mit dieser nicht mehr krämerhaft unterhandeln und sich von ihr etwa nur ein Drei = Viertels = Wunder ausbedingen, denn nun ist das Unwahrscheinlichere auf einmal das Wahrscheinlichere geworden. Er wird nicht die natürlichen Kräfte des Mannes verstärken, sondern dem Weibe, dem ‚zitternden Geschöpf', übernatürliche Kräfte verleihen (. . .)."[22] Dieser punktuelle Einbruch des Übernatürlichen in die Natur um der Geschichte willen aber bringt in Hebbels pantragischem Universum Gott selber in eine Situation der tragischen Schuld, und mit ihm sein Werkzeug und Opfer, den jeweils betroffenen Menschen. Hebbel hat das 1838 in einem Tagebuch-Wort zur Jungfrau von Orleans formuliert, das für das Verständnis seiner Intentionen auch im Judith-Drama von Bedeutung ist:

> Die Gottheit selbst, wenn sie zur Erreichung großer Zwecke auf ein Individuum unmittelbar einwirkt und sich dadurch einen willkürlichen Eingriff (. . .) ins Weltgetriebe erlaubt, kann ihr Werkzeug vor der Zermalmung durch dasselbe Rad, das es einen Augenblick aufhielt oder anders lenkte, nicht schützen. Dies ist wohl das vornehmste tragische Motiv, das in der Geschichte der Jungfrau von Orleans liegt. Eine Tragödie, welche diese Idee abspiegelte, würde einen großen Eindruck hervorbringen durch den Blick in die ewige Ordnung der Natur, die die Gottheit selbst nicht stören darf, ohne es büßen zu müssen.[23]

Hebbel hat damals selber ein Jungfrau-von-Orleans-Drama geplant, wie er
den Stoff auch in einer „Novelle (à la Kleist)"[24] behandeln wollte und ihn 1840
in einer populären *Geschichte der Jungfrau von Orleans* tatsächlich behandelt
hat.[25] Er war überzeugt, mit Schillers Stück rivalisieren, ja, es übertreffen zu
können, nicht auf der Bühne, im Theatererfolg, aber im Hinblick auf die
ideelle Konzeption, auf die Problemgestaltung. Diese Konzeption hat er dann
dem Judith-Drama eingeformt, das seine Kontrafaktur, seine „Analogieanti-
these"[26] zu Schillers *Jungfrau* geworden ist, und zwar, wie mir scheint, nicht
ohne den Einfluß von Kleists *Penthesilea*, die Hebbel natürlich gekannt hat.
Um die Besonderheit und historische Signifikanz der *Judith* besser zu verstehen,
werfen wir daher zunächst einen Blick auf Schiller und Kleist.

Ihre Vorstellung vom natürlichen Gegensatz der Geschlechter und ihrer sozialen Normen ist derjenigen Hebbels verwandt. In einem Brief des jungen Kleist
vom Mai 1800 lesen wir z. B.:

> Der Mann ist nicht bloß der Mann seiner Frau, er ist auch ein Bürger des Staates;
> die Frau hingegen ist nichts, als die Frau ihres Mannes; der Mann hat nicht bloß
> Verpflichtungen gegen seine Frau, er hat auch Verpflichtungen gegen sein Vaterland;
> die Frau hingegen hat keine anderen Verpflichtungen, als Verpflichtungen gegen
> ihren Mann (. . .).[27]

Für Schiller brauchen wir nur z. B. an *Das Lied von der Glocke* zu denken,
mit Versen wie: „Der Mann muß hinaus / Ins feindliche Leben, / Muß wirken
und streben / Muß pflanzen und schaffen / (. . .) Und drinnen waltet / Die
züchtige Hausfrau, / Die Mutter der Kinder / Und herrschet weise / Im häuslichen Kreise (. . .)."[28] Daher steht die kriegerische Heroine auch in Schillers
Welt unter dem Verdacht, eine „schwere Irrung der Natur" (V. 62) zu sein, ein
Vorwurf, den Johannas Vater Thibaut im Drama Schillers von Anfang an ausspricht. Als Irrung der Natur wäre sie ungeeignet als tragische Heldin. Auch
Schiller braucht daher wie Hebbel eine höhere Instanz, um Johannas Abweichung von der „Natur" zu legitimieren; er braucht die göttliche Berufung Johannas, die, ganz wie Hebbel es fordert, aufgrund einer außerordentlichen
Weltlage erfolgt, der die Männer nicht mehr gewachsen sind, so daß „im Kampf
die Mutigsten verzagen" (V. 417), wie es der Prolog beschreibt, und nur das
Wunder sie mit neuem Mut erfüllen kann, das Wunder der kriegerischen Jungfrau, „schön zugleich und schrecklich anzusehen" (V. 956 f.), ein Vers, der das
Paradoxe des Phänomens spiegelt.

> Mit ihrer Sichel wird die Jungfrau kommen
> (. . .)
> Der Herr wird mit ihr sein, der Schlachten Gott.
> Sein zitterndes Geschöpf wird er erwählen,
> Durch eine zarte Jungfrau wird er sich
> Verherrlichen, denn er ist der Allmächt'ge.   (V. 306—327)

Die Berufung durch Gott ist mit dem absoluten Liebesverbot verbunden; die Bewahrung der Jungfräulichkeit, des Symbols der Reinheit, drückt die absolute Hingabe an die göttliche Sendung aus, die Johanna mit übernatürlicher Kraft begabt. Der Preis dafür ist der Verzicht auf die natürlichen Rechte der Frau. Daß die unberührte Frau für immer jenseits des Geschlechts gestellt wird, symbolisiert sowohl den Verlust, das menschliche Opfer, wie auch den Zuwachs an Übermenschlichkeit, die mit der Berufung des Menschen zum Träger des reinen Geistes verbunden sind. Johanna ist im Drama eine Kontrastfigur zu den weiblichen Gegentypen Isabeau und Agnes Sorel. Johanna repräsentiert in diesem durch und durch zeichenhaften Drama die Präponderanz des Geistes über Natur und Sinnlichkeit; Isabeau, die mit den Engländern verbündete Mutter des französischen Königs Karl, repräsentiert die Verfallenheit an den ,Stoff‘, die Sinnlichkeit als unpersönlichen Sexus, die ichhafte Willkür als Freiheit von den strengen Ansprüchen des Geistes. Beide sind Extremtypen, während Agnes Sorel, die Geliebte des Königs, die höchste Form der natürlichen Weiblichkeit in der Harmonie von Sinnlichkeit und Ethos repräsentiert. Ihre Liebe ist personal fixiert, mit Treue verbunden, selbstlos in ihrer Bereitschaft, ihre materiellen Güter dem Geliebten zu opfern. Sie ist bereit, sich an Karls Kampf um sein Königreich mutig zu beteiligen, aber nicht als Heroine, sondern auf eine nach dem Maßstab des Dramas weiblichere Weise. Die Ordnung, die durch Johanna herbeigeführt wird, schafft der natürlichen Humanität in ethischer Ausprägung eine geschichtliche Heimat, die gesellschaftlich-politische Stätte, aus der Johanna selber am Ende ausscheidet, gerade weil sie etwas anderes als natürliche Humanität repräsentiert. Triumph und Tod Johannas fallen daher zusammen. Um die Irrung der Geschichte zu überwinden, ist die ,Irrung‘ der Natur notwendig, die Übernatur der reinen Jungfrau, der menschliches Mitleid und persönliche Liebe verboten sind nach dem Gesetz des Geisterreichs, geboten aber die mörderische Führung der Waffen, die unmenschliche Mitleidlosigkeit, mit der sie z. B. in der Montgomery-Szene den menschlichen Gegner der rechten geschichtlichen Ordnung tötet, in einem Kampf, in dem sie ihrer Unbesieglichkeit von vornherein gewiß ist.

> Ich bin nur eine Jungfrau, eine Schäferin
> Geboren; nicht des Schwerts gewohnt ist diese Hand,
> Die den unschuldig frommen Hirtenstab geführt.
> Doch weggerissen von der heimatlichen Flur,
> Vom Vaters Busen, von der Schwestern lieber Brust,
> Muß ich h i e r , ich m u ß — mich treibt die Götterstimme, nicht
> Eignes Gelüsten — e u c h zu bitterm Harm, m i r nicht
> Zur Freude, ein Gespenst des Schreckens, würgend gehn,
> Den Tod verbreiten und sein Opfer sein zuletzt! (V. 1655—1663).

Agnes Sorel würde dadurch schuldig (im Hinblick auf ihre natürliche Bestimmung, die sie mit Johanna teilt); Johanna aber wird schuldig (jedenfalls im

Hinblick auf ihre übernatürliche Bestimmung, die sie von Agnes trennt) in der Lionel-Szene, als sie nach der Begegnung mit dem schwarzen Ritter auf dem Schlachtfeld sich in den englischen Feldherrn verliebt und sein Leben schont. Dieser Rückfall in die natürliche Humanität der Frau entzweit sie mit sich selbst und ihrer Sendung. Sie büßt und überwindet diese Selbstentzweiung, entsagt Lionel und gewinnt im Gebet die Kraft, ihre Ketten im englischen Gefängnis zu sprengen und die Schlacht siegreich zu entscheiden, nach der sie an einer tödlichen Wunde stirbt, eine Vision des Himmels vor Augen.

Hebbel wirft Schiller vor, diese Johanna sei eine „Theater-Jungfrau", ein „Pfau", psychologisch unglaubhaft.[29] Die realhistorische Jeanne d'Arc habe zwar das Schwert geführt, aber nach eigenem Bekenntnis „zu keiner Zeit im Krieg einen Menschen getödtet"[30], wohl aber nach dem Kampf „mit zitternder Hand und mit weinenden Augen Wunden" verbunden.[31] Schiller dagegen habe seiner Jungfrau „einen förmlichen Trieb zum Würgen und Morden in die Seele" gelegt, „der sich nicht, wie es psychologisch gewesen wäre, bei dem Anblick des ersten Bluts, das sie vergoß, in sein Gegenteil umwandelt, sondern der sich erst bricht, als sie sich plötzlich, mitten im Gewühl der Schlacht und in der Hitze des Kampfes, in einen der Feinde verliebt".[32] Hebbel verkennt den symbolischen Charakter der Figur, die auf psychologische Wahrscheinlichkeit im alltäglich-realistischen Sinn keinen Anspruch macht, aber sein Einwand hilft uns bei der Erkenntnis seiner eigenen Konzeption. Die Johanna, die er selber gestalten möchte, wäre „ein einfach=edles Mädchen, das, nachdem Gott durch seinen schwachen Arm ein Wunder in's Leben gerufen, vor sich selbst, wie vor einem dunklen Geheimniß, zurück schauderte".[33] Am Ende stünde nicht wie bei Schiller die Apotheose als endgültige Überwindung der Natur, sondern nach vollbrachter Tat verfiele die Täterin dem Urteil der Natur, dem Schaudern vor sich selbst.

Das Schaudern vor sich selbst nach vollbrachter Bluttat, das Hebbel bei Schillers Johanna vermißt, prägt in höchster Steigerung Kleists *Penthesilea*. Zugleich problematisiert Kleist das Amazonentum, d. h. den Eingriff in die Ordnung der Natur, weit stärker als Schiller die göttliche Berufung Johannas. Bei Schiller opfert eine Einzelne ihre Natur um der naturgerechten Ordnung eines kollektiven Ganzen willen. Bei Kleist tritt ein kollektives Ganzes aus der Ordnung der Natur heraus und verstümmelt in der Folge jedes einzelne seiner Glieder. Die Verstümmelung der rechten Brust der Kriegerinnen ist im Drama Symbol dieser Abweichung vom natürlich Weiblichen. Kleists Bild der Geschlechter scheint hier, worauf der DDR-Germanist Siegfried Streller[34] besonders hingewiesen hat, ebenso von Rousseau gefärbt wie sein Bild der Gesellschaft. „Ein vollkommenes Weib und ein vollkommener Mann sollen sich ebensowenig in bezug auf ihre geistigen Gaben als im Gesicht ähneln", heißt es im *Emile*.[35] Ist die Frau, wie im selben Buch Rousseaus gesagt wird, von der Natur zum fürsorglich-zärtlichen Dienst am Manne und den Kindern bestimmt, so ist der Amazonenstaat offenbar ein Prototyp der institutionalisierten Unnatur, als welche die Gesellschaft ihre Glieder deformiert. „Unweiblich, du vergibst mir, unnatürlich, / Dem übrigen Geschlecht der Menschen fremd (. . .)", so beurteilt der Grieche Achill (V. 1902 f.) die Satzung der Tanaïs, auf der der Amazonenstaat beruht und die den Amazonen selbst als heilig gilt, als unbedingtes religiöses und patriotisches Gebot. Die Frauen um Tanaïs hatten männliche Invasoren, durch die sie geschändet worden waren, umgebracht, „zu Tod gekitzelt" (V. 1951), wie Penthesilea es nennt. Dieser Rache- und Befreiungsakt wird von Kleist nicht attackiert, eher heroisiert; in Frage gestellt aber wird die ihm folgende Institutionalisierung und Kodifizierung der kriegerischen Frauentat. Das Gesetz zwingt Penthesilea, sich ihren Liebhaber in der Schlacht zu unterwerfen; sie wählt aus Liebe Achill, gemäß einer Prophezeiung ihrer Mutter, statt nach Amazonenart unpersönlich den zu wählen, „den ihr der Gott im Kampf erscheinen läßt" (V. 2147). Doch nicht sie besiegt Achill, sondern Achill sie. In einer fast lustspielhaft-idyllischen Liebesszene auf dem Schlachtfeld, in der Achill ihr vorspielt, der Besiegte zu sein, erzählt sie ihm vom Gesetz der Amazonen, bis die feindlichen Heere die beiden voneinander trennen und Penthesilea die Fakten erfährt. Der selbstherrliche Achill, den ein Gemeinschaftsgesetz nicht zu binden und der deshalb mit ihm zu spielen vermag, läßt Penthesilea nun öffentlich zum Kampf herausfordern, in der Absicht, sich aus Liebe in einem Scheinkampf von ihr besiegen zu lassen, damit sie das Amazonengesetz erfüllt. Sie aber — unfähig zur Distanz des Spiels gegenüber der Liebe wie gegenüber dem Gesetz — verkennt seine Absicht. Sie war schon innerlich bereit gewesen, ihm auch als Gefangene, als Besiegte zu folgen, und stand damit „beschämt und zitternd, im Gefühl gänzlicher Vernichtung, vor ihrem Volke da"[36]; nun fühlt sie durch die Kampfesforderung ihre Liebe verraten und verhöhnt, um so mehr, als Achill ja der Stärkere ist, wie sich gezeigt hat. Mit dem Rachehaß der enttäuschten Liebenden stürzt sie sich wie eine Rasende mit ihren Hunden auf ihn und bringt ihn um, zerfleischt ihn, um ihm nachher — im Akt der Läuterung und Selbstfindung — freiwillig in den Tod zu folgen.

> So war es ein Versehen. Küsse, Bisse,
> Das reimt sich, und wer recht von Herzen liebt,
> Kann schon das eine für das andre greifen. (V. 2981 ff.)

Handelt es sich aber damit noch um die einfache Tragödie der natürlichen Liebesbestimmung der Frau im Kontext einer widernatürlichen Gesellschaft weiblicher Krieger? Doch wohl nicht. Die wechselseitigen Aggressionen der Liebenden erscheinen nicht als widernatürlicher Gegensatz der Liebe, sondern als eine ihrer Extremformen, als Gegenpol zur Hingebung des Käthchens von Heilbronn. Liebe ist hier mit Gewalt verschwistert, Sadismus und Masochismus sind Spannungselemente ihrer Natur, auch bei dem Griechen Achill.

> Die Schäferstunde bleibt nicht lang mehr aus:
> Doch müßt ich auch durch ganze Monde noch,

Und Jahre, um sie frein: Den Wagen dort,
Nicht ehr zu meinen Freunden will ich lenken,
Ich schwörs, und Pergamos nicht wiedersehn,
Als bis ich sie zu meiner Braut gemacht,
Und sie, die Stirn bekränzt mit Todeswunden,
Kann durch die Straßen häuptlings mit mir schleifen   (V. 608—615)

Die Natur wird nicht überschritten wie bei Schiller, sondern in ihren Abgründen entblößt. Das Amazonentum schlechthin erscheint hier, trotz des früher zitierten Achill-Worts von seiner Unnatur, im Ganzen doch nicht als Gegenpol zum Weiblichen, sondern als weiblicher Gegenpol der Käthchen-Demut, auch in den Augen Kleists.[37] Das Stück geht über die theoretische Geschlechterideologie seines Autors hinaus, und spätere Leser haben das, mit Zustimmung oder Ablehnung, auch bemerkt. „Was ist alle Faselei der Neueren von Emancipation der Frauen gegen diese entsetzliche Amazonenkönigin", notiert Joseph von Eichendorff 1857 in seiner *Geschichte der poetischen Literatur Deutschlands*.[38]

Wie Kleists Penthesilea, so tötet Hebbels Judith den einzigen Mann, den sie lieben könnte und der im Tod noch „mit ihrem Herzen davon geht".[39] Sie tötet ihn wie Penthesilea aus dem Rachemotiv der enttäuschten und mißachteten Frau. Was Judith dagegen mit Schillers Johanna gemeinsam hat, ist ihre Erwählung durch Gott zu einer Tat von historischer Notwendigkeit, mit der sie jedoch ein Naturgebot verletzt, das Judiths Dienerin Mirza so formuliert: „Ein Weib soll Männer gebären, nimmermehr soll sie Männer tödten!"[40]

Hebbels Hauptquelle war das apokryphe Buch Judith. Es erzählt bekanntlich, wie Holofernes, der Feldherr des Königs Nebukadnezar von Assyrien, bei Bethulia im samarischen Bergland von der frommen hebräischen Witwe Judith im Schlaf erschlagen wird, ohne daß der Berauschte ihr zuvor Gewalt angetan hätte. „Schön geschmückt und lieblich anzusehen" (10, 3), so war sie in sein Feldlager gezogen, um die Stadt zu erretten. Das Buch schließt mit einem Siegeshymnus Judiths, die fromm und verehrt 105 Jahre alt wird. Der Judith-Stoff hat eine lange literarische Tradition vor Hebbel. Von dieser hebt ihn ab, daß ihm die Judith der Bibel nicht als menschliche Heroine erscheint, sondern als ein Monster, „ein phantastisch-listiges Ungeheuer".[41] Seine Judith soll zugleich menschlicher und tragischer werden, ein „Opfer" Gottes, das „verröchelnd am Altar niederstürzt".[42] Hebbel macht sie zur Jungfrau-Witwe, da ihr frühverstorbener Gatte Manasses in der Hochzeitsnacht und während ihrer kurzen Ehe unfähig war, sie zu berühren. Erst damit ist sie für Hebbel in der psychologischen Verfassung, die es glaubhaft macht, daß sie aus der belagerten Stadt mit ihrer verzweifelten, vom Hunger geplagten Bevölkerung in das Lager des Holofernes geht, um sich ihm hinzugeben und ihn dadurch in ihre Gewalt zu bekommen.

Nur aus einer jungfräulichen Seele kann ein Muth hervor gehen, der sich dem Ungeheuersten gewachsen fühlt; dies liegt in der Überzeugung des menschlichen Gemüths, in dem übereinstimmenden Glauben der Völker, in den Zeugnissen der Geschichte. Die Wittwe muß daher gestrichen werden. Aber — eine jungfräuliche Seele kann Alles opfern, nur nicht sich selbst, denn mit ihrer Reinheit fällt das Fundament ihrer Kraft (...) Ich habe jetzt die Judith zwischen Weib und Jungfrau in die Mitte gestellt und ihre That so allerdings motivirt; es frägt sich nur, ob Judith nicht hiedurch ihre symbolische Bedeutung verliert, ob sie nicht zur bloßen Exegese eines dunklen Menschen=Characters herab sinkt.[43]

In der Tat ist die psychologische Motivierung so lückenlos, daß die theokratisch-religiöse Motivierung dramaturgisch für den äußeren Handlungsnexus zu entbehren wäre. Hebbel hat aber nicht auf sie verzichtet. Vielmehr kam es ihm gerade auf die doppelte Motivierung an, die Struktur und Sinn seines Dramas bestimmt: „Erst dann erhält die Geschichte ihre Vollendung für die Vernunft, wenn die empirischen Ursachen, in dem sie den Verstand befriedigen, als Werkzeuge und Mittel (der Erscheinung) einer höheren Notwendigkeit gebraucht werden."[44] Das ist ein Gedanke aus der Tradition des deutschen Idealismus, den bekanntlich Hegel als „List der Idee" beschrieben hat und den Schelling so formuliert: „Durch die Freiheit selbst, und indem ich frei zu handeln glaube, soll bewußtlos, d. h. ohne mein Zutun, entstehen, was ich nicht beabsichtige."[45]

Bei Hebbel spielt die sexuelle Motivierung aus dem Unterbewußtsein Judiths eine mitentscheidende Rolle. Sie ist (gemäß den Normen ihrer Umwelt, die sie teilt) sozial frustriert, als kinderlose Frau, und sie ist sexuell frustriert, als jungfräuliche Witwe. („Unselig sind die Unfruchtbaren, doppelt unselig bin ich, die ich nicht Jungfrau bin und auch nicht Weib!"[46]) Selbst ihre Träume von Gott sind zugleich erotische Wunsch- und Angstträume. Sie folgt dem Ruf Gottes ihrem Bewußtsein nach deshalb, weil kein Mann die Kraft und den Mut zum Handeln hat („sehen alle Männer in der Gefahr Nichts, als die Warnung, sie zu vermeiden — dann hat ein Weib das Recht erlangt auf eine große That").[47] Sie ist sich nicht ebenso bewußt, daß sie zugleich vom Verlangen nach Geltung getrieben und von der männlichen Kraft des Holofernes angezogen wird. Aber insgeheim spielt sie nun mit nichts so sehr wie mit der Vorstellung, daß der Weg zum Kopf des Holofernes durch das Bett des Holofernes führt. Als sie im Gebet zu Gott kniend über den Weg zu ihrem Ziel, zu der rettenden Tat, meditiert, gesteht sie:

> Nur Ein Gedanke kam mir, nur Einer, mit dem ich spielte und der immer wiederkehrte; doch, der kam nicht von Dir. Oder kam er von Dir? — (Sie springt auf) Er kam von Dir! Der Weg zu meiner That geht durch die Sünde! Dank, dank Dir, Herr! Du machst mein Auge hell. Vor Dir wird das Unreine rein; wenn Du zwischen mich und meine That eine Sünde stellst: wer bin ich, daß ich mit Dir darüber hadere, daß ich mich Dir entziehen sollte! (...) O, es lös't sich in mir, wie ein Knoten.[48]

Der religiöse Enthusiasmus wird an solchen Stellen z u g l e i c h (d. h. ohne unwahr zu sein) zum Erfüllungsgehilfen natürlich-profaner Wünsche, die ihr Träger sich nicht unumwunden eingesteht und die sich vor ihm selbst maskieren;

Hebbels Darstellung wird insoweit zu einem Beispiel durchschauender Psychologie, das auf Nietzsche und Freud vorausweist.[49]

Als Judith Holofernes begegnet, imponiert er ihr trotz seiner Grausamkeit. „Gott meiner Väter, schütze mich vor mir selbst, daß ich nicht verehren muß, was ich verabscheue! Er ist ein Mann."[50] Es kommt zum Kuß; sie gesteht ihm, daß sie ihn ermorden will; er aber zwingt sie unbeeindruckt mit Gewalt auf sein Lager, und obwohl sie ihm nur dazu dient, „an die Stelle des gemißbrauchten Weins zu treten und einen gemeinen Rausch mit einem noch gemeineren schließen zu helfen"[51], muß sie erdulden, daß ihre eigenen Sinne gegen sie aufstehen, „wie betrunken gemachte Sclaven, die ihren Herrn nicht mehr kennen"[52], so daß gerade ihre sexuelle Befriedigung als Frau noch ihre Erniedrigung als Mensch vollendet und auf einen Punkt bringt, „wo Du anfängst, Dein ganzes vorheriges Leben, all Dein Denken und Empfinden, für eine bloße hochmüthige Träumerei zu halten, und Deine Schande für Dein wahres Sein!"[53] Judith erschlägt Holofernes, ohne an Gott oder ihr Volk zu denken, aus der Rache der beleidigten und geschändeten Frau und des entwürdigten Menschen, und sie wird sich dann erst sukzessive ihrer Tat und ihrer Motive bewußt. „Nichts trieb mich, als der Gedanke an mich selbst. O, hier ist ein Wirbel! Mein Volk ist erlös't, doch wenn ein Stein den Holofernes zerschmettert hätte — es wäre dem Stein mehr Dank schuldig, als jetzt mir! Dank? Wer will den? Aber jetzt muß ich meine That allein tragen, und sie zermalmt mich!"[54] Aber gerade diese Motivverschiebung vom Patriotisch-Religiösen ins Weiblich-Natürliche macht Judith für Hebbel menschlich, denn diese Motivverschiebung ist in der „Ordnung der Natur" begründet, da auch die Auserwählte an ihre Weiblichkeit gebunden bleibt, „der Mensch auch in den Armen Gottes nicht aufhört, Mensch zu sein und wenn er sich auch in der reinsten Begeisterung der Gottheit zum Opfer weiht, ist er nie ein ganz reines Opfer".[55] Aber diese Motivverschiebung vollendet ihre Tragik, denn der Mord an Holofernes, den sie um ihrer selbst willen vollbracht und mit dem sie zugleich sich selber getroffen hat, kann nicht mehr erbringen, wonach sie sich vor der Tat gesehnt hat: die innere Versöhnung Judiths mit sich selbst, ihrem Gott und ihrem Volk. Die Bluttat als solche muß freilich nach Hebbels Vorstellung von der natürlich-humanen Frau ein derartiges Ziel notwendigerweise verfehlen. „(...) weh, weh, man wird mich rühmen und preisen, wenn ich's nun verkünde, und noch einmal wehe, mir ist, als hätt' ich auch daran vorher gedacht! (...) Ihr Jubelruf, ihr Cymbel=Klang und Paukenschall wird mich zerschmettern, und dann hab ich meinen Lohn!"[56]

Gott hat sich Judiths Weiblichkeit bedient; sie war ein Werkzeug, durch das er sein Ziel erreicht hat, aber er konnte es durch sie nur so erreichen, daß sie nach getanem Dienst der tragischen Vernichtung anheimfällt. Werkzeug — der oft wiederholte Ausdruck Hebbels zeigt, wie bewußt Hebbel der Gottheit die Verdinglichung des Menschen unterstellt, d. h. jenen höchsten Menschen-Frevel, den Hebbel immer wieder ins Zentrum seiner Tragödien rückt und von seinen

Heroinen rächen läßt: die Behandlung des Menschen als bloßes Mittel statt als Zweck seiner selbst. Derart wird die Tragödie des Menschen zugleich zur Anklage gegen Gott, die Darstellung des Schicksals zu einer Art von metaphysischer Revolte. Eine hebräische Mutter sagt im 5. Akt über ihr verhungerndes Kind: „Ja, ich will es solange ansehen, bis es bleich wird (...) ich will keinen Blick von ihm verwenden, sogar dann nicht, wenn die Qual sein Kindesauge vor der Zeit klug macht, und mich, wie ein Abgrund von Elend daraus anschauert. Ich will's thun, um zu büßen, wie Keine. Aber wenn es nun noch klüger wird und nach oben blickt und die Hände ballt?"[57]

Judith ist sich bewußt, daß sie, nach der Ordnung der Natur, vielleicht die Nemesis in ihrem Schoß trägt, einen Sohn, dem sie den Vater erschlagen hat. Sie läßt zwar die Hebräer zu Gott beten, daß er sie unfruchtbar mache, aber sie ergibt sich damit nicht passiv in Gottes Willen, obwohl sie vom Volk und seinen Priestern als nationale und religiöse Heldin gefeiert wird. Die Hebräer müssen ihr versprechen, sie auf Verlangen zu töten, wenn sie schwanger wird, „damit ihr Sohn sich nicht zum M u t t e r m o r d versucht fühle".[58] Derart steht am Ende eine Position tragischer Selbstbestimmung, im Anspruch, über sich selbst zu verfügen, wie in der Autonomie des ethischen Urteils, auch noch gegenüber Gott und dem von ihm verhängten Schicksal.

Hebbel hat ausdrücklich betont, daß er mit *Judith* die Absicht verfolgt habe, der Frauenemanzipation entgegenzuwirken. Entspräche das Stück ganz dieser Absicht, wäre es ein reaktionäres Drama, auch schon für das Jahr 1840. Aber das Drama widerlegt in bestimmter Hinsicht die Absicht des Autors, wie übrigens auch die Rezeptionsgeschichte zeigt. Hebbel glaubte selber, „die T h a t eines W e i b e s" zu zeichnen, „also den ärgsten Contrast, dies Wollen und Nicht-Können, dies Thun, was doch kein Handeln ist".[59] Aber seine Täterinnen überwachsen in fast allen seinen Dramen seine Täter an Statur; und was er hier tatsächlich demonstriert, ist gewiß nicht die Fähigkeit der Männer, entschlossener zu „handeln" als Judith, auch nicht deren Unvermögen, überhaupt zu handeln, als vielmehr ihre Fähigkeit, sogar den Mann ihrer Liebe handelnd zu vernichten, wenn er sie nur als ‚Weib' nimmt, aber nicht zugleich als Menschen achtet, und ihre humane Selbstbestimmung brutal negiert. Die Verwirklichung des weiblichen Anspruchs auf humane Selbstbestimmung ist aber gerade ein legitimes Ziel der Frauenemanzipation. Dennoch ist nicht zu bestreiten, daß das Motiv der Jungfrau in Waffen, aufgefaßt als ethisch-religiöses und tragisch-paradoxes Problem, hier eine zentrale Bedeutung hat, und dieses Problem ist mit Hebbel historisch geworden, weil es gebunden war an eine geschichtlich überholte Antithetik der sozialen Rolle von Mann und Frau. Es verbindet Hebbel mit der Vergangenheit, nicht mit der Zukunft.

Nicht als ob bedeutsame Dramen des psychologischen Geschlechtergegensatzes oder des Geschlechterhasses seit Hebbel nicht mehr geschrieben würden. Aber die neueren sind nicht mit welthistorisch-politischen Missionen verknüpft, sondern spielen sich im typischen Fall als intime bürgerliche Zimmerschlachten ab, selbst bei Strindberg oder Wedekind, und nicht anders heute bei Albee oder Martin Walser. Für historisch-politische Dramen aber wird die kämpfende Frau als solche nicht mehr zur Paradoxie, nicht mehr zu einem tragischen und ethischen Problem.

Das soll natürlich nicht heißen, der Judith-Stoff als solcher sei damit literarisch unergiebig geworden, und ebenso wenig soll das heißen, das Judith-Drama Hebbels und seine Konzeption seien ohne produktive Nachfolge geblieben. Das Gegenteil ist richtig. Hebbels *Judith* hat eine interessante Wirkungsgeschichte. Die berühmte Parodie und Travestie, die Johann Nepomuk Nestroy 1849 auf Hebbels *Judith* schrieb, können wir in unserem Problemzusammenhang übergehen, weil er Schwächen der Holofernes-Figur, die für uns hier am Rand blieb, parodistisch ins Zentrum rückt, und ferner, weil er das Problem der kriegerischen Jungfrau ebenso wie das Sexualproblem dadurch von vornherein lustspielhaft entschärft, daß er nicht Judith, eine Frau, zu Holofernes gehen läßt, sondern einen als Frau verkleideten, als Judith sich ausgebenden Mann namens Joab. Anders steht es mit den Judith-Dramen von Georg Kaiser (1911, 1. Fassung 1904) und von Jean Giraudoux (1931).

Kaiser konzentrierte sich auf zwei Momente, die bereits bei Hebbel eine Rolle spielen, die unmittelbar sexuelle Motivierung, das Problem der physischen Befriedigung einer erotisch frustrierten Frau, und das Verhältnis von patriotisch-religiöser Legende und Wirklichkeit, das auch für Giraudoux von Bedeutung ist. Nicht die Jungfrau in Waffen, sondern die Jungfrau als Witwe und die unheilige Heilige sind die Paradoxe, die Kaiser reizen. Indem er die göttliche Erwählung streicht und die Motivation auf Sexuelles reduziert, parodiert er die gesamte religiöse Judith-Tradition und formt sein Stück zu einer hochstilisierten Art von „biblischer Komödie", wie Kaisers Bezeichnung lautet.[60] Judith, bei Kaiser ein zwölfjähriges Mädchen, wird gegen ihren Willen mit dem greisenhaften Schriftgelehrten Manasse verheiratet. Während sie sich nach der Hochzeit zur erotisch bedürftigen Frau entwickelt, entpuppt sich Manasse als lüsterner, aber impotenter Voyeur. Nach seinem Tod, bei dem sie nachgeholfen hat, sucht die jungfräuliche Witwe nach einem Mann. Aber in der vom Heer des Holofernes eingeschlossenen Stadt findet sie unter den vom Nahrungsmangel geschwächten Männern keinen, der ihre Wünsche befriedigen könnte. Sie geht im 4. Akt als Knabe verkleidet ins Lager der frauenlosen, nach Frauen gierigen Belagerer und wird zum Objekt der Rivalität zwischen König Nebukadnezar und Holofernes. Sie erschlägt Holofernes, weil sie den König als Liebhaber vorzieht. Der aber flieht nun voller Schrecken vor dieser gefährlichen Gespielin; die Unbefriedigte kehrt in die Stadt zurück, wo sie — Verkörperung eines Wunders — gegen ihren Willen zur keuschen Priesterin geweiht wird, im gleichen Tempel, in dem sie einst unfreiwillig verheiratet wurde. Aber zum Glück für Judith vollbringt das, was Manasse in der Hochzeitsnacht versäumt hat, nun ausgerechnet der kräftige Hohepriester aus Jerusalem hinter den Vorhängen des Allerheiligsten. Judiths Handeln wird von Kaiser nicht moralisch verurteilt, sondern erscheint in dem sich immoralistisch gebenden Stück als grotesk-naive Verwirklichung eines natürlichen Anspruchs, in der Durchbrechung der Konvention und in der Selbstbehauptung gegen eine zweimalige Beschneidung ihrer Handlungsfreiheit in der ungewollten Hochzeitsnacht und der ungewollten Tempelweihe. Bezeichnenderweise hat Kaiser ein pathetisches Nietzsche-Zitat als Motto vorangestellt: „Oh, meine Brüder, zerbrecht, / Zerbrecht mir die alten Tafeln!"[61]

Auch Jean Giraudoux hat Hebbels *Judith* gekannt, in französischer Übersetzung, und sich für ein eigenes Stück von ihr anregen lassen[62], in dem freilich Judith Holofernes nicht aus Rache erschlägt, sondern aus Liebe. Giraudoux hat unter allen seinen Dramen nur seine *Judith* von 1931 als Tragödie bezeichnet. Es ist eine anmutig-ironische Tragödie, in die fingierende Spielelemente integriert sind. Im 2. Akt spielt z. B. einer der Männer im Feldlager Judith vor, er sei Holofernes, und inszeniert damit eine Art Tragikomödie in der Komödie. Der Judith-Stoff wird im Stück selber zitiert, die Figuren verhalten sich zur Judith-Tradition wie zu Rollen, in die man schlüpft, mit denen man experimentiert wie mit sich selbst. Damit schon ist das für Giraudoux wichtige Moment der Selbstbestimmung und Selbstverwirklichung angedeutet. „Gewiss", sagt Judith, „ich vereinige heute alle Variationen von Judith in mir. Ich gehe hinüber als unwissendes Mädchen, das sich zu einem Wüstling begibt, als listige junge Frau zu einem zügellosen Feldherrn, als Abgesandte einer Stadt vor einen Sieger. Aber ich gehe vor allem wie das Kind in einen Tempel, um auf eine Frage zu antworten, eine Reihe von Fragen, die ich nicht kenne (. . .)."[63] Und an anderer Stelle sagt sie: „Holofernes gibt es nicht. Es gibt nur Arten des Leidens und der Erlösung, die diesen Namen tragen (. . .) Ich bin nicht das einzige Mädchen, das seine Schönheit nicht für einen Mann aufgespart hat, sondern für einen großen Augenblick der Weltgeschichte!" „Holofernes ist ein Mann!"[64] erwidert ihr Dialog-Partner Jean. Das Motiv der erotischen Erfüllung ist — neben dem der individuellen Selbstbestimmung — ein anderes Grundmotiv Giraudoux'. Giraudoux sympathisiert mit dem Liebesanspruch der Frau, die ihn auch gegen vaterländisch-religiöse Missionen festhält.

Das ist nichts Neues gegenüber der idealistischen Tradition, von der wir ausgegangen sind. Aber im Unterschied zu dieser thematisiert Giraudoux nicht den Geschlechtergegensatz, sondern die Antinomie von Vollkommenheit und Dauer, von Lebenserfüllung und Alltäglichkeit.

Im echten Holofernes erlebt Judith einen Mann in souveräner Freiheit von Gott, der sich selbstverantwortlich entscheidet und an eine Welt ohne Erbsünde glaubt. Judith und Holofernes verlieben sich ineinander. „Ja, eine Jüdin hat sich heute nacht mit Freuden auf das Bett des Holofernes gestreckt (. . .) Und zwischem ihrem Volk und Holofernes hat sie die Liebe gewählt, also den Holo-

fernes. Und seither erfüllt sie nur ein Gedanke: in den Tod ihm zu folgen!"
So beschreibt sie selber ihr Tun.[65] Sie tötet Holofernes, um den Augenblick der
Liebe einmalig und absolut zu erhalten und vor der Relativierung, vor dem
Aufgehen in depravierender Alltäglichkeit zu schützen; sie schlägt zu, nachdem
„der Schlaf" dem Geliebten „das erste Vergessen und den ersten Verrat" an ihr
brachte.[66] Priester und Volk stempeln sie dennoch — gegen alle subjektive
Wahrheit und gegen allen Widerstand Judiths — zur Heiligen, die in der Synagoge zu wohnen hat. Judith ergibt sich in die ihr zudiktierte Rolle, als ihr in
einer Traumerscheinung ein Erzengel durch den Mund eines betrunkenen Wach-
soldaten verkündet, daß sie in allem Gefühl der subjektiven Freiheit ein Werkzeug Gottes war, wie es der Priester Joachim vorhergesagt hatte: „(...) diese
Schwächen [Judiths] werden wie ein Schwertgriff sein in Gottes Hand, und
sie wird zuzupacken wissen ..."[67] Damit erneuert Giraudoux das Hebbelsche
Motiv der Instrumentalisierung des Menschen durch die Vorsehung. Gott spielt
mit der Freiheit des Menschen. Judith unterwirft sich ihm hier nachträglich und
hebt damit die Freiheit der Liebesnacht und des Liebesmordes wieder auf.
Während Hebbels Judith zuletzt gerade die persönliche Verantwortung für ihr
Handeln und seine Folgen für sich in Anspruch nimmt, enthüllt sich bei Giraudoux zuletzt das Selbstsein in der Liebe als paradiesischer Traum des Subjekts
im objektiven Zustand der Verdinglichung — einer auch bei ihm noch ahisto-
risch-metaphysisch gedeuteten Verdinglichung durch Gott, obwohl ein sozialer
Aspekt des Problems in Judiths Worten dennoch unvermutet durchscheint:

> In der Vorstadt Gottes, wo der schöne Handlungsgehilfe am Montagmorgen noch
> im Schlummer liegt und die kleine Verkäuferin, die zum ersten Male auswärts
> schlief, sich über ihn beugt so voller Dankbarkeit, Besorgnis und Eifersucht und so
> voller Angst vor dem Alltag, dem langweiligen Ladentisch, an den sie zurück muß
> nach dem berauschenden Märchen des Sonntags, so daß sie den Tod des Geliebten
> mit einbeziehen möchte in ihren Selbstmord ... Die Wahrheit Gottes! Das ist zum
> Lachen! ... Ich meine eine Wahrheit, die soviel tragischer ist — die Wahrheit der
> kleinen Ladenmädchen, die Chronik der Tagesunfälle ...[68]

Mit gegensätzlicher Aussage hat Jean Paul Sartre das Problem der menschlichen Selbstbestimmung und Selbstverwirklichung thematisiert, schon in *Ba-
riona*, seinem dramatischen Erstling, der wie Hebbels Erstling in althebräischem
Milieu spielt. Der belgische Germanist Michel Vanhelleputte hat in einem Aufsatz[69] die Vermutung ausgesprochen und interpretierend zu begründen versucht,
Sartres Drama *Die Fliegen* (1943), seine Aktualisierung des Orest-Elektra-Stoffes
aus der Atriden-Sage, sei die Radikalisierung eines Ansatzes, der in Hebbels
Judith angelegt sei, die Demonstration der Ohnmacht Gottes gegenüber dem zu
sich selbst und seiner Freiheit entschlossenen Menschen, der sich von seiner Tat
nicht trennen, sie sich nicht entfremden läßt. Vanhelleputte war dabei nicht bekannt, daß sich Sartre nachweislich mit Hebbels *Judith* beschäftigt hat.[70] Deut-

licher als in den *Fliegen* scheinen mir die Anklänge an *Judith* in dem Stück *Die schmutzigen Hände* von 1948 zu sein, worauf weder die Sartre- noch die Hebbelforschung bislang aufmerksam geworden ist. Ähnlich wie Orest in den *Fliegen*, so bewährt hier der Held Hugo seine existentielle Freiheit, indem er einen Mord vor der Welt auf sich nimmt, zu dem er sich als zu einem politischen Mord bekennt, obwohl er damit bewußt sein Leben verwirkt und obwohl der Mord in Wahrheit nicht erfolgt wäre ohne den Antrieb unpolitischer, ganz persönlicher Motive. Der junge bürgerliche Intellektuelle Hugo tritt im Zweiten Weltkrieg in die Kommunistische Partei eines fiktiven Balkanstaates ein; er vermag aber auch im kommunistischen Kollektiv sein Ungenügen an sich selbst und seine outsiderhafte Vereinzelung nicht zu überwinden. Er erreicht, daß er zusammen mit seiner jungen Frau Jessica, die von der Liebe und Ehe mit Hugo enttäuscht ist, zu dem Parteisekretär Hoederer gesandt wird, um diesen zu ermorden, weil Hoederer von der offiziellen Parteilinie abgewichen ist. Die frustrierte und verspielte junge Frau wird von der Männlichkeit Hoederers erotisch angezogen, der junge Intellektuelle selbst wird von Hoederers Persönlichkeit und Handlungsweise so beeindruckt, daß er den Mord nicht zu vollbringen vermag. Seine Frau verrät Hugos Mission, Hoederer stellt Hugo und gibt ihm die Gelegenheit zum Mord; gerade das überwindet Hugo vollends und macht ihn zum Verehrer Hoederers. Als er jedoch Jessica in Hoederers Armen ertappt, gibt ihm die Eifersucht und vor allem der Racheimpuls dessen, der sich in seinen Gefühlen für Hoederer betrogen, in seinem Vertrauen in ihn enttäuscht wähnt, die Kraft, seinen Auftrag faktisch zu vollstrecken und Hoederer niederzuschießen. So vollzieht sich eine Motivverschiebung im Augenblick der Tat, wie wir sie von Hebbels *Judith* her kennen, die zum patriotisch-religiösen Mord ausgesandt war, aber einen persönlichen vollbracht hat.

Sartre hat Probleme und Verhaltensweisen Judiths auf Jessica und Hugo verteilt. „(...) ich mache, daß sie in Liebe erglühen", sagt Jessica an einer Stelle, „und wenn sie endlich glauben, daß sie mich in meiner einsamen und großartigen Trauer trösten dürfen, dann stoße ich ihnen ein Messer ins Herz."[71] Das Unvermögen, kalten Blutes, problemlos, einen politischen Mordauftrag auszuführen, schrieb Hebbel der Natur der Frau zu: „dies Wollen und Nicht-Können, dies Thun, was doch kein Handeln ist." Bei Sartre aber ist diese Problematik des Handelns auf den Intellektuellen übertragen. Das Paradox der Jungfrau mit dem Schwert ist durch das Paradox des Intellektuellen mit Bomben und Pistolen abgelöst. Der Intelligenzler als Aktivist, der bürgerliche Intellektuelle als revolutionärer Täter sehnt sich in Sartres Drama nach der Bewährung in einer blutigen Gewalttat, um derart die Schranken seines Typs und seiner Herkunft zu durchbrechen.

Sartre hat in einem Interview mitgeteilt, daß er für das Drama *Der Teufel und der liebe Gott*, 1951, Schillers *Wallenstein* und Hebbels *Judith* verwertet habe.[72] Das Stück spielt im Bauernkrieg der deutschen Reformationszeit. Es übernimmt von *Judith* z. B. das Modell der belagerten Stadt, auch Holofernes-motive, auf die wir hier nicht eingegangen sind, nicht aber, bezeichnenderweise, das Problem der Jungfrau in Waffen. Und Entsprechendes gilt für *Die Bibel*, das kleine Erstlingsdrama Bertolt Brechts, obwohl es noch extrem idealistisch ist und unmittelbar an Hebbel anknüpft. Brecht schrieb es als Fünfzehnjähriger und druckte es in einer Schülerzeitschrift. Es enthält das Motiv, daß während der Religionskriege in einer belagerten Stadt Bruder und Vater eines Mädchens dieses zu überreden versuchen, sich dem feindlichen Feldherrn für eine Nacht auszuliefern, damit er wenigstens diejenigen Einwohner schone, die zum Glaubenswechsel bereit waren. Der Großvater überzeugt jedoch das Mädchen, daß „eine Seele mehr wert (ist) als 1000 Körper".[73] Sie bleibt und geht mit dem Großvater in den Flammen zugrunde. Brecht hat später Hebbel aufs schärfste angegriffen als einen der klassizistischen Tragiker der Notwendigkeit, die seiner Dramaturgie der menschlichen Weltveränderung entgegenstanden. Aber schon in seinen frühen Augsburger Theaterkritiken polemisiert er — nun schon im Bann von Wedekinds Lulu — gegen *Judith*.[74] Später hat Brecht in einem berühmten und bedeutenden Stück die klassizistische Dramentradition parodistisch zitiert, und zwar besonders Goethes *Faust* und Schillers *Jungfrau von Orleans*. Ich meine natürlich *Die heilige Johanna der Schlachthöfe* von 1932, die die Jungfrau-von-Orleans-Motive auf den amerikanischen Klassen-kampf im Chicago der Streiks und Börsenschlachten überträgt. Brecht attackiert hier eine theokratische Ideologie, die die Unterdrückten damit beruhigt, daß Gott zwar unsichtbar sei, aber ihnen dennoch hülfe; er negiert damit den Beru-fungsglauben, der mit dem Jungfrau-Motiv traditionell verbunden ist. „Es hilft nur Gewalt, wo Gewalt herrscht, und / Es helfen nur Menschen, wo Menschen sind."[75] Das gilt hier für Männer und Frauen; nicht die Geschlechterspaltung ist für Brecht ein Problem, sondern die Klassenspaltung. Wenn das Heilsarmee-mädchen Johanna Dark die zitierte These verkündet oder wenn am Ende von Brechts Stück aus dem spanischen Bürgerkrieg, *Die Gewehre der Frau Carrar*, die Heldin zusammen mit ihrem Sohn und ihrem Bruder zur republikanischen Armee geht, dann dramatisieren diese Motive nicht erneut die Paradoxie der Frau in Waffen, sondern sie heben sie auf.

Entsprechendes gilt auch für den Brecht-Antipoden Ernst Toller, der schon in *Masse-Mensch* (1920/21) eine revolutionäre Führerin ins Zentrum stellt. Zwar plädiert diese — ganz im Gegensatz zu Brechts Johanna — für den Gewalt-verzicht der Unterdrückten. Aber ihr Plädoyer ist nicht in ihrem Geschlecht begründet, es richtet sich nicht an ein einziges Geschlecht, und es unterscheidet sie nicht von männlichen Helden ihres Autors.

In der Zeit der Französischen Revolution — der Verkündigung der Menschen-rechte — war selbst der radikale Chaumette Pariser Frauen, die sich mit der Waffe in der Hand am Kampf gegen „das heranmarschirende monarchische Europa"[76] beteiligen wollten, mit einer Geschlechterideologie entgegengetreten.

„Seit wann ist es den Frauen gestattet, ihr Geschlecht abzuschwören und sich zu Männern zu machen? Seit wann ist es Gebrauch, sie die fromme Sorge ihres Haushaltes, die Wiege ihrer Kinder verlassen zu sehen, um auf die öffentlichen Plätze zu kommen, von der Tribüne herab Reden zu halten, in die Reihe der Truppen zu treten, mit einem Worte Pflichten zu erfüllen, welche die Natur dem Manne allein zugetheilt hat?"[77] Tatsächlich hat — mit August Bebel zu sprechen — „erst die zweite Hälfte des 19. Jahrhunderts begonnen, den Frauen in größerer Anzahl die Wege zu ebnen und sie zum Wettbewerb auf den verschiedensten Gebieten zuzulassen (...)".[78] Im 20. Jahrhundert haben denn auch die Radikalen und Revolutionäre unzählige weibliche Kombattanten akzeptiert (wir sahen es schon an Toller und Brecht), auch Führerinnen von Rosa Luxemburg bis Angela Davis. Aber auch der konservativste Zeitungsleser nimmt es längst ohne Überraschung hin, daß die täglichen Schlagzeilen, blutige eingeschlossen, nicht nur von Männern gemacht werden; er akzeptiert es auch in der Kunst ohne Hebbelsches Schaudern.[79]

Freilich bleibt ein Fortschritt, der Vorurteile (und Illusionen) über die Natur der Geschlechter schwinden läßt, noch prinzipiell fragwürdig, solange er nur weibliche Bataillone neben den männlichen ideell und ästhetisch legitimiert, statt die politische Notwendigkeit beider historisch-praktisch zu überwinden. Das „Verhältnis des Mannes zum Weibe" dramatisch zu reflektieren — analog der ‚klassischen' Tradition, aber unter neuem Blickwinkel —, könnte auch für die Gegenwart geboten erscheinen, wenn man aus diesem Verhältnis „die ganze Bildungsstufe des Menschen beurteilen (kann)", wie der junge Marx 1844 behauptet hat, am Ende der idealistischen Epoche zwischen Kant und Hebbel:

> Aus dem Charakter dieses Verhältnisses folgt, in wie weit der Mensch als Gattungswesen, als Mensch sich geworden ist und erfaßt hat; das Verhältnis des Mannes zum Weib ist das natürlichste Verhältnis des Menschen zum Menschen. In ihm zeigt sich also, in wie weit das natürliche Verhalten des Menschen menschlich oder in wie weit das menschliche Wesen ihm zum natürlichen Wesen, in wie weit seine menschliche Natur ihm zur Natur geworden ist. In diesem Verhältnis zeigt sich auch, in wie weit das Bedürfnis des Menschen zum menschlichen Bedürfnis, in wie weit ihm also der andre Mensch als Mensch zum Bedürfnis geworden ist, in wie weit er in seinem individuellsten Dasein zugleich Gemeinwesen ist.[80]

Anmerkungen

1 Dieser Vortrag geht inhaltlich auf Thesen eines 1965 an der Akademie Comburg gehaltenen Colloquiums zurück, das für ein Saarbrücker Proseminar von 1967 komparatistisch erweitert wurde. Er war in der vorliegenden Form zunächst für Teilnehmer des internationalen Ferienkurses der Universität Münster sowie für Hörer der Volkshochschule Bonn bestimmt, im Rahmen eines Zyklus über Figuren der deutschen Literatur, den K. K. Polheim angeregt hat und an dem auch der Jubilar — als Redner wie als Hörer — beteiligt war, dem dieser Band gewidmet ist und dessen Bonner Nachfolge mir für einige kurze Jahre zufiel. Aus dieser Entstehung und dem speziellen Hörerbezug erklären sich der Verzicht auf Auseinandersetzung mit der Forschung und manche Momente der Darstellung wie des Inhalts, die sich in einer Abhandlung für Fachgelehrte erübrigen würden. Eine geplante Umarbeitung — unter Zuspitzung auf das Verhältnis Sartre/Hebbel — war aufgrund der administrativen Belastung im Rahmen einer Hochschulgründung (GH Siegen) nicht termingerecht zu realisieren (nur einige Stellen sind gekürzt oder erweitert, die Anmerkungen hinzugefügt; einzelne Zitate konnten unter den Bedingungen einer Gründungsphase nur aus zweiter Hand oder aus unmaßgeblichen Ausgaben übernommen werden). Der Vortrag wurde in Münster und Marburg in größerem Kreis diskutiert, in Bonn mit Benno von Wiese.

[2] Zit. nach August Bebel, *Die Frau und der Sozialismus*, 27. Aufl., Stuttgart 1896, S. 95.

[3] Vgl. Hegels *Philosophie des Rechts*, hrsg. v. E. Gans, 2. Aufl., 1840.

[4] Vgl. Hegels Werke, *Phänomenologie des Geistes*, hrsg. v. J. Schulze, 2. Bd., 1832.

[5] Das ‚klassische' Werk über diese gattungsgeschichtliche Epoche ist immer noch: Benno von Wiese, *Die deutsche Tragödie von Lessing bis Hebbel*, Hamburg 1948, 7. Aufl., 1967.

[6] Vgl. Hegels *Philosophie des Rechts*, a. a. O., S. 255; vgl. ferner ebd. S. 197 und dazu Hebbel T 3088 (Hebbel wird hier nach der Ausgabe von R. M. Werner, 1901 ff., zitiert, mit folgenden Abkürzungen: W = Werke, Br = Briefe, T = Tagebücher).

[7] Hegels Werke, *Phänomenologie des Geistes* (siehe Anm. 3); vgl. etwa S. 333—354.

[8] Ebd.; vgl. auch das Schlußkapitel in Hegels *Ästhetik* über „Die konkrete Entwicklung der dramatischen Poesie und ihrer Arten".

[9] Hebbel T 343 (1836). Hebbel-Stellen dieses Vortrags überschneiden sich, wofür ich um Nachsicht bitten muß (vgl. Anm. 1), vereinzelt mit meinem Beitrag zu Benno von Wieses Sammelband: *Deutsche Dichter des 19. Jahrhunderts. Ihr Leben und Werk*, Berlin 1969. Dort weitere Literaturangaben.

[10] Hebbel T 2309 (1841).

[11] Hebbel T 1516 (1839).

[12] Hebbel T 4547 (1849).

[13] Hebbel W XI, S. 6.

[14] Hebbel W XI, S. 4.

[15] Vgl. zu Hegels oben skizzierter *Antigone*-Deutung und ihrem Einfluß auf Hebbels Selbstdeutung seiner *Agnes Bernauer* den Aufsatz des Vf.: *Agnes Bernauer als Hebbels „moderne Antigone"*, Hebbel-Jahrbuch 1961, in überarbeiteter Form eingegangen in: *Hebbel in neuer Sicht*, Stuttgart 1963, 2. Aufl. (mit punktuellen Verbesserungen) 1969.

[16] Die folgenden Abschnitte zu Hebbel sind, abgesehen von eigenen Hebbelstudien, besonders Arbeiten von Wolfgang Wittkowski (v. a.: *Der junge Hebbel*, Diss. Frankfurt/M. 1955, Zweitfassung Berlin 1969) und Wolfgang Liepe (*Beiträge zur Literatur- und Geistesgeschichte*. Hrsg. v. E. Schulz. Mit einem Geleitwort von Benno von Wiese, Neumünster 1963) verpflichtet. Vgl. nunmehr auch H. Kraft, *Poesie der Idee. Die tragische Dichtung Friedrich Hebbels*, Tübingen 1971, und M. Durzak, *Hebbels „Judith" — Deutungsproblem und Deutung*, Hebbel-Jahrbuch 1971/72.

[17] Vgl. T 1881; T 1011.

[18] Vgl. W XI, S. 41.

[19] T 2064.

[20] An Auguste Stich-Crelinger, 23. 4. 1840 (Br II, S. 35).

[21] W IX, S. 239.

[22] W XI, S. 284.

[23] T 1011.

[24] T 1169; W V, S. 43.

[25] W IX, S. 223—357.

[26] Vgl. Wittkowski, a. a. O., S. 237 (Erstfassung).

[27] An Wilhelmine von Zenge, 30. 5. 1800. Kleist wird zitiert nach der Ausgabe von Helmut Sembdner: *Sämtliche Werke und Briefe*, 2. Aufl., München 1961; dort S. 507.

[28] Schiller kann hier (siehe Anm. 1) nicht nach der *Weimarer Nationalausgabe*, hrsg. von L. Blumenthal u. Benno von Wiese, zitiert werden, sondern nur nach der *Säkular-Ausgabe* E. v. d. Hellens, Berlin/Stuttgart 1971. Hier Bd. 1, S. 47.

[29] Vgl. W V, S. 41 f.; Br I, S. 170, 145.

[30] W IX, S. 329.

[31] W IX, S. 298.

[32] W IX, S. 267.

[33] Br I, S. 170; vgl. W V, S. 42.

[34] Vgl. S. Streller, *Das dramatische Werk Heinrich von Kleists*, Berlin 1967, v. a. S. 99—125. Einen Anstoß zu seiner These empfing Streller offenbar von Hans Mayer, *Heinrich von Kleist. Der geschichtliche Augenblick*, Pfullingen 1962.

[35] Zit. nach Streller, a. a. O., S. 259.

[36] Heinrich von Kleist, *Penthesilea. Dokumente und Zeugnisse,* hrsg. v. H. Sembdner, Frankfurt/M. 1967, S. 16.

[37] Ebd., S. 14: „Jetzt bin ich nur neugierig, was Sie zu dem Käthchen von Heilbronn sagen werden, denn das ist die Kehrseite der Penthesilea, ihr andrer Pol, ein Wesen, das eben so mächtig ist durch gänzliche Hingebung, als jene durch Handeln."

[38] Ebd., S. 44.

[39] W XI, S. 13.

[40] W I, S. 67.

[41] W XI, S. 14. Vgl. Anm. 60.

[42] W I, S. 80.

[43] T 1872. Vgl. auch T 1931 (zugl. Br II, S. 31 f.): „Die Judith der Bibel ist eine Wittwe; eine Wittwe aber kann nicht mehr empfinden, was meine Judith in dem gegebenen Fall noch empfinden mußte, wenn ich die Dichtung zu ihrem Wende= und Höhepunct führen wollte; eine Wittwe darf sich zu einem Schritt, dessen Ziel sie k e n n t, nicht einmal entschließen, wohl aber ein Mädchen und eine Wittwe, die noch Mädchen ist."

[44] Vgl. Liepe, a. a. O. (siehe Anm. 16), S. 232.

[45] Vgl. ebd., S. 231.

[46] Vgl. W I, S. 19.

[47] W I, S. 24. Vgl. auch T 1989: „(. . .) da kam der Geist über Judith und legte ihr einen Gedanken in die Seele, den sie (darum die Szene mit Ephraim) erst fest zu halten wagt, als sie sieht, daß kein Mann ihn adoptirt, den nun aber auch nicht mehr das bloße Gottesvertrauen, sondern nach der Beschaffenheit der menschlichen Natur, die niemals ganz rein oder ganz unrein ist, zugleich mit die Eitelkeit ausbrütet."

[48] W I, S. 26.

[49] Diesen Aspekt der „Ideologienentlarvung" hat mit besonderer Zuspitzung und wiederholt Klaus Ziegler betont; vgl. u. a. Ziegler, *Friedrich Hebbel und die Krise des deutschen Geistes*, Hebbel-Jahrbuch 1949/50, S. 2 ff.

[50] W I, S. 63.

[51] W I, S. 69.

[52] Ebd.

53 Ebd.

54 W I, S. 72.

55 T 1958; auch Br II, S. 34.

56 W I, S. 75.

57 W I, S. 76.

58 T 1989; Br II, S. 36.

59 T 1802 (1839).

60 Vgl. G. Kaiser, *Die jüdische Witwe. Biblische Komödie*, Berlin 1911, S. 5. Zur Geschichte des Judith-Stoffes seit Hebbel vgl. auch Jürgen Hein, *Aktualisierungen des Judith-Stoffes von Hebbel bis Brecht*. In: Hebbel-Jahrbuch 1971/72 (dort weitere Literaturangaben). Die Arbeit erschien nach Abschluß des Vortrags. Materialreich ist die Arbeit von Otto Baltzer, *Judith in der deutschen Literatur*, Berlin/Leipzig 1930, deren Titelfülle hier leider nicht berücksichtigt werden konnte. Nicht zugänglich war mir Edna Purdie, *The story of Judith in German and English literature*, Paris 1927. Zum Judith-Stoff der älteren Zeit vgl. auch: *Judith-Dramen des 16./17. Jahrhunderts*, hrsg. v. M. Sommerfeld, Berlin 1933; das Nachwort konstatiert (S. 193): „Was von einem nur ethischen Standpunkt Anstoß erregen kann — Judiths Tat der List, begangen an einem Schlafenden, hat diese religiös gebundenen, protestantischen und katholischen Autoren nicht befremdet, sondern eher angezogen. Und wie sie die Kriegsläufte ihrer eigenen Zeit, den Türkenkrieg insbesondere, mit dem Bethulianischen Krieg identifizierten, so haben sie die Tat der Judith verherrlicht, als ob sie sich unter ihnen selbst, im eigenen Volk, ereignet hätte oder ereignen sollte: als einen Ausfluß weltlich-nationaler Tugenden, als Segen der Frömmigkeit und als Gnade, die einem Gott zugewandten Gemüt zuteil wird." Für Opitz (ebd. S. 116) wird auch „das Männliche Hertze in einem Weiblichen Leibe" noch nicht zum Problem.

61 Kaiser, a. a. O., S. 5.

62 Vgl. den Aufsatz von Michel Vanhelleputte, *La „Judith" de Friedrich Hebbel a-t-elle influencé Giraudoux?* In: Revue des Langues Vivantes, 1962.

63 J. Giraudoux, *Dramen*. Hrsg. v. Otto F. Best in Verbindung mit Jean-Pierre Giraudoux, Frankfurt/M. 1961, S. 211. Punkte ohne Klammern in Zitaten bezeichnen keine Auslassung, sondern gehören zum Text Giraudoux'.

64 Ebd., S. 200.

65 Ebd., S. 257 f.

66 Ebd., S. 251.

67 Ebd., S. 188.

68 Ebd., S. 251 f.

69 Vgl. M. Vanhelleputte, *La modernité de la „Judith" de Hebbel*. In: Études Germaniques 18, 1963.

70 Vgl. K. Wais, *Schillers Wirkungsgeschichte im Ausland*. In: Deutsche Vierteljahrsschrift für Literaturwissenschaft und Geistesgeschichte, 1955, S. 475 ff.

71 Jean Paul Sartre, *Dramen*. Hamburg 1949, S. 187.

72 Vgl. Wais, a. a. O. (siehe Anm. 70).

73 Vgl. Brecht, *Gesammelte Werke*, Bd. 7, Frankfurt/M. 1967, S. 3037.

74 Vgl. Brecht, a. a. O., Bd. 15, S. 37 f. Vgl. auch die Fassung des *Baal* (dessen Titel an den ersten *Judith*-Akt erinnern kann) von 1918, in der Brechts Held eine Schauspielerin, die auf dem Weg ins Theater ist, um die Judith zu spielen, aufhält und verführt: Brecht, *Baal. Drei Fassungen*. Kritisch ediert und kommentiert von Dieter Schmidt, Frankfurt/M. 1966, S. 40 f.

75 Brecht, a. a. O., Bd. 2, S. 783.

76 Bebel, a. a. O. (siehe Anm. 2), S. 272.

[77] Zit. nach Bebel, ebd.

[78] Bebel, a. a. O., S. 233.

[79] Der Präsident der USA erfreut sich im maoistischen Peking an einem Ballett über „Das rote Frauenbataillon", und mit ihm die Fernsehzuschauer in aller Welt, die nichts weniger erwarten als ein Schauspiel, das die politischen Aktivitäten (um nur wenige Namen der 70er Jahre zu nennen:) etwa der Irin Bernadette Devlin oder der Araberin Leila Chaled als ein dramatisches Geschlechterproblem auf die Bühne oder den Bildschirm brächte, sei es nun als eine Irrung der Natur oder eine göttliche Berufung, die die Privilegien der Männer für einen geschichtlichen Augenblick außer Kraft setzt.

[80] Marx/Engels, *Historisch-kritische Gesamtausgabe*, hrsg. v. V. Adoratskij, Erste Abt., Bd. 3, Berlin 1932, S. 113. Vgl. auch Kreuzer, *Zu den Memoiren Peuchets. Ein Hinweis auf Hebbel-Parallelen*, Hebbel-Jahrbuch 1964.

Karl Konrad Polheim

DIE WIRKLICHE WIRKLICHKEIT

A. Stifters ‚Nachkommenschaften'
und das Problem seiner Kunstanschauung**

Vier Jahre vor seinem Tode, 1864, veröffentlichte Adalbert Stifter eine Erzählung mit dem etwas sonderbar klingenden Titel *Nachkommenschaften.* Ihr
Held und Ich-Erzähler ist ein junger Maler namens Friedrich Roderer, der alles
daransetzt, eine einfache, ja eintönige Moorlandschaft zu malen. Deshalb erbaut
er sich dort ein Blockhaus mit großen Fenstern, und bei dieser Gelegenheit spricht
er als sein innerstes Bekenntnis über die Kunst, als seine tiefste Kunstanschauung
das Folgende aus:

> Ich wollte nämlich [...] die wirkliche Wirklichkeit darstellen, und dazu die wirk-
> liche Wirklichkeit immer neben mir haben. Freilich sagt man, es sei ein großer Feh-
> ler, wenn man zu wirklich das Wirkliche darstelle: man werde da trocken hand-
> werksmäßig, und zerstöre allen dichterischen Duft der Arbeit. Freier Schwung,
> freies Ermessen, freier Flug des Künstlers müsse dasein, dann entstehe ein freies,
> leichtes, dichterisches Werk. Sonst sei alles vergeblich und am Ende — das sagen
> die, welche die Wirklichkeit nicht darstellen können. Ich aber sage: warum hat
> denn Gott das Wirkliche gar so wirklich und am wirklichsten in seinem Kunstwerke
> gemacht, und in demselben doch den höchsten Schwung erreicht, den ihr auch mit all
> euren Schwingen nicht recht schwingen könnt? In der Welt und in ihren Theilen ist
> die größte dichterische Fülle und die herzergreifendste Gewalt. Macht nur die Wirk-
> lichkeit so wirklich wie sie ist, und verändert nicht den Schwung, der ohnehin in
> ihr ist, und ihr werdet wunderbarere Werke hervorbringen als ihr glaubt, und
> als ihr thut, wenn ihr Afterheiten malt, und sagt: Jetzt ist Schwung darinnen.[1]

Zweifellos ist hier eine Aussage gemacht, die selbst voll Schwung und eindringlicher Gewalt ist. Und das haben die Leser gespürt: Kunsthistoriker und Germanisten haben diese Stelle beachtet und immer wieder zitiert. Aber wie ist die
Forderung nach der wirklichen Wirklichkeit im Kunstwerk zu verstehen? Ist
dies, wie man meinte, „der naive Künstlerglaube, [...] man brauche nur die
einzelnen Dinge der Naturerscheinung in möglichster Wirklichkeitstreue abzu-
bilden, dann kämen schon alle Wesenheiten allgemeinerer, höherer Ordnung von
selbst ins Bild"[2]? Oder ist dies, wie man auch feststellte, der Ausdruck eines
in die Zukunft weisenden materialistisch-positiven Wirklichkeitssinnes[3]? Oder

ist unsere Stelle vielleicht auch noch anders aufzufassen? Jedenfalls scheint sie wichtig genug zu sein, um sich darüber etwas den Kopf zu zerbrechen. Sie berührt unmittelbar das Problem des Realismus in der Kunst.

Für eine möglichst richtige Deutung ist es unerläßlich, sich den Kontext im weitesten Rahmen anzusehen, und das heißt: die Erzählung selbst. Beginnen wir ganz simpel beim Inhalt. Er ist einfach genug. Friedrich Roderer will das besagte Moor malen. Dabei lernt er den alten reichen Peter Roderer kennen, der ihm, dem Unbekannten, die Geschichte seines Geschlechtes erzählt. Alle Roderer sind dadurch gekennzeichnet, daß sie auf irgendeinem Gebiet etwas Großartiges leisten, sich aber dennoch aus Ungenügen davon abwenden. Friedrich lernt Peters Tochter Susanna kennen und lieben. Er verlobt sich und offenbart erst jetzt seine Verwandtschaft. Er vollendet sein Bild, erreicht damit Bedeutendes, aber das ist ihm nicht genug. Er vernichtet es und gibt das Malen auf. Die Hochzeit mit Susanna bildet den Schluß.

Das ist die ganze Fabel. Sie ist, nicht mit Unrecht, geradezu ‚dürftig‘ genannt worden. Wir werden davon noch zu sprechen haben. Jedenfalls heben sich darin zwei Schichten voneinander ab. Die eine wird gebildet aus dem Themenkreis der Kunst, der die Entwicklung Friedrichs als Maler, sein Moorbild, sein Ringen um die Darstellung der wirklichen Wirklichkeit und seinen Verzicht umfaßt. Die andere wird gebildet aus dem Themenkreis Nachkommenschaften, der vom Geschlecht der Roderer und ihren Eigenheiten, von der Liebe Friedrichs und Susannas, von Verlobung und Hochzeit, also von der Gründung eines neuen Stammes dieses Geschlechtes handelt. Beide Themenkreise, über die als dritte Schicht ein feiner Humor gebreitet ist, treffen und vereinigen sich in der Gestalt des Ich-Erzählers. Und beide Themenkreise sind stets in der Erzählung spürbar und anwesend. Sie erhalten jedoch jeweils verschiedenes Gewicht, und es ist dieses wechselweise Überwiegen, ohne die Verdrängung des anderen, vom Dichter äußerst kunstvoll durchgeführt. Im allgemeinen — das kann hier nicht näher ausgeführt werden — ist festzuhalten, daß der Themenkreis der Kunst, mit dem die Erzählung voll einsetzt (bereits der erste Satz lautet: „So bin ich unversehens ein Landschaftsmaler geworden“), gegen den Schluß hin zurücktritt. Friedrich zerstört ja auch sein Bild. Umgekehrt hebt sich der Themenkreis Nachkommenschaften anfangs nicht so deutlich ab (obzwar schon auf der zweiten Seite Friedrich seine „Großväter und Ururgroßväter“ aufzählt und alsbald das Wort „Nachkommenschaften“ gebraucht[4]), er tritt dann immer stärker hervor (Geschichte der Roderer), bis die Erzählung mit der Hochzeit und dem Blick auf die dabei vereinigten Roderer endet.

Diese Entwicklung hat manche Interpreten unserer Dichtung dazu veranlaßt, den Gehalt auf eine Gegenüberstellung von Kunst und Leben mit dem Sieg des Lebens festzulegen. Das Moor wird ihnen zum „Raumsymbol des fruchtlosen Mühens“[5], Friedrichs Malleidenschaft zur „närrischen Einbildung“ und „fixen Idee“, zum sinnwidrigen „Festhalten an einer Marotte“, zur „absoluten Unfruchtbarkeit"[6]; die Kunst erweise sich, wenn sie verabsolutiert würde, „als Täuschung und Irrweg".[7] Nun stimmt es freilich, daß Friedrich mit dem Malen aufhört und sich einer anderen Tätigkeit zuwendet. Aber dürfen deshalb seine unbedingten Bestrebungen in der Kunst als Narrheit und Irrung abgewertet werden? Würde das nicht einer Bankrotterklärung des Künstlers Stifter gleichkommen? Oder ist Stifter am Ende seines Lebens zu einer solchen Erkenntnis, die ihn erschüttern mußte, gelangt? Im Jahre 1861, als er sich bereits mit unserer Erzählung beschäftigte[8], schreibt er: „Es bleibt doch die Kunst das Höchste in dem Leben."[9] Und ein Jahr nach der Veröffentlichung glaubt er noch immer, daß „es nichts größeres Irdisches gibt, als die Kunst"[10], eine Überzeugung, die sich von seinen Jugendjahren bis zu seinem Tode unverändert erhalten hat.[11] Ausgerechnet dieser Mann soll die Kunst als unfruchtbare Narrheit hinstellen und lediglich im tätigen Leben das Heil erkennen?

Nun ist es möglich, daß der Dichter sich keineswegs mit dem Erzähler und dem Erzählten identifiziert. Der Gang der Handlung kann durchaus etwas seiner Anschauung Entgegengesetztes ausdrücken, die Gestalt des Ich-Erzählers einen verbohrten Phantasten, einen besessenen Stümper verkörpern, der in der Tat, wie geäußert wurde, kümmerlich scheitert und in dessen Werk „die aufgebauschte Quantität [...] kläglich vor der unerreichbaren Qualität" wirkt.[12] Wie also steht es mit der Qualität des Malers Friedrich Roderer? Durch den humorvollen Stil hat man zu leicht übersehen, daß der Dichter uns den künstlerischen Rang der Bilder Friedrichs klar und eindeutig erkennen läßt. Er tut dies, obwohl ihm die gewählte Erzählhaltung jede hohe Wertung erschwert: ist es doch der Ich-Erzähler selbst, der davon berichten muß. So legt Stifter das entscheidende Urteil dem alten Peter Roderer in den Mund, nachdem er ihn als Kunstkenner ersten Ranges ausgewiesen hat. Peter hat die niederländischen Meister in ihrem Heimatlande studiert, er besitzt selbst wertvolle Gemälde, und der sonst so bescheidene Mann bekennt von sich: „Ich verstehe Bilder." Zum Maler Friedrich sagt er: „Sie sind in Ihren Arbeiten zu Ergebnissen gekommen, die ganz ungewöhnlich sind. [...] Ihre Entwürfe, die ich genau angesehen habe, gehören zu dem Allerbesten, was die neue Kunst hervorgebracht hat, an Wahrheit übertreffen sie Alles, was jetzt da ist."[13] Solche Aussprüche aus solchem Munde zeigen uns deutlich genug, wie Vieles und Hohes Friedrich erreicht hat: in der Darstellung der Wahrheit, seinem erklärten Ziel, werden die Bilder ausdrücklich an die Spitze der zeitgenössischen Kunst gerückt.

Derart vermögen wir aus der Erzählung selbst, werkimmanent, den Wert und die Bedeutung der Malerei Friedrich Roderers zu erkennen und zu erweisen. Vom Biographischen her erhalten wir einen gewichtigen neuen Aspekt. Denn dieser Friedrich ist, was die bildende Kunst angeht, weitgehend Stifter, der Maler, selbst. Stifters Platz in der Kunstgeschichte hat Fritz Novotny grundlegend und gültig bestimmt.[14] Und er betont, daß unsere Erzählung „in jedem Wort, das Malerei betrifft, autobiographisch genommen werden darf".[15]

Es mag bereits deutlich werden, daß wir es bei Friedrichs Malerei keineswegs mit einer Verrücktheit zu tun haben und daß seine Bemühungen in der Kunst gleichzeitig ein heiliges Anliegen Stifters sind. Aber nun drängt sich eine Gegenfrage auf. Wenn nämlich dies alles von solcher Bedeutung ist, warum wählt der Dichter dann einen humoristischen Ton, warum läßt er den Helden geprägt sein durch die Narrheit eines Geschlechtes und warum läßt er überhaupt das Thema der Nachkommenschaften so stark in den Vordergrund und sogar in den Titel treten?

Dafür sind mehrere Gründe anzuführen, die sowohl gemeinsam als auch jeder für sich wirken. Der eine Grund ist biographischer Natur. Stifter war, wie seine dichterischen Gestalten, zurückhaltend und scheu. Nichts lag ihm weniger als ein öffentliches Zergliedern seiner Erlebnisse und inneren Kämpfe, wie es eine psychologisierende Literaturrichtung wenig später pflegen sollte. Wenn er nun doch eigene malerische Erfahrungen als Vorwurf wählte, mußte er gleichzeitig auf Abstand und Verschleierung bedacht sein, zumal er seinen Helden Friedrich mit einem Kunstvermögen begabte, das er selbst — wie er wohl wußte — nie besaß. Er mußte also eine Brechung der autobiographischen Stoffteile durch dichterische Mittel herbeiführen. Dazu diente ihm die humoristische Erzählform und das Thema der Nachkommenschaften.

Durch dieses wird — zweitens — ein weiteres Hauptanliegen Stifters in die Erzählung gebracht: die Frage nach der Geschlechterfolge, nach dem Fortleben des Menschengeschlechtes — eine Frage, die Stifter, der unter seiner Kinderlosigkeit sehr litt, oft und oft behandelt hat: im *Hagestolz* und in der *Mappe meines Urgroßvaters*, in der *Narrenburg* verbunden mit dem Narrenthema, im *Nachsommer*, im *Waldgänger*, im *frommen Spruch* und im *Kuß von Sentze*. Im *Waldgänger* lesen wir: „zu der holdesten Pflicht des Menschen gehört es, Kinder zu haben"; und es fällt das Wort „Nachkommenschaft"; in der *Mappe* wird die Kette der Nachkommen eine Reihe „der Verwandtschaft und Liebe", „der große, goldene Strom der Liebe", genannt, und in unserer Erzählung gliedert sich die Liebe Friedrichs und Susannas in doppelter Weise dem Nachkommenschaftsthema ein: durch sie wird nicht nur ein neuer Stamm begründet, sondern Susanna gehört auch selbst zu den Roderern.[16]

Eines aber ist nachdrücklich zu betonen: nicht diese Liebe ist es, die Friedrich veranlaßt, mit dem Malen aufzuhören. So gesehen, haben die beiden Themenkreise nichts miteinander zu tun. Es ist irrig zu interpretieren, daß Friedrich „durch die Liebe zum Gleichgewicht des wirklichen und begrenzten Lebens" gelange, daß er durch sie von der Kunst, „dem verstiegenen, asketischen Ernst seiner Malleidenschaft", geheilt werde.[17] Nein, gerade die Liebe befeuert ihn, er malt nach der Verlobung eifriger denn je weiter, und er sagt: „Ich habe mit der Inbrunst gemalt, die mir Deine Liebe eingab, und werde nie mehr so malen können."[18] Daß die Liebe der Grund für das Aufhören nicht ist, wird durch die allgemeine Charakteristik des Geschlechtes bestätigt. Peter erzählt ausdrücklich, daß jeder Roderer freiwillig, „nicht etwa durch das Schicksal", nicht durch ein Äußeres, seinen „Kampfplatz" verlassen habe, und ebenso war es ihm selbst ergangen.[19]

Wenn Friedrich das Malen aufgibt, nicht weil die Liebe ihn davon abhält und nicht weil er aus Unzulänglichkeit kläglich scheitert, — welchen Anlaß hat er dann? Er tut es, weil er sein künstlerisches Ziel unerreichbar hoch gesteckt hat. Über dieses Ziel gibt uns wiederum Peter Roderer einen wichtigen Fingerzeig, wenn er zu Friedrich sagt: „Sie streben nach eigener Billigung, wollen den Dingen ihr Wesen abringen, wollen die Tiefe erschöpfen, darum wählen Sie sich einen Gegenstand, der so ernst, schwierig und unbedeutend ist, daß ihm die Anderen aus dem Wege gehen würden, dieses Moor."[20] Erinnern wir uns an einen Lehrsatz aus dem *Nachsommer*: „kein Mensch könne Dinge, namentlich Landschaften, in ihrer völligen Wesenheit geben"[21], so ist in der Tat bewiesen, daß Friedrichs Vorhaben für einen Sterblichen zu gewaltig ist. Sein Aufgeben aber wäre, da er — wie wir jetzt wissen — ein großer Maler ist, ein tragisches Ende. Zehn Jahre später, 1874, geschah es in der Tat, daß ein genialer Künstler seine Kunst, die Dichtung, verzweifelnd aufgab: Rimbaud. Einen solchen Verzicht hat Stifter seinem Helden erspart. Er hat jede Tragik vermieden.

Dazu verhilft — und das ist vielleicht dessen tiefste Begründung — das Thema der Nachkommenschaften. Alle Roderer haben sich ein für Menschen zu hohes Ziel gesteckt. Weil sie viel, aber nicht dieses selbst erreichen, geben sie es auf und wenden sich fröhlich einem anderen Gebiet zu. Die etwas skurrile Erfindung, durch den humoristischen Ton der Erzählung jedoch bruchlos eingebettet, ermöglicht es, daß auch Friedrich seine Malerei in Freiheit und Fröhlichkeit — darauf kommt es hier an — aufzugeben vermag. Der an sich unwahrscheinliche Einzelfall wird im Verhalten aller aufgehoben. Ein tragischer Schluß, der dem verzweifelt um seine Malerei ringenden späten Stifter nur allzu nahe lag[22], wird durch die typische Narrheit eines Geschlechtes dem Leser aus dem Sinn gebracht. Stifters eigene Resignation rettet sich in den Humor.

Die beiden Themenkreise Kunst und Nachkommenschaften hängen also sehr viel inniger zusammen als durch wechselseitiges Hervortreten. Sie sind auf andere Weise abermals miteinander verbunden. Die zweite Hauptgestalt der Erzählung, der alte Peter Roderer, war, wie erwähnt, in seiner Jugend von der Absonderlichkeit des Geschlechtes nicht verschont geblieben. Und er ist der Dichter, wie Friedrich der Maler ist. So wird der Themenkreis der Kunst, jetzt der Dichtung, unmittelbar in das Nachkommenschaftsthema eingebettet. Peter dichtete mit dem gleichen Eifer, wie Friedrich malt. Er wollte, angeregt durch die Dichtung der Alten, ein Heldendichter werden. Davon erzählt er:

> Da las ich nun das Größte, was in diesen Sprachen vorhanden war. Es war groß und außerordentlich; dennoch aber nicht so groß und nicht so außerordentlich wie die Wirklichkeit. Ich beschloß, alle Heldendichter zu übertreffen, und die wirkliche Wahrheit zu bringen [. . .], und da ich mit Anwendung aller meiner Zeit und Kraft

Neues dichtete, und dasselbe nicht größer war als die bestehenden Lieder, und die wirkliche Wahrheit nicht brachte, dichtete ich nicht mehr und vertilgte alles, was ich gemacht hatte.[23]

Wenn hier von der wirklichen Wahrheit die Rede ist, so spricht Friedrich sinngleich und mit unmittelbarem Bezug von der wirklichen Wirklichkeit: „Ich wollte nämlich so wie der Heldendichter Peter Roderer die wirkliche Wirklichkeit darstellen."[24] Ebenso gleich wie die Kunstanschauung und der Anlaß des Aufhörens ist die künstlerische Qualität Peters. Man beachte den scheinbar nebenbei hingeworfenen Satz: „da ich [...] Neues dichtete, und dasselbe nicht größer war als die bestehenden Lieder." Aber wie bei Friedrich wird auch hier der flüchtigere Leser die Höhe der Kunstausübung nicht ermessen. Er wird an dem lächerlichen Bild des mißglückten Heldendichters haften bleiben, der als hoffnungsloser Epigone einem längst verblühten Ideal nachzujagen scheint. Und doch täuscht selbst dieses Bild das Komische und Unzeitgemäße nur vor. Denn es gibt in der Tat eine deutsche Heldendichtung im 19. Jahrhundert, die getrost der antiken und der germanischen, vor allem dieser: nämlich der isländischen Saga, an die Seite treten darf: Stifters eigener Roman *Witiko*, an dem er damals arbeitete. Daher wird es nicht überraschen, daß auch Peter — wie Friedrich — starke autobiographische Züge trägt[25] und daß feine, aber feste Fäden zum Roman hinüberlaufen.[26]

Ist das Nachkommenschaftsthema dergestalt mit der Dichtung wie mit der bildenden Kunst verbunden[27], so läßt es schließlich noch eine dritte Kunstart gewahr werden, gewissermaßen die Zusammenfassung der beiden anderen: die Schauspielkunst. Auch sie wurde von einem Roderer nach der diesem Geschlecht eigenen Art ausgeübt, und zwar vom Ahnen Friedrich, von dem sowohl der Zweig Peters als auch der Zweig unseres Friedrich abstammen. Wie die beiden Zweige, vereinigt der Ahne Friedrich die bildliche und die sprachliche Darstellung in der Schauspielkunst. „Er wollte" — heißt es von ihm — „das deutsche Schauspielwesen auf den Gipfel der Kunst erheben [...]. Fast Tag und Nacht las er, oder er schrieb, oder ließ davon nur ab, um seinen Kameraden darzuthun, welche Sachen schön und würdig seien, und wie man sie am herrlichsten darstellen könne."[28] Sollte die Art der Darstellung ebenfalls mit der Kunstanschauung des Dichters Peter und des Malers Friedrich übereingestimmt haben? Stifter sagt uns in der Erzählung nichts darüber, aber zum drittenmal rückt der autobiographische Bezug in den Blick. In seiner letzten Lebenszeit beschäftigte sich Stifter eifrig mit dem Theater und legte in Aufsätzen und Kritiken seine Grundsätze dar. Die Schauspielkunst neige, so schreibt er, unser Thema im negativen Sinn abwandelnd, zum „Darstellen der äußern Wirklichkeit, worin es Mancher bis zum Widerlichen bringt, und welche von künstlerischer Wahrheit sehr entfernt ist".[29] Positiv deutlich wird der Gleichklang durch eine Stelle aus dem *Nachsommer*. Heinrich Drendorf sieht eine unübertreffliche Aufführung des *König Lear* und bricht in die Worte aus: „Das hatte ich nicht geahnt, von einem Schauspiele war schon längst keine Rede mehr, das war die wirklichste Wirklichkeit vor mir."[30]

Wir bemerken nun schon, wie gewichtig die Aussage von der wirklichen Wirklichkeit ist. Sie bezieht sich nicht auf Malerei oder Dichtung allein, sondern auf das Prinzip der Kunst schlechthin. Was aber bedeutet sie? Einen Hinweis haben wir schon aus der Erzählung selbst empfangen. Wir sprachen vorhin vom künstlerischen Ziel Friedrichs und zitierten dazu das Wort, er wolle den Dingen ihr Wesen abringen. Das sagt Peter, während Friedrich selbst als Ziel das eingangs genannte Bekenntnis ablegt. Es ist aus dem Text klar, daß beides zusammenhängt, die wirkliche Wirklichkeit und das Wesen der Dinge. Wir halten damit bei einem bekannten Schlüsselwort des späten Stifter. Gilt auch die andere Formulierung für ihn? Ist die Forderung nach der wirklichen Wirklichkeit im Kunstwerk nicht nur Friedrich Roderers reifstes Bekenntnis, sondern auch das Stifters?

Man hat diese Aussage aus den *Nachkommenschaften* auf Stifter selbst bezogen, aber zumeist auf den Dichter der *Studien* oder den realistischen Maler.[31] Kaum jemand hat berücksichtigt, daß Stifter diese Aussage viel später, zur Zeit des *Witiko*, niederschrieb. Aber vielleicht sollte Friedrich Roderer, der sie ausspricht, gerade jene frühe realistische Epoche verkörpern? Sehen wir uns die beiden Maler Roderer und Stifter daraufhin an.

Fritz Novotny hat für Stifters malerische Entwicklung verschiedene Phasen festgestellt. Den Beginn bildet eine dilettantische Vedutenmalerei, von der Stifter sich nur langsam löst. Auch das für unseren Zusammenhang wichtige Bild *Der Vordere Gosausee mit dem Dachstein*, entstanden Anfang 1837 (Abb. 1), ist noch nicht frei davon, zeigt aber bereits Ansätze der Überwindung.[32] Noch im selben Jahr gelingt es Stifter, einen „Naturalismus von harmonischer Ausgeglichenheit" zu erreichen, und zwar in dem Bild *Der Königssee mit dem Watzmann* (Abb. 2), das Novotny folgendermaßen charakterisiert: „Eine Fülle aufs sorgfältigste realistisch festgehaltener Einzelheiten ist bruchlos in das Gesamtkonzept der großen Formen von Bergmassen, Wasserfläche und Wolkenhimmel eingeschlossen. In gleicher Präzision fügen sich Raum und Licht zum Ganzen", alles „von einer so beglückend unbefangenen Frische und scheinbaren Mühelosigkeit, daß es als eines der Hauptwerke des Biedermeierrealismus in der österreichischen Malerei zu werten ist."[33] Bald danach, um 1840, verläßt Stifter diese Art der Landschaftsdarstellung und bietet in Bildern wie dem *Blick in die Beatrixgasse* oder dem *Motiv aus Neuwaldegg* erstaunliche „Improvisationen eines kühnen Frühimpressionismus", in denen „allem Detailnaturalismus der durchschnittlichen biedermeierlichen Art abgesagt" ist.[34] Nach der Mitte der vierziger Jahre setzt dann eine letzte, überaus merkwürdige Phase ein. Sie führt über Bilder wie die *Flußenge*, der Hausenstein in der malerischen Haltung nicht minder als in der dichterischen eine echte Größe zuspricht[35], zu den späten symbolischen Landschaften, von denen hier ein *Mondaufgang* gezeigt sei, der *die*

Sehnsucht (oder *die Schwermut*) ausdrücken soll (Abb. 8). In diesem Mondbild interpretiert Novotny die „rötlich durchschimmerte dumpfe Olivtönung des Himmels" als „Ausdruck der allbeherrschenden Stille und Einsamkeit der ungeheuren, sternlosen Himmelsleere, in die die sanft glühende Mondscheibe aus den Bodendünsten heraufsteigt." Auf solche Weise wollte Stifter eine dichterisch-philosophische Grundidee mit einer realistischen Darstellung vereinen, aber er erschöpfte sich bis zu seinem Lebensende in immer neuen Entwürfen und hat keines dieser Bilder fertigestellt.[36]

Wie verhält sich zu dieser Entwicklung Stifters unser Maler aus den *Nachkommenschaften*?[37] Seinem Dichter gleich gelangt er nach dilettantischen Anfängen zu einem bemühten Realismus. Das wird schon daraus überdeutlich, daß er dasselbe Motiv malt: den Dachstein vom vorderen Gosausee aus. Aber nun — gleichsam in der ersten Phase Stifters — scheint er zu verharren, jedenfalls hat man das bisher so verstanden. Friedrich erzählt uns von zwei Bildern: von diesem Dachsteinbild und vom Moorbild. Wir müssen also seine Äußerungen über beide vergleichen, wenn wir eine mögliche Entwicklung erkennen wollen.

In einem humoristischen Überblick über die Landschaftsmalerei seiner Zeit berichtet Friedrich: „Wenn man zu einem Alpensee kommt, und in einem einsamen Gasthause übernachtet, so kommen Abends drei oder vier Landschaftsmaler in die Gaststube, welche unter Tags auf verschiedenen Stellen des Angers gesessen sind und gemalt haben. Die sich an dem Rande des Gletschers befinden, übernachten in der Alphütte auf der Ochsenwiese oder sonst irgendwo."[38] Es ist unschwer zu erkennen, daß auch unser Friedrich zu solchen Männern gehört, denn alsbald faßt er den Entschluß, den Dachstein mit dem Gosausee zu malen.

Was heißt dies für seine damalige Kunstauffassung? Es heißt, daß er auf ausgetretenen Pfaden wandelt, daß er sich, zumindest in der Wahl seines Motivs — Hochgebirge, Alpensee — nicht vom Durchschnitt unterscheidet. Bereits die Wahl des Motivs aber ist für den Künstler und seine Einstellung kennzeichnend, das hat Stifter oft beteuert. 1860 schreibt er: „Es ist in der neuen Landschaftmalerei Sitte geworden, gewaltige Stoffe zu wählen, namentlich unzählige Male Stoffe aus den Alpen." Er führt aus, daß große Künstler mit Scheu an diese Stoffe gingen, aber, sagt er, „junge Künstler oder schwächere wählen große Stoffe und beginnen mit [...] der Alpenlandschaft". 1861 äußert er im Zusammenhang mit Ruisdael (welchen Maler wir uns merken wollen): „Große Dichter und Maler wählen so gerne den einfachsten Stoff. Von der Fülle des eigenen reichen Inneren gedrängt, wissen sie mit Wenigem in gebildetster Form dieses Innere in einer Art Unendlichkeit zu offenbaren, ja, sie gehen dem gehäuften Stoffe aus dem Wege, weil er als roher Körper den zarten Geist zu ersticken droht."[39] Wenn wir an die schon genannten Worte Peter Roderers an Friedrich denken: „darum wählen Sie sich einen Gegenstand, der so ernst, schwierig und unbedeutend ist, daß ihm die Anderen aus dem Wege gehen würden, dieses Moor"[40] — dann sind wir von selbst auf einen ersten großen Unter-

1) Adalbert Stifter: *Der Vordere Gosausee mit dem Dachstein.*
Dipl. Ing. Agr. Carl Gudenus, Schloß Mühlbach, Niederösterreich.

2) Adalbert Stifter: *Der Königssee mit dem Watzmann.*
Österreichische Galerie, Wien.

3) Ferdinand Georg Waldmüller: *Der Dachstein mit dem Gosausee*.
Stiftung Oskar Reinhart, Winterthur.

5) Joseph Anton Koch: *Der Schmadribachfall*.
Bayer. Staatsgemäldesammlungen, München.

4) Carl Rottmann: *Gosausee.*
Bayer. Staatsgemäldesammlungen, München.

6) Caspar David Friedrich: *Der Watzmann.*
Staatliche Museen, Preußischer Kulturbesitz, Nationalgalerie, Berlin West.

7) Jacob von Ruisdael: *Der Große Wald*.
Kunsthistorisches Museum, Wien.

8) Adalbert Stifter: *Mondaufgang (Die Sehnsucht* oder *Die Schwermut)*.
Adalbert-Stifter-Gesellschaft, Wien.

schied zwischen dem Maler des Dachsteins und des Moores gestoßen. Das Kriterium des einfachen Stoffes zeigt uns die Entwicklung Friedrichs und neuerdings seine Qualität.

Wie aber verhält es sich mit der Darstellung der Stoffe? Verkündet Friedrich im Angesicht des Moores sein Bekenntnis zur wirklichen Wirklichkeit, so hat er auch vor dem Dachstein ein Bekenntnis abgelegt, das wohl ähnlich klingen mochte, aber beileibe nicht dasselbe bedeutete. Damals war Friedrich „darauf erpicht, den Dachstein so treu und schön zu malen, als er ist". Davon ist jetzt die Rede nicht mehr. Nicht die Schönheit, nein, „die Düsterheit, die Einfachheit und Erhabenheit des Moores" will Friedrich malen, wie er seiner Braut gesteht.[41] Im Gebirgsbild hatte er vor, „den Dachstein so zu malen, daß man den gemalten und den wirklichen nicht mehr zu unterscheiden vermöge". Dieser Wunsch ist eindeutig und läßt uns keinen Zweifel: hier handelt es sich in der Tat um einen naiven Künstlerglauben, um einen krassen Naturalismus. Das Bekenntnis vor dem Moor enthält von derlei keine Spur. Vielmehr wird nun „die größte dichterische Fülle und die herzergreifendste Gewalt" genannt, die in der Welt herrsche. Sie gilt es darzustellen.[42] So wird schon aus diesen Gegenüberstellungen ersichtlich, daß nur das Dachsteinbild Friedrichs jener ersten, der realistischen Phase Stifters entsprechen kann, nicht aber das Moorbild.

Doch welcher Phase, oder überhaupt: welcher Malart oder Malmöglichkeit entspricht dann dieses? Kann uns die Erzählung darüber eine Auskunft geben? Unmittelbar nach der Stelle über die wirkliche Wirklichkeit folgt ein Absatz, der mit den Worten beginnt: „In Wien ist eine Landschaft" und diese Landschaft beschreibt. Fritz Novotny hat die überzeugende Behauptung aufgestellt, daß Stifter — oder Friedrich — damit Ruisdaels Bild *Der Große Wald* im Kunsthistorischen Museum in Wien meine (vgl. Abb. 7).[43] Das heißt für unseren Zusammenhang, daß Friedrich in Ruisdaels Bild das Beispiel einer gelungenen malerischen Darstellung der wirklichen Wirklichkeit sieht.[44] Das muß aber nicht heißen, daß Friedrich genauso malen wollte. Stifter war kein Epigone und sein Held ist es auch nicht. Es ist beiden bewußt, daß neue Wege zu finden sind.

Friedrich schildert anschaulich, wie er bei der Malerei seines Moorbildes vorgeht. Beim frühesten Morgengrauen wandert er mit Farben, Pinseln und vielen Blättern auf das Moor hinaus; „denn" — so erzählt er — „ich wollte Moor in Morgenbeleuchtung, Moor in Vormittagbeleuchtung, Moor in Mittagbeleuchtung, Moor in Nachmittagbeleuchtung beginnen, und alle Tage an den Stunden, die dazu geeignet wären, an dem entsprechenden Blatte malen, so lange es der Himmel erlaubte. Moor im Regen hatte ich mir schon vorgenommen, von meinem Fenster aus zu malen. Über das Moor im Nebel habe ich noch nicht nachgedacht." Aus diesem Zitat erkennt man gut jene eigenartige Mischung von Humor und Ernst, wie sie die ganze Erzählung durchwaltet und jede Frage nach einem tieferen Sinn abzuwehren scheint. Und doch wird dieser genau ausgedrückt. Friedrich hält nicht nur die einzelnen Licht- und Witterungsverhältnisse auf den verschiedenen Blättern fest, sondern er verändert auch jeweils seinen Standort: „die Stunden" — erzählt er weiter — „flogen wie Augenblicke dahin, die Beleuchtungen wechselten, und ich mußte die Stellen aufsuchen, von denen sich die Beleuchtungen am schönsten zeigten."[45]

Steckt dieser Friedrich also doch noch in der realistischen Phase Stifters, wie sie durch das Bild *Der Watzmann mit dem Königssee* verkörpert wird (vgl. Abb. 2)? Oder malt er jetzt frühimpressionistisch? Oder übersteigert er die realistische Richtung auf einen Naturalismus hin, wie ihn damals etwa Ferdinand Georg Waldmüller vertrat: man betrachte, um im motivischen Zusammenhang zu bleiben, dessen Bild *Der Dachstein mit dem Gosausee* (Abb. 3); immerhin ist zu bedenken, daß der späte Stifter Bilder Waldmüllers absprechend beurteilt hat.[46] Oder haben wir es bei unserem Friedrich mit einem pedantisch-komischen Pleinairisten zu tun, der vor lauter Freilichtbegeisterung nicht aus noch ein weiß?[47] Malt er wie die Meister von Barbizon[48], etwa Théodore Rousseau, ergriffen vom Zauber der unscheinbaren Landschaft und doch bestimmt durch die alten Niederländer, besonders durch Ruisdael, der auch für Friedrich so viel bedeutet? Oder malt er wie Carl Rottmann — hier mit dem Bild *Gosausee* vertreten (Abb. 4) — der auf seine Weise das Geheimnis des Lichtes und der atmosphärischen Erscheinung einzufangen sucht und den Stifter außerordentlich schätzte?[49]

Solche Fragen verlieren zunächst an Bedeutung, wenn wir lesen, daß Friedrichs Freilichtbilder nur eine Vorstufe sind. „Ich wollte" — sagt er — „eine Reihe von Entwürfen ausarbeiten, die mir dann dienen sollten, ein sehr großes Bild in Angriff nehmen zu können." Und dann: „ging ich in meinem Zimmer daran, die gemalten Entwürfe auf das einzige, große Bild anzuwenden, das ich vor hatte."[50] Alle diese Entwürfe mit den verschiedenen Beleuchtungen und Standorten dienen also einem einzigen Bild.

Aber dann malt unser Friedrich gar so wie Joseph Anton Koch, der auf seinen Bildern, getreu seiner klassizistischen Kunstlehre, tatsächlich verschiedene Standorte vereinigte. Auf seinem berühmten Bild *Der Schmadribachfall* (Abb. 5) ist deutlich zu erkennen, daß der Landschaftsraum nicht von einem einzigen Standpunkt überblickt werden kann. Der Betrachter befindet sich in Augenhöhe sowohl mit der Gestalt auf der Wiese als auch mit dem Wald des Mittelgrundes als auch mit dem Hochplateau.[51] Auch bei Friedrichs Moorbild kann von einer rein-realistischen Wiedergabe der Natur keine Rede mehr sein. Es geht ihm um die Gesamtheit der realen Erscheinungen. Jedoch will er auch die dichterische Fülle und herzergreifende Gewalt der Natur, und zwar die Düsterheit, die Einfachheit und Erhabenheit des Moores darstellen, wie wir gehört haben. Was liegt näher, als an einen anderen Friedrich zu denken, an Caspar David Friedrich, dessen Bild *Der Watzmann* (Abb. 6) als motivgleiches Beispiel geboten sei.[52]

Nicht umsonst haben wir so viele Möglichkeiten erwogen und klassizistische, romantische und realistische Maler uns vor Augen geführt. Denn was diese, jeder für sich, als besonderes Ziel sich vornahmen: die Herausarbeitung der Idee einer Landschaft und die symbolische Vertiefung der Stimmung und die getreue Wiedergabe des Objektes, — das alles zugleich strebt unser Friedrich Roderer auf seinem Moorbild an, um auf diese Weise die wirkliche Wirklichkeit darzustellen. Daß ihm dies nicht gelingen konnte, braucht nicht besonders hervorgehoben zu werden. Aber jetzt wird klar, w a r u m er sein Ziel nicht erreicht und das Bild, so vollendet es sein mag, für ungenügend hält und vernichtet.

Friedrich Roderers Moorbild ist mit keiner einzelnen Malart, mit keinem einzelnen Stil zu vergleichen. Dennoch entspricht es einer bestimmten malerischen Phase Stifters, und zwar seiner letzten.[53] Denn auch Stifter schwebte da eine solche utopische Vereinigung von realistischer Abschilderung des Einzelnen, Ausdruck der Stimmung und Darstellung des Allgemein-Wesentlichen vor.[54]

Die Düsterheit und die Erhabenheit will Friedrich Roderer malen. Stifter gab seinen späten Bildern Namen wie *die Einsamkeit, die Schwermut* oder *die Sehnsucht,* die wir schon kennen (Abb. 8). Wir wählen eines dieser Bilder aus, um — jetzt auf dem umgekehrten Weg — die erwähnten Malstile daran zu prüfen: *die Heiterkeit,* die im Tagebuch den Nebentitel *griechische Tempeltrümmer* trägt und mit zwei erhaltenen Bildern *Griechische Tempelruinen* wesensgleich ist. Die Bilder sind Vorstufen und daher nicht von letztem Aussagewert. Aber wenn wir die verschiedenen Maler und Kunstrichtungen an entsprechenden Motiven mustern: Joseph Anton Koch mit seinem Bild *Landschaft mit Regenbogen,* also die klassizistische Darstellung einer idealen Landschaft mit einem Tempel; oder von Caspar David Friedrich ein etwa vergleichbares Bild, die *Rast bei der Heuernte,* da er ja keine südlichen Landschaften malte; oder Carl Rottmanns Bild *Aegina,* das bereits einer realistisch-impressionistischen Richtung bei aller Idealität Zugang gewährt; oder schließlich Waldmüllers *Ruinen des Venustempel bei Girgenti,* die ganz und gar realistisch dargestellt sind; — so werden wir uns vielleicht vorstellen können, daß von jeder dieser Auffassungen etwas in Stifters Bild hätte einfließen sollen.[55]

Daß Stifter an eine derartige Vereinigung dachte, kann durch seine theoretischen Äußerungen unterbaut werden. Sie zeigen klassizistische, romantische und realistische Vorstellungen in einer schwer zu durchschauenden, ja überhaupt unklaren Mischung. Mustern wir die Kunstauffassungen Goethes und Schillers, die Aufsätze und Aussprüche zur Landschaftsmalerei von Joseph Anton Koch und Carl Ludwig Fernow, von Caspar David Friedrich und Carl Gustav Carus, von Gustave Courbet und Ferdinand Georg Waldmüller, so ist zu erkennen, daß Stifters Äußerungen im jeweiligen Vergleich dazu stets beides enthalten, Übereinstimmung und Widerspruch.[56] Immer wieder anders ansetzend müht er sich, sein Problem zu fassen, um eine Verbindung von Realismus und Idealismus, von Naturnachahmung und Umgestaltung, von Objektivismus und Subjek-

tivismus, von äußerer Wirklichkeit und innerer Wahrheit zu finden. Die geglückte Verschmelzung ist es, die er in unserer Ausgangsstelle mit dem Begriff
der wirklichen Wirklichkeit kennzeichnet. Aber dies bleibt einer von vielen
Versuchen. Auch theoretisch gelingt es Stifter nicht, seine Synthese endgültig klar
und widerspruchsfrei zu meistern.[57]

Wir haben diese angestrebte Vereinigung von der Malerei her historisch ein-
und aufzuteilen versucht, einfach deshalb, um eine bestimmtere Vorstellung zu
gewinnen. Aber wir müssen uns auch klar sein, daß es Stifter keineswegs im
Sinn lag, eine Summe von Koch bis Waldmüller zu ziehen, sondern daß das Ziel
seiner späten Kunstanschauung aus der lebendigen Auseinandersetzung mit dem
Menschen und der Natur entsprang.

Stifter war kein Kunsttheoretiker und er war in erster Linie auch kein Maler:
sondern er war ein Dichter. Und daher müssen wir zum Schluß fragen, ob ihm
in der Dichtung sein Ziel gelang, das Reale mit dem Idealen, die besondere
Erscheinung mit dem allgemeingültigen Wesen zusammenzufügen.[58] Und da eine
solche Verknüpfung nichts anderes bedeutet als die Darstellung der wirklichen
Wirklichkeit, so heißt die Frage mit anderen Worten: hat Stifter seine Erzählung
Nachkommenschaften gemäß der in ihr programmatisch erhobenen Forderung
zu gestalten vermocht?

Gleich von dieser unserer Ausgangs- und Hauptstelle aus bietet sich ein Ansatz zur Beantwortung, nämlich in der unmittelbar folgenden, schon genannten
Beschreibung von Ruisdaels Bild *Der Große Wald*. Wenn Ruisdael, wie dargetan, ein ideales Beispiel für die malerische Darstellung der wirklichen Wirklichkeit ist, dann müssen auch der Dichter und sein Held es bei der Beschreibung
darauf angelegt sein lassen, der Forderung nach der wirklichen Wirklichkeit
gerecht zu werden. Und wir, die Leser, sind in den seltenen Fall gesetzt, die
sprachliche Darstellung genauestens an ihrem Objekt selbst überprüfen zu können.

Betrachten wir also den *Großen Wald* von Ruisdael (Abb. 7) und hören wir
Stifters Beschreibung:

> In Wien ist eine Landschaft. Vorne geht über Lehmgrund ein klares Wasser, dann
> sind Bäume, ein Wäldchen, zwischen dessen Stämme man wieder in freie Luft sieht.
> Der Himmel hat ein einfaches Wolkengebäude. Das ist mehrere hundert Millionen
> Male auf der Welt gewesen, und doch ist die Landschaft die gewaltigste und er-
> schütterndste, die es geben kann.[59]

Das ist alles. Es ist nicht zu leugnen, daß dies eine miserable Bildbeschreibung
ist. Wäre sie etwa als Schulaufsatz zu beurteilen, dürfte man mit dem Rotstift
nicht sparen. Denn abgesehen davon, daß durch diesen Text das Bild kaum
vorstellbar wird, macht Stifter genau das, was man Schülern, wenn man sie im
Stil schulen will, immer wieder abzugewöhnen hat: er verwendet nicht die sogenannten treffenden Wörter, sondern er verwendet — besonders beim Verbum —

die allgemeinen Wörter, die wenig oder nichts aussagen. Einem Mann jedoch, der das schwierige Phänomen der Sonnenfinsternis zu beschreiben vermochte wie keiner vor und nach ihm, der den unter der Eiseslast zusammenbrechenden Wald mit aufwühlender Macht geschildert hat, der so viele große und kleine Naturereignisse und Naturbilder unvergeßlich vor unser inneres Auge stellen konnte — einem solchen Mann wäre wohl eine treffende, genau vermittelnde Bildbeschreibung zuzutrauen. Wenn er eine solche nicht bot, muß das seine Absicht sein.

Prüfen wir daraufhin jene Wörter, an denen wir Anstoß genommen haben, so bemerken wir, daß es sich nicht um irgendwelche allgemeinen Verben handelt, sondern um die allgemeinsten, die es überhaupt gibt. Voran das Verbum „sein", das in unserem kurzen Text gleich viermal vorkommt und beileibe nicht als Hilfszeitwort angesprochen werden darf, dann das Verbum „haben", hier ebenfalls kein Hilfszeitwort, schließlich die Verba „gehen", „sehen" und „geben", die allgemeinste Vorgänge ausdrücken.[60] Und auf das Allgemeinste will Stifter in der Tat hinaus, wie uns sein Hinweis lehrt: „Das ist mehrere hundert Millionen Male auf der Welt gewesen!"

Dasselbe gilt von den anderen Wörtern, die Stifter hier verwendet. Es sind die einfachsten und allgemeinsten Bezeichnungen, die man sich denken kann: „Landschaft, Wasser, Bäume, Wäldchen, Stämme, Luft, Himmel". Etwas deutlicher werden allein „Lehmgrund", welches auf die Farbe zielt, und „Wolkengebäude", das trotz der Wortbildung im allgemeinen bleibt. Und die beigegebenen Adjektiva? Sie bestätigen erst recht unsern Befund. Es gibt nur drei in der Beschreibung, und die lauten: „klar, frei, einfach".

Stifter geht hier in Inhalt und Wortwahl auf das Einfachste und Allgemeingültige zurück. Dieses ist ihm das Wesentliche, das hat er oft genug ausgesprochen, am schönsten in seiner Formulierung vom sanften Gesetz. Wir erkennen, wie Stifter mit dieser seiner Beschreibung das Wesentliche des Ruisdaelschen Bildes — und der darauf dargestellten Landschaft — herausarbeiten will. Und wir dürfen, bestätigt durch die unmittelbare Nachbarschaft des Textes mit unserer Ausgangsstelle, wiederum folgern, daß vor allem dieses Wesentliche, Einfache und Allgemeine die wirkliche Wirklichkeit des beschriebenen Bildes und seiner Landschaft ausmacht.

Wir sind mit der Besprechung unseres Textes noch nicht am Ende. Der letzte Satz steht noch aus, der uns die Allgemeingültigkeit zunächst bestätigt hat. Schon hier („mehrere hundert Millionen Male") fällt die Übersteigerung auf, die von der bisher gepflegten Einfachheit absticht. Sie wird in den beiden Superlativen fortgesetzt: „und doch ist die Landschaft die gewaltigste und erschütterndste, die es geben kann." Gerade das Allgemeingültige, Einfache, Wesentliche ist das Gewaltige und Erschütternde. Wir erinnern uns an die Formulierung unserer Ausgangsstelle: „In der Welt und in ihren Theilen ist die größte dichterische Fülle und die herzergreifendste Gewalt. Macht nur die Wirklichkeit so wirklich wie sie ist [...]." Beides stimmt nun zusammen, die theoretische Forderung und das praktische Paradigma.

Was von der Schilderung der Landschaft Ruisdaels gesagt wurde, das gilt, modifiziert, auch von der Landschaft in der Erzählung selbst. Allerdings ist dabei die Erzählhaltung nicht außer acht zu lassen: jede Schilderung wird uns einzig und allein durch das Medium des Ich-Erzählers geboten. Kann dieser in seiner Kunstbegeisterung sehr wohl bestrebt sein, mit der Beschreibung des Ruisdaelschen Bildes dessen Wesentliches zu treffen, so will er das Moor nicht erzählerisch, sondern malerisch wiedergeben.[61] Wenn er über das Moor berichtet, spricht er als bildender Künstler und schränkt daher seine Aussagen auf die für den Maler wichtigsten Eindrücke ein: die Farben oder, besser gesagt, die Einfarbigkeit und Farblosigkeit, die freilich zum Wesen seines Bildes gehören.[62] Deutlicher muß er, will er dem Leser verständlich bleiben, seine engere Umwelt behandeln. Aber was tut er? Er nennt das Wirtshaus auf dem Hügel, davor den Apfelbaum, die Holztischchen mit den Holzbänkchen. Jeder Leser wird dies klar vor sich sehen. Eine Nachprüfung ergibt jedoch bald, daß eine genauere Orientierung unmöglich ist. Man versuche nur, ein Bild davon zu zeichnen, und wird bemerken, daß der Erzähler lediglich mit wenigen einfachen, ja eintönigen Signalen arbeitet, die an sich allgemein und keineswegs einprägsam sind: die Worte Wirtshaus, Apfelbaum, Tisch und Bank kehren immer wieder. Dazu aber tritt, als die realistische Einzelstudie, die Gestalt des alten, weißbärtigen Peter Roderer, der den Deckel seines Bierglases lüftet, den weißen Schaum ein wenig wegbläst und seinen bedächtigen Trunk tut. Auf solche Weise vereint der Dichter durch den Mund des Erzählers das allgemeingültige Wesen und die besondere Erscheinung zu — ja man möchte sagen: zu der Idee eines Wirtshauses.

Schließlich ein Blick auf die Fabel unserer Erzählung. Sie ist dürftig, das haben wir schon eingangs bemerkt, und es gibt eigentlich nur eine einzige äußere Handlung: die Geschichte der Liebe zwischen Friedrich und Susanna. Auch sie jedoch enthält kein Geschehen, wie man es von einer ordentlichen Liebesgeschichte erwarten dürfte. Nicht nur, daß es kaum Komplikationen gibt — der Graf als möglicher Verlobter Susannas ist alsbald ausgeschieden —, die beiden Liebenden streben mit fast traumwandlerischer Sicherheit aufeinander zu, ohne zu wissen, wer der andere ist, und sogar ohne Worte. Auch als Ich-Erzähler schweigt Friedrich, und nur aus der Schilderung einzelner Tatsachen kann der Leser diese Bewegung erahnen: so, wenn Friedrich an seinem Atelierfenster ein Fernrohr anbringt, um Susannas Wagen zu erspähen, oder wenn Susanna mit ihrem Wagen zu verschiedenen Zeiten kommt, um Friedrichs Reaktion zu prüfen. Dann begegnen sie sich auf einem Waldweg und gehen stumm grüßend aneinander vorbei. Dieses wortlose, aber schon sichere Zueinandergehören erreicht seinen Höhepunkt in einer nun allerdings ausführlich geschilderten Szene, einer der schönsten und ergreifendsten, die Stifter geschrieben hat: ein

Volksfest am Bartholomäustage, Friedrich liegt mit seinem Skizzenbuch hinter einem niederen Mäuerchen, um das bunte Treiben festzuhalten, da nähert sich Susanna mit ihren Eltern und verschiedenen Verehrern, sie nehmen auf dem Mäuerchen Platz, hinter dem sich Friedrich duckt. Das Gespräch kommt auf ihn, einige böse Worte der jungen Männer fallen über den verrückten Maler, und als Friedrich erregt aufspringen will, da erreicht ihn die tastende Hand Susannas und drückt ihn sanft nieder.

Der Dichter stellt hier — durch den Mund des Ich-Erzählers — nichts dar als die Tatsachen allein in genauester Abschilderung, und doch zugleich die inneren Zustände der Personen und das Wesentliche der Handlung.[63] Das Folgende ergibt sich von selbst. Die Liebenden treffen wieder auf dem Waldweg zusammen, und sie fallen einander in die Arme mit den Worten: „Susanna! auf ewig" — „Auf ewig".[64] Das sind — mit einer unbedeutenden Ausnahme — die ersten Worte überhaupt, die sie aneinander richten. Hier von einer naiven Darstellung der Wirklichkeit zu sprechen, wäre absurd. Es ist dies vielmehr eine Liebesgeschichte, zurückgeführt, ja abstrahiert auf ihre wesentlichen Bestandteile.[65]

Der Dichter Stifter hat das Ziel seiner Kunstanschauung erreicht, hier und vollkommener noch in seinem gewaltigen *Witiko*[66], dergestalt, daß er die eindringliche realistische Schilderung einerseits mit der weitgehenden Abstraktion des Handlungsverlaufes andererseits zu einem bruchlosen Ganzen vereinigt und damit das darstellt, was ihm als Erfüllung seines Schaffens vor Augen schwebte und was er in unserer Erzählung nennt: die wirkliche Wirklichkeit.

Anmerkungen

* Bonner Antrittsvorlesung vom 22. Juni 1968, die als Vortrag an den Universitäten Toronto (10. Dezember 1969), Toulouse (17. Mai 1973) und Wien (7. Juni 1973) wiederholt wurde.

Um den Gang des Vortrages zu bewahren, sind zusätzliche Begründungen, größere Ergänzungen und Erweiterungen in den Anmerkungsteil verlegt, auch wenn dieser dadurch aufgeschwellt wurde. In den Anmerkungen ist ferner die neue einschlägige Sekundärliteratur berücksichtigt; sie erforderte keine Umgestaltung des Vortragstextes. Einen vorzüglichen Bericht gibt Herbert Seidler: *Adalbert-Stifter-Forschung 1945—1970* [*recte* bis August 1971]. Zs. f. dt. Philologie, Bd. 91, 1972, S. 113—157, 252—285.

1 SW 13/2, S. 271 f. — Zitiert wird nach der Prager Ausgabe: Adalbert Stifters *Sämtliche Werke*. Hg. von August Sauer, Franz Hüller, Gustav Wilhelm u. a., Prag u. a. 1901 ff. (= Bibliothek Deutscher Schriftsteller aus Böhmen). Die *Nachkommenschaften* in: Bd. 13, 2. Hälfte, hg. von Gustav Wilhelm, Graz 1960. Gerade dieser Band, der ohne Lesartenapparat erschien, ist problematisch und unverläßlich. Er wird als Verweisungsgrundlage zwar beibehalten, da einerseits die Einheitlichkeit des Zitierens bewahrt werden sollte, andererseits auch die übrigen Stifter-Ausgaben für die späten Erzählungen keine verläßlichen Texte bieten. Jedoch wurden für jede benützte Stelle die zwei authentischen Textzeugen herangezogen: 1. die in Prag befindliche Handschrift der *Nach-*

kommenschaften, für deren Beschaffung ich Herrn Dr. Alois Hofman, Prag, und der Handschriftenabteilung der Prager Universitätsbibliothek verbindlich zu danken habe. 2. der einzige zu Stifters Lebzeiten erschienene Druck in der Zeitschrift *Der Heimgarten. Ein Haus- und Volksblatt mit Bildern.* Hg. von Dr. Herman Schmid, Jg. 1, 1864, München, S. 81—88 (Heft 6), S. 97—104 (Heft 7), S. 113—118 (Heft 8). Nach diesen beiden Quellen richtet sich der zitierte Text in der vorliegenden Arbeit. Er folgt genau — auch in der Zeichensetzung u. a. — dem Zeitschriftendruck als der letzten Fassung und greift in einem verworrenen Fall auf die Handschrift zurück. Eindeutige Druckfehler sind stillschweigend verbessert. Die Lesarten der Handschrift, die den Inhalt oder die Wortwahl betreffen, werden in den Anmerkungen stets angegeben; dagegen hätte es unsern Rahmen gesprengt, auch die Lesarten in der Zeichensetzung, der Groß- und Klein-, Getrennt- und Zusammenschreibung zu verzeichnen.

Bereits der erste Satz unserer oben zitierten Ausgangs- und Hauptstelle enthält jenes textkritische Problem, das die Einschaltung der Handschrift nötig macht. In G. Wilhelms Ausgabe (SW 13/2, S. 271) lautet der Satz: „Ich wollte nämlich so wie der Heldendichter Peter Roderer die wirkliche Wirklichkeit und dazu die wirkliche Darstellung derselben immer neben mir haben". Im *Heimgarten* (Heft 7, S. 101) heißt es: „Ich wollte nämlich so wie der Heldendichter Peter Roderer die wirkliche Wirklichkeit derselben, und dazu die wirkliche Wirklichkeit immer neben mir haben". Dieser Text ist offensichtlich entstellt. Die Handschrift bietet folgendes Bild. Eine erste Fassung unserer Stelle wurde derb durchstrichen und erst ab den Worten: „es sei ein großer Fehler" in der ursprünglichen Niederschrift belassen. Der getilgte Text ist durch einen neuen am rechten Rand ersetzt: „Ich wollte nämlich so wie der Heldendichter Peter Roderer die wirkliche Wirklichkeit darstellen, u dazu die wirkliche Wirklichkeit immer neben mir haben. Freilich sagt man". Das Wort „darstellen" ist gesichert, aber besonders schwer lesbar, da es wegen der Oberlänge eines schon vorher an den Rand geschriebenen, ebenfalls derb durchstrichenen Wortes unterbrochen wird. Von hier aus ließe sich übrigens die offensichtlich sinnlose Variante „derselben" im *Heimgarten* gut erklären, wer auch immer das „darstellen" der Handschrift falsch gelesen haben mag. — Im Satz: „Macht nur die Wirklichkeit so wirklich wie sie ist" fehlt in der Hs.: „wie".

2 Fritz Novotny: *A. St. als Maler* (= Anm. 14), S. 64. — Ebenso Wilhelm Hausenstein: *Adalbert Stifter als Maler.* In W. H.: *Meissel, Feder und Palette. Versuche zur Kunst.* München 1949, S. 355 f., und Otto Stelzer: *Die Vorgeschichte der abstrakten Kunst. Denkmodelle und Vor-Bilder.* München 1964, S. 84 f. — Von germanistischer Seite seien zwei Stimmen aus der jüngsten Zeit genannt. Michael Böhler: *Die Individualität in Stifters Spätwerk. Ein ästhetisches Problem.* In: DVjs., Jg. 43, 1969, S. 652 ff., sieht in unserer Ausgangsstelle einen Stil angesprochen, „der auf totale Identität des Gemalten mit der Vorlage unter ebenso totaler Ausschaltung der Persönlichkeit des Künstlers abzielt, womit aber die Kunst, jedenfalls die Kunst, wie sie sich seit der Renaissance in zunehmendem Maße entwickelte und in Goethe ihren Höhepunkt erreichte, ad absurdum geführt wird" (S. 657. Vgl. unten Anm. 7). — Hans Dietrich Irmscher: *Adalbert Stifter. Wirklichkeitserfahrung und gegenständliche Darstellung.* München 1971, glaubt, Stifter habe „in der humoristischen Abfertigung der Versuche des Malers Roderer, ‚die wirkliche Wirklichkeit' im Kunstwerk zu wiederholen, seine Antwort auf die Frage nach einem solchen Realismus gegeben" (S. 14, auch S. 109 und 335: Friedrich „scheitert, die ‚wirkliche Wirklichkeit' als merkmalloses Ganzes unmittelbar darstellen zu wollen"). — Zu beiden Arbeiten vgl. auch unsere Anm. 12.

3 *Der frühe Realismus in Deutschland 1800—1850. Gemälde und Zeichnungen aus der Sammlung Georg Schäfer, Schweinfurt. Ausstellung im Germanischen Nationalmuseum Nürnberg.* Schweinfurt 1967, S. 454. — In demselben Band wird unsere Stelle nochmals genannt, und zwar von Rupert Feuchtmüller: *Wahrheit, Phantasie und Wirklichkeit. Zu einigen Bildern des österreichischen Biedermeier*, S. 66. Feuchtmüller interpretiert sie als realistische Auffassung, die daneben jedoch „eine positive, ideale Einstellung" zuließe.

⁴ SW 13/2, S. 230 und 236.

⁵ Fritz Martini: *Deutsche Literatur im bürgerlichen Realismus 1848—1898* (= Epochen der deutschen Literatur. Geschichtliche Darstellungen, Bd. 5/2). 2., durchgesehene Aufl., Stuttgart 1964, S. 549. — Das Moor hat zwar auch eine gewisse Beziehung zum Sozialen, im Vordergrund aber steht seine ästhetische Bedeutung. Es darf keineswegs im gleichen Sinn wie etwa der Sumpf in W. Raabes Erzählung *Der Dräumling* verstanden werden.

⁶ Joachim Müller: *Stifters Humor. Zur Struktur der Erzählungen „Der Waldsteig"* und *„Nachkommenschaften"*. Adalbert Stifter-Institut des Landes Oberösterreich, Vierteljahresschrift [abgekürzt VASILO], Jg. 11, 1962, S. 12, 15, 14.

⁷ F. Martini (= Anm. 5), S. 549. — Martini glaubt, daß dem „besessenen Ringen um die Wiedergabe der ‚wirklichsten Wirklichkeit'" durch Stifter „das Ethos des Wirkens, wenn es im Bauen, Pflanzen und Pflegen dem fortzeugenden Leben dient", entgegengesetzt werde. Dadurch komme Stifter in unserer Erzählung „dem zeitgenössischen bürgerlichen Ideal praktischer Tüchtigkeit am nächsten" (S. 549 f.). — M. Böhler (= Anm. 2) lehnt zwar ab, daß Stifter sich gegen die Kunst und den Künstler wende, nennt diesen aber „lediglich eine Sonderform der vielen Sonderlinge in Stifters Werk" (S. 656) und übersteigert — bei treffenden Einzelbeobachtungen zum Wechsel des Kunst- und Nachkommenschaftsthemas — das „Thema der Bodenkultivation" als „Aufgehobensein des menschlichen Geistes in der Natur" (S. 658). Verleitet durch seine Interpretation der Aussage über die wirkliche Wirklichkeit und auf Hegel gestützt, glaubt er, es sei für Stifter, der auf „die Entäußerung der subjektiven Individualität" hinaus wolle, die Kunst „nur noch legitimiert, wenn sie sich in die Natur eingliedert, die das übergeordnete Allgemeine repräsentiert" (S. 659). Stifters eigene Aussagen über die Kunst werden nicht beachtet (vgl. auch unsere Anm. 12). — Die Interpreten, die das Ziel der Erzählung in Landwirtschaft und „Gutsbewirtung" (Böhler, S. 658) sehen, berücksichtigen übrigens nicht, daß Stifter von Friedrich Roderers künftiger Tätigkeit lediglich sagen läßt, daß sie nicht klein und unerheblich sein werde (SW 13/2, S. 301), daß aber die Art dieser Tätigkeit offen bleibt.

⁸ Nach G. Wilhelm (SW 13/1, S. LII) hatte Stifter schon im April 1860 dem Verleger Heinrich Pustet die Erzählung versprochen.

⁹ Brief an G. Heckenast vom 31. Oktober/2. November 1861 (SW 20, S. 22). — In einem gleichzeitigen Brief an E. Hoefer vom 15. Oktober 1861 schreibt Stifter ähnlich, daß die Kunst „denn doch zuletzt das Höchste auf dieser irdischen Welt ist" (SW 20, S. 14).

¹⁰ Brief an J. Axmann vom 5. März 1865 (SW 20, S. 270).

¹¹ Aus der Fülle der Belege vgl. etwa die Stellen aus *Zwei Schwestern* (SW 4/1, S. 205) und *Nachsommer* (SW 7, S. 152 f.), ferner die Äußerungen in Briefen und Aufsätzen: 1851 (SW 14¹, S. 12), 1852 (SW 18², S. 141), 1853 (SW 14², S. 26), 1854 (SW 14², S. 51), 1857 (SW 19², S. 84), 1862 (SW 16, S. 374), 1866 (SW 21, S. 236 f.), 1867 (SW 16, S. 383), Nachlaß (SW 16, S. 317). — Vgl. auch den Schluß von Anm. 26.

¹² J. Müller (= Anm. 6), S. 14 und 18. — Während Müller also das Kunststreben Friedrichs durchaus negativ beurteilt, nimmt er dessen Aussage über die wirkliche Wirklichkeit ernst; dadurch gerät er in gewisse Widersprüche. — M. Böhler und H. D. Irmscher (= Anm. 2) glauben, daß auch die genannte Aussage in negativem Sinn von Stifter gemeint sei, weil er damit der Kunst (Böhler, S. 657) oder dem Realismus (Irmscher, S. 14) eine Absage erteilen wolle. Sowohl die biographischen Bezüge als auch die

theoretischen Äußerungen Stifters (vgl. unten, bes. Anm. 57) werden dabei außer acht gelassen. In beiden Arbeiten stoßen also zwei Mißverständnisse aufeinander: die Aussage über die wirkliche Wirklichkeit wird erstens als Bekenntnis zu einem ‚totalen' oder ,unmittelbaren' Realismus und zweitens als Abwehr Stifters aufgefaßt. Während bei Irmscher dieses Minus mal Minus schließlich ein Plus ergibt — Stifter wendet sich in der Tat gegen einen derartigen Realismus —, führt die Folgerung bei Böhler (vgl. auch Anm. 7) zu einer merkwürdigen, von Hegel her unterbauten Verkennung der Stifterschen späten Kunstanschauung (neben der es übrigens auch richtige Einblicke gibt).

¹³ SW 13/2, S. 256. — Die Fortsetzung dieser Stelle: „und eben deßwegen werden Sie eines Tages sagen: Das ist doch noch nichts als leeres Gethue, ich werfe es zum Teufel" bezieht sich nicht auf die Bildqualität, sondern auf die Eigenart des Geschlechtes der Roderer, ebenso wie die anschließend genannten braunen Haare und Augen. — Die hohe Qualität des Moorbildes wird später nochmals von Susanna hervorgehoben, wenn sie zu Friedrich sagt: „mein Vater hat mich von Kindheit an im Kennen von Bildern geübt. Deine Bilder sind außerordentlich schön" (S. 301). — Daß Friedrich ein bedeutender Maler ist, wird schließlich mittelbar bestätigt durch das Merkmal der Roderer: „Sie waren Alle höchst begabte Leute" und sie „erreichten auch Erfolge, die andere Menschen in Erstaunen setzten" (S. 255).

¹⁴ F. Novotny: *Adalbert Stifter als Maler*. 3., erweiterte Auflage. Mit 100 Bildern und 10 Farbtafeln. Wien 1947. — Ferner eine Reihe wichtiger und weiterführender Aufsätze, jetzt vereinigt in dem Sammelband: *Über das „Elementare" in der Kunstgeschichte und andere Aufsätze* von Fritz Novotny. Wien 1968. Darin: *Adalbert Stifters „Nachkommenschaften" als Malernovelle*, S. 90 f. — *Klassizismus und Klassizität im Werk Adalbert Stifters*, S. 92 ff. — *Adalbert Stifters Zeichnungen aus den Lackenhäusern*, S. 105 ff. — *Stifter und Piepenhagen*, S. 115 ff. — Die Arbeiten von Margarete Gump: *Stifters Kunstanschauung*. Diss. München, Berlin 1927, und Margret Dell: *Adalbert Stifter als bildender Künstler*. Diss. Frankfurt a. M., Würzburg 1939, geben für unsere Fragestellung wenig her und sind zum großen Teil durch Novotny überholt.

¹⁵ F. Novotny: *A. St. als Maler*, S. 9, ferner S. 83 f. — Auch Gustav Wilhelm hat in seiner Einleitung zum Bd. 13 eine Fülle von biographischen Einzelzügen aufgespürt (SW 13/1, S. LVII ff.). — Stifter selbst schreibt an seine Frau am 20. Oktober 1863: „Ich bin am Ende selber ein Roderer" (SW 20, S. 147). — Vgl. auch Anm. 22.

¹⁶ *Waldgänger* (SW 13/1, S. 136 f.), *Mappe* (SW 2, S. 135 f.). — Vgl. etwa auch den *Hagestolz* mit dem Gleichnis vom unfruchtbaren Feigenbaum (SW 3, S. 396 f.) oder den *Nachsommer* (SW 7, S. 155), wo der Freiherr von Risach sagt, daß „Einzelgeschichten von Familien [. . .] unser Herz oft näher berühren und uns greiflicher sind, als die großen Geschichten der großen Reiche". Damit ist das Nachkommenschaftsthema in die weitere Dimension der Geschichte gestellt. Wenn diese auch noch fast negativ erscheint — wie ebenfalls in dem Zitat aus der *Mappe* in den Studien (SW 2, S. 136) —, so äußert sich Risach auch positiv darüber, allerdings nur am Rande. Er sagt, er habe Weisheit gelernt „aus der Geschichte, die mir am Ende, wie die gegenständlichste Dichtung, vorkömmt" (SW 7, S. 39). Zur Zeit unserer Erzählung und der Arbeit am *Witiko* steht die Geschichte für Stifter im Vordergrund. Wohl ist auch im *Witiko* von dem engeren Thema ausdrücklich die Rede: „Was ein Mensch in Demuth verrichtet, [. . .] ist seine Nachkommenschaft, die ihm bleibt, wie sehr sie auch Stückwerk sei" (SW 9, S. 212). Aber jetzt geht Stifter viel entschiedener darüber hinaus, er schreibt an G. Heckenast am 7. März 1860: „Die Weltgeschichte als ein Ganzes, auch die ungeschriebene eingerechnet, ist das künstlerischste Epos" (SW 19², S. 224), und am 8. Juni 1861: „Es erscheint mir daher in historischen Romanen die Geschichte die Hauptsache und die einzelnen Menschen die Nebensache, sie werden von dem großen Strome getragen, und helfen den Strom bilden" (SW 19²,

S. 282). Das Bild des Stromes aus der *Mappe* kehrt hier abgewandelt wieder, es verbindet neuerlich das Nachkommenschaftsthema mit dem Kreis der Geschichte. Dieser ist also, zumindest mittelbar, auch in unsere Erzählung hereingebracht und neben den Kreis der Natur gestellt, der durch die Kunstbestrebungen Friedrichs erfaßt ist. So gesehen, stehen das Nachkommenschaftsthema (Geschichte) und das Kunstthema (Natur) in neuem Sinn in unserer Erzählung nebeneinander. Die Geschichte ist ebenso etwas „Gegebenes" wie die Natur, die Friedrich malt, vgl. die (in Anm. 53 zitierte) Briefstelle vom 7. März 1860, vor der es = im ausdrücklichen Vergleich des geschichtlich gegebenen Stoffes mit einem Naturphänomen = heißt: „Jetzt steht mir das Geschehene fast wie ein ehrfurchtgebietender Fels vor Augen" (SW 19², S. 224).

17 F. Martini (= Anm. 6), S. 549.

18 SW 13/2, S. 300 f. — Die Erkennung der Gegenliebe und die Verlobung hatten zwar die Arbeit kurz unterbrochen (S. 286, 289), aber dann malt Friedrich „den größten Theil des Tages mit einem Eifer und mit einem Feuer, die ich früher gar nicht gekannt hatte" (S. 296), so wie er ja auch das Bild = was manche Interpreten nicht wahrhaben wollen = fertig malt: „Das große Bild war bis auf die letzten Feilen fertig. Eine unsägliche Zeit und Gluth hatte ich in dieses Bild hinein gemalt" (S. 297 f.).

19 SW 13/2, S. 255 und 264 f. — Wie Friedrich erst nach Beginn seiner Liebe, so hört Peter schon vor dem Tode seines Vaters mit der künstlerischen Tätigkeit auf. Die beiden Ereignisse aus dem Leben hängen mit dem Abschied von der Kunst nicht zusammen.

20 SW 13/2, S. 256.

21 SW 7, S. 33. — Es sei hier ein Wort zum Vergleich des *Nachsommers* mit unserer Erzählung angefügt. Die Hauptgestalten bilden zwar in beiden Werken eine ähnliche Konfiguration: der junge Mann, der Kunst oder Wissenschaft betreibt = der alte Mann, ein Kunstkenner, der aber vor allem sozial wirkt = die ideelle oder leibliche Tochter = deren Mutter (beidemale Mathilde genannt). Die beiden Helden unterscheiden sich jedoch grundlegend in ihrer Einstellung zur Kunst. Heinrich Drendorf ist ein begabter Dilettant, aber gewiß kein großer Künstler. Das spricht er selbst aus: „Obgleich meine Malereien keine Kunstwerke waren, wie ich jetzt immer mehr einsah [...]", und fügt = nun übereinstimmend mit den Bestrebungen Friedrich Roderers und für uns bezeichnend = hinzu, daß die vollendetsten Gemälde „auch die Wahrheit im höchsten Maße" trügen (SW 7, S. 50 f.). Am Schluß erkennt Heinrich, daß nicht Kunst oder Wissenschaft, sondern Liebe und Freundschaft das Leben vollenden und mit größerem Glück erfüllen (SW 8/1, S. 238 f.). Mit Recht schreibt Stifter an L. v. Eichendorff am 17. Juli 1858: „Die Kunst ist im Nachsommer als Schmuk des Lebens, nicht als dessen Ziel geschildert" (SW 19², S. 124). Der wahre Maler des Romans ist daher nicht der Held Heinrich, sondern Roland. Und gerade dessen Bild ist dem Wesen nach = freilich mit einer gewissen Einschränkung = dem Moorbild Friedrich Roderers verwandt (vgl. Anm. 53). Friedrich ist also, auch von dieser Verbindung aus gesehen, ein wahrer Maler. Die Kunst spielt in unserer Erzählung eine ganz andere Rolle als im Nachsommer, und sie bleibt stets ein hohes Ziel, ein so hohes allerdings, daß es für einen Menschen nicht erreichbar scheint.

22 Das Ausmaß dieser Bemühungen tritt uns in Stifters *Tagebuch über Malereiarbeiten* entgegen, in das er jahrelang die aufgewendeten Zeiten (auch Friedrich spricht über „eine unsägliche Zeit", SW 13/2, S. 298) eintrug. Dazu und zum Ringen des späten Stifter um seine Malerei G. Wilhelm in der Einleitung zu SW 14², S. LXIV ff., und Novotny: *A. St. als Maler* (= Anm. 14), bes. S. 29 ff.

23 SW 13/2, S. 264 f.

24 SW 13/2, S. 271. — Zu Beginn dieses Vortrages war die nun genannte Beziehung zunächst bewußt ausgespart worden. (Zur Textgestaltung vgl. Anm. 1).

[25] Sie wurden von J. Kühn: *Die Kunst Adalbert Stifters.* Berlin 1940, S. 170 und 322, und G. Wilhelm, SW 13/1, S. LXII f., aufgezeigt.

[26] Der Name Peter Roderer stammt aus dem *Witiko*, wo ein Roder Peter vorkommt (SW 10, S. 314; 11, S. 1 und 22). Und wenn Peter Roderer Heldenlieder dichten will, so preist Witiko seinerseits die Kunst, Lieder und Erzählungen über die höchsten Taten der Menschen zu schreiben; er bedauert, daß von ihm „niemand singen und sagen" werde, und erlebt es schließlich, daß Lieder über ihn und seine Taten entstehen (SW 11, S. 285, 311 f., 353) — was sich alles natürlich ebenso auf den Titelhelden wie auf Stifters Roman selbst bezieht. Stifter nennt denn auch die Weltgeschichte „das künstlerischeste Epos" (vgl. oben Anm. 16) und schreibt an Heckenast am 8. Juni 1861: „der sogenannte historische Roman erscheint mir als das Epos in ungebundener Rede" (SW 19², S. 282). Das Eposhafte des Romans wurde in der Sekundärliteratur wiederholt betont, vgl. die Zusammenfassung bei Seidler (= Titelanmerkung), S. 281 f.; besonders hervorzuheben Georg Weippert: *Stifters Witiko. Vom Wesen des Politischen.* München 1967, S. 243 ff.

Die Beziehung des *Witiko* zu Peter Roderers Heldengedicht wird schließlich durch die biographische Beobachtung gestützt, daß Stifter ganz ähnlich wie Peter Roderer über sein Werk urteilt: „Ich könnte fast sagen, daß ich dieses Buch mit meinem Herzblute geschrieben habe. Und doch schwebt mir beständig vor, wie es viel besser sein sollte" (Brief an Heckenast vom 18. November 1864, SW 20, S. 230). Oder schon früher, im zitierten Brief vom 8. Juni 1861: „das Meinen, man werde nun das Vollendetste aufbauen, hat sein Entzüken, es ist, als erschüffe man Menschen; aber wenn der Sak fertig ist, und die Wichte da stehen, erbarmen sie einem, und man muß das Menschenerschaffen doch dem lieben Gott überlassen, dem ein Schuhknecht mehr gelingt als uns ein Held". Der Unterschied zu Peter Roderer besteht freilich darin, daß Stifter, nun auch ganz anders als in der Malerei, nicht verzweifelt, und so fährt er fort: „Das ist das Elend, daß man nicht kann, was man möchte. Und doch ist dieses höllische Handwerk süsser und verführerischer als das Actenkauen und das Graben und Schlagen und Hauen im Leben. Mich wird Gott kaum mehr bessern. Ich habe die jezigen Dinge noch nicht fertig, und mache schon wieder Pläne für künftige, die das Außerordentlichste Prächtigste Unerreichbarste sein werden, und sollte doch schon in meinem Alter aus Erfahrung wissen, daß das nicht wahr ist" (SW 19², S. 284 f.). Nochmals wird uns durch diese Aussage deutlich, daß für Stifter die Kunst und nicht die praktische Lebenstüchtigkeit das Ziel blieb (vgl. Anm. 11), ein Ziel, das er in der Dichtung — zum Unterschied von seiner Malerei — erreicht hat.

[27] Diese Verbindung von Dichtung und bildender Kunst ist schon am Beginn der Erzählung vorweggenommen: nachdem Friedrich zuerst von der Landschaftsmalerei gesprochen hat, geht er scheinbar unvermittelt auf die Bücher über und vergleicht nun — in humoristischer Weise — die Fülle und die Verwendungsmöglichkeiten von Büchern und Bildern (SW 13/2, S. 231 f.).

[28] SW 13/2, S. 261. Statt: „oder ließ davon nur ab" heißt es in der Hs.: „oder er ließ von den nur ab". — Die Bestrebungen der Ahnen Friedrich werden ausdrücklich in die Zeit verlegt — „als die Preußen Schlesien angriffen", also in die Zeit einer wirklichen Theaterleidenschaft in Deutschland. Es liegt nahe, an eine Gestalt wie Lessing zu denken, und wenn Stifter 1867 über die „weltgeschichtliche Bedeutung" des Theaters in der Gegenwart handelt, vergißt er nicht anzufügen: „Dieß ist auch in früheren Zeiten schon erkannt worden, und die gewichtigsten Männer haben ihre Stimmen darüber erhoben, man denke nur an den großen Geist Lessings" (SW 16, S. 384).

Die Rückschau auf die Zeit der Schlesischen Kriege läßt übrigens erkennen, wie bedacht Stifter seine Erzählung gestaltet hat. Dazu eine kleine Zahlenspielerei. Am Beginn erzählt Friedrich: „Ich bin jetzt sechsundzwanzig Jahre alt, mein Vater ist sechsundfünfzig, mein Großvater achtundachtzig" (SW 13/2, S. 230). Die Generation ist also, wie üblich, auf durchschnittlich dreißig Jahre festgelegt, und da die Mitglieder dieses Geschlechtes einander so sehr gleichen, ist es wohl erlaubt, die Reihe in diesem Sinne nach oben fortzusetzen (ja auch nach unten: Friedrich heiratet im nächsten Jahr am 26. Juni, „Petrus-Paulustage", S. 302, also im Alter von siebenundzwanzig Jahren — und wer wagt daran zu zweifeln, daß im Jahr darauf ein Stammhalter erscheinen wird?). Der Ahne Friedrich steht, gemäß der Familienchronik Peters, in der vierten Generation vor dem Ich-Erzähler Friedrich. Nimmt man an — was viele Gründe (biographische Bezüge, Kunstbestrebung, Tracht) nahelegen —, daß die Erzählung in Stifters Gegenwart, also in der ersten Hälfte der sechziger Jahre spielt, und rechnet man viermal dreißig Jahre zurück, so kommt man ebenfalls genau in die Zeit der beiden Schlesischen Kriege.

29 *Theater in Linz*, 1862 (SW 16, S. 374). Stifter führt weiter aus, daß „in unsern Tagen vielfach Schauspieler und Schauspielbesucher an bloßer Wirklichkeit, die man sonst auch Realismus zu nennen pflegt, hängen", es müsse aber der Schauspieler „seinen Theil geistig leben, und dann wird sich auch der Antheil Realismus, der unumgänglich nöthig ist, leicht einstellen, und die Darstellung wird künstlerisch wahrer werden, als wenn sie bloß äußerlich wirklich wäre" (S. 375). Damit ist die Aussage von der wirklichen Wahrheit für die Schauspielkunst deutlich wiederholt, wie es auch allenthalben klar wird, daß Stifter von der Schauspielkunst dasselbe fordert wie von der Malerei und Dichtung, daß er überall dieselben Kunstprinzipien walten sieht (vgl. ebd., S. 370 und 372, oder den Aufsatz *Über Beziehungen des Theaters zum Volke,* 1867, SW 16, S. 381 ff.).

30 SW 6, S. 212.

31 Vgl. etwa Hausenstein (= Anm. 2), S. 355 f.; Stelzer (= Anm. 2), S. 84; Feuchtmüller (= Anm. 3). S. 66. — Novotny: *A. St. als Maler* (= Anm. 14), S. 63 f. stellt die Aussage zwar in den Bereich des späten Stifter, betont aber den naiven Realismus darin.

32 Novotny: *A. St. als Maler,* S. 14 f. und 83 f. (Katalog-Nr. 36), wo auf die Verbindung zu unserer Erzählung hingewiesen ist; ders.: *Piepenhagen,* S. 122.

33 Novotny: *A. St. als Maler,* S. 15 f. (Katalog-Nr. 37); ders.: *Piepenhagen,* S. 122.

34 Die beiden Bilder, die hier aus Platzmangel nicht gezeigt werden können, sind wiedergegeben bei Novotny: *A. St. als Maler,* Abb.-Nr. 34 (Katalog-Nr. 40) und Abb.-Nr. 39 und 40 (Katalog-Nr. 57 a, b). Die Zitate bei Novotny: *A. St. als Maler,* S. 17, und *Piepenhagen,* S. 122.

35 Hausenstein (= Anm. 2), S. 350. — Abgebildet bei Novotny: *A. St. als Maler,* Abb.-Nr. 52 und 53 (Katalog-Nr. 62 und 63), besprochen S. 24 ff. und 93 ff.

36 Die Besonderheit und das Wesen der späten Landschaften Stifters hat Novotny (= Anm. 14) eindringlich herausgearbeitet: *A. St. als Maler,* S. 29 ff. und S. 63 ff. (Unser Zitat S. 34. Zum Bild *Mondaufgang* als *die Sehnsucht* oder *die Schwermut* vgl. S. 32, Katalog-Nr. 75); *Klassizismus,* passim, bes. S. 96 f. und 103 f.; *Lackenhäuser,* S. 113; *Piepenhagen,* S. 119 und 122 f. — Treffend schon die Beobachtungen Urban Roedls: *Adalbert Stifter. Geschichte seines Lebens.* Berlin 1936, S. 410 f.; 2., neubearbeitete Aufl., Bern 1958, S. 349 f. — Ferner W. Weiss: *Doppelbegabung* (= Anm. 58), S. 112 f. — Vgl. auch unsere Anm. 22 und 54.

37 Die äußeren biographischen Parallelen haben, wie erwähnt (vgl. Anm. 15), Wilhelm und Novotny nachgewiesen. Ob es auch eine entsprechende innere künstlerische Entwicklung gibt, wurde noch nicht untersucht, lediglich Novotny hat einiges angedeutet (vgl. Anm. 53). Bei einem Vergleich der malerischen Phasen Stifters und Friedrichs ist allerdings zu beachten, daß erstens Stifter, auch wenn er autobiographische Züge verwenden wollte, seine eigene Entwicklung nun vom Alter her sah und daher umgedeutet haben konnte, daß er sie zweitens keineswegs genau so wie die Kunstgeschichte des 20. Jahrhunderts aufgefaßt haben mußte (seine für uns so bedeutsame frühimpressionistische Phase wurde von ihm wohl nur als Zwischenspiel empfunden), und daß drittens = und vor allem = eine fiktive Gestalt mit ihrem erzählungsgemäßen Eigenleben diese Entwicklung, über die sie selbst als Ich-Erzähler berichtet, durchmacht. Charakteristisch dafür ist schon die Verkürzung des Entwicklungsganges: Friedrich ist 26 Jahre alt (SW 13/2, S. 230 und 291), als er sein Moorbild malt und das Malen aufgibt, Stifter 59 Jahre, als er, in der Zeit seiner symbolischen Landschaften, die Erzählung veröffentlicht. Dieser Altersunterschied allein würde eine genauere innere Parallele unmöglich machen.

38 SW 13/2, S. 230.

39 *Ausstellung des oberösterreichischen Kunstvereines*, 1860 (SW 14², S. 165. Vgl. auch S. 166: „Der tiefe und große Künstler sieht auch in dem kleinen Stoffe die vielen zarten Beziehungen und Abstufungen, ihm entsteht daraus Reichthum, und er sucht ihn zu bringen"). = *Oberösterreichische Kunstausstellung*, 1861 (SW 14², S. 186). = Ähnliche Gedanken hat Stifter wiederholt geäußert. So schreibt er am 13. Dezember 1859 an A. Piepenhagen, wer das Geheimnis der Kunst („das Göttliche", vgl. Anm. 57) besitze, der präge es auch in den kleinsten Stoffen aus, aber „wer es nicht hat, der fühlt dessen Mangel nicht, er sucht die Wirkung im Stoffe, er häuft den Stoff, und erzielt nichts" (SW 19², S. 200). Im Bericht über die *Ausstellung des oberösterreichischen Kunstvereines*, 1867, spricht Stifter davon, daß „das Ideal in der Kleinheit des Gegenstandes so schwierig zu finden ist. Daher geht der Afterkünstler solchen Dingen häufig aus dem Wege, und wählt große Stoffe, hinter denen er sich unbewußt verbirgt, und wählt er den kleinen Stoff, so entblößt die Kleinheit desselben erst recht den kleinen Künstler". Im folgenden wird diese Erkenntnis auf Landschaften bezogen (SW 14², S. 220). = Vgl. etwa noch die Beschreibung der öden Landschaft in den *Zwei Schwestern* (SW 4/1, S. 125) oder eine Briefstelle von 1854 (SW 18², S. 209).

40 SW 13/2, S. 256. = Es ist ein feiner Zug des Dichters, daß er Friedrich selbst = in unbewußter Übereinstimmung mit den kunsttheoretischen Aussagen, die wir eben hörten = vom Moor berichten läßt: „Aber es ist nicht viel zu malen", „ich sage, es sei nicht der Rede werth, was man an dem Moore malen könne" (S. 236 f.). Auch die Umkehrung wird in der Erzählung durchgespielt: die Meinung der Mittelmäßigen, von den „Leichtsinnsköpfen" ausgesprochen, traut Friedrich die Kräfte, „ein buntbewegtes Leben zu malen", gerade deswegen nicht zu, weil er sich allein um das Moor bemüht. Und der Graf urteilt = wiederum in feinsinnig gestalteter Selbstcharakteristik = darüber: „Das spricht auch wenig für seine Kunst" (S. 285).

41 SW 13/2, S. 233 und 300. = Im deutlichen Gegensatz zum Dachstein, der „schön" ist (S. 233), ist das Moor „gar nicht schön" (S. 236).

42 SW 13/2, S. 233 und 272. = Diese beiden gewichtigen Gegenstellen werden durch äußerliche Gleichheiten auffällig miteinander verbunden, eben dadurch aber auch in ihrem inhaltlichen Gegensatz verschleiert. Beidemale ist unmittelbar an das Kunstbekenntnis die Schilderung des Ortes gerückt, an dem das Bild entstehen soll: dem Dachstein gegenüber will Friedrich „ein Häuschen mit einer sehr großen Glaswand" bauen (S. 233), „im Angesichte des Lüpfinger Moores" erbaut er ein Blockhaus, das er in einem Atemzug mit dem „Glashäuschen im Angesicht des Dachsteins" nennt (S. 272) und mit „großen Fenstern" ausstattet (S. 278). Da auch die Malutensilien ausdrücklich die gleichen sind (S. 231, 233, 243, 246), kann der Leser nur zu leicht der angebotenen Täuschung verfallen und auch die Malweise der beiden Bilder gleichstellen oder doch zu wenig unterscheiden.

43 Novotny: *A. St. als Maler* (= Anm. 14), S. 12 und 43; ders.: „*Nachkommenschaften*" *als Malernovelle*, S. 91. Die Hs. der *Nachkommenschaften* bietet eine glanzvolle Bestätigung dieser These. Der Satz lautet dort nämlich: „In Wien ist eine von Ruisdael

gemalte Landschaft." Es ist für Stifters Verfahren bezeichnend, daß er diesen Hinweis im Zeitschriftendruck als zu unmittelbar getilgt hat. — Über das Bild Ruisdaels wird noch zu reden sein, vgl. Anm. 53 und 59.

44 Das gilt natürlich ebenso für Stifter, der sich wiederholt über Ruisdael ausgesprochen und bei ihm die Darstellung jener einfachen Stoffe gefunden hat (vgl. den Text zu Anm. 39). — Unter den Zeitgenossen vergleicht er mit Ruisdael öfters den Prager Maler August Piepenhagen, und an ihn schreibt er am 15. Dezember 1864: „Sie haben eine Studie, die mir hochdichterisch erschien. Vorn ein sumpfiges Wasser mit allerlei gemeinem Gezeugs darauf und daran, hinter ihm ein unwirthbares Gestein und ein armes Häuslein, dann feuchter Tannenwald und darüber ein Himmel voll Wolken" (SW 20, S. 248 f.). Diese Beschreibung erinnert an die des Ruisdaelschen Bildes in den *Nachkommenschaften,* aber auch an die Schilderung des Moores mit dem verödeten Haus und dem Fichtenwald (SW 13/2, S. 236 f.). Die Studie Piepenhagens hat auf Stifter einen solchen Eindruck gemacht, daß er sich ihre Ausführung in einem Ölbild wünscht und nach dem Preis fragt. Es wäre reizvoll — ohne es natürlich beweisen zu können — in dieser Studie die erste, biographisch erkennbare Anregung für Friedrichs Moorbild zu sehen; zeitlich wäre das durchaus möglich, da Stifter in dem Brief über längst Vergangenes berichtet. — Über das Verhältnis Stifters zu Piepenhagen hat Novotny (= Anm. 14) ausführlich gehandelt. Er teilt mit (*Piepenhagen,* S. 117), daß es bisher nicht gelungen sei, auch nur eines von den Bildern Piepenhagens, die Stifter beschrieben hat, zu identifizieren.

45 SW 13/2, S. 243. — Ebenfalls aufschlußreich ist eine Äußerung, die sich zwischen den beiden zitierten befindet: „Es ist doch ein Glück, daß ich für meinen Kasten eine Vorrichtung erfunden habe, viel ölnasse Blätter in ihm unterbringen zu können, ohne daß sie sich verwischen." Diese Auskunft über die Malutensilien gehört (vgl. oben Anm. 42) mit einer früheren zusammen: „Und ich bin jetzt auch mit einem dreifüßigen zusammenlegbaren Feldstuhle versehen, dann mit einem weiten groben, weißgrünen Sonnenschirme, den ich in die Erde pflanzen und so befestigen kann, daß er wie ein Wartthurm dasteht; dann mit einem Malerkasten, der mit Leinwand, Papier, Farben, Pinseln und so weiter versehen ist, und als Staffelei dient" (S. 231). Auch diese Schilderungen wirken zunächst komisch, und sollen es auch. Daß sie es in ihrer Realität keineswegs sind, beweist uns Johann Wilhelm Schirmer (1806—1863), Professor an der Düsseldorfer Akademie und später Direktor der Kunstschule in Karlsruhe, der in seinen *Lebenserinnerungen* berichtet: „Zugleich gingen wir mit der Erfindung einer zweckmäßigen Einrichtung um, auch Studien nach der Natur unmittelbar in Oel malen zu können. Mit Hilfe eines Mechanikers calculirten wir die nothdürftige Einrichtung eines Feldstuhles sammt Schirm heraus; der kleine Malkasten diente zugleich zur Aufbewahrung und Transportirung der noch frischen Studien, und nun glaubten wir in der Lage zu sein, Alles studiren zu können, obgleich die Blätter nur die Größe eines Octavblattes erreichten" (Deutsche Rundschau, Bd. 12, Juli bis September 1877, S. 233 f.).

46 Stifter, als Dichter und Maler, und Waldmüller wurden von der kunsthistorischen Forschung öfter gleichgesetzt, gewiß nicht zu recht. Auch die theoretischen Äußerungen beider sind, so ähnlich sie zuerst klingen mögen, im Wesen grundverschieden (vgl. Anm. 56). So hat sich Stifter denn auch ablehnend gegenüber Waldmüller ausgedrückt (vgl. SW 14², S. 45 f., 135); er suchte in dessen Bildern eine Idee, die Waldmüller gar nicht geben will. — Über das Verhältnis von Realität und Idealität in der österreichischen Malerei bis einschließlich Waldmüller gibt Rupert Feuchtmüller einen guten Überblick, vgl. R. Feuchtmüller und W. Mrazek: *Biedermeier in Österreich.* Wien [...] 1963. — Über Waldmüller selbst vgl. Bruno Grimschitz: *F. G. Waldmüller.* Salzburg 1957.

47 Daß seine Ausrüstung für die Freilichtmalerei gar nicht so komisch ist, wissen wir aus dem Bericht von Schirmer (Anm. 45). Ebensowenig ist es seine Art: auch Corot versuchte stets, die wechselnden Lichtverhältnisse und Stimmungen in den verschiedenen Stunden des Tages darzustellen; überhaupt ist man bisweilen geneigt, an den fernen französischen Maler — auch wenn er Stifter unbekannt war — zu denken.

Mit der Freilichtmalerei hat Friedrich, wenn er beim Malen des großen Bildes das Moor immer vor sich haben will (vgl. unten), auch die sogenannte „Absprungssicht" gemein. Darunter ist — wie Siegfried Wichmann: *Realismus und Impressionismus in Deutschland. Bemerkungen zur Freilichtmalerei des 19. und beginnenden 20. Jahrhunderts.* Stuttgart 1964, ausführt — „eine Darstellungsart zu verstehen, die bewußt den nahsichtigen Vordergrund meidet und wie von erhöhtem Standpunkt aus die Sicht in den weiten Landschaftsraum freigibt" (Anm. 33, S. 175). „Es wird derjenige Punkt gewählt, der einen Totaleindruck ermöglicht" (S. 12). So sehr das letztere auf Friedrichs Malweise zutrifft, will er doch zugleich auf den Vordergrund, auf das Einzelobjekt nicht verzichten. Und ebenso sucht er die Freilicht- und Ateliermalerei zu verbinden: er malt das Bild in seinem Blockhaus, aber dieses hat große Fenster, „die nach der Richtung gingen, nach welcher das Bild gemalt wurde". Und: „Öfter trat ich auf den Hügel vor meinem Hause, um einen Überblick über das Ganze zu machen" (SW 13/2, S. 279). Eine gewisse Synthese in dieser Richtung drückt sich auch bei Stifter selbst aus, wenn er unter eine Steinstudie vom 26. März 1866 schreibt: „In der Stube nach der Natur" (Novotny: *A. St. als Maler,* Nr. 98, S. 105). Dies gehört zu der größeren Synthese der späten Landschaften, vgl. Anm. 36 und 54.

48 Natürlich ist hier nicht an irgendeine unmittelbare äußere Beziehung zu denken. Aber warum sollte Stifter nicht eine ähnliche Malweise wie die der Schule von Barbizon vorschweben, da ja deren Einstellung in vielen Belangen tatsächlich der Stifters ähnlich scheint. — Vgl. etwa M. T. de Forges: *Barbizon.* Paris 1962; Robert L. Herbert: *Barbizon Revisited. Essay and catalogue.* New York 1962. — Prosper Dorbec: *Théodore Rousseau* (= *Les Grands Artistes*). Paris 1910.

49 Stifter stellt Rottmann einmal mit Ruisdael gleich (SW 14², S. 17), ein andermal ist er für ihn „der größte Landschafter unserer Zeit" (SW 14², S. 39). — Über diesen vgl. Hugo Decker: *C. Rottmann.* Berlin 1957. — Die Katalog-Nummern 78 ff. führen eine ganze Reihe von Gosausee-Bildern an.

50 SW 13/2, S. 246 und 249. Vgl. dazu auch Anm. 47.

51 Vgl. Dagobert Frey: *Die Bildkomposition bei Joseph Anton Koch und ihre Beziehung zur Dichtung. Eine Untersuchung über Kochs geistesgeschichtliche Stellung.* Wiener Jahrbuch für Kunstgeschichte, Bd. 14 (18), 1950, S. 195 ff., besonders S. 203, wo es auch heißt: „Daß tatsächlich nicht nur eine einzige Naturskizze dem Gemälde zugrunde liegt, sondern mehrere Naturaufnahmen, die zu e i n e m Bilde verschmolzen sind [. . .], scheint die Bemerkung Kochs zu bestätigen, daß er ‚sehr fleißige Zeichnungen nach der Natur' benutzt habe, wobei der Plural zu beachten ist. Trotzdem ist ihm das Bild ein ‚getreues Portrait der Natur'."

52 Vgl. Herbert v. Einem: *Caspar David Friedrich.* 3. Aufl., Berlin [1950]; ders.: *Die Symbollandschaft der deutschen Romantik.* In: *Klassizismus und Romantik in Deutschland. Gemälde und Zeichnungen aus der Sammlung Georg Schäfer, Schweinfurt. Ausstellung im Germanischen Nationalmuseum Nürnberg.* Schweinfurt 1966, S. 28 ff. — Novotny glaubt übrigens, „daß einige Bilder C. D. Friedrichs wie die Erfüllung des künstlerischen Ideals wirken, das dem Maler Stifter vorschwebte" (*A. St. als Maler,* S. 68, ebenso *Klassizismus,* S. 97).

53 Novotny hat Andeutungen in dieser Richtung vorgebracht, die hier zu besprechen sind. In seinem Buch (*A. St. als Maler,* S. 43) meint er, daß „solche Moorlandschaften, von Stifter selbst gemalt, mehr das Pathos seiner späten Landschaftsgemälde **als** die Unmittelbarkeit des Ausdrucks monotoner Landschaftsstimmung enthalten, wie

wir sie aus der Erwähnung in der Erzählung [...] entnehmen". Da Novotny die Aussage über die wirkliche Wirklichkeit auf eine möglichste Wirklichkeitstreue bezieht (vgl. oben Anm. 2), muß er das Moorbild als unmittelbaren Ausdruck der Landschaftsstimmung auffassen. Eben darum muß er aber das Beispiel des Ruisdaelschen Bildes, von Friedrich als Ideal vorgebracht, als unangemessen empfinden, weil es „für die Kategorien des Einfachen, Einförmigen, Düsteren und dergleichen nicht unmittelbar, sondern auf dem Wege einer Steigerung und Abbiegung zum Pathetischen, Heroisch-Idealisierenden, Ausdruck findet". Versteht man jedoch die Aussage über die wirkliche Wirklichkeit anders (nämlich als über die einfache Wirklichkeit hinausgehend, vgl. die folgenden Anmerkungen), so paßt das Beispiel Ruisdael, wie es Novotny charakterisiert, besonders gut auf das Moorbild, ebenso wie auf die späten Landschaftsbilder Stifters (vgl. auch Anm. 59). — In einem späteren Aufsatz (*„Nachkommenschaften" als Malernovelle*, S. 91) hat Novotny positiver formuliert: „Soweit wir unvermeidlicherweise zu einer Vorstellung von Roderers großem Moorbild gedrängt sind — obwohl darüber fast nichts gesagt ist — denken wir dabei gewiß nicht an ein frühimpressionistisches Bild, sondern viel eher an etwas von der Art der schwermütigen großen Felslandschaft, an der Gustav [*recte:* Roland] im *Nachsommer* malt, oder an Stifters eigene symbolische Landschaftsbilder aus seiner letzten Lebenszeit".

Zwischen Rolands Felslandschaft und Friedrichs Moorbild besteht allerdings der Unterschied, daß jenes aus der „Einbildungskraft" stammt und zu „Gestaltungen, wie sie sich in dem Gemüthe finden", gehört (SW 8/1, S. 53), dieses etwas „Gegebenes" zum Vorwurf hat. Damit gehört das Moorbild aber wiederum zum *Witiko*, über den Stifter in einem schon genannten Brief an Heckenast am 7. März 1860 schreibt: „Der Unterschied zwischen einem Fantasiestoff und einem gegebenen ist für mich ungeheuer". Er fährt fort, daß „das Gegebene unendlich mehr ist, als das, was ich hätte machen können, und in meiner Jugend auch gemacht hätte (SW 19², S. 223 f., vgl. auch Schluß der Anm. 16). Der Unterschied verwischt sich wieder, wenn man daran denkt, daß dieses „Gegebene" — auf dem Bild wie im Roman — ja keineswegs naturalistisch aufgefaßt werden soll. So können die beiden erdichteten Bilder denn doch zueinander und, mit kleiner Verschiebung des jeweiligen Ausgangspunktes, ebenso zu Stifters eigenen späten Landschaften in Beziehung gesetzt werden. (Über die Verbindung von Rolands Bild zu Stifters späten Arbeiten vgl. Novotny: *A. St. als Maler*, S. 37 f.; *Klassizismus*, S. 95 f.).

54 Eine zeitgenössische Stimme, die Baronin Amélie von Handel, urteilte über Stifters Malerei: „immer klaffte eine Lücke zwischen weitester Komprehension und peinlichster Genauigkeit" (mitgeteilt von A. R. Hein: *Adalbert Stifter. Sein Leben und seine Werke.* Prag 1904, S. 487). — Novotny hat (vgl. Anm. 36) die späten Bilder feinsinnig interpretiert und sie „mit ihrem eigenartigen, einzigartigen Zusammenwirken von programmatisch deutlich ausgeprägter Gedankenhaftigkeit und der gewissenhaften Genauigkeit der Gegenstandsschilderung" als eine in hohem Grad geglückte Synthese bezeichnet (*Piepenhagen*, S. 119). An anderer Stelle: „Diese Vereinigung von Typisierung und Verallgemeinerung an der Grenze zur Abstraktion mit einer — im Hinblick auf die Kargheit der Mittel oft rätselhaften — Kraft der Anschaulichkeit bestimmt in ihrer spezifischen Art die Stellung der Klassizität Stifters in seiner Zeit" (*Klassizismus*, S. 103). — Vgl. dazu auch W. Weiss: *Doppelbegabung* (= Anm. 58), S. 103 ff., bes. S. 112 f.

55 Diese Bilderreihe kann hier aus Platzmangel leider nicht vorgeführt werden. Die Bilder sind folgendermaßen zu finden: Stifter, *Griechische Tempelruinen (Die Heiterkeit)*, vermutliche 1. Fassung, Adalbert-Stifter-Gesellschaft, Wien. Abgebildet bei Novotny: *A. St. als Maler*, Katalog-Nr. 74, Abb.-Nr. 63. — Studie zur vermutlichen 2. Fassung, Adalbert-Stifter-Gesellschaft, Wien. Abgebildet bei Novotny, Katalog-Nr. 78, Abb.-Nr. 64. — J. A. Koch, *Heroische Landschaft mit Regenbogen*, Bayeri-

sche Staatsgemäldesammlungen, München. Abgebildet bei O. R. v. Lutterotti: *J. A. Koch.* Innsbruck 1944, Titelbild. — C. D. Friedrich, *Rast bei der Heuernte,* Staatliche Kunstsammlungen, Dresden. Abgebildet bei H. v. Einem: *C. D. Friedrich* (= Anm. 52), Tafel VIII nach S. 120. — C. Rottmann, *Aegina,* Bayerische Staatsgemäldesammlungen, München. Abgebildet bei H. Decker (= Anm. 49), Katalog-Nr. 442 ff., Abb.-Nr. 240. — F. G. Waldmüller, *Ruinen des Venustempel von Girgenti,* Sammlungen des regierenden Fürsten von Liechtenstein, Vaduz. Abgebildet bei B. Grimschitz (= Anm. 46), Katalog Nr. 680, Farbtafel XVIII.

⁵⁶ Es ist an dieser Stelle natürlich unmöglich, die klassizistischen, romantischen und realistischen Aussagen vorzulegen. Das soll einer geplanten anderen Arbeit vorbehalten bleiben. Hier seien lediglich in einem kleinen Exkurs einige exemplarische Fälle geboten, um Stifters eigene Auffassung damit zu vergleichen. Dabei stoßen wir freilich auf eine Hauptschwierigkeit bei der Beurteilung von theoretischen Äußerungen der Künstler: daß nämlich dieselben Wörter, dieselben Begriffe, ja dieselben Formulierungen an sich noch gar nichts besagen, wenn wir nicht ergründen, welcher Inhalt dem einzelnen Begriff jeweils unterlegt ist. Was heißt Wirklichkeit, Wahrheit, Realismus, Naturalismus? Jeder kann etwas anderes darunter verstehen (der Versuch einer Festlegung der beiden letzten Begriffe bei Georg Schmidt: *Naturalismus und Realismus. Ein Beitrag zur kunstgeschichtlichen Begriffsbildung.* In: Festschrift Heidegger. Pfullingen 1959, S. 264 ff. — Vgl. auch F. Novotny: *Naturalism in Art.* In: *Dictionary of the History of Ideas.* New York 1973, S. 339 ff.).

Bei einem systematischen Denker wird es möglich sein, seine Bedeutung der Begriffe aus dem Zusammenhang der Aussagen zu erhellen. Aber in unserem Fall haben wir es zum großen Teil mit schaffenden Künstlern zu tun, die sich wohl auch theoretisch äußern mochten, deren innerstes Anliegen aber nicht die Errichtung eines klaren, logischen Gedankengebäudes, sondern einzig und allein die Erschaffung von Werken der Malerei und Dichtung war. Das gilt auch und vor allem für Stifter, der seinen Freiherrn von Risach im *Nachsommer* sagen läßt: „Von Kindheit an hatte ich einen Trieb zur Hervorbringung von Dingen, die sinnlich wahrnehmbar sind. Bloße Beziehungen und Verhältnisse, so wie die Abziehung von Begriffen hatten für mich wenig Werth, ich konnte sie in die Versammlung der Wesen meines Hauptes nicht einreihen" (SW 8/1, S. 80. Vgl. auch dessen ablehnende Worte über die „Weisheitslehre" SW 7, S. 38 f.).

Wie schwierig es ist, Stifter an den verschiedenen kunsttheoretischen Aussagen von der Klassik bis zum Realismus zu messen, mögen zwei entgegengesetzte Beispiele — Schiller und Waldmüller! — deutlich machen. Schiller hatte in seiner Abhandlung *Über naive und sentimentalische Dichtung* den Realisten und den Idealisten voneinander abgegrenzt, aber er hatte auch betont, daß beide zusammen erst den wahren Künstler ausmachten. In einem Brief an Goethe vom 14. September 1797 schreibt er ausdrücklich: „Zweierlei gehört zum Poeten und Künstler: daß er sich über das Wirkliche erhebt und daß er innerhalb des Sinnlichen stehen bleibt. Wo beides verbunden ist, da ist ästhetische Kunst" (*Briefwechsel zwischen Schiller und Goethe.* Hrsg. von Gräf und Leitzmann, Bd. 1, S. 403 f.). Damit stimmen die Äußerungen Stifters auf das schönste überein (vgl. seinen Brief vom 12. Mai 1858, Anm. 57). Aber Schiller hat an Goethe im selben Jahr, am 4. April 1797, über den neueren Künstler auch geschrieben: „über dem Bestreben, der Wirklichkeit recht nahe zu kommen, beladet er sich mit dem Leeren und Unbedeutenden, und darüber läuft er Gefahr, die tiefliegende Wahrheit zu verlieren, worin eigentlich alles Poetische liegt. Er möchte gern einen wirklichen Fall vollkommen nachahmen und bedenkt nicht, daß eine poetische Darstellung mit der Wirklichkeit eben darum, weil sie absolut wahr ist, niemals koinzidieren kann" (Ebd., S. 309). Diese Meinung deckt sich mit der Stifters vielleicht noch in ihrem ersten Teil, kaum aber als Ganzes.

Daß dies gar nicht sein kann, zeigt uns der extrem andere Fall. Denn wie Stifter zunächst mit Schiller, so scheint er ebenso mit Ferdinand Georg Waldmüller (vgl. Anm. 46) übereinzustimmen. Es klingt fast wie unsere Ausgangsstelle von der wirklichen Wirklichkeit, wenn Waldmüller in seinen *Andeutungen zur Belebung der vaterländischen bildenden Kunst, 1857*, erklärt: „nur die Natur, die Gott geschaffen, nicht das Gebild der Menschenhand, die sie nachahmt, weckt den Geist der Kunst zur selbstschaffenden That". Und dann: „Nur im Himmelsglanze der Wahrheit sproßt die echte Kunst, wessen Leistung dieses Licht nicht verträgt, hat seine Stellung als Künstler nur usurpiert. Ohne Wahrheit keine Kunst! Je mehr die Anerkennung dieses Principes gekräftigt wird, je weniger Hoffnung bleibt der Afterkunst, sich fortan geltend zu machen, und ihrem Reich ein Ende zu machen, die wahre Kunst wieder einzusetzen auf ihren Thron, ist ja eben die Aufgabe" (Zitiert nach B. Grimschitz, = Anm. 46, S. 86 und 88). Aber auch nun wird alsbald der Unterschied zu Stifter deutlich, wenn Waldmüller etwa ausführt: „Die Aufgabe jeder Kunstleistung ist nie und nirgends anders zu lösen, als auf dem Wege der Wahrheit. Die Natur aber ist die ewige Wahrheit; in ihren Erscheinungen, in ihren Formen ist nichts gemein" (Ebd., S. 90). Wiederum — wie bei Schiller — mag diese Meinung noch in ihrem Beginn, aber nicht als Ganzes der Auffassung Stifters entsprechen. Weicht dieser bei Schiller nach der Seite der ‚natürlichen' Wirklichkeit (Waldmüllers „Wahrheit") ab, so bei Waldmüller nach der der ‚tiefliegenden' Wirklichkeit (Schillers „Wahrheit").

Blicken wir von einer anderen Seite auf das Problem. Wie Schiller setzt der spätere Goethe Kunstwahrheit und Naturwirklichkeit schroff gegeneinander, und ebenso vertritt Carl Ludwig Fernow als der ausgesprochene Klassizist, der er ist, das idealische Prinzip der Kunst (vgl. dazu Herbert v. Einem: *C. L. Fernow. Eine Studie zum deutschen Klassizismus.* = Forschungen zur deutschen Kunstgeschichte, Bd. 3, Berlin 1935). Fernow versteht den Begriff der Naturnachahmung idealisch und meint damit eigentlich „Erfindung", welches Wort bei ihm immer wiederkehrt. Über die Landschaftsmalerei schreibt er, „es giebt kein Ideal einer schönen Gegend [...]. Aber es giebt idealische Bilder schöner Naturszenen, die der Künstler nach einer ihm vorschwebenden, unendlichen Modifikazionen fähigen, Idee erfindet, zu denen er das Bild nicht aus der Wirklichkeit entlehnt, sondern in seiner Einbildungskraft erzeugt" (Fernow: *Römische Studien,* 2. Teil, Zürich 1806, S. 12 f.). Eine gleiche Auffassung vertritt Joseph Anton Koch, der ja ebenfalls dem Klassizismus zugehört (vgl. D. Frey = Anm. 51): „Bloße Nachahmung der Natur ist tief unter der Kunst; auch wo die Kunst natürlich erscheint, soll dieß im hohen Stile des Kunstgenius sein, welcher die Natur gleichsam umarbeitet. Die bloße Nachäffung bleibt auch immer unter dem Original, ist also zwecklos. Die Kunst muß geben, was die Natur nicht hat, alsdann nur ist sie schöpferisch. Die Natur in ihrer Construktion und Wirkung soll und muß der Künstler genau kennen; aber sie ist nicht sein hauptsächlichster Zweck, sondern nur reales Mittel seiner Kunstdarstellung. Individuelle Nachbildung einzelner Naturpartien ist eine unbestreitbar nöthige Bemühung; aber den Geist der Natur zu fassen, ist das eigentliche Ziel des Naturstudiums" (David Friedrich Strauß: *Gesammelte Schriften.* Bd. 2, Bonn 1876, Beilage: *Joseph Koch's Gedanken über ältere und neuere Malerei,* S. 275). Auch bei Koch — wie ebenso bei Fernow (etwa mit der Forderung, daß „jeder Gegenstand nach seiner Eigentümlichkeit in Form und Stoff charakteristisch wahr ausgedrückt" werden muß. *Römische Studien,* Bd. 2, S. 110) — könnte man die Probe mit der Übereinstimmung und Abweichung gegenüber Stifters Auffassung durchspielen. Aber hier kommt es uns auf etwas anderes an, nämlich auf das „Umarbeiten" oder „Erfinden" des klassizistischen Künstlers. Dagegen wenden sich die Romantiker. Caspar David Friedrich ruft aus: „Die Maler üben sich im Erfinden, im Componieren, wie sies nennen, heißt das nicht etwa mit anderen Worten sie üben sich im Stücken und Flicken? Ein Bild muß nicht erfunden, sondern empfunden sein" (*Bekenntnisse*. Ausgewählt und hrsg. von K. K. Eberlein, Leipzig 1924, S. 122). Wie verhält sich Stifter dazu? Es gibt von ihm eine aufschlußreiche Äußerung, die hier herangezogen werden kann. Er schreibt im Jänner 1861 an Heckenast über den *Witiko* als geschichtlichen Stoff (den er ja auch mit der Natur verglichen hat, vgl. Anm. 16): „Gebe ich also meinem Stoffe die Form, so ist sie doch von mir ganz unabhängig, und hängt nur von dem Stoffe ab, ich muß sie finden, nicht e r finden. Das Finden macht mir aber oft große Freude, wie dem Naturforscher, wenn er unbekannte aber längst vorhandene Erscheinungen entdekt" (SW 19², S. 266). Durch dieses „Finden" setzt sich Stifter denn doch, trotz aller teilweisen Übereinstimmung, vom „Erfinden" der klassizistischen und vom „Empfinden" der romantischen Auffassung ab.

Daß Stifters Idee einer Vereinigung aller Komponenten auf die eine oder andere Weise in der Zeit lag, zeigt uns nicht nur die Theorie des Malers Frenhofer in Balzacs Erzählung *Le Chef-d'œuvre inconnu*, 1831 (Deutsche Übersetzung in: *Gesammelte Werke*. [Bd. 23:] *Künstler und Narren*. Hamburg 1955, S. 102 ff.), sondern — näherliegender — auch die *Briefe über Landschaftsmalerei* von Carl Gustav Carus, mit denen sich Stifter zum Teil, aber eben wiederum nur zum Teil, berührt. Sie gipfeln in der Prophezeiung: „es werden einst Landschaften höherer, bedeutungsvollerer Schönheit entstehen, als sie Claude und Ruisdael gemalt haben, und doch werden es reine Naturbilder sein, aber es wird in ihnen die Natur, mit geistigem Auge erschaut, in höherer Wahrheit erscheinen" (2. vermehrte Ausgabe, Leipzig 1835, S. 111).

[57] Besonders im letzten Jahrzehnt seines Lebens hat Stifter dieses Problem wieder und wieder umkreist. Das sei hier in einem kleinen Exkurs an einigen Beispielen, die unsere Ausgangsstelle von der wirklichen Wirklichkeit zeitlich einrahmen, dargelegt. Es ist dabei zu bedenken, daß Stifter, dem es ja nicht um eine streng durchdachte Abfolge von Äußerungen eines ästhetischen Systems ging, seine diesbezüglichen Aussagen immer aus aktuellen Anlässen tat: in Briefen, besonders in seinen Berichten über Kunstausstellungen, und meistens von einem Einzelobjekt ausgehend. (Daß die besprochenen Bilder in ihrer Kunsthöhe den Aussagen Stifters fast niemals ebenbürtig waren, hat Novotny in ihrer *Piepenhagen* passim, besprochen und erläutert). Jedenfalls nimmt Stifter meist für oder gegen eine bestimmte Kunstrichtung Stellung, und das erklärt auch seine mitunter erscheinende Einseitigkeit und Überschwenglichkeit.

Ein Jahr nach dem Erscheinen unserer Erzählung, am 23. Juli 1865, schreibt Stifter an Sigmund von Handel: „Wie weit die sachliche Wirklichkeit in einem Kunstwerke zu geben ist, hat die Wissenschaft noch nicht ermittelt. Ganz darf sie gar nicht gegeben werden, sonst entstünde ein mathematischer Saz und kein sinnlich hervorspringendes Kunstwerk [. . .]. Ganz darf sie nicht fehlen [. . .]. Bisher ist das dem Gefühle des Künstlers anheim gegeben gewesen, und da gingen die Gefühle nun weit auseinander, weßhalb in neuer Zeit der Streit über ‚Realismus und Idealismus' entstanden ist. Ich meine, die Sachlichkeit müßte eben wieder im Ganzen liegen, wie ein großer Landschafter eine herrliche Blumenwiese malt, deren Schönheit und Wahrheit uns entzükt, und auf der bei näherer Besichtigung weder eine Blume noch ein Grashalm ist, sondern nur Farbenklekse" (SW 21, S. 6). Wie hier, wo jeder Naturalismus abgelehnt wird, ist die Doppelheit, die Stifter vom Kunstwerk fordert, auch aus einem Bericht über die *Oberennsische Kunstausstellung*, 1857, gut abzulesen. Dort betont er, daß „die Wirklichkeit [. . .] als nicht zu entbehrendes Grundmerkmal jeder Kunst erkannt wurde", schränkt aber gleichzeitig ein, daß diese Wirklichkeit die Kunst „nicht erschöpft, da zuletzt die geistige Idee es ist, welche das Kunstwerk als solches empor trägt, weßhalb in Kunstwerken die bloße Wirklichkeit ohne Idee dürr und leer bleibt, die bloße Idee ohne Wirklichkeit bodenlos ist. Die höchste geistige Idee soll im Kunstwerke herrschen, aber ihr Träger kann in demselben nur das Sinnliche sein" (SW 14², S. 114).

Aufgrund einer so geforderten Synthese kann Stifter ein Jahr später, in einem Brief an Heckenast vom 12. Mai 1858, den Streit zwischen Idealismus und Realismus „unnüz" nennen und betonen: „Der Realist und der Idealist ist verfehlt, wenn er nicht etwas Höheres ist, nehmlich ein Künstler; dann ist er beides zugleich freilich in einem andern Sinne als in dem der Zunft" (SW 19², S. 115). Wieder ein Jahr später — wir können hier ja nur einen Querschnitt geben — führt Stifter diesen Gedanken in einem schönen, aber freilich auch nicht klareren Bild aus. An und über A. Piepenhagen schreibt er am 13. Dezember 1859: „Nach meiner Meinung gehört zu einem Werke der bildenden Kunst, wie jeder Kunst, nicht blos die Richtigkeit der Mache, nicht bloß die Leichtigkeit und Freiheit der Behandlung, nicht blos die täuschende Wahrheit des dargestellten Gegenstandes". Stifter nennt „all dieses nur das Handwerkszeug" und erteilt damit dem krassen Realismus eine deutliche Absage. Aber, so fährt er fort, „neben diesem Handwerkszeuge liegt ein Haar, man meint, wenn der Mann nur noch über dieses Haar hinüber wäre, dann ist er ein Künstler". Er fragt weiter: „Was ist denn nun das, was der noch haben soll, der über das Haar hinüber gehört?" und antwortet: „Der Künstler hat jenes Ding in seiner Seele, das alle fühlenden Menschen in ihrer Tiefe ergreift, das alle entzükt, und das keiner nennen kann. [. . .] ich möchte es wohl das Göttliche nennen" (SW 19², S. 199 f. — Die Briefstelle ist für unseren Zusammenhang auch deshalb wichtig, weil anschließend die Wahl der Stoffe an dem Kriterium des Göttlichen gemessen wird, vgl. Anm. 39).

Der Begriff des Göttlichen leitet uns über verschiedene Teilaussagen (etwa 1863: SW 14², S. 206) weiter zu dem wichtigen Bericht über die *Ausstellung des oberösterreichischen Kunstvereines*, 1867, in dem Stifter gleich zu Anfang betont: „In allen jenen Werken, welche im Alterthume und in den folgenden Zeiten von den Völkern als Kunstwerke anerkannt worden sind, ist ein gemeinschaftliches Merkmal, das Göttliche, das in ihnen liegt." Nun aber erfolgt eine überraschende und für unsere Ausgangsstelle von der wirklichen Wirklichkeit bedeutsame Wendung: „Das höchste Werk, worin dieses Göttliche ausgedrückt wird, ist die Welt, die Gott erschaffen hat. Und wenn der Mensch das Göttliche durch die Kunst darstellen will, so ahmt er Theile der Welt nach." Kennten wir nicht die oben zitierten Aussagen, so müßten wir glauben, daß Stifter hier einem naiven Realismus das Wort redete, und das wird durch die weitere Fortsetzung nur verstärkt: „Schwieriger drückt sich dem Künstler in der Landschaft [. . .] das Göttliche aus. In der Natur und ihren Gestaltungen, als von Gott ausgegangen, liegt es. Es kommt nur darauf an, es zu fassen und zu bringen." Und: „Realismus (Gegenständlichkeit) wird so gerne geradehin verdammt. Aber ist nicht Gott in seiner Welt am allerrealsten? Ahmt die Kunst Theile der Welt nach, so muß sie dieselben den wirklichen so ähnlich bringen, als nur möglich ist, d. h. sie muß den höchsten Realismus besitzen." Solche Worte, an unsere Ausgangsstelle anklingend, aber auch an Äußerungen Waldmüllers (vgl. Anm. 56) erinnernd, scheinen in der Tat auf einen reinen Naturalismus zu zielen. Sogleich jedoch geschieht ein neuerlicher Umschlag, und wir erfahren, daß es sich bisher nur um e i n e Komponente handelte, denn: „Hat sie über ihn hinaus aber nichts weiter, so ist sie nicht Kunst, der Realismus kann noch für die Naturwissenschaft Werth haben" — wir denken an Heinrich Drendorfs Zeichnungen — „für die Kunst ist er grobe Last. Idealismus ist eben jenes Göttliche, von dem ich oben sagte. Ist es in der Kunst dem größten Realismus als höchste Krone beigegeben, so steht das vollendete Kuntwerk da. Wie bloßer Realismus grobe Last ist, so ist bloßer Idealismus unsichtbarer Dunst oder Narrheit" (SW 14², S. 217—219). Mit dem Satz, mit dem Stifter den Idealismus, und zwar im Augenblick n u r ihn, als „eben jenes Göttliche" bezeichnet, ist er freilich kurz aus dem Takt seines Gedankenganges gekommen. Denn wenn das wirklich seine volle Ansicht wäre, müßte auch „bloßer Idealismus", ja gerade dieser, „eben jenes Göttliche" sein, und doch lehnt er ihn scharf ab. Aus dem Vorhergehenden erhellt außerdem, daß auch der Realismus (etwa in der Landschaft) Träger des Göttlichen ist. Stifter meint hier also offensichtlich etwas anderes, als er ausdrückt, nämlich die Synthese von Realismus und Idealismus, und jener Satz, über den wir stolperten, wäre so zu verstehen, daß Idealismus d a z u t r e t e n müsse, um „jenes Göttliche" zu bewirken. Eine Bestätigung dieser Auffassung bietet der vorletzte Satz des Zitates, der in der Vereinigung beider „das vollendete Kunstwerk" sieht. Gerade durch ihre Unstimmigkeiten sind diese Ausführungen Stifters besonders aufschlußreich. Sie lassen uns bei einiger Überlegung das Gemeinte wohl erkennen, bewahren uns aber auch davor, den Theoretiker Stifter zu sehr beim Einzelwort zu nehmen. Klar ist, daß er auf die Vereinigung der Komponenten zielt, so sehr, daß er bereits jeder von ihnen das Kriterium des Göttlichen zusprechen kann.

In seinen Ausführungen geht Stifter noch einen Schritt weiter. Zu der Vereinigung des Realismus und Idealismus fügt er die des Objektivismus und Subjektivismus: „Bisher ist von den Merkmalen des Kunstwerkes an sich gesprochen worden. Es kömmt aber noch etwas hinzu. Jeder, der malt, zeichnet u.s.w., legt auch sich in sein Werk, bewußt oder unbewußt, ja oft wider Willen. Der wahre Künstler bringt ohne Wissen das Göttliche, wie es sich in seiner Seele spiegelt, in sein Werk" (S. 219, wobei dies auch hier wiederum — wie im Brief von 1859 — mit der Wahl des Stoffes in Verbindung gebracht wird. Vgl. Anm. 39.) Die Einbeziehung des Subjektes des Künstlers ist ein Moment, mit dem Stifter besonders seit der Arbeit am *Witiko* ringt, über dessen „gegebenen" Stoff er am 7. März 1860 an Heckenast schreibt: „Der Wille, vor der Wirklichkeit Ehrerbiethung zu haben, wäre wohl da; aber uns Neuen mischt das Ich stets einen Theil von sich unter die Wirklichkeit mit, und tauft ihn Wirklichkeit" (SW 19², S. 224; vgl. übrigens auch Anm. 16 und 53).

Stifter glaubt, durch die doppelte Verwendung des Begriffes Wirklichkeit dem Problem auf die Spur zu kommen. Er versucht es noch einmal in anderem Sinn, wenn er an Heckenast im Jänner 1861 formuliert: „Hier aber ist der Stoff ein gegebener, die Personen [. .] sind wirklich gewesen, sind in einer ganz bestimmten Form gewesen, und war jene Form die der Wirklichkeit, so muß die, in welcher ich sie bringe, die der Kunst sein, welche als Wirklichkeit erscheint, ohne es sein zu dürfen; denn die wirklichste Wirklichkeit jener Personen wäre in der Kunst ungenießbar" (SW 19², S. 265 f.). Auch an dieser Stelle ist es eindeutig, daß Stifter jedem reinen Realismus oder Naturalismus abschwört. Aber gerade für diesen gebraucht er hier den Terminus „wirklichste Wirklichkeit". Er folgt damit Jean Paul, der im IV. Band des *Titan*, 1803, diese Wortwendung für die Natur im Gegensatz zur Kunst einsetzte: „Linda öffnete ihr Herz der goldnen Gegenwart und sagte: ‚Wie müßte dieß alles in einem Gedicht erfreuen! Aber ich weiß nicht, was ich dagegen habe, daß es nun so in der wirklichen Wirklichkeit da ist' " (*Sämtliche Werke*. Historisch-kritische Ausgabe, I. Abt., Bd. 9, S. 348). Von hier ist es nicht weit zu Fichte, gegen den Jean Paul zur Zeit des *Titan* heftig polemisierte (*Clavis Fichtiana*). Fichte stellte in seiner *Bestimmung des Menschen* die Frage nach der eigentlichen Realität, und er gebrauchte den Wirklichkeitsbegriff in verdoppelter Weise in seinem *Sonnenklaren Bericht an das größere Publikum über das eigentliche Wesen der neuesten Philosophie*, 1801, wo er über „das wirkliche Reelle" spricht und dann fragt: „Es gäbe diesem zufolge zweierlei Wirklichkeit, die beide gleich wirklich sind, von denen aber die eine sich selbst macht, die zweite von dem, für welchen sie da sein soll, gemacht werden muß, und ohne dieses sein Machen gar nicht ist?" (*Werke*. Hrsg. von F. Medicus, Bd. 3, S. 559 ff. Unser Zitat S. 566). Stifters Abhängigkeit in mancher seiner Aussagen liegt auf der Hand, und daß er Fichte gut kannte, beweist uns die Tatsache, daß er ihn in sein *Lesebuch zur Förderung humaner Bildung*, 1854 (S. 333 f.) aufgenommen hat. — In diesem Zusammenhang ist anzufügen, daß auch Otto Ludwig in seinen *Dramaturgischen Aphorismen*, 1840—1860, den verdoppelten Begriff der Wirklichkeit gebraucht, und zwar in der Richtung Jean Pauls: „Die wahre Poesie muß sich ganz von der äußern Gegenwart loslösen, sozusagen von der wirklichen Wirklichkeit. Sie darf bloß das festhalten, was dem Menschen zu allen Zeiten eignet, seine wesentliche Natur, und muß dies in individuelle Gestalten kleiden, d. h. sie muß realistische Ideale schaffen" (*Gesammelte Schriften*, Bd. 5, Leipzig 1891, S. 411). An anderen Stellen spricht Ludwig sinngleich von der „gemeinen" oder „schlechten Wirklichkeit" (ebd., S. 229, 264, 396) und fordert ihr gegenüber von der poetischen Darstellung eine „völlige typische Wirklichkeit", eine „poetische, höhere Wirklichkeit" (ebd., S. 535), unterscheidet also ebenfalls zwischen zwei Wirklichkeiten.

In unserer Erzählung verwendet Stifter, ohne seine Kunstanschauung geändert zu haben, den Terminus von der wirklichen Wirklichkeit nicht im Sinne einer Verdoppelung und Unterstreichung, sondern im andern Sinn einer Potenzierung und Überwindung. Allerdings kann er auch hier das gefährliche Spiel mit Begriffen nicht lassen. Neben der nun ganz klaren Aussage, daß die Wirklichkeit im Kunstwerk überhöht werden soll: „Ich wollte [. . .] die wirkliche Wirklichkeit darstellen", steht die weitere, die sich auf die Natur, die Gott erschaffen hat, bezieht: „und dazu die wirkliche Wirklichkeit immer neben mir haben." Beide Aussagen sind durch den oben besprochenen Bericht von 1867, wonach Stifter sowohl in der Welt und dem sie nachahmenden Realismus als auch im Idealismus das Göttliche wirksam sieht, durchschaubarer geworden.

Wenn Stifter das Wort „wirklich" für die Kunst wie für die Natur anwendet, so ist er nur konsequent, daß er dies auch mit dem gegensätzlichen Begriff „dichterisch" tut. Wird er in unserer Ausgangsstelle auf die Natur bezogen: „In der Welt und in ihren Theilen ist die größte dichterische Fülle", so oftmals auf die bildende Kunst, etwa im Bericht über die *Ausstellung des oberösterreichischen Kunstvereines*, 1860: „Selten ist ein Gegenstand in seiner dichtungsvollen Wesenheit so tief und erschöpfend dargestellt worden", und nochmals: „Diese Dinge sind in ihren dichterischen verborgensten Merkmalen dargestellt, die immer wieder zur Betrachtung reizen. Zugleich sind sie so richtig, [. . .]" (SW 14², S.167). Oder an Piepenhagen am 25. Dezember 1864: „Sie sind der dichtungsvollste Landschafter, den ich jetzt kenne, und mithin, glaube ich, der erste" (SW 20, S. 248). Trotz solcher Doppelaussagen ist es bei genauerer Prüfung klar, was Stifter ausdrücken will. Walter Weiss jedoch hat recht, wenn er Stifter in diesem Zusammenhang „janusgesichtig" nennt (*Reduktion* = Anm. 58, S. 215).

⁵⁸ Für unsere Frage nach der Synthese von Realität und Idealität bei Stifter — in der Malerei wie in der Dichtung — sind besonders wichtig und ergänzend die Arbeiten von F. Novotny (= Anm. 14) und von Walter Weiss: *Stifters Reduktion.* In: Germanistische Studien (= Innsbrucker Beiträge zur Kulturwissenschaft, Bd. 15), Innsbruck 1969, S. 199 ff.; ders.: *Zu Adalbert Stifters Doppelbegabung.* In: *Bildende Kunst und Literatur. Beiträge zum Problem ihrer Wechselbeziehungen im neunzehnten Jahrhundert* (= Studien zur Philosophie und Literatur des 19. Jahrhunderts, Bd. 6, Forschungsunternehmen der Fritz Thyssen Stiftung). Frankfurt a. M. 1970, S. 103 ff. — Wichtig auch die Hinweise bei H. Seidler: *Studien zu Grillparzer und Stifter* (= Wiener Arbeiten zur deutschen Literatur 1). Wien — Köln — Graz 1970, bes. etwa im Aufsatz: *Die Natur in der Dichtung Stifters,* S. 159 ff.

⁵⁹ SW 13/2, S. 272. In der Hs. lautet der erste Satz: „In Wien ist eine von Ruisdael gemalte Landschaft" (vgl. oben Anm. 43). — Daß es sich hier um die Beschreibung eines Landschaftsgemäldes und nicht um die einer Naturlandschaft handelt, ist für unsern Belang gleichgültig, da wir nun ja den Blick auf die dichterische Darstellung gerichtet halten, und diese sowohl das Gemälde als auch die Natur mit denselben sprachlichen Mitteln wiedergeben muß. Die zitierte Beschreibung darf daher als typisch gelten, und zwar — weil der Erzähler, wie wir wissen, mit seinem Dichter in der Kunstanschauung völlig übereinstimmt — für den späten Stifter überhaupt. Ihre Wichtigkeit wird dadurch unter-

strichen, daß sie unmittelbar und ohne jeden Übergang auf die Aussage über die wirkliche Wirklichkeit folgt. Gerade dieses schroffe Nebeneinanderstellen nötigt den Leser, besonders aufzumerken. Er ist gezwungen, etwas innezuhalten, bis er die Verbindung selbst hergestellt und erkannt hat, daß diese Landschaftsbeschreibung das praktische Paradigma für die theoretische Äußerung über die wirkliche Wirklichkeit ist. Einen ebensolchen Sprung wie vor der Beschreibung tut der Erzähler nachher, indem er unvermittelt und sogar ohne Absatz anfügt: „Ich werde mein Moor in meinem Blockhause malen". Wie nach der Theorie das Beispiel gegeben ist — und zwar, um es noch einmal zu betonen, ein Beispiel in doppelter Hinsicht: für die sprachliche wie für eine malerische Darstellung —, so tritt dann, voll in die fiktive epische Ebene zurückleitend, die Hinwendung zum künstlerischen Schaffen des Ich-Erzählers hinzu. — Über Ruisdael als Beispiel wurde bereits gesprochen, vgl. Anm. 43, 44, 53.

⁶⁰ Über die Bedeutung der „Ist"-Sätze in Stifters Spätwerk hat W. Weiss aufschlußreich gehandelt (= Anm. 58). Er hat sie den Sätzen mit Bewegungsverben gegenübergestellt und in dieser Zweiheit Stifters „Reduktion auf die elementare Polarität von Bewegung und Ding" erkannt: *Reduktion*, S. 211 ff.; *Doppelbegabung*, S. 111 ff. (unser Zitat S. 112). Das bedeutet eine wesentliche Stützung und Erweiterung unserer Überlegungen. — Vgl. auch K. Roßbacher: *Erzählstandpunkt* (= Anm. 61), S. 129 f. — Ingeborg Maschek: *Stifters Alterserzählungen. Eine Stiluntersuchung*. Diss. Wien 1961. — Wilhelm Dehn: *Ding und Vernunft. Zur Interpretation von Stifters Dichtung* (= Literatur und Wirklichkeit, Bd. 3). Bonn 1969, S. 37 ff.

⁶¹ Friedrich hat also zu seiner Erzählung ein ganz anderes Verhältnis als etwa der Doktor Augustinus in der *Mappe*, der zur eigenen späteren Erbauung oder Belehrung die Feder ergreift. Dennoch nehmen beide Ich-Erzähler (Augustinus besonders in der letzten Fassung) eine „Außensicht" ein, was für eine Ich-Erzählung einen Sonderfall bedeutet und durch den Stilwillen des späten Stifter bedingt ist. Diese Eigenart der Erzählhaltung in der *Mappe* hat deutlich herausgearbeitet Karlheinz Roßbacher: *Erzählstandpunkt und Personendarstellung bei Adalbert Stifter. Die Sicht von außen als Gestaltungsperspektive*. Diss. Salzburg 1966, S. 178 ff.; Zusammenfassung der Diss. unter dem gleichen Titel in VASILO, Jg. 17, 1968, S. 47ff. — Über den Ich-Erzähler bei Stifter auch H. D. Irmscher (= Anm. 2), S. 306 ff. — Zur Haltung des Ich-Erzählers in den *Nachkommenschaften* vgl. unseren Text vor und zu Anm. 63 und unsere Anm. 40 und 66.

⁶² Daher wird dies auch mehrfach betont: „ich suchte das Moor und den daranstoßenden, einfärbigen Fichtenwald und die gegenüber liegenden Weidehügel und den hinter ihm liegenden, ebenfalls einfärbigen Fichtenwald, und die hinter diesem Fichtenwalde emporstehenden blauen und mit grauen Lichtern glitzernden Berge zu malen" (SW 13/2, S. 236). Gleich darauf nochmals: „Hügel [. . .], von dem aus man das ganze noch übrige Moor und die zwei einfärbigen Fichtenwälder und die grauen Hügel gegenüber und die blauen Berge hinten überschauen kann" (S. 237).

⁶³ Zu dieser Erzählhaltung vgl. vor allem K. Roßbacher (= Anm. 61); W. Weiss: *Reduktion* (= Anm. 58), S. 204 ff. — Im *Witiko* gibt Stifter dem Leser einen deutlichen Hinweis in dieser Hinsicht, wenn er den Herzog zu Witiko ausdrücklich sagen läßt: „Er hat wohl deine Gedanken aus deinen Mienen gesehen" (SW 11, S. 232).

⁶⁴ SW 13/2, S. 287. — Sogar nach ihren Namen fragen sie einander erst später.

⁶⁵ Stifters Tendenz zur Abstraktion hat W. Weiss überzeugend herausgearbeitet: *Reduktion*, S. 208 ff.; *Doppelbegabung*, S. 107, 112 ff.

⁶⁶ In unserem Zusammenhang, in dem mehrfach auf die Beziehungen der *Nachkommenschaften* zum *Witiko* hingewiesen werden konnte (vgl. Anm. 16, 26, 53), seien an dieser Stelle etwa die gemeinsamen Züge der Liebesgeschichten unterstrichen: das traumhaft sichere Zueinandergehören, von Anfang an und ohne es auszusprechen (*Witiko*: SW 9, S 20 ff.), das wiederholte schweigende Ausspähen des Mannes nach dem Ort,

der die Geliebte birgt (SW 9, S. 235 u. ö.), der erste Kuß (SW 10, S. 155), die Forderung der Frau an den Mann, Großes zu vollbringen (SW 10, S. 154), die Art der Werbung (SW 11, S. 114 ff.). Was in unserer Erzählung leicht und heiter erscheint, wirkt im Roman ernst und spröde. Hier konnte sich der Stilwille des Dichters noch klarer und konsequenter entfalten. Das zeigt sich etwa in der Szene des ersten Kusses. Schwingt in der Darstellung unserer Erzählung noch Gefühlhaftes und Anschauliches mit: „Unsere Arme umschlangen sich, und ihr heißer Mund glühte auf dem meinen" (SW 13/2, S. 287, — in der Hs. ist außerdem nach „glühte" ein verstärkendes „sogleich" als Randnotiz eingefügt), so wird im Roman gänzlich darauf verzichtet: „Und er nahete sich und küßte ihren Mund" (SW 10, S. 155). Bei an sich gleichem Darstellungsprinzip ist der Unterschied deutlich. Er entspringt zunächst der gewählten Erzählhaltung: der Ich-Erzähler, selbst wenn er einen Außenstandpunkt einnimmt (vgl. Anm. 61), ist am ersten Kuß natürlich ganz anders beteiligt als ein ferner epischer Berichterstatter. Die Erzählhaltung aber hängt zusammen mit dem jeweils angeschlagenen heiteren oder ernsten Grundton, und dieser wiederum ruht auf dem bearbeiteten Stoff: die Gestaltung eines privaten Einzelschicksales, auch wenn es in die Kette eines kauzigen Geschlechtes und damit in das Wirken der Geschichte gestellt ist, unterliegt einem anderen Gesetz als die Gestaltung der Geschichte selbst, repräsentiert in einem ihrer Helden. Jedenfalls erscheinen auch in solcher Hinsicht die *Nachkommenschaften* als ein grazil-unbeschwertes Seitenstück zu dem feierlich-wuchtigen Roman, in dem der Dichter seinen Stilgrundsatz der wirklichen Wirklichkeit unermüdet und unerbittlich durchgehalten hat.

HUGO F. GARTEN

HOFMANNSTHALS UND HAUPTMANNS *ELEKTRA*

Für Hofmannsthal wie für Hauptmann war die Berührung mit der griechischen Antike von weitreichender Bedeutung. Beide wurzelten mit ihrem Frühwerk in Bereichen, die der Antike denkbar fern lagen — Hauptmann im Berliner Naturalismus, Hofmannsthal im Ästhetizismus des Wiener fin de siècle. Beide unternahmen in ihren mittleren Jahren eine griechische Reise — Hauptmann mit 45 (1907), Hofmannsthal mit 34 (1908). Für Hauptmann hatte die persönliche Erfahrung der griechischen Welt viel tiefergreifende Folgen: sie fand ihren unmittelbaren Niederschlag im *Griechischen Frühling,* wo bereits alle Erkenntnisse formuliert sind, die sein Bild der Antike bis zum Ende bestimmten. Der sichtbare Ertrag von Hofmannsthals Reise waren hingegen nur die drei Aufsätze, die als *Augenblicke in Griechenland* erst viel später erschienen. Noch größer ist der Unterschied, wenn man den Nachwirkungen des Griechenlanderlebnisses im schöpferischen Werk der beiden nachgeht: bei Hauptmann trug es immer neue Früchte, vom *Bogen des Odysseus* und *Ketzer von Soana* bis zur *Atridentetralogie,* während sich bei Hofmannsthal keine unmittelbare Wirkung nachweisen läßt: für ihn war Hellas von Anfang an als eine von vielen geistig-kulturellen Sphären gegenwärtig. Sein Bild der Antike wandelt sich von Werk zu Werk, von der lyrischen *Alkestis* zu den barocken Mythologien der *Ariadne* und der *Ägyptischen Helena.*

Ein einziges Mal haben beide Dichter den gleichen antiken Stoff behandelt — *Elektra.* Auf den ersten Blick scheinen die beiden Tragödien völlig inkommensurabel: sie liegen rund vierzig Jahre auseinander; Hofmannsthals Drama steht am Beginn seines Weges als Bühnendichter, Hauptmanns an seinem Ende. Vor allem aber: Hofmannsthals *Elektra* ist ein geschlossenes Werk, während Hauptmanns gleichnamiges Stück nur ein Zwischenglied im Zyklus der *Atriden* ist.

Dennoch ist es aufschlußreich, die zwei Werke miteinander in Beziehung zu setzen, weil von diesem einen Punkt aus Licht fällt auf das Verhältnis beider Dichter zur Antike. Dabei soll von einer kritischen Wertung möglichst abgesehen werden. Zweifellos steht Hofmannsthals Stück künstlerisch höher als Hauptmanns, das gar nicht als selbständiges Werk, sondern nur als Teil eines Ganzen beurteilt werden darf.

Bei allen tiefen Verschiedenheiten, die im Wesen der beiden Dichter liegen, ist der Vergleich zwischen den zwei gleichnamigen Stücken kein willkürlicher. Trotzdem jeder den antiken Stoff aus dem Geist der eigenen Zeit deutet, gehen sie

darin doch nicht so weit wie etwa O'Neill in *Mourning becomes Electra* oder
Sartre in *Les Mouches*. Beide bewahren die Form der hohen Tragödie mit ihrem
Vers, ihrem pathetisch gesteigerten Sprachgestus; beide stehen in der Tradition
des poetischen Dramas, die im deutschen Sprachgebiet viel länger dauerte als in
den westlichen Ländern.

So weit die beiden Stücke zeitlich auseinanderliegen, so ist doch das Griechentum, das in ihnen zum Ausdruck kommt, von den gleichen Grundgedanken bestimmt. Sowohl Hauptmanns wie Hofmannsthals Bild der Antike wurde entscheidend vom geistigen Klima der Jahrhundertwende geformt. Es steht unter
dem Zeichen Nietzsches, Bachofens und Rohdes, im bewußten Gegensatz zum
Griechenbild der deutschen Klassik.[1] In einer Tagebuchnotiz von 1904, in der
sich Hofmannsthal Rechenschaft gibt über die Entstehung seiner *Elektra*, heißt es:
„Als Stil schwebte mir vor, etwas Gegensätzliches zur *Iphigenie* zu machen, etwas
worauf das Wort nicht passe: ‚dieses gräzisierende Produkt erschien mir beim
erneuten Lesen verteufelt human‘ (Goethe an Schiller).“[2] Ein andermal spricht
er von einer „düsteren prägriechischen Welt, in der man Griechenland kaum
wiedererkennen wollte, über ihr waltend der Fluch, der Blutbann“.[3] Ganz im
gleichen Sinn schreibt Hauptmann im *Griechischen Frühling*: „Ich habe das
schwächliche Griechisieren, die blutlose Liebe zu einem blutlosen Griechentum,
niemals leiden mögen. Deshalb schreckt es mich auch nicht ab, mir die dorischen
Tempel bunt und in einer für manche Begriffe barbarischen Weise bemalt zu
denken.“[4] Noch deutlicher wird die Verwandtschaft, wenn man in einer Tagebuchnotiz Hauptmanns vom Jahr 1938 (also kurz vor Beginn der Arbeit an der
Atridentetralogie) die folgende Kritik an Goethes *Iphigenie* liest: „Dies Kunstwerk ist nicht elementar ... Es zeigt nicht, läßt nicht einmal ahnen die Furchtbarkeit der Tantaliden. Es zeigt nicht den mutterblutbefleckten, erinnyengehetz-
ten Orest ... Das Grausen ist nirgends wahrhaft da. Hier sprechen allzu wohl-
erzogene, allzu gebildete Leute ...“[5]

Diese auffallende Übereinstimmung in der Ablehnung des klassisch-humanisti-
schen Griechenbildes macht deutlich, wie nahe sich die beiden Dichter in ihrer
Vorstellung der Antike berühren. Beide gehen auf ein archaisches, vorklassisches
Griechenland zurück, wie es vor allem Nietzsche und Bachofen eröffneten.[6] Aber
trotz der gemeinsamen Wurzel in der Gedankenwelt der Jahrhundertwende führt
ihr Weg sie weit auseinander.

Hofmannsthals *Elektra* muß als eine wichtige Etappe in seiner Laufbahn als
Dramatiker gesehen werden. Er hatte soeben erst seine ersten Schritte auf die
Bühne getan: *Die Hochzeit der Sobeide* und *Der Abenteurer und die Sängerin*
hatten 1899 in Berlin einen mäßigen Erfolg errungen. Neue Pläne drängten sich
auf, unter anderm zu einem Trauerspiel *Pompilia*. Dann, 1901, der erste Einfall
zur *Elektra*: „Ich las damals, um für die *Pompilia* gewisses zu lernen, den
Richard III. und die *Elektra* von Sophokles. Sogleich verwandelte sich die Gestalt
dieser Elektra in eine andere. Auch das Ende stand sogleich da: daß sie nicht mehr

weiterleben kann, daß, wenn der Streich gefallen ist, ihr Leben und ihr Eingeweide ihr entstürzen muß . . . Die Verwandtschaft und der Gegensatz zu Hamlet waren mir auffallend."[7] Aber erst zwei Jahre später kam der Plan zur Ausführung. Anfang Mai 1903 traf er Max Reinhardt und versprach ihm, „eine Elektra für sein Theater und für die Eysoldt zu machen".[8] Es war seine erste Begegnung mit Reinhardt, der in seinem Kleinen Theater mit Wildes *Salome* und Gorkys *Nachtasyl* seine ersten Erfolge errungen hatte. Das Werk entstand dann im Sommer binnen weniger Wochen — eine ungewöhnlich kurze Zeit für Hofmannsthal! „Es war aber ein Arbeiten mit unsicherer, fast immer matter Stimmung . . . Teile des Schlusses und der Klytämnestra-Szene (wurden) noch unterm Abschreiben hineingeflickt."[9] Am 30. Oktober 1903 fand die Premiere im Kleinen Theater statt. Es war das erste Stück Hofmannsthals unter Reinhardts Regie und sein erster wirklicher Theatererfolg. Nicht ohne Stolz bemerkt der Dichter am Ende seiner Aufzeichnung: „Den Erfolg bemerkte man erst am darauffolgenden Abend, als im Deutschen Theater bei der Erstaufführung von *Rose Bernd* von Hauptmann vielfach gesagt wurde, der gestrige Abend hätte für die meisten Leute den heutigen totgeschlagen."[10] Wenngleich sich Hauptmanns Drama auf die Dauer als lebenskräftiger erwiesen hat als Hofmannsthals *Elektra* (von der Opernfassung abgesehen), so ist doch diese zufällige Nachbarschaft von zeitgeschichtlichem Interesse: sie bestätigte den Sieg der „neuen" Richtung, des poetischen Symbolismus, über den Naturalismus.

„Frei nach Sophokles", schreibt Hofmannsthal unter dem Titel. Allein die Beziehung zur antiken Tragödie beschränkt sich nur auf die äußere Struktur. Hofmannsthal benützt das Vorbild lediglich als Gerüst, um es mit seinem Geist und dem Geist seiner Zeit zu erfüllen. Natürlich verzichtet er auf den Chor — oder vielmehr, er reduziert ihn auf die kurzen Szenen der Dienerinnen am Anfang und Ende des Stückes. Ebenso fällt die erste Orestes-Szene fort: Orest tritt erst am Ende auf. Alles ist auf die Hauptgestalt, Elektra, konzentriert. In einem Brief an Eberhard von Bodenhausen stimmt Hofmannsthal nachdrücklich einer Bemerkung Maximilian Hardens über *Elektra* zu, „daß sie ein schöneres Stück und ein reineres Kunstwerk wäre, wenn der Orest nicht vorkäme".[11] Von Anfang bis zu Ende steht Elektra auf der Bühne, im Dialog mit den andern Gestalten. Im Grunde ist es ein Monodrama — wie Wildes *Salome*, die ihm, mit derselben Schauspielerin in der Titelrolle, vorangegangen war.[12] Das gibt dem Stück seinen vorwiegend statisch-lyrischen Charakter: noch hatte sich Hofmannsthal nicht ganz von der reinen Lyrik seines Frühwerks gelöst, noch bemühte er sich um eine gültige dramatische Form.

Im Rahmen von Hofmannsthals Gesamtentwicklung gesehen, steht also *Elektra* in einer Übergangsepoche. Es ist jene vielbeschriebene Wandlung vom subjektiven Ästhetizismus zur objektiven Gestaltung oder — wie er selbst es nannte — von der „Präexistenz" zum „Leben". In seinen Reflexionen über den eigenen Entwicklungsgang, *Ad me ipsum*, weist er selber dem Werk den genauen

Ort an. Er spricht von dem „Weg zum Sozialen als Weg zum höheren Selbst" und nennt als den ersten von drei „nicht-mystischen" Wegen den Weg „durch die Tat". Weiter heißt es: „die Verwandlung im Tun. Tun ist sich aufgeben. Das Alkestis- und Ödipus-Thema sublimiert in der *Elektra*. (Das Verhältnis der Elektra zur Tat freilich mit Ironie behandelt. Elektra—Hamlet.)"[13]

Die Verwandtschaft und der Gegensatz Elektra—Hamlet, die der Dichter schon in jener früheren Aufzeichnung betont, führt in den Kern des Dramas. Offensichtlich ist Elektras Schicksal das gleiche wie Hamlets: auch sie lebt in einem einzigen Gedanken — Rache für den gemordeten Vater; auch sie rechtet mit der als schuldig erkannten Mutter; auch sie verzehrt sich in der Unfähigkeit, zur „Tat" zu schreiten. „Der ist selig, der tuen darf! Die Tat ist wie ein Bette, auf dem die Seele ausruht . . ."[14] Aber ihr Unvermögen zu handeln hat andere Wurzeln als Hamlets: sie liegen nicht in ihrem Charakter oder ihrem Zweifel, sondern einzig und allein in ihrem Geschlecht, ihrem Weibtum. Wäre sie ein Mann, sie würde ohne Zögern die Tat ausführen — so muß sie sie Orest über- lassen, der sie gleichsam stellvertretend vollbringt. Hofmannsthal hat das selber deutlich ausgesprochen: „In *Elektra* steht die Tat und das Verhältnis zur Tat im Mittelpunkt: eine Untat wird durch eine Untat gesühnt, — und diese Sühne ist einem Wesen auferlegt, das darüber doppelt zugrunde gehen muß: weil sie als Individuum sich fähig hält und schon als Geschlecht unfähig ist, die Tat zu tun. Die Tat ist für die Frau das Widernatürliche . . .".[15] Selbst ihr Versäumnis, Orest das Beil zu geben, ist Zeichen ihres Weibtums: „— und vergißt das Beil, denn sie ist doch Frau."[16]

Allein die zentrale Bedeutung der „Tat" oder „Untat" bezieht sich nicht nur auf Elektra, sondern auch auf die andern Gestalten. So sagt Hofmannsthal über Klytämnestra: „Ihre Tat ist Mutter sein, — wie aber, wenn sie sich an dem vergeht durch Untat, welcher der Vater ihres Kindes ist?"[17] Und über Orest: „Orest duldet die Tat: darum muß er tun, damit er leide, was er leidet, weil er tat . . ."[18]

Damit ist deutlich erhellt, welche Bedeutung Hofmannsthal dem Begriff der „Tat" zumißt als einem Weg, die Isolierung des Individuums zu überwinden und ins „Leben" einzutreten. Allein er nennt noch einen anderen Begriff, den er noch über die Tat stellt — „Treue": „Das Entscheidende liegt nicht in der Tat sondern in der Treue. Identität von Treue und Schicksal."[19] Und weiter: „. . . in der *Elektra* zum Äußersten entwickelt als Motiv der Treue."[20]

Die „Treue" der Elektra gilt der Erinnerung ihres gemordeten Vaters, von der sie bis zur Aufgabe der eigenen Individualität, ja bis zur Selbstidentifizierung mit dem Toten besessen ist: „Ich bin das hündisch vergoßne Blut des Königs Agamemnon."[21] Um dieser Treue willen opfert sie ihr Ich, ihr Weibtum, zuletzt ihr Leben. In dieser Treue bleibt sie starr, unverwandelt — im Gegensatz zu Chrysothemis, die vergessen und „leben" will. Hofmannsthal hat diesen Gegen- satz mit dem Gegensatz Ariadne—Zerbinetta verglichen. In dem berühmten

„Ariadne-Brief" an Strauss schreibt er: „So steht hier aufs neue Ariadne gegen Zerbinetta, wie schon einmal Elektra gegen Chrysothemis stand. Chrysothemis wollte leben, weiter nichts; und sie wußte, daß, wer leben will, vergessen muß. Elektra vergißt nicht."[22] Auch dort also die Treue bis zum (vermeintlichen) Tod kontrastiert mit der immer sich wandelnden, „treulosen" Zerbinetta.

Aus Hofmannsthals Selbstinterpretation geht deutlich hervor, daß seine Bearbeitung des antiken Stoffes so gut wie nichts mit dem sophokleischen Drama zu tun hat. Seine *Elektra* ist völlig entmythologisiert. Keine einzige Gottheit wird beim Namen angerufen, höchstens werden ein- oder zweimal „die Götter" erwähnt: „Die Götter sind beim Nachtmahl!" höhnt Elektra mit leicht wienerischem Einschlag. Das Drama spielt auf rein-menschlicher Ebene, in einer transzendenzlosen Welt. Es ist Ausdruck seiner eigenen Zeit und nur aus dieser Zeit zu verstehen. Sein Bild der Antike ist, wie oft hervorgehoben, wesentlich von Nietzsches Begriff des „Dionysischen" bestimmt: es spiegelt sich in der zum Äußersten getriebenen Überhitzung des „Gefühls" und findet seinen höchsten Ausdruck in Elektras ekstatischem Todestanz. Hofmannsthal spricht selber von dem „sieghaften Triumph dionysischer Gewalt, der Elektras Tanz erfüllt und sie zerreißt".[23] Der Zusammenhang von Tanz und Tod, der Tanz zugleich als höchster Ausdruck und ekstatischer Abschluß des Lebens, ist eine beliebte Vorstellung der Zeit: man denke an Salomes Tanz oder an Pippas Tanz in Hauptmanns Drama von 1906!

Nietzsches Begriff des Dionysischen ist von den Zeitströmungen der Jahrhundertwende gefärbt. Eine davon ist mit dem Namen Freud gekennzeichnet. Es wurde oft darauf hingewiesen, wie stark Hofmannsthals Drama von Freudschen Erkenntnissen bestimmt ist. Sie spiegeln sich in dem wiederholten Bezug auf Klytämnestras „Träume"[24]; sie spiegeln sich vor allem in der stark erotischen Färbung von Elektras Tun und Reden. Wie Harden richtig bemerkte: „Ihre Metaphern, ihre Assoziationen findet sie nur im Geschlechtsleben des Weibes."[25] Elektras Bindung an den Vater hat einen unbewußt sexuellen Einschlag, ihre Beziehung zu Chrysothemis hat deutlich lesbische Untertöne, selbst zu ihrem Bruder Orest spricht sie von ihrem „nackten Leib" und seiner „weißen Nacktheit". Kurz, Elektras ganzes Wesen ist, wie sie es selber immer wieder ausspricht, von der gewaltsamen Verdrängung ihres natürlichen Geschlechtslebens bestimmt — oder vielmehr, es hat sich in ein einziges Gefühl, ihren „Haß", verkehrt:

> Da mußte ich den Häßlichen, der atmet
> wie eine Viper, über mich in mein
> schlafloses Bette lassen, der mich zwang,
> alles zu wissen, wie es zwischen Mann
> und Weib zugeht.[26]

Die andere Zeitströmung, die Hofmannsthals Stück entscheidend beeinflußt hat, ist der Jugendstil. Er spiegelt sich vor allem in dem dekorativen Charakter der Sprache, in der auf die Spitze getriebenen Anhäufung der Metaphern und Gleichnisse, in der krankhaften Überhitzung des Gefühls. Die Sprachmagie des lyrischen Frühwerks ist noch immer spürbar, aber sie ist gleichsam verzerrt, gewaltsam hinaufgetrieben in Bilder des Grauens, des Makabren, der betonten Häßlichkeit. „Blut", „schlachten", „krank", „zerfressen" sind immer wiederkehrende Vokabeln. Elektra selber ist „wie ein Tier", eine „wilde Katze", ein „gefangenes Tier im Käfig", auch Chrysothemis heult „wie ein verwundetes Tier". Dieser morbide Hang zum Grausamen, Bestialischen ist ein charakteristischer Zug der Epoche, wie er sich in der ganzen zeitgenössischen Dramatik kundtut. Sehr richtig hat das schon Alfred Kerr in seiner scharfsinnigen Kritik des Stückes bemerkt. Er nennt es „Ein Glied in der Kette, deren andere Glieder D'Annunzio, Oscar Wilde, auch Maeterlinck heißen."[27] Das „Morbide" dieser Vorliebe für das Makabre und Brutale liegt darin, daß sie im krassen Gegensatz stand zu einer äußerlich friedlichen, hochzivilisierten Epoche, daß sie also im Grunde nichts war als Nervenkitzel für ein überfeinertes Publikum. Auch das hat Kerr deutlich gesehen: „Wir haben keinen Schlächterdurst; wir sehn daher einen Menschen, dessen Gefühle wir nicht teilen; der aber in einem riesenhaften Gefühl ganz aufgeht und untergeht. Und das ist das Fortreißende."[28]

Der dekorative Charakter des Jugendstils ist auch den Bühnenanweisungen aufgeprägt. Hofmannsthal sieht die Handlung nicht als dargestellte Wirklichkeit, sondern als Theater, als Bild, also umgesetzt in Kunst. (Nicht zufällig ist der Aufsatz *Die Bühne als Traumbild* im gleichen Jahr geschrieben, wo es heißt: „Denn die Welt ist nur (!) Wirklichkeit, ihr Abglanz aber ist unendliche Möglichkeit.")[29] So schreibt er etwa zum Auftritt Elektras vor: „Sie ist allein mit den Flecken roten Lichts, die von den Zweigen des Feigenbaumes schräg über den Boden und die Mauern fallen, wie Blutflecke."[30] Und zum Auftritt Klytämnestras heißt es: „Ihr fahles, gedunsenes Gesicht, in dem grellen Licht der Fackeln, erscheint noch bleicher über dem scharlachroten Gewand. Sie stützt sich auf eine Vertraute, die dunkelrot gekleidet ist . . ." usw.[31] Diese Angaben sind noch erweitert in den eigens verfaßten *Szenischen Vorschriften zu ‚Elektra'*, die genaue Hinweise geben für Bühnenbild, Beleuchtung und Kostüme.[32] Hier wird besonders der „orientalische" Charakter der Kleider und Gebäude betont. Immer ist das Geschehen als Bild, als Farbe, d. h. als Symbol gesehen, nicht als gelebtes Leben. Dieser Blickpunkt wird noch deutlicher, wenn wir ihn mit Hauptmanns vergleichen, für den das Drama, auch in seinen nicht-naturalistischen Stücken, immer dargestellte Wirklichkeit, unmittelbares Spiegelbild des Lebens ist: „Das Drama regiert die Welt, nicht das Theater."[33]

Elektra stellt in Hofmannsthals Gesamtwerk einen Einzelfall dar, ein nonplus-ultra an Düsterkeit, ins Hysterische verzerrter Leidenschaft. Es ist darum wichtig zu wissen, daß das Stück von Anfang an nur als Teil eines Ganzen geplant war: es sollte in einem *Orest in Delphi* sein lichteres Gegenstück haben. In einem Brief an Theodor Gomperz schreibt der Dichter: „Daneben hat, fast gegen meinen Willen, eine seltsame *Orestie* in zwei Teilen, in je einem einaktigen, einstündigen Drama, sich meiner Phantasie in gewissen Stunden fast fieberhaft bemächtigt: der erste Teil Orest—Elektra, mit dem Muttermord, der zweite Orest in Delphi, mit dem Verhältnis Orest—Hesione."[34] Elektras Todestanz war also gar nicht als Abschluß gedacht: die schrille Dissonanz ihrer Tragödie sollte in einem zweiten Stück ihre Auflösung finden, in dessen Mittelpunkt Orest steht, der in der *Elektra* kaum Gestalt wird. Hofmannsthal hat die Einseitigkeit des Dramas selber stark empfunden: „Mir wäre das Stück selbst in seiner fast krampfhaften Eingeschlossenheit, seiner gräßlichen Lichtlosigkeit ganz unerträglich, wenn ich nicht daneben immer als innerlich untrennbaren zweiten Teil den *Orest in Delphi* im Geist sehen würde, eine mir sehr liebe Konzeption, die auf einem ziemlich apokryphen Ausgang des Mythos beruht und von keinem antiken Tragiker vorgearbeitet ist."[35]

Dieses Stück aber wurde nie geschrieben.[36]

Was bei Hofmannsthal Plan blieb, das gelang es Hauptmann im hohen Alter zu verwirklichen — einen dramatischen Zyklus um das Schicksal der Atridenkinder. Die Fakten seiner Entstehung sind bekannt: Angeregt von Goethes Skizze einer *Iphigenie in Delphi* in der *Italienischen Reise*, schrieb der 78jährige im Sommer 1940 ein dreiaktiges Drama des gleichen Titels, „gleichsam in Trance lange Versreihen herunterdiktierend" (wie C. F. W. Behl berichtet).[37] Anschließend machte er sich, schon im September desselben Jahres, an eine *Iphigenie in Aulis*, die Sage gleichsam nach rückwärts ergänzend. Dieser Stoff aber erwies sich als ungleich schwieriger zu bewältigen: erst zwei Jahre später, in der neunten Fassung, erklärte Hauptmann das Werk für abgeschlossen. Schon vorher jedoch, im Spätsommer 1942, schrieb er als erstes Verbindungsstück die einaktige Tragödie *Agamemnons Tod*. Schließlich, im Herbst 1944, entstand als letztes Glied im Verlauf von wenigen Wochen *Elektra* — das letzte Bühnenwerk des Dichters. Damit lag die ganze Tetralogie fertig vor. Während die beiden Iphigenie-Dramen noch zu Lebzeiten Hauptmanns zur Aufführung kamen, hatten die zwei Mittelstücke erst nach seinem Tod, 1947, ihre Berliner Première. (Das ganze Werk ist bis heute nicht auf die Bühne gekommen, außer in der auf einen Abend reduzierten Fassung Erwin Piscators von 1962.)

Hauptmanns *Elektra* ist somit nur ein Glied in der Kette von vier Dramen. Selbst so kann sie kaum als endgültige Fassung angesehen werden. C. F. W. Behl berichtet unter dem 11. Januar 1945, Hauptmann habe ihn gebeten, „ihm das Werk ganz langsam noch einmal vorzulesen. Diese Lesung wurde überaus fruchtbar, indem Hauptmann, intensiv mitarbeitend, mich immer wieder mit der Bitte unterbrach, ich möchte den und jenen Vermerk an den Rand notieren. Die Durcharbeitung läuft, wie er mir erklärte und wie auch die Randnotizen andeuteten, auf eine psychologische Vertiefung hinaus. Elektras Haß gegen die Mutter soll mit ihrer Behandlung als Aschenputtel von Jugend auf noch weiter instinktmäßig begründet und die Figur des Pylades mit Einzelzügen reicher ausgestattet werden."[38] Allein der Dichter war durch die Kriegsereignisse abgelenkt. Wenige Tage später unternahm er die Reise nach Dresden, dessen Zerstörung ihn körperlich und seelisch brach. Als Behl drei Jahre später, 1948, Hauptmanns Witwe nach der geplanten Überarbeitung der *Elektra* fragte, erwiderte diese, „daß er von diesem Vorhaben wieder abgekommen sei und sich darauf beschränkt habe, auf den ersten Seiten einige rein sprachliche Korrekturen vorzunehmen. Er habe die vorhandene Elektrafassung als endgültig betrachtet."[39]

Im Gegensatz zu Hofmannsthals fortlaufenden Reflexionen über das eigene Werk fehlen bei Hauptmann, mit wenigen Ausnahmen, alle ähnlichen Versuche zur Selbstinterpretation. Dieser Mangel wird doppelt fühlbar dadurch, daß seine Tagebücher und Briefe bisher größtenteils unveröffentlicht sind. Aber selbst wenn sie einmal vorliegen, dürften sie kaum Wesentliches zur Erkenntnis seiner Werke beitragen. Denn Hauptmann war ein „naiver" Dichter, der gleichsam intuitiv schuf, ohne sich über sein Schaffen genau Rechenschaft abzulegen. Wir sind also darauf angewiesen, unsere Einsichten aus dem Werk selbst zu gewinnen.

Es ist unmöglich, Hauptmanns *Elektra* gesondert zu betrachten, ohne auf die ganze Tetralogie Bezug zu nehmen. Denn das ganze Werk ist aus einer einzigen Vision der Antike entstanden. Noch dazu erscheint Elektra selber in dem vorhergehenden Stück, *Agamemnons Tod*, sowie in dem nachfolgenden, *Iphigenie in Delphi*. Dennoch soll versucht werden, ihre Gestalt aus dem Drama, das ihren Namen trägt, zu entwickeln, um den Vergleich mit Hofmannsthals Drama zu ziehen.

Wenn Hofmannsthal, zumindest in der Struktur seines Stückes, sich an Sophokles anlehnt, so nähert sich Hauptmann einerseits Aischylos, andrerseits Euripides. Während Sophokles Elektra in den Mittelpunkt stellt, drehen sich Aischylos' *Choephoroi* allein um Orestes; Euripides hingegen gibt beiden Geschwistern gleiches Gewicht.[40] Darin folgt Hauptmann Euripides, indem in seinem Stück Elektra und Orest gleichwertig nebeneinander stehen. Sonst aber waltet er völlig frei. Während Hofmannsthal fast in allen seinen Bühnenwerken (außer in den Komödien) eines vorgeformten Werks bedurfte, schöpfte Hauptmann, der geborene Dramatiker, durchwegs aus eigener Intuition. Das gilt auch für seine *Elektra*. So schreibt Behl nach der ersten Vorlesung des Stückes: „In dem anschließenden Gespräch berief er sich auch immer wieder auf das Recht der eigenen dichterischen Vision gegenüber allen überlieferten Einzelzügen der Sage, mit denen er so frei, wie nur irgend vorstellbar, geschaltet hat."[41]

Zunächst: Hauptmann verlegt den Schauplatz vom Palast zu Mykene in einen zerfallenen Demetertempel in den Bergen — denselben Ort, wo auch der Mord an Agamemnon und Kassandra stattfand.[42] Noch liegen die Gebeine der Ermordeten umher, und „häßlicher Dampf" steigt aus dem Baderaum nebenan. „Ein fürchterlicher Ort!" sind Pylades' erste Worte, und Orest bestätigt: „Der fürchterlichste, den ich jemals sah." Das Alpdruckhafte des Schauplatzes beherrscht das ganze Geschehen, das sich von Anfang bis Ende bei Nacht abspielt. Orest spricht schaudernd von einem „Pestgewölk des Hades", und Klytämnestra beschwört Aighist: „Führ mich hinweg von diesem Ort — wir sind im Hades!"[43] Die Verbindung mit dem Totenreich wird ausdrücklich betont durch die drei primitiven Holzbilder im Hintergrund: Demeter, Pluton und Kore-Persephone, Symbole der unterweltlichen, chthonischen Mächte.[44]

An diesem gespenstigen Ort haust Elektra, selber wie ein Gespenst, „von Abgrundwassern stinkend überspielt", erfüllt von einem einzigen Gefühl, der Rache. Ihre Begegnung mit dem Bruder geschieht ohne jede Emotion, auch Orest nimmt ihre Gegenwart ohne weiteres zur Kenntnis. Hat Hauptmann die Darstellung des Wiedererkennens — ein Höhepunkt bei den griechischen Tragikern wie auch bei Hofmannsthal — absichtlich vermieden? Ihm geht es hier um anderes. Hierher kommen endlich auch Klytämnestra und Aighist, vor einem nächtlichen Ungewitter Schutz suchend. Aber dieses Ungewitter ist nicht Zufall — es ist Zeichen des Schicksals, das über den Gestalten hängt und sie an diesen Ort zusammenführt. Der Realismus des äußeren Geschehens ist nur scheinbar: dahinter liegt ein tieferer, mythischer Sinnzusammenhang. Wie Felix A. Voigt richtig bemerkt: „Die Wirklichkeit liegt nicht mehr in den äußeren Tatsachen, sondern diese sind nur das Transparent einer schicksalsmäßigen Verflechtung, in die die Menschen hineinverwoben sind."[45]

So vollzieht sich der äußere Handlungsablauf ganz rasch, wie unter einem Zwang. Bei Hauptmann ist es Pylades, der Aighist tötet; erst dann geschieht der Muttermord — mehr in Abwehr, da Klytämnestra selber in wütendem Haß Orest anfällt. Am Ende schreitet Orest ins Freie, während Elektra allein zurückbleibt, das Beil „wie etwas Fremdes" in der Hand. Dieses Beil, das Agamemnon getötet hat, und das sie später gegen die unerkannte Schwester, Iphigenie, erheben wird, ist mehr als ein Werkzeug — es hat ein selbständiges Leben, und die Menschen, die es gebrauchen, sind fast nur seine Werkzeuge.

Hauptmanns *Elektra*, für sich genommen, wirkt fast wie eine Skizze. Die Charakterzüge der Personen sind kaum mehr als angedeutet, trotzdem ist jede scharf profiliert. Obgleich das Stück ihren Namen trägt, ist Elektra nicht, wie bei Hofmannsthal, die tragende Gestalt: das Gewicht ist auf alle fünf Figuren des Dramas gleichmäßig verteilt. Auch ist es strukturell nicht in sukzessive, scharf gesonderte Dialoge geteilt (nach dem Muster des antiken Dramas), sondern es stehen sich zuerst zwei, dann drei, schließlich alle fünf Charaktere gleichzeitig gegenüber.

Elektra lebt nur einem einzigen Gedanken: Rache für den gemordeten Vater. Sie haust bei den unbegrabenen Gebeinen des Toten, dessen Leiche sie selbst verbrannt hat, in dem von allen gemiedenen Tempel. Dort bewahrt sie das Mordbeil, das sie dem zaudernden Orest aufdrängt. Auch Hauptmanns Elektra tanzt. Aber ihr Tanz ist nicht Triumph über die vollstreckte Sühne und ekstatischer Tod, sondern sie tanzt, wenn sie Klytämnestra und Aighist nahen fühlt:

> Ich bin der Wirbel, bin der Wirbelwind,
> der unsre Feinde wirbelnd in sich zieht . . .
> der Wirbel, der sie wirbelt, heißt Verhängnis! (Bd. 3, S. 1006)

Von Anfang an fühlt sie sich als bloßes Werkzeug einer höheren Macht. Sie nennt sich „Vollenderin des Schicksals", die, wie Orest, „im gnadenlosen Dienste der Erynnien" steht (S. 1003 und 1021). Auch Orest sieht sich nur als Werkzeug eines über ihn verhängten Götterratschlusses. Allein seine weichere Natur lehnt sich gegen das ihm aufgetragene Amt auf. Orest ist der bei weitem differenzierteste Charakter des Stückes. Er trägt deutliche Züge Hamlets (so wie Hauptmann, in seiner jahrelangen Beschäftigung mit Hamlet, Shakespeares Gestalt immer wieder mit dem aischyleïschen Orestes vergleicht). Pylades sagt von ihm, er sei „mehr der Kithara als dem Schwert ergeben" (S. 1004). Unter dem Zwang des delphischen Orakelspruchs stehend, wird ihm die Welt zum Ekel; er fühlt sich „alt, uralt" mit dem Fluch der Tantaliden im Blut. Wie Hamlet sucht er der Tat auszuweichen: er weiß nur von einem „Gerücht", daß Klytämnestra schuldig sei am Tod seines Vaters, und wenn er ihr gegenübersteht, fragt er sie ins Gesicht: „So sprich, wer ist der Mörder meines Vaters?" (S. 1016) Bevor er die Tat vollbringt, bettelt er geradezu um ihre Liebe:

> Ich tappe wie ein Säugling nach der Brust,
> ich bettle flennend nach dem Mutterherzen,
> das, goldner Glocke Ton, darunter pocht. (S. 1015)

Erst wenn sie ihn höhnend anfällt, vollstreckt er in Selbstwehr die Tat.

Klytämnestra ist auf einen einzigen Ton gestimmt: herrisch, unbeugsam, fast männlich in ihrer Härte, verachtet sie den Sohn um seiner Weichheit willen. Wenn er um ihre Liebe fleht, nennt sie es „läppisches Gewinsel" und spottet: „Weichlingen speit ein Mann ins Angesicht." (S. 1015) Und am Ende ist sie es, die ihn verächtlich zur Tat herausfordert.

Pylades (der bei Hofmannsthal gar nicht erscheint) spielt bei Hauptmann seine traditionelle Rolle des Lichtpunktes in der dunklen Tragödie. Er erschien bereits im vorangegangenen Stück, *Agamemnons Tod*, wo eine „Jugendliebe" ihn mit Elektra verbindet, und er wird im Schlußteil der Tetralogie die Entsühnte in die Heimat führen. Aber Hauptmann zieht auch ihn in den Kreis des Verhängnisses: er läßt ihn Aighist töten und somit schuldig werden. Auch Pylades wird so zu einem Werkzeug der Götter:

> Wer bin ich, daß der fürchterliche Zeus
> mich so mißbraucht? Ein einziger Augenblick:
> und niemals wieder kann der selige Stand
> der Unschuld meiner Jugend mich beglücken. (S. 1021)

(Dies ist übrigens ein Zug, den der Dichter nicht weiter verfolgt und der im Widerspruch steht zum Pylades der *Iphigenie in Delphi*.)

Wesentlicher als die einzelnen Charaktere ist die Atmosphäre des Dramas, die sie einhüllt. Alle handeln wie unter einem Zwang, alle sind nur Vollstrecker eines verhängten Schicksals, sei es von den „Moiren" oder von den „Göttern". Das gibt dem ganzen Drama den Charakter eines alpdruckhaften Traumes, aus dem die Menschen vergebens zu erwachen suchen.

> Nichts, was hier vorgeht, ist von anderem Stoff
> als wie der schwere Alptraum eines Fiebers,

stöhnt Klytämnestra und beschwört Aighist: „Wecke, rette mich!" Ganz ähnlich Orest:

> Der Traum hat meines Lebens sich bemächtigt,
> es brennt wie deines, Weib, in Fieberglut. (S. 1015)

Traum und Wachen, Wahnsinn, Wahnwitz sind ständig wiederkehrende Worte — nicht nur in diesem Stück, sondern in der ganzen Tetralogie. Die Menschen sind nur blinde Werkzeuge einer höheren Macht, gegen die es keine Auflehnung gibt. Ein „Wirbel" reißt alle ins Verhängnis. Es ist der letzte und äußerste Ausdruck des Determinismus, der Hauptmanns ganzes Lebenswerk beherrscht. Wie Felix A. Voigt richtig bemerkt: „Hier spricht sich deutlicher als je sonst der abgrundtiefe Pessimismus aus, mit dem Hauptmann die Welt seiner letzten Jahre deutet: der Mensch — ein Nichts im Wirbel der Schicksalsmächte, die ihn zertreten."[46]

Es ist kein Zweifel, daß der Krieg, in dessen Verlauf das ganze Werk entstand, einen tiefen Einfluß darauf ausgeübt hat. Voigt nennt es geradezu „Hauptmanns große Kriegsdichtung, geformt in der Gestalt des uralten Mythos vom Geschick des Hauses des Atreus".[47] Das gilt besonders für die beiden Mittelstücke, die zuletzt entstanden.

Gewiß steht Hauptmanns Drama als Sprachkunstwerk weit zurück hinter Hofmannsthals. Sein regelmäßiger Blankvers hat etwas Klischeehaftes und leidet — wie oft beim späten Hauptmann — an unnötigen Füllwörtern und Flüchtigkeiten. Von dem Glanz seiner frühen Versdramen ist wenig zu spüren. Dennoch kann man der Sprache eine gewisse finstere Wucht und Ausdruckskraft nicht absprechen. Wie so oft geht es Hauptmann mehr um unmittelbare Vergegenwärtigung seiner Vision als um ihren sprachlichen Ausdruck.

Sowohl Hauptmanns wie Hofmannsthals *Elektra* gehören zu den dunkelsten Tragödien in ihrem gesamten Werk. Aber während sie bei Hofmannsthal eine Anomalie, einen Abweg darstellt, ist sie bei Hauptmann der Endpunkt einer lebenslangen Entwicklung. Denn Hofmannsthal strebte letzten Endes nach Harmonie, nach Integration seiner widerstrebenden Tendenzen, nach der „allomatischen" Lösung; Hauptmann aber sah die menschliche Existenz als einen nie endenden Kampf, ein „Urdrama", für das es keine Lösung gibt.

Beide Dramen deuten den antiken Stoff im Geist ihrer Zeit. Doch die Beziehung zu ihrer Zeit ist eine andre: Hofmannsthals Stück wurde von seiner Zeit getragen, es war in Form und Gehalt Ausdruck zeitgenössischer Strömungen — so sehr, daß es heute als typisches Erzeugnis seiner Epoche gelten kann. Hauptmanns *Atriden* jedoch sind das späte Produkt eines Mannes, der mit seinem Alterswerk in eine völlig entfremdete Zeit ragt. Obgleich auch sie von ihrer Zeit, der Erschütterung des Zweiten Weltkrieges, geprägt sind, so steht doch ihre Form, ihre mythologische Einkleidung, in schroffem Widerspruch zur zeitgenössischen Dramatik. Es ist darum kein Wunder, daß Hauptmanns *Atridentetralogie* — und somit seine *Elektra* — bisher kaum Widerhall auf der Bühne gefunden hat. Dennoch sei die Behauptung gewagt, daß seine Deutung des antiken Mythos, das Bewußtsein der Verlorenheit des Menschen in einer absurden Welt, dem heutigen Lebensgefühl näher steht als Hofmannsthals.

Anmerkungen

1 Vgl. Felix A. Voigt: *Gerhart Hauptmann und die Antike*. Berlin 1965, S. 50.

2 Hofmannsthal: *Gesammelte Werke. Aufzeichnungen*. Frankfurt a. M. 1959, S. 131.

3 Hofmannsthal: *Gesammelte Werke. Prosa III*. S. 353.

4 Hauptmann: *Das gesammelte Werk*. Berlin 1942, Bd. 5, S. 143.

5 Zitiert bei M. Machatzke: *Gerhart Hauptmanns nachgelassenes Erzählfragment „Winckelmann"*. Berlin 1968, S. 174.

6 Hofmannsthals Bild der Antike läßt sich freilich, wie schon angedeutet, nicht auf einen Nenner bringen. Es wandelt sich ständig und ist von vielen heterogenen Einflüssen bestimmt. So heißt es in seinen *Aufzeichnungen*: „Betrachtet man die Wielandsche Auffassung der Antike und die Nietzschesche nebeneinander, ebenso die von Winckelmann und von Jacob Burckhardt, so erkennt man, daß wir etwa noch mehr als die andern Nationen die Antike als einen magischen Spiegel behandeln, aus dem wir unsere eigene Gestalt in fremder, gereinigter Erscheinung zu empfangen hoffen." (*Aufzeichnungen*, S. 43.)

7 Ebd., S. 131.

8 Ebd., S. 131 f.

9 Ebd., S. 132.

10 Ebd., S. 132.

11 *Briefe der Freundschaft*. Berlin 1953, S. 51.

12 Es ist kein Zufall, daß Richard Strauss die beiden Dramen nacheinander in Musik setzte, wobei er anfangs sogar ihre „Ähnlichkeit" befürchtete. (Vgl. Strauss-Hofmannsthal: *Briefwechsel*. Zürich 1952, S. 16 f.)

13 *Aufzeichnungen*, a. a. O., S. 217.

14 *Dramen II*. S. 66.

15 *Prosa III*. S. 354.

16 Ebd., S. 355.

17 Ebd., S. 354.

18 Ebd., S. 355.

19 *Aufzeichnungen*, a. a. O., S. 217.

20 Ebd., S. 221.

21 *Dramen II*. S. 58.

22 *Prosa III*. S. 138 f.

23 Brief an Hermann Bahr.

24 E. M. Butler geht so weit, Elektras Szene mit Klytämnestra mit der psychoanalytischen Behandlung einer neurotischen Patientin zu vergleichen. (E. M. Butler, *Hofmannsthal's ‚Elektra': A Graeco-Freudian Myth.* Journal of the Warburg Institute, Bd. 2, H. 2, London 1938.)

25 Maximilian Harden: *Hofmannsthals Griechenstücke.* In: Die Zukunft 48, 1904, S. 352.

26 *Dramen II.* S. 63.

27 Alfred Kerr: *Die Welt im Drama.* Bd. 1, Berlin 1917, S. 162.

28 Ebd., S. 160 f.

29 *Prosa II.* S. 78.

30 *Dramen II.* S. 14.

31 Ebd., S. 24.

32 Vgl. *Prosa II.* S. 81 ff.

33 Gerhart Hauptmann: *Die Kunst des Dramas.* Berlin 1963, S. 181.

34 Hofmannsthal: *Briefe 1900—1909.* Wien 1937, Nr. 55.

35 Ebd., Nr. 100 (an Hans Schlesinger).

36 Hofmannsthal kam nochmals auf den Stoff zurück, als er Richard Strauss 1912 (also im Jahr der *Ariadne*) ein Ballett *Orest und die Furien* vorschlug: „Die Tragödien des Atridenhauses sind nun einmal die tragischen Sujets kat' exochen." (Strauss-Hofmannsthal: *Briefwechsel*, a. a. O., S. 166.)

37 C. F. W. Behl: *Zwiesprache mit Gerhart Hauptmann.* München 1949, S. 47.

38 Ebd., S. 271 f.

39 Ebd., S. 281 f.

40 Die Beziehung der drei griechischen Tragiker untereinander ist ausführlich von Walter Jens in *Hofmannsthal und die Griechen* entwickelt. (Tübingen 1955, S. 499 ff.) Vgl. auch Hans-Joachim Newiger: *Hofmannsthals ‚Elektra' und die griechische Tragödie.* In: Ircadia 4, Berlin 1969, S. 138 ff.

41 Behl, *Zwiesprache*, a. a. O., S. 263.

42 Ganz ähnlich verlegt Hauptmann in seinem ersten griechischen Stück, dem *Bogen des Odysseus*, die Rückkehr des Helden und den Freiermord ins Gehöft des Hirten Eumaios. Beidemal entspringt die Ortswahl seiner elementaren Verbindung mit der Natur, sei sie idyllisch oder finsterdrohend.

43 Gerhart Hauptmann: *Sämtliche Werke.* Centenar-Ausgabe, Frankfurt a. M. — Berlin 1962 ff., Bd. 3, S. 1011.

44 Die Demetersage hat für den späten Hauptmann überragende Bedeutung. Sie findet vollen Ausdruck in der unvollendeten Mysterien-Dichtung *Demeter,* an der er 1935—1937 arbeitete. Der Bezug auf Demeter im mykenäischen Zeitalter ist natürlich ein Anachronismus.

45 Felix A. Voigt: *Gerhart Hauptmann und die Antike.* A. a. O., S. 162.

46 Ebd., S. 160.

47 Ebd., S. 144.

Manfred Schunicht

DIE „ZWEITE REALITÄT"

Zu den Erzählungen Gerhart Hauptmanns

„Entbinden wir nur unsere Phantasie und machen sie zum Erkenntnisorgan: das ist der höchste und letzte Sinn unseres Lebens."[1] Dieses Postulat einer Rahmenfigur aus Hauptmanns Erzählung *Das Meerwunder* geht über den leicht einsehbaren Zusammenhang mit der im Untertitel so bezeichneten „unwahrscheinlichen Geschichte" weit hinaus. Einerseits unterstreicht es wiederum die Bedeutung, die Hauptmann Phantasie und Traum der menschlichen Existenz allgemein zumaß, denn „unsere Phantasie nährt sich von den Eindrücken des Tages, mehr noch von denen der Nacht. Unser wahrer Zustand wird mit der Erscheinung der Sonne gleichsam unterbrochen. Wir werden in die göttlichen Äußerlichkeiten abgelenkt."[2] Andererseits modifiziert jenes Postulat die Funktion, die Phantasie, Traum und Imagination in seinen Werken erfüllen; es modifiziert sie als Möglichkeit der Erkenntnis. „Nicht träumen können, würde, wie es mit uns nun einmal bestellt ist, heißen, nicht denken können ..."[3]; oder wie Hauptmann an einer anderen Stelle der *Einsichten und Ausblicke* formuliert: „Zieht man ab, was der Mensch wirklich erkennt, so bleibt ihm noch das ungeheure Werk seiner Einbildungen: fast alles, was ihn ängstigt und erfreut, ist darin beschlossen. Zieht man dagegen alles dieses ab, was bleibt übrig?"[4]

Auf den ersten Blick scheinen sich Hauptmanns Hinweise auf die Beziehungen zwischen Phantasie und Erkenntnis mit vergleichbaren Auffassungen der deutschen Romantik zu berühren. Sie gemahnen an Novalis' späte Fragmente[5], an Jean Pauls *Kantate-Vorlesung. Über die poetische Poesie*[6], an die Erkenntnisproblematik im Werk E. T. A. Hoffmanns.[7] Gerade auf E. T. A. Hoffmann scheint zudem die von Hauptmann in diesem Zusammenhang mehrfach benutzte Spiegel-Metaphorik[8] zurückzuverweisen.

Dennoch wäre es verfehlt, in solchen Berührungspunkten mehr als einen allgemeinen Traditionszusammenhang zu sehen. Das liegt nicht nur an der äußerst eklektizistischen Rezeptionsweise, mit der Hauptmann verfuhr, sondern vor allem an der grundsätzlich anderen Akzentuierung, die er der tradierten Thematik in seinen Erzählungen verleiht. Für Hauptmann ist auf überraschende Weise das Erkenntnisproblem, das mit der aus Phantasie, Imagination oder Traum gestalteten poetischen Wirklichkeit gegeben ist, kein Problem der Poesie, aber auch keines ihrer Darstellung, sondern ausschließlich das Problem der erzählten Gestalten. Hauptmann läßt Gestalten seiner Erzählungen mit Hilfe ihrer eigenen Phantasie zu einer neuen Realität finden, die mit der Wirklichkeit ihres bisher erfahrenen Lebens nicht mehr identisch ist.

Traum und Phantasie sind somit nicht allein relevant für den Schaffensprozeß des Erzählers Gerhart Hauptmann, der zudem ein ausgeprägt registrierender Beobachter seiner Umwelt war. Mit Hilfe von Traum und Phantasie erweitern vielmehr Gestalten seiner Erzählungen ihre Lebensmöglichkeit und Lebenserfahrung um eine neue Dimension, sie gewinnen eine neue Realität. Dem Erzähler in *Die Spitzhacke*, dem der Wein die Kräfte der Phantasie entbunden hat, geht es um diese „zweite Realität, eigentlich ... dritte Realität", will er sich doch nicht wie „der gewöhnliche Mensch ... bei der ganz gemeinen grob sinnlichen Wirklichkeit" bescheiden. Wie sich „eine Reihe von Wissenschaften ... mit der geistigen Wirklichkeit", der durch Abstraktion gewonnenen zweiten Realität beschäftigt, so befaßt er sich „mit der wieder reales Objekt gewordenen geistigen Wirklichkeit"[9] — bei der, wie der Erzählzusammenhang unübersehbar erweist, Traum und Phantasie mit gemeint sind — als einer dritten Realität. Auch Cardenio, die Erzählergestalt im *Meerwunder*, versteht die neu gewonnene Realität im Unterschied zu der „Welt gemeiner Wirklichkeit"[10] als „eine Art zweiter Realität"[11] und meint damit das gleiche Phänomen, weshalb im folgenden die Bezeichnung „zweite Realität" beibehalten werden soll.

Der Weg von der bisher erlebten Wirklichkeit in diese neue Realität birgt nun für Hauptmanns Gestalten jenen Erkenntnisvorgang, auf den Benno von Wiese anläßlich des Epos *Der große Traum* mit seinem Hinweis auf die Bedeutung des „Traums" als „Erkenntnisquelle"[12] aufmerksam gemacht hat. An drei Erzählungen, in denen die Bedeutung der von seinen Gestalten bisher erlebten Wirklichkeit oder der durch ihre Imaginationskräfte geschaffenen „zweiten Realität" jeweils verschiedenes Gewicht besitzt, sollen solche Erkenntnisvorgänge aufgezeigt werden, an den Erzählungen *Das Meerwunder, Der Ketzer von Soana* und *Phantom.*

Im *Meerwunder* ist die Darstellung dieser Thematik dadurch bestimmt, daß die Intention des Erzählens nicht auf die Überwindung der Wirklichkeit zielt: hier ist die Wirklichkeit von vornherein ausgeklammert. Schon der Zuhörerkreis, vor dem Cardenio seine Lebensgeschichte berichtet, der „Klub der Lichtstümpfe", sucht, ausgeschlossen „aus der Front des Lebens" und konfrontiert mit den Phänomenen der Vergänglichkeit und des Todes, eine von der Wirklichkeit unabhängige Sinngebung des Lebens. Seine Mitglieder finden sie in der wenn auch völlig mißverstandenen kynischen Philosophie, die sie mit „einer Art magischen Mantels" aufputzen. So ersetzen sie den verlorenen Wirklichkeitsbezug durch ihre Phantasie und „schwelgen" damit in einer „Luzidität, welche von der Wirklichkeit nie erreicht werden kann".[13] Der rhetorische Aufwand, mit dem ihr Sprecher in der Rahmenerzählung die Ziele des Klubs verficht, kann jedoch nicht darüber hinwegtäuschen, daß seine Mitglieder keineswegs jene

„zweite Realität" erreicht haben, um die es Cardenio geht. Das zeigen schon die einzelnen Stücke ihres Klub-Museums: ein Stiefel Kolumbus', das Schweißtuch der Veronika, der Steigbügel des Prinzen Eugen. Und auch die Statuten, die jedes Mitglied verpflichten, einmal im Jahr „die unwahrscheinlichste Geschichte, die ihm begegnet ist, zu erzählen"[14], lassen keinen Zweifel an der Art dieser Gesellschaft und ihrer Gespräche. Hart an der Grenzscheide zwischen Originalität und Narrentum überspielen die Mitglieder dieses Klubs den fehlenden Wirklichkeitsbezug ihres Lebens durch phantastische Einfälle oder Lügengeschichten.

Von diesem Kreis ist Cardenio deutlich abgehoben. Schon mit seinem ersten Wort: „Ich lüge nie!"[15], dann mit seinem Protest gegen den Versuch, seine Lebensgeschichte mit einem Schiffermärchen gleichzusetzen[16], unternimmt er die notwendige Abgrenzung gegenüber den Erwartungen seiner Zuhörer und der Art ihrer Geschichten. Cardenios Erzählung setzt den Schlußpunkt unter ein Leben, dem die Bedingungen und Gesetzmäßigkeiten der Wirklichkeit unwichtig geworden sind.

Sein Dasein wurde geprägt durch ein zentrales Erlebnis, das, geschaffen durch die Kräfte seiner Phantasie, zu einer lebensbestimmenden Erkenntnis führte. Nun aber, unmittelbar vor seinem Tode, sucht er sich des Realitätscharakters dieses imaginären Erlebnisses zu vergewissern, den Zweifel zu beseitigen, dem seine Lebensgeschichte immer ausgesetzt war. Sinn und Ziel seines Erzählens ist es, sich der durch die Phantasie geschaffenen „zweiten Realität" als einer unabhängig von der Wirklichkeit möglichen Erkenntnisquelle zu versichern. Dabei gelingt es seiner Imaginationskraft unschwer, seinem vertrauten und allem Phantastischen offenen Zuhörerkreis diese „zweite Realität" als eine mögliche Wirklichkeit darzustellen. Aber seine Erzählweise führt auch den Fremden, den Erzähler des äußeren Rahmens, vor Erscheinungen, die die Grenze zwischen Traum und Wirklichkeit zu verwischen drohen, vor Erscheinungen, die von ihm als „Täuschung des Gesichts" zu nehmen sind oder, wie der Fremde sich gesteht, eine „Wirklichkeit" bedeuten könnten, die ihn zwingen müßte, sein „ganzes bisheriges, durch Ausschluß von seinem Wesen und seiner Tiefe erlangtes Wissen vom Leben"[17] wegzuwerfen.

Mit dieser Reflexion des Rahmenerzählers ist zugleich der entscheidende Punkt bezeichnet, um den Cardenios Erzählung kreist. Ihm gelang es mit Hilfe seiner Phantasie, sein Wissen vom Leben, seinem Wesen und seiner Tiefe so zu erweitern, daß er es schließlich von einem Standort außerhalb des Lebens zu betrachten vermochte. Den Weg zu dieser Erkenntnismöglichkeit öffnete ihm seine Geliebte, die sich mehr und mehr als eine „menschliche Seekatze"[18] erwies und vollends nach ihrem menschlich-physischen Tode ihr eigentliches Wesen zeigte: Chimaera ist eine neue Undine. Aus der nach ihrem menschlichen Bild geschnitzten Gallionsfigur erwacht sie zu einem dämonischen Leben und führt Cardenio in das Zwischenreich der Elementargeister, in das er sich nach einem

Schiffbruch in einer neuen Robinsonade unauflösbar verstrickt sieht. Hinter diesem, durch zahlreiche tradierte Motive aufgefüllten Erzählinhalt, mit dem Cardenio seine Freunde fasziniert und erheitert, verbergen sich nun zwei chiastisch aufgebaute Entwicklungslinien, in deren Schnittpunkt Cardenio steht.

Die eine zeigt das Schicksal Chimaeras, die sich „gegen die Urnatur in ihr selber" empört und aus einer Seekatze zum Menschenwesen wird. Im Unterschied zu Fouqués Undine scheitert Chimaera jedoch nicht primär an der Untreue ihres Geliebten, sie wird durch ihr Menschsein selbst widerlegt. Ihr „Menschentum" hat sie „die ganze Furchtbarkeit des Daseins erst sehen gelehrt, ihr die ganzen irdischen und grenzenlosen Höllen erschlossen".[19] Aus ihrer Einsicht in die Unaufhebbarkeit des Leidens, des nicht erkennbaren Sinns, der das Leben begründen könnte, gelangt Chimaera zu einer vorbehaltlosen Absage an ihr Menschentum. Mit ihrem Schrei: „Ich will kein Mensch sein!" sind Absage und Anklage zugleich verbunden, Absage an ihr Menschentum und Anklage gegen den „Schöpfer", dem sie ihre Menschheit „als ein aufgezwungenes, qualvoll Abscheu erregendes Höllengeschenk vor die Füße"[20] wirft.

Dieses in all seinen gräßlichen Einzelheiten in der Imagination miterlebte Schicksal Chimaeras hat für Cardenio den Charakter einer Erleuchtung, zwingt ihn zu einem radikalen Pessimismus, der die Lebenskritik Schopenhauers weit übertrifft. Die absolute Verneinung des Lebens ist das Ergebnis seiner Erkenntnis, die ihn völlig wandelt: „Ich sah nur das Häßliche, Widerwärtige, und daß ich je etwas für schön gehalten hatte in dieser allseitig grausigen Welt und Menschenwelt, konnte ich, so verwandelt, nicht mehr begreifen."[21] Aber neben dem in der Phantasie miterlebten Weg Chimaeras vom Elementarwesen der Meerfrau über ihr Menschsein bis zu ihrer Vernichtung durch die Menschennatur schafft Cardenios Imagination noch eine zweite Entwicklungslinie, die er als andere Seinsmöglichkeit gleichsam modellhaft durchspielt.

Während seiner Robinsonade gewinnt er die Liebe einer Nereide. Mit ihr hofft er, das ursprünglich naturhafte Sein als eine Totalität des Lebens zu finden, die keine durch die Entwicklung der Menschheit bedingten Beschränkungen kennt:

> Die persönlichen Grenzen weiteten sich und löschten endlich völlig aus, wodurch dann . . . das Universum in mich eindringen konnte. Ein süßes Gefühl des Unbeengten, des Befreiten, ja gänzlich Freien beseligte mich, ein geradezu schöpferisches, übermenschliches, göttliches Freiheitsgefühl, das alles erlaubte, alles besaß oder doch geschenkt erhielt . . .[22]

Aber wie Chimaera an ihrem Menschsein zugrunde ging, so scheitert auch Cardenio an seiner unaufhebbaren Menschennatur. Mit einer knappen, fast abrupten Erklärung schneidet Cardenio mit seinen Hinweisen auf Chimaeras eifersüchtige Rache und die plötzliche Errettung aus seiner Robinsonade den Faden der Geschichte ab. Am Schluß bleibt die Erkenntnis, daß auch die „zweite Realität", daß selbst die Möglichkeiten der Imagination keinen anderen Ausweg aus dem menschlichen Dasein weisen können als Tod und Asche, als die Auflösung im Nichts.

In keiner anderen seiner Erzählungen hat Gerhart Hauptmann seinen Pessimismus gegenüber dem klassizistischen Ideal der Humanität so scharf und nachdrücklich akzentuiert wie im *Meerwunder*. Seine Skepsis wirkt deshalb so eindringlich, weil Hauptmann hier die Phantasie als Erkenntnismöglichkeit keineswegs auf den Vorstellungshorizont eingrenzt, wie er an sich mit der Konzeption seiner Erzählergestalt vorgegeben ist. Cardenio ist eine in mehrfacher Hinsicht literarische Gestalt. Damit ist nicht primär der Zusammenhang mit der Cardenio-Figur in Cervantes' *Don Quixote* gemeint, teilt Hauptmanns Erzähler doch nur wenige Züge mit ihr und den späteren Gestaltungen bei Andreas Gryphius, in Achim von Arnims *Halle und Jerusalem* oder Karl Immermanns *Cardenio und Celinde*. Wichtiger bleibt, daß die Struktur der Phantasie seines Erzählers Cardenio insgesamt bestimmt ist von literarischen Anspielungen, Allegorien, philosophischen und mythologischen Elementen. Gerade durch ihren Einbezug erhält Cardenios Erkenntnis eine grundsätzliche zeitkritische Bedeutung, auf die zuletzt Eberhard Hilscher hingewiesen hat[23], eine Bedeutung, die Hauptmann dieser zwischen 1933 und 1934 geschriebenen Erzählung offensichtlich zu geben bemüht war.

Das Meerwunder stellt das Gegenstück dar zu der 1917 abgeschlossenen Erzählung *Der Ketzer von Soana*. Wenn Cardenio in dem von Dämonen getragenen Kampf zwischen mythischen Urgewalten scheitert, so vermag der Ketzer von Soana durch den Entwurf seiner „zweiten Realität" die intendierte Lebenstotalität als möglich und erreichbar erscheinen zu lassen. Er findet die Sinngebung des Lebens in den Mysterien des Eros. Ihr Erlebnis öffnet ihm den Weg aus seiner früheren zivilisatorischen Unnatur, die seine Lebenskräfte paralysierte, zur vollen Natur, die sich vor allem, wenn nicht ausschließlich in der Schöpferkraft manifestiert und allein durch sie den Menschen zum Göttlichen erhebt. So führt das Erlebnis des Eros zu der lebensbestimmenden Erkenntnis, die aus dem katholischen Seelenhirten Francesco den Berghirten Ludowico macht. Zwar setzt es die erst spät geweckte Empfindung der Natur voraus, das Miterlebnis ihrer Erhabenheit und ihrer immer neu zeugenden und schaffenden Kräfte, aber das Eros-Erlebnis selbst wird vor allem von der Imagination der Titelgestalt getragen. Die Phantasie bestimmt schon seine erste Begegnung mit Agata, der Tochter eines blutschänderischen Geschwisterpaares, zu dessen Bekehrung Francesco in ihre weit von der dörflichen Siedlung liegende Wohnung aufbricht. Ihre Behausung gleicht der Mensch und Vieh zusammen bergenden „Höhle" eines „Steinzeitmenschen".[24] Francescos Phantasie jedoch verändert diese Szenerie, sie hebt die vorgegebenen Wirklichkeitsbezüge auf: „Das qualmige Loch dieses tierisch-menschlichen Wohnstalles schien wie durch Zauberei in die lieblichste aller kristallenen Grotten des Danteschen Paradieses verwandelt zu sein: voll Engelstimmen und lachtaubenartig klingender Fittiche."[25]

Darüber hinaus integriert seine Imaginationskraft sein Liebeserlebnis und die aus ihm resultierenden Träume und Visionen in überlieferte Mythen. Auf paradigmatische Weise verdeutlicht die Gestalt des Binnenerzählers den Zusammenhang zwischen Phantasie und Mythos, wie ihn Gerhart Hauptmann im *Griechischen Frühling* dargestellt hat. Aus der Klage, daß „die reinen Kräfte der Phantasie heute ungenützt und profaniert" bleiben, erwächst Hauptmanns Überzeugung:

> Und deshalb, weil die Kräfte der Phantasie heut vereinzelt und zersplittert sind und keine gemäße Umwelt (das heißt: keinen Mythos) vorfinden, außer jenem, wie ihn eben das kurze Einzelleben der Einzelkraft hervorbringen kann, so ist für den Spätgeborenen der Eintritt in diese unendliche, wohlgegründete Mythenwelt zugleich so beflügelnd, befreiend und wahrhaft wohltätig.[26]

Die Phantasie des Erzählers transformiert seine Erlebnisse, seine bewußten und unbewußten Sehnsüchte und Begierden in die durch die Mythologie vorgegebenen Zeichen und Abläufe, in die Symbole der Zeugung durch Bock und Stier bis zu dem des Phallusdienstes, in die Mythen von Atagartis bis zu Lakschmi, die als Sita die Priester in ihren Umarmungen sterben ließ. Und schließlich leistet seine Phantasie jene Vereinigung des Antiken, des Heidnischen und des Christlichen, die H. F. Garten, wenn auch aus einer anderen Argumentation heraus, als „das Entscheidende — und für Hauptmann Charakteristische —" dieser Erzählung bezeichnet hat, daß nämlich „des Priesters neu-erwachtes Naturgefühl mit seinem christlichen Glauben verschmilzt, ja ihm als dessen höchste Steigerung erscheint".[27] Diese durch die Phantasie vollzogene Vereinigung des Unvereinbaren findet ihren genuinen Ausdruck in jener Vision, in der Francesco auf dem Berggipfel als oberster Priester „den Kelch der Eucharistie und der Wandlungen" erhebt, während er umgeben ist von „lauschenden Engeln, Heiligen und Aposteln", zugleich von „Mänaden" und „ziegenfüßigen Satyrn"[28], die ihrerseits das Phallussymbol umhertragen.

Erst durch die Umwandlung aller Bereiche seiner sinnlichen und geistigen Erfahrung in eine durch die Phantasie geschaffene „zweite Realität" gewinnt der Berghirt den Lebensraum, in dem er mit der Geliebten jenes Glück findet, „über das hinaus" er, wie F. Usinger formuliert hat, „kein anderes zu begehren weiß. Dieses eingeschränkte Dasein ... hat keine Leerräume, keine Wunschwinkel. Das wohl höchste Wunder im Raum des Menschlichen ist hier vor sich gegangen: jede Sehnsucht ist erloschen." Dennoch wird man der These Usingers, der hier die am reinsten geglückte „Form der Lebens-Vollendung"[29] in Hauptmanns Erzählungen erblickt, aus mehreren Gründen mit Skepsis begegnen. Der gewichtigste liegt darin, daß der in dieser Erzählung gewonnene Lebensraum, der als Voraussetzung für die „Lebens-Vollendung" des Erzählers zu gelten hat, immer wieder als „Garten Eden" und als „Paradies"[30] bezeichnet wird. Das ist keineswegs ein auch dem Sinnzusammenhang dieser Erzählung widersprechender Rückgriff auf christliche Vorstellungen, auch nicht metaphorische Umschreibung des grundsätzlichen menschlichen Neubeginns, den der Berghirt für sich und seine Geliebte beansprucht, es ist vielmehr der Entwurf eines neuen Paradieses, der noch in der Tradition von Schillers Verständnis des „Elysium" steht. Auch für das Paradies des Ketzers von Soana gilt, was Benno von Wiese in seiner Analyse des Schillerschen Begriffs verdeutlicht hat, es ist „eine paradoxe Realität, die geistige Seligkeit und sinnliches Glück zugleich meint". Für Hauptmann jedoch, und darin verändert er diesen Vorstellungsbereich, erfährt das Elysium eine stabilisierende Verfestigung: die Elemente des enthusiastisch Augenblickhaften fehlen in gleicher Weise wie die Bedrohung durch Vergänglichkeit und Tod. Jedoch setzt auch bei ihm diese Lebensmöglichkeit „eine Abstraktion voraus, nämlich die Ausklammerung des menschlichen Daseins" aus „Gesellschaft und Geschichte".[31]

Anders als im *Meerwunder* sind im *Ketzer von Soana* von Anfang an die Bezüge zur Wirklichkeit durchaus gegeben: die soziale Gebundenheit des Priesters, seine aus Erziehung und Beruf resultierenden Determinationen. Aber in dem Maße, in dem er den Weg findet, „aus einem unnatürlichen Menschen ein natürlicher, aus einem zerstörten und verdrossenen ein glücklicher und zufriedener"[32] zu werden, gewinnt die von seiner Phantasie getragene „zweite Realität" eine solch lebensformende Bedeutung, daß die Bezüge zu seiner bisherigen Existenz immer mehr zurücktreten. Nicht von ungefähr bleibt die im Thema selbst liegende und in der Erzählung des Berghirten immer wieder erhobene Kritik an der Gesellschaft, an der Institution der Kirche ohne Konsequenz, wird seine Verstoßung aus der Gemeinde, seine Exkommunikation und vorübergehende Emigration nach Argentinien nur beiläufig, fast als etwas Unwesentliches erwähnt. Hier bedingt die „zweite Realität" ein gesellschaftsloses Leben, dessen zeitlos bukolische Grundstimmung mit der Landschaftsschilderung korrespondiert und das Tessin auf weite Erzählstrecken in die aus dem *Griechischen Frühling*[33] bekannten bedeutungsschwangeren griechischen Landschaften verwandelt.

Wie aber ist es um die durch die Phantasie geschaffene „zweite Realität" bestellt, wenn sie sich auf unlösbare Weise mit der zeitlich und gesellschaftlich konkret fixierten Wirklichkeit konfrontiert sieht und keine Flucht- oder Auswegmöglichkeit aus der vorgegebenen sozialen Komplexität offenzuhalten scheint? Eine Antwort auf diese Frage gibt Hauptmanns zu wenig beachtete Erzählung *Phantom. Aufzeichnungen eines ehemaligen Sträflings,* die zwischen 1915 und 1921 entstanden ist.

Auch hier wird in der Binnenerzählung der Beginn der Entwicklung, der zu Wandlung und Erkenntnis der Erzählergestalt führt, geprägt durch Macht und Mysterium des Eros. Liegt der Akzent im *Ketzer von Soana* auf der durch das Eros-Erlebnis freigesetzten Schöpferkraft, so erfährt der Erzähler hier die Gewalt der Schönheit mit einer so plötzlichen und sein Leben verändernden Intensität, daß er durch sie alle seine bisherigen Maßstäbe und Wertungen der Wirklichkeit in Frage gestellt sieht. Diese Intensität wird nicht zuletzt dadurch erreicht, daß der Erzähler das die Wandlung auslösende Erlebnis in eine konkrete zeitliche und gesellschaftliche Wirklichkeit verlegt, die von vorn herein unauflösbare Diskrepanzen und Kontraste schafft: Im Breslau des Jahres 1900 wird der ärmliche hinkende Magistratsschreiber Lorenz Lubota, Sohn eines Trinkers, der mit seiner verwitweten Mutter in einer schäbigen kleinbürgerlichen Wohnung haust, von der elementaren Schönheit eines jungen Mädchens ergriffen und verliebt sich in die verwöhnte Tochter eines Kaufmanns und Kommerzienrates, die in einer mit allen Attributen des Großbürgertums ausgestatteten Welt lebt, mit Gouvernante und Dienern, Villa, Pferden und Wagen. Er verfällt ihr in einer Weise, die ihm nur durch zauberische Hexenkräfte erklärbar, nur als dämonisch-teuflische Besessenheit begreifbar ist.

Diese bis zur bekannten literarischen Konflikt-Schematisierung des Trivialromans vorgetriebene Kontrastierung bildet jedoch lediglich Voraussetzung und auslösendes Moment für die Entwicklung Lubotas. Vergebens versucht er, durch Selbstmord „ein Ende zu machen" und sich „von der sinnlosen", weil nicht in die soziale Wirklichkeit umsetzbaren „Macht dieser Imagination zu befreien".[34] Mit diesem Hinweis auf die Imagination ist der Schlüssel zum Verständnis seiner Entwicklung gegeben. Auch Lubota schafft sich durch seine Imagination eine „zweite Realität", nur ist sie hier so unauflösbar in die durch Raum, Zeit und Milieu konkret fixierte Komplexität der sozialen Wirklichkeit verstrickt, daß ihm die Fähigkeit abhanden kommt, zwischen ihren Gesetzmäßigkeiten und den Gebilden seiner Phantasie zu unterscheiden. Die Wirklichkeit, mit der er sich bisher in Übereinstimmung wußte, verliert ihre sichernde Gewißheit. „Die Wirklichkeiten um mich herum", so erinnert sich Lubota, „bestanden eigentlich gar nicht mehr. Breslau war eine Stadt der Phantasie geworden, ein Vineta vielleicht, in dem ich nach einem Palast aus blauem Türkis und der Nixenkönigin, die darin wohnen mußte, auf der Suche war."[35] Wie er die Wirklichkeit als Gebilde seiner Phantasie nimmt, so bedeuten ihm die Vorstellungen seiner Phantasie gesicherte Wirklichkeit. Seine Imaginationskraft läßt ihn seine bedeutungslosen poetischen Versuche als Leistung sehen, die ihm mit einem Schlage zu literarischer Berühmtheit verhelfen, ihm den ersehnten Reichtum bringen und seine Werbung zu einem Erfolg führen müßte. Da auch seine Umwelt den Wirklichkeitscharakter seiner Vorstellungen zu akzeptieren oder ausdrücklich zu bestätigen scheint, kann er seine „zweite Realität" mit der sozialen Wirklichkeit identifizieren. Lorenz Lubota wird — wie alle Gestalten Hauptmanns in gleicher Situation — zum „Betrüger"[36], zum „Hochstapler"[37].

Die besondere Ausprägung des Hochstapler-Motivs liegt nun darin, daß Hauptmann in der Binnenerzählung aus der Gleichsetzung von „zweiter Realität" und sozialer Wirklichkeit alle Konsequenzen für seine erzählte Gestalt zieht. Die Unfähigkeit, zwischen beiden Bereichen zu unterscheiden, führt Lubota in eine psychische Gespaltenheit, in eine „wunderbare Verwirrung"[38], in der er in den Armen einer perversen Kokotte, die eine äußere Ähnlichkeit mit der Geliebten besitzt, das zwielichtig körperlich-mystische Liebeserlebnis findet, das ihm in der vorgegebenen Wirklichkeit, in der er mit ihr kein einziges Wort wechselt, versagt bleibt. Andererseits läßt ihn das fehlende Unterscheidungsvermögen seine früher stark ausgeprägten sozialen Orientierungsmaßstäbe verlieren. Ahnungslos gewinnt er mit einer Gestalt aus der sozialen Unterwelt, in der Betrug und Hochstapelei nun einmal nicht mit subtilen psychologischen Analysen gedeutet werden, den Freund, der sein weiteres Schicksal entscheidend lenkt. Durch ihn gerät er immer stärker in die Welt des Betruges und Schritt für Schritt in die des Gaunertums und des Lasters hinein; die Wirklichkeit selbst zwingt ihn, die jeweiligen Folgerungen zu ziehen, die sich aus seiner Hochstapelei und seinen immer größeren Betrügereien ergeben. So wird Lubota schließlich mit detailliert nachgezeichneter Folgerichtigkeit zum haltlosen Projektemacher, zum Bankerotteur, zum Mitwisser an einem geplanten Einbruch, der in einem Raubmord endet.

Der Versuch, die „zweite Realität" mit der sozialen Wirklichkeit zu identifizieren, mündet konsequent in der sorgfältig motivierten und als Kausalablauf berichteten Kriminalgeschichte der Binnenerzählung. Sie ist vom Eros-Erlebnis her allein nicht zu begreifen, da es vor allem als das die Entwicklung auslösende Moment im Erzählverlauf immer weiter in den Hintergrund tritt: Lubota sieht die Geliebte wie „eine Tote"[39], wie eine „schöne Tote auf dem Katafalk" seiner „Seele".[40] Diese Kriminalgeschichte sollte auch nicht nur als Anlaß genommen werden, unter ihrer „ereignisvollen Oberfläche"[41] nach einer anderen Thematik, der „Theodizee-Frage"[42] zu forschen: die Kriminalgeschichte enthält schon die ganze Thematik. Sie erzählt Lubotas verhängnisvolle Entwicklung, der selbst dann, als bei der Entdeckung seines Betruges sein Hochstaplertum schon durchschaut wird, als er sich „durch einen Schnitt bis aufs Rückgrat bloßgelegt" fühlt, entschlossen ist, „kein Mittel unversucht zu lassen, der Entlarvung zu entgehen".[43] Mit einem Wort: Lubota verhält sich bei seinem Versuch, die „zweite Realität" mit der vorgegebenen Wirklichkeit gleichzusetzen, nicht nur wie ein Betrüger und wie ein Hochstapler, er ist unabweisbar zum Verbrecher geworden. Er selbst erkennt mit seiner „früheren nüchternen Urteilskraft"[44] seine Situation. Am Tatort mit der Leiche der Ermordeten konfrontiert, wird ihm die grausame Wirklichkeit des Verbrechens bewußt. Hier findet er die Einsicht in „das ganze hoffnungslose Elend, zu dem alles Leben verurteilt ist"[45], die Einsicht in die Sinnlosigkeit aller Versuche, die Sehnsucht nach dem vollen, durch keinerlei Bedingungen eingeengten Dasein, nach der Totalität des Lebens befriedigen zu wollen. „Der Mensch hat", so weiß Lubota jetzt, „einen überstiegenen Begriff von sich. Er wird in einer Lüge erzogen und wundert sich begreiflicherweise, wenn ihm unter einem brutalen Fußtritt des Schicksals bewiesen wird, wie es in Wahrheit mit seiner Göttergleichheit beschaffen ist."[46] Um dieser Erkenntnis willen bejaht er noch im nachhinein den Weg, den er gegangen ist, hat er ihn doch durch die Erfahrung elementarer Schönheit und erniedrigender Häßlichkeit zu einer neuen Lebenssicherheit geführt. Sie gibt ihm „die Kraft, sich über das Dasein zu erheben. Eine Kraft, die mit der zu entsagen gleichbedeutend ist".[47] Lebenssicherheit aus der Entsagung bedeutet dabei den Verzicht auf die volle Selbstverwirklichung des Menschen in seiner sozialen Wirklichkeit. Deutlicher als mit diesem Verständnis der Entsagung ist der Trennungsstrich zwischen Gerhart Hauptmann und dem 19. Jahrhundert kaum zu ziehen.

Nun hat Hauptmann diese Binnengeschichte mit einem Rahmen der Erinnerung umgeben, in dem sein Erzähler Lubota nicht allein aus der Wertungsperspektive seiner spät gewonnenen Erkenntnis berichtet und nach der endgültigen Sonderung von Sein und Schein vom Standort der vorgegebenen Wirklichkeit aus erzählt. Entsagung bedeutet, und das zeigt der Rahmen mit aller Deutlichkeit, lediglich den resignierenden Verzicht, keineswegs impliziert sie die Notwendigkeit, die vorgegebene soziale Wirklichkeit als einzig mögliche Lebensform anzuerkennen. Schon bei seinem ersten Verhör am Ort des Verbrechens war es Lubota gelungen, die furchtbare Tatsächlichkeit ins unwirklich Gespenstische zu verweisen: „Es sagte mir ein Instinkt, daß die Zunahme des Spukhaften im Kreise meiner Wahrnehmungen für mich sogar von Vorteil sei. Ich brauchte nur ein wenig nachzuhelfen, um der gräßlichen rohen Wirklichkeit das Tatsächliche, Wirkliche fast zu nehmen, das sonst meinen Geist vielleicht zerstört hätte."[48] Durch diese seine Fähigkeit, sich von der vorgegebenen Wirklichkeit so zu distanzieren, daß er von ihr gar nicht mehr erreicht werden kann, gewinnt auch die Gerichtsverhandlung für ihn den Charakter des Unwirklichen, lediglich Fiktiven[49], von dem er kaum berührt wird. Aus solcher Position heraus, der das „Vergangene tatsächlich unwirklich"[50] geworden ist, lebt und berichtet der Rahmenerzähler. Er lebt außerhalb der komplexen gesellschaftlichen Wirklichkeit in einer selbst geschaffenen kleinbürgerlichen Idylle, in der er seine Lebenssicht mit der des dörflichen Schulmeisters vergleicht, der aus sozialem Engagement auf eine glänzende Karriere verzichtet hatte, er versucht, sein Leben mit dem Schicksal „eines ähnlichen Menschen", mit dem Wanders[51] zu identifizieren und Schriftsteller zu werden. Was sich im Rahmen dieser Erzählung als ein Leben aus der Erkenntnis und Entsagung gibt, rückt auf solche Weise wiederum unter den Aspekt der Wirklichkeitsüberwindung durch die Kraft der Imagination.

Damit sind nun grundsätzliche Verhaltensweisen der Gestalten in Hauptmanns Erzählungen bezeichnet. Sie alle sind geprägt durch die Sehnsucht nach Selbstverwirklichung in einem Leben, das ihnen nur in seiner Totalität sinnvoll und lebenswert erscheint. Was sich in der frühen Erzählung *Fasching*, die 1887 vor den Dramen entstand, noch als unstillbare Lebensgier in der Vergnügungssucht des Segelmachers und seiner Frau präsentiert, erfährt schon in den folgenden Erzählungen eine wesentliche Differenzierung. Eingeengt durch die unterschiedlichsten Bedingungen, unter denen die ihnen vorgegebene Wirklichkeit jeweils steht, antizipieren dann seine Gestalten die Lebenstotalität mit Hilfe ihrer Phantasie. Sie schenkt ihnen die Möglichkeit, eine neue Wirklichkeit, eine „zweite Realität" zu entwerfen, in der ihre Sehnsüchte gestillt zu werden scheinen. Damit erreichen sie zuerst einmal eine um neue Dimensionen erweiterte Anschauung des Lebens und eine ungeahnte Steigerung ihrer Erlebnisfähigkeit. Keinesfalls bedeutet der Entwurf einer „zweiten Realität" dabei das bloße Überspielen ihrer vorgegebenen Lebenswirklichkeit durch eine grenzenlose Phantasie, die ihnen das im Leben Unerreichbare als durch die Imaginationskraft erreichbar vorgaukeln würde.

Der Weg von ihrer bisherigen Lebenswirklichkeit in die durch die Phantasie geschaffene „zweite Realität" stellt den Versuch der einzelnen Gestalten dar, die ersehnte Ganzheit für sich selbst zu erreichen. Die Unmöglichkeit, die aus Traum, Vision und Phantasie gestaltete Totalität des Lebens als neu gewonnene „zweite Realität" mit der vorgegebenen, in zahlreichen Determinationen verfestigten sozialen Wirklichkeit in Übereinstimmung bringen zu können, zeigt einen wesentlichen Aspekt des Leidens: die Aufspaltung der für die erzählten Gestalten nicht erreichbaren Lebenstotalität in einander ausschließende Lebensmöglichkeiten. Die Komplexität der sozialen Wirklichkeit in Verbindung mit der nicht realisierbaren Lebensganzheit führte Hauptmann, wie Hans Joachim Schrimpf[52] nachgewiesen hat, zu den ihm eigentümlichen Formen der Episierung in seinen Dramen. In den Erzählungen nutzt Hauptmann zur Darstellung das Stilmittel immer neuer Kontrastierungen. Schon in *Fasching* bestimmt die Kontrastierung die Erzählführung fast ausschließlich, und noch in der späten Erzählung *Der Schuß im Park* ist sie das wesentliche Darstellungsmittel. In *Fasching* kumuliert Hauptmann noch die Gegensätze mit anfängerhafter Beflissenheit. Aber schon im *Bahnwärter Thiel* und endgültig seit der Erzählung *Der Apostel* gestaltet er sie als unentrinnbare Determinanten oder er vertieft sie zu nicht mehr auflösbaren Dissonanzen. Noch Hauptmanns Spätwerk *Das Märchen* (1941) hat seine Basis in der hier grundsätzlich gemeinten Aufspaltung der Wirklichkeit in zahlreiche Kontraste, deren Auflösung nicht erkennbar ist. Gerade *Das Märchen* vertieft zudem noch einmal die Problematik der „zweiten Realität", indem es nicht die Möglichkeiten der Lebensverwirklichung, sondern die in ihr liegende Erkenntnismöglichkeit akzentuiert. Uwe Massberg hat aufgezeigt, wie dort der Pilger aus dem „Reich brutaler Wirklichkeit" übersetzt in ein „Zwischenreich", das „deutlich als ein Traumland gekennzeichnet"[53] ist. Aber auch der Erkenntnismöglichkeit sind hier deutliche Grenzen gesetzt, „über Spiegelungen der höchsten Realität kommen wir nicht hinaus".[54] In den Erzählungen ist der Versuch seiner Gestalten, die in der Phantasie vorweggenommene Lebenstotalität in die vorgegebene Wirklichkeit umzusetzen, zum Scheitern verurteilt. Wo seine Gestalten diesen Weg unabhängig von der gesellschaftlichen Wirklichkeit gehen, werden sie wie Cardenio oder der Ketzer von Soana im Urteil ihrer Umwelt zu Narren, wo sie versuchen, ihren Lebensanspruch innerhalb der sozialen Wirk-

lichkeit zu realisieren, werden sie zum Hochstapler wie Lubota oder zum glück-
losen Abenteurer wie Baron Degenhart in *Der Schuß im Park*. Die grundsätzlich
nicht erreichbare Lebenstotalität führt zur Vernichtung ihrer geistigen, moralischen oder gesellschaftlichen Existenz, sie läßt ihnen im günstigsten Fall den
Rückzug offen in eine Idylle, bei der wie im *Ketzer von Soana* die in der Thematik angelegten Spannungen durch ihre Poetisierung lediglich verdeckt werden.

Damit stellt sich die Gestaltung der „zweiten Realität" noch einmal als ein
erzähltechnisches Problem dar. Seit dem *Ketzer von Soana* bevorzugt Gerhart
Hauptmann die Ich-Erzählsituation. Das hängt nicht nur mit seiner Auffassung
des Epischen zusammen, das grundsätzlich einen Erzähler voraussetze.[55] Die
Darstellung des vergangenen Geschehens aus der Erlebnisperspektive seiner Ich-
Erzähler bietet vielmehr die entscheidende Voraussetzung für den Wirklichkeitscharakter, den die erzählenden Gestalten ihren Phantasievorstellungen zumessen.
Cardenio will seine ausschließlich von seiner Imaginationskraft getragenen Erlebnisse als Wirklichkeit verstanden wissen, wie der Ich-Erzähler in *Die Spitzhacke* nicht müde wird, auf den Wirklichkeitscharakter seiner nächtlichen Visionen zu verweisen. Weil es um einen Vorgang der Phantasie, weil es um
seelisches Geschehen geht, kann vor allem der Ich-Erzähler das Erlebnis der
„zweiten Realität" als eine eigene Wirklichkeit darstellen. Genau hier lag die
erzähltechnische Schwierigkeit, vor die sich Hauptmann in *Bahnwärter Thiel*
gestellt sah. Denn dort bedeutete die Einschaltung eines wertenden Erzählers,
der kommentierend die pathologischen Erlebnisse Thiels logisch und aufeinander
verweisend ordnete oder sie in eine andere Sprach- und schließlich Verweisungen
stiftende Symbolebene hob, die Gewinnung einer grundsätzlich anderen Erlebnis-
ebene als die der erzählten Gestalt. Nur durch den Erzähler kann der Leser in
Bahnwärter Thiel die Beziehungszusammenhänge erkennen, die Thiel auf einer
ganz anderen Erlebnis- und Bewußtseinsstufe, die noch dazu pathologisch deformiert ist, völlig anders realisiert. Was Thiel als vorbewußte Kausalitätszwänge
erleidend erlebt, wird erst und ausschließlich durch den Erzähler zu einem
schicksalhaften Geschehen. Seit der Erzählung *Der Apostel*, in der ausschließlich
aus der Erlebnisperspektive der erzählenden Gestalt berichtet wird, hat Hauptmann, sieht man von der besonderen Thematik der mündlichen Erzählkunst in
Der Schuß im Park ab, auf den über dem Geschehen stehenden Erzähler verzichtet und ihn nur noch in der äußersten Verknappung als autobiographische
Herausgeber-Fiktion benutzt. Er läßt seine Gestalten selbst erzählen. Was sie
durch die Entwürfe ihrer Phantasie bei ihren Lesern erreichen, das hat Gerhart
Hauptmann in einem Aphorismus seiner *Einsichten und Ausblicke* in einer auch
auf seine Erzählungen zutreffenden Weise so formuliert: „Der Märchenerzähler
gewöhnt die Leute an das Ungewöhnliche, und daß dies geschehe, ist von großer
Wichtigkeit; denn im Gewöhnlichen erstickt der Mensch."[56]

Anmerkungen

1 Zitiert ist unter Berücksichtigung der Centenar-Ausgabe nach Gerhart Hauptmann: *Das gesammelte Werk.* Ausgabe letzter Hand zum 80. Geburtstag des Dichters. 1. Abtlg., 17 Bde., Berlin 1942/43 = Hauptmann: *G. W.,* Bd. 13, S. 119.

2 Hauptmann: *G. W.,* Bd. 17, S. 311.

3 Hauptmann: *G. W.,* Bd. 17, S. 391.

4 Hauptmann: *G. W.,* Bd. 17, S. 382.

5 Vgl. u. a. Novalis: *Schriften.* Hrsg. von P. Kluckhohn und R. Samuel. Stuttgart ²1960, Bd. 3, S. 633, Nr. 705.

6 Jean Paul: *Vorschule der Ästhetik.* Werke, hrsg. von Norbert Miller. München 1963, Bd. 5, S. 446 ff.

7 Vgl. dazu: Ingrid Strohschneider-Kohrs: *Die romantische Ironie in Theorie und Gestaltung.* Tübingen 1960, S. 361, 402—406; Wolfgang Preisendanz: *Humor als dichterische Einbildungskraft.* Studien zur Erzählkunst des poetischen Realismus. München 1963, S. 100, 114 f.

8 Vgl. *Rede, bestimmt für die Tagung der Deutschen Shakespeare-Gesellschaft in Bochum im Juni 1927. G. W.,* Bd. 17, S. 141 f., das im gleichen Jahr veröffentlichte Vorwort zu *Der große Traum.* In: Neue Rundschau, Januar 1927, S. 12; zudem *G. W.,* Bd. 17, S. 177, Bd. 13, S. 113 und die Spiegel-Metaphorik noch im *Märchen* (1941).

9 Hauptmann: *G. W.,* Bd. 11, S. 539 f.

10 Hauptmann: *G. W.,* Bd. 13, S. 123.

11 Hauptmann: *G. W.,* Bd. 13, S. 111.

12 Benno von Wiese: *Gerhart Hauptmann.* In: *Zwischen Utopie und Wirklichkeit. Studien zur deutschen Literatur.* Düsseldorf 1963, S. 200.

13 Hauptmann: *G. W.,* Bd. 13, S. 101.

14 Hauptmann: *G. W.,* Bd. 13, S. 108.

15 Hauptmann: *G. W.,* Bd. 13, S. 110.

16 Hauptmann: *G. W.,* Bd. 13, S. 120.

17 Hauptmann: *G. W.,* Bd. 13, S. 150.

18 Hauptmann: *G. W.,* Bd. 13, S. 117.

19 Hauptmann: *G. W.,* Bd. 13, S. 148.

20 Hauptmann: *G. W.,* Bd. 13, S. 146.

21 Hauptmann: *G. W.,* Bd. 13, S. 147.

22 Hauptmann: *G. W.,* Bd. 13, S. 167.

23 Eberhard Hilscher: *Gerhart Hauptmann.* Berlin 1969, S. 429 f.

24 Hauptmann: *G. W.,* Bd. 8, S. 330.

25 Hauptmann: *G. W.,* Bd. 8, S. 339.

26 Hauptmann: *G. W.,* Bd. 5, S. 166 f.

27 Hugo F. Garten: *Formen des Eros im Werk Gerhart Hauptmanns.* In: Zeitschrift für deutsche Philologie, 90, 1971, S. 255.

28 Hauptmann: *G. W.,* Bd. 8, S. 363.

29 Fritz Usinger: *Das Glück und die Chimaere. Betrachtungen zu den „Gesammelten Erzählungen" Gerhart Hauptmanns.* In: *Welt ohne Klassik. Essays.* Darmstadt 1960, S. 77.

30 Hauptmann: *G. W.,* Bd. 8, S. 343, 353, 392—396.

31 Benno von Wiese: *Friedrich Schiller.* Stuttgart 1959, S. 124.

32 Hauptmann: *G. W.,* Bd. 8, S. 308.

33 Hauptmann: *G. W.,* Bd. 5, S. 172 f.

34 Hauptmann: *G. W.,* Bd. 9, S. 207.

35 Hauptmann: *G. W.,* Bd. 9, S. 208 f.

36 Hauptmann: *G. W.*, Bd. 9, S. 218.
37 Hauptmann: *G. W.*, Bd. 9, S. 259.
38 Hauptmann: *G. W.*, Bd. 9, S. 266, 273 f.
39 Hauptmann: *G. W.*, Bd. 9, S. 280.
40 Hauptmann: *G. W.*, Bd. 9, S. 295.
41 Karl S. Guthke: *Gerhart Hauptmann. Weltbild im Werk.* Göttingen 1961, S. 139.
42 Ebd., S. 140.
43 Hauptmann: *G. W.*, Bd. 9, S. 280.
44 Hauptmann: *G. W.*, Bd. 9, S. 298.
45 Hauptmann: *G. W.*, Bd. 9, S. 306.
46 Hauptmann: *G.W.*, Bd. 9, S. 303.
47 Hauptmann: *G. W.*, Bd. 9, S. 307.
48 Hauptmann: *G. W.*, Bd. 9, S. 303.
49 Hauptmann: *G. W.*, Bd. 9, S. 307 f.
50 Hauptmann: *G. W.*, Bd. 9, S. 186.
51 Hauptmann: *G. W.*, Bd. 9, S. 185. Gemeint ist Karl F. W. Wander als Herausgeber des Deutschen Sprichwörter-Lexikons, 5 Bde., 1867—1880.
52 Hans Joachim Schrimpf: *Struktur und Metaphysik des sozialen Schauspiels bei Gerhart Hauptmann.* In: *Literatur und Gesellschaft.* Festgabe für Benno von Wiese. Hrsg. von H. J. Schrimpf. Bonn 1963, S. 293.
53 Uwe Massberg: *Gerhart Hauptmanns „Märchen" in neuer Sicht.* In: Germanisch-Romanische Monatsschrift. N. F. 21, 1971, S. 58.
54 Ebd., S. 65.
55 Vgl. Hauptmann: *G. W.*, Bd. 17, S. 427.
56 Hauptmann: *G. W.*, Bd. 17, S. 413.

PAUL BÖCKMANN

WANDLUNGEN DER DRAMENFORM
IM EXPRESSIONISMUS

I

Das Dichtungsverständnis hat sich seit der Antike immer wieder an dem Begriff der Naturnachahmung, der Mimesis, orientiert. Im Expressionismus kündigt sich der für die Moderne so wesentliche Wandel der Künste an, daß sie auf dieses altüberlieferte und immer neu diskutierte Prinzip verzichtet. Mehr oder minder plötzlich wurde eine junge Generation bereit, in ihren Werken sich nicht mehr am Abbild einer vertrauten Wirklichkeit zu orientieren; der Betrachter der Bilder mochte schockiert sein, daß das Dargestellte nicht als das gegenständlich Bekannte erkennbar war; der Theaterbesucher mochte vergeblich versuchen, sich mit den Figuren und Vorgängen der Bühne zu identifizieren. Die durch die Künste geweckte Illusion löst sich seitdem von der gewohnten Vorstellungswelt der sinnlichen Wahrnehmung ab und verweist auf eine mehr oder minder in sich verschlossene Welt der künstlerischen Erfindungen, ohne daß damit schon einsichtig würde, in welchem Sinn dieser Gegensatz zwischen Kunstwirklichkeit und Lebenswirklichkeit produktiv werden könnte oder warum er überhaupt nötig würde. Nur das Faktum als solches ist offenkundig; es erregte Feindschaft und Widerspruch und behauptete sich doch, so daß es nicht als Marotte von Sonderlingen beiseite geschoben werden kann. Das, was man in Deutschland als Expressionismus bezeichnet, darf nicht isoliert gesehen werden, sondern entsprach parallelen Vorgängen in anderen europäischen Ländern. Man verstand seine eigenen Bemühungen schon frühzeitig unter diesem Leitwort; so schrieb Alfred Döblin im September 1915 über den an der Ostfront gefallenen August Stramm: „Niemand war von so vorgetriebenem Expressionismus in der Literatur; er drehte hobelte bohrte die Sprache, bis sie ihm gerecht wurde."[1] Diesem von jeder sachlichen Mitteilung so weit entfernten Umgang mit der Sprache bei Stramm entsprach die freie Verfügung über dramatische oder epische Motive bei anderen Künstlern. So sagt Gottfried Benn in seinem ‚Bekenntnis zum Expressionismus‘ von 1933:

> Zunächst muß man einmal richtig stellen, daß der Expressionismus keine deutsche Frivolität war und auch keine ausländische Machenschaft, sondern ein europäischer Stil. Es gab in Europa von 1910 bis 1925 überhaupt kaum eine naive, das heißt gegenstandsparallele Gestaltung mehr, sondern nur noch die antinaturalistische . . .
> Der Futurismus als Stil, auch Kubismus genannt, in Deutschland vorwiegend als

Expressionismus bezeichnet, vielfältig in seiner empirischen Abwandlung, einheitlich in seiner inneren Grundhaltung als Wirklichkeitszertrümmerung, als rücksichtsloses An-die-Wurzel-der-Dinge-Gehen bis dorthin, wo sie nicht mehr individuell und sensualistisch gefärbt ... werden können, ... dieser Stil hatte schon seine Vorankündigung im ganzen neunzehnten Jahrhundert.[2]

Aber wie sollen wir diesen Stil genauer bestimmen und was meint Benn, wenn er von einer „Wirklichkeitszertrümmerung" spricht? Noch in dem Vortrag von 1951 über *Probleme der Lyrik* hat er das Wort wieder aufgegriffen; er spricht davon, wie das lyrische Ich auf seine Stunde wartet, in der „die Zusammenhangsdurchstoßung, das heißt die Wirklichkeitszertrümmerung, vollzogen werden kann, die Freiheit schafft für das Gedicht — durch Worte".[3] Beide Begriffe, ‚Zusammenhangsdurchstoßung' und ‚Wirklichkeitszertrümmerung' wollen nicht wörtlich genommen sein, sondern bezeichnen eine antinaturalistische, nicht mehr gegenstandsparallele Kunstübung und erläutern insofern ein antimimetisches Verfahren. Freilich ist die Forderung der Mimesis als Nachahmung der Natur so vieldeutig wie der Begriff der Natur selbst, so daß sie sehr verschiedenartige Darstellungsweisen rechtfertigen konnte, je nachdem wie die Natur ihrerseits ausgelegt wurde, ob als eine religiös verstandene göttliche Schöpfungsordnung oder als eine wissenschaftlich erforschbare und gesetzlich bestimmbare Wirklichkeit oder eine stimmungsgebundene Lebensbeziehung des Menschen. Die neuzeitliche Dichtung, vor allem seit Newton und der Bewußtseinskritik des 18. Jahrhunderts, stand — wie Schiller formulierte — in einem sentimentalischen Verhältnis zur Natur; sie verfügte nicht einfach über die Natur, verstand sich auch nicht selber als Natur, sondern suchte sie in einem unabschließbaren Prozeß zu ergründen, indem sie auf die Selbsterfahrung des Menschen zurückging. Seitdem war die Kunst in ein wetteiferndes Verhältnis zur Wissenschaft getreten. Sie mußte die die Wirklichkeitserkenntnis ermöglichenden Ordnungskategorien für sich fruchtbar machen, um die Kunstwirklichkeit mit ihnen zu versöhnen; nur so schien sie eine eigene Wirklichkeitsnähe zu gewinnen und zugleich den subjektiven Erlebniszusammenhang des die Natur suchenden und in ihr sich behauptenden Menschen vorzuführen. Die dargestellten Vorgänge wurden auf möglichst konkrete räumliche und zeitliche Bedingungen bezogen und in ihrer Abfolge derart motiviert, daß eine geschlossene Kausalkette von Ursachen und Wirkungen entstand; die den Charakter bestimmenden Absichten und Zwecke wurden in ihren Folgen entfaltet und dadurch die schuldhaften Verstrickungen in ihrem moralischen Gewicht erkennbar, als Handlungen des naturgesetzlich gebundenen und doch persönlich verantwortlichen Menschen. Die Dichtung sah sich damit an die alle Welterkenntnis ermöglichenden Kategorien gebunden, an Raum und Zeit, Kausalität, Finalität und Moralität. Jede einzelne Dichtungsgattung mußte diesen Erwartungen auf eine ihr mögliche Weise zu entsprechen suchen, da ein Ausbrechen aus dem so geordneten Vorstellungsbereich in eine Welt des Phantastischen, Willkürlichen und Zufälligen führen mußte, zu einer ‚Zusammenhangsdurchstoßung' und ‚Wirklichkeitszertrümmerung', um mit Benn zu sprechen. Erst wenn man sich des traditionellen Bezugs zwischen sachlicher Naturerkenntnis und künstlerischer Naturdarstellung erinnert, wird die Radikalität des im Expressionismus sich vollziehenden Aufbruchs deutlich, als würde damit ein Schritt in das Ungesicherte und Weglose gewagt. Das gilt in besonderem Maße auch für die sich anbahnenden Wandlungen der Dramenform.

Denn alle Forderungen an das Drama, wie sie Lessing entwickelt hatte, waren ja auf diese Einheit von Erkenntniswahrheit und menschlicher Wahrheit gerichtet. Man muß sich an seine Thesen erinnern, um den Ansatzpunkt und das Ausmaß der im Expressionismus sich anbahnenden Veränderungen zu begreifen. Lessing ging von der Bestimmung des Aristoteles aus, daß es dem tragischen Dichter vor allem auf die „gute Abfassung der Fabel" ankommen muß und diese Fabel im Sinne der Mimesislehre als „Nachahmung einer Handlung" zu verstehen sei.[4]

Er erläuterte seinerseits die Fabel als eine „Verknüpfung von Begebenheiten" nach der Art einer kausal bestimmten Naturgesetzlichkeit in der Abfolge der Ereignisse; es ginge darum, wie sich aus einer bestimmten Leidenschaft — etwa der Eifersucht einer Frau — die grausigsten Verbrechen ergeben, die „Schrecken und Mitleid erwecken".[5] Die Fakten als solche, daß — wie in Corneilles *Rodogune* — eine Frau ihren Gemahl ermordet, den einen ihrer Söhne erschießt, den anderen vergiften will, um dann selber von diesem vergiftet zu werden, diese Fakten sind nur ‚gräßlich' und können erst tragisch wirken, wenn der Dichter „der verborgenen Organisation des Stoffes auf die Spur gekommen und sie zu entwickeln verstehet". Solche „Organisation des Stoffes" kann nur gelingen, wenn die Handlungen sich folgerichtig auseinander entwickeln und aus menschlich begreiflichen Anfängen erwachsen. Es kommt deshalb nach Lessing darauf an, „eine Reihe von Ursachen und Wirkungen zu erfinden, nach welcher jene unwahrscheinlichen Verbrechen nicht wohl anders als geschehen müssen". Denn — wie er sagt — „das Genie können nur Begebenheiten beschäftigen, die ineinander gegründet sind, nur Ketten von Ursachen und Wirkungen".[6] Damit ist die dramatische Fabel auf die Naturwahrheit zurückbezogen, die ihr Wahrscheinlichkeit gibt und die Anteilnahme des Zuschauers zu wecken vermag.

Er rechtfertigte damit das Prinzip der Illusionsbühne: nur wenn wir verfolgen können, wie sich aus verständlichen Anlässen in einer stets möglichen Situation die ungeheuersten Schicksale entwickeln, vermögen wir uns mit den dargestellten Figuren zu identifizieren und an ihrem Leiden Anteil nehmen. Indem „wir überall nichts als den natürlichsten, ordentlichsten Verlauf wahrnehmen", meinen wir bei jedem Schritt der Figuren, „wir würden ihn, in dem nämlichen Grade der Leidenschaft, bei der nämlichen Lage der Sachen, selbst getan haben", als könnten auch wir Dinge begehen, „die wir bei kaltem Geblüte noch so weit von uns entfernt zu sein glauben".[7] Erst damit wird verständlich, inwiefern Furcht und Mitleid als die eigentlichen Wirkungen der Tragödie gelten können und die Einheit von Handlung und Charakter die dramatische Illusion bestimmt. Das klassische Drama der Goethezeit suchte dementsprechend eine Naturwahrheit zur Geltung zu bringen, die die Bindung des Menschen an Ort und Zeit ebenso beachtet wie die Verstrickung seiner Moralität in die Bedingtheiten seines Charakters und der ihm wichtigen Ziele. Die im Zeichen dieser Erwartungen entstandenen Dramen bleiben also auf die Ordnungskategorien einer sachlich erforschbaren Wirklichkeit bezogen, um dadurch zugleich den Menschen auf die persönliche Verantwortung für sein Tun zu verweisen. Wenn demgegenüber das expressionistische Drama sich als ‚Wirklichkeitszertrümmerung‘ begreift, kann das nur bedeuten, daß es bereit ist, dieses kategoriale Gefüge zu durchstoßen und statt dessen andere Dimensionen zu eröffnen. Es fragt sich, von welcher Basis aus das möglich sein soll.

II

Ein erster Anhaltspunkt läßt sich bei Nietzsche aufweisen. Seine frühe Schrift von 1871 *Die Geburt der Tragödie aus dem Geiste der Musik* sprengt den Rahmen der von Lessing umgrenzten Dramaturgie, sofern sie hinter das Bündnis von Kunst und Wissenschaft zurückfragt und beide als Funktionen des sich selber wollenden Lebens auslegt. Es geht für Nietzsche nicht um eine historisch-philologische Frage nach den Entstehungsbedingungen der griechischen Tragödie, sondern um die Radikalisierung der Ursprungsfrage im Sinne einer Metaphysik des Willens: die Künste und Wissenschaften verlieren ihren Eigenwert, sofern das sich selber wollende Leben sich ihrer als eines täuschenden Scheins bedient, um den Menschen im Leben festzuhalten und die Art seiner Teilhabe zu ermöglichen. Insofern konnte Nietzsche rückblickend sagen, daß er in jenem ‚verwegenen Buch‘ sich an die Aufgabe herangewagt habe, „die Wissenschaft unter der Optik des Künstlers zu sehen, die Kunst aber unter der des Lebens“.[8] Was bedeutet das für eine Dramaturgie, die sich auf eine ‚Zusammenhangsdurchstoßung‘ einläßt? Die Erörterung Nietzsches orientiert sich nicht mehr an der Einheit von Handlung und Charakter; weder die erzählbare Fabel noch die individuellen Konflikte und deren psychologische Voraussetzungen interessieren, sondern nur die Rückbeziehung auf eine dem Menschen undurchschaubare Lebensmacht, die aller Vergegenständlichung und Objektivierung voranliegt. So fragt er: „Was bedeutet überhaupt, als Symptom des Lebens angesehen, alle Wissenschaft? Wie? Ist Wissenschaftlichkeit vielleicht nur eine Furcht und Ausflucht vor dem Pessimismus? Eine feine Notwehr gegen die Wahrheit?“[9] Die Wissenschaft wird gewissermaßen von außen her auf ihre Lebensfunktion hin befragt und weder mit ihren Erkenntnisinhalten noch ihren Methoden und Kategorien verbindlich gesetzt. Sie wird selbst als ein Ausdrucksphänomen des Lebens verstanden, das als ‚Ausflucht‘ und ‚Notwehr‘ des Menschen gegen die dunklen Gewalten des Daseins nicht absolut gesetzt werden kann und damit der Kunst eine eigene Freiheit zurückgibt. Die Kunst braucht deshalb nicht mehr mit den Erkenntniskategorien der

Wissenschaft zu wetteifern, sondern muß sich als Funktion des Lebensgeschehens und insofern als dessen Ausdrucksgestalt begreifen.

Damit verliert die gegenstandsbezogene Gestaltungsweise ebenso ihre bestimmende Bedeutung wie der subjektive Erlebniszusammenhang; die Ausdrucksfunktion der Dichtung verlagert sich von der individuell bestimmten Innerlichkeit auf ein vorbewußtes Vitalgeschehen, das den Menschen mitnimmt und das er ungewollt oder gar im Gegensatz zu seinen bewußten Absichten und Erkenntnissen nur immer mitbefördert. So spricht Nietzsche von dem „dionysischen Künstler", der „mit dem Ur-Einen, seinem Schmerz und Widerspruch, Eins geworden" ist und der das „Abbild dieses Ur-Einen als Musik" produziert, der aber auch diese Musik „wie in einem gleichnisartigen Traumbilde" sichtbar machen kann.[10] Die Tragödie verweist demnach nicht primär auf kausal bestimmte Handlungsabläufe, die den Menschen auf seine eigene Erfahrungswirklichkeit zurückführen, sondern zeugt von der Teilhabe an der ur-einen Lebensmacht, die sich hinter allen Bildern nur immer neu verbirgt. Nietzsche betont ausdrücklich, daß er die überlieferte Vorstellung von der Dichtung ablehnt, wenn er sagt: „Das ‚Ich' des Lyrikers tönt also aus dem Abgrunde des Seins: seine ‚Subjektivität' im Sinne der neueren Ästhetiker ist eine Einbildung." Er meint, daß der „Gegensatz des Subjektiven und des Objektiven in der Ästhetik ungehörig ist". Wenn das Subjekt Künstler ist, „ist es bereits von seinem individuellen Willen erlöst und gleichsam Medium geworden, durch das hindurch das eine wahrhaft seiende Subjekt seine Erlösung im Scheine feiert".[11]

Wenn derart die Kunst als eine Funktion des sich selber wollenden Lebens verstanden wird, kann der Künstler nur dieses Leben als dessen Medium zum Ausdruck bringen; die Poesie will „der ungeschminkte Ausdruck der Wahrheit" sein[12], also Expression des Lebens selbst. Erst damit erfüllt die Dichtung dann die ihr eigene Funktion, den Menschen im Dasein festzuhalten; in einem Dasein, zu dem alle „Schrecken und Entsetzlichkeiten" gehören. Nietzsche rühmt die Griechen: „Jenes ungeheure Mißtrauen gegen die titanischen Mächte der Natur . . . wurde von den Griechen durch jene künstlerische Mittelwelt der Olympier fortwährend von neuem überwunden", „durch die glänzende Traumgeburt der Olympischen", die den ‚Untergrund des Leidens' verhüllt.[13] Das griechische Drama ist also für ihn nicht mehr beispielhaft, weil es im Sinne Lessings die Begebenheiten als naturgesetzlichen Zusammenhang darstellt, sondern weil es eine apollinische Bilderwelt des Scheins vor die „Schreckenstiefe" stellt, die den Menschen zu zerstören droht. Die Gestalt des Dramas läßt sich dementsprechend nicht mehr von der Handlung und den Charakteren aus erläutern, sondern führt auf ganz andere Begriffe. Die Vision, der Mythus, der Chor, die Maske, die Symbolik sind nun die formbestimmenden Kategorien. Es gilt die Einsicht, „daß die Szene samt der Aktion im Grunde und ursprünglich nur als Vision gedacht wurde, daß die einzige ‚Realität' eben der Chor ist, der die Vision aus sich erzeugt und von ihr mit der ganzen Symbolik des Tanzes, des Tones und des

Wortes redet".[14] Der Chor aber kann diese Vision nur erzeugen, weil er sich als der „dionysische Ausdruck der Natur" versteht.

Manche dieser Feststellungen Nietzsches mögen eher als historische Erläuterungen zur Gestalt der griechischen Tragödie denn als gegenwartsbezogene Aussage über Aufgaben und Möglichkeiten eines modernen Dramas erscheinen. So kann es auch nicht unsere Meinung sein, daß die expressionistischen Dramatiker einfach den Lehren Nietzsches hätten folgen wollen. Dafür sind seine Aussagen zu vieldeutig und mehr als experimentierende Vorstöße in neue Dimensionen wichtig, denn als fest umgrenzte Positionen. Aber man wird doch bedenken müssen, wie sehr seine Thesen aus der Auseinandersetzung sowohl mit Schopenhauer wie mit Richard Wagner erwachsen sind und eine Wendung in der ästhetischen wie der dramaturgischen Diskussion einleiten. Hier wird eine Dramaturgie jenseits der Positionen Lessings entwickelt. Welche Konsequenzen der jeweilige Schriftsteller aus solchen Anregungen zog, läßt sich gewiß nur vom Einzelfall aus entscheiden. Aber die Rückverweisung der Kunst auf ihre Lebensfunktion markierte einen Einschnitt, der für das Selbstverständnis des Expressionismus wesentlich blieb. Die Berufung auf das Leben ist schillernd und vieldeutig genug, aber gerade darum blieb es wichtig, daß es sich für Nietzsche dabei nicht um einen Biologismus, Soziologismus oder Pragmatismus handelt, sondern um eine Grenzsituation der menschlichen Existenz, um das „Grausen", „welches den Menschen ergreift, wenn er plötzlich an den Erkenntnisformen der Erscheinung irre wird".[15] Die Selbstgewißheit der wissenschaftlichen Welterschließung sieht sich durch die Undurchschaubarkeit der Sinnbezüge des Lebensgeschehens in Frage gestellt; die Widersprüche zwischen dem Vorstellungsleben und der begegnenden Wirklichkeit scheinen unauflösbar, sofern das Handeln sich auf berechenbare Ziele richtet und unerwarteten, nicht vorhersehbaren Folgen begegnet. Die Erkenntnisleistung des Bewußtseins scheint in einem immer neu sich herstellenden Mißverhältnis zur Komplexität der Daseinsbezüge zu verharren. So wird das Verhältnis von Macht und Ohnmacht des Bewußtseins als die Grenzsituation erfahren, die zur Rückverweisung auf die Elementargewalt des Lebens nötigt, die expressionistische Dramatik in die Nähe Nietzsches führt und ihre Thematik und Darstellungsweise bestimmt. Sie kann sich nicht mehr an der dramatischen Handlung als einer erzählbaren Fabel orientieren, hat aber auch nicht eine Mythologie zur Verfügung, durch die sich die Abgründe des Daseins in einer apollinischen Bildlichkeit darstellen lassen. Sie muß eigene Wege suchen, um „jene Ekelgedanken über das Entsetzliche oder Absurde des Daseins in Vorstellungen umzubiegen, mit denen sich leben läßt".[16] Die einzelnen Dramatiker haben das auf sehr verschiedene Weise zu leisten gesucht, so daß sich nur wenige Gemeinsamkeiten des Verfahrens aufweisen lassen: an die Stelle des Mythus tritt die Verselbständigung der dramatischen Motive; an die Stelle der psychologischen Differenzierung die typisierende Konstruktion; an die Stelle der Milieuszene und der individualisierenden Sprachgestik tritt das Sprachexperiment im Symbolraum. Auch die erstrebte Wirkung ändert sich: es geht nicht mehr um die Identifikation, sondern um Konfrontation, nicht um Mitleiden, sondern um existenzielle Betroffenheit. Wir können hier nur versuchen, an einzelnen Werken den sich vollziehenden Umbruch zu erläutern.

III

Wenn sich von Nietzsche aus die Voraussetzungen einer neuen Dramenform umgrenzen lassen, so begegnet bei Strindberg ein erstes einprägsames Beispiel für jene Veränderung der Themenstellung, die zu einer grundlegenden Wandlung der Gestaltungsweise führt. 1902 erschien *Ein Traumspiel (Ett drömspel)*; schon die „Vorbemerkung" macht darauf aufmerksam, daß es nicht um ein Handlungs- und Charakterdrama gehen soll, sondern — wie der Titel sagt — daß die „unzusammenhängende" Form des Traumes nachgebildet wird und die Phantasie „neue Muster" webt, ein „Gemisch von Erinnerungen, Erlebnissen, freien Erfindungen, Ungereimtheiten und Improvisationen".[17] Statt der erzählbaren Fabel gibt es eine lockere Bilderfolge, die ebenso einprägsame wie beziehungsreiche Motive abwandelt und miteinander verflicht. Die Zentralgestalt ist die Tochter Indras, des indischen Gottes, der einst seinen Sohn herniedersandte, um die Klagen der Menschen zu hören, und die nun ihrerseits darum bat, auf die Erde niedersteigen zu dürfen, „um zu erfahren, wie es die Menschen eigentlich haben".[18] Damit ist das Thema genannt; es sollen nicht die Folgen der Leidenschaften oder bestimmte Handlungskonflikte vorgeführt werden, sondern es wird nach der Grundsituation des Menschen gefragt. Nicht im Hinblick auf seine Ziele und Absichten, sondern seiner Gemüts- und Bewußtseinszustände muß sich in locker gereihten Szenen seine Ausgesetztheit und Verlorenheit im Dasein zu erkennen geben. So führen die Einzelbilder refrain- oder litaneiartig auf das Wort der Tochter zurück: „Es ist schade um die Menschen"[19], als spräche sie im Namen eines Chores der vom Leid Betroffenen, der von Erwartungen, Hoffnungen, Enttäuschungen und Schmerzen bewegten Gestalten. Die Wirkung des Stückes geht von der sehr verhaltenen, schwermutvollen Zwiesprache des fragenden und beobachtenden Bewußtseins mit seinen eigenen Gefühlszuständen aus, als gelte es nur, die Teilhabe am Lebensgeschehen durch einzelne Konstellationen und Motive zu objektivieren.

Es entstehen dadurch unvergeßlich eindrucksvolle Gebärdungen der Existenzbetroffenheit, als ließe sich in einem unscheinbaren Symptom der Schicksalsweg des Menschen sichtbar machen. So spricht der „Zettelankleber" davon, daß er jetzt nicht mehr so sehr zu klagen habe, nachdem er ein „Fischnetz mit einem grünen Rahmen bekommen hat", wie es schon sein „Traum in der Jugend" war, der nun, in seinem fünfzigsten Jahr, wahr geworden ist. Aber dann folgt sein Vorbehalt: „das Netz war recht gut, aber nicht so, wie ich es mir gedacht hatte... Grün sollte es sein, aber nicht das Grün".[20] Damit ist etwas von dem Widerspruch zwischen Erwartung und Wirklichkeit eingefangen, als müsse die eigene Vorstellung jede mögliche Erfüllung entwerten oder umgekehrt die Faktizität dem subjektiven Innenleben die tiefere Bedeutung für die Lebensbewältigung nehmen. Man könnte in solcher unscheinbaren, beiläufigen Situation etwas wie ein Grundmodell expressionistischer Motivbehandlung erblicken, sofern die individuelle Existenz in die Lebensgebärde zurückgenommen und selber zur Expression wird. Die Menschen geben sich durch symbolhafte Zeichen und Motive zu erkennen, an denen sie sich entfalten, wie der Offizier, der von der erwartungsvollen Frage lebt, ob die von ihm geliebte Viktoria nun kommen werde. Als er zuerst auftritt, hält er einen Rosenstrauß in der Hand und singt „strahlend glücklich" nur ihren Namen: „Viktoria"; als er wieder auftritt, sind die Rosen verwelkt, aber er fragt weiter erwartungsvoll: „Ist sie noch nicht gekommen?" Er nimmt die Einsicht des Zettelanklebers auf: „Nichts ist so, wie ich es mir gedacht hatte", und schlägt nun mit dem Rosenstrauß an die Wände, so daß die letzten Blütenblätter abfallen. Schließlich ist er alt und weißhaarig und zerlumpt; aber er trägt immer noch die Stengel des Rosenstraußes, um weiter zu warten, als wäre damit die Grundgebärde seiner Existenz bezeichnet.[21] Die Szene bedarf keiner Umsetzung in äußerlich sichtbare Aktionen milieugebundener Charaktere, da die zeichenhafte Verweisung auf innere Zustände die Unzulänglichkeit des Bewußtseins gegenüber dem Lebensgeschehen als Grundthema ständig zu variieren vermag.

Der Offizier spricht davon, daß er nun sieben Jahre hier auf und ab gegangen sei und die „Tür mit der kleeblattförmigen Öffnung" zweitausendfünfhundertfünfundfünfzigmal gesehen habe, ohne zu wissen, wohin sie führt. Sie wird zu dem Zeichen einer in sich verschlossenen Welt, die nicht zu erkennen gibt, wohin sie sich öffnet. Die Frage, ob sie geöffnet werden darf, wird zum Anlaß eines Streits der vier Fakultäten über das Wesen der Wahrheit, bis Indras Tochter eingreift und man feststellt, daß hinter der Tür nichts verborgen ist. Aber dieses ‚Nichts' als Lösung des Rätsels führt nur wieder zum Streit der Dekane, während Indras Tochter darin einen Hinweis auf die überwindende Kraft eines Leidens findet, das den Schein durchschauen lehrt, als Hinweis auf das „Leiden als Befreier".[22] Es mag dahin gestellt bleiben, ob damit mehr als eine metaphorische Auskunft gegeben ist und nicht nur die Grenzsituation des dem Leben überantworteten Bewußtseins akzentuiert wird, als die Thematik, die zu einer Dramenform nötigt, in der die Aktgliederung durch die Stationenfolge abgelöst wird, die Gesetze von Raum und Zeit ebenso aufgehoben sind wie die kausalgebundene Handlungsfolge und statt dessen eine Phantasiefreiheit wirksam wird, die den einfachen Dingmotiven, einem Fischnetz, einem Rosenstrauß, einer Tür einen Verweisungscharakter gibt, der eine Betroffenheit über die Situation des Menschen ermöglicht, wie sie der expressionistischen Dramatik eigen geblieben ist.

IV

Wie bei Strindberg geht es auch bei Ernst Barlach um die generelle Situation des Menschen zwischen einem naturhaft gebundenen Leben und der absoluten

Frage nach dem Sinn eines solchen Daseins. Damit bringt er eine Polarität von milieubezogenem Vordergrund und beziehungsreich-hintergründigen Sinnzeichen zur Geltung, die aus dem Raum des traditionellen Dramas herausführt. Man mag zögern, ihn den eigentlichen Expressionisten zuzurechnen, gehört er — der 1870 geboren wurde — doch einer etwas älteren, dem Naturalismus noch nahe stehenden Generation an. Auch ist er durch seine Plastiken zu nachhaltigerer Wirkung gekommen als durch seine schwer zugänglichen Dramen, die auf der Bühne nach einer nur selten erreichten kongenialen Inszenierungskunst verlangen, um in der ihnen eigenen Intensität faßlich zu werden. Seine dramatischen Bemühungen setzen vor dem ersten Weltkrieg ein, in jenen Jahren nach 1910, als sich der Durchbruch zu einer erneuerten Kunst zu vollziehen beginnt. Damals beschäftigt ihn eine ,dramatische Arbeit', die er schon im Herbst 1912 als ,ziemlich fertig' bezeichnet. Es ist das erst 1918 erschienene Werk *Der arme Vetter*, das zunächst den Arbeitstitel *Die Osterleute* trug, als ginge es um die Osterspaziergänger, und von dem Barlach 1911 schrieb: „es will ein Monstrum werden und hat sich über alle Bedenken leichtfertig weggesetzt"[23], eben weil es allen traditionellen Erwartungen vom Drama widerspricht und der naturalistischen Milieuszene eine völlig eigene — expressionistische — Funktion gibt. Damals, im August 1911, hat er sehr präzise die ihm wesentliche Thematik und die sich aus ihr ergebenden Darstellungsprobleme gekennzeichnet, wenn er schreibt:

> Das Phänomen Mensch ist auf quälende Art von jeher als unheimliches Rätselwesen vor mir aufgestiegen. Ich sah am Menschen das Verdammte, gleichsam Verhexte, aber auch das Ur-Wesenhafte, wie sollte ich das mit dem landläufigen Naturalismus darstellen! Ich fühlte etwas wie Maske in der Erscheinung und bin versucht, hinter die Maske zu sehen, wie sollte ich mich an die Details der Maske halten? Aber natürlich weiß ich, daß die Maske organisch auf dem Wesentlichen gewachsen ist, und so bin ich doch auf sie verwiesen. Ich mußte also Mittel suchen darzustellen, was ich fühlte und ahnte, statt dessen, was ich sah; und doch was ich sah, als Mittel benutzen . . . kurz, das Sichtbare wurde mir zur Vision.[24]

Hier ist deutlich ausgesprochen, daß es nicht mehr um individuelle Charakterprobleme sondern um das „Phänomen Mensch" selbst geht, um die Polarität zwischen dem „Verhexten" und dem „Wesenhaften", zwischen den naturalistischen ,Details' und dem ,Wesentlichen', dem „Sichtbaren" und dem ,Geahnten', der „Maske" und der „Vision". Rückblickend, als *Der arme Vetter* 1919 auf die Bühne gebracht wurde, heißt es zusammenfassend: „Es gilt, ein Grundgefühl absolut und radikal auszusprechen". Das könne nicht mit Hilfe „stilisierter Bühnenbilder" gelingen, sondern nur durch ein Aufsprengen der naturalistischen Milieuszene: „Ich hätte die allergrößte Selbstverständlichkeit und Milieu-Echtheit gewünscht, grade als den richtigen Hintergrund für die inneren Vorgänge, die davon losplatzen und hinausdrängen mußten."[25] Er deutet damit auf die ihm eigene ,Zusammenhangsdurchstoßung'. Schon 1911 hatte er davon gesprochen, daß die Frage nach dem Wesenhaften des Menschen im Rückgang auf dessen konkrete Situation darstellbar würde, wenn diese als eine Ausdrucksgestalt des Lebendigen verstanden würde: „Meine künstlerische Muttersprache ist nun mal die menschliche Figur oder das Milieu, der Gegenstand, durch das oder in dem der Mensch lebt, leidet, sich freut, fühlt, denkt." Er wollte sich deshalb auf Kandinskys gerade erschienene neue Kunsttheorie über *Das Geistige in der Kunst* nicht recht einlassen, da sie sich im Sinne einer abstrakten Kunstübung von allen Gegenstandsbezügen entfernte.[26] So hat er auch den damals 1911 durch die Ausstellung der Berliner Sezession geläufig gewordenen Begriff „Expressionismus" nur zögernd aufgenommen, wenn er von einer „neuen Musik" spricht, die „gleichsam auch expressionistisch" sei.

Für ihn bleibt entscheidend, daß er die szenische Gebärdenkunst des Naturalismus aus ihrer deterministischen Gebundenheit befreit, die Milieu-bezogenen Figuren unabhängig von einem erzählbaren Handlungsverlauf in eine freie Zuordnung bringt und in ihrem scheinbar alltäglichen Gerede eine explosive Dramatik aufdeckt. In seinen Dialogen greifen Mitteilungssinn und Hintersinn ständig ineinander, als könne die Sprache den Menschen nur widerwillig aus dem Gegenstandsbezug herauslassen und auf das ihm eigentlich Wesentliche verweisen. Damit ist aber nicht gemeint, daß hier eine transzendente Welt mit einer sichtbaren Wirklichkeit in Widerstreit geriete, da es weiterhin um die Frage geht, was es mit dem Menschen auf sich hat, in seiner Doppelheit des Verhexten und Wesenhaften. Als „ahnungshaftes Subjekt"[27] steht er in Gefahr, sich von den sachlich verfügbaren Dingen überwältigen zu lassen und darüber den ihm zugehörigen Raum der jeweils nur ahnungshaft bestimmten Erwartung zu verlieren, als verbrauche und entbehre er den ihm zugehörigen „hohen Sinn", ohne den er doch aufhört, Mensch zu sein. So wird bei Barlach deutlich, inwiefern im Expressionismus die Sprache auf ihren Mitteilungscharakter mehr oder minder zu verzichten bereit wird, um statt dessen ihren Verweisungscharakter hervorzukehren. Je dringlicher die Sinnfrage gestellt wird, um so entschiedener regt sich der Widerstand gegen einen Sprachgebrauch, der mit jeder Antwort nur in die gegenständlich begriffene Welt zurückführt und wohl über Fakten, aber nicht über Sinnerwartungen Auskunft geben kann. Das eigentliche Thema Barlachs bleibt der von der Sinn- und Wesensfrage bewegte Mensch, wie er die Alltagsrede zu durchstoßen sucht, ohne dadurch mehr als seine Offenheit für jenen „hohen Sinn" zu bezeugen, der sich dem Absurden oder Paradoxen aussetzt.

Schon am Titel *Der arme Vetter* läßt sich der Zusammenhang von Thematik und Darstellungsweise verdeutlichen. Wohl gehören zu den Szenen sehr konkrete Orts- und Zeitangaben. Aber was an diesem Ostertag an der Oberelbe, auf der Heide, im Wirtshaus von Lüttenbargen und am Strand eigentlich passierte, ist schwer zu sagen. Die Spaziergänger, die mehr oder minder zufällig zusammentreffen und lange vergeblich auf den Dampfer warten, glossieren zwar je auf ihre Weise das Verhalten des Selbstmörders Hans Iver, der den Revolver auf sich abdrückt, aber dann doch noch zwischen ihnen sitzt, man weiß nicht recht, ob dem

Tod verfallen oder nicht. Offenbar geht es nicht um Handlungsabläufe, sondern um Figurenkonstellationen, durch die eine parodistische Drastik mit Komik und Humor ebenso zur Geltung kommen wie existenzielle Betroffenheit und radikale Gegensätze zwischen den verhexten und den wesenhaft entschiedenen Gestalten.

Als organisierendes Zentrum, das die Zuordnungsverhältnisse verdeutlicht, erweist sich das Titelwort vom *Armen Vetter*, das beziehungsreich vieldeutig zwischen dem Erkennen und Verkennen der Wahrheit des Menschseins vermittelt. Zunächst wird es in einem mehr vordergründig-gleichnishaften Sinn gebraucht, als sollte es an einen wohltätigen Samariter erinnern, der für die Pflege des Verwundeten aufkommen will, damit aber zugleich alle weiteren Verpflichtungen von sich schiebt: „Er soll wie mein Vetter gehalten werden", sagt Siebenmark, um im nächsten Augenblick zu protestieren, als er beim Wort genommen wird: „Er ist nicht mein Vetter, kein bischen verwandt."[28] Zugleich wendet der vermeintlich hilfsbedürftige Hans Iver das Wort auf Siebenmark zurück, wenn er ihn den „verarmten Vetter eines hohen Herrn" nennt und damit andeutet, inwiefern der vermeintlich Hilfsbereite selber als „armer Vetter" gelten könnte.[29] Das Wort erhält den Doppelsinn, daß es nicht nur an die Verwandtschaft der Menschen untereinander erinnert, sondern auch an den sie erfüllenden ‚Glanz' einer ahnungsvollen Erwartung; es läßt nach dem dem Menschen gehörigen oder von ihm verlorenen Reichtum fragen, und damit zugleich nach dem ihm vertrauten ‚Haus'. Wo haben die einzelnen ihr „zu Hause", wenn sie sich „in der Fremde begegnen"; sind es „große noble Herrn" oder alle zusammen „Lumpenbrüder"? Ist man ein „mißratenes Subjekt in einem feinen Haus, von dem keiner etwas wissen darf" oder muß man erst „bei dem hohen Herrn in die Schule gehen"?[29] Je doppelsinniger die Begriffe gebraucht werden, um so mehr gewinnen die Situationen an Transparenz, als wäre jede situationsbezogene Auskunft immer zugleich ein Hinweis auf die Grundverhältnisse eines zu gewinnenden oder zu verlierenden Sinnbezugs des Lebens.

Unversehens erhält die anfängliche Zeitbestimmung, daß die Szenen an einem Ostertag spielen, einen Doppelsinn, als wollten sie das Verhältnis von Tod und Auferstehung reflektieren, als fiele schon mit den ersten Sätzen die entscheidende Bemerkung, wenn es heißt: „Auferstehung ist doch kein leeres Wort" und Ostern also nicht nur ein Kalenderdatum.[30] Die Bilderfolge variiert damit das Grundthema der *Osterleute*, wie sie als Spaziergänger von dem „hohen Herrn" zeugen oder ihn verleugnen. Der ‚arme Vetter' sieht sich in einer komödiantischen Welt dem Tod überantwortet, während die meisten Gäste sich mit einer ausgestopften Strohpuppe, dem ‚schönen Emil', vergnügen und mit ihr als einer Art Gegenfigur zum ‚hohen Herrn' Schabernack treiben. Das Drama gibt seinen Zusammenhalt mit den Schlußworten zu erkennen, die dem „armen Vetter" die „Magd eines hohen Herrn" zuordnen und diesen „hohen Herrn" zugleich als den „hohen Sinn" erläutern.[31] Das dem dinglichen Zugriff sich entziehende Wesen des „hohen Sinns" bewirkt die Doppelbödigkeit des Dialogs und gibt den Worten ihren

Hintersinn. Die Darstellung verzichtet auf eine kausal motivierte Fabel und verschließt sich trotz ihres scheinbaren Realismus in sich, so daß der Gehalt nur als Darstellung zugänglich ist. Barlach schrieb 1919 im Hinblick auf eine Aufführung, daß ihm die Frage: Was soll durch dies alles versinnbildlicht werden?, als nebensächlich erscheint gegenüber der allein wichtigen: „Ist geistiges Erleben Form geworden?" Er kann deshalb die dramatische Darstellung als eine „Formel" bezeichnen, die nur als „eine Übersetzung aus dem Wortlosen in die eigene Sprache" der Kunst wahr ist und insofern voraussetzt, daß man diese Sprache kennenlernt und sich verständlich macht.[32]

V

Damit ist eine Mahnung ausgesprochen, die für den Umgang mit der expressionistischen Dramatik wesentlich bleibt. Sie läßt sich nicht als politisches Programm oder soziologische Analyse lesen, sondern führt auf sehr wechselnde Weise vor die ebenso elementare wie metaphysisch beunruhigende Frage nach dem ‚Phänomen Mensch‘, das nicht auf seine konkreten Bedingungen verrechnet oder gegenständlich begriffen werden soll, sondern sich in den Verweisungszeichen des Kunstwerks zugleich bezeugt und verschließt. Auch die beiden Dramatiker, die in den zwanziger Jahren viel gespielt wurden und zu breiterer Publikumswirkung kamen, Georg Kaiser und Carl Sternheim, würde man mißverstehen, wenn man sie als Sozialrevolutionäre und politische Aktivisten auffassen wollte. Das könnte nur zu Enttäuschungen oder falschen Erwartungen führen, die den Zugang zum Geleisteten verstellen. Wenn das Werk Georg Kaisers heute weithin vergessen und verschollen ist, so liegt das daran, daß auch bei ihm nicht die soziologischen Befunde, sondern die Paradoxien der menschlichen Existenz interessieren. Dabei sind die Unterschiede gegenüber Barlach unverkennbar, da es ihm nicht mehr um das Durchstoßen der Milieuszene geht; vielmehr werden Charaktere und Handlungen der Eigenbewegung der Motive untergeordnet. Es entsteht ein dramatischer Vorgang, der nicht als erzählbare Fabel auf eine beobachtbare Lebenswirklichkeit verweist wie im traditionellen Handlungsdrama, sondern der sich aus der Logik des Themenansatzes entfaltet und deren unabschließbare Dynamik vorführt. Zur Erläuterung beruft sich Kaiser auf den Platonischen Dialog als eine Grundform des Dramas, sofern in ihm die Sprache mit der Bewegung des Denkens identisch bleibt: „Rede stachelt Widerrede — neue Funde reizt jeder Satz — das Ja überspringt sein Nein zu vollerem Ja — die Steigerung ist von maßlosem Schwung — und auf den Schlüssen bläht sich geformter Geist wie die Hände Gottes über seiner Weltschöpfung."[33] Damit ist sowohl die für Kaisers Stücke kennzeichnende szenische Bewegung wie die Behandlung der Figuren als Gesprächspartner treffend umschrieben. Sie sind nur soweit existent, als sie ihren Part im Wechselspiel der Rede zu erfüllen haben; sie müssen in ihren Äußerungen auf die individuelle Sprachgestik ebenso verzichten wie auf den hintergründigen Doppelsinn der Worte; der Dialog reduziert sich auf syntaktische Grundstrukturen, die blockhaft gegeneinander gesetzt werden und mehr die vorantreibende Bewegungsenergie als die sachliche Aussage bewußt machen.

Entscheidend bleibt der Themenansatz, der eine Denkbewegung als Spielvorgang aus sich erzeugt, so daß das Drama zu einer Art Schachspiel wird, in dem die Figuren im Zugzwang die ihnen offenen Möglichkeiten durchspielen und auch ihr Reden sich auf diese Spielfunktion beschränkt. So kann Kaiser sagen: „Ein Theaterstück ist ein geometrisches Problem. Ich schreibe nur deshalb ein Theaterstück, um mir selbst zu beweisen, daß ich denken, Schlüsse ziehen und Ergebnisse aus dem menschlichen Leben gewinnen kann."[34] Freilich ist es ein ‚geometrisches Problem' eigener Art, sofern es als ‚Denk-Spiel'[35] — wie er auch sagt — in die Grenzsituation vorstößt, in der die Logik des Denkens und die Macht des Lebens sich wechselseitig in Frage stellen und die Konfrontation mit der Ohnmacht, der Angst und dem Entsetzen den Zuschauer erschreckt. Die Spielansätze werden jeweils durchgespielt wie ein Schachspiel, das sein Ende findet, wenn ein Spieler matt gesetzt ist, das aber mit einem neuen Spielansatz sofort wieder aufgenommen werden kann. Damit wird zugleich die eigentümliche Produktivität Kaisers verständlich, der in den Jahren von 1917 bis 1933 mehr als vierzig Uraufführungen seiner Werke und deren Inszenierung in aller Welt erlebte. Aber es wird damit auch deutlich, daß es Stücke ohne Thesen und praktikable Rezepte sind, die statt dessen auf das paradoxe Verhältnis zwischen logischer Struktur und provozierender Thematik zurückweisen. In solchem Sinn bekennt sich Kaiser in verschlüsselten Abbreviaturen zum Expressionismus, wenn er 1922 sagt: „Der Mensch weiß die Idee — er ringt um ihren Ausdruck. Erfolgreich nur im Expressionismus." Solche Formel vermag ein anderer Satz näher zu erläutern: „Stets stürzt der Babelbau über seine Fundamente — ist der Turm Zweck? — Das Bauen ist es . . . Man geht aus dem Theater — und weiß mehr von der Möglichkeit des Menschen — von Energie."[36] Das ‚Denk-Spiel' gehört selbst zu der im Lebensvollzug wirksamen Energie und ermöglicht auf seine Weise eine „Erneuerung des Menschen".[37] Es komme nicht darauf an, daß er etwas kann — im Sinne des Erreichens einer ‚Paradieslandschaft' —, sondern nur darauf, daß er „gekonnt ist". „Der gekonnte Mensch ist die Forderung", heißt es in paradoxer Weise.

Was damit gemeint sein könnte, läßt sich von dem Drama *Die Bürger von Calais* aus erläutern, in dem ja gegen Schluß das Wort fällt: „Ich habe den neuen Menschen gesehen — in dieser Nacht ist er geboren."[38] Freilich bleibt das ein vieldeutiges Wort, da es im Drama offenbar nicht um eine szenische Verherrlichung des Opfergedankens oder gar um die Verkündung einer Gemeinschaftsethik der erneuerten Menschen geht. Das Wort gehört zu einer Szenenfolge, die sich aus dem Themenansatz und der Logik der Motive ergibt und eine Situation des Aufbruchs erläutert, die ihren Sinn in sich selbst besitzt und sich von ihrem Anlaß mehr oder minder ablöst. Es handelt sich um einen aus der mittelalterlichen

Chronik des Froissart bekannten Stoff. Ausgangspunkt ist die Aufforderung an die Bürger der belagerten Stadt, sich den Engländern zu ergeben und sechs gewählte Bürger dem König als Sühneopfer zu überantworten. Daraus könnte eine politische Auseinandersetzung erwachsen, indem entweder der Widerstand gegen den angreifenden Feind neu entfacht würde oder im Innern der Stadt zwei Parteien gegeneinander stritten, die entweder zur Kapitulation bereit wären oder sie zu verhindern suchten. Aber der Vorgang verlagert sich von diesen konkreten Konflikten auf eine durch die Ereignisse virulent gewordene Bewußtseinssituation. Wohl fordert der französische Offizier im Sinne einer traditionellen Thematik dazu auf, die „Ehre Frankreichs" zu retten; er fragt, ob Ehre und Ruhm im Hafen von Calais „ertrinken" sollen. Aber er wird rasch durch den ältesten der Bürger zurückgewiesen, da ein Kampf um der Ehre willen nur zur Zerstörung der Stadt und damit des Hafens als dem Werk der Bürger führen würde. Dieses ihr Werk dürfen sie nicht verleugnen, und so stellt sich die Frage, ob sich die sechs Männer finden, die bereit sind sich zu opfern. Sofern sie sich finden, scheint das Drama zu Ende zu sein und vor allem den Opfersinn rühmen zu wollen. Aber in Wahrheit fängt es nun erst an, da sich statt der geforderten sechs Bürger sieben gemeldet haben und dieses vom Dichter erfundene Motiv seine eigene Logik entwickelt. Dies Motiv bleibt offenbar auf die Vorstellung des Soldaten bezogen, daß mit der Unterwerfung nicht nur die Ehre, sondern auch der Mut verloren ginge; aber auch auf die Frage des Bürgers, was das für ein Mut sei, der sich um der Ehre willen in den Untergang stürzt und wie blind und taub in seine Tat flieht. Es geht also um das, was ‚Mut' heißen kann, um dessen Verhältnis zur Tat. Die Frage stellt sich: „Wo ist Mut, wenn sich der Wille von der Tat scheidet? . . . Was gilt diese Tat noch, wenn sie dich dumpf zwingt"?[39] Das Gebot der Ehre scheint zu einem blinden Handeln führen zu müssen, das den vermeintlichen Mut entwertet. Aber auch die Bereitschaft, das eigene Werk, den Hafen, durch sein Opfer zu erhalten, kann nicht von sich aus den Mut rechtfertigen, da damit vielleicht nur den Interessen der Reichen gedient würde. So greift die Frage auch den Bürger an: „Willst du nicht betteln für deinen Reichtum?" Das Motiv des überzähligen, siebten Bürgers muß also die dem Mut zugehörige Bewußtseinssituation erhellen.

Wieder würde das Drama sehr rasch an sein Ende kommen, wenn das Los entschiede, wer von den Sieben ins Leben zurückkehren soll. Der Mut würde dann allenfalls die Gefaßtheit der sich Opfernden erläutern. Statt dessen sorgt der älteste Bürger, Eustache, für weitere Abwandlungen des bestimmenden Motivs vom überzähligen Siebten durch das Kugelspiel und den morgendlichen Wettlauf zum Treffpunkt der Opfer. Die Ungewißheit, ob der einzelne im Leben bleibt oder nicht, bestimmt bis zuletzt das Bewußtsein aller und wird zum eigentlichen Gehalt des dramatischen Vorgangs. Weil nichts entschieden ist, verharrt jeder in einer inneren Spannung, kann er nicht endgültig Abschied nehmen. So treffen sich im zweiten Akt die Todbereiten in einer Art Umkehr des Totentanzmotivs mit den ihnen nächst verbundenen Menschen, mit dem Vertrauten, der Mutter, der Frau, dem Bruder auf dem Grenzrain zwischen Leben und Tod, mit der offenen Frage, ob die Begegnung endgültigen Abschied oder neue Begrüßung meint. Als dann die Sieben ein gemeinsames Mahl halten, Früchte und Wein genießen, dringt die Unruhe der wartenden Menge in den Saal, als wenn der Siebente nun heraustreten müsse. Das Verlangen nach Gewißheit über das kommende Los der Bürger erregt wachsende Spannung in allen Beteiligten, als wenn der verlangte „Gleichmut" ganz unerträglich würde. Aber als sie in die „verhängte Schüssel" nach ihrem Los greifen, findet jeder eine blaue Todeskugel; die Entscheidung wird weiter hinausgeschoben. Es darf offenbar keine Frist zwischen dem Entschluß und der Tat geben, wenn der Mut nicht feige werden soll: „Ich spielte mit euch dies Kugelspiel — ich erfand es aus den Erfahrungen dieses Tages", sagt Eustache.[40] Er gibt auch die neue Bedingung an, unter der am nächsten Morgen die Entscheidung fallen soll: „Mit der ersten Glocke soll jeder von seinem Hause aufbrechen — und wer zuletzt in der Mitte des Marktes ankommt — ist los!", als sollte es einen Wettlauf zum Tode geben. Aber auch diese Bedingung führt zu einem unerwarteten Ergebnis, als wenn das „Wettspiel dieser Nacht" eine „schärfste Lehre" erteilen solle: es finden sich alle außer Eustache ein, als hätte nun der Argwohn recht, daß er den „äußersten Betrug gespielt" hat und nur Scham über seinen Verrat übrig ließe. Aber dann erweist sich, daß Eustache aus der Freiheit des Entschlusses heraus ihnen allen im Tod vorangegangen ist und sie damit in die Entschiedenheit seines Tuns hineingeholt hat: „Er ist euch vorangeschritten — wer dreht das Gesicht noch zurück? . . . Hielt er euch nicht wach vor dieser Tat, um würdig zu sein?"[41]

Doch auch mit dieser überraschenden Wendung ist das Drama nicht zu Ende. Denn die durch Eustache gewonnene Freiheit zum Tode löst sich von dem konkreten Zweck ab und weist in das Leben zurück. Ein Bote bringt die Nachricht vom König von England, daß ihm ein Sohn geboren wurde und er „an diesem Morgen um des neuen Lebens willen kein Leben vernichten will". Wenn der König dann in die Kirche der Stadt kommt, um zu danken, wird er vor dem Altar zugleich vor dem dort aufgebahrten Eustache als „vor seinem Überwinder" knien. Der dramatische Vorgang hat die ihm eigene Logik voll entfaltet, aber zugleich die Frage nach dem rechten Mut auf die Grundsituation des Menschen zurückgewendet, der auf die Schwelle zwischen Leben und Tod gestellt ist und erst in dieser Schwellensituation den rechten Mut faßt. Die Szenen gewinnen ihre Eindringlichkeit, weil sie den Menschen in die Situation des Aufbruchs stellen und dieses Im-Übergang- und Auf-der-Schwelle-Stehen als die ihm eigene Freiheit anerkennen, die ihn tätig werden läßt und an sein Werk bindet. Nur insofern begegnet hier ein „neuer Mensch", der nicht an das Gebaute, sondern an das Bauen denkt und sich in der Paradoxie auskennt, daß er sich zur Tat gefordert weiß, obgleich nichts entschieden ist. So prägen der thematische Ansatz und die Logik der Motive einen Dramenstil, der über die Charakterprobleme hinweg greift und das Phänomen Mensch auf das paradoxe Verhältnis von Leben und Tod bezieht, ohne daraus gesellschaftspolitische Forderungen ableiten zu wollen.

Schon Rilke hatte in seinem Rodin-Buch die Plastik Rodins *Die Bürger von Calais* besonders eindringlich beschrieben; daß der Künstler „alle Aufmerksamkeit dem Moment des Aufbruchs" zuwandte und die „Gebärde der Absage, des Abschieds, des Verzichts" darstelle.[42] Bei Kaiser heißt es entsprechend: „Rennen wir nicht den Wettlauf seit gestern . . . alle im Aufbruch"; und wieder: „die Stunde ihres Aufbruchs ist da".[43] Er unterstreicht die Bedeutung dieses „Aufbruchs" noch durch die szenische Situation des zweiten Akts, der an der „Schwelle" spielt. Die Szenenanweisung sagt: „Den ganzen Hintergrund schließt — von einer Stufe, die wie eine erhöhte Schwelle ist, aufsteigend — ein mächtiger Bildteppich ab." Die Figuren überschreiten jeweils bei ihrem Abgang diese Schwelle und halten ihr Gastmahl gewissermaßen auf ihr, wie die Szenenbemerkung angibt: „Eine Tafel — näher der Schwelle — steht zu einem Mahl gerüstet", von der die Beteiligten dann am Ende des Aktes herabsteigen: „Die Sieben steigen von der erhöhten Schwelle." Jeder von ihnen führt den ihm vertrauten Menschen „bis an die Schwelle dieses Saales", wie der fünfte Bürger sagt. So könnte man meinen, daß Kaiser im Hinblick auf Rilkes Wort vom „Moment des Aufbruchs" es unternahm, mit Rodins Plastik zu wetteifern, daß er durch die Erfindung der Motive des überzähligen Siebten, des Kugelspiels und des Wettlaufs die Gebärden in Handlung umsetzte, um dadurch zugleich eine existenzielle Betroffenheit zu erzeugen, die in diesem Aufbruch die Schwellensituation des Menschen erkennt, im Sinne eines Expressionismus, der die Idee zum Ausdruck werden läßt, wie Kaiser verlangte.

Die Frage nach der Grundsituation des Menschen hat also bei Kaiser zu einer Dramenform geführt, in der die Logik der Motive und die dramatische Konstruktion bestimmender sind als die Orientierung an Handlung und Charakter im Sinne einer mimetischen Kunstübung. Trotz der Besonderheiten seines individuellen Verfahrens bleibt seine Zugehörigkeit zu einem allgemeiner sich durchsetzenden neuen Stilwillen sichtbar. Wenn auch die erzählbare Fabel und psychologische Motivation ihr Recht verlieren, so entsteht doch eine in sich schlüssige, konkret aufweisbare Struktur von dramatischer Wirkung. Thematik, szenische Durchführung, dialogische Konsequenz und dichterische Bedeutsamkeit verweisen aufeinander, so daß ein Grundbestand neuer dramaturgischer Möglichkeiten gewonnen ist. Wir können auf die Abwandlungen dieser Konstruktionsweise in Kaisers weiterem Schaffen nicht eingehen und wollen nur noch andeuten, wie sich bei Carl Sternheim von entsprechenden Voraussetzungen aus eine Wandlung der Komödienform vollzieht.

VI

Für das Lustspiel war schon immer der Figurentypus und die ihm zugeordnete gesellschaftliche Situation wichtiger als der individuelle Konflikt mit seiner Kausalmotivation. So konnte Carl Sternheim auf geläufige Figurenkonstellationen zurückgreifen, um zugleich die Eigenbewegung der Motive so zu steigern, daß der Widerstreit zwischen gesellschaftlich wirksamen Vorstellungen und einem vorbewußten Vitalgeschehen zu komödiantischen Entlarvungen führt. Er will nicht mit satirischem Eifer ein praktikables Rezept für gesellschaftliche Veränderungen anbieten, sondern eine Bewußtwerdung in Gang setzen und mit heiterer oder grimmiger Skepsis den Mechanismus der Gesellschaftsapparatur freilegen. In dem Vorwort zu dem Lustspiel „Aus dem bürgerlichen Heldenleben", *Die Hose*, das Ende 1910 erschien, spricht er von dem „inkommensurabeln" Verhältnis zwischen einer vom Bürgertum „gehätschelten Ideologie" und den „ursprünglichen Kräften" eines zu sich gewillten Einzelnen, als ginge es um die von Nietzsche gestellte Frage, wie das sich selber wollende Leben sich hinter einer täuschenden Vorstellungswelt verbirgt, um seine eigenen Zwecke als einen ‚Willen zur Macht' durchzusetzen. Es entsteht dadurch eine eigentümliche Umkehrung der Komödiensituation, sofern nicht mehr die die Verwicklungen erzeugenden Ereignisse sich als bloßer Schein erweisen und in ein heiteres Nichts sich auflösen, sondern vielmehr der Schein alle Beteiligten narrt, bis etwas ganz anderes entstanden ist, als die Geprellten erwarten, bis nämlich das sich selber wollende Leben seine Zwecke erreicht hat und das Kind gezeugt wird. So ist es das Leben selbst, das mit den Figuren Komödie spielt, als wären alle gesellschaftlichen Normen oder Verfehlungen nur dazu da, um die treibenden Wünsche in Gang zu setzen und an ihr altbekanntes Ziel zu bringen. Diese Umwendung vom sich täuschenden Menschen auf das den Menschen täuschende Leben steigert die Satire zur Groteske, gibt dem Dialog ein skurriles Pathos und rechtfertigt die Fixierung auf das auslösende Motiv. Die fallende Hose, die ihre Trägerin im gesellschaftlichen Horizont kompromittieren müßte, wird zu dem Anlaß, um das Komödienspiel in Gang zu setzen und die menschlichen Bedürfnisse auszugleichen.

Von der Figurenkonstellation her gesehen scheint sich das Stück eher der Posse zu nähern: der Ehemann soll betrogen werden; aber da sich gleich zwei Liebhaber einfinden, die sich gegenseitig beargwöhnen und überwachen, kommt keiner von beiden an das Ziel seiner Wünsche. Statt dessen triumphiert der Ehemann und findet seinerseits noch Gelegenheit, die kupplerisch bemühte Nachbarin für sich zu gewinnen. Dies Schema erhält eigenes Leben erst durch das Motiv der Hose, durch eine banale Nichtigkeit also, die ins Gigantische und Groteske gesteigert wird; denn diese Hose setzt in einer nüchternen Ordnungswelt die Phantasie in Bewegung und führt zu unerwarteten Reaktionen. Der polternde Ehemann sieht seine ganze Existenz als kleiner Beamter in Frage gestellt, wenn seine Frau durch einen solchen Vorfall ins Gerede kommt. Aber das ihn zornig machende Mißgeschick hat zugleich überraschend vorteilhafte Wirkungen: es führt zwei Liebhaber, die die fallende Hose beobachtet haben, als Untermieter ins Haus, die durch ihre Mietzahlungen erst den Familienzuwachs ermöglichen: „Die beiden Leute... haben uns in den Stand gesetzt . . . dir ein Kind zu machen."[44] Mit diesem

Schlußeffekt erweist sich, daß die durch die Hose entstandene ‚Unregelmäßig-keit' erst die sonst erstrebte „Regelmäßigkeit" ermöglicht, daß das Leben um seiner Erhaltung willen für die regelmäßigen Unregelmäßigkeiten sorgt. Wenn dann der Satz fällt: „Merkwürdige Dinge gibt es hinter den Tapeten des Lebens", so ist damit umschrieben, wie hier das Leben mit seinen Puppen spielt und die Figuren sich nur danach unterscheiden, ob sie sich als gute Mitspieler erweisen oder sich in den erregten Phantasien und geläufigen Ideologien verfangen und dann nur helfen, daß die „Unabhängigkeit entschlossener Individuen"[45] zur Aus-wirkung kommt, und sei es durch die Gestalt des engstirnigen Kleinbürgers Theobald Maske. Der Dialog lebt von diesem Widerspiel zwischen einer unwirk-lichen Vorstellungswelt und der Eigentlichkeit der sich durchsetzenden Vitalität; er verzichtet deshalb auf die individuell bestimmte Sprachgestik wie auf ziel-strebige Mitteilungen und bleibt statt dessen doppelbödig-ironisch und paro-distisch, aber nicht für die Redenden selber, sondern für deren Beobachter. Da die Beteiligten die Tragweite dessen, was sie sagen, gerade nicht übersehen, bezeugen sie nur, wie sehr das Leben mit ihnen Komödie spielt. So könnte man Sternheims Komödie für eine Art spiegelbildlicher Umkehrung von Kaisers Denkspiel halten, sofern bei beiden die Logik der Motive den dramatischen Vorgang begrenzt.

Uns kam es darauf an, Grundstrukturen eines nicht-mimetischen Dramentyps in ihren Voraussetzungen und Möglichkeiten zu erläutern, wie sie seit dem Expressionismus in mannigfachen Abwandlungen weiter gewirkt haben, bis hin zu Ionesco oder Beckett oder Dürrenmatt. Wir haben uns auf Werke gerichtet, die um 1910 entstanden und nach dem ersten Weltkrieg zu breiterer Wirkung kamen. In welcher Weise eine jüngere Generation, die durch den ersten Weltkrieg in ihrer geistigen Haltung entscheidend mitbestimmt wurde — wie Fritz von Unruh, Hasenclever, Werfel oder Toller —, die Positionen der Älteren aufnahm und zu den politischen Auseinandersetzungen in Beziehung setzte, führt vor neue Fragen, die hier nicht mehr zu erörtern sind. Es läßt sich von unseren Betrach-tungen aus nur sagen, daß es auch in den an die politischen Probleme heran-greifenden Stücken eher um die Grenzsituationen des Menschen, den Widerstreit von Bewußtsein und Leben gehen wird, als um politische Programme und Re-zepte. Von hier aus mag auch Brechts Verfahren noch verständlich werden, wenn er auf die unabschließbare Dialektik menschlichen Handelns zurückführt statt auf bestimmte Thesen. Wohl fragt er nach der Veränderbarkeit der durch Wider-sprüche bewegten Gesellschaft und gibt damit dem expressionistischen Ansatz eine eindeutige Zielrichtung. Sofern er aber ironisch-aggressiver Weise darauf verzichtet, den Lebensprozeß durch eine Doktrin zum Stehen zu bringen, bleibt auch er in der Existenzbetroffenheit des Menschen stehen und bezeugt damit seine Herkunft aus dem Expressionismus.

Wir suchten aus dem inzwischen entstandenen historischen Abstand heraus genauer einzugrenzen, was durch den damaligen literarischen Aufbruch in Gang gekommen ist. Es genügt nicht, nach den im Expressionismus wirksam gewordenen Thesen zu fragen; man wird das dichterische Verfahren, das Umgehen mit der Sprache und den Bauformen des Dramas beachten und sich vor aktualisierenden Urteilen über die gesellschaftliche Relevanz der Werke hüten müssen, um nicht ihre humanisierende Kraft zu verdecken. Die Dichter des Expressionismus sind in zwei politischen Katastrophen dezimiert und geächtet worden; so hat kaum einer seinen Weg in eigener Konsequenz zu Ende gehen können. Ihre Bemühungen sind gewaltsam mitten im Lauf unterbrochen oder zerstört worden. So wird man ihre Existenzbetroffenheit und künstlerische Experimentierbereitschaft nicht dadurch entwerten wollen, daß man von ihnen Rezepte oder Lösungen verlangt, die ihnen selbst eher zu den Voraussetzungen der entstandenen Katastrophen gehören mochten. Sie haben den Sinn für die Grenzsituation zwischen Bewußtsein und Leben geschärft und damit ihre weiterwirkende Bedeutung gewonnen.

Anmerkungen

1 *Expressionismus.* Literatur und Kunst 1910—1923. Katalog einer Ausstellung des Deutschen Literaturarchivs im Schiller-Nationalmuseum Marbach a. N. 1960, S. 155.

2 Gottfried Benn: *Gesammelte Werke in vier Bänden.* 1959, Bd. 1, S. 242 f.

3 Ebd., S. 512; vgl. auch *Lebensweg eines Intellektualisten.* Bd. 4, S. 46, und *Lyrik des expressionistischen Jahrzehnts,* ebd., S. 382. — Zur Benn-Problematik siehe Theo Meyer: *Kunstproblematik und Wortkombinatorik bei Gottfried Benn.* Kölner Germanistische Studien, Bd. 6, 1971, S. 173 ff.

4 Lessings *Hamburgische Dramaturgie.* Hrsg. von J. Petersen, o. J., 38. Stück, S. 169.

5 Ebd., 32. Stück, S. 145 f.

6 Ebd., 30. Stück, S. 138.

7 Ebd., 32. Stück, S. 146.

8 *Nietzsches Werke.* Klassiker Ausgabe, Bd. 1. *Die Geburt der Tragödie. Mit dem Versuch einer Selbstkritik* (1886) Abschnitt 2, S. 32. — Vgl. P. Böckmann: *Die Bedeutung Nietzsches für die Situation der modernen Literatur.* In: DVjs 27, 1953, S. 77—90.

9 Nietzsche, ebd., Abschn. 1, S. 31.

10 *Geburt der Tragödie.* Abschn. 5, S. 68 f.

11 Ebd., S. 72.

12 Ebd., Abschn. 8, S. 86.

13 Ebd., Abschn. 3, S. 59 und Abschn. 4, S. 64.

14 Ebd., Abschn. 8, S. 90 f.

15 Ebd., Abschn. 1, S. 51.

16 Ebd., Abschn. 7, S. 84.

17 August Strindberg: *Dramen.* Aus dem Schwedischen von Willi Reich, 1965, Bd. 3. *Ein Traumspiel.* Vorbemerkung, S. 73.

18 Ebd., S. 78; vgl. S. 140.

19 Ebd., S. 80 f., 91 ff., 99, 110, 115, 137.

20 Ebd., S. 81 und 86 f.

21 Vgl. S. 82, 84, 86, 104, 132 f., 143.

22 Ebd., S. 136 f. und 141.

23 Ernst Barlach: *Briefe.* 2 Bde., 1968/69, Bd. 1, S. 405 und S. 389.

24 Ebd., S. 376.

[25] Ebd., S. 540 und 545.

[26] Ebd., S. 394 f. Vgl. S. 792.

[27] Ebd., S. 482; vom 22. 4. 1916.

[28] Ernst Barlach: *Das dichterische Werk*. Bd. 1. *Die Dramen*. 1956, S. 120 f.

[29] Ebd., S. 150 f. und S. 161.

[30] Ebd., S. 100.

[31] Ebd., S. 183: „Es stand noch etwas hinter ihrem Namen: Magd eines hohen Herrn ... Der hohe Herr war ihr eigener hoher Sinn — und dem dient sie als Nonne — ja ihr Kloster ist die Welt, ihr Leben — als Gleichnis."

[32] Briefe vom 18. Dez. und 5. Okt. 1919; Briefe, Bd. 1, S. 563 und 555.

[33] Georg Kaiser: *Stücke, Erzählungen, Aufsätze, Gedichte*. Hrsg. von W. Huder, 1967, S. 661 f.: *Das Drama Platons*.

[34] Ebd., S. 694: *Aus einem Interview*.

[35] Ebd., S. 662.

[36] Ebd., S. 684 und 685 f.

[37] Ebd., S. 673.

[38] Ebd., *Die Bürger von Calais*. S. 168.

[39] Ebd., S. 125 f.

[40] Nach dem Text der Erstausgabe von 1914 auf S. 77; im zit. Band von 1967, S. 151 heißt es: „ich spielte mit euch dies Spiel — ich erfand es zu unserer letzten Läuterung". Hier findet sich auch eine aufschlußreiche Abgrenzung gegen den Mut des auf Ehre bedachten Offiziers: „Nur wenn ihr euren Entschluß über seinen türmt, dürft ihr lästern! Wenn ihr ihn zehn- und zehnmal beschließt, seid ihr berufen! ... Tausend Mal seid ihr aus ihm entlassen — tausend Mal sollt ihr zu ihm wiederkehren!" Es geht um die Situation des Aufbruchs.

[41] Ebd., S. 167.

[42] R. M. Rilke: *Gesammelte Werke*. Bd. 4, S. 358.

[43] G. Kaiser, a. a. O., S. 161 und 166.

[44] Carl Sternheim: *Dramen*. Bd. 1, 1963, S. 133.

[45] Ebd., Vorwort, S. 24.

Franz Norbert Mennemeier

REINHARD GOERINGS TRAGÖDIENVERSUCH*

Der Expressionismus — wie überhaupt die literarische Entwicklung im 20. Jahrhundert — scheint dem Schreiben von Werken, die dem geschichtlichen Typus Tragödie entsprechen, im allgemeinen nicht günstig. Das hat vielfältige, zum Teil schwer faßbare Gründe. Was speziell den deutschen Expressionismus angeht, so kann man wohl einen plausiblen Grund benennen, und dieser Grund hat (verwirrenderweise) zu tun mit der Sondertendenz des deutschen Expressionismus innerhalb der deutschen und der europäischen Literatur seit der Jahrhundertwende; er hat zu tun mit der — wenn ich es richtig sehe — untypischen Erscheinung der vorherrschenden deutschen Literatur der Jahre 1910 bis etwa Anfang der 20er; allerdings denke ich hierbei vor allem an die Verhältnisse im Drama dieses Zeitraums.

Das expressionistische deutsche Drama steht im Zeichen eines — bei gewissen frühromantischen Bestrebungen anknüpfenden — idealistischen Aktionismus. Das ist, kurz gesagt, der schöne Glaube, durch Geist, Seele und durch Literatur als deren angeblich machtvollstes Organ lasse sich die Welt entscheidend verändern.

Dieser Glaube schafft eine geistige Disposition, für die Lösungen, nicht Konflikte oder gar Ausweglosigkeiten das Naheliegende sind. Der erleichternde Rekurs auf den Geist und die Seele wie auf ein jederzeit zuhandenes Wunderbares — man brauche es bloß zu entfesseln, meint man — taucht bei vielen expressionistischen Autoren auf. Diese Autoren sind gleichsam groß im Herunterspielen der Wirklichkeit. Versteht sich, daß eine solche Haltung nicht leicht die Optik erzeugt, durch die Widerstände und Widersprüche, unabdingbar für die Erzeugung des Klimas jenes Tragischen, ins Bewußtsein zu treten vermögen. Hinzukommt als Hindernis wohl auch die im Expressionismus verbreitete ästhetische Tabula-Rasa-Stimmung, die den Aufschwung zur großen, gesellschaftlich verbindlichen Form schwierig macht, ohne welche die tragisch erschütternde Wirkung anscheinend nicht möglich ist.

Der deutsche Expressionismus produziert also mit Vorliebe idealistische Aktionsstücke, die aufrütteln sollen. Ernst Tollers *Die Wandlung*, Ludwig Rubiners *Die Gewaltlosen* sind charakteristisch für diesen Dramen-Typus. Wo Dramen geschrieben werden, die noch Tragödie heißen, da sind sie doch eigentlich etwas ganz andres. Fritz von Unruhs Tragödie *Ein Geschlecht* ist im Kern

Programmansprache, der das tragische Handlungsmuster lediglich von außen aufgesetzt ist. Das Stück endet, untragisch, mit der Vision eines zur Weltregierung avancierten Matriarchats und dem fast didaktisch-sentenzhaft ausformulierten Bekenntnis zur Macht einer lebensphilosophisch verstandenen vollen, guten Natur. Die „Tragödien" Paul Kornfelds sind nicht minder aufschlußreich. Das Stück *Himmel und Hölle* verwandelt sich gleichsam unter der Hand in ein ‚Mysterienspiel' und endet — in einer Art komfortablen Spiritualismus — mit der Himmelfahrt der schuldlos schuldigen Akteure. Kornfelds „Tragödie" *Die Verführung*, deren Handlung um eine einzige Figur kreist, um Bitterlich, einen großen Kerl und Melancholiker in eins — diese Tragödie schlägt merklich — nicht ins Mysterienhafte, sondern — ins Groteske um; sie zeitigt schon, vorausweisend, etwas vom bitteren Stil der Tragikomödien des sogenannten absurden Theaters.

Doch was heißt vorausweisend: Kornfeld setzt, eher unfreiwillig allerdings, ein Signal, das auf Tendenzen der europäischen und der deutschen Dramatik seit der Jahrhundertwende deutet, Tendenzen, die — mit welchem Namen auch immer bedacht — von Jarry über Pirandello und Iwan Goll bis zu den Jonesco, Pinter, Beckett, Dürrenmatt usw. reichen. Die hier sich konstituierende Dramatik, die den Expressionismus umgreift und nur an den Rändern in ihn eindringt, ist ein viel machtvolleres Hindernis für jeglichen Tragödienversuch gewesen, als es der idealistische Aktionismus sein konnte. Dieser größere Kontext ist gekennzeichnet durch das Gegenteil allen Idealismus und Aktionismus, durch die Verneinung aller Aufschwünge, durch Skepsis gegen die angebliche Fähigkeit des Menschen, das Substantielle handelnd darzustellen, durch die Überzeugung von der Allmacht der Institutionen. Über den Hintergrund dieser Mentalität, die Zweifel an der Möglichkeit nicht nur der traditionellen Tragödie (die immer ein Handeln voraussetzt), sondern des Dramas schlechthin ausbrüten mußte, hat Entscheidendes bereits Hegel gesagt, als er die „Rekonstruktion der individuellen Selbständigkeit" im Drama Schillers und Goethes mit Wendungen wenn nicht der Kritik, so doch eines ziemlich distanzierten Wohlwollens bedachte und als er über die „Gegenwärtige(n) prosaische(n) Zustände" die auch nach heutigen Begriffen exakte und weitreichende soziologische Anmerkung machte: „So kann denn überhaupt in unserem gegenwärtigen Weltzustande das Subjekt allerdings nach dieser oder jener Seite hin aus sich selber handeln, aber jeder Einzelne gehört doch, wie er sich wenden und drehen möge, einer bestehenden Ordnung der Gesellschaft an und erscheint nicht als die selbständige, totale und zugleich individuell lebendige Gestalt dieser Gesellschaft selber, sondern nur als ein beschränktes Glied derselben" (*Ästhetik*, Bd. 1, Frankf. a. M. o. J., S. 194 u. S. 193). Mit anderen Worten: Die Beschränktheit des Subjekts innerhalb des modernen entfremdenden Weltzustandes — das ist, Hegel zufolge, das große Handicap für die Tragödie und das Drama im vollen überlieferten Sinn des Wortes.

Die Schwierigkeiten, im 20. Jahrhundert eine ‚Tragödie' zu schreiben, hoffe ich hiermit ein wenig angedeutet zu haben, wobei das von Hegel beigebrachte, erst im 20. Jahrhundert, z. B. von Iwan Goll wieder aufgegriffene und zur vollen poetologischen Geltung gebrachte Argument eine wesentlichere Schwierigkeit bezeichnet als mein anfänglich gegebener Hinweis auf jene im ganzen doch eher kurzatmige Bewegung, wie sie der optimistische, idealistische Aktionismus im Drama des deutschen Expressionismus darstellt.

Zugleich ist, denke ich, nun ein Rahmen erstellt, der es erlaubt, das Schaffen eines Autors besser zu begreifen, der heute beim größeren Publikum so gut wie unbekannt ist und den auch die Literaturgeschichtsschreibung bislang noch kaum nach seinen Verdiensten gewürdigt hat. Es handelt sich um Reinhard Goering. Goering ist ein expressionistischer Dramatiker, zu dessen zentralen Erfahrungen die gehörte, auf die der von mir zitierte Satz Hegels hinweist, und der es unternahm, auf diese Erfahrung, diese Herausforderung eine damals ungewöhnliche ästhetische Antwort zu geben. Weder stürzte er sich — wie die meisten seiner schreibenden Zeit- und Generationsgenossen — in eine „Orgie der Ethik" (um hier Brechts sarkastische Bezeichnung für den idealistischen Aktionismus im deutschen Theater der 20er Jahre zu gebrauchen), noch gab er in grotesken Stücken, in absurden Tragikomödien seiner Empörung und Verzweiflung angesichts des von mir charakterisierten Tatbestandes jenen zugleich witzig-grellen und ohnmächtigen Ausdruck, wie er z. B. von den Überdramen Iwan Golls her — sie entstanden zu eben jener Zeit — wohlbekannt ist. Reinhard Goering schrieb Tragödien.

Da Goering zu den Schriftstellern des Expressionismus gehört, deren Leben und Schaffen in besonderem Maß unaufgehellt geblieben sind, erlauben Sie mir, ein paar biographische Daten zu nennen. (Vgl. zum Folgenden das Vorwort von Dieter Hoffmann zu: *Reinhard Goering: Prosa · Dramen · Verse.* München 1961. — Die Stellenangaben im folgenden beziehen sich auf diese Ausgabe.) Diese Daten erweisen das, was man vielleicht (mit allem Vorbehalt) einen echten Tragiker-Lebenslauf nennen kann. Goering wurde 1887 in der Nähe Fuldas als Sohn eines Regierungsbaumeisters geboren. Der Vater nahm sich das Leben, die Mutter fiel in geistige Umnachtung. Goering studierte Medizin. 1914 tat er sechs Wochen lang Dienst als Chirurg und Feldarzt an der Westfront. Eine Tbc-Erkrankung erzwang einen vierjährigen Kuraufenthalt in Davos. Dort entstand das Drama *Seeschlacht,* es wurde 1918 in Dresden uraufgeführt; Goering erhielt für das Stück den Kleist-Preis. Aber der Autor nahm von der Ehrung keine Notiz; er machte zu dieser Zeit in der Schweiz eine „buddhistische Wanderung", er saß am Straßenrand, nährte sich vom Betteln. Das weitere Leben Goerings verlief chaotisch. Von Rastlosigkeit getrieben, reiste er von einem Ort zum andern. Versuche, eine Arzt-Praxis zu gründen, scheiterten immer wieder. Er heiratete, wurde geschieden, lebte mit einer Sechzehnjährigen. 1936 kehrte er von einer Finnland-Reise nach Berlin zurück; kurz darauf verließ er seine Familie ohne Angabe eines Ziels. Man fand ihn tot bei Jena; das war im November 1936; er hatte sich Gift injiziert und die Adern geöffnet.

In den expressionistischen Magazinen und Flugblättern sucht man den Namen Reinhard Goerings fast immer vergeblich. Goering lebte abseits vom Literaturbetrieb. Man weiß nicht genau, welche Autoren er gelesen, durch wen er beeinflußt worden ist. Nietzsche, Stefan George, Knut Hamsun scheinen ihn beschäftigt zu haben.

Völlig im Dunkeln bleibt im Fall Goerings, was man die weltanschaulichen und politischen Überzeugungen eines Autors zu nennen pflegt. Gegen Ende seines Lebens habe er mit dem Nationalsozialismus sympathisiert, doch sei er auch eingeschriebenes Mitglied der Kommunistischen Partei gewesen, heißt es. Andere Zeugnisse sprechen gegen diese Auffassung. Im ganzen gewinnt man aus der Betrachtung der Lebensdaten Goerings den Eindruck: Hier durchlebt einer die geistigen und gesellschaftlichen Spannungen einer Epoche nicht nur intellektuell, sondern leiblich, existentiell.

Das Leben Goerings, so wie es nach der Abfassung des Romans *Jung Schuk* von 1913 und des Dramas *Seeschlacht* von 1917 verlief, wirkt wie ein Epilog: Im *Jung Schuk* nahm der Autor sein eigenes Ende literarisch gleichsam vorweg. Spätere Arbeiten, so das Schauspiel *Die Südpolexpedition des Kapitän Scott* (uraufgeführt 1930), haben den Charakter vergeblichen Sichauflehnens gegen eine Einsicht, die für Goering anscheinend zerstörerisch war.

Goering hat die ‚idealistischen‘ Hoffnungen des deutschen Expressionismus nie oder höchstens am Rande geteilt. Sein zentrales Augenmerk richtete sich auf die Abgründe, das Scheitern, den Widerspruch. Wo er positive, affirmative Momente: charakterliche Größe, Ehre, Tugend, Vaterland und dergleichen, literarisch zu befördern suchte, läßt die Inspiration meist spürbar nach.

Man muß bei Goering verschiedene Schichten des Schaffens unterscheiden. Es gibt bei ihm epigonale Aspekte und authentische. Diese Einstellung verhilft dem Interpreten dazu, daß er sich beispielsweise durch die Tatsache nicht irritieren läßt, daß dieser Dichter im selben Jahr so total verschiedenartige Werke wie *Scapa Flow, Die Retter, Der Zweite* zu konzipieren vermochte. Trotz gegenteiligen Anscheins ist Goering aber kein Eklektizist. Wohl ist er einer, der in einer formnegierenden Zeit unter Mühen nach einem angemessenen tragischen Ausdruck suchte, und zwar einem für die Allgemeinheit verbindlichen Ausdruck.

Die Differenz zum vorherrschenden idealistischen, aktionistischen Expressionismus behauptet sich in Goerings Schaffen durchweg auch in stilistischer Hinsicht. Weder die gefühlige Expektoration noch der seelenhafte Schrei sind seine Sache. Goerings erzählerischer Prosa, die zum Teil zum Besten gehört, was der Expressionismus hervorgebracht hat, fehlen die exaltiert-nervösen Töne eines Döblin, seiner Dramatik die großen, rhetorisch-ideologischen Gesten der Hasenclever, Rubiner, Toller.

Goering erweckt dort, wo er sich literarisch als er selbst präsentiert, den Eindruck, daß er von einer geistigen Situation ausgeht, die durch die herkömmliche poetische Rede nicht mehr ohne weiteres gemeistert werden kann.

Theoretische Äußerungen Goerings zu ästhetischen Phänomenen scheint es nur wenige zu geben. Aus der Gesamtausgabe sind zwei Texte erwähnenswert: *Über das neue Theater* und *Wieso ein neues Stück?*. (Der letzte Text dürfte zur Aufführung der *Südpolexpedition* geschrieben worden sein, der erste scheint früheren Datums.) Ein dritter Aufsatz, *Wandlung des Künstlers,* ist ganz unspezifisch; er ist nur insofern von Interesse, als er gewisse aufgesetzte Neigungen Goerings zum Heldischen, hier in der poetologischen Variante des Dichters als des „meisterliche(n) Lebensgestalter(s)" (91), zu beleuchten vermag. Weder im Leben noch im Werk Reinhard Goerings war aber der „meisterliche Lebensgestalter" ein Motiv von wirklicher Überzeugungskraft; es war das, unter den Bedingungen dieses Schaffens, gleichsam kein ‚mögliches' Thema.

Mit dem Aufsatz *Über das neue Theater* (82 ff.) reiht sich Reinhard Goering unter die Dramatiker jener Epoche, die die „Hoffnung auf ein wahres Volks-Theater" hegen. Ein „Element der Gemeinschaftlichkeit" soll dem Drama zurückgewonnen werden. Das „naturalistische Theater" der Vergangenheit wird als das „Theater einer kleinen Kampf- und Gesellschaftsgruppe" bestimmt. Das neue Theater dagegen soll „Vertretung des ganzen Volkes" sein.

Als epochalen Einschnitt bezeichnet der Aufsatz den Weltkrieg. Durch ihn sei „die Voraussetzung für ein wirkliches Theater, nämlich die Tatsache, daß es wieder Dinge gibt, die in gleicher Weise alle angehen, geschaffen" worden. Es fällt eine Wendung, die Brechtisch klingt: „Theater als Einrichtung für die Genußbedürfnisse des Publikums ist heute nicht mehr diskutabel." Aber damit ist nicht für ein belehrendes Theater, schon gar nicht für ein parteiliches im marxistischen Sinn plädiert, sondern für eins, durch das — dem Selbstverständnis des Autors zufolge — „die Zuschauerschaft" aller Bevölkerungsschichten „vollwertig ausgedrückt wird". Über die inhaltlichen und gesellschaftlichen Voraussetzungen eines solchen universellen Ausdrucks teilt Goering sonst weiter nichts mit.

Für eine Literaturwissenschaft, die sich als emanzipatorisch begreift (wie man zur Zeit gern sagt) und die rasch zu politischen Werturteilen kommen will, könnte nun das Verdikt über Goering in der Luft liegen: Da könnte so argumentiert werden (und es wäre keineswegs völlig falsch): Goerings Tragödien-Ansatz — könnte man sagen — und Goerings Absicht, von einem Standpunkt oberhalb des Klassenantagonismus das Ganze der Gesellschaft in den Blick zu fassen, — sie stammen aus ein und derselben Quelle: nämlich einer bürgerlichen, klassisch-idealistischen, also durchaus standpunktgebundenen Perspektive: Dem scheinbar parteilosen, tatsächlich im Bürgertum befangenen Autor — könnte man sagen — stellte sich als universell, als Ausdruck des gesamten Volks vor Augen, was in Wahrheit partikular war: Indem Goering als vermeintlich universellen Ausdruck die Tragödie konzipierte, reproduzierte er wie ein Stück traditioneller, bürgerlicher Ästhetik so auch eine dezidiert bürgerliche Erfahrung. Er antwortete auf die schlimme Situation mit dem resignativen Pathos einer, seiner Klasse, des verfallenden, an sich selber verzweifelnden Bürgertums.

Eine solche Argumentation, so bündig sie klänge, würde mir etwas voreilig scheinen. Sie krankt daran, daß sie zu formal begrifflich, zu ,abstrakt' ist. Sie übersieht, daß, wie Marx/Engels noch sehr genau wußten, einem bedeutenden Künstler selbst bei traditioneller, ja reaktionärer Denkweise triftige Einsichten in die Lage möglich sind. Besser eine imaginativ gründliche, wenngleich vielleicht nicht rational erschöpfende Widerspiegelung von gegenwärtig Seiendem als jenes Antizipation sich dünkende optimistische und oft bloß kalkulatorische Vorprellen in die erhoffte hellere Zukunft, in die vermeintlich bessere Gesellschaft bei gleichzeitigem getrübten Blick für die Schwierigkeiten, ihr hier und heute den Weg zu bereiten. Jene Argumentation hätte ferner ignoriert, was selbst im Rahmen des traditionellen Ansatzes, als der das Tragödienkonzept Goerings in der Tat bezeichnet werden kann, an neuartigen ästhetischen Strukturen erarbeitet worden ist. Wegen dieser Strukturen darf der scheinbar anachronistische Tragödienschreiber R. Goering als einer der hervorragenden Gestalten im avantgardistischen Theater des 20. Jahrhunderts bezeichnet werden.

Bemerkenswert unter den dramaturgischen Aufsätzen Goerings — es sind übrigens nicht eigentlich theoretisch-systematische Arbeiten, sondern ad-hoc-Erklärungen und -Auslassungen — ist noch der Essay *Wieso ein neues Stück?* (86 ff.). Dieser Aufsatz fällt durch die persönlich gefärbte Rückhaltlosigkeit der Formulierungen auf. Eine Stelle insbesondere scheint mir die geistige Konstitution Goerings gut zu beleuchten: Sie desavouiert gleichsam gewisse mit der Neusachlichkeit aufkommende, pseudo-idealistische Versuche des Autors, den festen Boden sogenannter positiver Werte wieder unter die Füße zu bekommen; es heißt dort:

> Wann, kann ich nicht mehr genau sagen, jedenfalls vor Jahren, traf mich wie ein Blitz, wie eine vernichtende Explosion, wie ein tödlicher Schlag die Erkenntnis: Meine Erziehung ist falsch gewesen, grundfalsch, hassenswert, schlecht, böse; und was am schlimmsten war: unvollständig (...) Versteht man nun, warum ich damals sofort aufhörte zu schreiben? — Warum ich mein Leben aufgab, warum ich alles widerrief, warum ich mich so lange quälte und machte, bis es mir gelang, in einem Nichts unterzutauchen, nicht mehr da zu sein und alles, was von mir bekannt war, auszulöschen (...) Verirrt sein, hin und her getrieben werden, rasen, auf und ab geworfen werden, gedreht, verdreht, gekugelt, geworfen, gewirbelt werden, alles das ist noch nichts gegenüber diesem Verlieren der geistigen Orientierung und doch weiterleben. Hier, an solcher Stelle ist Weiterleben eigentlich unmöglich. Aber Selbstmord ist auch unmöglich, denn er hätte ja einen Sinn! Aber eben nichts hat Sinn in solcher Lage! Man erlebt den Tod und wird von ihm nicht erlöst!

Was sich hier als scheinbar rein subjektiver Nihilismus äußert, gibt sich in Reinhard Goerings Drama *Seeschlacht* in seinem objektiven gesellschaftlichen Zusammenhang zu erkennen. Obwohl die Dichtung ihren Stoff, die Skagerrakschlacht vom 31. Mai 1916, aus allen geschichtlich-konkreten Bezügen löst und scheinbar ganz im Stil des zeitgenössischen Expressionismus den Gestus einer zeitlosen Tragödie zu wahren sucht, ist doch Entscheidendes vom Gehalt der Epoche darin eingeschlossen. Goering ist es gelungen, damals übliche ideologische Befangenheiten abzuwerfen und das Kriegsgeschehen in seiner essentiellen Nacktheit widerzuspiegeln. Diese Leistung künstlerischer Abstraktion, die das eigentlich Konkrete einer historisch-gesellschaftlichen Lage zutage fördert, muß man bewundern.

Gerade die tragische Formulierung des Themas ist es, wodurch dieses Drama seine realistische Überlegenheit gegenüber vielen expressionistischen Dramen behauptet, deren stoffliche und erlebnishafte Voraussetzung ebenfalls der Krieg war, die sich aber idealistisch-pazifistisch allzu schnell von seinem Schrecken befreiten und ein Gerücht der Überwindbarkeit kriegerischer Katastrophen erzeugten, das von der geschichtlichen Realität dann sehr rasch zerstreut wurde. Goerings *Seeschlacht* besitzt noch heute Aktualität.

Der Schauplatz, ein Panzerturm auf einem Kriegsschiff, in den die dramatischen Personen, sieben Matrosen, eingesperrt sind, ist gewiß nicht nur — wie Siegfried Jacobsohn gemeint hat — wegen seiner „entmaterialisierende(n)" Eigenschaften gewählt worden, sondern vor allem wegen seines gesellschaftlichen Symbolgehaltes.

Im Eingesperrtsein der Matrosen kommt exakt die soziale Lage von Menschen zum Ausdruck, denen der Überblick versagt ist, die unten leben, unten gehorchen müssen und dort, gleichsam im Finstern, wie Blinde funktionieren. Goerings Stück spielt unterhalb der Ebene, auf der nationale Kriegsziele, gängige moralische Werte, weltanschauliche Überzeugungen usw. etabliert sind. Es spielt nicht in der Welt der Oberen, der Herrschenden, die sich die Lage deuten und Deutungen über die Lage verbreiten. Dies ist — zunächst jedenfalls — das Stück der unmittelbar Betroffenen; es liefert einen repräsentativen Ausschnitt aus der ‚kleinen' Geschichte, der der ‚armen Leut', mit Brecht zu reden.

Der totale Mangel an Orientierung, der dort herrscht, wird insbesondere durch die Figur des wundergläubigen ersten Matrosen angedeutet. Er sucht das Bevorstehende, das verborgen ist, durch Zeichen am Himmel zu erforschen. „Ein Zeichen! Ein Zeichen!", mit diesem „Schrei" beginnt, durchaus hintergründig in seinem Sinn, das Stück (270/71).

Dem ersten Matrosen aber entgegnet kurz darauf ein anderer, auf die orientierungslose Dumpfheit hinweisend, in der das Dasein der Matrosen verläuft, zugleich alle heroische Stilisierung des ihnen auferlegten Schicksals negierend: „Wir sind Schweine, die zum Metzger fahren" (272). Der Satz zieht sich in Variationen, leitmotivisch durch das Stück. Man hört ihn immer wieder. Auch am Ende, als die Schlacht in vollem Gange ist, tönt es aus dem Mund der Sterbenden: „Wir sind Schweine, die auf den Metzger warten. Wir sind Kälber, die abgestochen werden. Unser Blut färbt die Fische! Vaterland, siehe, sieh, sieh! Schweine, die gemetzt werden, Kälber, die abgestochen werden! Herde, die der Blitz zerschmeißt" (317).

Unweigerlich erhält durch die Metaphorik des Metzens das im Kontext vorkommende Wort „Schlacht" den handgreiflich blutigen Sinn von Schlachtung; und das Wort „Vaterland" in den zitierten Sätzen wird durch diese Verschiebung des Bedeutungsfeldes des Kämpferischen ins Stumpfsinnig-Animalische mit betroffen, dergestalt, daß jenes Wort gleichsam weit weggerückt und in dezidierter Weise als Abstraktum, als rhetorisch-sentimentale Floskel erscheint. Wenn es von den Matrosen nicht zufällig mit dem Gestus halb der Klage, halb des Vorwurfs gerufen wird, dann blitzt beim Zuschauer die Erkenntnis des Verrats auf, der im Namen von Ideologien an Menschen geübt wird. Sie, die Ideologien (hier verstanden als verdorbene Weltanschauungen), öffnen nicht den Blick für die Wirklichkeit; sie versperren den Horizont; in den Katastrophen wird das bewußt.

Ein Stück, das die Schlacht als ein Schlachten, die Kämpfer als Tiere darstellt, die ans Messer geliefert werden, — wieso kann es Tragödie sein? Die Antwort ist: Weil die Menschen in der Dichtung Goerings durchaus noch als Menschen erscheinen, weil es Menschen sind, die zu „Schweinen" werden.

Goering hat es verstanden, die Gruppe der sieben Matrosen, mag sie auch im Verlauf des Geschehens zunehmend anonymes Aussehen gewinnen, anfangs so zu differenzieren, daß Individuen erkennbar werden. Schon dies dient der Humanisierung des Gegenstands. Menschlich sind die Gemütsäußerungen der Personen, etwa die Fröhlichkeit, die naive Vorfreude des dritten Matrosen auf den Kampf, als ginge es um einen sportlichen Wettstreit darüber, wer „meerhafter" (vgl. 274) sei. Menschlich ist die Angst, die sich — im Gegensatz zum Gebaren der Wachenden — im murmelnden Chor der Schlafenden enthüllt, Angst, die aus dem Unterbewußtsein aufsteigt: Der vierte Matrose: „Hilf einer mir erwachen. Hilf einer doch erwachen mir! Wir träumen nur, merkt ihr denn nicht, wir träumen nur!" (297). Das Stück demonstriert, daß, indem der Krieg menschliches Leben vernichtet, höchste Werte zerstört werden. Diesem Wirkungsziel dient auch die Sprache, die trotz ihrer Kürze, ihrer Drastik, ihrer absolut einfachen Semantik den Eindruck hohen Stils erzeugt, bisweilen, aus der Prosa heraus, geradezu die Würde antiker Chöre erreichend.

Tragödien-Maß erhält das Stück aber vor allem andern durch den Mittelteil. Hier sondern sich zwei Gestalten aus dem Kollektiv ab. Es findet ein Gespräch von bohrender Intensität statt. Dramaturgisch wird ein Gipfel erklommen, von dem her das Verhalten der Personen während des darauffolgenden Seegefechts als ‚Fall' von der Höhe herunter erlebt wird. Auf sublimierte Weise setzt sich ein Hauptmoment der alten Tragödien-Dramaturgie in dieser Struktur fort.

Der fünfte Matrose, der Protagonist des Ensembles, zieht den ersten Matrosen ins Gespräch oder besser: verwickelt ihn in eine geistige Auseinandersetzung. Für einige Zeit bricht im geisterhaften Morgengrau die Oberfläche des Geschehens auf. Die vom funktionierenden Betrieb unterdrückte Innerlichkeit sucht sich tastend eines Gehalts zu versichern. Die innere Form des Gesprächs ist sokratisch. Der Ältere fragt und treibt den Jüngeren und damit sich selber immer tiefer in die Problematik der verhandelten Sache hinein. Auch in dem Gespräch lebt ein Zug antiker Tragödien wieder auf: der Gestus des rücksichtslosen Nach-der-Wahrheit-Forschens, der den Tragödienhelden kennzeichnete: „Ich will, daß wir fortfahren und wenn daraus auch Allerschlimmstes für uns entstünde", sagt der fünfte Matrose (289).

Der Sinn des Gesprächs ist die Erschütterung des geistigen Grundes, auf dem die Kämpfenden sich im Krieg befinden und der ihre oben erwähnte Blindheit eigentlich konstituiert, Erschütterung der Maxime: „Wenn es das Land befiehlt, muß es so sein" (291).

Vaterland, Gott, Macht, Besitz: diese Begriffe, die oft dazu dienen, nicht nur kriegerisches, sondern menschliches Handeln überhaupt blindlings zu rechtfertigen, werden einer nach dem andern in Frage gestellt. Der höchste Sinn, von dem behauptet wird, er sei noch nie verwirklicht worden, wird mit einer Wendung umschrieben, die emphatisch sechs oder sieben Mal wie eine mystische Beschwörungsformel wiederholt wird: „was zwischen Mensch und Mensch sein kann." „Daß etwas zwischen Mensch und Menschen ist, das macht zu Wahnsinn alles, was wir tun und dies besonders. Was die auch sagen, die uns dazu verleiten" (292 ff.).

Mit einer außerordentlich umsichtigen Diskretion, jede ideologisch verfestigende Füllung jener ‚Leerformel' vermeidend, setzt Goering hier den Menschen im Reichtum seiner nicht realisierten Möglichkeiten der entmenschten Wirklichkeit entgegen. Daß der Mensch mit dem Menschen ist und in diesem Mitsein sich erfüllt oder erfüllen sollte, dieses Einfachste, Konkreteste mit dem abstraktesten Satz zu bezeichnen: das ist der typisch expressionistische Stil humaner Rede. Eben das aber, was an Dramen des idealistischen Aktionismus verdrießt, weil es die Meinung einschließt, die ideelle Abstraktheit des Appells genüge, eine wie auch immer geartete Revolution zu bewerkstelligen, dies erscheint in Goerings Tragödie als angemessene Bezeichnung des utopisch-menschlichen Horizonts, der durch das dramatisch vergegenwärtigte tatsächliche Geschehen vernichtet wird.

Goerings *Seeschlacht* dichtet nicht den Aufstand, sondern das Unterliegen. Das Bewußtsein der Ohnmacht durchdringt alles. Der fünfte Matrose, der sich dem mörderischen Ablauf des Geschehens verweigern möchte und einen Partner sucht, plant keineswegs Meuterei in der Hoffnung auf pragmatischen Erfolg. Er weiß, daß seine sittliche Revolte praktisch Selbstmord bedeutet. Sein Handeln, genau genommen: ein Nichthandeln soll lediglich ein Zeichen setzen. Einerseits also herrscht in dieser Gesprächsszene das Pathos des Glaubens an die

Macht der Humanität. (Eine epische Einlage, in der vom Abschied zweier Männer erzählt wird [294 f.], dient dem Zweck, Zeugnis dafür abzulegen, daß Humanität Wirklichkeit, nicht Einbildung ist.) Andererseits aber liegt über dieser Passage wie über dem Stück insgesamt der Schatten vergeblicher Bemühungen. Die allmächtige ‚Institution‘, genannt Krieg, läßt autonomes Handeln nicht zu.

Goering hat diese Einsicht, der ja über die Kriegssituation hinaus gesellschaftliche Bedeutung zukommt, in krasser Weise verdeutlicht. Gerade der fünfte Matrose, der Meuterer, wird zum begeisterten Kämpfer; wie später Galy Gay in Brechts Drama *Mann ist Mann* verwandelt er sich in eine blutige Kampfmaschine. Der eben noch entschlossen gesagt hat: „Wenn es zur Schlacht kommt, gut, wirst du gehorchen. Ich aber nicht“ (299), schreit nun im Gefechtsgetümmel:

> Warum steht die Schlacht? Auf, laßt sie entbrennen. In ihrer ganzen Größe und Furchtbarkeit. Meine Brust füllt sich mit ihrem Atem, meine Pulse singen Schlacht, Schlacht über uns! Was mal gepflanzt ist, das soll wachsen, und wenn es uns zerschmettert! Was mal gelöst ist, das soll rollen, und wenn wir darunter kommen! Was angefangen ist, soll fertig werden! Seid keine Lämmer beim Morden! Seid Tiger an euch selbst! Geht bis zum Schluß. Wer bis ans Ende beharrt — Peitscht die Sterne, wenn sie nicht wollen! (307)

Der fünfte Matrose bestätigt damit nachträglich die scheinbar zynische Weisheit des vierten Matrosen, der durch das ganze Drama hin den Standpunkt des Einverständnisses mit dem Bestehenden vertritt: „Was einer redet, mag ganz schön klingen. Wenn es ans Tun geht, ist einer wie der andre“ (301/02).

Das ist ein Satz, der nebenbei gleichsam den ganzen Expressionismus, soweit er rhetorisch-idealistisch die Revolution preist, aus den Angeln hebt.

Goerings Drama *Seeschlacht* ist, trotz mancher Anlehnung an antike Dichtung, die Tragödie einer wesentlich modernen Erfahrung: der Verwandlung des Menschen in den Funktionär unter dem Zwang einer durch individuelles Handeln nicht zu meisternden Situation. Der sittliche Aufschwung des einzelnen erscheint im Licht dieser Erfahrung als eine Art Wahnsinn, als — nüchtern soziologisch geredet — absolut systemfremd. Die tragische Wirkung auf den Zuschauer liegt einfach darin, daß er jene Erfahrung mit vollzieht, daß er gleichsam Abschied nehmen muß von dem alten Menschen, der Pathos, Würde, innere Dimension besaß. Ein neuer Typus setzt sich durch: der, der sich identifiziert, der — buchstäblich — gewissenlos handelt.

Der vierte Matrose artikuliert als Sprachrohr des Dichters implizit diese neue Anthropologie des funktionierenden Menschen — man könnte diese Anthropologie auch als Ausdruck technokratischen Bewußtseins (freilich ohne dessen Fortschrittsoptimismus) bezeichnen: „Solang du noch groß und klein, stumpf und fein und wer weiß was scheidest, sitzt du noch auf der Schulbank, bildlich gesprochen“ (302). Später, in der Schlacht, mahnt derselbe — und aus seinen

Worten erkennt man, wie jetzt nicht nur der falsche Sinn, sondern Sinn überhaupt für irrelevant gilt —: „Ruhe. Keine Erregung! Alles in Ordnung? Daß alles klappt! Daß keiner patriotisch wird! Daß keiner schwatzt! Daß keiner ungeduldig wird! Daß keiner hierin was andres sieht, als seine Arbeit! Daß keiner ein Weib wird! Daß keiner prahlt! Was neue Art von Männern die Zeit schuf, das zeigt jetzt!" (304). Die totale Unterdrückung alles Menschlichen — ein genauer Gegenentwurf zum klassischen Helden-Entwurf — ist damit deklariert.

Die letzten Sätze der Tragödie gehören dem Protagonisten, dem zum gewissenlosen Täter umfunktionierten fünften Matrosen: „Ich habe gut geschossen, wie? Ich hätte auch gut gemeutert! Wie? Aber schießen lag uns wohl näher? Wie? Muß uns wohl näher gelegen haben?" Das hat den Ton des Galgenhumors, den lässigen Zynismus von Desperados. Auf die Zufälligkeit des Handelns wird damit angespielt. Die Sätze weisen auf den Untergrund der Absurdität, in dem das scheinbar zweckmäßige Handeln des modernen Täters wurzelt. Tragisch wirken diese Sätze, weil sich für den Zuschauer der Bogen von hier schmerzhaft zurückspannt zu dem sokratischen Gespräch in der Mitte, in dem der Sinn wahrhaften Menschseins beschworen wurde. Freilich: In dem ‚Fall‘, der in diesem Ende sichtbar wird, offenbart sich nicht zugleich, was klassische Dramaturgie die Bewährung sittlicher Größe im Untergang zu nennen pflegte. Reinhard Goerings Tragödie ist auch insofern modern, als sie absichtsvoll die Erhebung des Publikums verfehlt.

Der Autor hat nicht in allen Stücken die Höhe der eigenen tragischen Einsicht zu wahren vermocht. Die Fragwürdigkeit des letzten Dramas, der *Südpolexpedition*, wurde kurz schon erwähnt. *Scapa Flow*, dessen Dramaturgie zum Teil faszinierend ist, huldigt doch, unmerklich, romantischen Heldenbegriffen. Im Endeffekt läuft das Stück auf eine heroisierende Vergoldung der deutschen Niederlage hinaus. Die Aufforderung des deutschen Admirals zu erforschen, worin man denn „geirrt" habe (361 u. ö.), kommt einer sentimentalen Selbststilisierung gleich. Dieses Kokettieren mit dem antiken Hamartia-Begriff war dazu angetan, die konkrete Kriegsschuld zu verharmlosen. — Die Dramen *Der Erste* und *Der Zweite* können als Etüden bezeichnet werden. Aus dem Kontrast einander spiegelnd, kreisen sie um das Thema von der außerordentlichen sittlichen Schwäche und der ebenso außerordentlichen sittlichen Stärke des Menschen. Aus der Einsicht in die Labilität der menschlichen Natur sucht sich Goering hier — im *Zweiten* — inhaltlich in ein fast barockes Helden- und Märtyrerideal, stilistisch in das traditionelle Blankversdrama zu retten.

Vor großer dramaturgischer Originalität dagegen ist das Schauspiel *Die Retter* von 1919. Auch hier findet sich die Reduktion auf einfache, archaisch anmutende Spielstrukturen, wie sie die *Seeschlacht* auszeichnete. Die Sprache ist wieder zu knappen, entfernt chorisch anmutenden Formeln verdichtet. In höherem Maß noch als in der *Seeschlacht* wird der Sinn des Ganzen aus der szenisch-mimischen

Dimension entwickelt. Die Sprache fungiert als ein Element in einem totalen Theater, was hier keineswegs heißt: technisch aufgeblähten, vielmehr: einem bei karg gehaltenen Mitteln höchst vielschichtigen, universellen Theater.

Ihre Grundierung erhält die dramatische Handlung auch hier durch den Krieg. Der Krieg ist die mächtige Kulisse, vor der die Handelnden klein und ohnmächtig wirken. Eine wahrhafte Aktion gibt es hier so wenig wie in der *Seeschlacht*. Der Versuch, die schlechte Lage durch individuellen Einsatz aufzuhellen, scheitert. Am Ende scheint der Horizont düsterer als vorher. Man kann, wie so oft im modernen Theater, eine Kreisbewegung konstatieren. Jedoch wird in diesem Fall die Vorstellung des Kreises der Tatsache nicht gerecht, daß das Geschehen in den *Rettern* eine Tendenz zur Verschlimmerung anzeigt. Auch das Drama *Die Retter* hat ein tragisches Gefälle. Das Klima des Tragischen, in dem die Vorgänge sich abspielen, scheint gegen die *Seeschlacht* fast noch verdichtet. Auch sind hier, obwohl keine Schlacht vor Augen des Zuschauers entfesselt wird, die Beimengungen des Schrecklichen und Gräßlichen größer. Und sie tun stärkere Wirkung, schon weil die Szene, auf der sie zur Geltung kommen, intimeren Charakter hat. Verknappung der Sprache auf Formeln, die pausenreiche Gesprächsführung, elementar einfache, gleichsam in Holzschnittmanier dargebotene Abläufe nehmen viel vom heutigen Theater, etwa dem eines Samuel Beckett, vorweg. Jedoch fehlen die eigentlich komischen Neben- oder Obertöne, die bei Beckett immer vernehmbar sind.

Goering hat nicht an komische Wirkung gedacht, wenn er eingangs (457 f.) zwei Greise, die sterbend in den Betten liegen, vorführt. Er will mit dieser eindringlichen ‚Pantomime' eine feierlich-keusche Stimmung des Endens beschwören. Die beiden begrüßen den Tod. Sie haben das Gefühl des sittlich erfüllten Lebens.

In diese (sozusagen) Vorfreude auf den ewigen Frieden bricht störend die Realität ein. Ein „großes Tosen" erhebt sich; der Raum wird durch Feuerschein von draußen erhellt. Die Greise erwachen widerwillig zu neuem Leben. Die Erinnerung an Untaten lebt wieder auf.

Der Zuschauer erfährt bei dieser Gelegenheit: Es ist nicht nur das Bewußtsein des ‚gut' gelebten Lebens, es ist auch und vor allem die Trauer über die Gewalttat in der Welt, was die beiden Greise mit Sehnsucht nach dem Tod erfüllt.

Diese barbarische Welt läßt sich nicht abweisen. Das Lärmen und das Wehgeschrei, mit denen sie sich ankündigt, zwingt die Alten aus dem Bett. Ein Mann ohne Arme betritt die Szene. Er fordert die beiden zur Flucht auf. „Es ist ein Haß, / Eine Wut, / Eine Verzweiflung, / Man möchte meinen, / Von zu viel tausend / Und tausend Jahren." Aber die Alten wollen bleiben, sie wollen — noch einmal — handeln. „Es geht um das Gute" (464 f.).

Abermals stellt sich damit in einem Drama Goerings das Problem, ob in einer chaotischen, von Streit und Haß beherrschten Wirklichkeit Humanität eine

Chance habe. Wieder wird dieser ‚idealistische' Entwurf kontrastierend gegen eine Folie der Ohnmacht und der Verzweiflung gesetzt.

Die Aporie, in die die zwei handelnden Greise geraten, wird von Goering in fast parabelhafter Simplizität veranschaulicht. Zwei Krieger erscheinen: sie befehlen, jeden, der ins Haus kommt, zu töten. Den zweiten Greis nehmen sie mit; der erste bleibt zurück. Nach einer Weile erscheint der zweite alte Mann wieder. „Er ist verwandelt, blutig und wie ein Geist eher als ein Mensch anzuschauen" (471). Er wirft sich in sein Bett, liegt dort mit geöffneten Augen. Sein Schweigen während des Kommenden ist lastend gegenwärtig, eine stumme Widerlegung der humanen Aktion, zu der der Bruder sich noch aufrafft, eine ironische Aufhebung von dessen hoffnungsvollen Monologen.

Auf der Szene geschieht im folgenden, was hinter der Szene schon geschehen ist und wovon der Zuschauer ahnt, daß es sich hier nur wiederholt. In dem Bestreben, Gewalt zu verhindern, wird Gewalt geübt. Der Kampf für das Gute erzeugt aufs neue das Böse. Der erste Greis birgt einen Verletzten. Ein anderer, „ebenfalls blutiger Mensch kriecht herein"; er will den, der versteckt worden ist, erschlagen — um der „Gerechtigkeit" willen (482 f.). Vielleicht ist dies die schockierendste ‚Gebärde' des Dramas: Der selber Halbtote, der sich nicht mehr auf den Beinen halten kann, erfüllt von der rachsüchtigen Wut, einen anderen umzubringen. Auf diese bewußt primitive Formel reduziert Goering in seinem anti-ideologischen Theater 1919 die kriegerische Auseinandersetzung, die Europa erschüttert hat.

Im Kampf erwürgt der erste Greis den Besessenen, als dieser auf die Tür zukriecht, hinter der der Feind verborgen ist. Die Rettung des Menschlichen ist gescheitert. Der Stück-Titel erweist sich als Ironie.

Eine neue, mit surrealer Logik eingefügte Szene gibt dem Stück einen unerwarteten Aufschwung. „Beide Greise liegen nun wie am Anfang, als plötzlich zur Türe zwei junge Menschen hereinkommen. Beide in dieser Umgebung wie aus einer anderen Welt erscheinend. Sie beachten nichts, was sie im Zimmer sehen. Sie sind ganz mit sich beschäftigt, es scheint, daß außer ihrer Welt keine andere für die existiert" (495). Der Zuschauer erlebt — wie die Greise — eine holde, inbrünstige Liebesszene. Es wird gleichsam das Wesen der erotischen Zuneigung und ihrer Indifferenz gegenüber allem, was nicht Liebe ist, sprachlich und tänzerisch gestaltet. Die Bewegungen haben „mit dem gewöhnlichen Tanzen nichts gemein" (496). Es ist Darstellung der Liebe in Gestalt des Nichts-als-Schönen. Man kann dieses vom Fabel-Kontext scheinbar losgelöste Inbild auch als Lebenstraum der Greise, als die Verkörperung einer nie erlangten Lusterfüllung deuten. Denn die Greise versuchen, den Tanz nachzuahmen, als das Paar verschwunden ist. „Das war mein Leben!", „schreit" der erste Greis. Und dann geht es, litaneihaft, wie in einem Duett weiter: „Das war das Leben! — Wie es hätte sein können. — Wie es vielleicht war. — Ohne daß wir es wußten. — Ohne daß wir es merkten. — Blind gemacht durch ein anderes. — Durch zuviel, durch zuviel. — Das war es. — Das war's." Dann „weinen" die Alten und „gehen zu den Betten zurück" (499 f.).

Doch auch das ästhetisch autonome Dasein, die hohe Liebe — oder wie immer man die Vision von den Tanzenden deutend umschreiben will — erweisen sich als Illusion. Zwei Schüsse werden hörbar. Die beiden jungen Menschen erscheinen noch einmal. „Beide tragen an der linken Flanke einen roten Fleck." Sie tanzen, werden zusehends schwächer, sie legen sich in die Betten, nachdem sie die toten Greise hinausgeworfen haben, sie erheben sich wieder, nun sind ihre ganzen linken Seiten rot. Doch sie tanzen weiter, stürzen schließlich, erst der eine, dann der andere, tot hin.

Man kann das blutige Ende dieses Tanzes als Pantomime über den zerstörerischen Charakter der Liebe interpretieren: Die letzten Worte des Paares klingen wie Wollustgestammel, wie der Ausdruck des Suchens nach einem Grund, der sich nie finden läßt. Man kann in dem Ausgang der Szene aber auch die These verkörpert finden, daß in einer chaotischen und feindlichen Umgebung selbst der privateste Bereich und das harmonischste persönliche Verhältnis verurteilt sind, mit Krieg überzogen zu werden.

Der Eindruck einer Katastrophe, den das Stück erzeugt, ist niederschmetternd. Das hier veranschaulichte Ausmaß des Unglücks oder der Bedrohung scheint universell. Und man kann nicht leugnen, daß Goerings „Tragödie" *Die Retter* hart an den Rand getreten ist, jenseits dessen nur noch der schrille Ton und das Hohngelächter der ‚absurden' Tragikomödie, genauer: der Stil der Groteske einem als angemessener ästhetischer Ausdruck der Lage erscheinen wollen. —

Reinhard Goering war kein irgendwie gesellschaftstheoretisch gebildeter Autor. Die Behauptung seines Schwankens in politicis, wenn auch biographisch nicht genügend belegt, ist immerhin nicht völlig unglaubwürdig. Doch hat Goering aus künstlerischer Intuition besser als viele seiner idealistisch leichtfüßigen Generationsgenossen den gefährlichen Charakter der geschichtlichen Stunde erkannt. Goering teilte die Sehnsucht der expressionistischen Autoren nach dem Triumph der Humanität. Aber er sah genauer als andere, wie machtvoll die Kräfte waren, die diesen Triumph zu verhindern suchten. Goering wich in seinen gelungenen Werken nicht in traditionelle Ideologien aus, es sei denn man wollte darauf bestehen, die Idee seines tragischen Theaters selber für eine solche Ideologie zu halten. Goering blieb hart bei der damaligen geschichtlichen Wirklichkeit, einer Wirklichkeit, von der wir vielleicht lediglich nicht wissen, in welchem Maß sie noch die unsrige ist. Wie dem auch sei: Es dürfte nicht zuviel gesagt sein, wenn man behauptet, daß sich erneute Beschäftigung mit dem Drama Reinhard Goerings lohnen könne. Goering hat etwas geleistet, was im Theater des deutschen Expressionismus ziemlich selten ist. Goering abstrahierte und stilisierte und blieb doch Realist. Er schrieb Tragödien und speiste das Publikum doch nicht mit gestrigem Pathos und erzwungener Versöhnung ab.

Anmerkungen

* Vortrag, gehalten am 18. 1. 1973 auf Einladung der Philosophischen Fakultät der Universität des Saarlandes in Saarbrücken. Der Vortrag verwendet — mit freundlicher Erlaubnis des Wilhelm Fink Verlags — größere Teile des Goering-Kapitels aus meinem Buch *Modernes Deutsches Drama I: 1910—1933. Kritiken und Charakteristiken.* München 1973.

Der Aufsatz von Roy C. Cowen: *Reinhard Goerings ,Seeschlacht' — Tendenzstück oder Dichtung?,* in: Zeitschrift für deutsche Philologie 91, 1972, S. 528—540, erschien nach Fertigstellung des vorliegenden Beitrags und konnte nicht mehr berücksichtigt werden.

INGEBORG HENEL

KAFKAS *IN DER STRAFKOLONIE*

Form, Sinn und Stellung der Erzählung im Gesamtwerk

Selig ist der Mensch, den Gott strafet.
Hiob 5; 17

Daß Kafkas Erzählung *In der Strafkolonie* noch immer nicht richtig verstanden ist, liegt weniger an ihrer Dunkelheit als an dem verfehlten Versuch der Interpreten, die unwirkliche Welt der Erzählung mit Zuständen in der wirklichen Welt in Verbindung zu bringen. Man hat in der *Strafkolonie* beispielsweise eine Vorausnahme des totalitären Machtkultes gesehen[1] und hat folglich die Aufmerksamkeit mehr auf die scheinbare Ungerechtigkeit der Rechtsprechung und die Grausamkeit der Strafe gelegt als auf die Verklärung der Verurteilten. Oder man hat die *Strafkolonie* als „psychopathologische Studie"[2] betrachtet und die ausführliche Beschreibung der Folter als Ausdruck von Kafkas Sadomasochismus gedeutet.[3] Alle diese Interpretationen machen den Fehler, daß sie die Erzählung wörtlich nehmen. Aber gerade ihre wichtigsten Elemente lassen sich so nicht erklären. Für einen Apparat, der dem Schuldigen automatisch das Gesetz eingräbt, gegen das er verstoßen hat, und ihn so zum Bewußtsein seiner Schuld und zur Verklärung führt, gibt es in der Wirklichkeit kein Äquivalent. Und daß die Folterung den Gesichtsausdruck des Gefolterten verklärt, widerspricht allen Erfahrungen der Physiologie und der Psychologie. Da der Vergleich mit Vorgängen in der wirklichen Welt offensichtlich nicht zum Verständnis der *Strafkolonie* führt, muß ein anderer Zugang gefunden werden.

„Wenn man ein Märchen erzählt", schreibt Kafka in einem Brief an Werfel, hat man „die heutigen Gerichte ausgeschaltet."[4] Das Wort „Märchen" bedeutet hier einfach „erfundene Geschichte" und wird von Kafka wahrscheinlich gebraucht, weil es die extreme Form einer Geschichte bezeichnet, die von vornherein jede realistische Interpretation ausschließt. „Die heutigen Gerichte" stehen, wie aus dem Zusammenhang hervorgeht, für alle zufälligen, spezifischen Vorgänge in der wirklichen Welt, die nach Kafkas Meinung nicht in ein literarisches Kunstwerk gehören.[5] Als „Märchen" in diesem Sinn, das nichts mit irgendwelchen konkreten Vorgängen zu tun hat, müssen wir auch die *Strafkolonie* betrachten, und zwar ist sie wie die meisten Kunstmärchen ein allegorisches Märchen. Die überwirklichen, rätselhaften Figuren und Vorgänge in ihr sind letzten Endes nicht geheimnisvoll wie in einem echten Märchen, sondern

Franz Kafka: Strafkolonie.   J. Hurde 72

können allegorisch gedeutet werden. Hier kann nur kurz auf die allegorische Bedeutung der Figuren hingewiesen werden, der allegorische Sinn der Fabel soll später erläutert werden. Der tote Kommandant ist eine Art Mosesfigur; er hat nicht nur die Gesetze gegeben, sondern durch die Errichtung des Apparats auch dafür gesorgt, daß sie vollstreckt werden. Der Offizier ist sein Vertreter, der Verwalter der Gesetze und des Apparats. Der Apparat setzt den Grundgedanken der Erzählung, daß die Strafe den Menschen zur Verklärung führt, in einen sichtbaren Vorgang um. Der Verurteilte ist das Beispiel eines Menschen, der aus eigener Kraft das Gesetz nicht verstehen und nicht zur Erkenntnis seiner Schuld gelangen kann und folglich der Strafe bedarf. Der Reisende ist der Repräsentant einer neuen Zeit, die das alte Strafverfahren wegen seiner Unmenschlichkeit ablehnt und abschafft.

Die *Strafkolonie* ist die einzige größere Allegorie, die Kafka geschrieben hat. Da sie eine Ausnahme unter seinen Werken bildet, hat man ihren Charakter häufig verkannt. Nur Austin Warren bezeichnet sie ohne Einschränkung als Allegorie. Walter Sokel hält nur eine Hälfte der Erzählung für allegorisch, die andere dagegen für expressionistisch.[6] Verschiedene Erzählweisen können jedoch nebeneinander nur bestehen, wenn sich die Geschichte auf verschiedenen Ebenen oder in verschiedenen Sphären bewegt. Aber die *Strafkolonie* zeichnet sich durch ihre Einheitlichkeit aus: sie hat einen entschiedenen Mittelpunkt, um den sich die Handlung dreht, den Apparat, und zwei Hauptpersonen. Die eine von ihnen, den Reisenden, aus der Allegorie herausnehmen, zerreißt die Einheit des Werks und degradiert den Reisenden zu einem zufälligen Einzelfall, den zu transzendieren nach Kafka gerade die Aufgabe des Schriftstellers ist.

Im allgemeinen wird Kafkas Erzählweise als parabolisch bezeichnet[7] und werden auch in der *Strafkolonie* zumindest parabolische Züge gesehen. Dabei wird nicht immer zwischen Parabel und Allegorie unterschieden, wodurch die beiden Begriffe an Schärfe verlieren und ihre Nützlichkeit einbüßen. Deshalb sollen sie hier kurz gegeneinander abgegrenzt werden. Da die Allegorie reine Konstruktion ist und keine Spiegelung der Wirklichkeit, ist sie immer eindeutig und entspricht in jedem Punkt der Idee, die sie darstellt. Ihr Sinn ist vollständig in ein Bild übersetzt, so daß dieses Bild zurückübersetzt und der Sinn gefunden werden kann und kein Geheimnis zurückbleibt. Das ausschlaggebende Merkmal der Parabel dagegen ist, daß sie — direkt oder indirekt — eine Lehre oder eine Erkenntnis vermittelt, die allgemeingültig und in der entsprechenden Situation anwendbar ist. Die *Strafkolonie* enthält keine Lehre, sondern verbildlicht eine Idee, und noch dazu eine Idee, die zusammenbricht und aus der sich folglich auch keine Lehre ableiten läßt. Deshalb kann sie nicht als Parabel bezeichnet werden.

Daß die *Strafkolonie* keine wirklichen Zustände abspiegelt, wird besonders deutlich an ihrer Hyperbolik. Kafka hat sich in allen Werken der Hyperbeln bedient, weil er den Leser aus seinen gewöhnlichen Denkvorstellungen herausschockieren wollte. Wer jedoch weiter in ihnen verharrt, empfindet die Hyperbolik als grotesk, und einmal in dem Vorurteil befangen, daß er es mit einer Groteske zu tun hat, kann er das Werk nicht mehr verstehen.[8] Die *Strafkolonie* ist jedoch nicht grotesk: sie weist keinen der Züge auf, die als Merkmale des Grotesken gelten. Sie ist weder phantastisch und traumhaft noch undurchschaubar und unauflösbar[9], sondern klar und deutbar, wie eine Allegorie sein muß. Die Hyperbeln in ihr mystifizieren nicht, sondern verdeutlichen. Kafka hat von sich selber gesagt, daß er nicht nur „ins Schlimme“ übertreibe, sondern die Übertreibung „durchsichtig“ mache (Br. Felice 298). Der Leser muß nur verstehen, auf was hin sie durchsichtig ist. Wenn der Verurteilte zum Beispiel dem Hauptmann, der ihn mit der Peitsche ins Gesicht geschlagen hat, droht, er wolle ihn fressen, so soll das nicht als Groteske wirken, sondern die tierische Natur des Verurteilten enthüllen und die Wirkung einer falschen Strafe beschreiben. Oder ein anderes Beispiel: Die übertrieben schwere Strafe für das übertrieben lächerliche Vergehen des Verurteilten macht deutlich, daß es sich nicht um Strafe für ein spezifisches Vergehen handelt, sondern um Strafe für eine immer vorhandene, mit dem Menschsein gegebene Schuld, die sich in dem besonderen Vergehen nur aktualisiert. Die Übertreibungen in diesen Beispielen zeigen dem Leser, daß seine gewöhnlichen Maßstäbe bei der *Strafkolonie* nicht anwendbar sind, und zwingen ihn, andere zu finden.

Die meisten Interpreten behaupten, daß die *Strafkolonie* vom Standpunkt des Reisenden erzählt werde. Das trifft jedoch nur auf Teile der Erzählung zu, vor allem auf den Bericht über den Zusammenbruch der Maschine und den Tod des Offiziers. Ein wesentlicher Teil, nämlich alles, was vor dem Beginn der Erzählung liegt und was den Apparat betrifft, wird von dem Offizier in direkter Rede beschrieben. Trotzdem kann man nicht sagen, daß dieser Teil perspektivisch erzählt sei, denn der Offizier steht der Strafkolonie nicht gegenüber, sondern ist ein Teil von ihr. Außerdem wird alles, was er berichtet und zur Verteidigung des Strafverfahrens vorbringt, von dem Zuhörer, dem Reisenden, gerade als Beweis für die Verwerflichkeit des Verfahrens aufgenommen. Der Erzähler steht also weder auf dem Standpunkt des Offiziers noch auf dem des Reisenden. Und das ist nicht die einzige Ausnahme von dem einsinnig perspektivischen Erzählen. Wir erhalten auch unmittelbaren Einblick in die heimlichen Gedanken und Reaktionen des Offiziers, und sogar, was im Innern des Verurteilten vor sich geht, erfahren wir gelegentlich wie seine Vermutung, daß am Offizier Rache für das geübt werde, was dieser ihm angetan hatte. Wir erfahren zwar sehr viel mehr über die unausgesprochenen Überlegungen des Reisenden als über die des Offiziers, aber das kann ebenso gut als „Allwissenheit“ des Erzählers erklärt werden wie als eine Art „erlebter Rede“, in der der Erzähler für den Reisenden eintritt.

Wenn der Erzähler auch meist vom Standpunkt einer der beiden Hauptpersonen berichtet, so identifiziert er sich doch niemals mit der einen oder der anderen; und direkt greift er nur ganz selten einmal ein wie mit der Behauptung, daß der Reisende im Grunde ehrlich war und keine Furcht kannte (E 225). Wie kann der Leser also wissen, was er glauben soll und was er bezweifeln muß? Der Teil der Geschichte, der die alten Zeiten und die unnatürlichsten oder übernatürlichsten Vorgänge beschreibt, wird von dem Offizier erzählt. Dürfen wir ihm glauben? Seine ehrliche Begeisterung spricht für ihn; aber er kann sich selber täuschen. Da er ein Anhänger des Verfahrens ist, das er beschreibt, ist anzunehmen, daß er befangen ist. Und da es nicht zur Hinrichtung des gegenwärtig Verurteilten kommt und der Apparat niemals in Bewegung gesetzt wird, können die Behauptungen des Offiziers nicht nachgeprüft werden. Das einzige, woran der Leser sich halten kann, ist die Tatsache, daß der Reisende dem Offizier Glauben schenkt und keinerlei Zweifel an der Wahrheit seiner Berichte äußert, obwohl seine eigene Beurteilung der berichteten Vorgänge der des Offiziers diametral zuwiderläuft. Wie vollkommen er von der Wahrheit gerade des Unwahrscheinlichsten im Bericht des Offiziers überzeugt ist, wird gegen Ende der Erzählung deutlich: Als der Reisende „fast gegen Willen" in das Gesicht des toten Offiziers blickt, heißt es — und das ist aus der Perspektive des Reisenden gesehen — daß „kein Zeichen der versprochenen Erlösung" in ihm zu entdecken war; „was alle anderen in der Maschine gefunden hatten, der Offizier fand es nicht" (E 234). Selbst hier beim Anblick des Toten, der die Behauptung des Offiziers eher zu widerlegen als zu beweisen scheint, rührt sich in dem Reisenden kein Zweifel daran, daß „alle anderen" in der Maschine Erlösung gefunden hatten. Wenn die kühnste Behauptung des Offiziers von einem, der gewissermaßen sein Gegner ist, für wahr gehalten wird, darf auch der Leser dem Offizier glauben und alles, was er sagt, als objektive Wahrheit verstehen.

Umgekehrt bestätigt der Offizier die Ehrlichkeit des Reisenden. Hier handelt es sich nicht um die Richtigkeit von Tatsachen, sondern um die Berechtigung einer Weltanschauung. Die Bereitschaft des Offiziers, sich dem Urteil des Reisenden zu unterwerfen, obwohl es ihn verdammt, beweist, daß er den Reisenden für aufrichtig und das Urteil für berechtigt hält. Keine der beiden Hauptpersonen enthüllt sich als Lügner wie der Landvermesser oder als Feigling wie Josef K., der der Wahrheit nicht ins Gesicht zu blicken wagt. Die wechselnden Erzählperspektiven relativieren also die Wahrheit des Berichteten nicht, und sie verdunkeln und verunsichern auch nicht[10], denn beide Hauptpersonen erweisen sich als genaue und zuverlässige Beobachter. Um so ernster erscheint der Widerspruch ihrer Meinungen, denn es ist ein Widerspruch, der sich nicht durch Relativierung des einen oder anderen Standpunktes auflösen läßt.

Nachdem wir festgestellt haben, daß die Vorgänge in der Strafkolonie für wahr, aber nicht für wirklich gehalten werden dürfen, können wir jetzt diese selbst untersuchen und nach ihrem Sinn fragen. Das Thema der Erzählung ist die Strafe. Das muß ausdrücklich gesagt werden, denn die Sekundärliteratur läßt eher vermuten, daß die *Strafkolonie* von Opfertod und tragischem Untergang, von barbarischen Gebräuchen vergangener oder neuer Zeiten, von Sadismus oder Masochismus handelt. Schon der Titel *In der Strafkolonie* weist darauf hin, daß das Thema die Strafe ist. Das wird durch einen Brief Kafkas an Kurt Wolff bestätigt, in dem er vorschlägt, die *Strafkolonie* zusammen mit dem *Urteil* und der *Verwandlung* in einem Band mit dem Titel „Strafen" zu veröffentlichen (Br. 148 f.). Das Problem der Strafe wird in der *Strafkolonie* durch Gegenüberstellung zwei radikal verschiedener Auffassungen von der Strafe dargestellt: die eine, die hinter der Strafordnung des alten Kommandanten steht, von dem Offizier vertreten wird und in dem Apparat verbildlicht ist, und die andere, uns geläufige, des Reisenden. Ihr Unterschied liegt in erster Linie in der verschiedenen Funktion, die der Strafe zugeschrieben wird, und erst in zweiter Linie in den Methoden, die sie vorschreibt und die sich aus dem Zweck der Strafe ergeben.

Das Strafverfahren in der Kolonie beginnt nicht, wie ein gewöhnliches Verfahren, mit der Untersuchung der Schuld. Diese ist vielmehr vorausgesetzt, ist immer „zweifellos", wie der Offizier sagt (E 206). Es muß sich also um eine andere Art von Schuld handeln als die, mit der sich unsere Gerichte befassen, um eine mit dem Menschsein gegebene Schuld, ein Stigma der Endlichkeit oder eine Art Erbsünde.[11] Allerdings kann die immer vorhandene Schuld auch dadurch erklärt werden, daß die Geschichte in einer Strafkolonie spielt. Aber so kann nur die Handlung motiviert, nicht der Sinn der Allegorie erschlossen werden. Da jeder Mensch schuldig ist, bedarf jeder der Reinigung oder Erlösung von der Schuld. Diesem Zweck dient die Strafe. Sie wird zwar nur bei Vergehen gegen ein besonderes Gesetz verhängt, aber sie selbst ist immer gleich radikal: es gibt nur die Todesstrafe. Das jeweilige Vergehen ist bedeutungslos angesichts der existentiellen Schuld und ist nur der Anlaß, nicht der Grund für die Strafe. Daß es sich bei dem Verurteilten um ein geradezu lächerliches Vergehen handelt, stellt die Strafe nicht in Frage, sondern bestätigt ihre transzendente Bedeutung.

Der Offizier bezeichnet das Gesetz, das er in den Zeichner legt und nach dem der Verurteilte gerichtet werden soll, als „die Schrift" — eine Anspielung auf die „Heilige Schrift" und ein Hinweis auf die Absolutheit des Gesetzes. Er wäscht sich die Hände, bevor er die „Schrift" anfaßt, und erlaubt dem Fremden nicht, sie zu berühren; er behandelt sie also wie einen heiligen Gegenstand. Sie ist, wie er sagt, „das Teuerste", was er hat (E 210). Nur er kann die „Schrift" lesen, nur er, der Eingeweihte, kennt das Gesetz. Der gewöhnliche Mensch kann es nicht verstehen, deshalb muß es ihm auf den Leib geschrieben werden. Nur das, was er durch Schmerzen erfährt, was er mit „seinen Wunden entziffert" (E 213), kann er wirklich verstehen. Politzer hat auf das Sprichwort hingewiesen: „Wer nicht hören will, muß fühlen." Kafka hat solche Redensarten oft in ihrem wörtlichen Sinn gebraucht; aber dieser Ausdruck muß abgewandelt werden, wenn er auf die Folter der Strafkolonie passen soll, denn hier geht es nicht darum, daß der Mensch nicht hören w i l l, sondern darum, daß er nicht hören, nicht mit „seinen Augen entziffern" k a n n. Das gilt nicht nur von dem primitiven und blöden Verurteilten, sondern von allen Menschen. Josef K., der ein Durchschnittsmensch mit einer Durchschnittsbildung ist, kann das Gesetz und seine Schuld ebenso wenig erkennen, obwohl ihm mitgeteilt wird, daß er verhaftet, also schuldig ist. Er sucht zwar nach dem Gericht, aber nicht um seine Schuld festzustellen, sondern um seine Unschuld zu beteuern. Wie der Mann vom Lande bleibt er außerhalb des Gesetzes.

Das Räderwerk im Zeichner des Apparats bestimmt nach der jeweils eingelegten Gesetzesschrift die Bewegung der Egge. Diese entspricht der Form des Menschen, so daß ihre Nadeln das Gesetz gleichmäßig in den Körper einritzen können. Für den Kopf jedoch ist „nur diese kleine Stichel bestimmt" (E 208), ein weiterer Hinweis darauf, daß das Gesetz nicht vom Gehirn, vom Verstand, erfaßt wird, sondern von der ganzen Existenz. Bei der Hinrichtung des Offiziers jedoch wird aus dem „kleinen Stichel" „ein großer eiserner Stachel" (E 234). Wir werden noch sehen, was diese Veränderung bedeutet. Der Apparat arbeitet äußerst langsam und mit größter Präzision. Das soll weder die Grausamkeit des Verfahrens noch seine Technisierung ausdrücken, sondern die Schwierigkeit seiner Aufgabe. Der Verurteilte soll ja an dem Muster seiner Wunden das Gesetz ablesen können, und erst, wenn ihm das gelungen ist, kann er auch seine Schuld erkennen. Es dauert sechs Stunden, bis ihm der Verstand aufgeht und er den Sinn des Geschehens versteht, denn das Geschehen h a t einen Sinn, eine r a t i o; es ist nicht irrational, wie allgemein angenommen wird, nicht von der Willkür einer Machtgestalt, sondern von dem Gesetz bestimmt. Die sechste Stunde hat noch eine andere Bedeutung: sie spielt auf die sechste Stunde bei der Kreuzigung Jesu an, in der sich Finsternis über das Land legte und die eigentliche Passion begann. Ähnlich beginnt jetzt das Leiden des Verurteilten: er wird still; das Interesse an der äußeren Welt, der Appetit, vergeht ihm, und das innere Leben regt sich; „um die Augen beginnt es" (E 212). Das ist der „Wendepunkt". Danach vergehen nochmals sechs Stunden, bis es zur „Vollendung" kommt — wieder ein Anklang an die Bibel, diesmal an das „Es ist vollbracht" des Johannesevangeliums. Das gemarterte Gesicht verklärt sich, der Schein der „endlich erreichten Gerechtigkeit liegt auf ihm", und die Zuschauer, die Kinder in den Armen[12], halten die Wangen in seinen Glanz. Das ist der Höhepunkt des Verfahrens, die Strafe hat ihren Zweck erreicht: der Mensch ist erlöst. Auch in den alten Zeiten, als die Hinrichtung noch wie ein religiöses Fest gefeiert wurde, folgte auf diesen Höhepunkt kein Nachspiel. Die Leiche fällt zwar immer — noch eine Leistung des Apparats — „in unbegreiflich sanftem Flug in die Grube" (E 219), aber dann wird sie „verscharrt". Nichts bleibt übrig, was abergläubig verehrt würde — ein Beweis dafür, daß es sich nicht um ein primitives Ritual handelt, in dem einer Machtgestalt ein Opfer dargebracht wird, wie man behauptet hat.[13] Als etwas Heiliges wird höchstens die „Schrift" behandelt, aber sie ist weniger ein konkreter Gegenstand als Gesetzbuch. Nicht einmal der Apparat, die Verkörperung des ganzen Strafverfahrens, ist heilig. Der Offizier handhabt ihn zwar mit größter Sorgfalt, aber er kann nicht verhindern, daß er beschmutzt wird, d. h. daß auch das beste Verfahren nicht fehlerlos ist.

Auch der alte Kommandant wird nicht ungebührlich verehrt. Der Offizier spricht zwar nur mit Ehrfurcht von ihm, aber nicht anders, als man von einem Menschen spricht. Er beschreibt ihn als den Erfinder des Apparats und auf die Frage des Reisenden gibt er zu, daß der Kommandant alle Macht in sich vereint, also eine Art Allmacht besessen habe. Aber es fällt kein schlechtes Licht auf diese Macht, sie erscheint nicht anders als die Macht, die zur Aufrechterhaltung der Ordnung nötig war, denn nach dem Tode des Kommandanten beginnt sie bald, sich aufzulösen. Obwohl der Offizier anhänglich ist — er trägt die für die Tropen viel zu schwere Uniform aus Anhänglichkeit an die Heimat — bezeichnet er sich nicht als Anhänger des alten Kommandanten, sondern als Anhänger des Erbes des alten Kommandanten, also des Strafverfahrens, einer abstrakten Idee. Der alte Kommandant erschien zwar früher bei den Hinrichtungen und legte den Verurteilten sogar selbst in den Apparat, aber die Aufmerksamkeit der Zuschauer war nur auf den Verurteilten gerichtet; der Kommandant war kein Gegenstand der Feier. Deshalb kann man nicht sagen, daß der Verurteilte für eine Machtgestalt geopfert werde. Die Hinrichtung dient keiner äußeren Macht, sondern dem Heil des Hingerichteten selbst. Der Offizier läßt bei der Beschreibung des Verfahrens nicht umsonst das doppeldeutige Wort „Heilanstalten" fallen.

Erst mit seinem Tod wird der alte Kommandant in den Augen seiner heimlichen Anhänger zu einer quasi-religiösen Gestalt[14], wie die Aufschrift auf seinem Grabstein zeigt. Aber sein Tod hat auch noch einen anderen Sinn: er deutet an, daß auch die Gesetze des Kommandanten und sein Werk, die Maschine, zerbrechen werden, wenn der Glaube oder die Erinnerung an ihn ausgelöscht ist. In dieser Doppeldeutigkeit erinnert der tote Kommandant an den Kaiser in der *Kaiserlichen Botschaft,* der ebenfalls gestorben ist, aber vor seinem Tod noch eine Botschaft an den Menschen ausgesandt hat; diese Botschaft besteht, wie die Gesetze des alten Kommandanten bestehen, aber wie diese allmählich ihre Geltung verlieren, so kann jene den Menschen nicht mehr erreichen: er kann nur von ihr träumen. In beiden Situationen beschreibt Kafka eine Zeit, in der Gott tot, d. h. der Glaube an ihn gestorben ist, der Mensch sich aber noch dessen bewußt ist, daß er etwas verloren hat. Das Bewußtsein dieses Verlusts ist bei Kafka der Ort, an dem er in einer glaubenslosen Zeit noch eine transzendente Wirklichkeit erscheinen lassen kann. Deshalb kommen in seinem Werk immer wieder alte Sagen oder Legenden vor, die man nicht mehr auszulegen weiß; oder eine kaum noch verständliche oder lesbare Schrift wie „das Blatt aus der Mappe des alten Kommandanten"; oder „die Macht der früheren Zeiten", die der

Reisende am Grab des alten Kommandanten spürt; oder das Träumen des Menschen von einer Botschaft, die er nie empfangen wird.

Das Problem der Strafe muß für Kafka von besonderer Bedeutung gewesen sein, da er es in den Jahren 1912 bis 1914 dreimal und, wenn man den *Prozeß* miteinbezieht, sogar viermal behandelte. Was für eine Bedeutung die Strafe für ihn hatte, geht nicht nur aus den vier Werken hervor, die die Strafe zum Thema haben, sondern auch aus seinen Notizen. Schon im Jahre 1910 nennt er als Beweis dafür, daß seine „Verfassung nicht die schlechteste ist", die Tatsache, daß er das „unsichtbare Gericht" anrufen, also um seine Strafe bitten kann (T 31). Ein Jahr später gesteht er, daß die Vorstellung eines in seinem Herzen gedrehten Messers — eine Metapher für Strafe — ihm Freude bereitet (T 137). Und noch im Jahre 1921 träumt er von dem Glück, „daß die Strafe kam und ich sie so frei, überzeugt und glücklich willkommen hieß" (T 546). Die Sehnsucht nach der Strafe[15], die diese Tagebucheintragungen aussprechen, wird durch eine Notiz in den Oktavheften erklärt. Hier heißt es, daß „Erkennen als solches Trost ist" (H 71), gemeint ist das Erkennen der eigenen Schuld. Selbst wenn es den Menschen davon überzeugt, daß er seine Schuld mit dem Leben bezahlen muß, richtet ihn das Bewußtsein auf, die Schuld erkannt zu haben. Kafka vergleicht diese Wirkung der Erkenntnis mit der Möglichkeit — denn in der geistigen Welt i s t es eine Möglichkeit — sich an den eigenen Haaren aus dem Sumpf zu ziehen (H 71 f.). Erkenntnis wird durch Leiden ermöglicht und ist selbst Leiden und Trost zugleich. Das Leiden kann als das Leiden verstanden werden, das das Leben mit sich bringt, aber der Mensch muß es als Strafe für eine Schuld — eine Schuld, die er nicht kennt[16] — hinnehmen, wenn es ihm Erkenntnis und Trost, d. h. Erlösung bringen soll.[17] Dazu ist der Mensch jedoch nicht bereit; deshalb muß er der Strafe zwangsmäßig unterworfen werden. Das ist der Sinn der Strafe in der *Strafkolonie*. Ein Gegenstück bildet der *Prozeß*, in dem der Mensch nicht zur Erkenntnis gezwungen, sondern sie ihm nur nahegelegt wird. Aus freiem Willen jedoch gelangt er nicht zur Erkenntnis und folglich muß er sterben wie ein Hund.

Kafka hat seine Gedanken über Schuld, Strafe und Versöhnung nicht in den Kategorien der Zeit oder der Kausalität ausgedrückt, die zur Erfassung der sinnlichen Welt dienen, und dadurch klargemacht, daß es ihm nicht um Geschehnisse des gewöhnlichen Lebens ging, also nicht um politisch-soziale oder psychologische, sondern um transzendente Phänomene. Das Erleiden der Strafe schenkt dem Menschen, wie er meinte, Erlösung und Verklärung nicht nach dem Tode in einer anderen Welt, sondern in der anderen — das heißt für Kafka aber in der geistigen — Welt ist Leiden dasselbe wie Seligkeit (H 51). Das Jenseits war für Kafka nicht etwas, was unserem irdischen Leben folgt, denn als ein Außerzeitliches kann es mit dem Diesseits nicht in zeitlicher Berührung stehen (H 94), sondern es war für ihn die geistige Welt innerhalb dieses Lebens. Daß die Vergeistigung oder Verklärung in diesem Leben geschieht, setzt voraus, daß sich auch das Jüngste Gericht in diesem Leben vollzieht und eigentlich, wie Kafka sagt, ein „Standrecht" ist (H 43). Diese Auslegung des Jüngsten Gerichts als Standrecht erklärt die Plötzlichkeit und Schnelligkeit, mit der das Urteil in der *Strafkolonie* gefällt und vollzogen wird — wiederum ein Beispiel für eine „durchsichtige" Hyperbel.

Die *Strafkolonie* übersetzt diese abstrakten Ideen in konkrete Vorgänge, deren transzendenter Hintergrund aber immer durch die Bilder und vor allem durch die Hyperbolik hindurchscheint. Mit dieser transzendenten Dimension der Erzählung überschneidet sich die historische. Der prinzipielle Gegensatz zwischen den Auffassungen des Offiziers und des Reisenden von der Strafe erscheint als ein Unterschied verschiedener Kulturen, die durch den Offizier und den Reisenden repräsentiert werden. Ihr Zusammenstoß gibt die Handlung der Erzählung ab. Die Auffassung, nach der die Strafe einem Heilsverfahren gleichkommt, wird ausführlich durch den Bericht des Offiziers und seine Beschreibung des Apparats dargestellt. Die andere Auffassung, die der Reisende vertritt, wird nur mit wenigen Worten ausgesprochen. Diese genügen, da diese Auffassung auch die unserer Zeit ist. Nach ihr darf die Strafe erst verhängt werden, nachdem die Schuld erwiesen ist, und muß zu dieser in einem angemessenen Verhältnis stehen. Es wird kein transzendenter Wert mehr anerkannt, dem die Strafe dienen könnte; sie ist reine Vergeltung. Aber sie darf nicht zum Racheakt werden, als die der Verurteilte die Hinrichtung des Offiziers betrachtet; auch der Schuldige muß noch menschlich behandelt werden. Am deutlichsten tritt der Gegensatz zwischen den beiden Auffassungen zutage, wenn beide, Offizier und Reisender, die gleichen Begriffe gebrauchen, um ihre verschiedenen Ansichten auszudrücken. Wenn der Offizier zum Beispiel behauptet, daß in der Folter Gerechtigkeit geschehe (E 218), so meint er eine ganz andere Gerechtigkeit als der Reisende, der die Ungerechtigkeit des Verfahrens für zweifellos halten muß, da Schuld und Strafe in keinem Verhältnis zueinander stehen. Oder ein anderes Beispiel: Wenn der Offizier den Reisenden überzeugen will, daß das Verfahren das „menschlichste und menschenwürdigste" ist (E 221), so denkt er an die Verklärung des Schuldigen, die die höchste Vollendung des Menschen bedeutet; der Reisende dagegen klagt das Verfahren der Unmenschlichkeit an (E 215), weil er an die grausame Behandlung des Verurteilten denkt, der nackt und wehrlos auf den Folterapparat geschnallt, die furchtbarsten Leiden ertragen muß; und Leiden an sich sind für den Reisenden sinnlos.

In dem Zusammenstoß der beiden Auffassungen von der Strafe gelangt schließlich die des Reisenden zum Sieg. Damit soll aber kaum ihre prinzipielle Überlegenheit ausgedrückt werden, sondern eher die Zustimmung, die sie in der Welt gefunden hat. An diesem Punkt wird der historische Aspekt der *Strafkolonie* deutlich, und durch ihn erscheint auch die Welt des alten Kommandanten in historischer Perspektive. Aber diese Welt selbst kann nicht wie die des Reisenden in einer bestimmten Zeit angesiedelt werden, ebensowenig wie an einem konkreten Ort. Sie gehört vielmehr einer legendären Zeit an, und in die Legende gehört folglich auch die Figur des alten Kommandanten. Auch der Ort in den Tropen darf nicht mit einem bestimmten Ort identifiziert werden, sondern muß als Bezeichnung für die Entfernung und Fremdartigkeit der alten Welt verstanden werden.

Bei Beginn der Erzählung ist die Zeit, in der der alte Kommandant herrschte, bereits vorbei. Obwohl sie nach der Erzählung nur eine einzige Generation zurückliegt, macht sie durch ihre absolute Andersartigkeit den Eindruck einer längst vergangenen Zeit. Der alte Kommandant ist tot, seine Macht ist geschwunden, er hat keine Anhänger mehr. Das Leben in der Kolonie hat sich geändert, die Hinrichtungen spielen keine Rolle mehr. Der neue Kommandant wendet sich praktischen Aufgaben wie Hafenbauten zu und hat kein Interesse an dem Strafverfahren. Er hat es noch nicht abgeschafft, aber er unterstützt es auch nicht mehr. Er wie der Offizier scheinen die Entscheidung über das endgültige Schicksal des Verfahrens dem fremden Reisenden zu überlassen, jeder in der Erwartung, daß dieser sich auf seine Seite stellen werde. Der neue Kommandant unternimmt nichts zu diesem Zweck, als daß er den Reisenden einlädt, der nächsten Hinrichtung beizuwohnen. Er scheint sich seiner Sache sicher zu sein, die Zeit steht auf seiner Seite. Der Offizier dagegen, bereits in der Defensive dem neuen Kommandanten gegenüber, setzt alles ein, um den Reisenden für sich zu gewinnen. Er beginnt mit der „ausführlichsten Erklärung" des Apparats; als der Reisende sich davon nicht beeindruckt zeigt, beschreibt er mit dem Aufgebot seiner ganzen Beredsamkeit die früheren Hinrichtungen, und schließlich macht er einen direkten, verzweifelten Appell an den Reisenden. Dabei wird er zunehmend aufgeregter, schreit, wird wütend und ballt sogar die Fäuste, als der Reisende ihn nicht verstehen will. Mit diesem Benehmen verrät er seine geheime Angst, während er in seinen Reden versucht, seine innere Zuversicht auf die günstige Entscheidung des Reisenden vorzutäuschen. Seine Angst ist verständlich, denn er weiß im Grunde, daß es mit der alten Ordnung zu Ende geht, und im Laufe der Unterhaltung wird er sich auch der ablehnenden Haltung des Reisenden bewußt; aber das will er sich nicht eingestehen.

Als der Reisende schließlich sein „Nein!" ausspricht, scheint in dem Offizier keinerlei Veränderung vorzugehen. Er blinzelt nur mit den Augen und dann lächelt er. Was bedeutet dies Lächeln? Daß er sich trotz allem dem Reisenden überlegen fühlt? Daß er froh ist, weil die Verantwortung nun auf dem Reisenden liegt? Denn nun ist ja er der Richter und der Offizier der Verurteilte. Für diese Deutung spricht der Blick, mit dem er den Reisenden ansieht, „die hellen Augen, die irgendeine Aufforderung, irgendeinen Aufruf zur Beteiligung enthielten" (E 227). Oder lächelt er, weil er selber eine Entscheidung gefällt hat, fällen konnte? Denn ohne Zögern und mit den Worten „Dann ist es also Zeit" — zugleich ein Anklang an den biblischen Begriff der „erfüllten Zeit" und Ausdruck der Bereitschaft, sich der neuen Zeit zu unterwerfen — befreit er den Verurteilten und bereitet seine eigene Hinrichtung vor. Das Urteil gegen das Strafverfahren faßt er sofort als Urteil auch gegen sich selber auf. Seine Handlungsweise ist so logisch, daß der Reisende sie ohne weiteres versteht und gutheißt. Merkwürdigerweise haben die Interpreten sie weniger gut verstanden und von dem Opfertod des Offiziers gesprochen (Politzer, S. 162), der sich auf dem Altar des Apparats für „das archaische Ideal der toten Vatergestalt" opfert (Sokel, S. 129). Der freiwillige Tod des Offiziers ist jedoch ebensowenig ein Opfer wie die zwangsweise Hinrichtung des Verurteilten. Ein Opfer setzt voraus, daß es von dem, wofür es dargebracht wird, transzendiert wird; aber der Tod des Offiziers fällt mit dem Ende der alten Ordnung zusammen, kann ihr also nicht mehr dienen, und die neue, humane Ordnung verlangt kein Menschenopfer. Der Offizier, dessen Leben nichts war als Dienst an der alten Ordnung, will und muß mit ihr zugrundegehen, wie der Reisende richtig erkennt (E 230), und aus diesem Grund legt er sich in den Apparat. Daß er sich auf diese Art Verklärung erhoffte, wird nicht angedeutet und ist kaum anzunehmen, da er den Mechanismus und den Sinn der Folter genau kennt. Ein Tod ohne Verklärung wäre jedoch kein Beweis für den überlegenen Wert der alten Ordnung, und deshalb ist auch nicht anzunehmen, daß er durch seinen Tod sich und das alte Strafverfahren rechtfertigen will. Aber nur wenn man das voraussetzt, kann man von dem „tragischen Tod" des Offiziers sprechen, durch den alles widerlegt werde, wofür er gelebt hat.[18]

Wer den Tod des Offiziers mißversteht, muß auch den Zusammenbruch der Maschine mißverstehen, denn beide sind untrennbar miteinander verbunden. So meint Sokel, daß der Offizier sich und die Maschine, die Verkörperung eines irrationalen Systems, zerstöre, indem er sie auf das rationale und moralische Gesetz „Sei gerecht!" umstellt. Aber dieses Gesetz entnimmt der Offizier, ebenso wie das andere, nach dem der Verurteilte hingerichtet werden sollte, der Mappe des alten Kommandanten. Die Maschine zerbricht also nicht an einem ihr fremden, humaneren Gesetz der Gerechtigkeit, sondern an ihrem Mißbrauch für eine neue Art der Strafe: Der Offizier kennt das Gesetz und weiß bereits sein Urteil, als er sich in die Maschine legt. Ihre eigentliche Funktion, dem Verurteilten durch die Folter zur Erkenntnis des Gesetzes und zum Bewußtsein seiner Schuld und auf diese Art zur Versöhnung zu verhelfen, kann sie also nicht mehr ausüben; sie richtet nur noch hin, ermordet. Der Offizier wird nicht verwandelt, sondern behält noch im Tode den Ausdruck des Lebens und den überzeugten Blick, den er im Leben hatte. Statt der Verklärung trägt er die Spitze „des großen eisernen Stachels" auf der Stirn, der ihn wahrscheinlich sofort getötet hat. Das neue, humane Strafverfahren erlaubt nicht, daß der Verurteilte unnötig leidet. Daß der Stachel die Stirn durchbohrt hat, bedeutet, daß der Sitz des Geistes zerstört und damit die Verklärung des Menschen im Tod verneint ist, während die Folter des Körpers die Vergeistigung des Menschen im Tod bewirkt. Da er keine Verwandlung erfährt, bleibt der Offizier ein Unerlöster wie der Jäger Gracchus, der nicht sterben kann; und in einem der Fragmente zur *Strafkolonie* bleibt er, obwohl hingerichtet, tatsächlich am Leben. Der Tod des Offiziers unterscheidet sich also wesentlich von dem all derer, die unter der alten Ordnung hingerichtet wurden. Mit dieser veränderten Wirkung der Hinrichtung haben die Maschine und das Strafverfahren, das sie verbildlicht, ihre Berechtigung verloren; sie bringen keine Erkenntnis und Entsühnung mehr, sie zerstören nur noch.

Der Zusammenbruch der Maschine ergibt sich also logisch aus der veränderten Funktion, die eine neue Zeit der Strafe zumißt, nicht aus einer Veränderung des Gesetzes. Der Reisende bringt kein neues Gesetz, sondern vertritt einen neuen Standpunkt. Alte wie neue Ordnung erkennen die Ideale der Gerechtigkeit und Menschlichkeit an. Aber die alte Ordnung sieht sie in der Transzendierung der sinnlichen Natur des Menschen, während die neue Ordnung glaubt, sie in der sinnlichen Welt verwirklichen zu können. Als der Reisende schon im Begriff ist, seine Ablehnung des Verfahrens auszusprechen, zögert er „im Anblick des Soldaten und des Verurteilten einen Atemzug lang" (E 226). Bedeutet dies Zögern vielleicht, daß er nicht so sicher ist, seine Ideen von Gerechtigkeit und Menschlichkeit in dieser Welt mit diesen Menschen verwirklichen zu können?

Kafka glaubte, wie unter anderem aus einem Brief an Felix Weltsch hervorgeht (Br. 203), daß die Ethik eines religiösen Fundaments bedürfe. Die alte Ordnung beruhte auf einem solchen Fundament; nach ihrem Zusammenbruch jedoch ist der Mensch sich selbst überlassen, und die Frage ist, woher er die Richtlinien für sein Handeln nehmen soll. Vom Standpunkt der Humanität ist die Aufhebung oder Milderung der Strafe ein Fortschritt, aber von dem Standpunkt, der Leiden und Strafe als Weg zur Erlösung betrachtet, ein Verlust. Die Situation nach dem Zusammenbruch des Apparats und dem Tod des Offiziers erscheint in der doppelten Beleuchtung dieser beiden Weltanschauungen.

Der Offizier trägt als Vertreter einer Ordnung nur so viele persönliche Züge, als die Übersetzung einer Idee in konkrete Form verlangt. Er darf also nicht nach seinem individuellen Verhalten, sondern nur nach seiner Funktion beurteilt werden. Das gleiche gilt von dem Reisenden. Auch er ist in erster Linie Vertreter eines größeren Ganzen und kein individueller Charakter und darf folgedessen auch nicht als solcher kritisiert werden. Und doch stellt seine Beurteilung eine größere Schwierigkeit dar als die des Offiziers. Als Repräsentant unserer Zeit und nicht als Repräsentant einer fest umrissenen Weltanschauung ist seine Gestalt weniger eindeutig und schwerer zu verstehen. Ist er beispielsweise ein Vertreter der Humanität? Darauf kann man nur mit einer anderen Frage antworten: Ist unsere Zeit human? Die Meinungen über ihn gehen in dem Maße auseinander, in dem sich die Meinungen über unsere Zeit trennen.

Ein Schlüssel zum Verständnis des Reisenden wie zu Kafkas Beurteilung seiner Zeit ist in einem seiner Briefe an Kurt Wolff enthalten. Auf dessen Einwand gegen das „Peinliche" in der *Strafkolonie* antwortet er: „Ihr Aussetzen des Peinlichen trifft ganz mit meiner Meinung zusammen, die ich allerdings in dieser Art fast gegenüber allem habe, was bisher von mir vorliegt ... Zur Erklärung dieser letzten Erzählung füge ich nur hinzu, daß nicht nur sie peinlich ist, daß vielmehr unsere ... Zeit gleichfalls sehr peinlich war und ist" (Br. 150). Einige haben das Peinliche der Geschichte in dem alten Strafverfahren, andere haben es in der Situation nach dem Zusammenbruch dieses Verfahrens gesehen.[19] Da Kafka es mit dem Peinlichen seiner eigenen Zeit vergleicht, kann er nur das letztere gemeint haben, denn ein System wie das in der Strafkolonie gab es zu seiner Zeit nicht, auch nicht, wenn man es mit totalitären Machtsystemen identifiziert. Das Wort „peinlich" fällt auch in der Erzählung selbst. Der Reisende findet es „peinlich", daß der vorher so „hündisch ergebene" Verurteilte sich plötzlich lebhaft für den Apparat interessiert, seit der Offizier auf ihm liegt. Diesen Anblick, heißt es, „hätte er nicht lange ertragen" (E 232). Das „peinlich" bezieht sich also ebenso auf die neu entstandene Situation, das Benehmen des eben freigelassenen Verurteilten, wie auf die Verlegenheit des Reisenden über diese Situation. In dieser doppelten Beziehung kann das Peinliche der Erzählung mit dem Peinlichen der Zeit verglichen werden, nämlich mit der Schwierigkeit ihrer Lage wie mit der Hilflosigkeit des Menschen angesichts dieser Lage.

Kafka hat den Reisenden besonders vorsichtig gezeichnet, eben weil er als Repräsentant der Zeit gelten sollte und Kafka sich nicht für berufen hielt, seine Zeit zu verurteilen, sondern nur für berechtigt, sie zu vertreten (vgl. H 121, T 557). Keiner der Interpreten hat beachtet, daß von dem Reisenden ausdrücklich gesagt wird, „er war im Grunde ehrlich und hatte keine Furcht" (E 225). Die ehrliche Überzeugung, die er an dem Offizier bewundert, zeichnet auch ihn selber aus. Als Charaktere stehen Offizier und Reisender auf gleicher Stufe und sind gleichwertige Gegner. Wie der Offizier den Mut nicht sinken läßt angesichts des Widerstandes, den der neue Kommandant ihm entgegensetzt, so beweist auch der Reisende Mut, wenn er trotz der eindringlichen Bitten des Offiziers an seinem Urteil festhält. Neben Ehrlichkeit und Furchtlosigkeit dem Offizier gegenüber gehören aber auch Angst und Ratlosigkeit angesichts des Zusammenbruchs der alten Ordnung zum Charakter des Reisenden. Die Widersprüchlichkeit dieser Haltung konstituiert sein Wesen wie das der Zeit, die er repräsentiert, aber sie macht ihn nicht zur Karikatur, wie man gemeint hat. Daß er die Primitivität und Rohheit des Soldaten und des Verurteilten nur schwer ertragen kann, beweist keine „Trägheit des Herzens"[20], sondern weist auf die Schwierigkeit des Problems hin, vor das die so plötzlich Befreiten den Befreier stellen: Sie laden ihm eine Verantwortung auf, der er sich nicht gewachsen fühlt und deshalb entzieht. Die Ablehnung der Verantwortung ist nicht nur ein Zeichen von Feigheit, sondern beweist auch, daß der Reisende die Problematik der Lage begreift und sich nicht für berufen hält, sie zu lösen. Daß der Leser über den Reisenden den Stab brechen und sein Verhalten als „moderne Barbarei" verurteilen sollte, lag wohl kaum in Kafkas Absicht. Wer den Reisenden für einen Unmenschen hält, kann auch seinen Takt und seine Achtung vor der ehrlichen Überzeugung des Offiziers nicht verstehen und muß diese entweder wie Warren als Beweis dafür deuten, daß er sich von dem Dogma, das die Maschine verkörpern soll, habe überzeugen lassen, oder wie Politzer als Bewunderung des modernen Menschen für das Heroische, Autoritäre, Irrationale auslegen. Aber ebensowenig wie Kafka in seinen Gestalten eine Zeit oder eine Weltanschauung verurteilte, darf der Leser es tun. Nur wenn er die Ehrlichkeit ihrer Überzeugungen voraussetzt, kann er diese Überzeugungen selbst beurteilen und den Ernst der Lage verstehen. Das Verhalten des Reisenden als persönliches Versagen kritisieren und damit auf ein Niveau herabsetzen, das unter dem der Erzählung liegt, hätte Kafka als „eine Entwürdigung der Leiden einer Generation" betrachtet (H 278) — ein Vorwurf, den er gegen Werfels *Schweiger* erhob und der auch für die falsche Kritik an dem Reisenden gilt.

Es ist bekannt, daß Kafka die letzten zwei oder drei Seiten der Erzählung als „Machwerk" verurteilte (Br. 159) und fast drei Jahre nach der Beendigung der Erzählung den Versuch machte, einen besseren Schluß zu finden. Aber nach einem weiteren Jahr entschloß er sich dann doch, die Erzählung in ihrer ursprünglichen Form mit nur geringen Kürzungen drucken zu lassen. Das beweist, daß die neuen Ansätze keinen besseren Schluß versprachen als der ursprüngliche Text. Trotzdem werfen sie ein gewisses Licht auf die Erzählung, wenn auch nicht alle in die gleiche Richtung weisen. Allen gemeinsam ist nur ein negativer Zug: Es fehlt ihnen die Logik der Erzählung; an ihre Stelle sind losere Strukturen getreten, Assoziation, Vision, Traum, die kaum in eine Allegorie gehören. Am besten von den sieben Fragmenten paßt sich das letzte und längste der Erzählung an. In ihm gibt sich der Reisende einem Wunschtraum hin, der dann doch nicht nach Wunsch verläuft: Der Offizier ist noch am Leben; von der Treppe zum Schiff macht der Reisende ihm, so daß alle es hören können, einen Vorwurf wegen der grausamen Hinrichtung des Verurteilten. Da deutet der Offizier auf den Kofferträger — den am Leben gebliebenen Verurteilten — und dann auf sich selbst als den, der auf Befehl des Reisenden hingerichtet worden ist. Zum Beweis enthüllt er unter seinem Haar einen Stachel, der aus der geborstenen Stirn hervorragt (T 527 f.). Die Bedeutung des Stachels ist bereits erklärt worden. Dieses Fragment bringt ebenso wie das erste das Schuldbewußtsein des Reisenden zum Ausdruck. Da die *Strafkolonie* jedoch nicht von persönlichem Schicksal und individueller Schuld handelt, konnte Kafka keines der beiden Fragmente gebrauchen.

In einem anderen Fragment zeichnet Kafka die schrecklichen Folgen, die der Zusammenbruch der alten Ordnung nach sich zieht. Da das Dasein seinen Sinn verloren hat, weil es keine Strafe mehr gibt, die dem Menschen das Gesetz enthüllt, hat der neue „immer fröhliche Kommandant" — Zyniker sind immer fröhlich — nur noch eine Aufgabe: der Schlange, dem Satan, den Weg zu bereiten, indem er alles zu Staub zerklopfen läßt. Die Anspielung auf 1. Mose 3;

14 ist deutlich. Die Welt und der Mensch, aus Staub gemacht, müssen wieder zu Staub zerfallen, zum Schlangenfraß werden — statt der Erlösung also eine Art zweiter Sündenfall, in dem die Welt endgültig dem Teufel anheimfällt. „Durch den Abfall von dem formgebenden Gesetz", sagte Kafka einmal zu Janouch, wird die Menschheit „zur grauen, formlosen und darum namenlosen Masse" (Janouch, S. 231). Das Fragment verbildlicht diese Situation. Obwohl es aus dem Rahmen der Erzählung fällt, enthüllt es doch auch gewisse Aspekte von ihr. Der Bezug auf die Bibel unterstreicht das religiöse Moment der Erzählung. Die Verehrung der teuflischen Schlange verlangt, daß auch ihr Gegenstück, der tote Kommandant, übermenschliche Dimension annimmt, und daß der Zusammenbruch der alten Ordnung zur totalen Vernichtung alles Lebens führt, beweist den positiven Sinn der alten Ordnung.[21]

Eine Frage, die Kafka am Ende der Erzählung anschneidet, hat er auch in drei Fragmenten aufgegriffen. Es ist die Frage nach dem Verhältnis des Reisenden zu dem Verurteilten und dem Soldaten, der drei Personen also, die am Schluß allein auf dem Schauplatz bleiben. Soll das besagen, daß sie zusammengehören? In der Erzählung wehrt der Reisende die Verbindung mit den beiden anderen entschieden, ja brutal ab. Dieses Verhalten wird in einer der späteren Fassungen damit erklärt, daß er „durch den Tod des Offiziers jede Verbindung mit ihnen verloren" habe (T 527). In einer anderen Fassung heißt es im Gegensatz hierzu: „alle drei gehörten jetzt zusammen" (T 526). Beide Stellen, obwohl widersprüchlich, ergeben einen Sinn. Da der Offizier die einzige Person in der Kolonie war, die der Reisende achten und bis zu einem gewissen Grad auch verstehen konnte, kann er sagen, daß er nach dem Tode des Offiziers keine Verbindung mehr mit der Strafkolonie habe. Andererseits ist es richtig, daß die drei Überlebenden zusammengehören, denn der Sturz der alten Ordnung hat sie alle in die gleiche Lage versetzt. Das will der Reisende jedoch nicht eingestehen und deshalb versucht er, die beiden abzuschütteln. Aber der Verurteilte drückt ihm — wohl aus Dankbarkeit — das Gesicht auf die Hand, und der Soldat klopft ihm — wahrscheinlich als Zeichen der Anerkennung — mit der Hand auf die Schulter. Diese Stelle liefert eine bessere Erklärung für den Schluß der Erzählung. Eben weil die beiden als Zeugen der Geschehnisse und als Nutznießer seiner Handlungsweise mit dem Reisenden verbunden sind, verstößt er sie, denn er will weder durch ihre Dankbarkeit noch durch ihre Anerkennung an den Sturz der alten Ordnung und den Tod des Offiziers erinnert werden. Die Abschaffung des alten Strafverfahrens hatte er zwar für nötig gehalten, aber aus ganz anderen Gründen als der Soldat und der Verurteilte, denen es nur um ihre eigene „sinnlose Freiheit"[22] zu tun sein konnte — sinnlos, weil sie nichts mit ihr anzufangen wissen. Ebensowenig wie mit dem Soldaten und dem Verurteilten hat der Reisende etwas mit den Männern im Teehaus gemein, die ihn durch ihr Lächeln auffordern wollen, sich ihrer Meinung über den alten Kommandanten anzuschließen — ein ähnlicher Anbiederungsversuch wie der des Soldaten und des

Verurteilten, der nur dazu angetan ist, ihn die Zweideutigkeit seiner eigenen Rolle fühlen zu lassen. Im Gegensatz zu dem Verurteilten, auf dessen Gesicht ein breites, lautloses Lachen über die Hinrichtung des Offiziers erscheint und nicht wieder verschwindet, empfindet der Reisende keinerlei Triumph, ja nicht einmal Befriedigung, über den Zusammenbruch des alten Strafsystems. Er scheint zu verstehen, daß die Befreiung von der Strafe nicht der eindeutige Segen ist, als den der Soldat und der Verurteilte sie betrachten, und dadurch trennt er sich noch entschiedener von den beiden anderen als durch seine größere Menschlichkeit. Das Fragment, das die drei so ungleichen Personen zu einer fast standbildartigen Gruppe zusammenschmilzt, hätte dem Schluß der Erzählung einen ironischen Anstrich gegeben.

Wir wissen nicht, was für Bedenken Kafka gegen die letzten zwei oder drei Seiten der *Strafkolonie* hatte. Die neuen Entwürfe entwickeln entweder den Zerfall der Kolonie weiter bis zu ihrem apokalyptischen Ende, wodurch der Rahmen der Erzählung gesprengt wird, oder sie konzentrieren sich auf die Person des Reisenden und machen ihn so fast zur Hauptfigur, was dem Sinn der Erzählung widerspricht. In dem gedruckten Text ist der Reisende zwar bis zum Ende anwesend — weshalb er wahrscheinlich für die Hauptfigur gehalten worden ist — aber zuletzt folgt ihm der Erzähler nicht mehr, sondern bleibt, dem Titel der Erzählung getreu, in der Strafkolonie bei dem Soldaten und dem Verurteilten zurück. Er weiß beispielsweise, daß diese beiden nicht zu schreien wagen, und er beobachtet durch ihre Augen die drohende Gebärde des Reisenden, die ihnen — und dem Leser — verwehrt, ihm zu folgen.[23] Die offene Frage am Ende der Erzählung ist nicht: was wird aus dem Reisenden? sondern: was wird aus der Strafkolonie? Die Beantwortung dieser Frage wird zu Recht dem Leser überlassen. Daß Kafka sie in dem Fragment von der Schlange in die Erzählung aufnehmen wollte, war ein Fehler, den er erkannte. Dadurch daß die *Strafkolonie* bis zum Ende nicht nur die Einheit der Zeit, sondern auch die des Ortes und der Handlung bewahrt, erreicht sie die Abgeschlossenheit, die eine Allegorie verlangt. Der Ernst des aufgeworfenen Problems wird durch diese Konzentration der Darstellung noch unterstrichen. Ähnlich wie Kierkegaard die Wahrheit als das leidenschaftliche Festhalten an der objektiven Ungewißheit definiert[24], drückt Kafka die Wahrheit der *Strafkolonie* durch das Festhalten an einer unlösbaren Problematik aus. Das muß betont werden gegen alle Interpretationen, die das dargestellte Problem als zufällig oder als lösbar behandeln, indem sie es auf psychologische Faktoren zurückführen oder als Anklage der Zeit verstehen und nicht als Beschreibung ihrer Leiden.

In der bereits erwähnten Kritik an Werfels *Schweiger* stellt Kafka eine Regel für den Schriftsteller auf: er muß von dem Einzelfall abrücken und „die heutigen Gerichte" ausschalten. Ähnlich meinte Kafka in einem Gespräch mit Janouch,

daß der Dichter die Aufgabe habe, „das Zufällige in das Gesetzmäßige hinüber-
zuführen" (Janouch, S. 231). Beide Aussprüche erinnern an das Ziel, das er sich
als Dichter gesetzt hat: in seinen Werken „die Welt ins Reine, Wahre, Unver-
änderliche" zu heben (T 534). Eine Entwicklung zu diesem Ziel läßt sich an den
drei Erzählungen mit dem Thema von der Strafe erkennen.

Im *Urteil* verhängt ein Vater die Todesstrafe über seinen Sohn, in seinem
Namen wie in dem des Freundes, denn der Sohn erscheint doppelt schuldig:
er hat gegen das vierte Gebot verstoßen und hat sein besseres Selbst verraten,
das in dem Freund verkörpert ist. Da der Vater zugleich Richter, Geschädigter
und Anwalt eines Dritten ist, erscheint die Gerechtigkeit des Urteils zweifelhaft.
Trotzdem nimmt der Sohn es ohne Widerstand hin, denn er hat sich innerlich
seine Schuld bereits eingestanden. So wenigstens müssen wir seinen plötzlichen
Entschluß verstehen, dem Freund endlich von seiner Verlobung (einem Abfall
von seinem besseren Ich) zu schreiben und mit diesem Brief auch noch zum Vater
zu gehen und so auch vor diesem ein Schuldbekenntnis abzulegen. Da es keine
übergreifende Gerechtigkeit in dieser Erzählung gibt, bleiben Strafe und Schuldbewußtsein im Zufälligen befangen. Nur der Freund und die Lebensform, die
er vertritt, weisen über den Einzelfall hinaus, genügen aber nicht, um die Strafe
aus dem Bereich „heutiger Gerichte" herauszuführen. Aus diesem Grund überzeugt die Versöhnung am Ende nicht, und der Leser ist gezwungen, zu biographischen Zeugnissen zu greifen, um die Erzählung restlos zu verstehen.

Wie im *Urteil* ist auch in der *Verwandlung* der Schuldige ein individueller
Mensch, der einen Namen hat und eine spezifische Schuld trägt: er ist ein Parasit.
Die Strafe dagegen wird nicht mehr wie im *Urteil* von einem Menschen verhängt, sondern vom Schicksal vollzogen: Gregor wird äußerlich zu dem, was
er innerlich ist. Die Frage nach der Gerechtigkeit der Strafe wird durch die
Metapher von der Verwandlung beantwortet, die ihrem Wesen nach der Strafe
entspricht und als Schicksal dem Zufälligen enthoben ist. Die *Verwandlung*
erhält durch die Metapher eine Dimension, die über das Einzelschicksal Gregors
hinausweist, aber die Erzählung selbst handelt noch von diesem Einzelschicksal,
und der Schluß stößt sie geradezu wieder in die Vereinzelung hinein.

In der *Strafkolonie* ist auch der Schuldige kein individueller Mensch mehr;
er hat keinen Namen, und die Art seiner Schuld ist unwichtig geworden, die
Schuld selbst aber „zweifellos". Die Gerechtigkeit ist zu einer abstrakten, absoluten, durch ihren maschinellen Vollzug garantierten Gerechtigkeit geworden,
die nicht mehr von der zufälligen Autorität eines halb tyrannischen, halb
senilen Menschen wie dem Vater abhängt. Wie die Schuld ist auch die Strafe
immer die gleiche, nämlich die Todesstrafe, und ihre Variation bezeichnet nur
den individuellen Weg zu einer immer gleichen Erlösung. Eine Parallele liefert
die Parabel *Vor dem Gesetz,* in der es für jeden ein eigenes Tor zum Gesetz
gibt, das Gesetz selbst aber immer das gleiche ist.

Kafka wollte zwar *Urteil, Verwandlung* und *Strafkolonie* gerne in einem

Band vereinigen, aber auf keinen Fall sollten nur *Urteil* und *Strafkolonie* zusammen erscheinen. Er befürchtete, daß sich „eine abscheuliche Verbindung" ergeben würde, als ob man „zwei fremde Köpfe mit Gewalt gegeneinander" schlage (Br. 149). Deshalb sollte die *Verwandlung*, die zwischen den beiden anderen Erzählungen entstanden war, zwischen ihnen vermitteln. Wir können jetzt verstehen, daß die noch stark im Einzelfall verhaftete Behandlung des Themas von der Strafe im *Urteil* und seine Verabsolutierung in der *Strafkolonie* einen unangenehmen Kontrast abgegeben hätten und daß die metaphorische Gestaltung des Themas in der *Verwandlung* geeignet war, zwischen beiden zu vermitteln.

Bevor Kafka die *Strafkolonie* schrieb, in der es ihm schließlich gelang, das Thema von der Strafe aus der Sphäre „heutiger Gerichte" herauszuführen, hatte er den *Prozeß* begonnen. Wir wissen nicht, an welchem Punkt der Arbeit am *Prozeß* er diesen beiseite legte und die *Strafkolonie* schrieb.[25] Stand der Verlauf des Romans schon fest, in dem der Mensch seine Schuld nicht einsehen will, die Strafe vermeidet und schließlich, als sie ihn doch erreicht, statt Erlösung zu finden von der Scham überwältigt wird, die ihn auch noch überlebt? Und sollte die *Strafkolonie* den Sinn und die Notwendigkeit der Strafe dartun, die im *Prozeß* nur negativ erwiesen waren? Oder wollte Kafka umgekehrt, nachdem er die *Strafkolonie* geschrieben hatte, im *Prozeß* zeigen, wozu das Vermeiden der Strafe führt? Auf jeden Fall gehören beide Werke als Gegenstücke zueinander, von denen das eine jeweils die positive oder negative Seite des anderen beleuchtet. Auch im *Prozeß* führt Kafka das Zufällige in das Allgemeine hinüber, aber in anderer Weise als in der *Strafkolonie*. Nachdem er das allegorische Märchen von der Strafkolonie geschrieben hatte, hat er diese Möglichkeit, den Einzelfall zu transzendieren, nie wieder in einem größeren Werk erprobt, sondern hat in Zukunft den Einzelfall in seiner konkreten Wirklichkeit bestehen lassen, aber für eine allgemeine Wahrheit transparent gemacht. So ist der *Prozeß* entstanden, und ihm folgen mit größeren oder geringeren Abweichungen die meisten von Kafkas späteren Werken.

Mehr als die Not der Zeit oder die allgemein menschliche Not bedrohte Kafka der Zweifel an seiner schriftstellerischen Befähigung. In einem solchen Anfall von Verzweiflung bei der Arbeit an seiner „Hundegeschichte"[26] schrieb er am 9. Februar 1915 in sein Tagebuch: „Wenn sich die beiden Elemente — am ausgeprägtesten im *Heizer* und in der *Strafkolonie* — nicht vereinigen, bin ich am Ende. Aber ist für diese Vereinigung Aussicht vorhanden?" (T 463). Kafka nennt den *Heizer* als die eine seiner schriftstellerischen Möglichkeiten, weil er das traditionelle, realistische Element in seiner Kunst vertritt. Das geht aus einer anderen Bemerkung hervor, in der er diese Erzählung als „glatte Dickensnachahmung" bezeichnet (T 535 f.).[27] Das ist allerdings eine starke Übertreibung. Kafka hat die Naivität, Sentimentalität, Schwarz-Weiß-Malerei und Breite seines Vorbilds vermieden, und er hat schon im *Heizer* die bei Dickens im allgemeinen noch bestehende Allwissenheit des Erzählers durch die perspektivische Erzählweise ersetzt. Daß er sie in der frühen Geschichte noch nicht konsequent durchgeführt hat, ist weniger zu ihrem Nachteil als die Überbelastung dieser notwendigerweise begrenzten Sehweise. Der Perspektivismus im *Heizer* steht noch durchaus im Dienst des Realismus, und realistisch ist hier auch noch das Haften am Einzelfall. In radikalem Gegensatz hierzu steht die reine Konstruktion der *Strafkolonie*, und Kafka hat diese wahrscheinlich deshalb als Beispiel für das andere Element genannt, das er ausbilden und mit dem ersten verbinden müsse. Als geglückte Vereinigung der beiden im *Heizer* und in der *Strafkolonie* ausgeprägten Elemente kann die oben beschriebene Erzählweise des *Prozesses* verstanden werden. Der Realismus hat in ihr nichts mehr mit einer Darstellung der Wirklichkeit um ihrer selbst willen zu tun, sondern ist zu einer Form geworden, die zu etwas hinführt, was über die Wirklichkeit hinausgeht — Form in dem Sinne verstanden, wie Kafka sie für Janouch definiert hat: „Die Form ist nicht der Ausdruck des Inhalts, sondern nur sein Anreiz, das Tor und der Weg zum Inhalt. Wirkt er, dann öffnet sich auch der verborgene Hintergrund" (Janouch, S. 213). Als ein solch realistischer Weg zu einem verborgenen Inhalt dient zum Beispiel die genaue Beschreibung der armseligen Kanzleien auf den Dachböden im *Prozeß* oder des geradezu abstoßenden Helden im *Hungerkünstler* oder der Gänge und Plätze im *Bau*. Im Dezember 1910 hat Kafka einen ähnlichen Gedanken wie den zu Janouch geäußerten in seinem Tagebuch notiert und eine ähnliche Metapher gebraucht: „Die Klarheit aller Vorgänge macht sie geheimnisvoll, so wie ein Parkgitter dem Auge Ruhe gibt bei der Betrachtung weiter Rasenflächen, und uns doch in unebenbürtigen Respekt setzt" (T 31). Diese Bemerkung, nach der Lektüre von Goethes Tagebüchern gemacht, bezieht sich wahrscheinlich auf diese und bedeutet zunächst, daß die Beschreibung des gewöhnlichen Tagesablaufs die Persönlichkeit Goethes erst recht geheimnisvoll und ehrfurchtgebietend erscheinen läßt. An dieser besonderen Beobachtung scheint Kafka jedoch eine allgemeine Erkenntnis aufgegangen zu sein, die sich auf seine eigene Schreibweise anwenden läßt. Die Klarheit, d. h. die realistische Deutlichkeit der vordergründigen Vorgänge erfüllt nach Kafka die gleiche Funktion für den Leser wie das Parkgitter für den Betrachter. Beide geben Ruhepunkte, d. h. Orientierungspunkte ab, und solche Punkte sind zugleich „ein Anreiz", wie es in dem Gespräch mit Janouch heißt, zu dem verborgenen Hintergrund, zu dem Geheimnisvollen und Ehrfurchtgebietenden durchzudringen. Gitter, Tor und Weg verleihen zugleich Perspektive, Tiefenwirkung, sie deuten Entfernung und Geheimnis an. Wie die weite Rasenfläche hinter dem Gitter, so erscheint der Inhalt hinter der Form. Überdies ist das Parkgitter, mehr noch als das Tor, auch ein trennendes, distanzierendes Moment; als solches erzeugt es die geheimnisvolle, Ehrfurcht einflößende Wirkung des gärtnerischen wie des schriftstellerischen Kunstwerks. Diese Metaphern erklären — soweit Metaphern erklären können — die charakteristische

Spannung in Kafkas Werken zwischen der äußersten, realistischen Genauigkeit des Vordergrunds und der Ungewißheit und dem Dunkel des Hintergrunds.

Auch die *Strafkolonie* besitzt ein kunstgerecht geschmiedetes Parkgitter in dem bis ins Detail genau beschriebenen Apparat. Da sie eine Allegorie ist, gibt sie dem Leser jedoch den Schlüssel an die Hand, das Gitter aufzuschließen. Einmal jenseits des Gitters, gibt es nichts Verborgenes mehr: die Rasenflächen, Inhalt und Sinn der Geschichte, liegen klar vor dem Auge des Betrachters. Dem widerspricht nicht, daß die *Strafkolonie* mit einem ungelösten Problem endet, denn das Problem selbst ist in der Geschichte, und vor allem in der Schlußsituation, deutlich genug dargestellt. Daß der Erzählung das Geheimnisvolle fehlt, das Kafkas andere Werke so faszinierend macht, ist ein Opfer, das sie der allegorischen Form bringen muß. Sie nimmt in dieser Hinsicht ebenso eine Sonderstellung ein wie als Darstellung einer Zeitsituation, als Erzählung ohne Helden und als nicht perspektivisch erzählte Geschichte.

Anmerkungen

¹ So Walter H. Sokel: *Franz Kafka — Tragik und Ironie.* München 1964, S. 114. Wer in der *Strafkolonie* eine Vorausnahme des Totalitarismus sieht, muß die Möglichkeit eines solchen „Prophetismus" erklären. Sokel glaubt, daß Kafka, indem er sein persönliches Verhältnis zur Macht, d. h. zum Vater, durchdachte, zu der Erkenntnis einer allgemeinen geistigen Verfassung gelangte, die eine erstaunliche Ähnlichkeit mit der späteren politischen Entwicklung aufweise. Ähnlich erklärt auch Marthe Robert (*Kafka.* Paris: Gallimard 1960) die vermeintliche Übereinstimmung zwischen Kafkas Werk und der späteren geschichtlichen Entwicklung, während Hannah Arendt (*Franz Kafka, von Neuem gewürdigt.* In: *Die Wandlung* 1946) Kafka eine prinzipielle Erkenntnis gesellschaftlicher Grundstrukturen zuschreibt. Vgl. Sokel, S. 547, Anm. 3.

² Austin Warren: *The Penal Colony.* In: *The Kafka Problem,* ed. Angel Flores. New York 1964, S. 140—142.

³ Heinz Politzer: *Franz Kafka, der Künstler.* Frankfurt am Main: S. Fischer Verlag 1965, S. 166; Politzer hält Kafka für einen „Mystiker des Masochismus", der sich während des Schreibens in einem Zustand ekstatischer Agonie befunden habe, der dem des Verurteilten in der Foltermaschine entspreche. Sokel sieht in dem Strafverfahren einen Ausdruck des Sadomasochismus und meint, daß die Gesetze in der Strafkolonie „bloß Vorwände [seien], um die Ekstase des Schmerzes zu erzeugen" (S. 115). Ja, man hat sogar eine direkte Abhängigkeit der *Strafkolonie* von dem sadistischen Roman Octave Mirbeaus, *Le Jardin des Supplices,* behauptet (W. Burns: *‚In the Penal Colony'; Variations on a theme by Octave Mirbeau.* In: Accent 17, 1957, Heft 2), und noch Hartmut Binder nimmt in seinem Buch (*Motiv und Gestaltung bei Franz Kafka.* Bonn 1966, S. 169 ff.) die Behauptung von Burns als bewiesene Tatsache auf. Er kann den Roman jedoch nicht gelesen haben, denn er hat ganz irrige Vorstellungen von ihm. Der eine, genauer beschriebene Sträfling ist nicht, wie er meint, stumpfsinnig wie der Verurteilte in Kafkas Geschichte; er ist sogar ein Dichter, hatte ein Liebesverhältnis mit der Frau, die ihn zusammen mit dem Icherzähler besucht, und ist ins Gefängnis gekommen, weil er eine Satire auf den Prinzen geschrieben und den Staatsschatz beraubt hat. Die Foltern erst haben ihn der letzten Spuren der Menschlichkeit beraubt, denn sie verklären den

Schuldigen nicht, sondern entstellen ihn auf die entsetzlichste Weise. Der Folterer, mit dem sich die Besucher unterhalten, betrachtet seinen Beruf nicht als Dienst am Gesetz, sondern als raffinierte Kunst: er zieht dem Verurteilten die Haut ab und modelliert nach seinem Geschmack einen neuen Menschen aus ihm. Zu seinem Bedauern wird diese Kunst jetzt vernachlässigt zugunsten neuer, aus Europa importierter Methoden des Massenmordes — eine ganz andere Situation also als die des Offiziers, der den Untergang des alten Strafverfahrens zu verhindern sucht, nicht weil roher Massenmord, sondern weil falsche Milde an seine Stelle treten soll. Der Erzähler in Mirbeaus Roman berichtet von seinen Erlebnissen, um die Einheit von Tod und Liebe, Grausamkeit und Erotik, Verwesung und Wollust zu beweisen. Daß der sadistische Roman als Gesellschaftssatire gemeint war, rückt ihn der *Strafkolonie* nicht näher. — Binder hat in seinem Buch Kafkas Äußerungen über Psychologie und Psychoanalyse zusammengestellt und Lawrence Ryan hat Kafkas Stellung zur Psychologie, das, was ihn mit ihr verbindet, und das, wodurch er sie transzendiert, treffend interpretiert: *„Zum letzten Mal Psychologie!“ Zur psychologischen Deutbarkeit der Werke Kafkas.* In: Psychologie in der Literaturwissenschaft. Ein Kolloquium. Hrsg. von Wolfgang Paulsen. Heidelberg 1971, S. 157—173. Diese Studie zeigt die Grenzen aller psychologischen Deutungen von Kafkas Werken auf.

⁴ *Hochzeitsvorbereitungen*, S. 277. Kafkas Werke werden nach der bei Schocken und S. Fischer erschienenen Ausgabe zitiert und folgende Abkürzungen werden gebraucht: E: *Erzählungen*, H: *Hochzeitsvorbereitungen*, B: *Beschreibung eines Kampfes*, T: *Tagebücher*, Br.: *Briefe 1902—1924*, Br. Felice: *Briefe an Felice Bauer;* außerdem Janouch: Gustav Janouch: *Gespräche mit Kafka*. Erweiterte Ausgabe. Frankfurt am Main 1968.

⁵ Vgl. Kafkas Auseinandersetzung mit Werfel über dessen Drama *Schweiger,* H 277 f.

⁶ Sokel betrachtet die *Strafkolonie* als ein Übergangswerk, in dem das frühe, expressionistische Erzählprinzip mit dem späteren, parabolischen gemischt sein soll: Alles, was der Offizier von dem Apparat berichtet, ist nach ihm Allegorie (er unterscheidet nicht zwischen Allegorie und Parabolik) und gehört seiner Eindeutigkeit und Transparenz wegen zu dem parabolischen Teil der Geschichte, während der Tod des Offiziers und der Zusammenbruch des Apparats wegen ihrer vermeintlichen Undurchschaubarkeit und Traumhaftigkeit ebenso wie das Verhalten des Reisenden zum Expressionismus gehören sollen. — Politzer versteht die Maschine als Symbol, nicht als Allegorie, und seiner Überzeugung entsprechend, daß Kafkas Symbole vieldeutig sind, deutet er die Maschine als Bild sowohl für das unvermeidliche Schicksal (S. 150) wie für die selbstzerstörerische menschliche Erfindungsgabe (S. 165), für einen letzten Strahl der Transzendenz (S. 167) wie für die barbarische Primitivität eines göttlichen Standrechts (S. 165) und schließlich für die Tortur, die das Schreiben für Kafka bedeutete (S. 164).

⁷ Ulrich Fülleborn: *Zum Verhältnis von Perspektivismus und Parabolik in der Dichtung Kafkas.* In: *Wissenschaft als Dialog.* Hrsg. von Renate Heyderbrand und Klaus Günther Just. Stuttgart 1969, S. 289—312. Wie Sokel spricht auch Fülleborn von zwei Erzählweisen, die jedoch, obwohl sie prinzipiell einander ausschließen, eine Synthese eingehen können. Unter den Beispielen nennt F. auch die *Strafkolonie*, in der die Synthese auf zweierlei Art hergestellt sein soll: erstens durch den Offizier, der als potentieller Träger des Perspektivismus, allerdings als sein unmündiger und unreflektierter Vertreter, Teil der parabolischen Welt der *Strafkolonie* ist; und zweitens durch den Reisenden, der als wirklicher Vertreter des Perspektivismus über die parabolische Welt triumphiert. F. scheint vergessen zu haben, daß Perspektivismus und Parabolik Erzählformen und nicht Erzählinhalte sind, und untersucht, verführt durch das unglücklich gewählte Modell *Von den Gleichnissen*, statt der Spannung oder Verbindung der beiden Erzählformen das Verhältnis des „Einzelnen“, aus dessen Perspektive erzählt wird, zu einer Welt, die parabolisch gestaltet ist. Der Hinweis auf das Stück *Von den Gleich-*

nissen kann Fülleborns These nicht unterstützen, denn er bedenkt nicht, daß dieses Stück selbst ein Gleichnis für das Verstehen von Gleichnissen ist, in dem das „Hinübergehen" den geistigen Akt des Verstehens bezeichnet, der von dem Hörer oder Leser zu leisten ist. Das Gleichnis ist kürzlich von Ingrid Strohschneider-Kohrs glänzend interpretiert worden: *Erzähllogik und Verstehensprozeß in Kafkas Gleichnis Von den Gleichnissen.* In: *Probleme des Erzählens in der Weltliteratur.* Festschrift für Käte Hamburger. Hrsg. von Fritz Martini. Stuttgart 1971, S. 303—329.

8 So geht es Norbert Kassel: *Das Groteske bei Franz Kafka.* München 1969. Er nimmt Anstoß daran, daß ein grauenhaftes Geschehen in sachlichem Ton berichtet wird, und erklärt diese vermeintliche Diskrepanz zwischen Form und Inhalt wie die zwischen „eschatologisch-katakombenhaftem Glauben und maschinell präzisierter Unmenschlichkeit" als eine Erscheinungsform des Grotesken (S. 92).

9 Wolfgang Kayser definiert durch diese Eigenschaften das Wesen des Grotesken und hebt bei Kafkas angeblichen Grotesken besonders das traumhaft-undurchschaubare Element hervor. *Das Groteske.* Oldenburg und Hamburg 1957.

10 Norbert Kassel glaubt, daß die Teile der Erzählung, die vom Standpunkt des Reisenden beobachtet sind, in dessen „Traumbewußtsein" gespiegelt seien. Aber die Tatsache, daß die Aufmerksamkeit des Reisenden gelegentlich erschlafft, wird nur erwähnt, damit nicht berichtet werden braucht, was in dieser Zeit geschieht. Was der Reisende nicht genau und aufmerksam beobachtet, wird auch nicht erzählt. Traumhafte Elemente gibt es nur in den Fragmenten, die jedoch nicht, wie Kassel meint, ausgeschiedene Teile der Erzählung sind, sondern nachträgliche Versuche, der Geschichte einen anderen Schluß zu geben.

11 Auch im *Prozeß* handelt es sich um existentielle Schuld; deshalb sind für Josef K.s Prozeß nicht die Gerichte im Justizpalast, sondern die auf den Dachböden zuständig.

12 Daß auch die Kinder die Hinrichtungen mitansehen müssen, wirkt wie schlimmste Grausamkeit. Aber auch diese „Übertreibung ins Schlimme" ist „durchsichtig" und weist darauf hin, daß nicht die Hinrichtung das wichtige Ereignis ist, sondern die Verklärung, an der die Zuschauer in ähnlicher Weise teilnehmen wie die Gläubigen an der Transsubstantiation in der Messe.

13 So Politzer, S. 167.

14 Der Offizier scheint nicht zu diesen heimlichen Anhängern zu gehören; er ist ein offener Verteidiger des alten Strafverfahrens und scheint nicht dabei gewesen zu sein, als die heimlichen Anhänger den Alten im Teehaus begruben. Auch glaubt er anscheinend nicht an die Prophezeiung von der Auferstehung des Toten; sonst würde er sich nicht so bereitwillig dem Urteil des Reisenden unterwerfen.

15 Das Verlangen des Menschen nach Strafe mag dem modernen Menschen fremd sein; aber nicht nur der „Masochist" Kafka hat es gekannt, auch Goethe und Brentano haben es noch verstanden. Gretchen weist die Rettung ab und übergibt sich dem Gericht, dem irdischen wie dem himmlischen; und das schöne Annerl will keinen Pardon, sondern Gerechtigkeit, denn „was hilft aller Pardon auf Erden? wir müssen doch alle vor das Gericht."

16 „Für eine Schuld, die ich nicht kenne", will sich das Tier im *Bau* strafen (B 186).

17 Das Leiden hatte für Kafka eine positive Qualität. Deshalb hat Paisley unrecht, wenn er ihn mit Schopenhauer vergleicht, für den das Leiden zur ontologischen Negativität des Lebens gehörte. Kafka lehnte den „abgrundtiefen Pessimismus" der indischen Religionen ab, denn er sah in ihm einen „eisigen Haß des Lebens", und Schopenhauer verehrte er als Meister der Sprache, nicht als Philosoph (Janouch, S. 122). Vgl. J. M. S. Paisley: *Franz Kafka. Der Heizer. In der Strafkolonie. Der Bau.* With introduction and notes. Cambridge, England 1966, S. 20. Aus demselben Grund wie Paisley hat auch A. P. Foulkes unrecht, wenn er die *Strafkolonie* als Ausdruck eines radikalen Pessimis-

mus auffaßt und die Maschine als Symbol für eine strenge Verurteilung des Lebens deutet. *The Reluctant Pessimist, a Study of Franz Kafka.* Stanford Studies in Germanics and Slavics, Bd. V. The Hague and Paris 1967, S. 117.

18 Diese Ansicht vertritt Sokel. Wenn eines der Fragmente zur *Strafkolonie* von der „glatten maschinenmäßigen Widerlegung, welche die Meinung des Offiziers hier [in seinem Tod] gefunden hatte“, spricht (T 527), so ist das noch kein Beweis für die Richtigkeit von Sokels Auffassung, denn diese Bemerkung wird vom Standpunkt des Reisenden gemacht, der offensichtlich gegen das Strafverfahren eingenommen ist und an dieser Stelle überdies versucht, die Verantwortung für den Tod des Offiziers abzuschütteln.

19 Emrich sieht das Peinliche, das er allerdings zum Satanischen steigert, in der „neuen Ordnung“. — Sokel dagegen glaubt, daß die „Religion der Strafe“, der Sadomasochismus, der sich in der „alten Ordnung“ zeige und sich in Kafkas Zeit in einem neu aufkommenden Irrationalismus ankündige, mit dem Peinlichen gemeint sei. — Wenn Politzer das Peinliche in der Schlußsituation zu erkennen glaubt, so meint er nicht die Situation des Reisenden, sondern die drohende Wiederkehr des alten Kommandanten und das Aufkommen eines Systems, wie es das der alten Ordnung war, in Kafkas Zeit. Kassel behauptet, Kafkas Bemerkung, „daß unsere . . . Zeit gleichfalls sehr peinlich war und ist“, bedeute, daß Kafka auch die „alte Ordnung“ in das Peinliche einbezogen habe. Die Vergangenheit, auf die sich das „war“ bezieht, kann jedoch nur die unmittelbare Vergangenheit bedeuten, denn sie ist ja noch Teil unserer Zeit.

20 Politzer bezeichnet den Reisenden als eine „Karikatur des modernen Materialismus“ und beschuldigt ihn der „Trägheit des Herzens“ und des bloßen Lippendienstes an der Humanität (S. 173).

21 Erstaunlicherweise sieht gerade Emrich, dessen Interpretation sich stark auf dieses Fragment stützt, nicht, daß die neue, negative Ordnung eine positive Beurteilung der alten Ordnung verlangt, und beurteilt beide Ordnungen als gleich barbarisch.

22 Von der „sinnlosen Freiheit“ draußen in der Welt spricht das Tier im *Bau* (B 186).

23 Die Erzählung erlaubt keine Spekulationen über das weitere Schicksal des Reisenden. Daß er die einzige von Kafkas Gestalten sei, die nach Hause zurückkehrt, wie Politzer behauptet, stimmt nicht. Die Erzählung berichtet nur, daß er die Strafkolonie verläßt, nicht wohin er geht.

24 Søren Kierkegaard: *Philosophische Brosamen.* Köln und Olten 1959, S. 345.

25 Die Frage ist nicht nur, welche Teile des *Prozesses* bereits niedergeschrieben waren — bestimmt wohl nur das erste Kapitel — sondern wie weit der Verlauf des Romans bereits geplant war. Die Arbeit am 9. Kapitel scheint Kafka bald nach der Beendigung der *Strafkolonie* aufgenommen zu haben.

26 Paisley und Wagenbach vermuten in ihr die Erzählung *Blumfeld, ein älterer Junggeselle;* Kafka Symposium. Berlin: Klaus Wagenbach Verlag 1966, S. 65.

27 Äußerungen eines Dichters über seine Werke sind nicht immer maßgebend; aber Kafkas Urteil über seine eigene Arbeit ist oft objektiver als seine Beurteilung fremder Werke. Hartmut Binder hat „Kafkas literarische Urteile“ gewissenhaft zusammengestellt (ZfdPh, Bd. 86, Heft 2 [1967], S. 211–249), aber seine Auswertung der Urteile ist enttäuschend. Das hat zwei Gründe: Der erste liegt in Kafkas kritischen Äußerungen selbst. Da sie sich hauptsächlich auf Werke seiner Freunde beziehen, kommt in ihnen das persönlich-menschliche Interesse stärker zum Ausdruck als das literarische. Binder relativiert und entwertet sie noch weiter, indem er sie psychologisch erklärt als „zwangsläufiger Ausdruck von Kafkas typologischer Verfassung“ (S. 222), die die einer „introvertierten Intuition“ sein soll (S. 249) — Kategorien, die er Jungs „Psychologischen Typen“ entnimmt. So erklärt er z. B. Kafkas negatives Urteil über das Ende der *Verwandlung* damit, daß Kafka, sobald sein Zustand sich gebessert hatte, „der Tod des der Familie unterliegenden Gregor Samsa ungünstig beeinflussen“ mußte (S. 245, Anm. 79).

Aber von den drei ästhetischen Grundbegriffen „Einheitlichkeit der Szene, Vollständigkeit der Fabel und das Bestreben, Gegensätze zu vermitteln" — den einzigen, die Binder aus der Analyse von Kafkas Urteilen gewinnt — genügen zwei, um Kafkas Kritik an der *Verwandlung* zu begründen. Und gewiß ließen sich aus Kafkas literarischen Urteilen weitere Kriterien ableiten. Aber wenn die Forschung sie von vornherein psychologisch relativiert, verschließt sie sich der sachlichen Bedeutung von Kafkas Gedanken ebenso sehr, wie wenn sie Brods Behauptung, Kafka habe nicht abstrakt-logisch denken können, als feststehende Tatsache hinnimmt (wie auch Binder) und damit auf die Auswertung wichtiger Zeugnisse verzichtet.

VINCENT J. GÜNTHER

HOFMANNSTHAL UND BRECHT

Bemerkungen zu Brechts ,Baal'

Als sich am Sonntagvormittag, dem 12. März 1926, der Vorhang des Theaters in der Josefstadt zur Eröffnungspremiere einer neuen Inszenierungsreihe „Theater des Neuen" hob, erblickten die Zuschauer einen Büroraum, in dem gerade Herbert Waniek telefonierte, neben ihm stand Oskar Homolka. Man war gekommen, Brechts dramatische Biographie *Lebenslauf des Mannes Baal* zu sehen, die einen Monat zuvor in Berlin unter der Regie von Brecht uraufgeführt worden war. Hier in Wien führte Herbert Waniek die Regie, Baal war, wie schon in Berlin, Oskar Homolka. Was die Zuschauer sahen, war ein szenischer Prolog, durch den diese Inszenierungsreihe eingeleitet werden sollte.

Die Szene ist verwirrend genug. Der Regisseur Waniek diskutiert mit dem Hauptdarsteller, dem Dramaturgen Friedell und den Schauspielern Gustav Waldau und Hermann Thimig über die neue Reihe. Die Planung scheint reichlich chaotisch: Manuskripte fehlen, die Genehmigung Reinhardts scheint fraglich, aber nach und nach ergibt sich eine ernsthafte Diskussion, die dem ersten geplanten Stück gilt, eben dem *Baal* Brechts.

Oskar Homolka meint zum *Baal:* „Der Name ist ein Programm. Er bedeutet das Letzte, den Durchbruch ins Unbedingte, Neue, Elementare ... Ein Stück wie dieses ist die letzte Einheit. Hier sind nicht ausgeklügelte Worte auf ein ausgeklügeltes Szenarium geklebt. Hier ist Gebärde und Wort eins. Innere Gewalt entlädt sich und schafft den neuen Lebensraum, indem sie ihn mit sich erfüllt ... Es ist der Mythos u n s e r e r Existenz, die elementare Erfassung unseres Daseins. Der Mensch von heute geht durch alles durch, er saugt alles Lebendige in sich, um schließlich zur Erde zurückzukehren."[1] Das sind große Worte, schemenhafte Formulierungen, die die Sprache des Expressionismus nicht verleugnen. Zweifel tauchen auf, ob man solche Sprache überhaupt in Wien verstehen könne. Die Unterhaltung leidet auch darunter, daß offensichtlich keiner der Kontrahenten, mit Ausnahme von Homolka natürlich, das Drama, dem das Gespräch gilt, gelesen hat. So entfaltet sich das Gespräch ausschließlich an den Thesen Homolkas, die von Waniek ernst, von Friedell ironisch weiterentwickelt werden, während Thimig und — später — Waldau teils nicht verstehend, teils ablehnend abseits stehen. Homolka leugnet die Bedeutung der Tradition für den Menschen der Gegenwart: „Der neue Mensch denkt horizontal. Im Querschnitt der Gegenwart. Wir stammen nicht ab."[2] Er zweifelt an den Ausdrucksmöglichkeiten der Sprache: „Die Sprache als Vehikel dessen, was sie Geist nennen, hat bis auf weiteres abgewirtschaftet."[3] Schließlich meint er: „Die Zeit hat keine Zeit zu warten, sie will erlöst werden."[4] Diesen Gedanken greift Friedell auf:

	... wissen Sie auch, wovon sie erlöst sein möchte?
Thimig:	Ich bin begierig.
Friedell:	Vom Individuum.
Thimig:	Wie?
Friedell:	Sie schleppt zu schwer an dieser Ausgeburt des sechzehnten Jahrhunderts, die das neunzehnte großgefüttert hat.
Thimig:	Das ist doch ein etwas weitgehendes Paradoxon.
Homolka:	Keineswegs, wir sind anonyme Gewalten. Seelische Möglichkeiten. Individualität ist eine der Arabesken, die wir abgestreift haben. Sie werden sehen, wie ich den ‚Baal' spiele.
Thimig:	Ah! Sie werden den ‚Baal' spielen? (macht einen Gang). Sie nennen das Individuum eine Einbildung? Da kann ich nicht mehr mit, und Sie auch? Vielleicht daß ich, wenn ich den ‚Baal' gesehen haben werde ...
Friedell:	Jawohl Herr Thimig, und ich würde so weit gehen, zu behaupten, daß alle die ominösen Vorgänge in Europa, denen wir seit zwölf Jahren beiwohnen, nichts sind als eine sehr umständliche Art, den lebensmüden Begriff des europäischen Individuums in das Grab zu legen, das er sich selbst geschaufelt hat.
Thimig:	(am Ende seiner Geduld): Da kann ich nicht mehr mit.[5]

Mancher der Zuschauer mag sich mit dem Einwurf von Thimig identifiziert haben, denn diese These mag in Wien, der Stadt, in der Tradition noch eine viel ungebrochenere Macht war als in Berlin, zu befremdlich geklungen haben. Aber die Diskussion bricht im Prolog hier ab, sie verliert sich in spielerischen Dialogen, in denen die aufgerissenen Gegensätze — hier die Vertreter der Tradition, des Individualismus, dort die Neuerer, die Leugner — zum scheinbaren Ausgleich gebracht werden.

Das Publikum war verwirrt und diese Verwirrung spiegelt sich auch in den Rezensionen der Aufführung. Oskar Maurus Fontana meinte: „Dies Bekenntnis eines Glaubenslosen, der vor dem Neuen den Hut zieht, ist aber gerade vor dem ‚Theater des Neuen' eine Peinlichkeit, um so peinlicher, je frohgelaunter, je weltmännischer es sich gibt."[6] Alfred Polgar schrieb: „Zur Eröffnung spielten die Spieler — denen es mit dem neuen Theater ernst ist — eine kleine Szene, in der sie sich über diesen Ernst lustig machten und die Terminologie neuerer Kunst- und Weltanschauung zärtlich belächelten ... Das Vorspiel — vermutlich gedacht als Puffer zwischen einem sehr gestrigen Publikum und einer sehr heutigen Zumutung, ist lustig, leicht pointiert, und wenn es nicht von Friedell ist und nicht von Hofmannsthal, ist es wahrscheinlich von beiden."[7]

Polgar hatte es — fast — erraten: das Vorspiel ist von Hofmannsthal, der schon 1924 einen Prolog zur neuen Reinhardtbühne im Theater in der Josefstadt geschrieben hatte. Dieses war in der Tat ein Spaß gewesen: die Personen des *Diener zweier Herren*, des Eröffnungsstücks, begannen zwar die erste Szene des Dramas, durchbrachen sie aber spielerisch, um ein sehr ironisches Lob auf das Wiener Publikum auszusprechen. Der Prolog zum *Baal* wiegt weit schwerer, gibt aber manche Rätsel auf. Wir kennen keine einzige Äußerung Hofmannsthals über Brecht und finden nirgendwo Spuren einer früheren oder späteren Beschäftigung mit Brechts Werk. Brechts Reaktion auf das Vorspiel ist ebenfalls nicht bekannt. Alle, die sich bisher mit dem Prolog beschäftigt haben, stellen eine Kluft zwischen Prolog und Drama fest. Hamburger sieht im Prolog Begrüßung und Kritik gemischt[8], Politzer meint: „Indem er sich darauf beschränkte, mit den Phrasen der Jüngsten von gestern zu jonglieren, gab er sich den Anschein eines Herrn, der solches Zeug auch nicht mit der Feuerzange anfaßt."[9] Haupt, der in seiner Analyse der Frage nachgeht, welche der vertretenen Meinungen die von Hofmannsthal sein könne, urteilt: „Der angestrengte Versuch Hofmannsthals, sich mit den Problemen einer neuen Zeit und eines ‚Theaters des Neuen‘ zu identifizieren, mußte letztlich scheitern an der durch die gesellschaftliche Herkunft bedingten andersartigen Begriffs-Welt."[10]

Bisher ist der Prolog fast ausschließlich als Werk Hofmannsthals und nicht als Prolog zum *Baal* gesehen worden. Die Versuchung, Parallelen zu anderen Gedanken Hofmannsthals zu ziehen, war zu verlockend. Politzer sieht im Vorspiel gar einen „Splitter Autobiographie"[11] und selbst Haupt, der die bisher sorgfältigste Deutung geschrieben hat, erkennt im Individualismusproblem „zunächst und primär ein Problem des Autors".[12] Nehmen wir also einmal die These des Prologs auf, im *Baal* werde der Untergang des Individuums gezeigt, so müßte sich diese These am Drama selber erkennen lassen. Mit einer Ausnahme findet sich eine solche These in keiner einzigen Rezension der verschiedenen Aufführungen des *Baal*, die Ausnahme ist die Kritik Polgars, der aber Hofmannsthals Vorspiel gesehen hatte und seine These möglicherweise aus diesem nahm.

Man darf wohl annehmen, daß Hofmannsthal das Drama Brechts kannte. Nicht ohne weiteres ist indessen klar, in welcher Fassung Hofmannsthal den *Baal* gelesen hat. Kannte er den Druck von 1922, der im wesentlichen mit dem Druck in den *Stücken* übereinstimmt, wenn man von einigen für uns hier unwichtigen Eingriffen absieht, oder kannte er die Bühnenfassung von 1926, die der Wiener Aufführung zugrunde lag. Ich möchte letzteres annehmen und vermuten, daß Reinhardt oder Waniek ein Exemplar des Typoskripts, das „zum Zwecke der Aufführung vervielfältigt"[13] worden war, Hofmannsthal übergeben hat. Diese — vierte — Fassung des Dramas ist einerseits gegenüber den anderen Fassungen wesentlich verkürzt, andererseits enthält sie Passagen, die sich nur in ihr finden.

Der Zustand, in dem Baal die Welt begriffen sieht, ist der einer wachsender Verwesung. Nicht nur sie, auch er selbst ist auf diese ausgerichtet. Der *Choral vom großen Baal,* der seit der zweiten Fassung von 1919 das Stück einleitet, zeigt den Verwesungsprozeß deutlich an.[14] Der im „dunklen Erdenschoße" faulende Baal ist die Schlußfigur, auf die alles im Drama bezogen ist. Dieser Grundzug wird noch deutlicher, wenn man das *Gedicht vom ertrunkenen Mädchen* hinzuzieht, das Baal Eckart in dem achten Bild vorliest. In dem Gedicht klingt offensichtlich eine Erinnerung an die ertrinkende Ophelia nach, die „mermaidlike" (Hamlet IV, 7 V. 177) auf dem Fluß zu treiben scheint. Rimbaud hat dieses Motiv in seinem dreiteiligen Gedicht *Ophélie* weitergebildet. Aber während bei Rimbaud Ophelia zeitlos „plus de mille ans" als „fantôme blanc"[15] auf der schwarzen Flut dahintreibt, stellt Brecht die allmähliche Verwesung dar:

> Als ihr bleicher Leib im Wasser verfaulet war
> Geschah es (sehr langsam) daß Gott sie allmählich vergaß
> Erst ihr Gesicht, dann die Hände und ganz zuletzt erst ihr Haar.
> Dann ward sie Aas in Flüssen mit vielem Aas.[16]

Der Prozeß der Verwesung widerspiegelt dabei deutlich einen Prozeß der Entindividualisierung: das Gesicht ist das Individuellste, der unverwechselbare Ausdruck des einen Menschen. Aber auch die Hände bezeichnen noch Individuelles, wenn auch auf abstraktere Weise als das Gedicht: die Miene ist direkter als die Linie der Hand. Das Haar aber hat nichts Individuelles mehr, es weist auf Allgemeineres hin, nicht umsonst sieht der Volksaberglaube im Sitz der Haare den Sitz der Vitalität. Sie, die reine Lebenskraft, bleibt also erhalten, wenn das Individuelle schon zerfallen ist. Der Prozeß der Auflösung wird hier parallel gesehen mit dem allmählichen Vergessen Gottes. Aber so wie Gott das Individuum, so vergißt das Individuum Gott (das „tot noch grad gnug Himmel hat").[17] Eine Wechselwirkung also, und man kann sagen, daß das Individuum eigentlich erst zu sich kommt, indem es vergeht, indem es der Verwesung verfällt.

Von Anfang an gibt es für Baal keine Grenze des Ich, keine Grenze des Individuums Baal. Die radikalste Entgrenzung, die Verwesung des Ich parodiert den Traum von der kosmischen Allverwandlung des Individuums. Polgar nannte Baal einen „Kerl, der über seine eigenen Ufer getreten ist".[18] Das aber ist genau hier gemeint, dieser Baal anerkennt keine Ufer, keine Grenzen. Seine ganze Existenz bleibt so auf die Auflösung, die Verwesung bezogen. Auch seine Lyrik kennt nur dieses eine Thema.

Für den keine Grenzen anerkennenden Baal gibt es auch keine Wirklichkeit, die unabhängig von ihm existiert. Schon in der ersten Szene heißt es von ihm: „Ein Mensch wie Sie braucht keine Wirklichkeit."[19] Es gibt sie nicht als etwas, was außerhalb von ihm existiert. Er verbraucht sie, wie er sich selber verbraucht, er vernichtet sie, wie er sich selber vernichtet.

> Unter düstern Sternen in dem Jammertal
> grast Baal weite Felder schmatzend ab.
> Sind sie leer, dann trottet singend Baal
> in den ewigen Wald zum Schlaf hinab.[20]

Ähnlich heißt es in dem 5. Bild: „Schon ist meine Wohnung in jedem Stück aufgebraucht ... Schon fange ich an, sagen zu hören: Zur Stunde meines Absterbens waren Tisch und Wand verbraucht."[21] Das entgrenzte Individuum, das sich nicht selbst bestimmen kann, weil es dem Prozeß der Auflösung ausgeliefert ist, kennt auch keinen Unterschied zwischen Dingen und Menschen. In diesem Sinne kann Baal von dem von ihm ermordeten (verbrauchten) Eckart sagen: „Das war das letzte Feld, das ich abgraste."[22] Nun bleibt ihm nur noch eins, die Verwesung. Sie wird nicht erlitten, sie wird vollzogen.

Die Lesung des Gedichts vom ertrunkenen Mädchen schließt Baal mit den Sätzen: „Alles, was über das Leben auf diesem Planeten zu sagen ist, könnte man in einem einzigen Satz von mittlerer Länge sagen. Diesen Satz werde ich gelegentlich, aber sicher noch vor meinem Ende, formulieren."[23] In der letzten Szene fällt dann, wenn ich recht sehe, dieser Satz:

> Baal: Ich bin einverstanden.
> Der eine Mann: Womit?
> Baal: Mit allem.
> Der eine Mann: Aber jetzt ist es doch also vorbei.
> Baal: Das war ausgezeichnet.[24]

Das Individuum ist also mit seiner eigenen Aufhebung einverstanden. Das Lied von der Verwesung, der Vernichtung der Welt, übernimmt es als eigenes Schicksal. Diese Einwilligung wird bereits in der ersten Szene angedeutet. In einer Passage, die es nur in dieser Fassung gibt, heißt es dort:

> In der Zeit der Sintflut sind alle in die Arche gegangen. Sämtliche Tiere einträchtig ... Aber der Ichthyosaurus ist nicht gekommen. Man sagte ihm allgemein, er solle einsteigen, aber er hatte keine Zeit in diesen Tagen. Noah selber machte ihn darauf aufmerksam, daß die Flut kommen würde. Aber er sagte ruhig: Ich glaub's nicht. Er war allgemein unbeliebt, als er ersoff. Ja, ja, sagten alle, der Ichthyosaurus, der kommt nicht. Dieses Tier war das älteste unter allen Tieren und auf Grund seiner großen Erfahrungen durchaus imstande auszusagen, ob so etwas, wie eine Sintflut, möglich sei oder nicht. Es ist leicht möglich, daß ich selber einmal in einem ähnlichen Fall auch nicht einsteige.[25]

So, wie der Ichthyosaurus erkennt, daß seine Zeit vorbei ist, erkennt hier das Individuum, daß die Zeit, die ihm verliehen war, zu Ende ist. Das Individuum, das die Erfahrung gemacht hat, daß es sich nicht mehr selbst bestimmen kann, ist einverstanden mit seinem Untergang.

Diesen Gedanken hat Hofmannsthal also wohl mit Recht im Drama erkannt. Das Bild, das Brecht in der Eingangsszene seines Dramas verwendet, kehrt in einer gleichzeitigen Äußerung wieder, die unsere Deutung stützt. Über seine Bearbeitung von Marlowes *Edward* heißt es: „So habe ich im Edward jenes große und finstere Tier zu zeichnen unternommen, das wie in der Witterung eines Erdbebens die ersten Wellen einer das Individuum bedrohenden gewaltigen Erdkatastrophe wahrnahm. Ich habe seine primitiven und hoffnungslosen Maßnahmen gezeigt, sein schreckliches Ende in anachronistischer Vereinsamung. Also taucht in jenen Jahren dem Nachgeborenen sichtbar der letzte Saurier auf, der die Sintflut kommen fühlt."[26] Diese Sätze ließen sich, wie hier auf den „Edward", auch auf den Baal anwenden. Daß auch das Drama *Mann ist Mann*, das ebenfalls im Jahre 1926 abgeschlossen wurde, in diesen Zusammenhang gehört, ist nicht zu verkennen.[27]

Was Hofmannsthal also erkannt hat, ist nicht nur ein wesentlicher Gedanke dieses Dramas, sondern geradezu ein Grundzug der frühen Dramen von Brecht überhaupt. Sie kreisen, und das zeigen auch die frühen Bemerkungen Brechts zu seinen ersten Dramen, immer wieder um den Gedanken vom Ende des Individuums. Friedell datiert die Erfahrung vom Ende des Individuums mit dem Beginn des Krieges.[28] Nicht anders tut das Brecht.[29] Allerdings hat bei dem ersten Drama Brechts auch noch die Entstehungsgeschichte eine Rolle gespielt. Er hatte, wie er Ende Juli 1925 notiert, den *Baal* geschrieben, „um ein schwaches Erfolgsstück in den Grund zu bohren mit einer lächerlichen Auffassung des Genies und des Amoralen".[30] Dieses Drama war *Der Einsame* von Hanns Johst. Johst schildert den „Menschenuntergang" — so der Untertitel des Dramas — von Grabbe. Er ist das einsame und entgrenzte Genie.

> Himmel und Erde wird Willkür meiner Gunst! Ich bin der Kosmos! Und ohne mein Wort und ohne die glühende Guirlande meiner Dichtung zerfällt dies alles — Geschichte! Vernunft, Gegenwart und Seele von tausend Gottesäckern zu wesenlosem Staube. Genies lebten ein Leben lang zwischen hochtrabendem Plan und erbärmlichen Appetit auf Preßsack oder rote Grütze! Ich aber packe sie am Genick! Ein Wort! Und sie sind wesentlich! und ohne Behang des Alltags![31]

Grabbe ist bei Johst der Dichter, der einsam werden muß, um zu schaffen. Aus der Erniedrigung seines Alltags heraus schafft er aber das Bleibende: er packt die Phänomene, indem er sie auf das ‚Wesentliche' reduziert, die realen Bedingungen des Alltags verschwinden. Diese idealistische Position — wenn wir sie überhaupt so nennen können — kehrt Brecht um. Baal schafft das ‚Wesentliche' ‚ohne Behang des Alltags', indem er dies als Vernichtung, als Verwesung darstellt. Der grenzenlosen Selbstgewißheit des Dichters Grabbe bei Johst, der in seinem Werk erst zu sich kommt, dessen Individuelles eben dieses Werk ist, stellt Brecht ironisch kontrastierend den totalen Selbstverlust gegenüber: das Bleibende ist eben Verwesung, Untergang. Die erste Fassung liest sich wie eine parodistische Umwandlung des Dramas von Johst in diesem Sinne. Bei den weiteren Überarbeitungen verdeckt aber Brecht die literarische Abhängigkeit ganz bewußt. Schon der erste Druck von 1922 beseitigt allzu offensichtliche Ähnlichkeit mit der Vorlage. 1926, in der neuen Theaterfassung, ist sie nicht mehr zu erkennen. Im Prolog Hofmannsthals ist davon die Rede, welches Stück man auswählen solle, und neben dem *Baal* wird auch *Der Einsame* genannt. Hofmannsthal konnte nicht mehr erkennen, welche ironische Pointe er dem späteren Leser und Kenner geliefert hatte. Brecht aber mag wohl über diese Konfrontierung belustigt gewesen sein. Noch vor der Berliner Uraufführung der Theaterfassung am 14. 2. 26 hatte er im Januarheft der Zeitschrift „Die Scene" eine Notiz erscheinen lassen, in der es heißt: „Die dramatische Biographie *Baal* behandelt das Leben eines Mannes, der wirklich gelebt hat. Es war ein gewisser Josef K., von dem mir Leute erzählten, die sich sowohl an seine Person, als auch an das Aufsehen, das er seinerzeit erregte, noch deutlich erinnern konnten."[32] Die Fiktion der Realität sollte das literarische *Urbild Baals* (so der Titel der Notiz) verdrängen. Selbst Haupt verliert sich in dieser Fußangel Brechts, wenn er behauptet, Brecht habe seinen *Baal* „unmittelbar aus dem Augsburger Alltag gegriffen".[33]

Das Individuum kann sich in *Baal* nur aufheben, verwesen. In *Mann ist Mann* zeigt Brecht die absolute Demontierbarkeit des Individuums. Es läßt sich willenlos in ein Kollektiv eingliedern, weil es ohnehin seine Selbstbestimmung längst verloren hat. Auch hier bringt es sich, willentlich und willenlos zugleich, zur Auslöschung. Auch hier beschreibt Brecht nur einen eingetretenen Zustand: das Individuum hat ausgespielt. Er stellt fest, aber er wertet nicht. Werfen wir noch einen Blick auf die späteren Dramen, so ergibt sich ein anderes Bild. 1930, in der *Maßnahme*, tritt noch einmal das Individuum dem Kollektiv gegenüber. Nun aber gibt es Wertungen, von denen her der Prozeß der Aufhebung des Individuums ein anderes Gewicht bekommt. Der junge Genosse ist mit der „Auslöschung seines Gesichtes"[34], also der Aufhebung seiner Individualität, einverstanden, aber das geschieht deshalb, weil er weiß, daß „leere Blätter, auf welche die Revolution ihre Anweisungen schreibt"[35] jetzt notwendig sind. Genauso willigt er später in seine eigene Liquidierung ein, weil er sie für notwendig hält. Dieses nun positiv begriffene Kollektiv ist die Richtschnur, von der her sich das Individuum neu begreifen kann; d. h. es ist einverstanden mit dem Verzicht auf Selbstbestimmung — mit dem Verzicht auf Individualität — weil das Kollektiv — die Partei — die höhere Weisheit besitzt. In diesem Sinne verstand Herbert Lüthy 1952 *Die Maßnahme* denn auch als prophetische Vorwegnahme der Moskauer Prozesse[36], und im gleichen Sinne führte die Spielschar am Gymnasium Leopoldinum II in Detmold im Oktober 1960 dieses Drama als antikommunistisches Lehrstück auf.[37] Gewiß hängt diese neue Akzentuierung mit der marxistischen Wende Brechts nach 1926 zusammen, aber man würde das Bild wesentlich verfälschen, wenn man hier übersähe, daß gerade die marxistischen Zeitschriften und Zeitungen nach der ersten Aufführung der *Maßnahme* scharf mit Brecht ins Gericht gegangen sind. Weit entfernt davon, einen neuen Proselyten enthusiastisch zu begrüßen, warfen sie ihm vor, daß die extreme Entgegensetzung Individuum — Kollektiv ganz unmarxistisch sei.[38] In einer Kritik von Paul Friedländer heißt es dann: „Kurzum, man wird den Eindruck nicht los: Brecht rechnet hier in einer zwar oberflächlichen, aber gefühlsstarken Weise mit seinem eigenen Individualismus ab."[39] Es sollte noch eine Weile dauern, bis Brecht die Möglichkeiten des Individuums in einer neuen Gesellschaft anders bestimmen konnte.

Was im *Baal* wie in der *Maßnahme* so scheinbar gegensätzlich deutlich wird, ist doch nur ein und dasselbe, daß nämlich diese Zeit vom Individuum erlöst werden will, wie es Friedell in dem Hofmannsthal-Prolog gesagt hatte. Es war die letzte Möglichkeit des Individuums, noch seinen eigenen Untergang zu genießen: auch das liegt durchaus auf der Linie des jungen Brecht, der *Im Dickicht der Städte* sagt: „Es war die beste Zeit. Das Chaos ist aufgebraucht." Das Individuum kann sich im Chaos verlieren oder in einer abstrakten Ordnung, in jedem Fall ist es einverstanden mit seiner eigenen Liquidierung.

Sollte Hofmannsthal diese vertrackten Konsequenzen mitbedacht haben? Sollte er der einzige gewesen sein, dem sich dieser Sinn des *Baal* erschlossen hatte? Es sieht immerhin so aus. Aber vielleicht gibt es noch eine Möglichkeit, den Prolog zu erklären. Die wesentlichen Gedanken stammen, wie wir gesehen haben, von Oskar Homolka. Friedell klärt sie, aber bringt nicht eigentlich etwas Neues. Nun ist aber Oskar Homolka nicht ein Unbekannter. Er hatte ja nicht nur den *Baal* bereits in der Berliner Uraufführung der vierten Fassung gespielt, sondern bereits als Mortimer in der Uraufführung der Brechtschen Marlowe-Bearbeitung mitgewirkt.[40] Nach Aussagen eines Kenners war der Galy Gay in *Mann ist Mann* für Homolka geschrieben worden.[41] Homolka war also ein Kenner Brechts. In der Vorbemerkung zu Hofmannsthals Prolog heißt es: „Die auftretenden Personen sind Schauspieler des Theaters in der Josefstadt. Sie spielen sozusagen jeder sich selbst."[42] War also der Prolog vielleicht doch nur ein Spiel, das Hofmannsthal mit den Schauspielern und ihren Meinungen gespielt hat? Wir können es nicht beantworten. Aber sei es auch ein Spiel, es werden Spuren einer Deutung sichtbar, die auch heute keineswegs überholt ist.

Anmerkungen

[1] Hugo von Hofmannsthal: *Gesammelte Werke in Einzelausgaben.* Lustspiele Bd. 4. Frankfurt 1956, S. 412.

[2] Ebd., S. 416.

[3] Ebd.

[4] Ebd., S. 417.

[5] Ebd., S. 418 f.

6 Oskar Maurus Fontana: *Brechts Baal in Wien*. In: Berliner Börsen-Courier. 25. 3. 1926. Hier nach: Bertolt Brecht: *Baal. Der böse Baal der asoziale*. Texte, Varianten, Materialien. Frankfurt ²1969, S. 204 (zit. bBdA).

7 Ebd., S. 205 f.

8 Michael Hamburger: *Hugo von Hofmannsthal. Zwei Studien*. Göttingen 1964, S. 77.

9 Heinz Politzer: *Hofmannsthals Vorspiel zu Brecht*. In: *Das Schweigen der Sirenen*. Stuttgart 1968, S. 106.

10 Jürgen Haupt: *Hofmannsthals Bemühung um Brecht*. In: *Konstellationen Hugo von Hofmannsthals*. Salzburg 1970, S. 142.

11 Politzer, S. 100.

12 Haupt, S. 137.

13 Bertolt Brecht: *Baal*. Drei Fassungen. Frankfurt ⁶1971. S. 212 (zit. BdF).

14 BdF, S. 152. Die 18 Strophen des Chorals werden in dieser Fassung auf 7 reduziert.

15 Arthur Rimbaud: *Sämtliche Dichtungen*. Französisch mit deutscher Übertragung von Walther Küchler. Heidelberg 1955, S. 24.

16 BdF, S. 172.

17 BdF, S. 152.

18 bBdA, S. 206.

19 BdF, S. 154.

20 BdF, S. 154.

21 BdF, S. 164 f.

22 BdF, S. 179.

23 BdF, S. 172.

24 BdF, S. 181.

25 BdF, S. 156.

26 Bert Brecht: *Im Dickicht der Städte*. Erstfassung und Materialien. Frankfurt 1968, S. 141.

27 Vgl. dazu bes. den ,Zwischenspruch' (Bertolt Brecht: *Erste Stücke*. Bd. 2. Frankfurt 1953, S. 299 f.) und ebd. S. 235.

28 Hofmannsthal, a. a. O., S. 419.

29 Bertolt Brecht: *Schriften zum Theater*. Bd. 1. Frankfurt 1963, S. 252.

30 bBdA, S. 102.

31 Hanns Johst: *Der Einsame. Ein Menschenuntergang*. München o. J. (1920), S. 6.

32 bBdA, S. 103.

33 Haupt, S. 136.

34 Brecht: Stücke Bd. 4. Frankfurt 1958, S. 265.

35 Ebd., S. 264.

36 Herbert Lüthy: *Vom armen B. B.* In: Bertolt Brecht: *Die Maßnahme*. Kritische Ausgabe mit einer Spielanleitung von Reiner Steinweg. Frankfurt 1972, S. 422.

37 Vgl. ebd., S. 427 ff.

38 Vgl. ebd., S. 337, 342, 354 f., 359, 371 ff., 381 ff.

39 Ebd., S. 368.

40 Zu den Schwierigkeiten dieser Aufführung vgl. Bernhard Reich: *München 1923*. In: Bertolt Brecht: *Leben Eduards des Zweiten von England*. Frankfurt 1968, bes. S. 247 f., 261 f.

41 Ebd., S. 262.

42 Hofmannsthal, a. a. O., S. 407.

WALTER HINCK

DIE DIALEKTIK VON WERK UND WIRKUNG

Brechts lyrische Reflexionen zu einer lesergerichteten Literatur
und einer „totalen" Wirkungspoetik

> Seit du gestorben bist, kleine Lehrerin
> Gehe ich blicklos herum, ruhelos ...
> Ohne Beschäftigung wie ein Entlassener.[1]

So schreibt Brecht 1941 in einem lyrischen Nekrolog auf seine Mitarbeiterin im skandinavischen Exil, Margarete Steffin, die — als Schwerkranke mit ihm auf der Flucht in die USA — beim Zwischenaufenthalt in Moskau vom Tod eingeholt wurde. Er vermißt nun die Lehrmeisterin, der er in den Jahren gemeinsamer Arbeit „unzählige Fragen" stellte; härter aber noch trifft es ihn, daß jetzt „kein Frager" mehr da ist.

Die Verse deuten auf Brechts Selbstverständnis als Autor. Nicht durch Versenkung ins Ich, sondern vor allem durch zwischenmenschliche Kommunikation vermag er als Schriftsteller schöpferisch zu werden. Das literarische Werk wird weniger als das Produkt des Individuums begriffen denn als ein von anderen vielfach angeregtes, genauer: als das durch einen Einzelnen vermittelte und künstlerisch geformte Ergebnis des Gesprächs, der Diskussion. Nicht zuletzt aus der Offenheit Brechts für Fragen, für die kritischen und belehrenden Fragen anderer, erklärt sich der soziale ‚Gestus' seiner Dichtung.

Es gibt viele Zeugnisse für seine Leidenschaft des Lernens. Und das Gedicht *Der Lernende* schließt:

> ... ich sage oft: nur das Grab
> Lehrt mich nichts mehr.   (Bd. 9, S. 558)

Aber Brechts dialektische Auffassung läßt eine strenge Scheidung von Lernen und Lehren nicht zu: im Gespräch wird der Lernende immer auch zum Lehrenden und der Lehrende immer auch zum Lernenden. So heißt es in einem Gedichtfragment aus der Zeit nach dem Zweiten Weltkrieg:

> Sag nicht zu oft, du hast recht, Lehrer!
> Laß es den Schüler erkennen!
> Strenge die Wahrheit nicht allzu sehr an:
> Sie verträgt es nicht.
> Höre beim Reden!   (Bd. 10, S. 1017)

Die dialektische Methode des Auffindens von Widersprüchen macht die kritische und fragende Haltung des Lernenden zum Angelpunkt des Lehr- und Lernvorgangs. Nur indem sich der Lehrende seinerseits in die fragende Haltung des Lernenden begibt, vermag er im Prozeß wechselseitiger Förderung wieder zum Lehrenden zu werden. Deshalb kann Brecht nach dem Tod Margarete Steffins sagen:

> Mein Schüler ist weggegangen
> Mein Lehrer ist weggegangen   (Bd. 10, S. 826)

Die Bedeutung des Adressaten (des Lesers) für den Schriftsteller und die literarische Produktion ist Brecht erst in der Emigration, mit der negativen Erfahrung, voll zum Bewußtsein gekommen. Die Verse *Über das Lehren ohne Schüler* sprechen zugleich vom Autor ohne Leser.

> Lehren ohne Schüler
> Schreiben ohne Ruhm
> Ist schwer.

Der Exildichter gleicht dem Redner, dem niemand zuhört:

> Er spricht zu laut
> Er wiederholt sich
> Er sagt Falsches:
> Er wird nicht verbessert.   (Bd. 9, S. 556 f.)

Wo keine Beziehung zum Adressaten zustandekommt, fällt auch das notwendige Korrektiv aus.

Gnadenloser noch erscheint die Isolation der Emigranten im Gedicht *Exil*:

> Sie werden nicht angerufen. Sie werden nicht angehalten.
> Niemand schilt sie und niemand lobt sie.
> Da sie keine Gegenwart haben
> Suchen sie sich Dauer zu verleihen . . .
> Mit ihren Vorfahren
> Haben sie mehr Verbindung als mit ihren Zeitgenossen
> Und am gierigsten blicken sie
> Die ohne Gegenwart scheinen
> Auf ihre Nachkommen.   (Bd. 9, S. 555)

Besonders schwer wiegt die Lage des Emigranten beim Schriftsteller, der in ein fremdes Sprachgebiet verschlagen wurde. Ohne Kommunikation, also ohne Resonanz und Kritik, ist er ohne produktive Spannung: ihm fehlt nicht nur das Echo, ihm kommt auch keine Erwartung entgegen (und wie entscheidend die sein kann, demonstriert Brechts *Legende von der Entstehung des Buches Taoteking*, schreibt doch Laotse die Weisheitssprüche nur auf, weil der Zöllner sie ihm „abverlangt"). Der Autor, von dem nichts gefordert wird, schafft in einem Leerraum mit der Hoffnung aufs Künftige, sucht „sich Dauer zu verleihen".

Damit weist das Gedicht über die Problematik des Dichters im Exil und der an ihr exemplifizierten Situation des Autors ohne Leser hinaus zur Frage des Nachruhms und der fortdauernden Wirkung von Dichtung, auf die Brecht in seiner Lyrik mehrfach reflektiert. Immerhin bleibt noch festzuhalten, daß er selbst — während für die meisten Emigranten die Versprechen auf die Zukunft nicht eingelöst wurden — mit reicher dichterischer Ausbeute aus dem Exil zurückkehrte und zu einer Publikumswirkung gelangte, die er wohl kaum vorausgesehen hatte.

Unter den ernstzunehmenden Einwänden gegen Brecht hätte der Vorwurf der Eitelkeit keinen Platz. Doch bietet sein Werk auch nirgendwo den Verdacht, er hätte unter Selbstbezweiflung gelitten. Schon in der frühen Lyrik beginnt die Sachbezogenheit alle Ichbezogenheit zu verdrängen — die Selbstnennung, beispielsweise im Hauspostillengedicht *Vom armen B. B.* (Ich, Bertolt Brecht, bin aus den schwarzen Wäldern ...), widerspricht dem nicht, im Gegenteil: sie verrät die Absicht zur Objektivation des Ich. Zurückgestellt hinter die Erwartungen für die Zukunft wird die eigene Person und Leistung und damit die Erwartung späteren Nachruhms in den 1936 entstandenen Versen, denen die Herausgeberin der Gedichte, Elisabeth Hauptmann, den Titel *Warum soll mein Name genannt werden* hinzusetzte.

> Einst dachte ich: in fernen Zeiten
> Wenn die Häuser zerfallen sind, in denen ich wohne
> Und die Schiffe verfault, auf denen ich fuhr
> Wird mein Name noch genannt werden
> Mit andren. (Bd. 9, S. 561)

In den folgenden Strophen zählt Brecht Verdienste auf, die solche Hoffnung rechtfertigen konnten: er hat dem Nützlichen (etwa der Frage nach dem Gebrauchswert von Dichtung) Geltung verschafft, hat gegen die von sozialen Problemen ablenkenden Jenseitsvertröstungen gekämpft oder gegen Unterdrückung, er wollte die Sache der Menschen den Menschen selbst überantworten, hat der Sprache neue Ausdrucksmöglichkeiten hinzugewonnen und doch zugleich Anweisungen für die Verhaltenspraxis gegeben. Kurz: er glaubt für die Bereicherung der Kunst und für die Aufklärung der Menschen getan zu haben, was ihm als Schriftsteller möglich war. Die vierte Strophe nimmt schließlich, mit dem ganzen Gewicht der Argumente und Beweise, den Anfangsgedanken wieder auf:

> Deshalb meinte ich, wird mein Name noch genannt
> Werden, auf einem Stein
> Wird mein Name stehen, aus den Büchern
> Wird er in die neuen Bücher abgedruckt werden.

Hier endet ein erster Teil des Gedichts; den Beginn des zweiten markiert die adversative Konjunktion „aber". Diese Gegenwendung wird verständlicher, wenn man eine literarische Anspielung wahrnimmt, die sich in der vierten Strophe und — wie schon Elisabeth Hauptmann bemerkt — in einem Gedicht aus späteren Jahren findet.

Der Hinweis auf den Stein, der den Namen des Dichters tragen werde, erinnert an Verse des Horaz — an die Ode *Exegi monumentum aere perennius* (die übrigens auch das Motiv vom gierigen Blick auf die Nachkommen in Brechts Gedicht *Exil* erklären hilft). Mit seiner Dichtung habe er sich ein Denkmal errichtet, das noch dauerhafter sei als Erz, sagt Horaz. Er ist sich der Unsterblichkeit und wachsenden Ruhms in der Nachwelt gewiß.

Brecht nimmt solche Gedanken über die Unauslöschlichkeit des Namens auf, jedoch nur, um von ihnen als überholten Erwartungen Abschied zu nehmen.

> Aber heute
> Bin ich einverstanden, daß er vergessen wird.

Warum, so meint er, solle man nach dem Bäcker fragen, wenn genug Brot da sei, warum den geschmolzenen Schnee rühmen, wenn neue Schneefälle bevorstünden. Angesichts der Zukunft sei die Vergangenheit belanglos. Und so ist der Schlußvers nur noch eine rhetorische Frage:

> Warum
> Soll mein Name genannt werden? (Bd. 9, S. 562)

Unwesentlich werden läßt im Horizont einer neuen Zukunftsorientierung das Ergebnis die Leistung, durch die es vorbereitet und herbeigeführt worden ist. Brechts Gedanken sind paradox durch die Verabsolutierung und gleichzeitige Negation der Geschichte. Indem er seinen Namen und seinen Ruhm ganz dem Strom, dem unumkehrbaren Lauf der Geschichte, also dem Vergessen überläßt, stempelt er zugleich die Geschichte (das Vergangene, jeweils historisch Gewordene) zur Bedeutungslosigkeit. Zwar wird im Gedicht nicht zuletzt eine Pflege des Nachruhms, die ganz auf die Person abgestellt ist, also ein Persönlichkeitskult in Zweifel gezogen, doch wenn Brecht in die neuen Bücher nichts von den älteren übertragen wissen will, so verkennt er die Dialektik der Geschichte, derzufolge das Vergangene nicht nur durch das je Gegenwärtige überwunden, sondern in ihm auch aufgehoben ist.

Im Sinne einer materialistischen Dialektik greift Brecht das Thema noch einmal in der Zeit zwischen 1947 und 1956 auf. Das Gedicht *Ich benötige keinen Grabstein* wendet das Horazsche Motiv in eine Art testamentarischer Verfügung um.

> Ich benötige keinen Grabstein, aber
> Wenn ihr einen für mich benötigt
> Wünschte ich, es stünde darauf:
> Er hat Vorschläge gemacht. Wir
> Haben sie angenommen.
> Durch eine solche Inschrift wären
> Wir alle geehrt. (Bd. 10, S. 1029)

Nicht mehr um das völlige Vergessen des Namens geht es in diesem späten Gedicht. Brecht scheint zu wissen, daß er dem Nachruhm nicht ganz entgehen kann — deshalb seine Mahnung vor falscher Totenverehrung. Er bindet sein Verdienst an die Leistung der Nachfahren. Über den Gebrauchswert seiner Dichtung (über den Wert seiner Vorschläge) entscheiden die Späteren in dem Maße, daß sie mit seinem Namen zugleich sich selber ehren. Anders ausgedrückt: Totenverehrung wird hier als Praxis des Handelns verstanden. In ihr allein vermag der Nachruhm konkret zu werden. Der Dichter ist nur Glied in einem Prozeß, und die Qualität seiner Dichtung bemißt sich nach ihrer praktischen Wirkung im Fortgang des Prozesses.

Hier wird das historisch Gewordene, das Vergangene — die Leistung des Autors, sein Werk — nicht mehr undialektisch von der jeweiligen Gegenwart getrennt, und doch wird es ganz der Instanz der Geschichte überantwortet. Es zeichnen sich die Umrisse einer totalen Wirkungspoetik ab.

Als Wirkungspoetik bzw. -ästhetik bezeichnet man allgemein eine Theorie, die das dichterische Werk und seine Organisation von der Wirkungsabsicht her bestimmt sieht und von den Wirkungen der Dichtung handelt. Auch in diesem Sinne ist Brechts Ästhetik (zumal die des Theaters) Wirkungsästhetik. Unter ‚totaler Wirkungspoetik‘ aber sei mehr verstanden, mehr auch als unter ‚Wirkungsgeschichte‘ (sie verfolgt das Weiterleben von Literatur). Gemeint ist eine Poetik, die dem Werk wie dem Autor nur noch Bedeutung zuspricht, sofern sie für praktisches (im Sinne Brechts für weltveränderndes) Handeln noch Wirkkraft besitzen.

Der Entwurf einer totalen Wirkungspoetik taucht nicht erst in der Exil- und Nachkriegslyrik auf, er findet sich bereits in Versen aus den Jahren zwischen 1930 und 1933, die weitere wesentliche Kriterien entwickeln — im Gedicht *Über die Bauart langdauernder Werke* (Bd. 8, S. 387 ff.). Zwar spricht Brecht hier nicht nur von Dichtungen bzw. Kunstwerken, sondern von menschlichen Werken allgemein, aber als deren Bestandteil werden sie ausdrücklich genannt: in den *Spielen, die wir erfinden.*

> Wie lange
> Dauern die Werke? So lange
> Als bis sie fertig sind.
> So lange sie nämlich Mühe machen
> Verfallen sie nicht.
> Einladend zur Mühe
> Belohnend die Beteiligung
> Ist ihr Wesen von Dauer, so lange
> Sie einladen und belohnen.

Der Gedanke, daß den Werken nur Dauer zukomme, solange sie den Adressaten herausfordern und ihm Mühe zumuten, wird noch einmal konkretisiert:

Wer verleiht den Werken Dauer?
Die dann leben werden.
Wen erwählen als Bauleute?
Die noch Ungeborenen.

Im Bild der „Bauleute" enthalten ist die — schon bekannte — Forderung nach praktischem Wirken, das allgemein das Werk historisch lebendig erhalte. Doch werden hier auch Bedingungen genannt, unter denen das Überdauern der Werke überhaupt erst sinnvoll sei.

Wenn ein Rat gegeben wird, dessen Ausführung lang dauert
Wenn die Schwäche der Menschen befürchtet wird
Die Ausdauer der Feinde, die alles verschüttenden Katastrophen
Dann muß den Werken eine lange Dauer verliehen werden.

Die Lebensdauer eines Werkes wird durch seine Funktion im Verlauf der gesellschaftlichen Kämpfe bestimmt.

Aber daß die Werke mit ihrer Funktion in realgeschichtlichen Prozessen verkettet sind, hat auch seine Kehrseite. Denn nun sind Werke von langer Dauer nicht immer zu begrüßen, weil sie einen Mangel an Veränderung anzeigen können.

Einen guten Ausspruch kann man sich merken
Solange die Gelegenheit wiederkehren kann
Für die er gut war.
Gewisse Erlebnisse, in vollendeter Form überliefert
Bereichern die Menschheit
Aber Reichtum kann zu viel werden.
Nicht nur die Erlebnisse
Auch die Erinnerungen machen alt.

Unter den Voraussetzungen einer totalen Wirkungspoetik kann das lange Überdauern von Werken geradezu Zeugnis für Fehlentwicklungen ablegen. Nicht nur das (literarische, künstlerische) Werk wird von Brecht mit letzter Konsequenz in seiner historischen Bedingtheit festgelegt — der Gegenstand dieser Theorie der Bedingtheit (der totalen Wirkungspoetik) selbst: das Fortwirken des Werkes, wird für ihn durch die Interessen der Realgeschichte noch einmal relativiert.

Das Problem der „vollendeten Form" verweist auf Fragen der „Bauart", von der im Gedichttitel so ausdrücklich die Rede ist. Wie die Wirkungsdauer sieht Brecht auch die Form der Werke durch ihre Funktion determiniert. Die Werke dauern, so hieß es, bis sie „fertig sind". Mit anderen Worten: die fertigen Werke hören auf zu dauern. Daraus folgt:

Die zur Vollständigkeit bestimmten
Weisen Lücken auf . . .

Die wirklich groß geplanten
Sind unfertig ...
So auch die Spiele, die wir erfinden
Sind unfertig, wir hoffen's ...
Und auch die Wörter, die
Mit den Benützern ihren Sinn
Oftmals wechselten.

Die totale Wirkungspoetik fordert den fragmentarischen Charakter des Werks, denn Unabgeschlossenheit verstärkt die Appellwirkung, hält das Werk zur Zukunft hin offen. Der Adressat wird nicht nur von vornherein mitgedacht, seine Leistung ist geradezu unabdingbarer Bestandteil, soll das Werk zu der ihm bestimmten Vollständigkeit gelangen. Wie die „offene Dramaturgie" Brechts, die das Drama als unfertiges abliefert und dem Zuschauer das zu vollendende Drama als zu gestaltende Wirklichkeit überantwortet, eine publikumgerichtete Dramaturgie ist, so erweist sich in Brechts allgemeiner Werk- und Kunsttheorie Literatur als eine ganz und gar lesergerichtete Literatur. Der Leser erst integriert das literarische Werk; in der Dialektik von Werk und Wirkung ist alles auf ihn gestellt.

Grundzüge einer totalen Wirkungspoetik werden natürlich nicht allein von Brecht entwickelt. Wesentliche Ansätze nimmt schon im expressionistischen Jahrzehnt die Aktivismus-Gruppe um Kurt Hiller und Franz Pfemfert vorweg. So sind in Ludwig Rubiners kunstpolitischem Programm die Kunst- und Literaturgattungen belanglos gegenüber den Wirkungen, die sie vermitteln. Für die Musik steht „die Erweckung der Gemeinschaft", für das Gedicht „die Aufrufung zur Liebe", für den Roman „die Anleitung zum Leben" und für das Drama „die Anleitung zum Handeln".[2] Allein entscheidendes Merkmal der Gattung ist für Rubiner deren jeweiliges gesellschaftlich-politisches Leistungsvermögen.

Genauer besehen freilich gelten Gesetze der totalen Wirkungspoetik seit jeher für politische Lyrik bzw. Dichtung, der daran gelegen sein muß, daß so rasch als möglich ihr Ziel politisch verwirklicht und damit ihre Funktion wieder aufgehoben werde. Ja, Brechts Entwurf könnte geradezu als eine moderne Theorie der politischen Dichtung aufgefaßt werden — daß er sie als allgemeine Dichtungstheorie formuliert, zeigt, mit welcher Selbstverständlichkeit er Literatur als politische begreift.

Doch kann seine totale Wirkungspoetik nicht von historisch bedingten Inhalten gelöst werden, sie ist keine überzeitliche Dichtungslehre. Sie wird als theoretischer Entwurf in einer bestimmten sozialgeschichtlichen Phase verankert und ist Wertungsmaßstäben verpflichtet, die sich aus den Interessen des politischen Kampfes herleiten. Das zeigt exemplarisch das 1939 entstandene, dem dänischen Dichter Martin Anderson-Nexö gewidmete Gedicht *Die Literatur wird durchforscht werden* (Bd. 9, S. 740 f.):

> Die auf die goldenen Stühle gesetzt sind, zu schreiben
> Werden gefragt werden nach denen, die
> Ihnen die Röcke webten.

Gemäß dem neuen Kanon wird die historisch gewordene Literatur (und ihr Recht auf Weiterleben) nach dem beurteilt, was in ihr von der Situation der Arbeitenden und dem Kampf der unteren Klasse sichtbar ist.

> Ganze Literaturen
> In erlesenen Ausdrücken verfaßt
> Werden durchsucht werden nach Anzeichen
> Daß da auch Aufrührer gelebt haben, wo Unterdrückung war.

Der eigentliche Ruhm wird nicht den Autoren auf „goldenen Stühlen", nicht den von der Gesellschaft Begünstigten, nicht der „Elite" zugesprochen, sondern jenen anderen, die das Los der Niedrigen beschrieben und es teilten. Für die Darstellung von Leiden und Kämpfen der unteren Klasse aber wird die „edle", sonst für die „Verherrlichung der Könige" reservierte Sprache beansprucht.

Damit setzt sich der Vorgang einer Demokratisierung der Dichtung fort, der begann, als in der Aufklärung das Bürgertum für die Selbstdarstellung die hohe Gattung der Tragödie forderte, die bis dahin den Angelegenheiten höchster und aristokratischer Standespersonen vorbehalten war. In der Poetik, die Brechts Gedicht skizziert, ist die Emanzipation der Literatur aus dem System der Standesvorbehalte noch einmal entscheidend fortgeschritten. Hier bricht auch die unterste Klasse, deren erster bedeutender Anwalt Georg Büchner war, die Stilschranken, die ihr von verbliebenen Vorstellungen der alten, normativ-ständischen Poetik gesetzt waren. Freilich — auch das muß gesehen werden — errichtet Brecht, wie die marxistische Literaturtheorie allgemein, neue Schranken durch die Bevorzugung der Arbeiterklasse: an die Stelle des aristokratischen ist das proletarische Privileg getreten. Die Geschichte hat die in der Literatur gespiegelten gesellschaftlichen Kämpfe an den Punkt gebracht, wo die Gegner die Seiten wechseln.

Anmerkungen

1 Bertolt Brecht: *Gesammelte Werke in 20 Bänden* (werkausgabe edition suhrkamp). Frankfurt a. M. 1967, Bd. 10, S. 827 f. (künftig Band- und Seitenangabe im Text).
2 Ludwig Rubiner: *Der Mensch in der Mitte*. Berlin 1917, S. 164.

HELMUT KOOPMANN

DER GUTE KÖNIG UND DIE BÖSE FEE

Geschichte als Gegenwart in Heinrich Manns ,Henri Quatre'

Die Literaturkritik hat mit Heinrich Manns Doppelroman über Henri Quatre gelegentlich nicht sehr viel anzufangen gewußt, wenn die Frage auf die Rolle der Geschichte kam. Zu den gängigen Urteilen gehört die Ansicht, daß hier die Historie verfälscht worden sei; Lion Feuchtwanger hat sogar bestritten, daß Heinrich Mann je ein wirkliches, ernsthaftes, wissenschaftliches Quellenstudium betrieben habe. Und Hermann Kesten hat sich einen boshaften Spaß daraus gemacht, die (angeblichen) Schwächen dieses historischen Romans aufzudecken, der der Historie und den alten Chroniken nur zu ferne sei — „man kann nur flüchtige Weisheit, keine Wissenschaft darin finden. Da ist nur die Psychologie der Politik, nicht ihre Analyse oder gar die Geschichte, da sind nur witzige Schattenspiele und nicht Ziffern, Tabellen, Soziologie und Ökonomie. Das Weltreich Spanien und das Haus Habsburg werden zum frömmelnden Gespenst, das von einem geldlüsternen Phantom die Lustseuche empfängt. Die Religion wird zum frommen Psalm und blutigen Vorwand. Frankreich sind fünfzig Schlachtfelder, fünfzig Lustplätze und der Louvre. Das Jahrhundert wird zur Romanze, zum Balladenbuch und zur Bildergalerie."[1]

Das ist nicht sehr freundlich geurteilt. Das boshafte Verdikt hat freilich andere nicht daran gehindert, hier nun eben das zu finden, was Kesten so lebhaft daran vermißte. So war 1970 über den gleichen Roman auch zu lesen: „Die Zeit des Henri Quatre steht auf, die Greuel der Bartholomäusnacht mit ihrem Mordgeschrei sind einer der Höhepunkte. Also ein historischer Roman? Ja und nein — mehr und etwas ganz Neues: das zum erstenmal in der Geschichte der deutschen Literatur restlos gelungene Unternehmen, Geschichte noch einmal aufleben zu lassen, nicht anders, als wären wir Zeitgenossen. (...) Wie ist hier Hunderten agierender Personen Leben eingehaucht, daß sie blutvoll vor uns stehen! (...) Zwischen vielen Seiten Kriegs- und Schlachtentumult ein Idyll mit einem schönen Mädchen an irgendeinem zufälligen Brunnen; zwischen Intrigen, von Ehrgeiz und Haß diktiert, immer wieder Liebe in ihrer schönsten und zartesten Erscheinungsform, wie in ihrer heißesten. Hier sind alle Skalen vom nüchternen Geschehen bis zum Wirbel eines spukhaften Furiosos (...)."[2]

Wem sollen wir glauben? Urteile wie diese klären nicht, sondern verwirren. Hier wird auf der einen Seite gerühmt, was die andere verdammt: das gleiche

Buch erscheint einmal als Roman gegen die Geschichte geschrieben, ein anderes Mal als erstmals restlos gelungenes Unternehmen, Geschichte noch einmal aufleben zu lassen. Gewiß: der Roman läßt notfalls beide Exegesen zu. Sie machen freilich ebenso deutlich, daß keine von beiden das Maß an Evidenz besitzt, die jeweils andere von vornherein zu widerlegen — und so haben wir es hier offenbar mit zwei Äußerungen zu tun, die sich in ihrem Gewicht wechselseitig aufheben.

Was hat es aber mit der Sache selbst auf sich? Man darf folgern, daß die Historie in diesem Roman nicht das Maß liefern kann, an dem er gemessen werden darf. Äußerungen wie die eben genannten scheinen zunächst einmal nur den Schluß zuzulassen, daß offenbar die Geschichte und die Frage ihrer gelungenen oder mißlungenen Reproduktion im Roman Heinrich Manns den Zugang zum Roman eher verstellt als öffnet. Und für diese Auffassung bietet sich zudem noch ein besserer Kronzeuge an als die genannten: Heinrich Mann selbst. Hält man sich nämlich an dessen Feststellung, daß der Roman „weder verklärte Historie" sei noch „freundliche Fabel", sondern nur „wahres Gleichnis"[3], so erscheinen die Urteile sowohl der Verteidiger Heinrich Manns wie die seiner Kritiker vollends irrelevant. Wer den Roman als historischen Roman und wesentlich nur als solchen bewertet, verkennt von vornherein, daß er offenbar nicht als solcher geschrieben worden ist, mag er den Roman unter diesen Vorzeichen positiv oder negativ bewerten; er urteilt von Voraussetzungen her, die nicht gegeben sind.

Es gibt hingegen nichts, was uns daran zweifeln lassen könnte, daß Heinrich Manns eigene Aussage ernstzunehmen sei. Sie besagt, daß also nicht die Geschichte selbst der Maßstab sein könne, an dem die Richtigkeit des Romans und das Können Heinrich Manns gewertet werden dürfen; und der Roman bestätigt das nur zu gut. Tatsächlich ist er eher gegen die Geschichte als für sie geschrieben, eine subjektive Epopoë, die der Geschichte zwar ihren Stoff entlehnt, aber nur, um ihn zu etwas sehr Gegenwärtigem zu benutzen. Die Form bereits ist verräterisch. Heinrich Mann hält sich zwar im großen und ganzen an die von der Geschichte vorgezeichnete Linie, und er tut alles, um seinen durch Jahrhunderte entfernten Stoff zu vergegenwärtigen, ganz ähnlich wie sein großer Bruder oder wie Hermann Broch, die mythische oder doch wenigstens historisch weit entfernte Stoffe ebenfalls zu aktualisieren suchen. Aber bei alledem sind die Verzeichnungen doch unmittelbar augenfällig. Denn die Geschichte ist hier nicht nur einseitig auf die Titelfigur konzentriert; sie ist es auch in einer solchen Weise, daß das nach traditionellen Begriffen Unhistorische (oder besser Transhistorische) dieses Romans deutlich genug dokumentiert ist. Das war freilich nicht Unvermögen, sondern Absicht: Heinrich Mann hat zweifellos vieles an zeitgenössischen Quellen aus erster Hand gekannt, aber er hat sich offenbar sehr bewußt weniger diese Quellen zunutze gemacht als vielmehr etwas, was in Frankreich neben der historischen Überlieferung ebenfalls immer schon bestand: nämlich die Henri-

Legende, die seine so starke Konzentration auf Henri selbst und sein Absehen vom allgemeineren Verlauf der Geschichte von vornherein legitimierte.[4] Sie bot sich ihm dazu nur zu sehr von sich aus an. Denn in der Legende war Henri bereits alles das, was er auch bei Heinrich Mann wurde — in die Henri-Legende gehört nicht nur, daß er ein Musterkönig war und ein Herrscher, der das Königtum neu gefestigt hatte; er war schon seit dem 17. Jahrhundert zugleich der gute und menschliche König, der als solcher auch das 18. Jahrhundert überdauerte. Zwar war er auch Gegenbild Ludwig XVI, aber doch nicht so sehr, daß der sich selbst nicht auch noch auf Henri berufen konnte. Und wenn er einerseits auch als Machiavellist galt, so blieb er andererseits doch immer ein Verteidiger der Institution des Königtums. Vor allem aber war er der gute König, und als solcher war er in der Legende sozusagen schon seit Jahrhunderten freigegeben: Henri war in dieser Überlieferung längst aus einer historischen Gestalt zu einer legendären Figur geworden und in dieser Legendenbildung gleichermaßen auch zu einer literarischen Figur, die mit der wirklichen Gestalt gar nicht mehr viel gemeinsam haben mußte, um weiterbestehen zu können. Und Heinrich Mann bediente sich zweifellos mehr der literarisch-legendenhaften Figur als der wirklichen historischen Gestalt. Das aber entschuldigt nicht nur sein mangelndes oder allenfalls bloß partielles Quellenstudium, sondern legitimiert geradezu die Subjektivität der Darstellung, die Auswahl und Art der Erscheinungsweise der Geschichte in diesem Roman. Und so hätten wir als erstes festzustellen, daß wir hier also den Roman einer Legende vor uns haben und nicht den einer Geschichte, und Kesten wie Lemke darf man gleichermaßen bescheinigen, daß sie in diesem Punkte irrten. Was Kesten so boshaft kritisierte (und Lemke verteidigen zu müssen glaubte), war durchaus legitim, weil eine Figur, die von der langen Legende längst aus der historischen Einmaligkeit und zwingenden Verbindlichkeit freigestellt war, hier auf durchaus sehr subjektive Weise noch einmal gesehen und beschrieben werden durfte. Das Nasenrümpfen der Kritik ist also, wenn man die von der Legende selbst gewährte Freiheit auch hier in Anspruch nimmt, so unbegründet wie gegenstandslos, und es zeugt nur zu sehr davon, daß hier die Unterschiede zwischen einem historischen und einem literarisch-legendenhaften Stoff nicht recht geläufig waren. Heinrich Mann hat hier nicht die Geschichte verfälscht, als er seinen historischen Roman schrieb, weil die Geschichte hier gar nicht zu verfälschen war. Ausgangsbasis einer jeden Interpretation dieses Romans darf also nicht die Historie sein, sondern nur die Legende. An dieser interessiert wiederum weniger die besondere Art der Nach-Erzählung als vielmehr die Absicht, die Heinrich Mann damit verfolgt hat. Die Entstehungsgeschichte scheint zwar darauf hinzudeuten, daß anfangs ein gewisses historisches Interesse mit im Spiel gewesen sein könnte. 1925 hatte Heinrich Mann das Schloß Henris in Pau besucht, „einbegriffen in einen Schub französischer Touristen. Sie besichtigten das Schloß des guten Königs Henri. Alle kannten ihn, und nur ihn".[5] Aber der Kontext dieser Schilderung zeigt, daß diese erste

Begegnung mit vita und Legende des guten Königs für Heinrich Mann zugleich von der Gegenwart motiviert war, genauer: von Heinrich Manns Kenntnis der Dritten Republik, diesem einen Abschnitt, „glänzender als die Regierung des Sonnenkönigs, erfolgreicher als Napoleon, und an innerem Wert von Sittlichkeit und Güte nur vergleichbar dem besten aller Könige, Henri Quatre"[6], und darüber hinaus natürlich auch von der deutschen Republik, die sich ihm damals wohl noch in ihren Möglichkeiten und noch nicht, wie später, in ihren Schrecken vorstellte. Der Plan zu einem Henri-Roman blieb dann, wie wir wissen, ein paar Jahre liegen und wurde erst 1932 wieder aufgegriffen — aber der Roman war auch damals so wenig als historischer Roman gedacht, wie Heinrich Mann Frankreich als Exil empfand. Auch von dorther unterscheidet sich *Henri Quatre* von den zahlreichen historischen Romanen der Emigrationszeit, die im wirklich erlebten Exil entstanden waren und in denen die Geschichte mehr als Refugium erschien denn als verschlüsselte Zeitgeschichte. Vor allem aber machen auch nachträgliche Bemerkungen Heinrich Manns darauf aufmerksam, wie hier die Geschichte zu verstehen sei. 1939, also nach dem Erscheinen des *Henri Quatre,* schrieb Heinrich Mann in seinem Essay *Gestaltung und Lehre*: „Wir werden eine historische Gestalt immer auch auf unser Zeitalter beziehen. Sonst wäre sie allenfalls ein schönes Bildnis, das nur fesseln kann, aber fremd bleibt. Nein, die historische Gestalt wird unter unseren Händen, ob wir es wollen oder nicht, zum angewendeten Beispiel unserer Erlebnisse werden, sie wird nicht nur bedeuten, sondern sein, was die weilende Epoche hervorbringt oder leider versäumt. Wir werden sie den Mitlebenden schmerzlich vorhalten: seht dies Beispiel."[7]

Die Hinweise darauf, daß die Geschichte hier die Gegenwart interpretieren wolle und gewiß nicht um ihrer selbst willen dargestellt sei, sind so deutlich, daß man sich über das konstante Bemühen um einen (mehr oder weniger gelungenen) historischen Roman von seiten der Kritik oder auch der Interpretation nur verwundern kann. Ist Heinrich Manns Roman auch nur auf einer Seite wirklich ein echter historischer Roman in dem Sinne, daß es hier allein um Henri Quatre geht und Catherine von Medici, um spanische, französische und englische Geschichtsentwicklung an der Wende des 16. zum 17. Jahrhundert? Das Gegenteil scheint, wenn man Heinrich Manns eigene Äußerungen nicht in den Wind schlagen will, richtig zu sein. Ebensowenig kann, von dorther gesehen, der Versuch überzeugen, im *Henri Quatre* einen Bildungs- oder Entwicklungsroman zu sehen.[8] Und man wird dem Roman und seiner Motivierung gewiß auch nicht gerecht, wenn man feststellt: „Daß Heinrich Mann Henri IV und seine Welt zum Thema dieser 1400 Seiten machte, hatte naheliegende persönliche Gründe. Es entsprach seinem von jeher bezeugten Geschmack am ‚Grausigen' und ‚Unheimlichen', an den Machenschaften des Bösen, an Verschwörungen, Intrigen, starken und schwachen Sonderlingen, Tyrannen, ansprechenden Frauen und perfiden Vetteln (...)."[9] Das degradiert diesen Roman zur Niederschrift persönlicher Gelüste. Der Roman aber ist weder das eine noch das andere, und gerade die Auslegungen, die sich zur Deutung der gängigen Klassifikationen bedienen, scheinen hier in die Irre zu gehen. Denn Heinrich Mann hat zu klar auf das Gleichnis in diesem Roman hingewiesen; auch in seiner Autobiographie hat er völlig unmißverständlich festgestellt: „Das Frankreich des Königs Henri Quatre und des Generals de Gaulle ist durchaus das gleiche. Beide Male ist seine Vitalität augenscheinlich; sein Lebensgefühl steigt mit seiner Besinnung. Der König und der General haben gegen sich eine tote Masse, damals die Ligue genannt, jetzt der Faschismus.“[10] Und Heinrich Mann hätte gesagt haben können, was Lion Feuchtwanger über den „historischen“ Roman feststellte: „Ich habe nie daran gedacht, Geschichte um ihrer selbst willen zu gestalten (. . .) Ich kann mir nicht denken, daß ein ernsthafter Romandichter, der mit geschichtlichen Stoffen arbeitet, in den historischen Fakten etwas anderes sehen könnte als ein Distanzierungsmittel, als ein Gleichnis, um sich selber, sein eigenes Lebensgefühl, seine eigene Zeit, sein Weltbild möglichst getreu wiederzugeben.“[11]

Eben von dorther hat die Interpretation dieses Romans zu erfolgen: dieser historische Roman ist offenbar nichts anderes als ein Zeitroman, und seine Aussage will unter diesen Auspizien verstanden werden. Gerade unter diesem Aspekt verdienen aber die Bezüge und die Partien des Romans besondere Beachtung, die man bislang häufig unterbewertet bzw. die man als Fremdkörper innerhalb dieses historischen Romans betrachtet hat[12]: die mehr oder weniger verschlüsselten Partien, in denen sich die Zeitgeschichte besonders deutlich spiegelt.

Diese Einblendungen sind natürlich schon längst identifiziert[13]; sie sind in der Regel unzweideutig auf das Zeitgeschehen von damals gemünzt, und einige Charaktere sind geradezu diaphan für zeitgenössische Figuren. Zu diesen „Doppelgestalten“ gehört etwa die Person des Predigers Boucher, zu der Navarra und sein Gegenspieler, der Herzog von Guise, reiten. Boucher predigt nach der Bartholomäusnacht zum Volk von Paris. „Dies war ein Redner von neuer Art. Er schäumte beim ersten Wort, und seine rohe Stimme überschlug sich zum weibischen Gekreisch. Er predigte den Haß gegen die Gemäßigten. (. . .) In einer Nacht der langen Messer und der rollenden Köpfe wollte Boucher besonders abrechnen mit den Duldsamen (. . .) Die Schlimmsten waren ihm in beiden Religionen die Nachgiebigen, die sich bereitfanden zur Verständigung und dem Land den Frieden wünschten. Den sollte das Land nicht haben, und Boucher behauptete tobend, daß es ihn gar nicht aushalten würde, weil er gegen seine Ehre wäre. Der Schmachfriede und aufgezwungene Vertrag mit den Ketzern würde hiermit zerrissen. Laut schrien der Boden und das Blut nach Gewalt (. . .) Gewissensfreiheit, beileibe nicht! Aber auch keine Steuern mehr, keinen Mietzins, überhaupt keine Zinsknechtschaft — (. . .) Boucher machte ihnen klar, das ganze System des Staates wäre zwar verbrecherisch, aber Gott hätte ihnen einen Führer gesandt! (...) Dies war der Anfang der ‚Liga'. (...) Hier geschah der Anfang, und während das fremde Geld schnell weggesteckt wurde, ohne daß die Empfänger auf die Prägung sahen, drangen von der Straße herein die Rufe ‚Heil!' und ‚Freiheit!'. Das betrogene Volk ließ seinen würdigen Führer hochleben."[14]

Die Darstellung ist gerade in ihrer Zweideutigkeit völlig eindeutig, zumal dann, wenn man noch Äußerlichkeiten des Predigers Boucher hinzunimmt: er war von verkümmerter Gestalt, seine Sprache entartete leicht zum Gebell, und was er sagte, klang ausländisch und angelernt. Das ist ohne Zweifel ein Goebbels-Porträt, und was Boucher predigt, enthält Grundvokabeln des Nationalsozialismus, von der Zinsknechtschaft bis zum Führer, vom Schmachfrieden bis zum aufgezwungenen Vertrag, mit dem natürlich auch der Vertrag von Versailles gemeint ist. Und es bleibt nicht bei dieser Darstellung, in der die Identität von historischem Geschehen und Zeitgeschehen vollkommen ist. Das kleine Kapitel „Totentanz" zu Ende des ersten Bandes liest sich ähnlich doppelsinnig wie die Predigt des Boucher, wenn es etwa über die Anstrengungen und den Erfolg der Liga heißt: „Das ist das Ergebnis der vierzehnjährigen Hetze und einer falschen Volksbewegung. Zuletzt kommt alles ans Ziel, es muß nur fest genug in die Köpfe gerammt sein: dann fügt sich die Wirklichkeit, sie verwandelt sich in den leibhaften Unsinn, und die lange genug gepredigte Lüge vergießt wirkliches Blut. Dabei sind dies Spießbürger, starren von Unwissenheit über die Religion, über den Staat, über alles Menschliche."[15] Das enthält eine für die Literatur der Emigranten von Brecht bis zu Thomas Mann hin charakteristische Kritik am Nationalsozialismus: die Feststellung nämlich, daß hier die Herrschaft der Kleinbürger begonnen habe, die die Wirklichkeit nach ihren Vorstellungen formen möchten. Die Anspielungen sind dabei so direkt, daß man sie unmöglich übersehen kann, bis hin zu dem Satz: „Die Steuern abzuschaffen, fehlt ihnen noch, damit das Programm durchgeführt wird, wie es vierzehn Jahre lang gebrüllt worden ist über das Land" und zu der vernichtenden Kritik am Kleinbürgertum wenige Sätze später: „Sie wollen hauptsächlich nicht zahlen; sonst sind sie voll täglicher Widersprüche."[16] Terror, Kleinbürgerlichkeit und Verfolgung Andersdenkender sind für Heinrich Mann die Gemeinsamkeiten zwischen Liga und nationalsozialistischer Herrschaft. Und die Praktiken dieser Herrschaft hat er überdeutlich bloßgestellt in der Beschreibung der Praktiken der Liga, wiederum in der Identifikation der Predigten Bouchers mit der Goebbelschen Propaganda: „Hütet euch, aus der Kirche fortzubleiben. Aber vom Prediger mit Namen genannt zu werden, bedeutet: Du kommst nicht mehr lebend nach Haus. Anzeigen, angeben, ausliefern, an den Galgen bringen, hei. Als Belohnung für die Belastung eines anderen tritt man in sein Amt oder Geschäft: so hat man jetzt üblicherweise zu sein. Darum sind die ehrbaren Leute für diesmal Schurken. Zu anders eingerichteter Zeit werden sie höchst wohlanständig sein, an ihnen soll es nicht liegen. Sie sind, was man grade zu sein hat, diesmal verwahrloste Schurken. (...) Überaus verhaßt bei der Masse mit weiß verdrehten Augen ist das geordnete Denken. Ein unpromovierter Student, der aber die geforderten Meinungen hat, dringt in den Hörsaal des Professors, tritt ihn auf beide Füße, läßt ihn einsperren und wird statt seiner ernannt. Der junge Arzt beseitigt den älteren, der ihm im Weg ist: hat nicht richtig gegrüßt, der Professor die Waschfrau. Desgleichen verfährt ein Unterbeamter: erfrecht sich, je demütiger er sonst war, gegen die hohen Richter des Königlichen Parlaments. Sie müssen mit ihm kommen und das Recht im Namen des totalen Volkes sprechen, da ein Volk erst nach der Abschaffung des Denkens wirklich total werden kann."[17]

Man kann diese Sätze auch heute eigentlich nur mit äußerster Beklemmung lesen; sie schildern die Wirklichkeit der dreißiger Jahre, und sie diagnostizieren sie zugleich, indem sie sie herstellen. Ein Satz wie „Das totale Ungeheuer besteht, ganz im Grunde, aus höchstens einem Zehntel Wütender und einem Zehntel Feiglinge. Zwischen diesen beiden Menschenarten — nichts"[18] enthüllt tatsächlich alles an der Herrschaft des Nationalsozialismus und der Bedingung seines Zustandekommens. Heinrich Mann hat dieses Phänomen des Nationalsozialismus in seinem Roman immer wieder umkreist, und wenn man einmal die Augen dafür geöffnet bekommen hat, gibt es, vor allem am Schluß des ersten Romans, kaum ein Kapitel, in dem nicht auf eindeutig-zweideutige Weise davon die Rede ist — zumeist in der kurzen Anspielung, im Einstreuen eines doppelsinnigen Satzes in den Bericht über die katholische Liga, bei dem vor allem bestimmte Schlüsselwörter den Doppelsinn des Gemeinten aufschließen, etwa wenn es heißt: „Diese Partei und Bewegung wären nun einmal nicht gemacht für den Kampf, sondern für den Mord." „Partei und Bewegung": das enthüllt das Bild der Partei-Herrschaft in der Schilderung der Liga. Und die Schilderung des beginnenden Sieges des Königs von Navarra liest sich aus der Sicht der damaligen Zeit, also der späten dreißiger Jahre, wie eine schmerzliche Utopie, von deren Erfüllung sich die Zeit damals jedoch nur allzu fern wußte. Die Führer der Liga als „Gauleiter", die Parole „Der Arbeitsdienst und leist ihm Deine Wehrpflicht! Zahl ihm Abgaben, sei tagelang auf den Beinen, trotz Deiner Krampfadern, bei allen Kundgebungen der Partei, so oft er ihre Massen aufruft!" — das ist so unüberhörbar wie der Satz: „Er sah Valois in seiner Ständeversammlung: fast nur Anhänger der Liga infolge des ungeheuersten Terrors bei den Wahlen; alle besessen von einem frechen und widerlichen Haß, und wissen nicht mehr, wohin damit" oder die Erwähnung der „Volksgemeinschaft" und aller „wahren Volksgenossen". Vom „tausendjährigen Reich" wird wie von einem Ereignis aus grauer Vorzeit gesprochen, und doch weiß jeder, daß es, von der Zeit des Romans her gesehen, erst noch kommen wird als ein neuer „Totentanz". Und der „Führer" der Liga wird nur zu eindeutig identifiziert, wenn es heißt: „eine Bartholomäusnacht ohne Ende soll das Reich des

Führers sein, heil!"[19] und ebenso eindeutig seine Gefolgschaft, wenn zu lesen ist: „Eine Volksmenge indessen, die einmal falsch gewählt hat, begeht auch weiterhin nur Unsinn."

Allerdings wäre es unsinnig, wollte man von daher zu dem Schluß kommen, daß diese Schicht die eigentliche Bedeutungsschicht des Romans sei, sozusagen in Umkehrung der These von Lemke, der in dem Buch nur einen bewundernswert lebendigen historischen Roman gesehen hatte. Der Roman ist trotz seiner zahlreichen unzweideutigen Stellen, die auf die Wirklichkeit der dreißiger Jahre bezogen waren, kein Schlüsselroman, aus dem sich alle Figuren oder zumindest die meisten in die zeitgenössische Wirklichkeit übersetzen ließen. Und er ist kein Zeitroman in dem Sinne, daß alles Historische nur Staffage sei, um damit und darin allein ein kontemporäres Geschehen zu fassen und einzufangen. Wer den Roman nur in diesem Sinne als Zeitroman lesen würde, läse ihn gewiß ebenso falsch wie der, der darin allein einen historischen Roman sähe. Wir haben es hier vielmehr mit einem mindestens zweischichtigen Realismus zu tun, wobei es sich nicht um jeweils deutlich und eindeutig voneinander abhebbare Ebenen handelt, sondern um ineinander integrierte Schichten, die mit ein und demselben Satz im Idealfall zugleich evoziert werden können. Ein scheinbar eindeutiger Sachverhalt kann zweierlei bedeuten. Und eben diese Polyvalenz ist das auffälligste Charakteristikum dieses Romans.

Dennoch fiele es schwer, das Verhältnis zwischen Geschichte und Gegenwart von hierher endgültig und genau zu bestimmen. Denn die Geschichte ist nicht bloß ein Medium, in das sich zeitgenössische Erfahrungen einpassen lassen; andererseits bedürfen aber auch die Erfahrungen der Zeit eigentlich nicht der Repräsentation im historischen Gewand. Doch man sähe die Dinge wohl auch nicht richtig, wenn man hier nur eine historische Parallele ausmachen wollte. Sicherlich gibt es einiges an Parallelen zwischen dem Terror der Liga und dem Terror der Faschisten — jedenfalls in der Sicht Heinrich Manns. Aber auf der einen Seite reicht die Parallelität bei einer ernsthaften historischen Analyse doch wohl nicht allzu weit, und zudem scheint es, was die Geschichte der Neuzeit angeht, auch noch andere Parallelen zu geben, die sich mit gleichem Recht anbieten würden. Und somit ist die Frage nach dem eigentlichen Verhältnis zwischen der Geschichte des Henri Quatre und der der faschistischen Bedrohung noch nicht damit beantwortet, daß man sich der Zweideutigkeit der Darstellung bewußt geworden ist; denn gerade die Technik des Ineinanderblendens, der vollkommenen Integration des Einen in das Andere läßt ja darauf schließen, daß es Heinrich Mann nicht um den Aufweis einer historischen Parallele zu tun ist, sondern um etwas anderes.

Man wird also die Antwort auf die Frage, wie es e i g e n t l i c h um das Verhältnis von Geschichte und Gegenwart in Heinrich Manns *Henri Quatre* bestellt sei, gewiß nicht allein aus der Parallelität der beschriebenen Ereignisse in Frankreich und der gemeinten Ereignisse in Deutschland herleiten dürfen. Zwar hat

Heinrich Mann ja selbst darauf hingewiesen, daß das Frankreich des Königs Henri Quatre und das General de Gaulles durchaus das gleiche seien. Aber es handelt sich hierbei sicherlich um mehr als um bloße Parallelisierungen. Derartige Vergleiche sind innerhalb dieses Romans eigentlich erst von einer Schicht des Romans her möglich, die zwar nicht offen zutage liegt, von der her aber die Besonderheit der Verhältnisse von Geschichte und Gegenwart allein zu klären ist.

✳

Um welche es sich hierbei handelt, zeigt sich spätestens im dritten Kapitel des ersten Romans, „Der Louvre". Henri ist in Paris angelangt, nach dem Tod seiner Mutter, um ihrer wahrscheinlichen Mörderin, der Catherine von Medici, zu begegnen. Das entscheidende Kapitel ist überschrieben: „Die böse Fee", und schon das deutet an, welcher Art die Wirklichkeit sein wird, die Henri von Navarra hier erwartet. Henri muß auf Catherine warten, und er blickt hinaus aus dem Louvre in die Landschaft: „Nun lag aber im Fenster die Mittagssonne, und jenseits eines wohlgepflegten Gartens erschien ihm der helle Fluß mit allem, wovon er draußen schon Abschied genommen hatte, das unwissende laute Volk, hochschwankendes Heu, ächzende Karren und Kähne. Auch fiel ihm ins Auge die lange besonnte Front, die mit diesem Zimmer endete: sie war herrlich, und man mußte sagen, ein Wunder. Hergehoben aus ersehnten Welten durch Zauber schien dieses Bauwerk (...) Dies hier übertraf den Hof von Frankreich; es holte ihn hervor aus dem Brunnenschacht des Louvre, wo der Rest eines Turmes vermodernd auf begrabenen Jahrhunderten stand. Genug, hier war die glänzende Vorderseite vor sehr finsteren Altertümern. Dies erblicken — und Henri von Navarra hatte begriffen, daß die Herrin des Palastes wohl die alte Giftmischerin, aber zugleich eine Fee war."[20]

Das ist freilich zunächst einmal nicht mehr als eine nur sehr detaillierte und anschauliche Beschreibung; aber bei aller Realistik enthält sie doch eine Komponente, die diesen Realismus deutlich unterhöhlt. Denn hier wird das Beschriebene mit nur einigen Sätzen und Bemerkungen und doch auf sehr nachhaltige Weise in einen Bereich hinübergespielt, der klar genug als Bereich des Märchens, einer dämonisch-mythischen Realität zu erkennen ist. Das deutet sich schon in etwa in der Konfrontation von heller Mittagssonne und dem Leben draußen einerseits und dem zauberhaften, im Inneren so dunklen Bauwerk des Louvre an, im Hinweis auf die finsteren Altertümer hinter der glänzenden Vorderseite, und was eigentlich gemeint ist, wird vollends einsichtig in dem Hinweis auf die alte Fee. „ ‚Blendwerk der Sinne', dachte der junge Protestant", so heißt es wenige Zeilen später. Aber das Blendwerk hat Realität, gewissermaßen eine höhere Realität als das, was man sehen und hören kann. Hier wird die krasse Realistik des Romans und in diesem Fall die krasse Realität des Einzugs

Henris von Navarra in Paris magisiert und dämonisiert: wer ihn erwartet, ist nicht Catherine von Medici, sondern eine Fee, und zwar eine böse.

Man könnte hier zwar immerhin noch meinen, daß das alles tatsächlich nur im Bewußtsein des überraschten Henri auftauche oder aber auch, daß Heinrich Mann sich eines nur literarisch interessanten, aber sonst nicht weiter belangvollen Vergleichs bedient habe, um seinen Bericht poetisch ein wenig auszuschmücken. Aber der Leser stößt im folgenden noch auf mehr. Eines der folgenden Kapitel ist überschrieben mit „Das Labyrinth". Das ist äußerlich, rein realistisch gesehen, zunächst einmal wiederum nur die Bezeichnung des Ortes, an dem sich Henri von Navarra und Margot von Valois zum erstenmal begegnen. Der Text läßt darüber keinen Zweifel. „Zierlich führte er sie", so heißt es, „über den offenen Gartenweg, aber kaum hinter einer Hecke angelangt, fragte er stürmisch: ‚Haben Sie meine Mutter zuletzt noch gesehen? Woran ist sie gestorben? O sprechen Sie doch!' Denn natürlich schwieg sie. ‚Aber Sie wissen, was erzählt wird?' Er drang in sie. ‚Gestehen Sie mir doch, was Sie davon halten! Sie wollen nicht? O Margot! Das ist schlimm!' — Anstatt zu antworten, betrat sie den Eingang zwischen den hohen Hecken, obwohl dies ein Labyrinth und sogar beim Schein der Sonne nicht hell war. Aber ihr Empfinden riet ihr, daß er sie jetzt nicht genau sehen sollte, und sie nicht ihn. Er blieb im Gehen an ihrer Schulter, berührte sie bei jedem Schritt, und seinen Atem spürte sie auf ihrem Hals. ‚Ich bin in einer furchtbaren Not. Ich tappe im Dunkeln und finde den Ausgang nicht.' Grade so irrten sie hier durch die engen Windungen."[21] Alles liest sich zunächst ganz unverfänglich. Aber schon die letzten Sätze zeigen, daß es nicht nur ein Gartenlabyrinth ist, von dem hier die Rede ist. Für Navarra ist seine ganze Existenz und die Welt, in die er hineingeraten ist, labyrinthisch geworden. Henri erscheint Margot als der Unschuldige schlechthin, er selbst aber fühlt sich schon völlig hineingezogen in das Labyrinth, das ihn nicht nur im lokalen Sinne umgibt. Beide kommen auf ihrem Gang durch das Gartenlabyrinth dann noch vor Spiegel, „damit man sich noch mehr verirrt in diesen Gängen", und Navarra verirrt sich in der Tat, denn er meint seine tote Mutter zu erblicken, wo doch nur Margot von Valois anwesend ist und sonst niemand. Aber in einem hintergründigen Sinne ist seine Mutter tatsächlich auch als Tote noch da und schiebt sich in diese aufkommende Beziehung hinein, und es ist kurz vor Schluß des Kapitels die Rede von einer Leidenschaft mit so vielen Hintergründen, mit Schuld, Verdacht und Verstrickung, daß das Bild vom Labyrinth ganz zweifellos auch darauf zu beziehen ist, auf eine labyrinthisch sich verwirrende Begegnung, und der folgende Roman läßt das hier Skizzierte dann tatsächlich ja Wirklichkeit werden: eine verwilderte, undurchschaubare Beziehung wird die zwischen Navarra und Margot von Valois bleiben bis an ihr Ende hin. Aber der Bedeutungsgehalt reicht offenbar noch weiter: das Bild des Labyrinths ist darüber hinaus auf das Leben und Dasein des Henri Quatre in der Zeit seiner „Jugend" schlechthin zu beziehen. Auch seine im ersten Band berichtete Jugend ist labyrinthisch, und so schnell er in den Louvre hineingeraten ist, so langsam und schwer nur findet er wieder hinaus. Dabei steht das Labyrinth wiederum nicht nur als Sinnbild für das Verwickelte und Verschlungene seiner Verhältnisse; vielmehr erscheint hier das Labyrinth als mythischer Ort, jedenfalls als ein Bereich, der die realen Verhältnisse mit einem mythischen oder mythenähnlichen Sinn auflädt.

Wer auf diese Bedeutungsschicht aber einmal gestoßen ist, der wird mühelos mehr entdecken: Mythisches, Vor- und Überhistorisches ist immer wieder in das Historische eingeblendet. Das geschieht nicht nur in bezug auf die Hauptfigur Henri, sondern auch auf andere Personen. Innerhalb der Margot-Kapitel ist ein Abschnitt überschrieben: „Dame Venus", und kurz darauf folgt ein Abschnitt mit der Überschrift „Ein Traum", der dieses Thema der Dame Venus auch inhaltlich füllt und näher ausführt, was damit gemeint ist. Der Traum ist ein mythologischer Traum, und auch er stößt in diese Schicht des Mythischen vor und erhöht damit das dargestellte Geschehen ins Überhistorische. „Sie hatte aber einen Traum", so beginnt der Abschnitt, und dann folgt der Traum selbst: „Margot in ihrem Traum war Dame Venus selbst und bewachte als Marmorbild ein Labyrinth aus hohen Hecken, die kühl ihren weißen Rücken beschatteten: sie fühlte es genau. Der Stein war mit Gefühl begabt, und in ihm wohnte das Bewußtsein. Hinter ihr, rechts und links der Laube, wußte sie zwei Krieger, die um ihrer Gunst willen einander töten wollten, obwohl keiner von ihnen sein nacktes Schwert auch nur um einen Zoll aufhob. Denn beide waren Figuren, der ihren gleich, waren in harten Hüllen eingeschlossen und auf Sockel gebannt, wie sie selbst. Indessen hätte ihr Gedanke genügt, und der, den sie bestimmte, wäre gestürzt und zerbrochen.

Sie sah aus ihren leeren Augen in eine Landschaft, wo alles auf sie allein, silberner Fluß, beglänzte Ufer, Päläste und die Statuen nur auf Dame Venus blickten. Statuen statt Menschen standen weithin verstreut, und sie sprachen, ohne daß es einen Klang gab."[22] Dann folgt eine Gottesvision, in der wiederum die Realien in nichts weniger als mythischer Beleuchtung erscheinen. „Die Träumende mußte ihre ganze Kraft sammeln und schärfer denken als jemals die Wachende: da erkannte sie endlich das Gesicht des Vorgangs. Es war eine Loggia in der Mitte eines großen Palastes, drin stand Gott. (...) Die Loggia lag in der Front des Louvre, wo sonst noch keine bemerkt worden war. Zugleich deckte sich das bekannte Gebäude mit dem Urbild des Palastes, den wir das ganze Leben lang im rätselvollen Sinn tragen; erinnern uns seiner wie aus unserer frühesten, schönsten Reise, sollen ihn nie mehr mit Augen sehen, würden ihn übrigens nirgends wiederfinden. Hier aber erstand er leuchtend von unvergänglicher Herrlichkeit und den Arbeiten der Meister — und hieß Sinai. So war sein Name."

Auch das könnte man beim flüchtigen Lesen übersehen, es übergehen als eine belanglose Episode, so wie überhaupt dem flüchtigen Leser hier manches als

Episode erscheinen könnte. Aber Episoden und Exkurse erweisen sich im Bereich des klassisch-modernen Romans ja öfters als Angelpunkte des ganzen Geschehens und als ihre für die Deutung zentralen Stellen. Auch hier deutet mehreres darauf hin, daß eine Schicht unterhalb (oder oberhalb) der der historischen Realität existiert, und in diesem mythologischen Traum gibt es im übrigen Einzelheiten, die innerhalb der mythologischen Ebene sogar über diesen Traum hinausweisen auf andere mythologische Momente, in denen dergleichen auch schon zur Sprache kam. Da ist zunächst einmal wieder der Hinweis auf das Labyrinth als das eigentliche Sinnbild dieser Welt. Der Leser kennt es schon, nicht nur als treffendste Bezeichnung für die Treppenschluchten und verwinkelten Gänge im Louvre, sondern als Bild des Daseins, in dem Navarra lebt, schlechthin. Innerhalb dieses Labyrinths aber erscheinen die beiden Kontrahenten Navarra und Guise also solche, „die um ihrer [Margots] Gunst willen töten wollten". Dazu muß man wissen, daß im Kapitel zuvor tatsächlich der Mordversuch des Guise an Henri stattgefunden hat, ein realistisches Geschehen, das hier aber sofort in die Ebene der mythologischen Darstellung und Bedeutung erhoben erscheint. Doch das mythologische Spiel mit den Realien geht noch weiter. Das Labyrinth innen, in dem Dame Venus als Marmorbild steht, blühende Landschaft, silberner Fluß, beglänzte Ufer draußen — dieser Gegensatz tauchte schon einmal auf, und der Leser erinnert sich zurück an den Abschnitt über „die böse Fee", in dem berichtet wurde, wie Henri warten mußte und aus dem Fenster blickte: jenseits des finsteren Louvre erschien eine blühende Landschaft — „der helle Fluß mit allem, wovon er draußen schon Abschied genommen hatte, das unwissende laute Volk, hochschwankendes Heu, ächzende Karren und Kähne". Auch die Fensterfront des Palastes liegt in der Sonne — aber es ist „die glänzende Vorderseite der sehr finsteren Altertümer". Was dort, im Abschnitt von der bösen Fee, noch halbwegs realistische Ortsansicht war, ist hier, im mythologischen Traum von der Dame Venus, wiederholt, aber nicht als gleichsam wörtliches oder halbwegs wörtliches Zitat. Es ist auf eine mythologische, sehr viel bedeutungsträchtigere Ebene gehoben. Düsterer Palast und sonnige Außenwelt — das spiegelt sich hier wider als das Innere des Labyrinths mit seinen zwar bewußten, aber toten Steinfiguren, und der strahlenden Außenwelt — „silberner Fluß, beglänzte Ufer". Doch die Beziehungen reichen noch weiter. Denn hier ist nicht nur noch einmal der Gegensatz von düsterem Palast und heiterer Außenwelt aufgenommen und auf der Ebene eines mythologischen Traumes wiederholt. Innerhalb dieses Traumes wird hinter dem Palast sein eigentliches Urbild sichtbar, er wird sozusagen auf mythologische Weise identifiziert. Der Palast heißt Sinai, und es ist vom „Urbild" ausdrücklich als solchem die Rede und zugleich davon, daß man dieses Urbild normalerweise, also unter alltäglichen Bedingungen, gewiß nicht wiedersehen könne. Und wer diesen Traum von der Dame Venus sorgfältig gelesen hat, hat sich damit sicherlich spätestens den Zugang zu dieser Ebene des Märchenhaft-Mythischen erschlossen, die ebenso ständig, ebenso hartnäckig in das Geschehen mit hineinspielt wie, in den Predigten des Boucher und in anderer Form, auch das Zeitgeschehen.[23]

Es ist freilich nicht völlig eindeutig mythologisch, sondern zuweilen auch märchenhaft und sagenhaft, was diese dritte Ebene (nach der des Historischen und der des Zeitgeschichtlichen) ausmacht; in jedem Falle aber kommt auch in ihr etwas zur Sprache, was seinen direkten Zeitbezug nicht verloren hat, sondern ihn transzendiert. Das zeigt sich deutlich etwa auch noch an anderen Stellen des ersten Romans. Im Abschnitt „Der Tod und die Amme" wird vom frühen Tod des Sohnes der Catherine von Medici, Karl IX, berichtet: „Karl der Neunte wäre nächsten Monat vierundzwanzig geworden; aber diesen einunddreißigsten Mai 1574 lag er und mußte sterben. Es geschah in Vincennes", so beginnt das Kapitel, und diese ersten beiden Sätze haben zunächst offenbar keine andere Funktion als die, Ort und Zeit des im folgenden zu Berichtenden zu fixieren. Aber schon hier wird der Sachverhalt vieldeutig. Denn Karl IX stirbt nicht zufällig in Vincennes: „Seine Mutter", so heißt es, „hatte ihn zuletzt noch bis Vincennes geschleppt. Dies Schloß war übersichtlicher als der Louvre."[24] Das ist zwar auf der Ebene des Realistischen völlig plausibel, zumal die alte Catherine den labyrinthischen Louvre ganz real fürchtet: was dort passiert, ist schwer zu übersehen, und da sie vorhat, ihren dritten Sohn zum König ausrufen zu lassen, ängstigen sie mögliche Komplikationen. Aber wer die mythologisch-märchenhafte Ebene des Dramas einmal erkannt hat, muß auch hier den Text gewissermaßen zweideutig verstehen. Karl IX ist, wenn auch nicht lebend, so doch sterbend aus dem Labyrinth befreit, in dem er selbst gelebt und in das er sich in seiner altklugen Naivität und Verzweiflung ständig neu verstrickt hat. Doch die Befreiung aus dem Labyrinth des Louvre, das auch für ihn das Labyrinth dieser Welt ist, gibt seinem Sterben auf dieser dritten Bedeutungsebene andere Vorzeichen, eine andere Wertigkeit. Karl IX kommt nicht im Labyrinth um, sondern stirbt gleichsam so, als wenn er in eine Märchenwelt zurückkehrte: „Bei ihrem Pflegling blieb schließlich allein zurück die Amme. Über ihn geneigt, fing sie seine Seufzer auf — nicht als hätte sie gefühlt mit dem, der selbst nicht mehr fühlte, sondern einfach, damit sie genau feststellte, wann der letzte abbräche. Sie wußte wohl: In diesem vergehenden Geist gespensterte nur noch das Früheste, lang Vergessene, niemandem bekannt als ihnen beiden. Ihr fiel es wieder ein zugleich mit ihm, und dem Entschlafenden zur Seite kehrte sie in alte Tage zurück. Nur seine kurzen Seufzer bewegten seine Lippen, dennoch verstand sie ‚Wald', dennoch verstand sie ‚Nacht', und ‚müde'. Das Kind hat sich verirrt im Wald von Fontainebleau, jetzt fürchtet es sich im Dunkeln. Vorzeiten geschah dies, und geschieht zuletzt nochmals."

Das ist zwar keine mythische, aber doch eine märchenhafte Vorzeit- und Rückerinnerung an sie, und wiederum wird die realistische Szenerie hier durchbrochen zugunsten einer anderen Ebene, die hier die eigentlichere Ebene ist, weil sich von ihr her das Geschehen erst wirklich erklärt. Und so wie an diesen Stellen bricht eine andere Welt noch des öfteren durch. Für Margot ist Henri, als sie ihn schließlich an andere Frauen verloren hat, ihre verlorengegangene „Antike", ihr Narziß.[25] Die Gräfin Bianco Gramont ist Henris Muse, und eine arkadische Szenerie tut sich auf, als Henri dieser seiner Muse begegnet — „Blauer Wald hinter weiten Wiesen, der Fluß Garonne umspült sie. Vor dem Rand des Gehölzes erscheint eine Reiterin. Sitzt quer auf dem geräumigen Pferderücken, ihr weißes Kleid hängt tief herab, die Sonne macht es glitzern. Sie neigt sich in der Hüfte vor, sie senkt ein wenig die Stirn, um Henri zu erkennen. Die Bewegung ist ohne Schwere, die Erscheinung überirdisch, vom Himmel hernieder steigt sie mit Versprechungen von Ruhm und Größe. ‚Eine Fee!', ruft er, gleitet vom Sattel und läßt sich auf das Knie (...) ‚Meine große Freundin', schwärmte er. Sie sagte bittend und dennoch huldvoll: ‚Sire!' Ihre weiten Augen voll eines ungläubigen Glückes gingen über die stille Landschaft hin, die Bäume, die nur wisperten, das murmelnde Gewässer."[26] Das ist eine der vielen Liebesgeschichten, die Hermann Kesten so zahlreich fand wie die Schlachten und die ihm zusammen mit jenen eigentlich das Buch auszumachen schienen. Und empfindliche Leser könnten sich fragen, ob nicht die Schilderung dieser amourösen Szenerie mit einzelnen Sätzen doch in eine recht bedenkliche Nähe zur Trivialität geraten sei. Gerade die scheinbar unkontrollierte Mitteilung von Gefühlen scheint dafür zu sprechen und die Leichtigkeit, mit der der Autor vom „ungläubigen Glück" spricht. Aber auch diese Schilderung wirkt im Zusammenhang des anderen eher absichtlich stilisiert, und gerade der letzte Satz, der nur die passende Naturkulisse zu dem ungläubigen Glück abzugeben scheint, wie das bei derartigen Schilderungen ja oft der Fall ist — gerade er läßt sich auch anders verstehen, nämlich von seinen arkadischen Konnotationen her. Denn wer von wispernden Bäumen liest, assoziiert die antiken Dryaden. Und die Überschrift „Die Muse" ist offenbar nicht eine verniedlichende Umschreibung eines erneuten Liebesabenteuers, sondern sehr viel mehr ebenfalls doppeldeutig zu verstehen, von ihrer mythologischen Sinngebung her: die Naturszenerie, die die Begegnung mit der Muse umgibt, ist eine bukolische Landschaft, Arkadien, das hier noch einmal wiedersteht, die Verwirklichung eines Urbildes und darin von gleicher Bedeutung wie die Evokation des Urbildes Sinai in der Beschreibung des Louvre im mythologischen Traum der Margot von Valois. Wer nur wenig weiterliest, erhält vom Text selbst gewissermaßen noch eine Bestätigung dieser Annahme und Einsicht. Henri sagt zu seiner Muse: „Sie und ich allein! Wir wissen nichts vom Krieg, die Schrecken der Pest sind uns nie zu Ohren gekommen. Das muß wohl in der Welt sein, hierher dringt es nicht. Die verräterischen Anschläge suchen uns vergebens, so fern von allen Menschen." Kurz darauf ist dann von der Insel die Rede, auf der die Liebenden wohnen sollten — „Kürzlich hatte er sie entdeckt. Ein Kanal umschlang das liebliche Eiland von Gärten, durch die man auf Kähnen glitt, und Vögel sangen von allen Arten."[27] Auch das könnte, allerdings schlechter formuliert, in jedem beliebigen Liebesroman stehen. Aber wir haben es hier doch wohl richtiger mit einer antikisierten Idylle zu tun, der Wiederbelebung und Neudarstellung eines Urbildes auch hier, einer Wirklichkeit hinter der äußeren Wirklichkeit, die in diesem Roman so oft durchbricht, momentan und direkt. Es gibt weitere Belege. In einer der letzten entscheidenden Schlachten gegen das Heer der Liga und den Herzog von Joyeuse heißt es: „Das Fußvolk flüchtet, die Reiterei wird eingedrückt. Handgemenge, der König von Navarra umarmt inmitten einen feindlichen Edelmann. ,Ergib dich, Philister!' Dann ist er selbst wohl Simson — hätte den Philister aber lieber vom Pferd schießen sollen, denn fast verliert er für seinen Edelmut sein Leben."[28] Der Hinweis auf Simson und die Philister ist hier ohne Kommentar eingestreut und scheinbar auch wieder nur, wie so oft in diesem Roman, als ganz Nebensächliches formuliert. Aber auch er legt eine andere Bedeutungsschicht frei und ruft dem Leser in die Erinnerung zurück, daß hier „die von der Religion" gegen die Liga kämpfen, die Rechtgläubigen gegen Ketzer und Papisten, und wenn es vorher die mythische oder die märchenhafte Ebene war, die hinter der Wirklichkeit erschien, sie durchtränkte und zugleich interpretierte und in ihrer Bedeutung erhöhte, so ist es hier die Ebene des Religiösen, die hinter der vordergründigen Wirklichkeit in Erscheinung tritt, wiederum etwas Urbildhaftes, Eigentliches, Vorzeitiges und Ungeschichtliches, von dem der Roman also mannigfach ebenso handelt wie von der Geschichte selbst.

✳

Wir haben Beispiele gebracht, um eine solche Schicht hinter der der historischen Realität und hinter der der zeitgenössischen Anspielungen nachzuweisen. Zwar ist direkt kaum jemals in voller Eindeutigkeit auf sie Bezug genommen. Aber ihre Existenz ist dennoch gleichwohl als gesichert anzunehmen. Und so hätten wir es also nicht nur mit einem zweischichtigen, sondern vielmehr mit einem dreischichtigen Realismus zu tun, mit Geschichte, Zeitgeschichte und einem mythisch-märchenhaft-religiösen Urgeschehen, das durch die beiden anderen Schichten hindurch transparent wird. Es handelt sich hier aber um alles andere als um eine gelehrte Spielerei, denn gerade die dritte Schicht leistet Entscheidendes für die Interpretation. Offensichtlich hat dieses mythologisch-märchenhaft-religiöse Substrat zunächst einmal die Funktion, hinter dem realistischen, in seiner historischen Einmaligkeit zweifellos auch beliebigen, durch einen anderen Ausschnitt ersetzbaren Vordergrund eine Ebene sichtbar zu machen, die dieses zunächst einmalige und damit auch beliebige historische Geschehen gleichsam auf seine eigentliche Bedeutung hin interpretiert. Hinter den vordergründigen Ereignissen wird etwas Urbildhaftes sichtbar, und das verleiht den hier dargestellten historischen Begebenheiten über ihre historische Bedeutung hinaus einen tieferen Sinn, denn es macht deutlich, daß das historische Geschehen gewissermaßen nur die Neufassung von Ereignissen ist, die sich früher schon einmal zugetragen haben und die sich immer wieder zutragen werden und zutragen können. Das historisch Einmalige enthüllt sich damit nicht als etwas Beliebiges und wirklich einmalig-Unverwechselbares. Vielmehr ist allenfalls die Erscheinungsform einmalig; tatsächlich aber enthält sie nichts anderes als die Neuinszenierung von Vorgeschehnissen. Das betrifft nicht notwendig jedes historische Ereignis; aber die hier, in der Lebensgeschichte des Henri von Navarra dargestellten Begebenheiten lassen sich so deuten, und sie müssen so gedeutet werden, wenn man sich fragt, warum sie überhaupt als solche erzählenswert erscheinen. Die Geschichte ist zunächst einmal zwar nur eine Beispielsammlung; hinter den Beispielen wird aber etwas Urmodellhaftes sichtbar, etwas gleichermaßen Zeitloses und doch zu allen möglichen Zeiten wieder Realisierbares. Es gibt vorgeschichtliche, ja urgeschichtliche Vorgänge, die der menschlichen Erinnerung in der Regel verborgen sind; sie sind verschüttet von der Geschichte selbst, in völlige Vergessenheit geraten und dem Bewußtsein tief versunken. Aber Augenblicke einer transhistorischen Anamnesis, eines plötzlichen hellsichtigen Zurückerinnerns an dieses Urzeitliche können jene zurückholen, und es sind immer die irgendwie ausgezeichneten Momente einer menschlichen Existenz, die dieses Eintauchen in eine eigentlichere, größere Vergangenheit ermöglichen. Der Traum, die plötzliche Bedrohung oder die überraschende Lebensveränderung, ein grundsätzlich bedeutsamer Schauplatzwechsel, Kampf, das Sterben — Momente dieser Art sind gleichsam die Erlebnisvoraussetzung für die Erfahrung des Außergewöhnlichen, für die Möglichkeit einer eigentlichen Aufklärung. Wer sich in derart ausgezeichneten Augenblicken zurückerinnert, der ist sich seines historischen Rollenspiels plötzlich bewußt und erkennt hinter seiner scheinbar eigenen, sehr persönlichen und einzigartigen individuellen Erfahrung eine größere Erfahrung, die schon vor ihm in der Geschichte gemacht worden ist und die sich hier nur in veränderter Verkleidung unter anderen, im Grunde aber belanglosen neuen Bedingungen als solche, als gleiche Erfahrung, als Urerfahrung also wiederholt. Eben das geschieht auch hier, wenn hinter der Geschichte der ungeschichtliche, übergeschichtliche, urgeschichtliche Bereich des Mythos, des Märchens, der Religion sichtbar wird.

Zweierlei ist damit gewonnen — und indem wir der Frage nachgegangen sind, was diese Schicht hinter der der Historie und der darin eingeblendeten Zeitgeschichte bedeutet, haben wir uns die Möglichkeit eröffnet, einen zweifachen Sinn dieses Urgeschehens und seiner Rolle im historischen Roman zu erkennen. Der eine bezieht sich auf die Existenz des historischen Romans, seine Bedeutung, seinen Wert. Wer von einem Ereignis berichtet, das im Erzählen transparent wird für ein dahinter verborgenes, aber dennoch durch den Vordergrund hindurchwirkendes Geschehen, hat sich der Frage enthoben, warum er gerade dieses Geschehen für erzählbar und erzählenswert hielt. Denn indem er hinter den einmaligen (und damit eben auch beliebigen) Realien diese Schicht von Urereignissen offenlegt, bekommt sein Erzählergegenstand eigentlich erst die

notwendige Würde und die für das Erzählen erforderliche Legitimation. Es
ist kein beliebiges Stück Historie mehr, das der Autor sich aus dem Fluß der
Geschichte herausgegriffen hat, sondern ein durch seine darin verborgenen und
sichtbar werdenden vor- und urgeschichtlichen Züge besonders ausgezeichnetes
Stück Geschichte, das es deswegen besonders wert ist, erzählt zu werden: hinter
der vordergründigen Geschichte wird eine eigentliche, immer aktuelle Geschichte
sichtbar. Aber die eigentliche Funktion dieser ungeschichtlichen Schicht hinter der
geschichtlichen enthüllt sich erst, wenn man sich fragt, wie die drei hier heraus-
präparierten Schichten sich aufeinander beziehen und wie sie sich nicht nur
einzeln als solche, sondern auch wechselseitig untereinander legitimieren. Die
Antwort auf diese für den historischen Roman der Exilzeit entscheidende Frage
gibt die Art der Zuordnung dieser Schichten selbst. Der Roman hat es weniger
mit einem einfachen Nacheinander oder Hintereinander dieser drei Schichten
zu tun; die Beziehung der drei Ebenen zueinander stellt sich bei genauerem
Zusehen vielmehr so dar, daß die zuletzt herauspräparierte dritte Schicht, die
vorgeschichtliche bzw. urgeschichtliche, nicht weniger als den gemeinsamen
Grund ergibt für die beiden anderen: die Darstellung geschichtlicher Ereignisse
des französischen 16. Jahrhunderts läßt sich nur so mit der Darstellung zeitgenössischer Ereignisse verbinden. Es wäre Geschichtsklitterung gewesen, hätte
Heinrich Mann ohne weiteres in die historischen Ereignisse der Zeit des Henri
Quatre sozusagen willkürlich und beliebig Ereignisse aus der eigenen Zeit eingeblendet: eine historische Notwendigkeit für die Koppelung zweier so entfernter historischer Zeiten war ja durch nichts zwingend gegeben. So aber erscheint das Ineinander von Geschichts- und Zeitgeschichte von jener dritten
Grundschicht her legitimiert. Denn wenn es zunächst einmal der Sinn dieser
Schicht ist, hinter den scheinbar beliebigen und willkürlich ausgewählten historischen Ereignissen der Zeit des Henri von Navarra geschichtliche Urereignisse
sichtbar zu machen, so ist diese Verdeutlichung zwar auch als Legitimation der
Auswahl gerade dieses Stoffs interessant, mehr aber noch insofern, als sich auf
der Basis der aus den Zeitereignissen des 16. Jahrhunderts herausgelesenen geschichtlichen Grundvorgänge auch Zeitgenössisches einblenden läßt: dieses ist
damit gleichsam nur eine andere Erscheinungsform der Ereignisse, die sich auch
im 16. Jahrhundert als Neuinszenierung geschichtlicher Urvorgänge ausweisen.
Historische Ereignisse aus dem 16. Jahrhundert werden hier durchaus nicht einfach mit Ereignissen aus dem 20. Jahrhundert in Parallele gesetzt, sozusagen
direkt und ohne weiteres über die trennenden Jahrhunderte hinweg und unter
großzügigem Hinwegsehen über die sehr unterschiedlichen jeweiligen Voraussetzungen. Sie werden vielmehr parallelisiert vor dem Hintergrund historischer
Urerfahrungen, Urereignisse, Ursituationen — und unter diesem Aspekt ist das
direkte Einblenden der einen Zeit in die andere durchaus legitim und jedenfalls
im Roman möglich: denn nichts könnte die Lehre Heinrich Manns von der
Überzeitlichkeit und Urmodellhaftigkeit der historischen Ereignisse besser de-

monstrieren als eben das, die Gleichartigkeit so verschiedener historischer Vorgänge wie die um Henri von Navarra und um den Einbruch des Faschismus in Deutschland.

Von hier aus läßt sich ein letzter Schluß ziehen: ein Schluß in bezug auf die eigentliche Natur der Zeitereignisse, die Heinrich Mann so deutlich in seine geschichtliche Darstellung auf dem Grund der gemeinsamen urgeschichtlichen Schicht eingeblendet hat. Diese gibt, wie wir eben gesehen haben, zunächst einmal eine Basis für die Parallelisierung historisch voneinander so sehr entfernter Zeiten und Zeitereignisse. Aber die Parallelisierung enthüllt ja nicht nur das Vorgeschichtliche und Urbildhafte in den Ereignissen um Henri von Navarra, sondern gleichzeitig damit auch das Urmodellhafte in den eingeblendeten Ausschnitten aus den Zeitereignissen der 20er und 30er Jahre: nicht nur hinter den Begebenheiten um Henri von Navarra ist Legendäres und Mythisches deutlich, sondern auch in den eingeblendeten Aktualitäten. Hinter den Ereignissen des Faschismus enthüllt sich ebenfalls etwas Urtümliches, Eigentlicheres. Und somit erweist sich die Darstellung von Jugend und Vollendung des Königs Henri, vor allem der erste Teil, als Deutungsversuch der eigenen unmittelbaren Zeitgeschichte: was scheinbar erst ganz nebensächlich und nur am Rande interessierte, nämlich die Integration zeitgenössischer Figuren und Vorgänge, erweist sich unter diesem Aspekt als mehr, nämlich als Anlaß und Ausgangspunkt, die eigene Zeit zu beschreiben und unter Kategorien zu deuten, die nicht der eigenen Zeit entlehnt sind, sondern der Zeit schlechthin, d. h. der Geschichte als einer Macht, die immer wieder Ähnliches und sogar Gleiches zu erkennen gibt. Und hiermit enthüllt sich der Geschichtsroman endgültig als Zeitroman, der zwar einer gewaltigen historischen Apparatur bedarf, um geschrieben werden zu können, der aber erst so in der Lage ist, die eigene Zeit zutreffend zu interpretieren. Sie wird hier, von einer vergleichbaren historischen Situation her, tatsächlich namhaft gemacht, in ihren Dimensionen und ihrem eigentlichen Charakter kenntlich und begreifbar. Heinrich Mann ist in der Beschreibung bestimmter Phänomene des Nationalsozialismus dabei zweifellos einen Umweg gegangen, da er das Phänomen nicht direkt dargestellt, sondern auf dem Hintergrund eines historisch längst gut bezeugten, längst überschaubar gewordenen Vorgangs beschrieben hat. Aber nur so ließ sich das Geschehen, das so viel scheinbar Unvergleichliches, Einmaliges im negativen Sinne hatte, einordnen, erklären, darstellen, literarisch verarbeiten. Es gab für die Vorgänge, die der Nationalsozialismus auslöste und ausgelöst hatte, keine Vergleichsmaßstäbe und im zeitgenössischen Bereich jedenfalls nichts Adäquates. Aber die Geschichte lieferte etwas ähnliches, und sie lieferte noch mehr: sie stellte gewissermaßen auch die Urmuster bereit, mit deren Hilfe das scheinbar so Ungewöhnliche einzukreisen und festzulegen war. Dieser Geschichtsroman hat in diesem Sinne nicht eine verhüllende, sondern eine aufklärerische Funktion; er verdunkelt nicht die Zeitereignisse, indem er sie in einen historischen Rahmen bringt, sondern erhellt sie erst dadurch; er liefert allein Maßstäbe, Größenordnungen, Vergleiche. Die Geschichte ist hier mehr als ein Gleichnis; ihre Darstellung ist zugleich ihre Interpretation.

Und damit kommen wir dem Funktionalismus dieses Romans noch um einen weiteren Schritt näher. Die märchenhaft-mythisch-religiöse Schicht hat offenbar nicht bloß die Funktion, eine Vergleichsbasis zwischen der Geschichte des 16. Jahrhunderts und der des 20. Jahrhunderts zu schaffen. Sie liefert zugleich auch die eigentlichen Maßstäbe und Wertkriterien für die Beurteilung der Zeitgeschichte. Auch die Zeitgeschichte ist hier noch unter den gleichen Aspekten und Vorzeichen deutbar wie die Geschichte um Henri von Navarra. Das aber bedeutet: Nationalsozialismus und NS-„Bewegung" erscheinen hier nicht als rational völlig einsichtige Phänomene, sondern fast als numinose Ereignisse. Das Bild vom Labyrinth der Verhältnisse und des Lebens schlechthin, die Herrscherin in diesem Labyrinth als die „böse Fee", die düstere Innenwelt bei nach außen hin glänzender Vorderseite, Tod, Verbrechen, Mord, Intrigen, Machtkampf innerhalb dieser labyrinthischen Welt, Irrationalismen überall, dazu ein blinder Glaube an Worte und Versprechungen, die unglaubwürdige Rolle der Religion, Höflingstum und unwahre, unaufrichtige Verhältnisse, ein leeres Zeremoniell — das sind die Ingredienzen einer Welt, die sich tatsächlich wohl nur als dämonisch bezeichnen läßt. Die Welt als Labyrinth — das wäre die Formel für die Welt um Henri von Navarra; sie ist eine solche zugleich aber auch für die Welt des Faschismus, die hier in der Darstellung der Verhältnisse im Frankreich des 16. Jahrhunderts mitbeschrieben ist.

Eine solche Interpretation der Gegenwart im Gewand des historischen Romans mag vielleicht überraschen. Denn sie scheint ja der rationalen Auseinandersetzung völlig auszuweichen, indem sie das Zeitgeschehen gleichsam verteufelt. Aber wir finden eine ähnliche Haltung zu zeitgenössischen Ereignissen nicht nur (wenn auch dort vielleicht am deutlichsten) in Brochs Bergroman, sondern auch in der *Schlafwandler*-Trilogie mit der verborgenen Faust-Thematik und der Thematik von Himmel, Hölle, Erlösung und Opfer. Sie läßt sich aber auch anderswo leicht nachweisen. Selbst bei Brecht scheint die in Deutschland aufgekommene Gewalt gleichsam dämonisiert und diabolisiert, wenn in den frühen Gedichten der Exilzeit von der namen- und gesichtslosen Masse der „Sie" die Rede ist. Auch für ihn war der Sieg der nationalsozialistischen Bewegung einem dämonischen Schicksal vergleichbar. Schließlich handelt auch der *Dr. Faustus* vom Teuflischen und vom Zauberpakt, und die Sphäre des Dämonischen bestimmt sich in Thomas Manns Roman nicht nur von mittelalterlicher Magie her, sondern zugleich von dem her, was hieran Zeitgeschichte ist. Wir haben es also mit einer im weitesten Sinne des Wortes mythischen Deutung zu tun, und gerade die Breite dieser Deutung spricht eigentlich dafür, daß es sich dabei um eine doch wohl sehr bewußte Interpretation der Zeit handelt. Sie ist durchaus nicht unverständlich. Zum einen operiert sie sozusagen auf gleicher Ebene wie das Phänomen selbst. Denn wir wissen, daß alle die Irrationalismen, die sich in den Romanen von Heinrich und Thomas Mann widerspiegeln, auch in der Zeit der 30er Jahre des 20. Jahrhunderts existierten. Es wäre also, so gesehen, ein Versuch, die Irrationalismen als solche aufzudecken, den eigentlich irrationalen Charakter der „Bewegung" aufzuzeigen, wobei die Darstellung der emotionalen Kräfte und Momente selbst durchaus nicht irrational ist, sondern letztlich als rationale Aufklärungsarbeit anzusehen ist, da hier fixiert und verdeutlicht wird, was sonst nur unterschwellig wirkte. Aufdeckung des Irrationalismus in seiner Darstellung — das wäre demnach das zeitanalytische Programm der genannten Autoren.

Denkbar wäre jedoch auch noch eine zweite Erklärung, die zwar fast auf das Gegenteile abzielt, die aber dennoch nicht von der Hand zu weisen ist. Möglicherweise haben die Zeitgenossen und die Romanautoren insbesondere die Macht der Irrationalismen als so stark empfunden, daß sie sie darstellten, um sich von diesem Phänomen zu befreien — magische Beschwörung eines Gegenstandes, um sich der Bedrohung, der von ihr ausgehenden Spannung zu entziehen. Erzählen, um die Wirklichkeit zu „bewältigen" — das wäre dann das eigentliche Movens für die so irrationale Charakteristik der Zeit der 30er Jahre hier wie auch in anderen Romanen der klassischen Moderne. Es wäre also ein Versuch, sich von den bedrängenden Erfahrungen der Gegenwart sozusagen freizuschreiben, um sich dadurch einen inneren Freiheitsraum wiederzugewinnen, der offensichtlich verlorenzugehen drohte, und zwar gerade für die exilierten Schriftsteller, die dem psychischen Druck der nationalsozialistischen Bewegung auch außerhalb der unmittelbaren Gefahrenzonen nur um so stärker ausgesetzt waren. Das wäre also, im Gegensatz zur ersten beschriebenen Möglichkeit, der Aufklärung nach außen hin nämlich, quasi eine Aufklärung nach innen hin, nicht auf die Masse der Leser, sondern zunächst einmal und wesentlich nur auf das schreibende Individuum bezogen.

Welche Antwort die richtige ist, ist nicht eindeutig zu entscheiden: die Literatur darüber gibt keine näheren Aufschlüsse. Der Unsicherheitsfaktor in unseren Überlegungen liegt im Außerliterarischen, nämlich in der Frage, wie das Phänomen der nationalsozialistischen „Bewegung" bei den Autoren in ihrer Emigrantensituation selbst erlebt wurde: ob als ein Geschehen, das nach außen hin nach Enthüllung und Aufklärung verlangte, oder als ein Geschehen, das die Existenz des eigenen Ich geistig-gefühlsmäßig selbst unmittelbar bedrohte. Darüber ist aber nichts festzustellen, und man kann auch hier nur vermuten, daß die Wahrheit in der Mitte liegt, im unterschiedlichen Dosierungsverhältnis zwischen beiden Möglichkeiten. Wir dürfen allenfalls annehmen, daß es einem Autor wie Thomas Mann eher um eine öffentliche Aufklärung zu tun war, einem Autor wie Broch eher um Selbstrechtfertigung, Selbstbefreiung, Selbstdarstellung in den Ideen, die der Zeit und dem Zeitgeist entgegenwirkten. Für diese Einschätzung Thomas Manns spricht die außerordentlich extravertierte Tätigkeit als öffentlich wirkender Schriftsteller in dieser Zeit, als Rundfunkkommentator, als ein immer öffentlich Stellung Nehmender in der Schweiz, in Frankreich und in Amerika; für die Einschätzung Brochs spricht der mühsame Entstehungsprozeß seiner Romane, die fehlende öffentliche Resonanz, das Einziehen (oder besser: das mögliche Eingreifen) des Autors in seine Romanfiguren in ganz anderem Ausmaß als etwa bei Thomas Mann. Heinrich Mann hat zweifellos von beidem etwas an sich und in seinem Doppelroman; wenn man also überhaupt hier Akzente setzen wollte, müßte man wohl sagen, daß er ebenfalls zu Selbstbefreiung und Selbstdarstellung neigte, zugleich aber auch, wenn auch wohl in etwas geringerem Maße, öffentlich wirken wollte. Für eine solche Einschätzung spricht etwas, was abschließend zur Sprache kommen soll und was für den Henri-Quatre-Roman ebenfalls symptomatisch ist: nämlich die verborgene Utopie, die dem Bild vom Labyrinth der Welt in dieser Zeit deutlich entgegensteht.

Es könnte so aussehen, als ertränke auch der Doppelroman Heinrich Manns in zeitgenössischem Pessimismus. Aber die Formel von der Welt als Labyrinth gilt eigentlich wesentlich nur für den ersten Teil, *Die Jugend des Henri Quatre*. Diesem ersten Band ist der zweite, *Die Vollendung des Königs Henri Quatre*, sehr deutlich als Gegenstück angeschlossen: die Geschichte vom guten und großen König Henri, die Geschichte seines klugen Sieges und des Niedergangs der Liga. Zwar ist die Staatsgeschichte hier stärker noch als im ersten Buch mäandrisch von einigen Liebesgeschichten durchzogen, die den Roman so stark in das böse Urteil von Hermann Kesten brachten. Aber diese Optik ist wohl auch hier nicht die angemessene. Vielmehr entwickelt sich hier in aller Ausführlichkeit das Gegenbild des Bösen, wie das die Legende um Henri von Navarra schon vorgezeichnet hatte. Der Roman fügt sich besonders hier, im zweiten Buch, in das Fahrwasser der Überlieferung, in die seit Jahrhunderten so sehr ausgestaltete Geschichte des Henri Quatre. Und Heinrich Mann hat offenbar nicht gezögert, hier weniger geschichtliche Exaktheit zu bewahren als vielmehr die legendären Züge an der Geschichte dieser Gestalt kräftig auszumalen. Das lag allerdings ganz in der Linie dessen, was Heinrich Mann auch schon im ersten Band seines Doppelromans verfolgt hatte. Denn auch dort war er den unhistorischen, überhistorischen Zügen im Porträt seines Helden nachdrücklicher gefolgt als den historisch unzweideutig beglaubigten, was nicht nur sein gutes Recht als Romanschreiber war, sondern auch zur Form der Stellungnahme zur Zeitgeschichte gehört hatte. Hier, im zweiten Buch, entwickelt sich die nur gelegentlich verdunkelte, im allgemeinen strahlende Legende des Henri von Navarra mit deutlich gleicher Zielsetzung: auch hier geht es darum, über das Historische hinaus geradezu etwas vom urbildhaften Guten und Großen sichtbar zu machen, die wahre Natur dieses Königs zu zeigen, der zudem die zerrissenen Parteien seines Landes wieder zur Einheit gebracht hatte. Es ist natürlich nur folgerichtig, daß hier die Zeitbezüge fehlen: denn der eigenen Zeit, wie sie im ersten Buch in der Geschichte der Liga mitporträtiert ist, ist hier, bei aller Zeitverhaftetheit der dargestellten Ereignisse, doch mehr als ein bestimmtes historisches Porträt entgegengestellt; auch in Henri wird Urbildhaftes sichtbar, und so wird Henri und alles, was um ihn herum unter seinem Willen geschieht, am Ende nichts weniger als ein Gegenmythos zu dem dunklen Mythos des Labyrinths, der bösen Fee, des unterweltlichen Aufenthaltes im Louvre. Und in seiner Integrität und in seiner zwar nicht physischen, aber doch psychischen Unverwundbarkeit bekommt auch Henri märchenhafte Züge, Züge eines Märchenhelden, der, wie es nur die Helden der Märchen können, über ein schier unerschöpfliches Kräftepotential verfügt und der nicht an die Bedingungen von Zeit und Raum gebunden zu sein scheint; dem die Anschläge der Gegner nichts anhaben können und der gefeit ist gegen alle Verschwörungen. Wenn er am Ende doch ermordet wird, so ist seine historische Rolle erfüllt, erfüllt wie sein märchenhaftes Leben; wenn er auch nur dunkle Vorahnungen von seinem Tod hat, so tut er doch nichts, ihm nachdrücklich auszuweichen; und so sieht selbst sein Ende nach einem geheimen Einverständnis mit ihm aus. Als sein Tod beschrieben wird, geistert als letztes der Gedanke durch sein Hirn: „Wir sterben nicht". Und als man in den Ruf ausbricht: „Der König ist tot! Der König ist tot!", da weist der Kanzler des Reiches die Königin, die es ausgerufen hat, zurecht: „‚Die Könige sterben in Frankreich nicht', sagte er; hatte den Dauphin mitgebracht und zeigte ihn ihr: ‚Der König lebt, Madame!' " So lebt Henri von Navarra gleichsam im Tode noch fort, eben nach Art der Märchenhelden, die alle nicht sterben können, sondern die am Ende einfach nur abtreten von der Bühne der Ereignisse. Und der letzte deutsche Satz des Romans bestätigt das noch einmal ausdrücklich, wenn es heißt: „Der einzige König lebt bis heute bei den Armen."

Auch dieser Satz ist noch doppeldeutig und hintergründig wie so vieles in diesem Doppelroman. Denn wenn er auch in erster Linie besagen mag: „König Henri lebt in der Erinnerung vor allem des niedrigen Volkes fort", so läßt sich dieser Satz in zweiter Instanz doch auch so lesen, daß dieser König als ein Urbild weiterlebt, oder genauer: als eine Verheißung, die für Heinrich Mann nichts anderes als eine geschichtliche Utopie war, die er der Wirklichkeit seiner Tage entgegensetzte. Aber auch das Wort „Arme" ist doppelsinnig. Zwar mögen in erster Linie die Niedrigen gemeint sein, der verachtete Stand der Bauern: zur Zeit Heinrich Manns aber sind die Armen in erster Linie diejenigen, die keine Heimat, keinen eigenen Boden mehr unter sich haben und die in der Regel auch die Gefährdung einer rein ökonomischen Armut kennen. Das sind die Exilierten, diejenigen, die auf die Existenz eines guten Gegenbildes, auf das Vorbild, das unzerstörbare Urbild des Guten und Gerechten vor allem angewiesen waren. Unter diesem Aspekt bekommt die Hoffnung des Schlusses quasi eine religiöse Bedeutung: am Ende triumphiert der gute König und nicht die böse Fee.

Anmerkungen

1 Hermann Kesten: *Meine Freunde, die Poeten.* Ffm 1970, S. 25.

2 Karl Lemke: *Heinrich Mann.* (Köpfe des XX. Jahrhunderts.) Berlin 1970, S. 60.

3 Nach Alfred Kantorowicz: Heinrich Manns Henri-Quatre-Romane. In: *Sinn und Form.* 3. Jahrg. 1951, H. 5, S. 40.

4 Über die Henri-Legende und die Bedeutung dieser Legende für den Roman Heinrich Manns informiert der ausgezeichnete Aufsatz von Ernst Hinrichs: *Die Legende als Gleichnis.* Zu Heinrich Manns Henri-Quatre-Romanen. In: *Text + Kritik.* Sonderband Heinrich Mann. Hrsg. von Heinz Ludwig Arnold. München 1971, S. 100—114.

5 Heinrich Mann: *Ein Zeitalter wird besichtigt.* Berlin 1947, S. 490.

6 Ebd., S. 401.

7 Heinrich Mann: *Gestaltung und Lehre.* Internationale Literatur. Moskau. Jg. 9, H. 6, Juni 1939, S. 3—6.

8 Hans Mayer in seinem Aufsatz *Heinrich Manns Henri Quatre.* In: *H. M., Deutsche Literatur und Weltliteratur.* Reden und Aufsätze. Berlin 1957, S. 682—689 (der Aufsatz entstand schon 1952), bes. S. 687, wo ausdrücklich von „diesem Entwicklungsroman" die Rede ist.

9 So in André Banuls: *Heinrich Mann.* Stuttgart 1970, S. 169.

10 *Ein Zeitalter wird besichtigt,* S. 432.

11 Vom Sinn und Unsinn des historischen Romans. In: *Internationale Literatur 1935,* Nr. 9.

12 So etwa bei Ulrich Weisstein in seinem sehr gründlichen und überzeugenden Buch, dem die Heinrich Mann-Forschung viel zu verdanken hat: *Heinrich Mann.* Eine historisch-kritische Einführung in sein dichterisches Werk. Tübingen 1962, S. 163: „Bedauernswerter vom künstlerischen Standpunkt aus ist die Parallele, die Heinrich Mann zwischen der berüchtigten Liga der Guise und der SA zieht."

13 Etwa bei W. Weisstein, a. a. O., bei E. Hinrichs, a. a. O. u. a.

14 Heinrich Mann: *Die Jugend des Königs Henri Quatre.* Hamburg 1959, S. 439 ff.

15 Ebd., S. 702.

16 Ebd., S. 702.

17 Ebd., S. 707 f.

18 Ebd., S. 720.

19 Ebd., S. 640.

20 Ebd., S. 155.

21 Ebd., S. 173.

22 Ebd., S. 251 f.

23 Soweit ich sehe, finden sich Hinweise auf diese mythologisch-märchenhafte Ebene bislang allein bei Hanno König in seinem Buch *Heinrich Mann. Dichter und Moralist.* Tübingen 1972, S. 327. König zitiert eine Reihe von Stellen zum Beleg dafür, daß „hinter einer gleißenden Fassade unterirdisch-heidnische und dämonische Kräfte des Bösen ans Licht" drängen (S. 331). Für König handelt es sich hierbei aber (im Gegensatz zu dieser Analyse) um Erscheinungsformen des Bösen, das den Gegenbereich zur Vernunft darstellt, und seine Schlußfolgerung stellt nicht etwa die Verbindung zwischen dem Bösen und den zeitgeschichtlichen Anspielungen her, sondern lautet: „Der Kampf von Gut und Böse aber gehört der Sphäre normative Vernunft und dem Begriff des Moralisten als eines Lehrers von Gut und Böse zu (. . .)" (S. 334).

24 *Die Jugend des Königs Henri Quatre,* S. 408.

25 Ebd., S. 628.

26 Ebd., S. 643 f.

27 Ebd., S. 644.

28 Ebd., S. 676.

KARL LUDWIG SCHNEIDER

THOMAS MANNS *FELIX KRULL*

Schelmenroman und Bildungsroman

Immer häufiger ist in den letzten Jahren von Literarhistorikern darauf hingewiesen worden, daß es in der modernen Literatur zu einer Art Renaissance des Schelmenromans gekommen ist, zu einer überraschenden Wiederaufnahme jener pikaresken Tradition, die 1554 mit dem „Lazarillo de Tormes" begann und bis etwa in die Mitte des 18. Jahrhunderts in den meisten europäischen Literaturen eine Fortsetzung fand. Zu den deutschen Romanen, die als Beleg für diese „Wiederkehr der Schelme" genommen wurden, gehörten besonders Thomas Manns *Bekenntnisse des Hochstaplers Felix Krull*. Schon das Fragment von 1937 gab dem amerikanischen Germanisten Oskar Seidlin 1951 Anlaß zu einem ausführlichen Aufsatz über die „Pikaresken Züge im Werk T. Manns".[1] Wenn heute außerdem eine relativ große Zahl von Romanen der deutschen Gegenwartsliteratur unbeschwert für das pikareske Genre in Anspruch genommen wird, so scheint das allerdings auch daran zu liegen, daß der Begriff des Pikaresken manchmal in einem sehr allgemeinen, ja vagen Sinne angewandt wird, der kaum noch Zusammenhang mit der aus den alten Romanen abgeleiteten Bedeutung hat. Vielfach ist es das Auftauchen einzelner und isolierter Schelmenmotive, das Betrachter dazu veranlaßt, gleich von kompletten Schelmenromanen zu sprechen. Manchen Interpreten genügt das Erscheinen pikaresker Figuren für eine pauschale Etikettierung. Andere wiederum begnügen sich mit dem Nachweis gewisser äußerer Strukturmerkmale, wie etwa der autobiographischen Form, um Werke als Ganzes diesem Genre zuzuweisen. Da also die Freude an der Wiederentdeckung des alten Romantyps offensichtlich etwas zu überschwänglich und zu unreflektiert war, konnte es nicht ausbleiben, daß Skeptiker und auch Kenner des spanischen Schelmenromans diesen auferstandenen Pikaro, den Neopikaro, für ein Phantom erklärten, und auch *Felix Krull* der pikaresken Brüderschaft wieder zu entziehen versuchten. Solche Rubrifizierungsstreitigkeiten erweisen sich nicht immer als sonderlich lohnend. Im Falle Felix Krulls aber scheint von der Frage, ob und wie weit er dem Schelmentypus zugerechnet werden kann, doch in erheblichem Maß das Verständnis des ganzen Werks und der Intention des Autors auf dem Spiel zu stehen. Auch dürfte der Versuch T. Manns, den Typ des Schelms und des Künstlers in einer Gestalt zu vereinigen, für die Selbstauslegung des Künstlertums in der Moderne eine so prinzipielle und symptomatische Bedeutung haben, daß es sich offenbar lohnt, auf die kontroversen Deutungen einzugehen. Das Problem, ob Thomas Manns *Bekenntnisse des Hochstaplers Felix Krull* überhaupt dem Schelmenroman zugerechnet werden können, oder mit welchen Einschränkungen und Vorbehalten das geschehen muß, soll darum hier einer erneuten Prüfung unterzogen werden.

In der frühen Arbeitsphase am *Krull* von 1910—1913 hat T. Mann wohl kaum genauere Kenntnis vom Typ des Schelmenromans gehabt. Wenn das Werk gleichwohl gerade in den damals entstandenen Partien schon eine bemerkenswerte Nähe zum Schelmenroman aufweist, so lag das wahrscheinlich daran, daß der Autor in der Zeit der Entwicklung seines Arbeitsplanes die Bekanntschaft mit den Memoiren des rumänischen Hochstaplers Georges Manolescu machte. Manolescus Erinnerungen erschienen 1905 in Langenscheidts „Bibliothek der Zeit" unter dem Titel *Ein Fürst der Diebe. Memoiren.* Der Verleger versäumte nicht, T. Mann ein Exemplar zu übersenden, und T. Mann hat später wiederholt bestätigt, daß die naiven und selbstgefälligen Aufzeichnungen dieses Schwindlers, der als Fürst Lahovary seine Zeitgenossen prellte und später durch seine aufsehenerregenden Prozesse weiterhin beschäftigte, nicht ohne Einwirkung auf die Konzeption des *Krull* blieben. Da T. Mann noch im Februar 1910 seinem Bruder Heinrich schrieb „Was da ist, ist das psychologische Material, aber es hapert mit der Fabel, dem Hergang", ist es verständlich, daß er sich gerade in dieser Hinsicht an dem Lebenslauf des falschen Fürsten Lahovary orientierte.[2] Die Parallelen sind für denjenigen, der beide Bücher kennt, kaum zu übersehen. Krulls Tätigkeit als Dieb, die Hehlerszenen, seine erotischen Abenteuer, die geplanten Episoden der Weltreise, der späteren Ehe, der Zuchthausstrafe — für all das gibt es im Lebenslauf Manolescus Beispiele, die T. Mann freilich mit höchster Meisterschaft in ganz andere Bedeutungsdimensionen integrierte. Vor allem die überhebliche, in unfreiwillige Komik umschlagende Selbststilisierung des Autobiographen Manolescu dürfte auf die Gestaltung der Krull-Figur eingewirkt haben. Jedenfalls brachte die Orientierung an den Memoiren dieses phantasievollen Kriminellen den *Krull* schon in der Konzeption in unmittelbare Nähe zur Struktur des Schelmenromans. Denn die im Rückblick erzählte Lebensgeschichte und Lebensbeichte einer Gestalt von dunkler Herkunft und zweifelhaftem Wandel, — das ist die Grundform der alten pikaresken Romane. Ein weiteres Moment neben der allgemeinen Handlungsstruktur, das gleichfalls eine Annäherung zum pikaresken Muster herstellte, war auch schon in den Memoiren Manolescus vorgegeben. Manolescu nämlich deutete seinen Weg als ein permanentes Duell mit der Gesellschaft und ihren Gesetzen. Er stilisiert sich zum überlegenen Gegenspieler einer an Besitz und Geld hängenden Gesellschaft. Dabei legt er größten Wert darauf, sich vom gemeinen Verbrecher zu unterscheiden. Mit Empörung schildert er Raubüberfälle, deren Zeuge er in Italien wurde. Er vermerkt:

— Viele meiner Leser und Leserinnen werden gewiß darüber den Kopf schütteln, daß ich mich erdreiste, über diese Banditen den Stab zu brechen, da ich doch selbst beständig im Kampf mit den Gesetzen lag. Ich möchte darauf jedoch erwidern, daß, wenn ich auch ein Abenteurer ersten Ranges war, ich für meine Person doch nie Gewalt, nie eine Waffe angewendet habe, ja nicht einmal je einen schweren Einbruch verübt habe. Meine Waffen waren Intelligenz und Kaltblütigkeit, und überall und zu jeder Zeit habe ich mich als vollendeter Kavalier zu benehmen bemüht.[3]

Hier nimmt Manolescu deutlich die Eigenschaften des Pikaro für sich in Anspruch. Der Pikaro nämlich ist kein aggressiver Krimineller. Sein Hauptdelikt ist der Diebstahl, seine Waffen sind List und Verschlagenheit. Der scharfe Blick, mit dem er die Torheit und Schwäche seiner Kontrahenten zu ermitteln weiß, macht es ihm, dem Besitzlosen und ewig Vagierenden möglich, am Gut der Seßhaften unauffällig zu partizipieren. So kann er sich in seinem fortgesetzten Konflikt mit der Gesellschaft auch die Sympathien zuwenden, die der Schwache findet, der die Übermacht durch List bewältigt. Da seine Aktionen zudem stets menschliche Schwächen und gesellschaftliche Defekte aufdecken, erscheint er trotz seiner Straftaten in dieser Funktion als der positive Einzelne gegenüber einer vorwiegend negativ gesehenen Gesellschaft. In diesen pikaresken Grundkonflikt, in diese Rolle versucht sich Manolescu mühsam hineinzustilisieren, während sein Vetter Krull sie souverän spielt. Es ist hier kaum möglich, Krull als listenreichen Gegenspieler der gesellschaftlichen Übermacht in allen sich anbietenden Situationen des Romans zu zeigen. Ein Beispiel mag für viele stehen: die hochberühmte Musterungsszene. Krull steht hier nicht nur der Übermacht, sondern einem ausgeklügelten Erfassungssystem gegenüber, das sich mit totalem Anspruch, mit der Forderung des Verzichts auf Freiheit gegen ihn wendet. Aber der Held hat die Schwäche dieses bürokratischen Apparates mit Treffsicherheit ausgemacht. Daß er den mißtrauischen Oberstabsarzt mit undurchschaubarer Verschlagenheit zu der Vermutung einer epileptischen Veranlagung führt, ist schon eine beachtliche Leistung. Der überzeugend gespielte epileptische Anfall ist ein Triumph, aber der eigentliche Höhepunkt liegt darin, daß dieser so offenkundig dienstuntaugliche Krull den Arzt noch herzzerreißend bittet, doch dienen zu dürfen. Einem solchen Fall ist die Musterungskommision noch nicht begegnet, ja sie sieht in der Kombination von fataler Gebrechlichkeit und vehementer Dienstwilligkeit geradezu eine Schändung militärischer Ideale. Krull erreicht so, was sicher ziemlich selten vorkommt. Er wird von der Musterungskommission hinausgeworfen. „Die Kaserne ist keine Heilanstalt", ruft ihm der Militärarzt nach.

Es mag für den Leser widerspruchsvoll erscheinen, daß Krull nach diesem glänzenden Davidssieg sein Bedauern darüber äußert, die eigentlich doch „kleidsame Daseinsform" des Soldaten nicht akzeptiert zu haben. Offenbar beruhte sein Verhalten mehr auf instinktiver Abwehr des drohenden Freiheitsverlustes als auf prinzipieller und ideeller Ablehnung des Militärs. Eine ähnliche Haltung bekundet Krull auch während seiner Pariser Hotelkarriere. Als ihn der Hoteldirektor Stürzli fragt: „Sind Sie übrigens Sozialist?", antwortet Krull: „Nicht doch, Herr Generaldirektor! Ich finde die Gesellschaft reizend, so wie sie ist, und brenne darauf, ihre Gunst zu gewinnen!"[4] Mit der politischen und ideologischen Indifferenz jenem Bereich gegenüber, zu dem Krull seinem Verhalten nach doch in antagonistischer Spannung lebt, zeigt der Held abermals eine typische Eigenschaft des Schelms. Der Schelm ist kein Revolutionär oder Rebell. Er zeigt keine Tendenz, die Verhältnisse zu verändern, denen er ausgesetzt ist. Er kämpft als Einzelner, ohne Rückhalt einer Solidarität, gegen die Übermacht seiner Umwelt, und es genügt ihm, diese Disproportion des Kräfteverhältnisses jeweils durch List und Verschlagenheit zu seinen Gunsten zu korrigieren. Es wäre nun allerdings ein grober Fehlschluß, aus dieser Beschaffenheit der Protagonistenfigur zu schließen, daß es den Schelmenromanen etwa an sozialkritischem Gehalt mangele. Wenn auch der Held selber nicht Träger von Veränderungsideen ist, ja aufgrund seiner Froschperspektive keinen Überblick zu haben scheint, so deckt er doch durch sein Handeln unausgesetzt Defekte auf und zeigt, was zu verändern wäre. Dies ist seine Hauptfunktion von jeher gewesen, und sie gibt ihm die Positivität gegenüber seiner Umwelt, wie lasterhaft und kriminell er sonst auch ist. Daß auch die Figur Krulls diese Schelmenfunktionen ausübt, daß überhaupt dieser Hochstaplerroman ein eminent zeit- und gesellschaftskritisches Werk ist, bedarf wohl keines umständlichen Beweises. Entscheidend dabei ist, daß Thomas Manns vor allem gegen die Gründerzeit und ihre Auswirkungen sich wendende Kritik nicht reflektierend oder historisierend in das Werk eingebracht wird, sondern sich ganz überwiegend aus den Erfahrungen und den pikaresken Aktionen des Protagonisten unmittelbar ergibt. Wieder kann ich nur eine einzelne Szene herausgreifen, um diese Technik der pikaresken Satire im *Krull* zu zeigen.

In der Rolle des Marquis de Venosta bringt es Krull zu einer Audienz beim portugiesischen König. Der Herrscher hat es also mit einem falschen Marquis, mit dem Kellner Krull zu tun. Aber gerade durch ihn wird dem Herrscher Beruhigung zuteil, denn Krull zeigt freudig royalistische und aristokratische Gesinnung und erläutert dem von republikanischen Umtrieben bedrängten König, wie dringend es sei, die Unterschiede der Geburt und des Geblüts vor jeder Gleichmacherei zu schützen. Der Streich, den Krull hier spielt, enthüllt den illusionären Charakter der von ihm gepriesenen Ordnung, zeigt doch sein erfolgreiches Rollenspiel, wie schwierig tatsächlich die sichere Unterscheidung von oben und unten geworden ist. Wenn Krull nach dieser Audienz noch mit einem Orden ausgezeichnet wird, so zeigt das, wie erwünscht die Bestätigung von Selbsttäuschungen ist. Krulls mühelose Erfolge als Hochstapler stellen den Bereich derer, die er betrügt, unausgesetzt als eine Welt des Scheins und der Illusionen dar. Er hat von dieser Welt das Blenden gelernt und wendet dieses

Vermögen nun gegen sie an. Der erfolgreiche Gefälligkeitszauber Krulls ist somit eigentlich ein Prozeß radikaler Desillusionierung und Demaskierung.

Krull nimmt also, wenn auch in einer komplizierten und modernisierten Form durchaus die Funktionen des Schelms wahr. Die wesentlichsten Züge der Schelmenfigur, des Schelmenkonflikts und der satirischen Schelmenfunktion, die zusammen gleichsam den festeren Kern des sonst so wandelbaren pikaresken Romans ausmachen, sind an Gestalt und Verhalten Krulls klar nachzuweisen.

Darüber hinaus mangelt es diesen Hochstaplerbekenntnissen auch keineswegs an den äußeren Strukturmerkmalen des Schelmenromans. Schon der Beginn des Romans erfüllt das traditionelle Schema einer pikaresken Herkunftsgeschichte. Der Pikaro entstammt meist dem Gaunermilieu. Er wird frühzeitig von seiner Familie getrennt und dadurch der Not und den Abenteuern ausgesetzt. In Quevedos *Buscón* etwa wird der Vater des Protagonisten als Betrüger gehenkt, die Mutter wegen Zauberei und Kuppelei der Inquisition überantwortet. Felix Krull stammt zwar aus „feinbürgerlichem", aber, wie hinzugefügt wird, „liederlichem Hause". Den Schulgenossen des Felix wird immerhin der Umgang mit ihm untersagt, weil er einer nicht ehrbaren Familie angehört. Tatsächlich löst sich denn auch das heitere Elternhaus durch Bankerott und Selbstmord des Vaters unversehens „in Luft" auf, so daß Felix bald allein steht und Anlaß findet, über seine Einsamkeit zu reflektieren. „Denn eine innere Stimme hatte mir früh verkündigt, daß Anschluß, Freundschaft und wärmende Gemeinschaft mein Teil nicht seien, sondern daß ich allein, auf mich gestellt und streng verschlossen meinen besonderen Weg zu machen unnachsichtig gehalten sei."[5] Der ganz auf sich gestellte, aber zur Selbstbehauptung entschlossene Held, das sind die Merkmale des pikaresken Protagonisten. Deutlich zeigen sich im weiteren Aufbau der Romanhandlung auch die Episodenstruktur und das Prinzip des permanenten Ortswechsels, die das formale Korrelat des von Unsicherheit und Zufall geprägten Existenzverlaufs darstellen.

Nach der Kindheit in einer rheinischen Landstadt folgt Frankfurt als Übergangsstation. Der nächste Schauplatz ist Paris, wo durch die Darstellung des Luxushotels und der Hotelsozietät ein konzentriertes Bild der besseren Gesellschaft erstellt wird. Die Reise in der Rolle des Marquis de Venosta führt nach Lissabon und sollte schon nach den frühen Arbeitsplänen in eine Weltreise nach Südamerika, Nordamerika, Hawaii, Honolulu, Japan, China, Ägypten und Griechenland übergehen. Das globale Ausmaß dieser Reise erinnert lebhaft an die abenteuerlichen Unternehmungen des Lazarillo (in der Fortsetzung von de Luna), des Guzman de Alfarache und des Simplicissimus.

Neben dem Ortswechsel ist im *Krull* auch der häufige Berufswechsel zu verzeichnen, der die Hauptfigur allerdings stets in Dienerrollen zeigt. Das beginnt mit dem beflissenen Öffnen der Wagenschläge vor dem Frankfurter Theater, findet Fortsetzung in den dubiosen Diensten des Felix für Rozsa. In der Pariser Episode stehen die Beschäftigungen als Liftboy und Kellner im Vordergrund.

Der Pikaro erscheint hier in die Landschaft eines Luxushotels versetzt. Tatsächlich zeigt Felix in diesen Rollen pikareske Qualitäten. Er macht sich durch einschmeichelnde Dienstbeflissenheit beliebt und bereitet dabei seine Gaunereien vor. Der Rollentausch mit dem Marquis de Venosta verwandelt den Kellner zwar in einen Hocharistokraten, doch ist ja auch dieses Spiel von seiten Krulls eine Dienstleistung.

Übrigens passen auch die erotischen Erlebnisse des Helden durchaus in das pikareske Schema, denn kennzeichnend für sie ist ihr episodenhafter Charakter. Es ist schon bezeichnend, daß jede der Lebensstationen Krulls mit einem spezifischen Erlebnis dieser Art ausgestattet ist. Zum Orts- und Berufswechsel tritt also die Kette der einander ablösenden Liebesabenteuer. Der Schelm als Sinnbild der Bindungslosigkeit und der gesellschaftlich nicht integrierbaren Existenz kennt auch im Lieben kein längeres Verweilen. Krull rückt diese Abenteuer zwar später in den Bedeutungszusammenhang der All-Sympathie und der Pan-Erotik, doch vermag diese nachträgliche Deutung das pikareske Verhaltensmuster in diesem Bereich keineswegs wieder aufzuheben.

Ich will auch nicht unerwähnt lassen, daß Krulls pikante Erfahrungen mit der dichtenden Diane Houpflé in Paris noch einen ganz speziellen pikaresken Akzent haben. Es ist nämlich unverkennbar, daß die Liebesbegegnung im Zimmer der Madame Houpflé nach dem Muster einer entsprechenden Szene in den Pariser Partien von Grimmelshausens „Simplicissimus" gearbeitet ist. Thomas Mann hat diese Parallelität auch keineswegs verschleiert, denn die französische Adlige verführt den Simplicissimus mit dem Lockruf „Allé Mons. Beau Alman. Gee schlaff mein Hertz / gom / rick zu mir"[6], während die stürmische Diane den Beau Alman Felix erobert mit den Worten: „Zu mir denn, bien-aimé! Zu mir, zu mir — —."[7] Ich werte diese Partie als einen im Werk versteckten Hinweis auf das Vorbild des „Simplicissimus", den T. Mann 1944 in einem Augenblick las, als die Überlegungen zur Fortsetzung des Krull-Fragmentes einsetzten. Außerdem hat T. Mann in der späteren Arbeitsphase (von 1951—1954) bei Teilveröffentlichungen oder Lesungen aus dem Werk fast immer auf den „Simplicissimus" als deutsches Urbild des Genres verwiesen. Fast stereotyp begegnet als Erläuterung des Dichters zu derartigen Werkausschnitten der Vermerk, der *Krull* sei ein „naives Memoirenwerk", als dessen fernstes Vorbild man den *Simplicius Simplicissimus* ansehen könnte.

Damit sind wir bei der für diesen Zusammenhang natürlich nicht unwesentlichen Frage angelangt, seit wann denn der Autor selbst sich der Zugehörigkeit seiner Hochstaplermemoiren zum pikaresken Genre bewußt war und was er zu diesem Problem geäußert hat. Soweit ich sehe, hat T. Mann seit 1947 das Krull-Fragment als Schelmenroman bezeichnet. Im Oktober 1947 spricht er in einem Brief an Agnes E. Meyer vom „Ausbau des Felix Krull-Fragments zu einem modernen, in der Equipagenzeit spielenden Schelmenroman".[8] Am 25. 11. 1947 schreibt er an Hermann Hesse: „. . . (Was würden Sie sagen, wenn

ich das Felix Krull-Fragment zu einem richtigen Schelmenroman ausbaute, zur
Unterhaltung auf meine alten Tage?) …“.[9] Das Orientierungsmodell, das
T. Mann beim Gebrauch dieses Begriffes im Auge hatte, scheint zunächst der
Simplicissimus gewesen zu sein, denn er war überrascht und entzückt, als Oskar
Seidlin ihm 1951 seinen Aufsatz über „Pikareske Züge im Werk Thomas
Manns“ zusandte, in dem der *Krull* nun auch in Beziehung gesetzt wurde zu
den spanischen Mustern dieses Romantyps. Der Antwortbrief Thomas Manns an
Seidlin klingt geradezu so, als habe der Dichter den Vorsatz gefaßt, die Hinweise des Germanisten bei der Weiterarbeit am *Krull* im Auge zu behalten:
„… denn es sind genau die Gesichtspunkte … die mir nötig sind, wenn ich
je doch noch mit dem *Krull* fertig werden will.“[10] In der späteren Arbeitsphase
von 1951—1954 hatte T. Mann also im Gegensatz zur frühen Arbeitsphase recht
genaue Vorstellungen vom Schelmenroman. Äußerungen in einem Interview
von 1954 (später gedruckt unter dem Titel *Rückkehr*) zeigen das:

> *Der Memoiren Erster Teil*, der im September erscheinen soll — Fragment immer
> noch, aber Fragment wird das wunderliche Buch wohl bleiben, auch wenn mir Zeit
> und Laune gegeben sein sollten, es noch um vierhundertvierzig Seiten weiterzu-
> führen. Es ist gar nicht auf ein Je-damit-Fertigwerden angelegt, man kann daran
> immer weiterschreiben, weiterfabulieren, es ist ein Gerüst, woran man alles mög-
> liche aufhängen kann, ein epischer Raum zur Unterbringung von allem, was einem
> einfällt und was das Leben einem zuträgt. Das ist wohl das Chrakteristischste, was
> ich darüber sagen kann: Daß es wohl einmal abbrechen und aufhören, aber nie
> fertig werden wird. Im übrigen gehört es zum Typ und zur Tradition des pikares-
> ken, des Abenteurer-Romans, dessen deutsches Urbild der *Simplicius Simplicissimus*
> ist.[11]

Thomas Mann hatte im Umgang mit den Schelmen offensichtlich selbst Schel-
mentechniken gelernt, denn wenn er hier den schon fest gefaßten Entschluß,
das erweiterte Fragment nicht mehr zu vollenden, nun mit der offenen, nie wirklich abschließenden Form dieses Romantyps begründet, so ist das eigentlich eine
List und ein Streich. Im übrigen rechnete T. Mann den *Krull* abermals ausdrücklich zur Tradition des pikaresken Romans, fügte allerdings hinzu, das Werk habe
sich im Laufe der Jahre „zu einem vieles aufnehmenden humoristisch-parodistischen Bildungsroman“ ausgewachsen.[12] Mit dieser gewiß nicht zufälligen
Doppelbezeichnung des *Krull* als Schelmenroman und „humoristisch-parodi-
stischem Bildungsroman“ wird man sich eingehender zu beschäftigen haben, denn
sie verweist ja darauf, daß dieses Werk mit der Kategorie des Schelmenromans
zwar einiges zu tun hat, aber als Ganzes nicht zu erfassen ist. Diese Einsicht
müßte sich eigentlich ohnehin schon aus der Doppelbedeutung der Figur Krulls
ergeben, denn Felix repräsentiert zugleich den Hochstapler und den Künstler.
Was vom Hochstaplertum gesagt wird, gilt meist auch für das Künstlertum.
Ja, wir wissen, daß neben der äußeren Anregung durch Manolescu es vor allem
das Künstlerproblem war, dem Krull seine Existenz verdankt. In dem erwähnten

Interview von 1954 bezeichnet T. Mann „die travestierende Übertragung des Künstlertums ins Betrügerisch-Kriminelle" als die „Grundidee von einst".[13] Im Zentrum der frühen Konzeption stand also der Gedanke, Künstlerexistenz und Schwindlerexistenz zu vereinigen, wobei die Darstellung des Künstlers als Schelm nicht nur als sublimer Spaß gedacht war, sondern Grundprobleme sichtbar machen sollte.

Die in der Gestalt Krulls bis zur Identität geführte Ähnlichkeit von Hochstapler und Künstler manifestiert sich zum Beispiel in der zentralen Bedeutung, die die Phantasie für beide Typen hat. Wenn Krull schon als Kind und später dann vor der Musterungskommission Krankheiten erfolgreich simuliert, so handelt es sich ja darum, daß er etwas nicht Vorhandenes, eine bloße Möglichkeit zur Wirklichkeit macht und seine Umwelt nötigt, an diese Wirklichkeit zu glauben. Krull bezeichnet seine simulierten Krankheiten darum auch selbst als „Schöpfungen". Es wird damit klar, daß die auf vollendeter Täuschung beruhenden Betrügereien des Felix als Analogien zum Kunstwerk anzusehen sind. Auch der Künstler setzt und schafft mit seinem Werk eine neue Wirklichkeit und strebt danach, seine Umwelt zu ihrer Annahme zu bewegen. Die Überzeugungskraft des Künstlers und des Hochstaplers hängt ferner gleichermaßen ab von der Fähigkeit, sich in fremde Existenzen zu versetzen und mit vielen verschiedenen Zungen zu reden. Schließlich gelten auch die vielen Hinweise Krulls auf die Anstrengungen seines Lebens nicht allein den kriminellen Risiken seiner Existenz. Es sind durchsichtige Verweise auf die Mühen des Künstlertums, auf die aufreibende Selbstdisziplin des Schaffens. Daß darüber hinaus in bestimmten Episoden, wie etwa bei der Begegnung mit dem Operettenstar Müller-Rosé, die Beziehungen von Künstler, Werk und Publikum grundsätzlich, wenn auch aus der Erlebnisperspektive des Felix, behandelt werden, ist oft hervorgehoben worden.

Nun sind aber gerade neuerdings im Hinblick auf die Bedeutung des Kunst- und Künstlerproblems im *Krull* sehr entschiedene Zweifel darüber geäußert worden, daß Krulls Schelmentum in diesem Zusammenhang Relevanz habe. Michael Nerlich zum Beispiel bezeichnet in seinem Buch *Kunst, Politik und Schelmerei* (Frankfurt a. M. 1969) Krull als absoluten Künstler und bestreitet leidenschaftlich, daß es irgendeinen Sinn habe, in dieser Figur den alten Schelmentyp wiedererkennen zu wollen. Das liegt allerdings auch daran, daß der Verfasser an eine Wiederkehr des Pikaro in der Moderne nicht glaubt. Der Pikaro von einst und der Schelm von heute sind nach seiner Meinung völlig unvergleichbare Erscheinungen, deren leichtfertige Identifizierung nur von unzureichender Kenntnis der alten Schelmenromane zeuge. Nerlich versucht seine Argumentation durch eine Analye des Einsamkeitsmotivs im *Krull* zu stützen. Er konstatiert, daß die Einsamkeit Krulls aus seinem Künstlertum resultiere und nur psychologisch motiviert sei, während die des Pikaro sozial begründet ist und auf einem erzwungenen Ausschluß aus der Gesellschaft beruht. Mit einer solchen

Unterscheidung befindet sich Nerlich allerdings nicht gerade in sehr überzeugender Übereinstimmung mit T. Manns Auffassungen vom Künstlertum in der frühen Zeit. Diese ist nämlich dadurch gekennzeichnet, daß der Künstler in seinem Verhältnis zur Gesellschaft in der Nähe des Kriminellen, des Vagabunden und Zigeuners gesehen wird. Noch in den *Betrachtungen eines Unpolitischen* heißt es: „Der Künstler ist und bleibt Zigeuner, gesetzt auch, es handelt sich um einen deutschen Künstler von bürgerlicher Kultur."[14] Künstlertum ist also für T. Mann zugleich gesellschaftliches Außenseitertum, und erst dadurch wird der Vergleich und die Identifizierung mit dem Hochstaplertum möglich. Krulls Einsamkeit ist darum s o w o h l psychologisch als auch gesellschaftlich bedingt. Überhaupt erweist es sich als sehr zweifelhaft, das Künstlertum im *Krull* gegen das Hochstaplertum auszuspielen, wodurch natürlich die pikaresken Elemente des Werks zu einer bloßen humoristischen Drapierung der Künstlerproblematik herabgesetzt werden. T. Mann hat die Personalunion von Hochstapler und Künstler gewiß nicht herbeigeführt, damit sie vom Leser oder Interpreten stillschweigend wieder aufgehoben wird. Es handelt sich nicht nur um einen humoristischen Einfall, sondern um eine Verschmelzung von symptomatischer und kritischer Bedeutung, zu der offenbar Nietzsche die ersten Anregungen bot. Nietzsche sagt nämlich in *Menschliches, Allzumenschliches*: „Es führt zu wesentlichen Entdeckungen, wenn man den Künstler einmal als Betrüger faßt."[15] Im 361. Aphorismus der *Fröhlichen Wissenschaft* gibt Nietzsche ausführlichere Hinweise zu diesem Problem, und T. Mann hat diese Partie in seinem Exemplar angekreuzt und mit einem Ausrufungszeichen versehen. Die Stelle lautet:

Das Problem des Schauspielers hat mich am längsten beunruhigt; ich war im Ungewissen darüber, ob man nicht erst von da aus dem gefährlichen Begriff ›Künstler‹ — einem mit unverzeihlicher Gutmütigkeit bisher behandelten Begriff — beikommen wird. Die Falschheit mit gutem Gewissen; die Lust an der Verstellung als Macht herausbrechend, den sogenannten ›Charakter‹ beiseite schiebend, überflutend, mitunter auslöschend; das innere Verlangen in eine Rolle und Maske, in einen Schein hinein; ein Überschuß an Anpassungs-Fähigkeiten aller Art, welche sich nicht mehr im Dienste des nächsten engsten Nutzens zu befriedigen wissen: alles das ist vielleicht nicht nur der Schauspieler an sich? ... Ein solcher Instinkt wird sich am leichtesten bei Familien des niederen Volks ausgebildet haben, die unter wechselndem Druck und Zwang, in tiefer Abhängigkeit ihr Leben durchsetzen mußten, welche sich geschmeidig nach ihrer Decke zu strecken, auf neue Umstände immer neu einzurichten, immer wieder anders zu geben und zu stellen hatten, befähigt allmählich, den Mantel nach jedem Winde zu hängen und dadurch fast zum Mantel werdend, als Meister jener einverleibten und eingefleischten Kunst des ewigen Verstecken-Spielens, ...: bis zum Schluß dieses ganze von Geschlecht zu Geschlecht aufgespeicherte Vermögen herrisch, unvernünftig, unbändig wird, als Instinkt andere Instinkte kommandieren lernt und den Schauspieler, den ›Künstler‹ erzeugt (den Possenreißer, Lügenerzähler, Hanswurst, Narren, Clown zunächst, auch den klassischen Bedienten, den Gil Blas: denn in solchen Typen hat man die Vorgeschichte des Künstlers . . .).[16]

Es ist wohl deutlich, daß T. Mann im *Krull* ein von Nietzsche empfohlenes Experiment durchführte und daß die Identifizierung des Künstlers mit dem Hochstapler den Sinn hat, die unklar gewordenen Positionen und Funktionen modernen Künstlertums kritisch zu überprüfen. Die Travestie hat also die Bedeutung einer systematischen Verdächtigung, die für T. Mann natürlich auch eine Selbstverdächtigung war. Es scheint mir noch bemerkenswert, daß Nietzsche unter den zweifelhaften Verwandten des Künstlers nicht nur den Possenreißer, Lügenerzähler, Hanswurst, Narren und Clown nennt, sondern auch einen ausgeprägten Pikaro. Nämlich Gil Blas von Santillana, den Helden des 1715—35 entstandenen Schelmenromans von Le Sage. Schon Nietzsche stellt also zwischen Künstler und Schelm eine Beziehung her, die anscheinend bis heute ihre Aktualität noch nicht verloren hat. Zum Beispiel in Albert Vigoleis Thelens Roman *Die Insel des zweiten Gesichts* von 1959 stoßen wir erneut auf einen pikaresken Künstler als Hauptfigur. Auch in der *Blechtrommel* von Günter Grass sehe ich durchaus die Möglichkeit, die groteske Figur des Oskar Matzerath als eine Kombination von Schelm, Künstler und Narr zu deuten. Wenn auch die Motive für die Zuordnung von Künstler und Schelm jeweils sehr unterschiedlicher Art sein mögen, so scheint mir doch deutlich, daß die Figuren des Künstlers und Schelms in der modernen Literatur in einem Verhältnis wechselseitiger Anziehung stehen. Auch für das Problem der Wiederkehr der Schelme dürfte die Beobachtung aufschlußreich sein, daß die Tendenz zur Verschmelzung des Pikaro mit anderen Typen anscheinend stärker ist als die bloße Transposition der alten Figur in eine moderne Umwelt. Solchen Fragen kann ich hier allerdings nicht ausführlicher nachgehen und muß mich damit begnügen nur anzudeuten, in welche größeren Zusammenhänge dieser Art Thomas Manns Gestalt des Felix Krull einzuordnen wäre.

Wenn die spezifische Bedeutung der Verschränkung des Kriminellen und des Künstlerischen in der Figur Krulls richtig erkannt ist, bleibt allerdings noch die Frage, ob T. Mann diese Kombination in den später geschriebenen Teilen der Memoiren wirklich konsequent durchgehalten hat. Der Dichter hat in Briefen des öfteren darüber geklagt, daß er bei der Fortsetzung des Werks zu sehr ins „Faustische" gerate. An Paul Ammann schrieb er im Dezember 1951: „Ich habe allerlei Weiteres an den Krull-Memoiren geschrieben, laufe aber immer Gefahr, ins ‚Faustische' zu geraten und die Form zu verlieren. So bringe ich den Helden, der ein Erotiker ist, in Kontakt mit der Idee des Seins selbst . . .".[17] Solche Hinweise auf eine Ausweitung des Romans ins Philosophische in den späteren Partien haben Klaus Hermsdorf in seinem klugen Buch über *Thomas Manns Schelme* (Berlin 1968) dazu geführt, zwar den bis 1913 geschriebenen Teil als Schelmenroman zu akzeptieren, in der Fortführung aber eine Sprengung der

alten Konzeption zu sehen. Der ursprüngliche Schelm Krull, so meint Hermsdorf, werde durch seine Kontakte mit der Idee des Seins zu sehr vergeistigt, der
Hochstapler Krull fortschreitend entkriminalisiert. Nun wollen wir zunächst
festhalten, daß nicht Krull Träger dessen ist, was T. Mann mit dem „Fau-
stischen“ bezeichnete. Der Autor wußte wohl, daß er die Figur des Hochstaplers
nicht zum Träger derartiger Ideen machen konnte, ohne das alte Konzept zu
zerbrechen. Nicht Krull, sondern die eigens für diesen Zweck eingeführte Gestalt
des Professors Kuckuck ist es, die die Lehre von der Allsympathie, vom Sym-
pathieaustausch aller Wesen entwickelt. Krull versteht wohl, daß der Gedanke
der Pan-Erotik auch seine von Abenteuer zu Abenteuer fortgezogene Existenz
als Ausdruck unreflektierter Weltsehnsucht rechtfertigt, doch überschreitet das
kosmologische Deutungsmodell Kuckucks seinen Kenntnis- und Verständnis-
horizont beträchtlich. Krull partizipiert an dieser Lehre mit dem Enthusiasmus,
den alles Neue ihm entlockt — und er macht im übrigen von dieser Lehre auch
durchaus hochstaplerischen Gebrauch. Was er gerade von Kuckuck gehört hat,
das gibt er mit großer Geste als eigne Einsicht an andre weiter. Krulls Partizi-
pation an der Idee des Seins steht also wiederum im Lichte der geschickten
schauspielerischen Verwertung, sie hat den Charakter des Plagiats, wenn nicht
gar des geistigen Diebstahls. Auch seine feierliche Verteidigung der Liebe gegenüber Zouzou beruht auf den Gedanken Kuckucks. Diese Rede zeigt keineswegs
einen völlig gewandelten Krull, sondern ist eine spontane Eingebung. Wie tief
ironisch auch sie von T. Mann gemeint war, zeigt der Schlußsatz.

> Meine Frau Mutter in Luxemburg hätte hierzu gewiß gemeint, so könne ich nicht
> wohl gesprochen haben, es sei ohne Zweifel nur eine schöne Fiktion. Aber bei meiner
> Ehre schwöre ich: so sprach ich. Denn es strömte mir zu. Es mag zum Teil aufs
> Konto der extremen Hübschheit und völligen Eigenart des Kreuzganges von Be-
> lem zu setzen sein, den wir umwandelten, daß mir eine so originelle Rede gelang;
> dem sei wie ihm sei. Auf jeden Fall sprach ich so . . .[18]

Also: auch dort, wo Krull mit der Idee des Seins in Kontakt gebracht worden
ist, bleibt er Hochstapler, und von einer grundsätzlichen Entkriminalisierung
des Helden kann nicht die Rede sein. Seine vermeintliche Vergeistigung besteht
nur darin, daß er nun im geistigen Bereich seine charmanten Betrügereien begeht. Seine Kriminalität bewährt sich jetzt auch im intellektuellen Bereich.
Krulls Diebstähle sind lediglich subtiler und kultivierter geworden. Der Zugriff
gilt nicht mehr wie einst den Süßigkeiten oder den Schmuckstücken, sondern
dem geistigen Eigentum. Es handelt sich also um Hochstapelei in aufsteigender
Linie, die im Grob-Materiellen beginnt und dann in die höheren Gefilde des
geistigen Betrugs führt, der im allgemeinen weniger und oft überhaupt nicht
auffällt. Krull ist somit am Anfang wie am Ende immer noch die gleiche Mischung
von Hochstaplertum und Künstlertum. T. Mann hat die „Grundidee von einst“
tatsächlich getreulich gewahrt. Sollte es an der Konstanz von Krulls Hoch-

staplertum, also der Schelmenkomponente, noch irgendeinen Zweifel geben, so wird dieser vollends behoben durch das Gebaren des Memoirenschreibers Krull, das den Endpunkt seiner Karriere kennzeichnet.

Erst in dieser Endphase tritt nun das Künstlertum aus dem Hochstaplertum sichtbar hervor, ohne sich aber von ihm zu lösen. Denn die Niederschrift der Memoiren ist eigentlich Krulls subtilste Hochstapelei. Wenn sich der 40jährige, frühzeitig gealterte als Autobiograph betätigt, so ist das nur eine neue Rolle. Seine mit der Attitüde der Lebensbeichte vorgetragenen Erinnerungen sind ein penetranter Versuch der Selbststilisierung und der Täuschung. Während in der Autobiographie Goethischer Prägung und auch im Bildungsroman der Lebensrückblick von einem reiferen Erfahrungsstand aus gegeben wird, wobei Irrwege und falsche Tendenzen nicht verschleiert werden, ist der Memoirenschreiber Krull weit davon entfernt, seiner früheren Existenz gegenüber eine kritische Position eingenommen zu haben. Er schwatzt zwar unausgesetzt von der schonungslosen Aufrichtigkeit seiner Lebensbeichte, tatsächlich aber ist er ständig damit beschäftigt, seine Taten zu beschönigen, oder, wie er sich ausdrückt: den Leser mit den Eigenarten seiner Existenz „zu versöhnen". Obwohl seine Entwicklung durch eine Kette ansehnlicher Straftaten und eine markante Zuchthausstrafe gekennzeichnet ist, versucht er seinen Weg immer noch als das typische Schicksal eines Sonntagskindes zu deuten. Seine Diebstähle fallen für ihn unter die Kategorie des „zufälligen" Erwerbs. Bei der Schilderung seiner frühen Süßigkeiten-Diebstähle in der Schulzeit verwahrt er sich entschieden dagegen, ein so hochkompliziertes Geschehen mit dem Allerweltswort Diebstahl zu belegen. Auch seine zweifelhaften Dienste in Rozsas Liebesschule, für die das Gesetzbuch recht eindeutige Bezeichnungen anbietet, will Krull als richtungsweisendes Bildungserlebnis gedeutet wissen. Diese Diskrepanz zwischen dem an großen Vorbildern orientierten angeblichen Konfessionscharakter des Lebensberichtes und der allenthalben ungeniert hervortretenden Tendenz zum Beschönigen macht diesen Ich-Erzähler zu einer hochironischen Figur. Aber Krull versucht nicht nur, seine kriminelle Karriere in einen Wilhelm-Meisterlichen Bildungsprozeß umzulügen; er arbeitet auch mit gefälschter Sprache. Hermsdorf hat diesen Stil treffend als „verhunzte Klassik" bezeichnet. Krulls Stilistik, mit der er ja in den besten Häusern Zugang finden will, soll ohne Zweifel demonstrieren, daß Kunst schon von der Sprache her zur Lüge werden kann. Thomas Mann hat gerade auf diese Technik der Zeitkritik und Literaturkritik durch Stilparodie viel Mühe verwandt und oft darüber geklagt, wie schwer es war, diesen Ton festzuhalten. Krull aber leistet als literarischer Hochstapler noch mehr. Er fälscht nicht nur Inhalt und Stil, sondern das ganze Genre. Einen Lebensverlauf, der seiner Erlebnissubstanz nach ein Schelmenroman ist, versucht er dem Leser als Bildungsroman zu offerieren. Das niedere, im Gaunermilieu spielende Genre des Schelmenromans, soll hier also als das höhere und im besten Rufe stehende Genre des Romans von der Bildung des Künstlers an den Leser gebracht werden. Der

Bildungsroman, den Krull zu erzählen versucht, wird aber permanent parodistisch aufgehoben durch den Schelmenroman, den sein Leben tatsächlich repräsentiert. Es genügt also nicht, im Hinblick auf T. Manns eigne Hinweise nur allgemein von einer Parodie des „Goethisch-Selbstbildnerisch-Autobiographischen" zu sprechen. T. Mann hat in diesem Werk einen Bildungsroman durch einen Schelmenroman parodiert. Der Verbindung von Hochstaplertum und Künstlertum in der Gestalt Krulls entspricht im formalen Aufbau die Verschränkung des Schelmenromans und des Bildungsromans. Man wäre versucht, von einem Doppelroman zu sprechen, wenn der Autor nicht wie bei der Gestaltung der Figur Krulls so auch im Aufbau des Ganzen die unauflösbare Verschränkung, die permanente Ambivalenz angestrebt hätte. In dieser raffinierten Gesamtarchitektur kommt nun aber der pikaresken Schicht ohne Zweifel die Bedeutung der Basis zu. Der Schelmenroman liefert die Substruktur, auf der sich der parodierte Bildungsroman allererst aufbauen kann. Die durchgängige Umsetzung des Künstlerischen ins Kriminelle konnte nur durchgeführt werden, wenn die das ganze tragende Substruktur des Schelmenromans bis zum Schluß hin intakt blieb. Meiner Ansicht nach hat T. Mann auch die pikareske Basis nirgends ernstlich angetastet. So wie Krull bis ans Ende der ausgeführten Handlung Hochstapler bleibt, ist auch die pikareske Grundschicht bis zum Schluß hin nachzuweisen. Der Autor fühlte sich, wie seine Briefäußerungen zeigen, bei der Fortsetzung wechselnd mehr zum einen oder anderen Pol dieses auf der Spannung zwischen zwei Romantypen aufgebauten Gebildes hingezogen. Einerseits war er gewillt, die Fortsetzung mit lockeren Scherzen anzureichern und also dem Schelmenroman weiterhin Genüge zu tun, andererseits fand er die pikaresken Scherze unter seinen Jahren und wünschte sich, „Würdigeres" zu schreiben[19], wie es dann ja auch durch die Darstellung der Ideen Kuckucks geschehen ist. Aber auch diese intellektuellen Bestände haben den Schelmenroman keineswegs zerstört, ist er doch nach T. Manns eigner Erfahrung „ein Gerüst, woran man alles Mögliche aufhängen kann, ein epischer Raum zur Unterbringung von allem, was einem einfällt . . ."[20] Von dieser Elastizität des Schelmenromans, die ihn von jeher dazu befähigt hat, verschiedenste Inhalte zu integrieren, hat T. Mann ausgiebig Gebrauch gemacht. Denn der Roman gewinnt von den Pariser Episoden an sogar mythologische Dimensionen. Krull wird zur Hermesfigur und seine Begegnung mit Kuckuck kommt, wie Hans Wysling in einem Artikel herausgestellt hat, „einer Begegnung mit dem Göttervater gleich", „seine Aufnahme in die Familie Kuckuck bedeutet die Aufnahme in die Olympische Familie . . ."[21] Solche Ausweitungen hatte T. Mann wohl im Auge, wenn er davon sprach, daß sich das Werk „zu einem vieles aufnehmenden humoristisch-parodistischen Bildungsroman" ausgewachsen habe. Aber gleichzeitig betonte er ja, daß der *Krull* der pikaresken Tradition angehöre. Diese Doppelbezeichnung ist, wie man jetzt sieht, keineswegs widersprüchlich, sondern völlig zutreffend. Wer das Werk ausschließlich für den Schelmenroman in Anspruch nimmt, begibt sich ebenso der Möglichkeit einer angemessenen Interpretation wie derjenige, der diese pikareske Komponente bagatellisiert und nur die Kunst- und Künstlerproblematik herauspräpariert. Der Reiz des Ganzen und vor allem die unübertreffliche künstlerische Leistung liegen in der raffinierten und tiefsinnigen Kombination der Aspekte.

Anmerkungen

1 Zuerst gedruckt in: Modern Language Quarterly. 12. Jg. (1951), S. 183 ff., später in: O. Seidlin: *Von Goethe zu Thomas Mann.* Göttingen 1963, S. 162 ff.

2 Thomas Mann: *Briefe. 1889—1936.* Frankfurt a. M. 1961, S. 82.

3 Georges Manolescu: *Ein Fürst der Diebe.* Berlin 1905, S. 114.

4 *Bekenntnisse des Hochstaplers Felix Krull.* Frankfurt a. M. 1957, S. 176.

5 *Bekenntnisse des Hochstaplers Felix Krull.* Frankfurt a. M. 1957, S. 128.

6 *Der Abenteuerliche Simplicissimus.* Hrsg. von A. Kelletat. München 1956, S. 319.

7 *Bekenntnisse des Hochstaplers Felix Krull.* Frankfurt a. M. 1957, S. 203.

8 Thomas Mann: *Briefe. 1937—1947.* Frankfurt a. M. 1963, S. 557.

9 Thomas Mann: *Briefe. 1937—1947.* Frankfurt a. M. 1963, S. 570.

10 Thomas Mann: *Briefe. 1948—1955.* Frankfurt a. M. 1965, S. 223.

11 Thomas Mann: *Rückkehr.* In: Reden und Aufsätze. Gesammelte Werke. Frankfurt a. M. 1960, Bd. 11, S. 530.

12 Thomas Mann: *Rückkehr.* In: Reden und Aufsätze. Gesammelte Werke. Frankfurt a. M. 1960, Bd. 11, S. 531.

13 Thomas Mann: *Rückkehr.* In: Reden und Aufsätze. Gesammelte Werke. Frankfurt a. M. 1960, Bd. 11, S. 531.

14 Thomas Mann: *Betrachtungen eines Unpolitischen.* Frankfurt a. M. 1956, S. 395.

15 Friedrich Nietzsche: *Werke in drei Bänden.* Hrsg. von Paul Schlechta. 2. Aufl., München 1960, Bd. 1, S. 812.

16 Friedrich Nietzsche: *Werke in drei Bänden.* Hrsg. von Paul Schlechta. 2. Aufl., München 1960, Bd. 2, S. 234 f.

17 Thomas Mann: *Briefe.* 1948—1955. Frankfurt a. M. 1965, S. 237.

18 *Bekenntnisse des Hochstaplers Felix Krull.* Frankfurt a. M. 1957, S. 421 f.

19 Thomas Mann: *Briefe. 1948—1955.* Frankfurt a. M. 1965, S. 357.

20 Thomas Mann: *Rückkehr.* In: Reden und Aufsätze. Gesammelte Werke. Frankfurt 1960, Bd. 11, S. 530.

21 Hans Wysling: *Die merkwürdige Lebensbahn des Glücks- und Hermeskindes Felix Krull.* Neue Zürcher Zeitung. 6. Nov. 1965.

HANS JOACHIM SCHRIMPF

DIE SCHAUBÜHNE
ALS EINE MORALISCHE ANSTALT BETRACHTET

Zum politisch engagierten Theater im 20. Jahrhundert:
Piscator, Brecht, Hochhuth

> Geschwind sage ich dir nur noch: die wahren
> Taten der Freimäurer zielen dahin, um größ-
> tenteils alles, was man gemeiniglich gute Taten
> zu nennen pflegt, entbehrlich zu machen.
>
> Lessing
>
> In einem guten Land brauchts keine Tugen-
> den, alle können ganz gewöhnlich sein, mit-
> telgescheit und meinetwegen Feiglinge.
>
> Brecht

Für die Berliner Uraufführung im Februar 1963 hat Erwin Piscator Rolf
Hochhuths Theaterstück *Der Stellvertreter* ebenso tendenzgeladen und engagiert
als „politisches Drama" inszeniert wie wenig vorher seine eigene Bühnenfassung
von Gerhart Hauptmanns *Atriden-Tetralogie,* die er „eine mythologisch verschlüsselte Beschwörung der Hitler-Barbarei" nannte. Anlaß dieser *Atriden-*
Inszenierung, der ersten Arbeit, mit der Piscator seine Tätigkeit als künstlerischer Leiter der Berliner Freien Volksbühne aufnahm, wo im Oktober und
November 1893 die frühsten öffentlichen Aufführungen der *Weber* stattgefunden hatten, war das Hauptmann-Jahr 1962. Es mag auf den ersten Blick überraschen, daß sich Piscator angesichts der Jubiläums-Veranstaltung gegen die
Weber und für die — bis dahin noch nie im Zusammenhang auf die Bühne ge-
brachten — *Atriden* entschied (einzeln uraufgeführt 1941, 1943 und 1947 in
Berlin und Wien). Doch seine Begründung ist aufschlußreich. Es kamen ihm
nämlich Zweifel an der Aktualität des naturalistischen Weber-Dramas, das heute
durchaus historisch-unverbindlich konsumiert werden kann. Hauptmanns Neu-
bearbeitung des mythologischen *Atriden*-Stoffes aus den Jahren 1940—1944
dagegen reizte ihn gerade wegen ihrer größeren Gegenwartsbezogenheit. Hier
erblickte er eine Parallele zu Sartres *Fliegen* (Uraufführung 1943 in Paris; 1947
von Piscator in New York als amerikanische Erstaufführung inszeniert), einem
Stück, das im Medium des gleichen mythologischen Stoffes gleichfalls die Oppo-

sition gegen den Faschismus noch während der Herrschaft des Hitler-Regimes zu gestalten versucht hatte.

Denn so sah Piscator Hauptmanns *Atriden* (und einige der Freunde Hauptmanns, besonders Gerhart Pohl, bestätigten es ihm): als eine mit der damals gebotenen größten Vorsicht gestaltete „verschlüsselte Anklage gegen das Nazi-Regime ..., als einen Akt der inneren Selbstbefreiung". Im Bilde des antiken Blutwahns glaubte er stellvertretend die Raserei des deutschen Volkes fassen zu können, den Wiederausbruch der „totalsten Menschen-Verachtung", des „Menschen-Opfers" und „Menschen-Schlachtens". Die Opposition Klytämnestras gegen Agamemnon und der Haß Iphigeniens gegen jeden Griechen erscheinen dabei als Ausdruck der Rebellion gegen Hitler, des Widerstandes der Unterdrückten und des Hasses der Opfer und Verfolgten gegen Nazi-Deutschland, das Atriden-Schicksal „als Metapher des deutschen Schicksals" im ganzen und das bis zur Selbstzerfleischung führende Mißtrauen aller gegen alle als Sinnbild einer Zeit, in welcher der Mensch zum Wolf des Menschen ward. „Und in der Tat", schreibt Piscator: „die Tochter ist vor dem Vater nicht mehr sicher, der Gatte nicht vor der Gattin, die Mutter nicht vor dem Sohn, die Schwester nicht vor der Schwester. Dies alles aber b e g i b t sich in der Atriden-Tetralogie! Der Mythos als Fiktion eines Chaos, das tatsächlich Gestalt geworden ist!"

Auch der Freund Hauptmanns und durch persönliche Nähe intime Kenner der Entstehung des Werks, Felix A. Voigt, nennt die Tetralogie „Hauptmanns große Kriegsdichtung, geformt in der Gestalt des uralten Mythos vom Geschick des Hauses des Atreus". Aber Voigt deutet den Zeitbezug sehr viel allgemeiner und gibt ihm eine metaphysische Ausweitung, die es nicht zuläßt, die Dichtung als direkte „verschlüsselte" Auseinandersetzung mit der ganz bestimmten und konkreten Geschichtssituation zu lesen. Er beantwortet die Frage, „inwieweit diese Dramen mit ihrer Zeit verbunden sind", so:

> Wollte Hauptmann seinem Abscheu gegen die Hitler-Epoche darin Ausdruck verleihen? Man hat diese Vermutung mehrfach ausgesprochen, aber in dieser Form ist die Frage nicht richtig gestellt. Eine unmittelbare Beziehung zum Nazismus kann ich in der Tetralogie nicht erblicken, ein irgendwie geartetes Schlüsselstück liegt nicht vor. Es kann keine Rede davon sein, daß etwa Agamemnon so etwas Ähnliches wie Hitler wäre. Gewiß, die kriegerische Aufgabe ertötet in ihm den Menschen, aber er wächst zu wahrhafter übermenschlicher Größe empor, auch im Leiden um das, was ihm schicksalhaft aufgetragen ist. Er ist übermenschlich, aber nicht unmenschlich wie der Zerstörer Deutschlands. Aber in anderer Beziehung besteht wohl ein Zusammenhang: es ist Hauptmanns urtiefer Abscheu gegen die Schlächterei des Krieges an sich und im besonderen dieses Krieges, der ihn in seine Bande schlug und dem er zuletzt noch als Opfer erlag.

Sollte die Grundintention des Alterswerks wirklich ganz auf dieser Linie liegen, so kann der Abstand zu Piscators Bearbeitung gar nicht groß genug gedacht werden. Mit der Erhebung und Entrückung ins Übergeschichtliche und Allgemeine des Menschenlebens und der Schicksalsmächte, wie sie in den folgenden Sätzen Voigts zum Ausdruck kommen, hätte Piscator wenig anzufangen gewußt. Danach war Hauptmann

> nur noch ein mediales Organ seiner jenseitigen Weltschau, die das Grauen erblickt, das allüberall herrscht. Nicht umsonst ist das Wort „Grauen" dasjenige, das am häufigsten in diesen Dramen wiederkehrt. Alle diese Menschen sind wandelnde Gespenster, die hier willenlos — in einem höheren Sinne — handeln, die erst zu sich kommen, wenn sie durch die Pforte des Todes in das wahre Sein eingegangen sind, wo sie wieder das sind, was sie wirklich hätten sein können. Hier spricht sich deutlicher als je sonst der abgrundtiefe Pessimismus aus, mit dem Hauptmann die Welt seiner letzten Jahre deutet: der Mensch — ein Nichts im Wirbel der Schicksalsmächte, die ihn zertreten (Felix A. Voigt: *Gerhart Hauptmann und die Antike.* Hrsg. v. Wilhelm Studt. Erich Schmidt Verlag, Berlin 1965).

Piscator sah es anders. Er machte aus Hauptmanns *Atriden* „politisches Theater", und die Tendenz seiner Bühnenfassung war die radikale Aktualisierung einer verschlüsselten Auseinandersetzung mit der besonderen, konkreten Zeitsituation unter der Herrschaft des Nazismus, die er in Hauptmanns Werk mindestens der Möglichkeit nach angelegt zu erkennen glaubte.

Doch Piscator ging noch weiter. Nicht nur Hauptmanns Bearbeitung des antiken Stoffes während des Zweiten Weltkriegs schien ihm die Zeitbezogenheit zu verbürgen. Eine andere Gegenwart — das Jahr 1962 — gab ihr eine neue politische Aktualität, und diese war es, die er herausbringen wollte — durch Akzentsetzungen, Umstellungen, Konzentration, durch zeitbezügliche Kommentare, hinzugefügtes dokumentarisches Material aus dem Dritten Reich, durch Nach-vorn-holen der realen politischen Hintergründe: „Denn die Erledigung, Ableistung, Tilgung der Schuld, die ist Deutschland sich selbst bisher schuldig geblieben. Delphi, der Ort, wo über Schuld verhandelt wird, wo Schuld, wenn man sie sich wirklich eingesteht, — vielleicht — entsühnt wird, liegt nicht in Deutschland ... jedenfalls n o c h nicht." Und Piscator faßte die „Aktualität" seiner Hauptmann-Inszenierung zusammen: „Die Atriden — Antike oder Gegenwart? Ich habe mich für die Gegenwart entschieden, für die Durchlichtung einer Gegenwart, in die von den Deutschen bislang noch wenig Licht gehalten wurde." (E. Piscator: *Gerhart Hauptmanns „Atriden-Tetralogie".* In: Deutsche Rundschau 88, 1962, S. 977—983.)

Genau in dieser Zeit erhielt Piscator Kenntnis von dem jungen Nachkriegs-Autor Hochhuth und seinem politischen Zeitstück *Der Stellvertreter*, das ebenfalls die Vergangenheit wieder aufrollte, um die abgestandene Gegenwart zu provozieren. U n v e r s c h l ü s s e l t und a k t u e l l behandelte es eben jene Problematik, die Piscator im *Atriden*-Mythos vor Augen und zur E n t s c h l ü s s e l u n g und A k t u a l i s i e r u n g unter den Händen hatte. Darum nannte er, noch von der ersten Lektüre beeindruckt, im Vorwort zur deutschen Erstausgabe des *Stellvertreters* den jungen Autor spontan einen „bedeutenden Dramatiker" und sein Erstlingswerk „ein ungewöhnliches, bestürzendes, erregendes, großes und notwendiges Stück", einen

> der wenigen wesentlichen Beiträge zur Bewältigung der Vergangenheit. Es nennt schonungslos die Dinge beim Namen; es zeigt, daß eine Geschichte, die mit dem Blut von Millionen Unschuldiger geschrieben wurde, niemals verjähren kann; es teilt den Schuldigen ihr Maß an Schuld zu; es erinnert alle Beteiligten daran, daß sie sich entscheiden konnten, und daß sie sich in der Tat entschieden haben, auch dann, wenn sie sich nicht entschieden.

Aus dem Abstand, den wir heute, zehn Jahre nach der ersten starken Wirkung des Stücks, gewonnen haben, können wir freilich solche vom berechtigten Entdecker-Pathos getragenen Feststellungen nicht mehr einfach hinnehmen, sondern müssen, auch wenn sich herausstellt, daß und wie weit sie zutreffen, nach dem geschichtlichen Ort nicht nur unseres Autors, sondern auch dessen fragen, der hier als Kenner und auf seine Weise Engagierter urteilt.

Die Voraussetzungen, von denen das Wirken des Theaterleiters und Regisseurs Piscator bestimmt ist, hat dieser bereits in den zwanziger Jahren entwickelt und 1929 in seinem Buch *Das politische Theater* dargelegt. Es trifft zu, was er im Vorwort zum *Stellvertreter* über sein Verhältnis zum „epischen Theater" äußert: „Mittel wie Projektionen, Filme, laufende Bänder, Kommentare etc. nannte ich, noch bevor Brecht s e i n e n Begriff des ‚Epischen' formuliert hatte, epische Mittel. Sie durchsetzten die Aufführung mit wissenschaftlichem, dokumentarischem Material, analysierten, klärten auf." Zum erstenmal hatte Piscator 1925 in einer großen historischen Revue, bei der Massen-Inszenierung von *Trotz alledem!*, das geschichtliche Dokument als Handlungsträger des angestrebten politischen Theaters verwendet. Zum erstenmal war hier auch neben den Projektionen der Film nicht nur ergänzend und dekorativ, sondern „funktionell" eingesetzt worden: „Die ganze Aufführung war eine einzige ungeheuere Montage von authentischen Reden, Aufsätzen, Zeitungsausschnitten, Aufrufen, Flugblättern, Fotografien und Filmen des Krieges, der Revolution, von historischen Personen und Szenen."

Piscators Buch, *Das politische Theater*, von 1929 gibt die Begründung für den Einsatz der epischen Mittel. Es ist eine Begründung mit soziologischen und politischen Argumenten, jedoch niemals unter Verleugnung des künstlerischen Anspruchs, sondern gerade zur Erneuerung und Verbesserung der artistischen Verfahren. Lange vor dem Zweiten Weltkrieg meinte Piscator, daß der Mensch des 20. Jahrhunderts ohne die genaueste Erforschung und Kenntnis der ihn bedingenden ökonomischen, sozialen und politischen Faktoren weder verstanden noch zu seinem Wohl und Heile beeinflußt werden kann:

> Worauf kam und kommt es mir denn bei meiner ganzen Arbeit an? Nicht auf die bloße Propagierung einer Weltanschauung durch Klischeeformen, Plakatthesen, sondern auf die Führung des Beweises, daß diese Weltanschauung und alles, was sich aus

ihr herleitet, für unsere Zeit die alleingültige ist. Behaupten kann man vieles; ...
Der Beweis, der überzeugt, kann sich nur auf eine wissenschaftliche Durchdringung
des Stoffes aufbauen. Das kann ich nur, wenn ich, in die Sprache der Bühne übersetzt, den privaten Szenenausschnitt, das Nur-Individuelle der Figuren, den zufälligen Charakter des Schicksals überwinde. Und zwar durch die Schaffung einer Verbindung zwischen der Bühnenhandlung und den großen historisch wirksamen Kräften.

Das persönliche Einzelschicksal ist in der modernen Welt, ob bewußt oder
unbewußt, in einer Weise von außerpersönlichen Faktoren gesteuert und beein-
trächtigt, daß seine Isolierung unvermeidlich zu illusionärem Selbstbetrug führen muß. Soll also die Literatur, soll das Theater dem wirklichen Menschen
unserer Zeit gerecht werden, so muß es die Macht der außerpersönlichen Bedingungen und Verhältnisse ins Bewußtsein heben und thematisch machen. Das
überlieferte klassische Drama ist nach Piscator dazu nicht geeignet, weil es einer
anderen Zeit und Welt entstammt, in der man noch davon ausgehen durfte, daß
die menschlichen Probleme exemplarisch in persönlichen Konflikten ausgetragen
werden können. Überträgt man es auf unsere Gegenwart, so müssen die Zustände dadurch, daß sie ins „Allgemein-Menschliche" und „Ethisch-Unbedingte"
stilisiert werden, idealistisch „verschleiert" erscheinen. Der Mensch wird dabei
in eine „erhabene Sphäre" oberhalb der Realität entrückt, so daß der Schein entsteht — auch noch im tragisch gerechtfertigten Untergang —, er sei mit den
Verhältnissen versöhnbar und versöhnt.

Wie Hegel es für die klassische Ästhetik formulierte:

> Die wahre Entwicklung besteht nur in dem Aufheben der Gegensätze als G e g e n -
> s ä t z e , in der Versöhnung der Mächte des Handelns, die sich in ihrem Konflikte
> wechselseitig zu negieren streben. Nur dann ist nicht das Unglück und Leiden, son-
> dern die Befriedigung des Geistes das letzte, insofern erst bei solchem Ende die Not-
> wendigkeit dessen, was den Individuen geschieht, als a b s o l u t e V e r n ü n f t i g -
> k e i t erscheinen kann, und das Gemüt wahrhaft sittlich beruhigt ist: erschüttert
> durch das Los des Helden, versöhnt in der Sache.

Eben dieses „Aufheben der Gegensätze", diese „Versöhnung", „Befriedigung
des Geistes", „absolute Vernünftigkeit" und „sittliche Beruhigung" des Gemüts
sind genau die Effekte, die nach Piscator unter keinen Umständen mehr hervorgebracht werden dürfen, das heißt nicht in unserer Zeit und in unserer heillosen,
von zahlreichen inhumanen Zwängen beherrschten Welt. Es kommt ihm im
Gegenteil darauf an, die mehr oder weniger verdeckten Dissonanzen und unver-
söhnten Widersprüche in aller Deutlichkeit sichtbar zu machen, damit sie zum
stimulierenden Antrieb des Menschen werden, ihnen in der gesellschaftlichen
Wirklichkeit praktisch handelnd entgegenzutreten. Er will die „Agitationskraft"
der Schaubühne beweisen und mobilisieren.

Aus diesem Grunde forderte Piscator das „politisch-soziologische" Theater,
das nicht mehr persönliches Einzelschicksal, sondern die „Zeit", die „Gesell-

schaft", die bedingenden „Verhältnisse" gestaltet. Auch mythische und geschichtliche Stoffe sollen nicht länger um ihrer immanenten menschlichen Problematik oder um historischer Ideen willen behandelt werden, sondern zur Herausprofilierung der in ihnen angelegten aktuell-politisch bewegenden Möglichkeiten. Sie müssen in allen Einzelheiten dokumentarisch ergänzt oder belegbar sein; nur so haben sie Überzeugungskraft. Denn die stärkste Tendenz gehe aus der objektiven, unretuschierten, brutalen Wirklichkeit selbst hervor:

> Angriffe mit Flammenwerfern, zerfetzte Menschenhaufen, brennende Städte ... Zum erstenmal waren wir konfrontiert mit der absoluten, von uns selbst erlebten Wirklichkeit. Und sie hatte genau solche Spannungsmomente und dramatischen Höhepunkte wie das gedichtete Drama, und von ihr gingen genau so starke Erschütterungen aus. Allerdings unter der einen Voraussetzung, daß es eine politische (im Grundsinne von Πόλις = alle angehende) Wirklichkeit ist.

Gerade um dies darzustellen, bedarf es aber nach Piscator großer Kunst. Denn es geht nicht darum, Wirklichkeit reproduzierend zu verdoppeln, sondern darum, ihre Konflikte sichtbar und durchsichtig zu machen, sie ins Bewußtsein zu heben. Und es war ferner Piscators Überzeugung, „daß die stärkste politisch-propagandistische Wirkung auf der Linie der stärksten künstlerischen Gestaltung" liegt. Ganz entsprechend heißt es es später bei Brecht — wenn dieser davor warnt, den „so notwendigen Kampf gegen den Formalismus, das heißt gegen die Entstellung der Wirklichkeit im Namen der ,Form'" mißzuverstehen —: „Und es ist Kunst nötig, damit das politisch Richtige zum menschlich Exemplarischen werde."

Auf diesem Hintergrund leuchtet ein, warum Hochhuths *Stellvertreter* Piscator von vornherein faszinieren mußte. Dies Bühnenwerk durchbrach ihm provokativ ein Schweigen, das gleichbedeutend mit Verschleierung ist: ein Protest gegen Vergeßlichkeit und Vergessenwollen, der eine erneute Beschäftigung mit dem geschichtlichen Sachverhalt erzwingt — bei Schuldigen und Unschuldigen, Tätern und Opfern, Mitläufern und Verführten, Schwachen und Starken, Institutionen und Personen. Denn Hochhuth nimmt niemanden aus. Darum nannte Piscator das Stück einen Beitrag zum „totalen" Theater, und das ist für ihn „episches" und „dokumentarisches" Theater, wie schon nach dem Ersten Weltkrieg die Dokumentations-Montage seiner revolutionären Massen-Revue *Trotz alledem!*. Mit seinen Worten über Hochhuths Beitrag: „Ein episches Stück, episch-wissenschaftlich, episch-dokumentarisch; ein Stück für ein episches, ,politisches' Theater, für das ich seit mehr als dreißig Jahren kämpfe: ein ,totales' Stück für ein ,totales' Theater" ... „Hochhuths Stück *Der Stellvertreter* ist bereits in seiner literarischen Fixierung vollgültig episch ... Dokumentarisches und Künstlerisches sind untrennbar ineinander übergegangen."

Rückblickend, 1966, in seinem *Nachwort* zum *Politischen Theater*, ging Piscator sogar so weit, die politisch engagierten Produktionen des zeitgenössischen

epischen Theaters der sechziger Jahre den Experimenten der zwanziger Jahre
noch vorzuordnen:

> Mir scheint, ich setze die Schriftsteller, die in den zwanziger Jahren mit mir arbei-
> teten, in ihrem Wert nicht herab, wenn ich sage, daß Stücke, wie sie mir seinerzeit
> als Ideal vorschwebten, erst heute etwa von Hochhuth, Kipphardt oder Weiss ge-
> schrieben werden, Stücke, die sich der Faktizität des Dokumentes, der Strenge
> exakter historischer Analyse unterwerfen, ohne dabei auf die Freiheit der Gestal-
> tung verzichten zu müssen. Damals ergab sich eigentlich immerzu die gleiche
> Situation: die Stücke enthielten, was sie darzustellen vorgaben, nur sehr unvoll-
> kommen und ungenau; sie hielten den Ansprüchen eines auf wissenschaftliche Akri-
> bie zielenden, die ganze Breite gesellschaftlich-politischer Konstellationen anvisie-
> renden e p i s c h e n Theaters nur bedingt stand ... Mit minutiös ausgepinselten
> Milieus, „interessanten" Charakteren, veralteten, weil nicht mehr prototypischen
> Schicksalen, aber auch mit qualmiger Szenen-Lyrik (wie so oft bei meinem Freund
> Toller) war den Problemen einer derart in den Fugen krachenden Zeit nicht beizu-
> kommen ... Das letzte Wort aber hatte nicht die Regie-Willkür eines Piscator,
> sondern die Sache, unser aller Sache! Was soll da die Erwähnung von „poetischen
> Gehalten des Kunstwerks", die ich „eliminiert" hätte? Als wäre ich ein Feind der
> Poesie. Ich war nur gegen das „Poetische", wenn ein Autor sich seiner bedient, um
> es sich leicht zu machen; ich lehne mich auf gegen „Poesie", wenn statt ihrer präzise
> Angaben gefragt sind (Erwin Piscator: *Schriften*. Hrsg. v. Ludwig Hoffmann.
> Henschelverlag Kunst und Gesellschaft, Berlin 1968. Bd. 1: *Das politische Theater*.
> Faksimiledruck der Erstausgabe 1929. Bd. 2: *Aufsätze, Reden, Gespräche*).

Wir können nun aber freilich Bedeutung und Form der Werke des politischen
Gegenwarts-Theaters nicht allein am Maßstab der Piscator-Bühne messen, die ja
von ihren eigenen Voraussetzungen her verstanden werden muß. Trifft die These
vom „totalen" epischen Theater auf Hochhuths Stück eigentlich zu, und in
welchem Sinne ist es, da es sich allerdings in reichem Maße epischer Mittel bedient,
wenn überhaupt, als ganzes episch zu nennen? Ist es tatsächlich politisches Theater
im genannten Sinne? Ist es soziologisch in der Weise, daß die gesellschaftlich-öko-
nomischen Kräfte alles beherrschend im Mittelpunkt stehen? Und wie verhält es
sich zur revolutionär-marxistischen Version des epischen Theaters? Welche Tendenz eignet ihm, und in welcher Weise sind die theatralischen, literarischen und
dokumentarischen Mittel dieser Tendenz subordiniert? Wie nimmt es sich aus
neben dem Werk und den politischen und wissenschaftlichen Zielsetzungen
Brechts, des großen Praktikers und Theoretikers des epischen Theaters unserer
Tage, ohne dessen einflußreiches Modell freilich kaum ein zeitgenössischer Dramatiker, sei es in Anlehnung, sei es in kritischer Abkehr, zu seiner eigenen Form
zu finden vermag?

„Die Faszination, die Brecht immer wieder hat", so hat Max Frisch einmal
gesagt, „schreibe ich vor allem dem Umstand zu, daß hier ein Leben wirklich
vom Denken aus gelebt wird ... Seine Haltung ... ist die tägliche Anwendung
jener denkerischen Ergebnisse, die unsere gesellschaftliche Umwelt als überholt,

in ihrem gewaltsamen Fortdauern als verrucht zeigen, so daß diese Gesellschaft nur als Hindernis, nicht als Maßstab genommen werden kann; Brecht verhält sich zur Zukunft." Eine Konfrontation mit Brecht, die dem *Stellvertreter*-Autor freilich vom künstlerischen Format her gesehen von vornherein zu viel Ehre antut, scheint dennoch geeignet, zur Klärung des Verhältnisses von Theater und Gesellschaft in unserer Zeit Aufschlüsse beizutragen, für eine Gegenwart jedenfalls, in der Hochhuth sich bereits einen festen Platz als Bühnenautor gesichert hat.

Für das moderne epische Theater ist nicht in erster Linie entscheidend, daß es die epischen Darstellungsmittel häuft — wir wissen längst, daß episierende Theaterformen ebenso alt sind wie die dramatischen —, sondern daß es „unästhetisch" und „wissenschaftlich" werden will. Die Häufung der epischen Mittel ist nur die spezifische Erscheinungsform eines viel grundsätzlicheren Vorgangs. Allein ausschlaggebend ist für Brecht die überlegene kritische Distanz von Autor und Publikum zum vorgeführten Gegenstand und zur Präsentation des Gegenstandes, und das heißt bei ihm „die gesellschaftliche Funktion des Gesamtapparates" Theater. Die menschliche „Umwelt", so schrieb er 1936,

> war natürlich auch im bisherigen Drama gezeigt worden, jedoch nicht als selbständiges Element, sondern nur von der Mittelpunktsfigur des Dramas aus. Sie erstand aus der Reaktion des Helden auf sie ... Im epischen Theater sollte sie aber nun selbständig in Erscheinung treten. Die Bühne begann zu erzählen ... Das Öl, die Inflation, der Krieg, die sozialen Kämpfe, die Familie, die Religion, der Weizen, der Schlachtviehhandel wurden Gegenstände theatralischer Darstellung. Chöre klärten den Zuschauer über ihm unbekannte Sachverhalte auf. Filme zeigten montiert Vorgänge in aller Welt. Projektionen brachten statistisches Material. Indem die ,Hintergründe' nach vorn traten, wurde das Handeln der Menschen der Kritik ausgesetzt.

Das Handeln der Menschen wurde der Kritik ausgesetzt, und zwar dadurch, daß die „Hintergründe" nach vorn und ans Licht gezogen wurden, — das ist der springende Punkt, nicht das Epische, die Episierung als solche. Mit der Forderung des epischen Theaters beabsichtigte Brecht nicht, sich in das Gespräch von Gattungstheoretikern einzuschalten. Er setzt die Poetik des Epischen und Dramatischen voraus, doch er fügt sich ihr nicht ein, sondern will eine neue Dimension außerhalb des konventionellen Systems erschließen. Seine Dramaturgie soll sich als „nicht-aristotelische" zur „aristotelischen" verhalten wie die „nicht-euklidische" zur „euklidischen" Geometrie. Darauf hat Walter Benjamin mit Recht hingewiesen. Wie die moderne Naturwissenschaft sich nicht einfach der klassischen zu- und nebenordnet, sondern diese selbst zu einer Neuorientierung zwingt, so will Brechts Theater die klassische Gattungspoetik nicht um eine neue Spielart erweitern, sie durch interessante Mischformen bereichern, sondern einen perspektivischen Strukturwandel des Systems herbeiführen.

Der Gegensatz dramatisch — episch ist unter dieser Voraussetzung also eigentlich schief. Brecht zielt mit seinem Begriff des Epischen auf einen Sachverhalt, der s o in der traditionellen Poetik noch gar nicht vorkommen kann, wie die nicht-euklidische Geometrie noch nicht in der euklidischen und die Chicagoer Weizenbörse nicht in Shakespeares Dramenform. Die Bezeichnung „episch" ist ein Hilfsmittel, um beim Vertrauten ansetzen zu können, damit es unvertraut werde. Der Terminus ist dabei ganz sekundär. Brecht will mit seiner paradoxen Verwendung provozieren und aufschrecken, so wie er 1940 in dem Aufsatz *Die Straßenszene* mit der herausfordernden Behauptung, die Demonstration eines Verkehrsunfalls an der Straßenecke reiche als Grundmodell großen Theaters aus, den Leser schockieren und zu erneutem Nachdenken über eine scheinbar selbstverständliche Sache bewegen wollte. Durch „Unkenntlichmachen" soll ein Erkenntnisprozeß in Gang gesetzt werden. Solches „Unkenntlichmachen" nennt Brecht als theatralischen Kunstgriff seit 1937 „Verfremdung". Sein episches Theater will durch „Verfremden" das scheinbar Gekannte und Vertraute „zur Kenntlichkeit verändern" (Bloch). „Episch" ist also nichts anderes als Brechts provozierender Gegenbegriff zur gewöhnlichen Erwartung des Theaterbesuchers, auf der Bühne eine dramatische und herzergreifende Handlung vor sich gehen zu sehen und ihrer Spannung im unverbindlich-privaten Erlebnis mit angehaltenem Atem zu folgen. Gegen das herkömmliche Schauspiel der Illusionsbühne und seine dramatische Inszenierung also ist dieser Begriff des Epischen in Theorie und Praxis polemisch gerichtet.

Wie sieht nach Brecht dies herkömmliche Theater aus? Unter „dramatischem" oder „aristotelischem" Theater versteht Brecht — und er meint damit, wie er es immer wieder nennt, „das Theater, wie wir es vorfinden" — eine Bühnenpraxis, die es auf die Illusion des Zuschauers abgesehen hat, auf „die Illusion eines zwingenden Verlaufs der jeweiligen Geschichte, welche durch allerhand poetische und theatralische Mittel geschaffen" wird. Ein Drama solcher Bühne erstrebt die Vortäuschung des Scheins einer besonderen ästhetischen Wirklichkeit und will den Zuschauer zwingen, seine eigene Realität vorübergehend aufzugeben, um dafür in die fiktive einzutreten, sich ihr anzuvertrauen, von ihr packen und in eine Traumwelt entrücken zu lassen. Wie in jedem illusionsverklärten Rauschzustand lebt danach der Zuschauer, der sich solchem Theater auf solche Weise ausliefert, zwar euphorisch erhoben über seine Verhältnisse, doch zweifellos unter seiner menschlichen Würde.

Einem derart unwürdigen Zustand abzuhelfen, hat sich das „nicht-aristotelische" oder „epische" Theater zur Aufgabe gemacht. Der Zuschauer soll — wie es den „Kindern des wissenschaftlichen Zeitalters" zukommt — freigesetzt und in seiner Person und Würde wiederhergestellt werden. Er braucht und darf seine eigene Realität, die Welt der Arbeit, der Erkenntnis, der Technik und Produktion nicht verlassen, er muß sie auf der Bühne wiederfinden und sie dort ungeschminkt analysiert und diskutiert sehen — im freien, aber verbindlichen Spiel. Aus dem gespannten soll ein gelassener, aus dem „ergriffenen" und „überwältigten" der skeptisch prüfende Theaterbesucher werden, aus dem gerührten

„Zuschauer" der engagierte Interessent, aus dem Konsumenten der Fachmann; an die Stelle des Sich-Hineinversetzens in den Helden soll die Konfrontation mit Zuständen treten. Der Schauspieler wird zum kritisch musternden und reflektierenden Vermittler zwischen Werk und mißtrauisch gemachtem Publikum. Durch ihn wendet sich der Dichter — der sich lieber einen „Stückeschreiber" nennt — direkt an den Zuschauer als den gleichberechtigten Partner seiner aufklärenden Veranstaltung und nicht mehr als den zu beherrschenden Untertan einer kultischen Weihehandlung: „Der Unglaube versetzt Berge" (Brecht). Es soll zugehen wie auf dem „alltäglichen Theater" an der Straßenecke, wo der Zeuge eines Unfalls den Hergang nüchtern demonstriert: „Da ist kein Aberglauben An diesem Augenzeugen, er gibt Nicht den Gestirnen die Sterblichen preis, sondern Nur ihren Fehlern."

Eine scheinbar tragische Zwangslage des Helden muß auf diese Weise sogleich kritisch durchschaubar gemacht und als unter menschenwürdigeren Verhältnissen vermeidbar entlarvt werden: „Das ist höchst auffällig, fast nicht zu glauben. — Das muß aufhören. — Das Leid dieses Menschen erschüttert mich, weil es doch einen Ausweg für ihn gäbe." So soll der Zuschauer reagieren, — nicht in Bann geschlagen und ergriffen von der Unausweichlichkeit des Tragischen.

Zur marxistischen Voraussetzung Brechts gehört die Überzeugung, daß Tragik im geschichtlichen Leben standortgebunden ist. Nicht der Sachverhalt ist tragisch, sondern die Perspektive macht ihn dazu, unter der er gesehen wird. Man bewundert den tragischen Helden, indem man von den Bedingungen absieht, unter denen er zum Helden wurde. Es wird dabei als notwendig und ewig ausgegeben, was unter veränderten gesellschaftlichen und politischen Verhältnissen durchaus vermeidbar wäre:

> Ödipus, der sich gegen einige Prinzipien, welche die Gesellschaft der Zeit stützen, versündigt hat, wird hingerichtet, die Götter sorgen dafür, sie sind nicht kritisierbar. Die großen Einzelnen des Shakespeare ... bringen sich selbst zur Strecke, das Leben, nicht der Tod wird in ihren Zusammenbrüchen obszön, die Katastrophe ist nicht kritisierbar.

Darum fordert Brecht einen kritischen Perspektivenwechsel, der das scheinbar Notwendige und Unausweichliche als relativ hervortreten und den Helden als Produkt sehr unheldischer und inhumaner sozialer Umstände erscheinen läßt: „Das Feld muß in seiner historischen Relativität gekennzeichnet werden können." Ziel solcher Erkenntnis ist die Vorbereitung einer Praxis, durch welche Verhältnisse geschaffen werden, die den Helden überflüssig machen: „In einem guten Land brauchts keine Tugenden, alle können ganz gewöhnlich sein, mittelgescheit und meinetwegen Feiglinge." Im *Leben des Galilei* läßt Brecht den Schüler Andrea ausrufen: „Unglücklich das Land, das keine Helden hat!" Worauf Galilei, nach einer Pause, zurückgibt: „Nein. Unglücklich das Land, das Helden nötig hat."

Die Wirkung der epischen Bühne soll, tragischer Unmittelbarkeit abgewandt, eine „mittelbare" sein; sie will selber Stellung nehmen zu den Vorgängen, will zitieren, erzählen, vorbereiten, kommentieren und erinnern. In eine solche vielstimmige Diskussion kann dann der direkt angesprochene Zuschauer, dem erzählt wird, als mitagierendes Glied der Gesellschaft einbezogen werden: er erhält seine Würde zurück, die Würde des „rauchend Beobachtenden". Das soll heißen: seine Stellung nehmende Aktivität wird herausgefordert und wachgerüttelt. Weil die Bühne, um dies Ziel zu erreichen, nicht mehr Erlebnisse vermitteln und symbolisch abbilden, sondern kritisch „erzählen" soll, und weil dies eine besondere Technik der Komposition und der schauspielerischen Darstellung zur Folge hat, bedient sich Brecht der Bezeichnung „episches Theater", obwohl er sie selbst für „unzureichend" erklärt, „ohne daß eine neue angeboten werden kann". Im Brief an Ernst Schumacher schreibt er einmal: „Ich muß zugeben, daß es mir nicht gelungen ist, klarzumachen, daß das Epische meines Theaters eine Kategorie des Gesellschaftlichen und nicht des Ästhetisch-Formalen ist."

Als zugleich formales u n d gesellschaftlich-außerästhetisches Kriterium dieser Spielart wird „die Aufgabe der Illusion zugunsten der Diskutierbarkeit" bestimmt. Alle Bauformen und technischen Mittel des epischen Schauspiels sollen in „verfremdende" Distanz zueinander treten, damit die Illusion einer eigenen, sich selbst genügenden ästhetischen Wirklichkeit nicht aufkommen kann. „Zeigen ist mehr als Sein", sagt Brecht und meint damit, auf dem Theater den Marxschen Satz aus den Thesen über Feuerbach anzuwenden, daß es — in Brechts Version — „nicht nur darauf ankommt, die Welt zu interpretieren, sondern sie zu verändern."

„Diskutierbarkeit" — „das Handeln der Menschen der Kritik aussetzen" — „mit dem Urteil dazwischenkommen": das sind die Stichworte. Die durch nichts eingeschränkte, stets weiterfragende und beunruhigte kritische Dialektik in Denken und Kunst war Brechts Lebensnerv. Sie ist aber in dieser konsequenten Form ihrem Wesen nach vor-revolutionär, will sagen: permanent-revolutionär, und setzt einen nie abzuschließenden Prozeß und Progreß voraus. Brechts Situation unter j e d e m etablierten und sich dem fortgesetzten, verändernden Progreß verweigernden politischen Regime muß quälend genannt werden. „Gelobt sei der Zweifel!", sagt er, und das ist gegen j e d e indoktrinierende Repression und auch jeglichen offiziösen marxistischen Dogmatismus gerichtet:

> Ich rate euch, begrüßt mir Heiter und mit Achtung den, Der euer Wort wie einen schlechten Pfennig prüft! Ich wollte, ihr wäret weise und gäbt Euer Wort nicht allzu zuversichtlich ... Da sind die Unbedenklichen, die niemals zweifeln. Ihre Verdauung ist glänzend, ihr Urteil unfehlbar. Sie glauben nicht den Fakten, sie glauben nur sich. Im Notfall Müssen die Fakten dran glauben. Ihre Geduld mit sich selber Ist unbegrenzt. Auf Argumente hören sie mit dem Ohr eines Spitzels.

Schmerz und drückende Verzweiflung sprechen aus dem Bekenntnis, mit dem sich Brecht als Schuldverstrickter, wenn auch schuldig aus Empörung über das Unrecht, den „Nachgeborenen" preisgibt:

Die Straßen führten in den Sumpf zu meiner Zeit. Die Sprache verriet mich dem
Schlächter. Ich vermochte nur wenig. Aber die Herrschenden Saßen ohne mich siche-
rer, das hoffte ich. So verging meine Zeit, Die auf Erden mir gegeben war ... Gin-
gen wir doch ... verzweifelt, Wenn da nur Unrecht war und keine Empörung.
Dabei wissen wir doch: Auch der Haß gegen die Niedrigkeit Verzerrt die Züge.
Auch der Zorn über das Unrecht Macht die Stimme heiser. Ach, wir, Die wir den
Boden bereiten wollten für Freundlichkeit, Konnten selber nicht freundlich sein.
Ihr aber, wenn es soweit sein wird, Daß der Mensch dem Menschen ein Helfer ist,
Gedenkt unsrer Mit Nachsicht.

Auf diesem Hintergrund dürfte Hochhuths *Stellvertreter* in seiner Nähe und
Ferne zur Brechtschen Bühnenpraxis als dem — auch noch in der kritischen
Überwindung — nicht mehr zu umgehenden Modell, zugleich aber auch in seiner
spezifischen Bedeutung für das Verhältnis von Theater und Gesellschaft in
unserer Zeit deutlicher hervortreten und zu kennzeichnen sein. In beiden Fällen
gibt sich die Schaubühne, wie schon einmal im 18. Jahrhundert, das sich stolz
das aufgeklärte nannte, als Tribunal, als säkulare Kanzel, als „moralische Anstalt", die einer stumpfen Welt den Spiegel vorhalten, sie herausfordernd zur
verbindlichen Stellungnahme und Entscheidung, zur Selbstkritik und zum verantwortlichen Handeln innerhalb der gesellschaftlichen Wirklichkeit zwingen
will.

In seinem Aufsatz von 1784 *Die Schaubühne als eine moralische Anstalt betrachtet* hat der junge Schiller vor fast zweihundert Jahren die Aufgabe des
Theaters als Tribunal und Satire bezeichnet, als ein nachträgliches Gericht, das
da einzutreten habe, wo die staatliche Verantwortlichkeit versagt, sei es, daß
sie verblendet, parteilich, bestechlich ist, sei es, daß sie keine Mittel hat, dem
moralischen Frevel auf rechtlichem Wege beizukommen. „Die Gerichtsbarkeit der
Bühne fängt da an", schrieb Schiller,

> wo das Gebiet der weltlichen Gesetze sich endigt. Wenn die Gerechtigkeit für Gold
> verblindet und im Solde der Laster schwelgt, wenn die Frevel der Mächtigen ihrer
> Ohnmacht spotten und Menschenfurcht den Arm der Obrigkeit bindet, übernimmt
> die Schaubühne Schwert und Waage und reißt die Laster vor einen schrecklichen
> Richterstuhl ... Tausend Laster, die jene ungestraft duldet, straft sie ... Spott und
> Verachtung verwunden den Stolz des Menschen empfindlicher, als Verabscheuung
> sein Gewissen foltert. Vor dem Schrecklichen verkriecht sich unsere Feigheit, aber
> eben diese Feigheit überliefert uns dem Stachel der Satire.

In beiden Fällen, die uns hier angehen, bei Brecht wie bei Hochhuth, handelt
es sich um Bühnenwerke, die als Tendenzstücke bezeichnet werden müssen und
sich auch selbst so verstanden wissen wollen. Sie verfolgen erklärtermaßen eine
ganz bestimmte außerkünstlerische Absicht, und die künstlerischen Mittel sind
diesem agitatorisch-didaktischen Zweck subordiniert. Es ist aber ein Vorurteil,
den Begriff „Tendenzstück" von vornherein in einem abfälligen Sinn zu verwenden. Dieses Vorurteil entstammt den Wertungskriterien einer rein ästhetisch

orientierten Poetik, die nur die Vollendung eines Kunstwerks in sich selbst gelten läßt und lange, besonders im nachklassischen Deutschland, vorherrschend war, doch keineswegs eine übergeschichtlich verbindliche Norm begründet. Noch Wilhelm Bölsche steht trotz seines Eintretens für die dichterische Tendenz von Hauptmanns *Webern* und trotz seiner doppelten Polemik gegen „Tendenzfanatiker" und „Fanatiker der Objektivität" unter dem Einfluß dieses Vorurteils, wenn er „doktrinär" und „parteilich" gleichsetzt und vom Dichter die hohe Unparteilichkeit des überlegenen Beobachters fordert (*Gerhart Hauptmanns Webertragödie.* In: Freie Bühne 3 [1892], I, S. 180—186):

> Ich nenne Tendenz, wenn in einem Kunstwerk ein bestimmter Weg klipp und klar als der allein seligmachende gepredigt wird, und d i e s e Tendenz halte ich für ein Armutszeugnis des Dichters, das den Wert des Kunstwerks notwendig herabdrückt. Es gehört eben nach meiner Auffassung zur notwendigen Voraussetzung des ganz echten, großen Poeten, daß er der Welt nicht doktrinär, sondern b e o b a c h t e n d gegenübersteht. Der Beobachter muß einigermaßen immer über a l l e Parteien erhaben sein. Unser glänzendstes Beispiel in dieser Hinsicht ist Goethe.

Das Tendenzstück wird immer über den Kreis eines in unparteilicher Selbstgenügsamkeit in sich geschlossenen Kunstwerks hinauszielen und die außerkünstlerische Wirklichkeit in didaktischer Absicht direkt ansprechen. Aber ob es literarisch von minderem Rang ist, das hängt erst von dem sozialen Volumen der intendierten Tendenz ab. Ist diese Tendenz derart beschränkt, daß sie nur ein kurzatmiges Gruppeninteresse durchsetzen will und sich von dem objektiven Geschichtsprozeß isoliert, so wird sie das literarische Produkt bis zur Nichtigkeit abwerten. Hat sie aber ein öffentliches Interesse, einen so weiten gesellschaftlichen Horizont, daß sie gezielt auf einen Lebensnerv der Zeit trifft und diesen, weil er schmerzhaft reagiert, als erkrankt diagnostiziert, so kann es sich um ein literarisch legitimes Tendenzstück von höchstem geschichtlichen Rang handeln.

Brechts Tendenz ist der Nachweis der Veränderbarkeit und die dialektisch-artistische Demonstration der Veränderungsnotwendigkeit der Wirklichkeit als einer gesellschaftlichen unter der Voraussetzung des marxistischen Geschichtsbildes. Davon ist Hochhuths Tendenz bei genauerem Zusehen spezifisch unterschieden. Die Mittel einer episierenden Didaktik, wie e r sie einsetzt, zielen nicht direkt auf die gesellschaftliche Praxis im Sinne einer revolutionären Aktion des sozialen Kollektivs, sondern — jedenfalls im *Stellvertreter* — zuallererst auf eine Revolution des Gewissens, genauer noch: des christlichen Gewissens. Er ist ein theologisierender Moralist, der trotz des deprimierenden Anblicks der geschichtlichen Wirklichkeit an der Verantwortlichkeit des Einzelmenschen festhält und diesen Einzelmenschen als eine vorausgesetzte und unverzichtbare Größe versteht, nicht wie Brecht vorab als ein bloßes Produkt der Verhältnisse, das durch Revolution in der Zukunft erst in ein Produkt eigener Herstellung umgewandelt werden kann. Wir haben es bei Hochhuths *Stellvertreter* mit einem Stück politisch engagierten und didaktisch episierenden Theaters nicht-marxistischer und nicht-sozialistischer Provenienz zu tun.

Hochhuth stellt zur Diskussion. Er meint nicht die Vergangenheit, sondern die Gegenwart. Er setzt voraus, daß das Handeln in der Gegenwart jeweils unmittelbar beeinflußt wird von unserer nachträglichen Beurteilung des Vergangenen. Er konfrontiert Beteiligte und Nachgeborene noch einmal mit einer kurz zurückliegenden geschichtlichen Vergangenheit, in der sich juristisch fixierte Entrechtung von Menschen und beispielloser Massenmord unter den Augen der sogenannten zivilisierten Menschheit abgespielt haben, um die These zur Diskussion zu stellen, wie sie Piscator zutreffend formuliert hat: daß alle Beteiligten „sich entscheiden konnten, und daß sie sich in der Tat entschieden haben, auch dann, wenn sie sich nicht entschieden."

Der formprägende Grundzug des Hochhuthschen Stücks ist der einer ätzenden Satire, der historische Stoff mit den von je legitimen satirischen Mitteln der Übersteigerung und bloßlegenden abstrahierenden Zuspitzung vorgetragen, um ein gefährliches, weil lähmendes und zugleich geschichtsbestimmendes Schweigen aggressiv zu durchbrechen. Dieses Schauspiel ist ganz auf Dokumenten aufgebaut, die hinzugefügten „Historischen Streiflichter" sind gemeint als integrierender Bestandteil des Stücks, nicht als entbehrlicher Anhang; aber kein Ausschnitt der zugrundeliegenden Wirklichkeit ist so wiedergegeben, wie er in Geschichtsbüchern erscheinen müßte. „Die Wirklichkeit blieb stets respektiert", sagt Hochhuth selbst, „sie wurde aber entschlackt." Und er beruft sich auf Schiller, daß der Dramatiker „kein einziges Element aus der Wirklichkeit brauchen kann, wie er es findet, daß sein Werk in a l l e n seinen Teilen ideell sein muß, wenn es als ein Ganzes Realität haben soll". Der Autor des *Stellvertreters* vermischt darum unbedenklich und bewußt historische Figuren mit fiktiven, historische Fakten mit erdachten, weil er die Vergangenheit nicht reproduzieren, sondern durch satirisches Demonstrieren und durchreflektiertes Erzählen zum Exemplum der Gegenwart machen will. Wie Brecht spaltet Hochhuth die Szenen und Vorgänge mittels epischer und kommentierender Einschübe, damit das gleichfalls gespaltene Publikum „mit dem Urteil dazwischenkommen" kann. Der Zuschauer soll keineswegs allem zustimmen, sondern im Gegenteil sein eignes Wissen, sei es persönliche Erfahrung, Einsicht oder Vorurteil, mitbringen und vergleichen. Er darf und soll sich empören, wenn er nur dazu gebracht wird, den Fall erneut aufzurollen, der Gegenwart und Zukunft belasten und vergiften muß, sobald er als erledigt liegenbleibt und in der Vergessenheit verschwindet.

In welcher Form hat der junge und kompromißlose protestantisch-christliche Moralist, der sein Werk zwei gemordeten katholischen Geistlichen gewidmet hat, seinen Stoff zugerichtet, um das Gewissen einer den Frieden, die Segnungen der Demokratie, den wiederhergestellten Rechtsstaat und den technischen Fortschritt und Wohlstand genießenden modernen Gesellschaft im Jahre 1963 erneut zu beunruhigen? Es kann uns hier nicht um die künstlerischen Mängel des Stücks gehen, die zweifellos vorhanden sind. Die Sprache der Figuren wird keineswegs durchgängig dem erhobenen poetischen Anspruch gerecht, ist nicht immer rhythmisch stilisierte Wirklichkeitsfiktion, sondern bleibt manches Mal einfach versifizierte Allerweltsprosa („Schiller-Pathos ohne Schiller-Sprache", wie Joachim Kaiser sagte). Kein Vergleich mit der Brechtschen Sprachinnovation und Sprachintensität. Und nicht selten auch gleitet die Satire Hochhuths aus ins allzu Banale, Persönlich-Private, Provinzielle und ist zu tief angesetzt. Daß die Gestalt des Papstes zu wenig Format hat, daß sie zu kleinlich angelegt wurde, steigert die Satire nicht, sondern schwächt sie im Gegenteil ab. Aber — und das ist davon sehr genau zu unterscheiden —, daß die Papstfigur nicht tragisch aufgewertet wurde, wie vielfach von der Kritik gefordert, gehört zur Konzeption des Autors und ist darum unentbehrlich. Denn gerade darum geht es diesem ja: das, was geschah, nicht durch „tragische Notwendigkeit" der Kritisierbarkeit und der persönlichen Verantwortung zu entziehen, sondern den Menschen durch Schuld zu ehren — hierin dem Brechtschen Satz analog: „Da ist kein Aberglauben An diesem Augenzeugen, er gibt Nicht den Gestirnen die Sterblichen preis, sondern Nur ihren Fehlern."

Die Schwächen des Stücks im einzelnen stehen jedoch in keinem Verhältnis zu seiner eindrucksvollen, bühnenwirksamen Kraft, Konflikte und folgenschwere Entscheidungssituationen durch dramatisch bewegte szenische Bildersequenzen zu aktualisieren und durch Gedanken zu präzisieren, zu dem Beitrag überhaupt, den es formal und thematisch zur zeitgenössischen „Schaubühne als einer moralischen Anstalt" geleistet hat. Blickt man auf die Großstruktur, die Gliederung von Raum und Zeit, so weicht der Aufbau der fiktiven Handlung zunächst durchaus nicht von dem des dramatischen Illusionstheaters ab. Die Vorgänge führen uns von Berlin, im August 1942 (1. Akt), nach Rom, 2. Februar 1943 (2. Akt), gleichfalls Rom, am 16. und 17. Oktober (3. Akt), abermals Rom, etwa eine Woche danach (4. Akt), und schließlich, wiederum ungefähr eine Woche später, nach Auschwitz (5. Akt). Die Szenenfügung des Ganzen scheint überdies eine klassische tektonische Bauform anzustreben: je drei Szenen im ersten, dritten und fünften Akt wechseln und korrespondieren symmetrisch mit je nur einer Szene, welche den zweiten und vierten Akt gänzlich ausfüllen und ihrerseits wieder streng einander zugeordnet sind (es sind die römischen Szenen der Kirchenfürsten im Haus Fontana und im Päpstlichen Palast). Das Hauptgeschehen, das die Schicksale Gersteins und Pater Riccardos miteinander verknüpft, des vereinsamten Christen im Vatikan, der mit der politischen Kirche ringt, und des vereinsamten Christen in der SS, der gegen die Mörder kämpft, dieses Hauptgeschehen ist eine dramatische Handlung der Illusionsbühne, geradezu eine pathetische Rebellions-Aktion in der Schillertradition (wie Posa vor dem König Philipp, oder Karl Moor neben Franz und unter den Räubern, gleichsam in einem modernen *Wallensteins Lager*), mit Helden von konsequentem, durchgeführtem Charakter, durchmotivierter Fabel, Exposition, Klimax und Katastrophe. Eine tragisch-dramatische Spannung hält die Entwicklung von Anfang bis Ende zusammen, die Einheit von Person und Gewissen wird den Helden, im Gegensatz zu den dialektisch gespaltenen Stückfiguren bei Brecht, nirgends genommen.

Aber diese dramatisch-pathetische Illusionshandlung, die das sittliche und christliche Gewissen des Zuschauers zur Einfühlung und zum Mitleiden bewegt, ist einmontiert in eine Rahmen-Collage, die mit allen technischen Mitteln der Verfremdung und Illusionsbrechung die kritische Distanzhaltung des Publikums herausfordert: „die Aufgabe der Illusion zugunsten der Diskutierbarkeit". Ein dramatisch leidenschaftlicher Vorgang der Illusionsbühne steht im Zentrum der Diskussionsbühne des epischen Theaters. Mit diesem Wechselbezug scheint der Autor seinen didaktischen Zweck erfüllen zu wollen. Das Stück im ganzen ist auch formal so eingerichtet, daß Emotion und Gedanke einander gegenseitig steigern und ergänzen können, Pathos und Satire, persönliches Opfer und kritische Überprüfung der gesellschaftlichen Ursachen, Bekenntnis und Entlarvung. Zwingt die dramatische Handlung zur mitleidenden Einfühlung in den Bühnenvorgang, so stellt die epische Verfremdung den direkten Bezug zur außerkünstlerischen politischen Wirklichkeit her und fordert zur Kritik, urteilenden Stellungnahme und Entscheidung heraus.

Die technischen Kunstmittel, deren sich Hochhuth dazu bedient, sind uns weitgehend von Piscator und Brecht her vertraut. Wie diese erstrebt er die epische Distanzierung durch Dokumentation und kritische Erläuterung: in die Szene eingeschaltete Kommentare, berichtende und reflektierende Einleitungen zu den Akten und Auftritten, die eine unmittelbare Verbindung zu den „Historischen Streiflichtern" herstellen, persönliche Stellungnahmen des Autors, der sich in der ersten Person als Erzähler einführt und mit direkter Anrede an das Publikum wendet, Voraussagen, Zitation von historischen Quellen und Dokumenten, Charakteranalysen, in denen sich die auftretende Figur wie in einem Vexierspiegel bricht, Beschreibung von Photographien und Auszüge aus persönlichen Tagebüchern. Die Wirklichkeit außerhalb des Theaters — Vergangenheit, Gegenwart und Zukunft — ist durch den reflektierend anwesenden Erzähler stets präsent. Etwa, wenn es von Professor Hirt im „Jägerkeller" heißt: „Da er seine ärztliche Kunst h e u t e doch unter anderem Namen ausübt, lassen wir ihm hier seinen Geburtsnamen", oder von dem SS-Scharführer in Rom:

> Der Feldwebel heißt Witzel und sah 1 9 4 3 den meisten seiner Landsleute im Alter von 35 Jahren ähnlich, so wie er 1 9 6 0 als Oberinspektor der Stadtverwaltung zu D. den meisten Fünfzigjährigen ähnlich sieht... Er ist 1 9 5 9 ein verläßlicher Staatsbürger. Seine Ordnungsliebe macht ihm neonazistische Umtriebe ebenso unsympathisch wie Lohnstreiks oder wie einen Wasserrohrbruch.

In einem Papstmonolog im vierten Akt fügt Hochhuth dem eingeschalteten Kommentar die lakonische Datierung bei: „Geschehen in Europa 1 9 4 1 —

1944", und bewirkt so die episch-historische Distanzierung mitten in einem szenischen Ablauf stärkster emotionaler Beteiligung. In der Einleitung zum fünften Akt lesen wir:

> Denn selbst die Tatsache, daß wir Auschwitz h e u t e besichtigen können wie das Kolosseum, kann uns kaum davon überzeugen, daß vor siebzehn Jahren in unserer realen Welt diese riesige Fabrikanlage mit geregeltem Bahnverkehr eigens errichtet wurde, um durch normale Menschen, die j e t z t etwa als Briefträger, Amtsrichter, Jugendpfleger, Handelsvertreter, Pensionäre, Staatssekretäre oder Gynäkologen ihr Brot verdienen, andere Menschen zu töten.

Zu den eingesetzten Hilfsmitteln epischer Distanzierung und Verfremdung gehören auch die Zitate des Kardinals Tardini, Pius des XII., Kierkegaards, François Mauriacs, die dem Stück vorangestellt sind, die Vor- und Rückblicke vor den Akten und einzelnen Szenen, die den Zuschauer zum vergleichenden, kritischen Überprüfen der Dokumente veranlassen sollen. Dazu gehören ferner die Sprichwörter und literarischen Spruchbänder, ja noch die Titel der einzelnen Akte (oder besser: erzählten Kapitel) selbst. „Der Auftrag", „Die Glocken von St. Peter", „Die Heimsuchung", „Il Gran Rifiuto", „Auschwitz oder die Frage nach Gott" lauten die fünf Überschriften. Die vierte — „Il Gran Rifiuto" (Die große Verweigerung) — ist übrigens ein wörtliches Zitat aus den vorangestellten Dante-Versen. Derartige sprachliche Signale und Anspielungen sollen nicht nur der Beurteilung der dargestellten Vorgänge im Sinne des Autors die intendierte Richtung anzeigen, sondern Künftiges vorwegnehmen, Vergangenes erinnern, das ganze Geschehen in eine Distanz rücken und dem Gedanken, der kritischen Durchlichtung und moralischen Reflexion ausliefern.

„Hüte dich vor dem Menschen, dessen Gott im Himmel ist"; dies Wort von Bernard Shaw eröffnet die deprimierende Szene in der Berliner Nuntiatur. Vor dem „Jägerkeller" stehen die Sätze von Otto Flake und Gottfried Benn: „Weil sie Füße haben, sieht man nicht, daß sie Automaten sind", und „Die Krone der Schöpfung, das Schwein, der Mensch". Die Verse aus Dantes *Göttlicher Komödie* rücken die Ereignisse in einen weiten geschichtlichen Zusammenhang; der Zuschauer soll sich erinnern oder daran erinnert werden, daß Dante, der große christliche Dichter, die meisten seiner Päpste im Inferno untergebracht hat, nur zwei versetzte er ins Purgatorium, einen einzigen in den Himmel. Stets soll im Bewußtsein gegenwärtig gehalten werden: alles dies geschah kürzlich, fast unter unseren Augen; Ähnliches sah die fernere Vergangenheit; Vergleichbares, Furchtbares mag in der Zukunft wieder auf uns zukommen; es liegt an uns, an unserem Bewußtsein, unserer nachträglichen Beurteilung, unseren gegenwärtigen Entscheidungen, ob es verhindert werden kann.

Die epische Struktur und didaktische Tendenz des Stücks machen es erforderlich, daß die erwähnten Signale und Kommentare in irgendeiner Form bühnenwirksam werden, sei es durch Transparente und Projektionen, durch Plakatie-

rungen, Filme, auftretende oder verborgene Sprecher oder eingeblendete Ton-
bandstimmen. Wenn nach der Anweisung des Autors einige Figuren in Gruppen
zu zweien, dreien oder vieren zusammengefaßt sind und vom gleichen Schauspieler dargestellt werden sollen, so gibt das dem Schauspieler die Möglichkeit
und Aufgabe, seine Figuren verfremdend zu spielen, in der Demonstration seinen
Vorbehalt und sein Urteil mitauszudrücken und zugleich verschiedene Personen
entlarvend zueinander in Beziehung zu setzen. Diese Technik zeigt nicht nur
an, „daß es im Zeitalter der allgemeinen Wehrpflicht nicht unbedingt ein Verdienst oder Schuld oder auch nur eine Frage des Charakters ist, ob einer in dieser
oder jener Uniform steckt und ob er auf seiten der Henker oder der Opfer steht".
Ein solches satirisch-ironisches Verfahren und dergleichen Überlegungen und
Anweisungen sollen vor allem die Empörung des Zuschauers provozieren und
ihn daran erinnern, daß nur das individuelle Gewissen und seine Entscheidung
den Menschen zur unverwechselbaren Person machen.

Das Problem einer glaubwürdigen Darstellung von Tatsachen, die zwar
dokumentarisch wirklich, aber so ungeheuerlich sind, daß sie die menschliche
Vorstellungskraft übersteigen, die Phantasie übertreffen und unglaubwürdig
erscheinen müssen, hat Hochhuth besonders bei der Gestaltung der Auschwitz-
Greuel im fünften Akt beschäftigt. Er hat diese Frage der literarischen Vermittlung, einen nicht nur formalen Aspekt des Themas selbst, mit in die Vorbe-
merkungen zum Schlußakt aufgenommen. Dort heißt es:

> Den folgenreichsten Ereignissen und Entdeckungen unserer Zeit ist gemeinsam, daß
> sie die menschliche Vorstellungskraft überfordern. Keine Phantasie reicht aus, um
> Auschwitz oder die Vernichtung Dresdens oder Hiroshimas oder Erkundungsflüge
> im Weltall oder auch nur industrielle Kapazität und Geschwindigkeitsrekorde vor
> Augen zu führen. Der Mensch kann nicht mehr erfassen, was er fertigbringt. Daher
> hat die Frage, ob und wie Auschwitz in diesem Stück sichtbar gemacht werden soll,
> uns lange beschäftigt. Dokumentarischer Naturalismus ist kein Stilprinzip mehr.
> Eine so überhöhte Figur wie der Doktor, der keinen bürgerlichen Namen trägt, die
> Monologe und anderes mehr machen deutlich, daß Nachahmung der Wirklichkeit
> nicht angestrebt wurde — und auch im Bühnenbild nicht angestrebt werden darf.
> Andererseits schien es uns gefährlich, im Drama zu verfahren wie etwa Celan in
> seinem meisterhaften Poem *Todesfuge*, das die Vergasung der Juden völlig in Meta-
> phern übersetzt hat, wie
>> Schwarze Milch der Frühe wir trinken sie abends
>> Wir trinken sie mittags und morgens wir trinken sie nachts . . .
> Denn so groß auch die Suggestion ist, die von Wort und Klang ausgeht, Metaphern
> verstecken nun einmal den höllischen Zynismus dieser Realität, die in sich ja schon
> maßlos übersteigerte Wirklichkeit ist — so sehr, daß der Eindruck des Unwirkli-
> chen, der von ihr ausgeht, schon heute, fünfzehn Jahre nach den Ereignissen, unserer
> ohnehin starken Neinung entgegenkommt, diese Realität als Legende, als apo-
> kalyptisches Märchen unglaubhaft zu finden, eine Gefahr, die durch Verfremdungs-
> effekte noch verstärkt wird.

In beiden Stilprinzipien erblickt Hochhuth also eine Gefahr, der hier durch die Schaubühne zu vermittelnden unmenschlichen Wirklichkeit nicht gerecht zu werden: in der metaphorischen Stilisierung ebenso wie in einem dokumentarischen Naturalismus. Das Problem der demonstrativen Verfremdung stellt sich ihm neu und ganz anders als Brecht. Beide zwar haben es darauf angelegt, das wenig oder gar nicht Gekannte und nicht Begriffene zur Kenntlichkeit zu verändern. Aber Brecht wollte es dadurch, daß er das Selbstverständliche fragwürdig machte, das Vertraute als unvertraut erscheinen ließ. Der Autor des *Stellvertreters* jedoch sieht sich hier genötigt, das Unvorstellbare vorstellbar, das auf phantastische, irreale Weise Wirkliche glaubwürdig zu machen — ein Verfremdungsprozeß gleichsam in umgekehrter Richtung: das Ungeheuerliche (und darum unverbindlich Ferne) ist ins bedrängend Nahe, Verstehbare zu verfremden, das Unglaubwürdige ins Glaubwürdige, damit es verbindlich bleibe für Konsequenzen in der Gegenwart. Dazu bedient sich Hochhuth eines parabolischen expressiven Realismus, der gleichnishaft typisiert, aber doch am gräßlichen Detail das Ausmaß des Schrecklichen in seinem ganzen Umfang durch provozierte Assoziationen ahnen läßt. Wie in den großen Monologen: „der Alte", „die Frau", „das Mädchen", die dem inneren Monolog, dem „monologue intérieur" des Romans ähnlich strukturiert sind; oder bei dem grausigen Aufschrei der gefolterten Carlotta, zu dem es im Kommentar des Autors heißt: „Ein Vorgang, so u n v e r f r e m d e t kreatürlich, daß er alles zerschlägt, was bisher versucht wurde, um die uns noch so nahestehenden Greuel der ‚Endlösung' auf der Bühne zu entrücken, zu stilisieren."

Das Hauptthema des *Stellvertreters* aber — und dies sei hier abschließend noch einmal unterstrichen — sind nicht die geschichtlichen Greuel, die Verbrechen als solche, sondern ist d a s V e r h ä l t n i s der Menschen und Institutionen z u diesen Verbrechen. Es wird durch unbarmherzige Satire in den verschiedensten Spielarten von ganz oben bis ganz unten bloßgestellt. Gewiß überzeichnet die Satire, ihr Bedenkliches ist immer, daß sie, um zu treffen und zu wirken, aus einem komplizierten Gewebe von Motiven einseitig eines, das gefährliche, herausheben muß. Doch die Gefahr des alles berücksichtigenden und aus Voraussetzungen erklärenden geschichtlichen Verstehens ist noch größer: es verleitet dazu, auszuweichen und nicht die Konsequenzen für das Denken und Handeln in der Gegenwart zu ziehen. Darum wird hier durch die engagierte Konzentration auf ein exemplarisches Modell und unter Inkaufnahme des Vorwurfs historischer Verzeichnung dem selbstmitleidig exkulpierenden „Alles verstehen heißt alles verzeihen" mit einem entschiedenen „Alles verzeihen heißt nichts verstehen" entgegengetreten.

Der herausfordernde moralische Rigorismus Hochhuths hat auf jeden Fall die Wiederaufnahme des Verfahrens, eines Denkprozesses für Gegenwart und Zukunft, erzwungen; und zwar, wie uns Piscator, der es wissen muß, bestätigt, 1963, am Anfang also einer kritischen Rückbesinnung, die erst heute eine kritische Bewegung genannt werden kann. Er hat, ein einzelner, mit unüberhörbarer Stimme von der Schaubühne als einer säkularen Kanzel und moralischen Anstalt, die er wieder zum politischen Tribunal machte, zurückgerufen in die personale und soziale Verantwortung und dazu provoziert, gegenwärtigen und künftigen Geschichtsentwicklungen vorbereiteter, skeptischer und keiner Autorität mehr unkritisch vertrauend gegenüberzutreten. Denn er erinnert auf unmißverständliche Weise das christliche und jedes Gewissen daran, daß es in Grenzsituationen, in den schwersten Stunden der inneren Not und Entscheidung allein ist, daß es gerade dann, wenn es sie am meisten brauchen könnte, auf keine verläßliche Weisung irgendeiner Autorität oder Instanz — auch nicht die der Geschichte — hoffen darf, daß ihm kein Stellvertreter die Entscheidung abnehmen und es an seiner einsamen Stelle vertreten kann.

BENNO VON WIESE
SCHRIFTENVERZEICHNIS*

zusammengestellt von Joachim Krause (Bonn)

1927

Friedrich Schlegel. Ein Beitrag zur Geschichte der romantischen Konversionen. (Diss.) Berlin 1927. 122 S. (Philosophische Forschungen. H. 6.)

Romantischer Conservatismus: Novalis.
In: (Wissen und Leben. Zürich XVIII). Jetzt: Neue schweizer. Rdsch. 20. 1927. S. 1127 bis 1130.

1928

Die Antithetik in den Alexandrinern des Angelus Silesius.
In: Euphorion 29. 1928. S. 503—522.
[Auch in: Deutsche Barockforschung. Hrsg. von Richard Alewyn. Köln 1965. S. 260 bis 289.]

Zur Wesensbestimmung der frühromantischen Situation.
In: Zeitschrift für Deutschkunde 42. 1928. S. 722—729.
[Auch in: Begriffsbestimmung der Romantik. Hrsg. von Helmut Prang. Darmstadt 1968. S. 159—170.]

Martin Heidegger (Denker der Zeit).
In: Vossische Zeitung vom 25. 3. 1928. Unterhaltungsblatt.

Franz Kafka (Denker der Zeit).
In: Vossische Zeitung vom 29. 7. 1928. Unterhaltungsblatt.

[Rez.] Julius Loewenstein: Hegels Staatsidee. 1927.
Archiv für Sozialwissenschaft und Sozialpolitik 59. 1928. S. 418—422.

[Rez.] Fritz Strich: Dichtung und Zivilisation. 1928.
Archiv für Sozialwissenschaft und Sozialpolitik 59. 1928. S. 638—640.

---

* Zeitungsaufsätze sind nur in Ausnahmefällen berücksichtigt, Rezensionen in Auswahl aufgenommen.
Dieses Schriftenverzeichnis ist eine ergänzte und überarbeitete Fassung des Verzeichnisses in der Benno von Wiese 1963 gewidmeten Festschrift: Literatur und Gesellschaft. Vom neunzehnten ins zwanzigste Jahrhundert. Festgabe für Benno von Wiese zu seinem 60. Geburtstag am 25. September 1963. Hrsg. von Hans Joachim Schrimpf. Bonn 1963.

[Rez.] Max Wedel: Herder als Kritiker. 1928.
DLZ 49. 1928. Sp. 1599—1603.

[Rez.] Fanny Imle: Friedrich von Schlegels Entwicklung von Kant zum Katholizismus.
1927.
Euphorion 29. 1928. S. 312—313.

[Rez.] Friedrich Gundolf: Paracelsus. 1927.
Archiv für Sozialwissenschaft und Sozialpolitik 60. 1928. S. 211—212.

1929

Novalis und die romantischen Konvertiten.
In: Romantik-Forschungen. DVJ Buchreihe 16. Bd. 1929. S. 205—242.

Kritik des eigenen Zeitalters von Herder bis zur Romantik.
In: Die Schildgenossen 9. 1929. S. 355—372.

Herder in Straßburg.
In: Zeitschrift für deutsche Bildung 5. 1929. S. 299—306.

[Rez.] José Ortega y Gasset: Die Aufgabe unserer Zeit. 1928.
Archiv für Sozialwissenschaft und Sozialpolitik 62. 1929. S. 635—637.

[Rez.] Rudolf Stadelmann: Der historische Sinn bei Herder. 1928.
DLZ 50. 1929. Sp. 73—76.

[Rez.] Eva Fiesel: Die Sprachphilosophie der deutschen Romantik. 1927.
DLZ 50. 1929. Sp. 274—277.

[Rez.] Max Kommerell: Der Dichter als Führer in der deutschen Klassik. 1928.
DLZ 50. 1929. Sp. 1337—1340.

[Rez.] Max Kirschstein: Klopstocks deutsche Gelehrtenrepublik. 1928.
DLZ 50. 1929. Sp. 1963—1965.

[Rez.] Hinrich Knittermeyer: Schelling und die romantische Schule. 1929.
DLZ 50. 1929. Sp. 2337—2342.

[Rez.] Friedrich Gundolf: Shakespeare. 2 Bde. 1928.
Zeitschrift für deutsche Bildung 5. 1929. S. 629—630.

1930

Das Bild des Krieges in der deutschen Literatur der Gegenwart.
In: Zeitschrift für deutsche Bildung 6. 1930. S. 8—15.

[Rez.] Hugo Bieber: Der Kampf um die Tradition. Die deutsche Dichtung im europäischen Geistesleben 1830—1880. 1928.
DLZ 51. 1930. Sp. 65—67.

[Rez.] Karl Aner: Die Theologie der Lessingzeit. 1929.
DLZ 51. 1930. Sp. 503—507.

[Rez.] Erhart Kästner: Wahn und Wirklichkeit im Drama der Goethezeit. Eine dich-
tungsgeschichtliche Studie über die Formen der Wirklichkeitserfassung. 1929.
DLZ 51. 1930. Sp. 1938—1942.

1931

Politische Dichtung Deutschlands. Berlin 1931. 129 S.

Lessing. Dichtung, Ästhetik, Philosophie. Leipzig 1931. 171 S. (Das wissenschaftliche
Weltbild.)

Kultur der Aufklärung.
In: Handwörterbuch der Soziologie. Hrsg. von Alfred Vierkandt.
Berlin 1931. 1. Lieferung S. 14—24. (^{2}1959.)

Friedrich Gundolf.
In: Shakespeare-Jahrbuch 67 (N. F. 8). 1931. S. 66—69.

Heinses Lebensanschauung im ‚Ardinghello‘.
In: Zeitschrift für Deutschkunde 45. 1931. S. 42—52.

Christentum und deutscher Idealismus.
In: Zeitschrift für Deutschkunde 45. 1931. S. 369—380.

Zur Philosophie und Methodologie der heutigen Literaturwissenschaft. [Forschungs-
bericht]
In: Zeitschrift für deutsche Bildung 7. 1931. S. 44—46.

Vom Naturalismus bis zur Gegenwart. Literaturbericht.
In: Zeitschrift für deutsche Bildung 7. 1931. S. 155—161.

[Rez.] Heinz Kindermann: Das literarische Antlitz der Gegenwart. 1930.
DLZ 52. 1931. Sp. 55—57.

[Rez.] Werner Brock: Nietzsches Idee der Kultur. 1930.
DLZ 52. 1931. Sp. 199—201.

[Rez.] C. G. Carus: Goethe. Zu dessen näherem Verständnis. Hrsg. u. m. e. Nachwort
versehen von K. K. Eberlein.
DLZ 52. 1931. Sp. 355—357.

[Rez.] Friedrich Gundolf: Romantiker. 1930.
DLZ 52. 1931. Sp. 451—455.

[Rez.] Hermann August Korff: Geist der Goethezeit. T. 2: Klassik. 1930.
DLZ 52. 1931. Sp. 876—881.

[Rez.] Levin L. Schücking: Die Soziologie der literarischen Geschmacksbildung. 1931.
DLZ 52. 1931. Sp. 1977—1982.

[Rez.] Gustav Krüger: Die Religion der Goethezeit. 1931.
DLZ 52. 1931. Sp. 2276—2279.

[Rez.] Jahrbuch der Sektion für Dichtkunst. 1929.
Zeitschrift für deutsche Bildung 7. 1931. S. 105—106.

1932

Das Humanitätsideal in der deutschen Klassik (Antrittsvorlesung in Erlangen am 7. Mai
1932.)
In: GRM 20. 1932. S. 321—333.

Christentum und deutscher Idealismus.
In: Zwischen den Zeiten 10. 1932. S. 167—181.

[Rez.] Eugen Kühnemann: Goethe. 2 Bde. 1930.
Zeitschrift für deutsche Bildung 8. 1932. S. 58.

[Rez.] Friedrich-Wilhelm Wentzlaff-Eggebert: Das Problem des Todes in der deutschen
Lyrik des 17. Jahrhunderts. 1931.
DLZ 53. 1932. Sp. 1211—1217.

1933

Dichtung und Volkstum. Frankfurt a. M. 1933. 28 S. (Deutsche Schriften zur Wissenschaft 2.)

[Hrsg.] Politische Lyrik 1756—1871. Nach Motiven ausgewählt und geordnet von
Benno von Wiese. Berlin 1933. 150 S. (Literarhistorische Bibliothek. Bd. 6.)

Zur Kritik des geistesgeschichtlichen Epochebegriffes.
In: DVJ 11. 1933. S. 130—144.

Rede über Eichendorff (gehalten am 27. November 1932 bei der Eichendorff-Feier der
Stadt Nürnberg.)
In: Zeitschrift für deutsche Bildung 9. 1933. S. 71—78.

1934

Politische Dichtung in Deutschland.
In: Zeitschrift für deutsche Bildung 10. 1934. S. 65—74.

[Hrsg.] Erlanger Arbeiten zur Deutschen Literatur. Gemeinsam mit Friedrich Maurer.
Erlangen 1934—1939.

Volkstum und Geschichte bei Herder.
In: Zeitschrift für deutsche Bildung 10. 1934. S. 465—474.

Schleiermacher und die Frühromantik.
In: Deutsche evangelische Erziehung 45. 1934. S. 110—116.

Dichtung und Geistesgeschichte des 18. Jahrhunderts. Eine Problem- und Literaturschau.
In: DVJ 12. 1934. S. 430—478.

[Rez.] Johann Georg Sprengel: Der Staatsgedanke in der deutschen Dichtung vom
Mittelalter bis zur Gegenwart. 1933.
Zeitschrift für deutsche Bildung 10. 1934. S. 53—54.

1935

Zeitkrisis und Biedermeier in Laubes ‚Das junge Europa' und in Immermanns ‚Epigonen'.
In: Dichtung und Volkstum (N. F. Euphorion) 36. 1935. S. 163—197.

Jean Paul als Dichter des deutschen Volkstums.
In: Zeitschrift für Deutschkunde 49. 1935. S. 673—687.
[Auch in: Jean-Paul-Blätter 11. 1936. S. 1—14.]

Dichtung und Geistesgeschichte des 18. Jahrhunderts. Eine Problem- und Literaturschau.
II. Teil: Herder und der Sturm und Drang.
In: DVJ 13. 1935. S. 311—355.

Vorklassische Zeit und Lessing. [Ein Forschungsbericht]
In: Jahresbericht über die wiss. Erscheinungen auf dem Gebiete der neueren deutschen
Literatur. N. F. Bd. XII, Bibliographie 1932. 1935. S. 105—114.

[Rez.] Lessings Werke. Vollständige Ausgabe. Hrsg [...] von Julius Petersen und
Waldemar von Olshausen. 1935.
DLZ 56. 1935. Sp. 948—951.

[Rez.] Alfred Wolf: Zur Entwicklungsgeschichte der Lyrik von Novalis. Ein stil-
kritischer Versuch. I. Die Jugendgedichte. 1928.
Literaturblatt für german. u. roman. Philologie 56. 1935. Sp. 232—233.

[Rez.] Burschenschaftliche Dichtung von der Frühzeit bis auf unsere Tage. Eine Auswahl von Friedrich Harzmann. 1930.
Literaturblatt für german. u. roman. Philologie 56. 1935. Sp. 475—476.

[Rez.] Max Kommerell: Jean Paul. 1930.
Dichtung und Volkstum. (N. F. Euphorion) 35. 1935. Sp. 281—282.

1936

[Hrsg.] Schillers Werke. Nach der von L. Bellermann besorgten Ausgabe neu bearbeitet
von Benno von Wiese. 12 Bde. Leipzig 1936—1937. [Bd. 12 enthält die Einleitungen
und Anmerkungen des Herausgebers.]

August von Platen.
In: Platen. Gedächtnisschrift Universitätsbibliothek Erlangen. Erlangen 1936. S. 1—28.

Vorklassische Zeit und Lessing. [Ein Forschungsbericht]. Fortsetzung.
In: Jahresbericht über die wiss. Erscheinungen auf dem Gebiete der neueren deutschen Literatur. N. F. Bd. XIII, Bibliographie 1933. 1936. S. 76—87.

Von der Aufklärung zum Sturm und Drang. Forschungsbericht.
In: Zeitschrift für deutsche Bildung 12. 1936. S. 401—407.

1937

Aufklärung und Irrationalismus. [Ein Forschungsbericht].
In: Jahresbericht über die wiss. Erscheinungen auf dem Gebiete der neueren deutschen Literatur. N. F. Bd. XIV, Bibliographie 1934. 1937. S. 61—79.

Forschungsbericht zur Romantik.
In: Dichtung und Volkstum (N. F. Euphorion) 38. 1937. S. 65—85.

[Rez.] Johannes Klein: Die Dichtung Nietzsches. 1936.
DLZ 58. 1937. Sp. 60—63.

[Rez.] Fritz Redenbacher: Platen — Bibliographie. 1936.
DLZ 58. 1937. Sp. 668—669.

[Rez.] Clemens Lugowski: Wirklichkeit und Dichtung. Untersuchungen zur Wirklichkeitsauffassung Heinrich von Kleists. 1936.
DLZ 58. 1937. Sp. 1350—1357.

1938

Volk und Dichtung von Herder bis zur Romantik. Rede gehalten vor der Universität Erlangen am 30. Januar 1938. Erlanger Universitäts-Reden 21. 1938. 19 S.

Friedrich Rückert. Rede gehalten vor der Universität Erlangen am 23. Mai 1938 zur Erinnerung an seinen 150. Geburtstag. Erlanger Universitäts-Reden 23. 1938. 19 S.

Die Dramen Schillers. Politik und Tragödie. Leipzig (1938). 176 S. (Meyers Kleine Handbücher 12.)

[Rez.] Heinrich Meng: Schillers Abhandlung über naive und sentimentalische Dichtung. Prolegomena zu einer Typologie des Dichterischen. 1936.
Literaturblatt für german. u. roman. Philologie 59. 1938. S. 91—94.

1939

Herder. Grundzüge seines Weltbildes. Leipzig 1939. 145 S. (Meyers Kleine Handbücher 19.)

Der Gedanke des Volkes in Herders Weltbild.
In: Die Erziehung 14. 1939. S. 121—146.

[Georg Christoph] Lichtenberg.
In: Deutsche Männer. 1939. S. 146.

[Friedrich] Hebbel.
In: Deutsche Männer. 1939. S. 300.

Aufklärung und Irrationalismus. [Ein Forschungsbericht].
In: Jahresbericht über die wiss. Erscheinungen auf dem Gebiete der neueren deutschen Literatur. N. F. Bd. XV, Bibliographie 1935. 1939. S. 89—105.

[Rez.] Josef Körner (ed.): Krisenjahre der Frühromantik. Briefe aus dem Schlegelkreis. 1. Bd. 1936.
Literaturblatt für german. u. roman. Philologie 60. 1939. Sp. 100—102.

[Rez.] Deutsche Literatur in Entwicklungsreihen. Reihe Barock: Barocklyrik. 3 Bde. Hrsg. von Herbert Cysarz. 1937; und Herbert Cysarz, Deutsches Barock in der Lyrik. 1936.
Literaturblatt für german. u. roman. Philologie 60. 1939. Sp. 171—173.

[Rez.] Julius Petersen: Die Wissenschaft von der Dichtung. 1. Bd.: Werk und Dichter. 1939.
Die Erziehung 14. 1939. S. 354—356.

1940

Kameradschaft und Freundschaft. Ihr Bild und Wesen in Schillers „Don Carlos".
In: Die Erziehung 15. 1940. S. 288—297.

Emil Strauß.
In: Zeitschrift für deutsche Geisteswissenschaft 3. 1940/41. S. 36—50.

Karl Philipp Moritz: Anton Reiser.
In: Zeit und Leben — eine Auslese aus der Kölnschen Volkszeitung. Essen 1940. S. 73 bis 76.

Vom Naturalismus bis zur Gegenwart [Schrifttumsbericht].
In: Zeitschrift für Deutschkunde 54. 1940. S. 124—128.

[Rez.] Reta Schmitz: Das Problem „Volkstum und Dichtung" bei Herder. 1937.
Literaturblatt für german. u. roman. Philologie 61. 1940. Sp. 12—13.

[Rez.] Wolfdietrich Rasch: Herder. Sein Leben und Werk im Umriß. 1938.
Literaturblatt für german. u. roman Philologie 61. 1940. Sp. 13—14.

[Rez.] Klaus Ziegler: Mensch und Welt in der Tragödie Friedrich Hebbels. 1938.
Literaturblatt für german. u. roman. Philologie 61. 1940. Sp. 14—16.

1941

[Hrsg.] [Friedrich] Hebbel: Werke. Nach der histor.-krit. Ausgabe von R. M. Werner systematisch geordnet von Benno von Wiese. 9 Bde. Leipzig (1941). [Bd. 9 enthält die Einleitungen und Anmerkungen des Herausgebers.]

Herder.
In: Das Deutsche in der deutschen Philosophie. Hrsg. von Theodor Haering. Stuttgart, Berlin 1941. S. 275—294.

Die deutsche Leistung der Aufklärung.
In: Von deutscher Art in Sprache und Dichtung. Bd. 3. 1941. S. 241—269.

Das Tragische in Hebbels Welt- und Kunstanschauung.
In: Dichtung und Volkstum (N. F. Euphorion) 41. 1941. S. 1—22.

Die historischen Dramen Grabbes.
In: Die Welt als Geschichte 7. 1941. S. 267—294.

Reife des Lebens. Emil Strauß zum 75. Geburtstag.
In: Das Reich. 1941. Heft 4.

Grabbes Faustbild.
In: Das Reich. 1941. Heft 27.

Deutsche Dichtung der Gegenwart [Schrifttumsbericht].
In: Zeitschrift für Deutschkunde 55. 1941. S. 184—187.

[Rez.] Gerhard Storz: Das Drama Friedrich Schillers. 1938.
Literaturblatt für german. u. roman. Philologie 62. 1941. Sp. 19—21.

[Rez.] Gottfried Baumecker: Schillers Schönheitslehre. 1937.
Literaturblatt für german. u. roman. Philologie 62. 1941. Sp. 21—22.

[Rez.] Otto Güntter: Friedrich Schiller. Sein Leben und seine Dichtungen. 1925. Neuauflage 1937.
Literaturblatt für german. u. roman. Philologie 62. 1941. Sp. 23.

[Rez.] Franz Schultz: Klassik und Romantik der Deutschen. II. Teil: Wesen und Form der klassisch-romantischen Literatur. 1940.
Die Erziehung 16. 1941. S. 36—37.

1942

Geschichte und Drama.
In: DVJ 20. 1942. S. 412—434.

Schillers „Maria Stuart".
In: Zeitschrift für Deutschkunde 56. 1942. S. 11—19.

Das deutsche Geschichtsdrama.
In: Helicon 4. 1942. S. 11—28.

[Rez.] Philipp Otto Runges Briefwechsel mit Goethe. Hrsg. von Hellmuth Frhr. von Maltzahn. 1940.
Literaturblatt für german. u. roman. Philologie 63. 1942. Sp. 257—258.

[Rez.] Marga Bührig: Hebbels dramatischer Stil. 1940.
Literaturblatt für german. u. roman. Philologie 63. 1942. Sp. 258—259.

1943

[Hrsg.] Christian Dietrich Grabbe (Ausw. in 2 Bdn.). Hrsg. und eingeleitet von Benno von Wiese. Stuttgart (1943).
[In Bd. 1 Einführung: Zu Persönlichkeit und Werk. S. 7—59.]

Tragik und Geschichte in Schillers Dramen.
In: Zeitschrift für Deutschkunde 56. 1943. S. 49—61.

1946

Faust als Tragödie. Stuttgart (1946). 62 S.

1947

Götternähe und Götterferne in Hölderlins „Tod des Empedokles".
In: Der Bund — Jahrbuch. 1947. S. 69—86.

Die Balladen der [Annette von] Droste[-Hülshoff].
In: Jahrbuch der Droste-Gesellschaft 1. 1947. S. 26—50.
[Auch (überarbeitet) in: Der Mensch in der Dichtung. Düsseldorf 1958. S. 221—245.]

Die Helena-Tragödie in Goethes Faust.
In: Schriften der Ortsvereinigung Essen der Goethe-Gesellschaft zu Weimar. Heft 3. Essen 1947. S. 5—34.

1948

Die deutsche Tragödie von Lessing bis Hebbel. 2 Bde. 1. Tragödie und Theodizee. 2. Tragödie und Nihilismus. Hamburg 1948. 351, 503 S. 2. völlig neu bearbeitete Aufl. 2 Teile (in 1 Bd.). (1952). XVIII, 720 S. (³1955; ⁴1958; ⁵1961; ⁶1964; ⁷1967)

[Hrsg.] Friedrich Schiller. Werke. Nationalausgabe. 9. Bd. (Maria Stuart. Die Jungfrau von Orleans.) Hrsg. von Benno von Wiese und Lieselotte Blumenthal. Weimar 1948 454 S.

[Hrsg.] Friedrich Schiller. Über die ästhetische Erziehung des Menschen. Mit einem Nachwort von Benno von Wiese. Krefeld 1948. 147 S.

1949

Das Dämonische in Goethes Weltbild und Dichtung. Festvortrag im Goethe-Jahr an der Universität Münster, gehalten am 16. Juli 1949. Münster 1949. 30 S. (Schriften d.

Gesellschaft z. Förderung der Westf. Landesuniversität zu Münster. H. 24.)
[Auch in: Der Mensch in der Dichtung. Düsseldorf 1958. S. 72—91.]

[Hrsg.] Johann Wolfgang von Goethe. Torquato Tasso — Ein Schauspiel. Mit einem
Nachwort (S. 139—159) von Benno von Wiese. Krefeld (1949). 159 S. (Goethe-Jubi-
läumsdrucke 1949. Bd. 6.)

Der Tragiker Heinrich von Kleist und sein Jahrhundert.
In: Vom Geist der Dichtung. Gedächtnisschrift für Robert Petsch. Hamburg 1949.
S. 250—269.
[Auch in: Heinrich von Kleist. Aufsätze und Essays. Hrsg. von Walter Müller-Seidel.
Darmstadt 1967. S. 186—212.]

1950

Eduard Mörike. Tübingen, Stuttgart 1950. 303 S.

[Hrsg.] Schiller. Gedichte. Auswahl und Nachwort von Benno von Wiese. Krefeld 1950.
144 S.

Probleme der deutschen Tragödie im 19. Jahrhundert.
In: Wirkendes Wort 1. 1950/51. S. 32—38.

Liebe und Welt in Claudels Drama „Der seidene Schuh".
In: GRM 32 (N. F. 1). 1950/51. S. 201—217.
[Auch (überarbeitet) in: Der Mensch in der Dichtung. Düsseldorf 1958. S. 261—276.]

[Rez.] Herbert Meyer: Eduard Mörike im Spiegel seiner Dichtung. 1950.
DLZ 71. 1950. Sp. 544—546.

1951

Goethes Werke. Hamburger Ausgabe in 14 Bänden. Bd. 6: Romane und Novellen.
1. Bd.: [darin:] Die Wahlverwandtschaften; Novelle. Mit Anmerkungen versehen von
Benno von Wiese. Hamburg 1951. [²1955; ³1958; ⁴1960; ⁵1963; ⁶1965; ⁷1968]

Schiller und die deutsche Tragödie des 19. Jahrhunderts.
In: DVJ 25. 1951. S. 199—213.

1952

Gedanken zum Drama als Gespräch und Handlung.
In: Der Deutschunterricht 4. 1952. S. 28—46.
[Auch in: Der Mensch in der Dichtung. Düsseldorf 1958.S. 277—298; und in: Zwischen
Utopie und Wirklichkeit. Düsseldorf 1963. S. 304—326.]

[Rez.] Zum Verständnis des jungen Goethe. Bemerkungen zu Emil Staigers Buch über
Goethe. 1952 (1. Bd.).
Wirkendes Wort 3. 1952/53. S. 200—206.

1953

Das Menschenbild Heinrich von Kleists. Festvortrag zu Kleists 175. Geburtstag. Berlin, 10. Oktober 1952.
In: Wirkendes Wort 4. 1953/54. S. 1—12.
[Auch in: Der Mensch in der Dichtung. Düsseldorf 1958. S. 170—188; und in: Zwischen Utopie und Wirklichkeit. Düsseldorf 1963. S. 102—121; spanisch (u. d. T. La Imagen del Hombre en Heinrich von Kleist) in: Homenaji a Heinrich von Kleist. Prosario de Santa Fé. 1964. S. 31—52.]

Der Philosoph auf dem Schiffe, Johann Gottfried Herder.
In: Wirkendes Wort 4. 1953/54. S. 209—221.
[Auch in: Der Mensch in der Dichtung. Düsseldorf 1958. S. 52—71; und (erweitert) in: Zwischen Utopie und Wirklichkeit. Düsseldorf 1963. S. 32—60.]

Gestaltungen des Bösen bei Shakespeare. Festvortrag bei der Tagung der Shakespeare-Gesellschaft in Bochum am 23. April 1952.
In: Jahrbuch der dt. Shakespeare-Gesellschaft 89. 1953. S. 51—71.
[Auch in: Der Mensch in der Dichtung. Düsseldorf 1958. S. 9—32.]

Schiller-Forschung und Schiller-Deutung von 1937—1953 [Forschungsbericht].
In: DVJ 27. 1953. S. 452—483.

1954

[Hrsg.] Festschrift für Jost Trier zu seinem 60. Geburtstag am 15. Dezember 1954. Hrsg. von Benno von Wiese und Karl Heinz Borck. Meisenheim/Glan 1954. 518 S.

[Hrsg.] Echtermeyer: Deutsche Gedichte von den Anfängen bis zur Gegenwart. Neugestaltet von Benno von Wiese. Düsseldorf 1954. 773 S. [²1955; ³1957; ⁴1958; ⁵1960 (neubearbeitet); ⁶1961; ⁷1962; ⁸1963; ⁹1966 (neubearbeitet); ¹⁰1967; ¹¹1968.]

Annette von Droste-Hülshoffs „Judenbuche" als Novelle. Eine Interpretation.
In: Festschrift für Jost Trier zu seinem 60. Geburtstag am 15. 12. 1954. S. 297—317.
[Auch in: Die deutsche Novelle von Goethe bis Kafka. Düsseldorf 1956. S. 154—175.]

1955

Der Dramatiker Friedrich Schiller und sein Verhältnis zur Bühne. Münster 1955. 32 S. (Schriften der Gesellschaft zur Förderung der Westfälischen Wilhelms-Universität zu Münster. H. 35.)
[Auch in: Schiller. Reden im Gedenkjahr 1955. Stuttgart 1955. S. 334—354. (Veröffentlichungen d. Deutschen Schillergesellschaft. Bd. 21.)]

Schiller. Eine Einführung in Leben und Werk. Stuttgart (1955). 86 S.
[Nachdruck 1959 und 1962.]

Bildsymbole in der deutschen Novelle.
In: Publications of the English Goethe Society. N. S. Vol. XXIV. 1955. S. 131—158.

Friedrich Schiller. Zum 150. Todestag am 9. Mai.
In: Beilage zur Wochenzeitung „Das Parlament", 9. 5. 1955. Heft 19. S. 289—294.
[Auch in: Der Mensch in der Dichtung. Düsseldorf 1958. S. 129—147.]

1956

Die deutsche Novelle von Goethe bis Kafka. Interpretationen. Düsseldorf 1956. 350 S.
[²1956; ³1957; ⁴1959; ⁵1960; ⁶1962; ⁷1963; ⁸1964; ⁹1967; ¹⁰1971.]
Inhalt: Einleitung: Wesen und Geschichte der deutschen Novelle seit Goethe. — Friedrich Schiller. Der Verbrecher aus verlorener Ehre. — Heinrich von Kleist. Michael Kohlhaas. — Clemens Brentano. Geschichte vom braven Kasperl und dem schönen Annerl. — Joseph von Eichendorff. Aus dem Leben eines Taugenichts. — Adalbert von Chamisso. Peter Schlemihls wundersame Geschichte. — Ludwig Tieck. Des Lebens Überfluß. — Franz Grillparzer. Der arme Spielmann. — Annette von Droste-Hülshoff. Die Judenbuche. — Jeremias Gotthelf. Die schwarze Spinne. — Adalbert Stifter. Brigitta. — Eduard Mörike. Mozart auf der Reise nach Prag. — Gottfried Keller. Kleider machen Leute. — C. F. Meyer. Die Versuchung des Pescara. — Gerhart Hauptmann. Bahnwärter Thiel. — Hugo von Hofmannsthal. Reitergeschichte. — Thomas Mann. Der Tod in Venedig. — Franz Kafka. Ein Hungerkünstler.

[Hrsg.] Deutsche Dramaturgie vom Barock bis zur Klassik. Hrsg. von Benno von Wiese. Tübingen 1956. VII, 144 S. (Deutsche Texte 4.) [²1962; ³1967.]

[Hrsg.] Die deutsche Lyrik. Form und Geschichte. Interpretationen. 2 Bde. Hrsg. von Benno von Wiese. Düsseldorf (1956). [²1957; ³1959 u. ö.]
    (1): Vom Mittelalter bis zur Frühromantik. 447 S.
    (2): Von der Spätromantik bis zur Gegenwart. 511 S.

Über die Interpretation lyrischer Dichtung.
In: Die deutsche Lyrik. Düsseldorf 1956. Bd. 1. Einleitung. S. 11—21.

Friedrich von Schiller. „Die Götter Griechenlands." Erste Fassung von 1788.
In: Die deutsche Lyrik. Düsseldorf 1956. Bd. 1. S. 347—363.

August von Platen. „Sonett".
In: Die deutsche Lyrik. Düsseldorf 1956. Bd. 2. S. 118—127.

Schillers Ballade „Die Kraniche des Ibykus" und ihr Zusammenhang mit Schillers Auffassung vom Theater.
In: German Quarterly. Publicated by the American Association of Teachers of German. 19. 1956. S. 119—123.

Adalbert von Chamisso. „Peter Schlemihls wundersame Geschichte".
Vorabdruck in: MDV 48. 1956. S. 113—118.
[Dann in: Die deutsche Novelle von Goethe bis Kafka. Düsseldorf 1956. S. 97—116.]

Erhart Kästner.
In: Insel-Almanach 1956. S. 54—60.

1957

„Peter Schlemihls wundersame Geschichte". Eine Studie zum Gestaltungsproblem der Märchennovelle.
In: Gestaltprobleme der Dichtung — Festschrift Günther Müller. 1957. S. 193—205.
[Auch in: Die deutsche Novelle von Goethe bis Kafka. Düsseldorf 1956. S. 97—116.]

Erhart Kästner.
In: Heimatkalender für den Landkreis Wolfenbüttel 3. 1957. S. 60—63.

Begegnung mit Carl Zuckmayer. Rede gehalten am 10. Mai 1957.
In: Carl Zuckmayer. Ein Blick auf den Rhein. Bonn 1957. S. 31—40.

1958

Der Mensch in der Dichtung. Studien zur deutschen und europäischen Literatur. Düsseldorf (1958). 303 S.
Inhalt: Gestaltungen des Bösen bei Shakespeare. — Die tragische Grundsituation in Shakespeares „Hamlet". — Der Philosoph auf dem Schiffe, Johann Gottfried Herder. — Das Dämonische in Goethes Weltbild und Dichtung. — Grundfragen der Goetheschen Faustdichtung. — Goethes „Wahlverwandtschaften". — Friedrich Schiller. — Schiller und die Französische Revolution. — Das Menschenbild Heinrich von Kleists. — Kritik und Überwindung der Romantik in der deutschen Literatur des 19. Jahrhunderts. — Karl Immermann als Kritiker seiner Zeit. — Die Balladen der Annette von Droste. — Strindberg und sein „Traumspiel". — Liebe und Welt in Claudels Drama „Der seidene Schuh". — Gedanken zum Drama als Gespräch und Handlung.

Friedrich Georg Jünger zum Geburtstag. — Benno von Wiese, Rede auf F. G. Jünger. — Armin Mohler, Eine Bibliographie. München, Frankfurt a. M. 1958. 38 S.

[Hrsg.] Das deutsche Drama. Vom Barock bis zur Gegenwart. Interpretationen. 2 Bde. Hrsg. von Benno von Wiese. Düsseldorf (1958). [²1960; ³1962; ⁴1964; ⁵1966; ⁶1968.]
(1): Vom Barock bis zur klassisch-romantischen Zeit. 500 S.
(2): Vom Realismus bis zur Gegenwart. 463 S.

Friedrich von Schiller. „Wallenstein".
In: Das deutsche Drama. Düsseldorf 1958. Bd. 1. S. 269—304.

Hugo von Hofmannsthal. „Das kleine Welttheater".
In: Das deutsche Drama. Düsseldorf 1958. Bd. 2. S. 229—243.

Der Künstler und die moderne Gesellschaft.
In: Akzente 5. 1958. S. 112—123.
[Auch in: Stuttgarter Zeitung vom 11. Januar 1958 und spanisch (El Poeta y la Sociedad. Version espanola de P. Cano Baena) in: Filologia Moderna 5. 1961. Madrid. S. 1—19.]

Bemerkungen über epische und dramatische Strukturen bei Schiller.
In: Jahrbuch der Deutschen Schillergesellschaft 2. Stuttgart 1958. S. 60—67.

1959

Friedrich Schiller. Stuttgart (1959). XXI, 867 S.

Friedrich Schiller. Festschrift 1959. Bonn: Inter Nationes 1959. 41 S.
[Auch in englischer und französischer Sprache.]

[Hrsg.] Bonner Arbeiten zur deutschen Literatur. Hrsg. von Benno von Wiese. Bonn
1959 ff.

[Hrsg.] Friedrich (von) Schiller. Werke in fünf Bänden. Hrsg. von Benno von Wiese.
Köln, Berlin (1959). (In Bd. 1 Einführung S. 7—82). Lizenzausgabe der Büchergilde
Gutenberg. Frankfurt a. M.

Die Religion Friedrich Schillers. Vortrag. Paris, 14. März 1959.
In: Etudes Germaniques 14. 1959. S. 411—424.
[Auch in: Schiller. Reden im Gedenkjahr 1959. Stuttgart (1961). S. 406—427.]
[Mit einigen Ergänzungen und Abänderungen auch in: Friedrich Schiller 1759—1959.
Schiller-Zyklus der Goethe-Gesellschaft Hannover im Jahr 1959. 1960. S. 50—71.]

Die Religion Büchners und Hebbels.
In: Hebbel-Jahrbuch (15). Heide 1959. S. 7—29.
[Auch in: Zwischen Utopie und Wirklichkeit. Düsseldorf 1963. S. 122—141; und in:
Hebbel in neuer Sicht. Hrsg. von Helmut Kreuzer. Stuttgart 1963. S. 26—41.]

Die deutsche Lyrik der Gegenwart.
In: Deutsche Literatur in unserer Zeit. Göttingen (1959). S. 32—57. (Kleine Vanden-
hoeck-Reihe 73/74.)
[Auch (überarbeitet) in: Zwischen Utopie und Wirklichkeit. Düsseldorf 1963. S. 276
bis 303.]

Goethes Clavigo.
In: Das neue Forum 9. Darmstadt 1959/60. S. 244—247.

1960

Schiller as philosopher of history and as historian. (English version by Christopher
Middleton.)
In: Schiller. Bicentenary lectures. London 1960. S. 83—103.
[Auch (deutsch) in: Von Lessing bis Grabbe. Düsseldorf 1968. S. 41—57.]

Friedrich Schiller. Legende und Wirklichkeit.
In: AION. Annali Sezione Germanica 3. 1960. S. 123—143.
[Auch in: Saarbrücker Hefte. 1960. Heft 12. S. 18—31.]

Drama. Artikel im „Goethe-Handbuch". 2., vollkommen umgestaltete Aufl. Hrsg. von
Alfred Zastrau. Stuttgart 1960. Sp. 1899—1934.

1961

[Hrsg.] Zeitschrift für deutsche Philologie. Hrsg. von Hugo Moser — Will-Erich Peuckert — Wolfgang Stammler — Benno von Wiese; ab 80. Bd. 1961.

[Hrsg.] (Friedrich von) Schiller. Werke. Nationalausgabe. Begründet von Julius Petersen. Hrsg. von Lieselotte Blumenthal und Benno von Wiese ab 1961.

Heinrich von Kleist. „Das Erdbeben in Chili".
In: Jahrbuch der Deutschen Schillergesellschaft 5. Stuttgart 1961. S. 102—117.
[Auch (bearbeitet) in: Die deutsche Novelle II. Düsseldorf 1962. S. 53—70.]

1962

Die deutsche Novelle von Goethe bis Kafka. Interpretationen II. Düsseldorf (1962). 355 S. [²1962; ³1964; ⁴1965.]
Inhalt: Einleitung: Vom Spielraum des novellistischen Erzählens. — J. W. Goethe. Der Mann von funfzig Jahren. — Heinrich von Kleist. Das Erdbeben in Chili. — Achim von Arnim. Der tolle Invalide auf dem Fort Ratonneau. — E. Th. A. Hoffmann. Rat Krespel. — Georg Büchner. Lenz. — Adalbert Stifter. Abdias. — Gottfried Keller. Der Landvogt von Greifensee. — C. F. Meyer. Die Hochzeit des Mönchs. — Wilhelm Raabe. Die Innerste. — Theodor Storm. Hans und Heinz Kirch. — Theodor Fontane. Schach von Wuthenow. — Arthur Schnitzler. Die Toten schweigen. — Eduard von Keyserling. Am Südhang. — Robert Musil. Die Amsel. — Franz Kafka. Die Verwandlung.

[Hrsg.] [Friedrich von] Schiller. Werke. Nationalausgabe. 20. Bd. (Philosophische Schriften) Erster Teil. Weimar (1962). 21. Bd. Zweiter Teil. Weimar (1963). Unter Mitwirkung von Helmut Koopmann hrsg. von Benno von Wiese.

[Hrsg.] Deutschland erzählt. Sechsundvierzig Erzählungen. Ausgewählt und eingeleitet von Benno von Wiese. Frankfurt a. M. 1962. [²1963; ³1963; ⁴1964; ⁵1965; ⁶1965; ⁷1966; ⁸1967 u. ö.] (Fischer-Bücherei Bd. 500.)

Gottes Utopia.
In: Stefan Andres — Eine Einführung in sein Werk. München (1962). S. 109—114.
[Vorher auch in: Programmblätter der Kammerspiele. Hrsg. von den Bühnen der Stadt Köln, 1960/61. 1960.]

Heinrich von Kleist. Tragik und Utopie.
In: Heinrich von Kleist. Vier Reden zu seinem Gedächtnis. Berlin 1962. S. 63—74.
[²1965.]

Wirklichkeit und Drama in Gerhart Hauptmanns Tragikomödie „Die Ratten".
In: Jahrbuch der Deutschen Schillergesellschaft 6. Stuttgart 1962. S. 311—325.
[Auch in: Zwischen Utopie und Wirklichkeit. Düsseldorf 1963. S. 215—231.]

[Rez.] Harry Järv: Die Kafka-Literatur. Eine Bibliographie. 1961.
ZfdPh 81. 1962. S. 501.

[Rez.] Wilhelm Emrich: Protest und Verheißung. Studien zur klassischen und modernen Dichtung. 1960.
ZfdPh 81. 1962. S. 501—505.

1963

Zwischen Utopie und Wirklichkeit. Studien zur deutschen Literatur. Düsseldorf (1963).
Inhalt: Geistesgeschichte oder Interpretation? — Der Philosoph auf dem Schiffe. Johann Gottfried Herder. — Goethes Roman „Die Wahlverwandtschaften". — Die Utopie des Ästhetischen bei Schiller. — Das Menschenbild Heinrich von Kleists. — Die Religion Büchners und Hebbels. — Der Tragiker Friedrich Hebbel. — Karl Immermann als Kritiker seiner Zeit. — Der Lyriker Eduard Mörike. — Gerhart Hauptmann. — Wirklichkeit und Drama in Gerhart Hauptmanns Tragikomödie „Die Ratten". — Franz Kafka. Die Selbstdeutung einer modernen dichterischen Existenz. — Das Drama Bertolt Brechts. Politische Ideologie und poetische Wirklichkeit. — Die deutsche Lyrik der Gegenwart. — Gedanken zum Drama als Gespräch und Handlung.

Novelle. Stuttgart (1963). 89 S. [²1964; ³1967; ⁴1969; ⁵1971.]
(Sammlung Metzler. Realienbücher für Germanisten. Abt. Poetik.)

[Hrsg.] Der deutsche Roman. Vom Barock bis zur Gegenwart. Struktur und Geschichte. 2 Bde. Hrsg. von Benno von Wiese. Düsseldorf (1963). [²1965.]
  (1): Vom Barock bis zur späten Romantik. 442 S.
  (2): Vom Realismus bis zur Gegenwart. 445 S.

[Hrsg.] Klassische deutsche Dichtung. Bd. 12: Tragödien. Freiburg 1963. (Mit einem Nachwort S. 849—864.) Bd. 13: Geschichtsdramen I. (Mit einem Nachwort S. 725 bis 747). Bd. 14: Geschichtsdramen II. (Mit einem Nachwort S. 712—736.)

[Hrsg.] Schiller. Die Gedichte. Frankfurt a. M. 1963. 370 S. (Fischer-Bücherei. Exempla Classica 89.) (Mit einem Nachwort S. 349—356.)

Deutsche Dramatiker des 20. Jahrhunderts.
In: Formkräfte der deutschen Dichtung vom Barock bis zur Gegenwart. Vorträge gehalten im Deutschen Haus, Paris 1961/62. Göttingen 1963. S. 271—290.

Geistesgeschichte oder Interpretation? Bemerkungen zur Lage der zeitgenössischen deutschen Literaturwissenschaft.
In: Die Wissenschaft von deutscher Sprache und Dichtung. Methoden. Probleme. Aufgaben. (Festschrift für Friedrich Maurer zum 65. Geburtstag am 5. Januar 1963). Stuttgart 1963. S. 239—261.
[Auch in: Zwischen Utopie und Wirklichkeit. Düsseldorf 1963. S. 11—31.]

Die Utopie des Ästhetischen bei Schiller.
In: Gratulatio. Festschrift für Christian Wegner zum 70. Geburtstag. Hamburg 1963. S. 19—39.
[Auch in: Zwischen Utopie und Wirklichkeit. Düsseldorf 1963. S. 81—101.]

Karl Immermann. „Münchhausen".
In: Der deutsche Roman. Düsseldorf 1963. Bd. 1. S. 353—406.

Der Tragiker Friedrich Hebbel.
In: Hebbel-Jahrbuch (19). Heide 1963. S. 9—32.
[Auch in: Zwischen Utopie und Wirklichkeit. Düsseldorf 1963. S. 142—162; und (spanisch) (u. d. T.: Friedrich Hebbel, El Trágico) in: Friedrich Hebbel 1813—1963. La Plata 1963. S. 13—32.]

1964

Friedrich Schiller. Erbe und Aufgabe. Pfullingen 1964. 46 S. (Opuscula 18.)

[Hrsg.] Klassische deutsche Dichtung. Bd. 16: Schauspiele. Freiburg 1964. (Mit einem Nachwort S. 571—600.)

Immermanns „Münchhausen" und der Roman der Romantik.
In: Formenwandel. Festschrift zum 65. Geburtstag von Paul Böckmann. Hamburg 1964. S. 363—382.
[Auch in: Von Lessing bis Grabbe. Düsseldorf 1968. S. 268—288.]

Professoren, Schriftsteller, Journalisten. Über einige Mißstände in unserem literarischen Leben.
In: Sprache im technischen Zeitalter. Sonderheft 9/10. 1964. S. 821—824.

Dichter und Schriftsteller.
In: Stuttgarter Zeitung vom 1. Februar 1964.

1965

[Hrsg.] Das Erbe deutscher Dichtung. Von Martin Luther bis Thomas Mann. Ausgewählt und eingeleitet von Benno von Wiese. 6 Bände. Stuttgart, Zürich, Wien 1965.

[Hrsg.] 19. Jahrhundert. Texte und Zeugnisse. Hrsg. von Benno von Wiese. München 1965. XL, 1100 S. (Die deutsche Literatur. Texte und Zeugnisse. Bd. 6.)

[Hrsg.] Deutschland erzählt. Von Büchner bis Hauptmann. Ausgewählt und eingeleitet von Benno von Wiese. Frankfurt a. M. 1965. 323 S. (Fischer-Bücherei. Bd. 711.) [²1967 u. ö.]

[Hrsg.] Deutsche Dichter der Moderne. Ihr Leben und Werk. Unter Mitwirkung zahlreicher Fachgelehrter hrsg. von Benno von Wiese. Berlin 1965. 524 S. [²1970.]

Goethe. „Torquato Tasso".
In: Interpretationen II (Deutsche Dramen von Gryphius bis Brecht.) Frankfurt a. M. 1965. (Fischer-Bücherei. Bd. 699.) S. 61—75.

[Durchgesehener Abdruck des Nachwortes zur Ausgabe von: Johann Wolfgang von Goethe: Torquato Tasso. Ein Schauspiel. Krefeld 1949.]

Friedrich Schiller. Erbe und Aufgabe.
In: Germanistik in Forschung und Lehre. Vorträge und Diskussionen des Germanisten-
tages in Essen. 1964. Berlin 1965. S. 65—87.

Das Problem der ästhetischen Versöhnung bei Schiller und Hegel.
In: Jahrbuch der Deutschen Schillergesellschaft. Bd. 9. Stuttgart 1965. S. 167—188.
[Auch in: Von Lessing bis Grabbe. Düsseldorf 1968. S. 138—161.]

Gerhart Hauptmann.
In: Deutsche Dichter der Moderne. Berlin 1965. S. 27—48.

1966

Die Deutung der Geschichte durch den Dramatiker Grabbe. Detmold 1966. 30 S.
(16. Jahresgabe der Grabbe-Gesellschaft.)
[Auch in: Von Lessing bis Grabbe. Düsseldorf 1968. S. 309—330.]

[Hrsg.] Deutschland erzählt. Von Goethe bis Tieck. Ausgewählt und eingeleitet von
Benno von Wiese. Frankfurt a. M. 1966 u. ö. 297 S. (Fischer-Bücherei. Bd. 738.)

1967

[Hrsg.] Festschrift für Richard Alewyn. Hrsg. von Herbert Singer und Benno von
Wiese. Köln, Graz 1967. XIII, 423 S.

Tellheim und Minna. Einige Bemerkungen zur „Minna von Barnhelm".
In: Un Dialogue des nations. Albert Fuchs zum 70. Geburtstag. München, Paris 1967.
S. 21—32.
[Auch in: Von Lessing bis Grabbe. Düsseldorf 1968. S. 11—22.]

Goethe und Schiller im wechselseitigen Vor-Urteil.
In: Festschrift für Richard Alewyn. Köln, Graz 1967. S. 259—291.
[Selbständig u. d. gleichen T. als Heft 135 der Arbeitsgemeinschaft für Forschung des
Landes NRW. Geisteswissenschaften. Köln, Opladen 1967. 63 S.; auch in: Von Lessing
bis Grabbe. Düsseldorf 1968. S. 108—137.]

Das verlorene und das wiederzufindende Paradies.
In: Kleists Aufsatz über das Marionettentheater. Studien und Interpretationen. Hrsg.
von Helmut Sembdner. Berlin 1967. S. 196—220.
[Auch in: Von Lessing bis Grabbe. Düsseldorf 1968. S. 162—190.]

Nachwort zu: Eduard Mörike: Sämtliche Werke in zwei Bänden. München 1967. [Bd. 1,
S. 1001—1024.]
[Auch in: Mörike-Kommentar. München 1970. S. 5—28.]

Das große Ich. Eine Auseinandersetzung mit Emil Staigers Schiller-Buch.
In: Die Welt der Literatur. 11. Mai 1967.

Preis à conto. Literarisches Porträt des Schriftstellers Wolfgang Koeppen.
In: Die Zeit. 21. April 1967.

1968

Von Lessing bis Grabbe. Studien zur deutschen Klassik und Romantik. Düsseldorf
1968. 365 S.
Inhalt: Tellheim und Minna. — Der junge Herder als Philosoph der Geschichte. —
Schiller als Geschichtsphilosoph und Geschichtsschreiber. — Goethes und Schillers Schemata über den Dilettantismus. — Goethe und Schiller im wechselseitigen Vor-Urteil. — Das Problem der ästhetischen Versöhnung bei Schiller
und Hegel. — Das verlorene und wiederzufindende Paradies. — Brentanos
„Godwi". — E. Th. A. Hoffmanns Doppelroman „Kater Murr". — Immermanns „Münchhausen" und der Roman der Romantik. — Grabbes Lustspiel
„Scherz, Satire, Ironie und tiefere Bedeutung" als Vorform des absurden Theaters. — Die Deutung der Geschichte durch den Dramatiker Grabbe.

Grabbes Lustspiel „Scherz, Satire, Ironie und tiefere Bedeutung".
In: Das deutsche Lustspiel. Bd. 1. Göttingen 1968. S. 204—224.

Vorwort zu: Friedrich Schiller: Sämtliche Werke in fünf Bänden. München 1968. (Bd. 1,
S. 5—69.)
[Auch in: Schiller-Kommentar. 2 Bände. München 1969. (Bd. 1, S. 5—69.)]

[Rez.] Schiller und kein Ende. (Zu Friedrich Burschell: Schiller.)
Die Welt der Literatur. 10. Oktober 1968.

1969

Karl Immermann. Sein Werk und sein Leben. Homburg v. d. H. 1969. 357 S.

[Hrsg.] Deutsche Dichter des 19. Jahrhunderts. Ihr Leben und Werk. Unter Mitwirkung zahlreicher Fachgelehrter hrsg. von Benno von Wiese. Berlin 1969. 600 S.

[Hrsg.] Deutsche Dramaturgie des 19. Jahrhunderts. Hrsg. von Benno von Wiese.
Tübingen 1969. XI, 138 S. (Deutsche Texte. 10.)

Karl Immermann.
In: Deutsche Dichter des 19. Jahrhunderts. Berlin 1969. S. 97—123.

1970

[Hrsg.] Deutsche Dramaturgie vom Naturalismus bis zur Gegenwart. Hrsg. von Benno
von Wiese. Tübingen 1970. XI, 190 S. (Deutsche Texte. 15.)

Der Gegenstandsschwund in der deutschen Literaturwissenschaft. (Abschiedsvorlesung
in Bonn am 10. Juli 1970.)
In: Acta Germanica. Bd. 5. 1970. S. 1—11.

Bevor die Erzähler verstummen. Offener Brief an Stefan Andres.
In: Deutsche Zeitung — Christ und Welt. 10. Juli 1970.
[Auch (erweitert u. d. T. „Erzähl mir was") in: Utopia und Welterfahrung. Stefan Andres und sein Werk im Gedächtnis seiner Freunde. München 1972.]

Ist Emilia Galotti heute lächerlich?
In: Die Welt. 1. August 1970.

[Rez.] Rolf Schröder: Novelle und Novellentheorie in der frühen Biedermeierzeit. 1970.
ZfdPh 90. 1971. S. 603—608.

1971

[Hrsg.] Romantik. Für die Gegenwart ausgewählte Texte von Benno von Wiese. Wien 1971. 320 S. (Mit einer Einführung [S. 5—26] und Kurzbiographien [S. 309—316].)

[Hrsg.] Karl Immermann. Werke in fünf Bänden. Hrsg. von Benno von Wiese (unter Mitarbeit von anderen). Frankfurt a. M. 1971 ff. (1. Bd. 1971; 2. Bd. 1971; 3. Bd. 1972.)

[Hrsg.] Deutsche Dichter der Romantik. Ihr Leben und Werk. Unter Mitwirkung zahlreicher Fachgelehrter hrsg. von Benno von Wiese. Berlin 1971. 530 S.

Heinrich von Kleist.
In: Deutsche Dichter der Romantik. Berlin 1971. S. 225—252.

1972

Peter Weiss' „Hölderlin". Ein kritischer Essay.
In: Der andere Hölderlin. Materialien zum ‚Hölderlin'-Stück von Peter Weiss. Frankfurt a. M. 1972. S. 217—246. (suhrkamp taschenbuch. 42.)

Vorwort zu: August von Kotzebue: Schauspiele. Hrsg. und kommentiert von Jürg Matthes. Frankfurt a. M. 1972. S. 7—39.

1973

[Hrsg.] Deutsche Dichter der Gegenwart. Ihr Leben und Werk. Unter Mitarbeit zahlreicher Fachgelehrter hrsg. von Benno von Wiese. Berlin 1973. 686 S.

Zur deutschen Dichtung unserer Zeit.
In: Deutsche Dichter der Gegenwart. Berlin 1973. S. 11—32.

Thomas Bernhard.
In: Deutsche Dichter der Gegenwart. Berlin 1973. S. 632—644.

Eine Literaturgeschichte neuer Prägung:

Deutsche Dichter

Ihr Leben und Werk

Unter Mitarbeit zahlreicher Fachgelehrter
herausgegeben von Benno von Wiese

Benno von Wiese entwirft mit dieser literarhistorischen Reihe ein Panorama der deutschen Dichtung in neuerer Zeit. Leben, Werk und literarische Bedeutung der hervorragenden und charakteristischen Dichter und Autoren der einzelnen Epochen werden jeweils von besonderen Fachkennern dargestellt. Bibliographien und Nachweise geben für jeden behandelten Dichter die Unterlagen zu weiterführender Arbeit.

Diese moderne Literaturgeschichte dient für Studium, Unterricht und allseitige Information.

Bisher liegen vor:

Deutsche Dichter der Romantik
530 Seiten, Gr.-8°, Ganzleinen mit Schutzumschlag, DM 38,—

Deutsche Dichter des 19. Jahrhunderts
600 Seiten, Gr.-8°, Ganzleinen mit Schutzumschlag, DM 35,—

Deutsche Dichter der Moderne
2., überarbeitete und erweiterte Auflage, 556 Seiten, Gr.-8°, Ganzleinen mit Schutzumschlag, DM 32,—

Deutsche Dichter der Gegenwart
686 Seiten, Gr.-8°, Ganzleinen mit Schutzumschlag, DM 45,—

 ERICH SCHMIDT VERLAG